SECOND EDITION

12유도 심전도

기초에서 완성까지

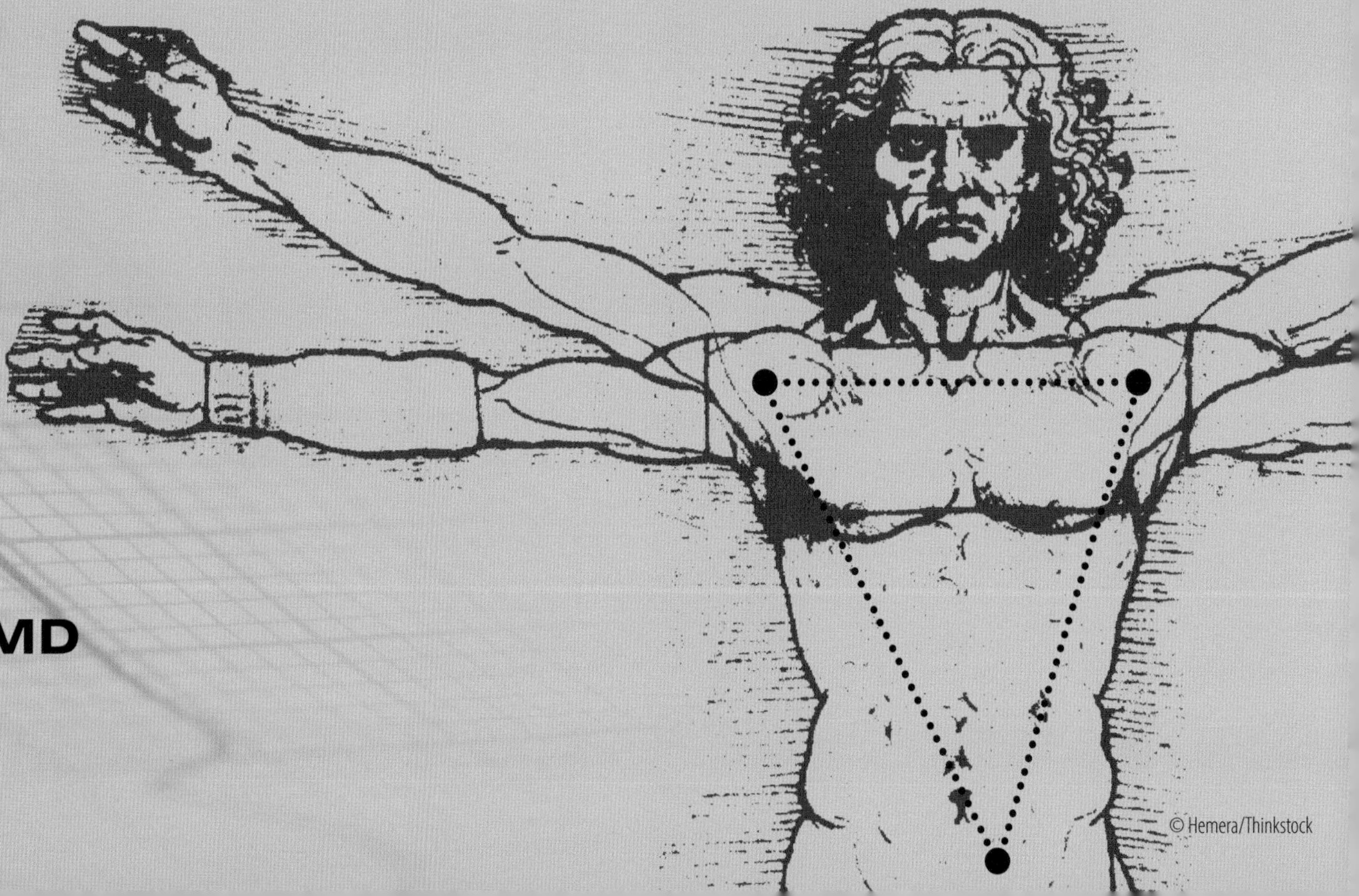

Tomas B. Garcia, MD

차태준 외

12-Lead ECG SECOND EDITION
기초에서 완성까지

첫째판 1쇄 인쇄 | 2017년 7월 11일
첫째판 1쇄 발행 | 2017년 7월 25일
첫째판 2쇄 발행 | 2020년 4월 22일

지 은 이 Tomas B. Garcia, MD
역 자 차태준 외
발 행 인 장주연
출 판 기 획 이성재
편집디자인 김영선
표지디자인 김재욱
일 러 스 트 군자일러스트
발 행 처 군자출판사(주)
등록 제 4-139호(1991. 6. 24)
본사 (10881) **파주출판단지** 경기도 파주시 회동길 338(서패동 474-1)
Tel. (031) 943-1888 Fax. (031) 955-9545
www.koonja.co.kr

ORIGINAL ENGLISH LANGUAGE EDITION PUBLISHED BY
Jones & Bartlett Learning, LLC
5 Wall Street
Burlington, MA 01803

ISBN 979-11-5955-217-5

정가 70,000원

환영합니다.

12유도 심전도 : 기초에서 완성까지

12유도 심전도의 풍부한 자원에 온 것을 환영한다! 모든 부분을 종합하는 이 책은 비록 당신이 조금 혹은 아무런 심전도의 지식이 없는 상태일지라도 완전한 고급 심전도 판독자로 올려줄 것이다. 당신이 의료기사, 간호사, 간호 실습생, 응급구조사, 의과대학생, 또는 의사이든간에 심전도에 대한 지식을 배우거나, 다시 공부하기를 원한다면, 이 책은 당신의 요구를 만족시켜 줄 것이다. 이 책은 250개 이상의 실물 크기의 실제 심전도를 포함하고 있다. 각 장에서는 배경지식을 시작으로 심전도 스트립을 보여주고, 그 후 분석과 판독을 한다. 마지막 장은 이때까지 배운 모든 것을 종합하게 하며, 새롭게 추가된 마지막 섹션은 50개의 실물 크기, 실제 12유도 심전도를 제공하여 판독의 기술을 연습하도록 하였다.

다른 책과는 달리 이 책은 3가지 다른 수준의 독자에 맞게 내용을 구성하였다.

1

1. 기본단계

초보자이거나 이전에 심전도에 노출된 경험이 매우 적은 경우 이 단계를 이용하라.

2

2. 중간단계

3

3. 고급단계

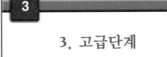

- **1단계**. 파란색으로 표시되어 있으며, 심전도 판독 경험이 거의 없는 처음 배우는 학생을 위한 내용이다. 이 단계는 심전도를 이해하는데 필요한 기본 지식을 제공하며 이것들이 우리가 쌓아갈 기본개념들이다.

- **2단계**. 녹색으로 표시되어 있으며, 이 단계는 심전도 원리들에 대해 기본 이해를 한 사람, 그러나 지식을 다지고, 확장하려는 사람에게 적합한 중등도 정보를 제공한다. 만약 다른 리듬이나 12-유도들에 대한 기본 책들을 읽었거나 또는 이 책의 1부를 마친 경우에는 아마도 이 단계에 해당될 것이다. 당신이 이미 이 단계이면 1부는 넘기고 2부부터 시작해도 좋다.

- **3단계**. 빨간색으로 표시되어 있으며, 고급 정보를 제공한다. 상급 임상의와 같이 심전도에 숙달된 사람들에 맞는 단계이다. 이 단계에서는 심전도에 대한 정확한 이해와 함께 심전도 변화를 초래할 수 있는 질환 복잡성들에 대한 이해를 요구한다.

12 유도 심전도: *판독의 기술*은 심전도에 대한 당신의 지식이 발전하는 것과 함께 당신과 같이 성장하도록 디자인되었다. 심전도로의 여행은 당신의 지식 수준이 몇 단계에 있는지 정하면서 시작된다(1부 2쪽, '시작 단계를 어떻게 선택할 것인가'를 보라). 1단계 혹은 2단계의 학생이라면, 당신의 수준에 해당되는 내용만 읽어라. 이것을 터득한 후에는 책의 시작 부분으로 다시 돌아가서 다음 단계를 읽어라. 단지 몇 쪽만 지나면 이전 단계의 정보를 항상 참고할 수 있다. 책 전

체가 수준에 상관없이 친숙하고 쉽게 읽을 수 있는 어법으로 쓰였기 때문에 명확하게 이해할 수 있으며 편하게 읽을 수 있도록 도움을 줄 것이다.

당신의 시작 단계를 어떻게 정할 것인지를 읽고 심전도를 어떻게 판독할 것인지를 배우기 시작하라. 얼마 가지 않아 고급 심전도 판독자가 될 것이며 생명을 구하는 장비를 잘 갖추게 될 것이다.

이 책을 어떻게 사용해야 하나?

전체적인 내용

대부분의 심전도 책자들이 심전도를 시작하는 사람 또는 상급 수준 학생들을 대상으로 만들어졌기 때문에 중간 수준 학생들과 12유도와 부정맥 인식에 대한 어느 정도의 지식이 있는 사람들은 제외되었다. 이 책은 초보자, 중간 정도, 숙련된 사람 모두를 똑같은 대상으로 두고 쓰여졌다.

이 책은 한 페이지에 너무 많은 내용을 담는 대신, 습득하기 쉽도록 심전도용지 및 자료의 크기를 크게 삽입해서 학습자 자신의 이해의 속도에 맞춰 읽을 수 있도록 했다. 문체는 읽기 쉽고, 친근한 톤으로 쓰여 있어서 읽을 때 편안할 것이다. 인생은 짧고 즐겨야 하기 때문에, 책 전반에 많은 유머들이 있다. 이런 접근이 당신의 독서 경험과 학습을 용이하게 하기를 희망한다.

이 책은 3개의 부분으로 나누어져 있다.

- **1부**는 여러 군들, 파형들, 간격들과 같은 기본 정보를 제공한다. 심장의 기본 박동 혹은 군에 대해 배우게 될 것이며, 심장의 기본 해부학과 전기 전도계를 검토하게 될 것이다. 또한 심전도 해석에 매우 도움이 되는 몇개의 도구들을 사용하는 방법에 대해서도 배우게 될 것이다.

- **2부**는 각 군들의 파형과 간격, 축, 일부 리듬 이상의 12 유도 표현에 초점을 맞췄다. 이 책은 모든 율동을 언급하려 하지 않았으며, 이것과 관련된 추천 목록을 참고편에서 알아보기 바란다. 2부는 여러 급성심근경색증의 심전도 진단 기준을 포함하며, 각각의 예를 제공하고 있다. 마지막으로 2부는 배운 것들을 종합하는 장을 포함하고 있다. 이 지점까지 배운 모든 정보를 종합하는 장은 매우 도움이 될 것이다. 다음으로 넘어가기 전, 꼭 계획을 만들어, 조금의 시간을 보내면서 개념들을 이해하기 바란다.

- **3부**는 2판에서 새롭게 추가된 부분으로 당신의 심전도 해석 기술을 연습할 수 있는 부가적인 50개의 특별한 12유도 심전도를 포함하고 있다. 각각의 심전도에 대한 토론과 분석도 이들 심전도들 후에 포함되어 있다.

이 책은 당신이 발전해 가는 동안 지속적으로 유용하도록 만들어졌으며 당신의 지식이 늘어나고 교재가 편안한 수준이 될 때까지 읽고 또 읽게 하였다. 상급 수준으로 올라가면서 다시 읽게 된다면 교재에서 더 많은 것을 얻게 될 것이며, 더욱 더 많이 사용하는 것이 유지될 것이다.

시작 단계를 어떻게 결정할 것인가?

처음에 가장 중요한 것은 시작함에 있어서 당신의 이해력을 측정하는 것이다. 이해하는 수준은 1, 2, 3 단계로 나눠진다.

1단계: 초보자로서 1장의 1단계부터 읽으면서 시작하라. 2부에 도달하면 1단계 자료를 계속 읽고 심전도 예제를 보면서 조금 전에 읽은 정보를 찾아낼 수 있는지 확인한다. *심전도 관련 정보 중에서 1단계 자료만 보라.* 이때에는 판독에 중점을 두지 마라. 다음에 하게 된다. 이외의 파형이나 군들을 관찰할 수 있다. 그러나 이 섹션의 적은 지식의 습득에만 집중하라. 이후 다음 단계로 넘어가야 한다. 이 책의 모든 1단계 내용과 이 정보와 관련된 심전도의 분석을 끝낸 후에, 2단계 자료를 사용하는 2부에서 다시 시작하라.

2단계: 중간 단계 독자는 기억을 새롭게 하기 위해 1단계부터 시작한 뒤, 2단계로 넘어가도 되고, 아니면 처음부터 2단계 자료를 가지고 시작해도 된다. 기본 개념에 대한 지식을 확인하기 위해 빠른 복습 문제를 사용하라. 틀린다면, 거기에 맞는 1단계 자료로 돌아가서 복습하라. 심전도를 봤을 때 이 심전도에 해당 글을 보지 않고 판독하도록 하라. 이렇게 한 번 한 후, 심전도에 해당하는 글을 읽고 정확한 개념을 가지고 있는지 확인하라. 2단계 내용을 모두 마친다면 앞으로 돌아가 3단계 자료를 사용하여 책을 다시 읽도록 하라. 지식이 끊어지는 것을 막기 위해 2단계를 끝날 때까지 3단계는 읽지 마라.

3단계: 3단계는 고급단계이다. 이 정보는 제법 복잡할 수 있다. 그러나 모든 2단계 자료를 끝냈다면, 이 단계가 준비가 되어 있어야 한다. 이해가 되지 않는 부분은 복습하고, 이 단계에 당신의 지식에 보충이 될 수 있는 다른 참고 도서들을 이용하라. 이 책을 끝내기 위해서 모든 정보를 완전히 익혀야 한다고 생각하지 마라; 정말 달인이 되기 위해서는 몇 년이 걸리고, 수천장의 심전도를 봐야 한다.

준비되었나? 초보자라면 1단원부터 시작하고, 내가 어느 수준인지 모르겠다면 9장 혹은 10장으로 가서 2단계의 내용을 이해하고 있는지 확인하라. 이것이 너무 초보적인 내용이란 느낌이 들면 앞으로 진행하라. 만약 이것이 너무 어렵다면 돌아가라. 자신에 대해 정직해야 하거나 혹을 좌절하게 될 것이다. 이 책에서 당신이 필요로 하는 모든 것을 얻을 때까지 이 책을 사용하라.

목차

감사의 글

저자 감사의 글

우선 의학의 구체적인 분야를 가르치는데 수많은 시간을 내고 있는 모든 교육자들과 임상의들에게 감사드리면서 시작하고자 한다. 당신들의 노고와 인내심으로 우리는 환자를 어떻게 다루어야 할지 배워왔다. 당신은 우리가 치유하는 자가 되는 특권을 허락하였다. 지식에 대한 확신은 잔물결이 연못에 퍼져 나가는 것과 같아서, 당신이 우리에게 나누어 준 지식의 잔물결은 미래의 의사로의 여정에서 길을 지속적으로 안내할 것이다. 우리는 당신의 기대에 부끄럽지 않은 생활을 살고, 당신을 실망시키지 않길 소망한다.

우리는 또한 저자들에게 수많은 질문과 지속적으로 우리의 권위에 대해 의문을 가졌던 수많은 학생들, 전공의들, 의료기사들, 간호사들, 응급구조사들, 의사보조사들, 그리고 기사들에게 감사드린다. 당신들의 질문에 답하면서, 지식을 연마하고, 가르치는 능력을 향상시킬 수 있었다. 당신들이 우리가 배운 지식을 전수하는 것을 허락하였기 때문에, 우리의 관점에서, 우리의 가장 큰 영광이 되었다. 정체는 의학에 일어날 수 있는 최악의 상황이기 때문에, 항상 그 시점에 "표준" 이라고 생각되는 것에 도전하고 모든 사람들에게 질문을 계속하자.

'정상'의 형식을 가지고 있지 않은 책을 출판하는 선견지명을 가진 Jones & Bartlett 학습사에 감사드린다.

특히 첫번째 판 편집을 해준 편집장들: Tracy Foss, Loren Marshall, Cynthia Maciel Knowles와 두번째 판 편집장들: Christine Emerton, Carol Guerrero들에게 감사와 진심어린 고마움을 표하고 싶다. Tracy, 우리의 목적을 믿고 첫번째 판을 통한 지지에 감사한다. Carol, 매일 한 전화와 가끔 불끈한 성질을 참아줘서 감사드린다. 당신의 매일매일의 입력 작업이 이 책에 녹아 들어 실체가 되게 하였다. Loren, 당신의 통찰력과 제안들에 감사드리며 매우 유용하였다. Cynthia, 당신의 노고와 인도가 원고를 책으로 될 수 있었다. Jones & Bartlett 학습사의 모든 직원이 이 두개의 판들에 기울인 노력과 피, 땀, 눈물에 감사드린다.

마지막으로 내가 목표를 달성할 수 있게 많은 시간을 희생해준 가족과 친구들에게 고마움을 표시한다. 우리는 그 시간들이 그 무엇으로도 대체 할 수 없다는 것을 알고 있다. 몇몇은 값비싼 대가를 치뤄야 했다. 우리가 나눈 정보로 인해 목숨을 살릴 수 있다는 것으로 조금의 위안이 되기를 소망한다. 나는 평생 당신들에게 빚을 졌다.

Tomas B. Garcia, MD

헌사와 저자 약력

나는 이 책을 내가 아는 가장 놀랍고 훌륭한 두 사람에게 바친다. 나의 엄마 그리고 아빠. 수년간 당신들의 사랑, 이해, 지지, 관용에 대해 감사드린다. 당신들께서는 내 인생의 토대와 영감이었다. 그리고 내 인생의 빛, 아들 Daniel. 너는 내 인생의 깊이를 더해 주었고 단순한 말들을 넘어서게 해주었다. 사랑하고 너의 아빠가 된 것이 자랑스럽다. 마지막으로 내 누이 Sonia, 내가 태어나는 순간부터 줄곧 내 편이 되어주었다.

Tomas B. Garcia, MD

Dr. Tomas B Garcia는 플로리다 국제 대학에서 학사 학위를 받았다. 의학 대학을 지원하는 동안 그는 플로리다 주에서 응급의료기사 자격을 취득하여 일을 하였다. Dr. Garcia는 Miami 대학에서 의학 학위를 취득하였다. Florida, Miami의 Jackson Memorial 병원에서 인턴과 레지던트 수련을 하였고 내과와 응급의료의학의 전문의 자격을 취득하였다. Massachusetts, Boston의 Brigham and Women's hospital/Harvard Medical School 그리고 Gorgia, Atlanta의 Grady Memorial Hospital/Emory Medical School의 응급의학과에서 가르치고 재직하였다. 그의 주 흥미분야는 응급 심장 치료이며, 이것과 관련된 주제로 미국내에서 강의를 한다.

서문

심전도: 판독의 기술(art of interpretation)

의학은 예술일까 과학일까? 이 질문은 지난 시간 동안 수천 번 계속되어 왔고 지금도 계속 질문 되고 있다. 나는 그 답이 아마 중간 어딘가 있다고 생각한다. 예술임과 동시에 과학이다. 우리는 과학을 객관적인 여러 답, 약물들, 도구들을 얻는데 그리고 사실을 증명하는데 사용한다. 과학으로서의 의학은 누구에게나 배울 수 있으며, 단지 노고와 인내력을 요구한다. 그러나 우리가 훌륭한 임상의가 되기 위해서 느끼고, 사랑하고, 인재로서 양육되는 것은 결국에는 예술로서의 의학을 받아들이는 것이다.

내가 학생들에게 이학적 진단(physical diagnosis)에 대해 강의할 때, 첫 2주 동안은 멀리서 환자를 보게만 한다. 그들은 환자에게 말을 할 수도 없고 진찰을 할 수도 없다. 그들이 유일하게 할 수 있는 것은 간단한 질문에 답하는 것이다: 환자가 아픈 것인가 아닌가? 이 질문에 답변하는데 10초에서 15초 사이의 짧은 시간이 주어지기 때문에 충분한 근거를 제시하지 못한다. 그들의 결정은 관찰 기간동안 의식적이던 무의식적이던 얻은 정보에 기초한 직감에서 나오게 된다. 복잡해 보이지만 학생들이 얼마나 효과적으로 이것을 배우고, 이것을 얼마나 빨리 적용하는지를 보면 내가 놀라게 된다. 이 내적인 결정 과정은 우리 모두가 타고난 것이며 이것은 언제나 틀린 방향으로 인도하지 않는다. 우리가 해야 할 것은 이것을 발전시키는 것뿐이다.

그래서 심전도에서는 이런 능력을 어떻게 사용하면 되는가? 간단하다– 심전도를 배우기 위해서 우리는 같은 접근 방법을 쓸 것이다. *심전도를 배우는 유일한 길은 수천개의 심전도를 보고 "병이 있는가 아니면 병이 없는가"에 대한 질문에 답을 하는 것이다.* 대부분의 심전도 책들은 이 간단한 사실을 망각하고 많은 페이지들을 나타날 수 있는 심전도와 그 변형들에 대해 기술하면서, 하나의 예를 보여준다. 심전도 소견은 지문처럼 유일한 것이 아니며 사람에 따라 변화가 있다. 만약 당신이 각각의 병리에 대한 단 하나의 심전도 예만 본고, 당신의 생애 동안에 완벽한 심전도 예를 다시 보지 못한다면, 당신을 그것을 절대로 진단하지 못할 것이다.

심전도에서 쓰이는 복잡한 용어들은 혼란스럽고 심적으로 압도당할 수 있을 것이다. 대부분의 사람들은 처음부터 심전도에 대한 상급의 교과서를 구입하여 읽다가 금세 포기하고 만다. 익숙한 소리인가? 가능한 변이들을 묘사하는 심전도 서술 어휘들을 이해하는데 매우 유능해야 한다. 심전도를 배우는 간단한 방법이지만 대개 많이 사용하지 않아온 방법은 다양한 예를 통해 심전도를 보았을 때 느낌을 개발하는 것이다. 잠시 후에는 '병이 있는지 아니면 병이 없는지' 직감적으로 느낌이 오기 시작할 것이다. 심전도 판독법을 익히는 과정은 공 던지기를 배우는 것과 다를 바가 없다. 던지는 방법과 궤도, 회전, 정확성에 대해 읽을 수 있지만 직접 공 던지는 것을 몇번 보고 스스로 수백번에서 수천번 던져 보지 않으면 결코 공 던지기에 대한 노하우를 실질적으로 배우지 못할 것이다. 같은 방법으로, 심전도에 대해 편안해 지려면 수백 예를 보아야 한다. 이 책을 끝낼 때면 용어들과 개념에 대해 이해해 가고 있다는 것을 느낄 수 있을 것이다. 이 책을 다 읽고 나면 그때는 아주 편해짐을 느낄 것이다.

기억할 것은 어떤 특이한 소견이 다양한 질병의 과정을 나타낼 수 있다는 것을 기억하는 것이 필요하다 이 가능성 있는 질환의 리스트에서, 심전도에서 발견되는 각각의 문제점들의 감별 진단의 리스트를 떠올릴 수 있다. 우리는 당신에게 양심방의 확장, 우심실비대, 우측 긴장에 대해 가르칠 것이다. 또 심한 승모판협착증을 진단하기 위해 필요한 배경들을 주겠지만 적절한 진단인지 확인하는 것은 환자와 대화하고 진찰한 당신이다 .이것이 왜 실시간 판독이 필요한 이유이고 실제 환자에서 당신의 심전도 판독이 정확히 일치해야 하는 것이다. 예를 들어 경우에 따라 고혈압이 있는 환자에서 V_1과 V_2의 약간의 ST분절 상승은 판독하기 어렵다. 이것은 좌심실비대와 긴장인가 아니면 손상인가? 좌심실비대와 긴장에 대한 적절한 진단 기준이 있지만 경우에 따라 뚜렷하게 선이 그어지지 않는다. 환자가 당신 앞에 있다면 쉽게 답할 수 있다. 만약에 환자가 발가락을 채여서 왔다면 그것은 긴장을 동반한 좌심실비대 소견일 것이며, 식은땀을 흘리면서 가슴을 움켜쥐고 있다면 진단은 허혈과 손상이 합당할 것이다. 또 이 반대의 경우도 있을 수 있는데 그때는 심전도가 진찰과 진단에 길잡이가 될 것이다. 심전도를 보여주면서 임상의들에게 다시 환자에게 돌아가 인상적인 진찰소견을 찾아오라고 할 때가 많이 있었다. 좋은 예가 심실류(ventricular aneurysm)이다. 심전도는 심실류가 있음을 알려줄 것이며, 진찰에서 심실류에 의한 흉벽의 들어올림(heave)이 있으면 확진을 하게 된다.

심전도를 판독할 때 심전도 판독에서 얻은 지식을 환자에게 적용시킬 수 있어야 한다. 이 책에 있는 모든 심전도는 진짜 환자에게서 얻은 것이다. 그리고 우리가 제공하는 판독 소견은 우리가 환자의 침대 옆에서 한 것들이다. 몇몇의 경우 판독에 동의하지 않을 수 있지만 괜찮다. 심전도 판독에는 수많은 엄격한 규칙들이 있지만 당신이 심전도를 판독하는 것은 심전도 판독 시점의 당신의 기분과 어떻게 교육 받았는가에 의한다. 20명의 다른 심장전문의에게 한 심전도에 대한 의견을 구하면 여러 다른 답변들을 들을 수 있을 것이다. 또 같은 심전도를 그 다음날에 보여주면 같은 그룹의 사람들로부터 아마도 이전과 다른 판독소견을 들을 수도 있다. 판독에 접하게 되면, 사람들은 그렇게 많이 동의하는 것 같지 않을 것이다. 열쇠는 우리가 가르쳐주려고 하는 개념의 '*이해*'이고 그래서 이것을 당신의 매일의 진료에 이용할 수 있을 것이다. 심전도는 환자에 대해 풍부한 정보를 제공해줄 것이다. 이것은 환자의 과거와 미래(진행)에 대해 이야기 해줄 수 있을 것이다. 또한 전해질 이상이나 전신 질환, 그리고 해부구조에 대해 알려준다. 간단한 병상 검사로는 나쁘지 않다.

나는 몇백 명의 학생들에게서 *정말로* 알아야 하는 것은 무엇인지에 대해 질문을 받아 왔었다. 이것을 한마디로 짧고 간략하게 요약할 수 있는데: 당신의 특별한 환자가 심전도로 표현되어 나타날 때, 그 변화를 아는 것이 필요하다! 당신의 경력 중에서 어떤 점이 가장 중요한 것이 될 것인지 결코 알 수가 없다; 어떠한 한가지 사실이 환자의 생명이 될 수도 있고, 이것이 당신에게 헤아릴 수 없는 시간의 죄책감을 갖게 할 수도 있고, 수백만 달러가 될 수도 있다. 심전도 판독은 시행한 사람이 응급의료기사, 의료기사, 간호사, 레지던트, 담당의사, 심장전문의 이던 모두에게서 같다. 딱 그럭저럭 살아갈 수 있을 만큼만 배울 수는 없다. 의료기사나 간호사가 치명적인 부정맥을 일으킬 수 있는 고칼륨혈증의 심전도 변화를 알아야 할까? 전공의가 심장질환이나 심장발작의 의미 있는 소견일 수 있는 전기축 변화에 대해 알아야 할까? 허혈 상태에서 완전 심장차단이나 아마도 무수축까지 이르게 하는 급성 이섬유속차단(bifascicular block)을 알아차리는 것이 누구에게서 더 중요한가? 바로 당신에게 중요하다!

우리는 심전도의 기초와 그 과학을 이해할 수 있게 도와줄 것이다. 프로그램화된 학습 시스템을 사용하여 여러분들을 가르칠 것이며, 우리가 느끼기는 여러분들 각자의 속도에 맞춰 쉽게 배울 수 있게 할 것이다. 절대로 한 번에 다 알려고 하지 말자. 너무 많은 정보에 의해서 어쩔 줄 모르게 될 것이기 때문이다. 처음 시작할 때는 초보자를 위해 적어 놓은 기본 요점만 포함하고 있는 1단계(파란색) 글들만 읽도록 하라(iv쪽, 이 책을 어떻게 사용할 것인가?를 보라). 보다 발전하면, 다시 돌아가서 보다 상급의 요점을 개개인의 페이스에 맞추어 읽을 수 있다. 이 책은 여러분이 모두 3 단계를 통달할 때까지 반복하고 반복하면서 이용할 수 있도록 되어 있다. 매번 읽을 때마다 약간의 추가적인 진주들을 발견할 것이다.

끝으로, 여러분의 재량에 따라 모든 것을 살펴보는 것이 필요하고, 심전도를 판독할 때는 스스로를 믿어라. *여러분들이 사실이라고 아는 것에 대해, 다른 사람들이 여러분의 진실된 행동을 못하게 하지 마라.* 단지 그들에게 미소를 지어주고 환자에게 최선의 방법을 시행해 주자. 틀리지 않을 것이다.

전문가는 당신보다 한가지 사실을 더 아는 사람들이라는 것을 기억하자. 하지만, 그 한가지는 당신의 환자와 관련이 없을 수 있기 때문에 당신이 진정한 전문가 일 수 있다!

Tomas B. Garcia, MD

번역의 글

1st edition을 번역을 하였던 인연으로 2nd edition에 대한 번역을 의뢰받고 시작을 결정할 때까지도 오랜 시간이 소요되었고, 번역을 시작하고 나서 마지막 교정이 끝날 때까지 또한 많은 시간이 소요되었습니다. 초판에 비해서 심전도가 많이 보강되었고 내용도 더 많아진 2nd edition 입니다.

번역이 시간이 많이 소요되는 작업이어서 원래의 과도한 병원 업무에 더해져서 많은 시간이 소요되었는데, 오랜 시간 동안 참아주고 계속적인 지지를 해주고 있는 아내 미경과, 아들 상훈 그리고 딸 영은에게 고마운 마음을 전합니다.

그리고 원고를 의뢰해주고 시일을 맞추지 못해서 계속 연장되는 것을 참고 기다려준 군자출판사 담당자분들에게 감사의 마음을 보냅니다.

2017년 6월 18일

고신의대 차 태 준

공동역자

책임번역 및 감수

차태준 1988 고신의대 졸업

2002 – 2004 Montreal heart institute 연수

[현] 고신의대 심장내과 교수

Editor in chief of International Journal of Arrhythmia (Official Journal of Korean Heart Rhythm Society)

Editor of Journal of Arrhythmia (Official Journal of Japan and Asian Pacific Heart Rhythm Society)

Harrison's Principles of Internal Medicine 19th Korean edition. Chapter 268 Electrocadiography, 269e Atlas of Electrocardiography 집필

Fellow of Heart Rhythm Society (FHRS)

번역 참여자

김상빈	고신의대 심장내과
김태윤	고신의대 심장내과
박태훈	고신의대 심장내과
박한수	고신의대 심장내과
조대현	고신의대 심장내과
유가인	고신의대 심장내과
이도형	고신의대 심장내과

1부

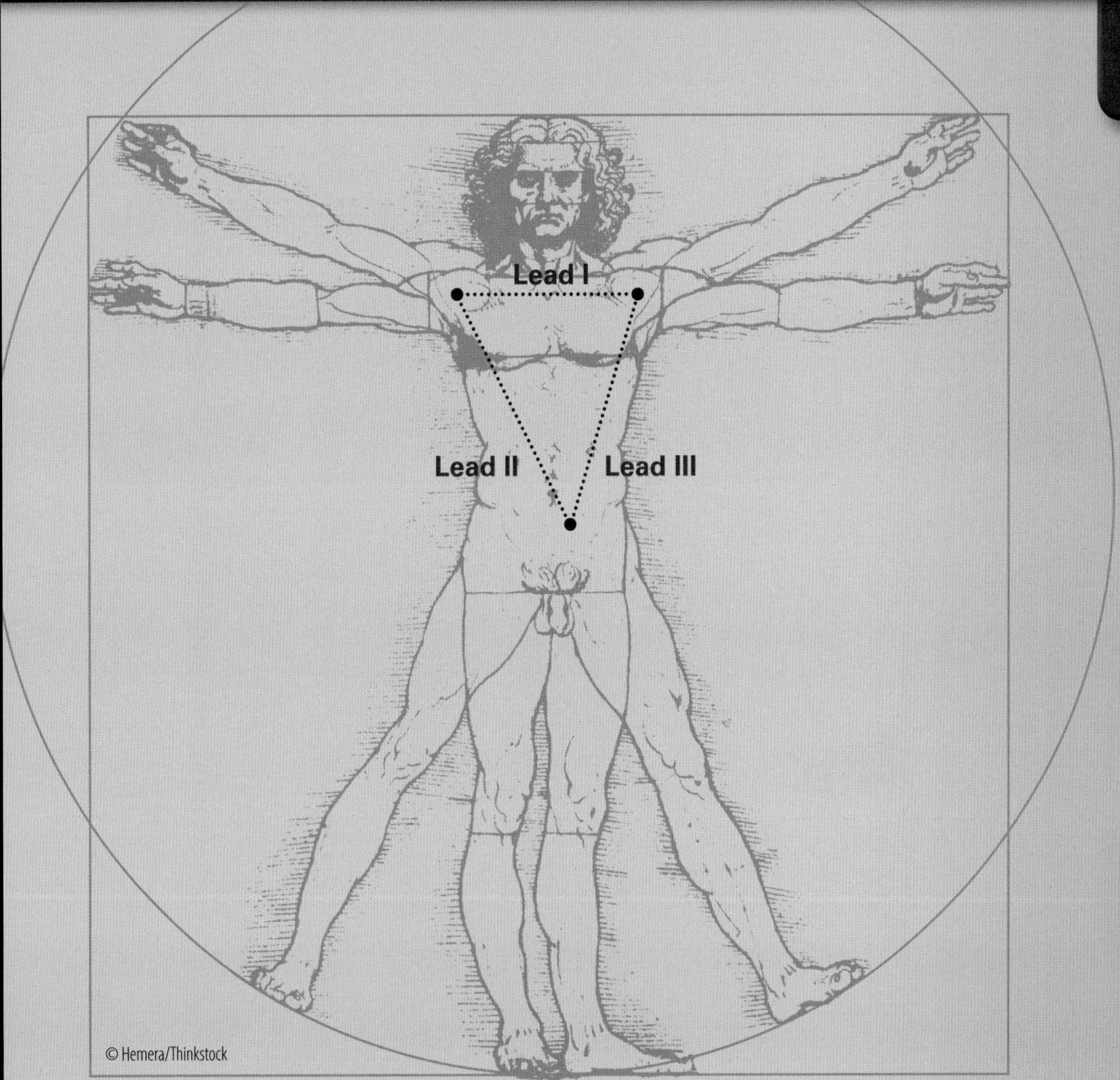

기초

1부

기초

1부는 심전도의 기초에 대해서 다루고 있다. 대부분의 상자는 1단계에 해당되는 것이다. 심전도를 다루는 사람이라면 이 부분의 내용에 대해 매우 익숙해 있어야 한다. 만약 경험이 많은 임상의라면 이 정보들을 대충 훑어보고 지나갈 수 있지만, 완전히 넘어가지는 말라. 2부로 넘어가기 전에 이들을 완전히 이해했다는 것을 확인하기 바란다.

노트

소아 심전도는 그 내용을 수록하기에 내용이 광범위하여 이 책에는 수록하지 않았다. 관심 있는 사람은 소아 심전도 관련 책을 참조하기 바란다.

어떻게 심전도를 판독할 것인가

이 책의 대부분은 심전도를 여러 부분과 군(complex)들로 나누어서 분석하였다. 각장들은 심전도의 각 부분이 무엇을 의미하는지 그리고 연관된 이상소견을 가르쳐 준다. 각각의 단원은 심전도의 파형과 간격에 관련된 병리소견을 문제 중심의 접근방식 즉 병적인 파형 혹은 간격에 대한 가능한 원인의 목록을 검사하며 이것과 다른 군들(complexes)이 어떻게 연관이 있는지 확인하였다. 가능한 원인들의 목록을 *감별 진단(differential diagnosis)*이라고 한다.

심전도를 보고 각각의 파형과 간격의 이상한 점을 찾아내어 목록을 만들어라. 그러면 여러 목록이 작성될 것이다. 어떤 질병이나 증후군이 이들 목록에 많이 있는지 확인하라. 그러면 거의 확신을 가지고 진단을 할 수 있게 될 것이다.

책을 시작하기 전에, 심전도 판독을 위한 다음의 순서를 소개한다. 이 순서들을 확인하고 사용한 후 제2의 천성(2nd nature)이 될 것이다. 만약 일부의 단어들에 대해 익숙해있지 않다고 해서 겁내지 마라. 장들을 읽다보면 친숙해질 것이다. 지금 가장 중요한 것은 심전도를 검사하고 판독하는데 있어 논리적 접근방법을 개발하는 것이다. 이 시스템을 필요에 따라 당신의 특별한 스타일에 맞춰 변형시킬 수 있다.

1. **지금 무엇이 일어나고 있는지에 대한 대략적인 인상을 얻고 그것을 제일 먼저 마음속에 간직하고 있어라.**
   심전도를 몇초간 보고 가장 중요한 항목으로 떠오르는 것이 무엇인지 확인하라. 그것이 허혈, 부정맥, 전해질 이상, 심박 조율의 문제 아니면 다른 문제인가? 세세한 것에 압도당하지 마라. 대신 큰 그림을 먼저 그리고 이것을 마음에 두고 판독을 시작하라. 결국에는 심전도를 분석하는 방법과 기술적으로 판독을 끌어내는 법을 배우게 될 것이다.

2. **심전도를 순차적으로 보고 수분간 자세히 봐라.**
   이 두번째 개념은 아래의 모든 단계에 적용된다. 시작할 때 아래에 리듬 스트립이 있는 심전도를 이용하여 위에 있는 유도와 관련지어서 봐라 이것이 모든 것을 쉽게 만들어 줄 것이다. 박동들을 봐라. 만약 다르다면, 따로 하나씩 분석하여 어떤 것이 정상이고 어떤 것이 비정상인지를 확인하라. 정상 박동들을 먼저 보고 간격, 전기축, 차단 등을 확인하라. 이후 비정상적인 박동을 보고, 무엇이 이것을 만들었는지 생각하라. 이것들이 심방조기박동인지, 심실조기박동인지 편위전도인지, 조율박동인지 아니면 다른 것인지?

3. 심박동수는 어떠한가?

- 빠른가 느린가?
- 불규칙적이라면, 그 정도는 어떠한가?
- 간격들은 얼마인가 : PR, QRS, QTc PP, RR?
- 이들 간격 중 불규칙적인 것이 있는가? 예) PR 하강(depression)

4. 율동은 어떤가?

- 빠른가 느린가?
- 규칙적인가 불규칙적인가?
- 그룹을 형성하면서 모여있는가 아닌가?
- P파가 보이는가? 보인다면 동일한 모양인가?
- P파에서 QRS군으로 1:1 전도를 하는가?
- 넓은가 좁은가?

5. 전기 축은 어떤가?

- 어느 사분원에 들어가는가?
- 등전위 사지유도는 어디인가?
- 전흉부유도에서 이행대(transition zone)는 어디인가?
- 정확한 전기축을 계산하라(능숙한 의사는 P, T, ST의 전기축도 계산한다).
- 정확한 전기축이 시사하는 무엇이 있는가?

6. 비대의 증거가 조금이라도 있는가?

- 좌심방?
- 우심방?
- 양심방?
- 좌심실?
- 우심실?
- 양심실?
- 좌 또는 우 긴장 형태?

7. 허혈이나 경색의 소견이 있는가?

- 국소적인 T파의 이상소견이 있는가?
- 국소적인 ST분절의 이상소견이 있는가?
- 국소적인 Q파가 있는가?

8. 이 모든 것을 어떻게 통합할 것인가?

이 모든 것을 고려하여 이때까지 생각한 여러 감별 진단을 위한 공통의 테마가 무엇인지 생각하라. 모든 것을 고려하여야 하며 어떤 것도 간과하지 마라. 맥박수, 율동, 전기축, 비대, 간격의 이상, 차단, ST 또는 T파의 이상소견을 반드시 고려하라.

9. 환자의 징후 그리고 증상을 모두 함께 연관지어 생각할 수 있는가?

심전도상의 진단과 소견이 환자가 호소하는 증상과 징후에 대한 설명이 되는가? 심전도가 문제를 표현하고 있는가 아니면 이전에 존재하던 어떤 문제를 나타내는가? "이 정보를 어떻게 활용하여 환자를 적절히 치료할 수 있을까?'라고 자신에게 물어봐라.

10. 나의 최종 진단은 무엇인가?

마지막 최종 단일 진단을 적거나 감별 진단의 단축 명단을 적어라.

마지막으로 심전도를 판독하는 것을 배우는데 시간이 걸린다는 것을 잊지 마라. 앞에서 말했던 내용의 일부는 지금 당신의 수준보다 높을 수도 있다. 하지만 멀지 않았다. 이 책을 보면 볼수록, 당신의 실력이 늘어날 것이다. 마지막으로 즐겨라! 인생은 짧다.

1장

1 육안 해부학

당신이 심전도에 관한 책을 보기 때문에 해부학에 대해서 어느 정도의 지식은 있을 것으로 추측한다. 그러나 복습이 나쁠것이 없으므로, 심장의 기본적인 해부를 공부하고 이후에 전기전도계에 대해서 집중하겠다.

심장은 흉부의 중앙에 위치하며 아래쪽, 왼쪽, 그리고 조금 앞쪽으로 약간 기울어지는 각도를 가진다. 그림 1-1을 보라

이제 심장만 떼어내어서 보겠다. 먼저 전면부를, 이후 단면을 살펴보자.

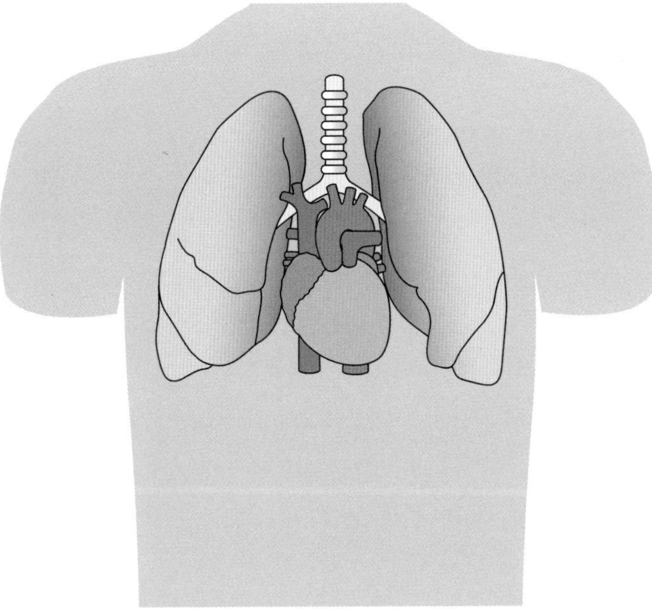

그림 1-1. 흉곽에서 심장의 위치

전면부

우심실이 전면부를 관장한다. 심실 앞쪽의 대부분은 우심실이 차지하고 있다. 비록 우심실이 시각적으로 우세하지만 전기적으로는 좌심실이 우세하다. 각각의 벡터 단원에서 벡터에 대해서 다룰 때 좀 더 자세히 설명하겠다.

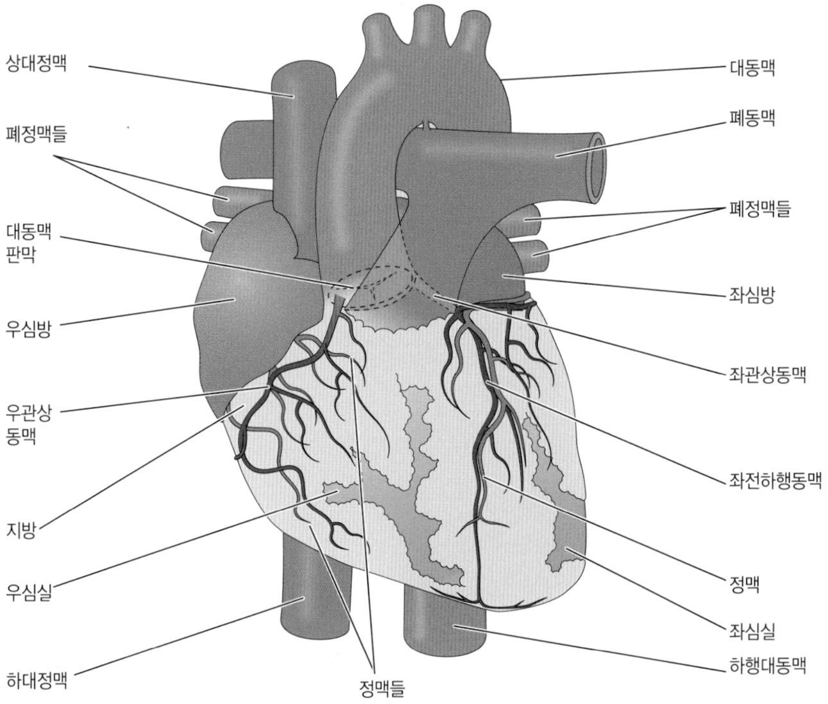

그림 1-2. 심장의 앞면

심장의 단면도

그림 1-3에 심장의 단면도가 있다. 이 다음 부분에서는 심장의 펌프로서의 역할과 전기전도계에 대해서 자세히 설명하겠다.

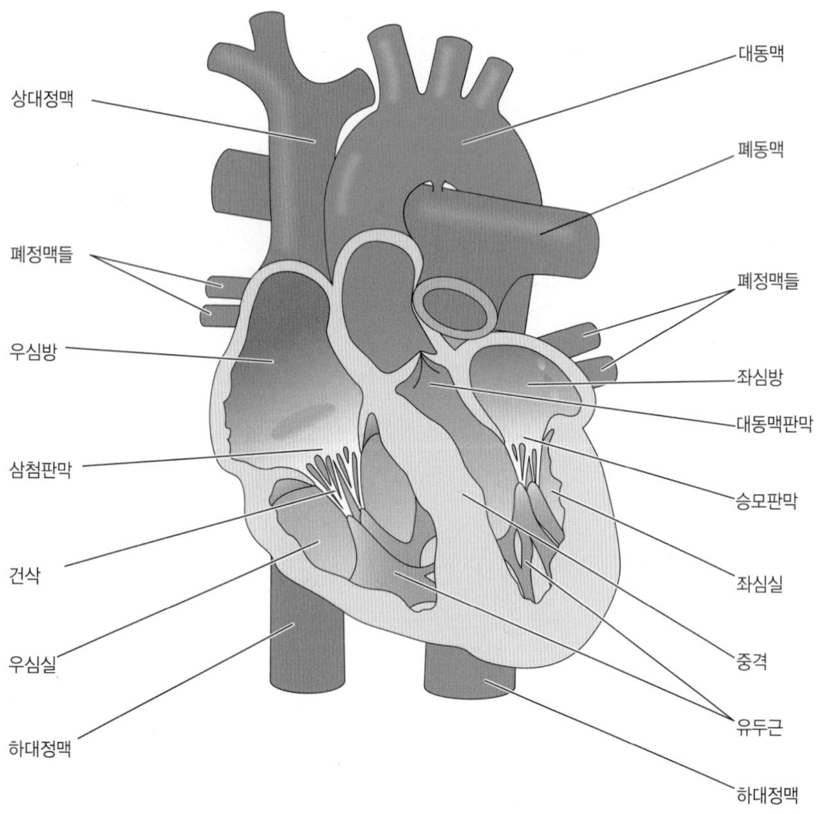

그림 1-3. 심장의 단면도

펌프로서의 심장

심장은 네 개의 중요한 방으로 구성되어 있다. 두개는 심방이고, 두개는 심실이다. 심방은 같은 쪽의 심실로 피를 보낸다. 좌심실은 말초순환계로 피를 보내고, 우심실은 폐순환계로 피를 보낸다. 정맥은 피를 심장으로 운반하고, 동맥은 심장에서 피를 받아서 몸으로 보내는 역할을 한다. 그림 1-4에서 보이는 것처럼 이것은 폐쇄된 시스템이다. 혈액은 이 폐쇄된 회로계(순환기계) 내에서 계속 되풀이하면서 돌고, 폐에서 산소를 취해 말초조직으로 보내준다. 이것이 매우 복잡한 순환계에 대한 간단한 설명이며 지금 우리 목적으로는 이 정도 아는 것으로 충분하다.

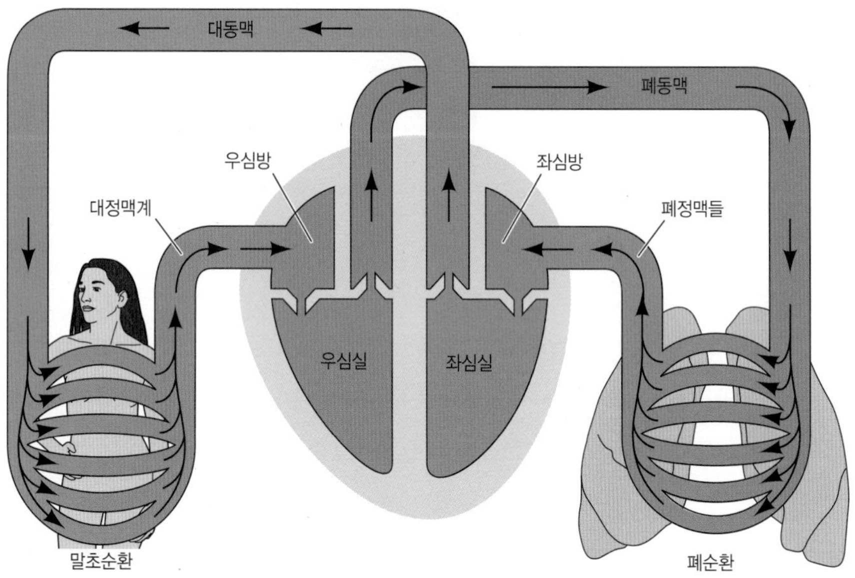

그림 1-4. 펌프로서의 심장

단순화한 펌프기능

순환기계를 엔지니어가 생각하듯이 하면 가장 간단하다: 펌프와 파이프로 연결되어 있는 시스템. 그림 1-5를 보라.

연속적인 네 개의 펌프가 있다. 두개의 작은 펌프는 심방이고, 이것은 적은 양의 혈액을 심실이라고 하는 큰 펌프로 보내준다. 심실은 크기와 생성할 수 있는 압력의 양이 다르다. 정맥계에 있는 단방향 밸브에 의해서 혈액은 한 방향으로만 흐르게 된다.

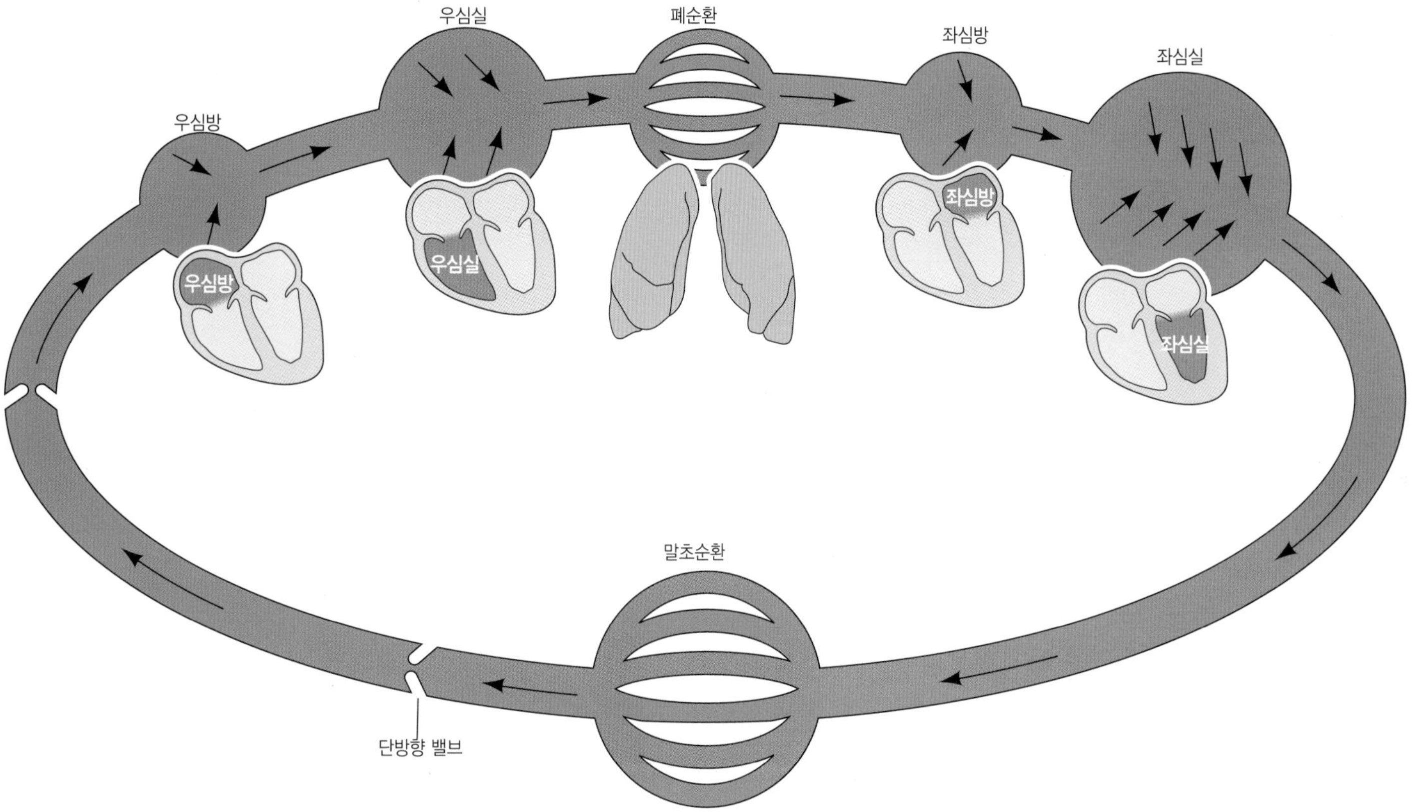

그림 1-5. 단순화시킨 순환기계의 펌프기능(푸른색은 산소가 없는 혈액; 붉은색은 산소가 있는 혈액을 나타낸다)

심장의 전기전도계

심장의 전기전도계는 특수한 세포들로 구성되어 있다. 이중 일부는 박동을 만들 수 있는 기능을 가지고, 일부는 자신들에게 오는 전기를 전달하는 기능을 가지고 있다. 다음 단락에서 각 전도계를 세분화하여 각 부분의 기능을 자세히 설명하겠다.

전도계의 중요한 기능은 전기자극을 생성하고, 이것을 조직화된 방법으로 나머지 심근에 전달하는 것이다. 이것이 우리가 심전도를 실시할 때 전극에서 얻어지는 전기화학적 과정에 의해 만들어진 전기적 에너지이다(*각각의 벡터들* 장에서 자세히 기술되어 있다).

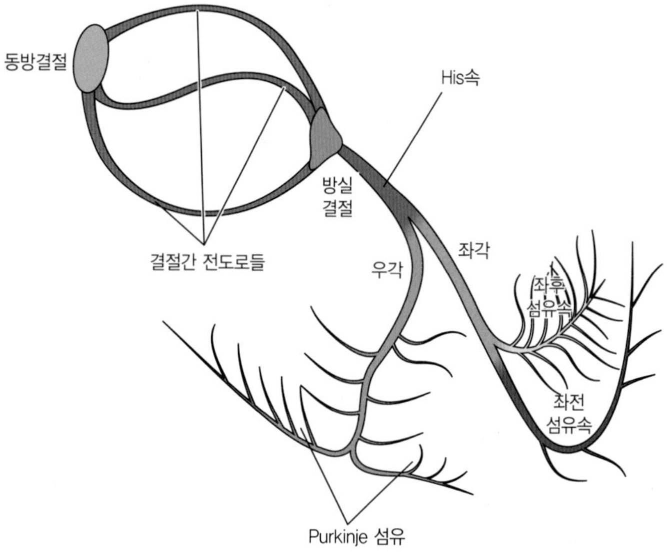

그림 1-6. 전기전도계

특수화된 전도계는 심근세포에 뒤섞여 있어 특정한 염색으로 현미경하에서만 구별이 가능하다. 그림 1-7에서 보는 것과 같이 전기전도계는 실질적으로는 심장벽 내에 존재한다는 것을 기억해두기 바란다. 심방의 심근세포는 하나의 세포와 다른 세포의 직접적인 접촉에 의해서 자극된다. 첫 번째 세포가 두 번째 세포를 자극하고, 두 번째 세포가 세 번째 세포를 자극하게 되면서 진행하게 된다. 결절간전도로(internodal pathway)는 동방결절에서 방실결절로 전기자극을 전도한다. Purkinje계는 심내막 바로 밑에 존재하면서, 전체 심실을 둘러싸고 있으며, 이것은 전기전도계의 마지막 구성요소이다. Purkinje 세포는 심근 세포들을 직접 자극한다.

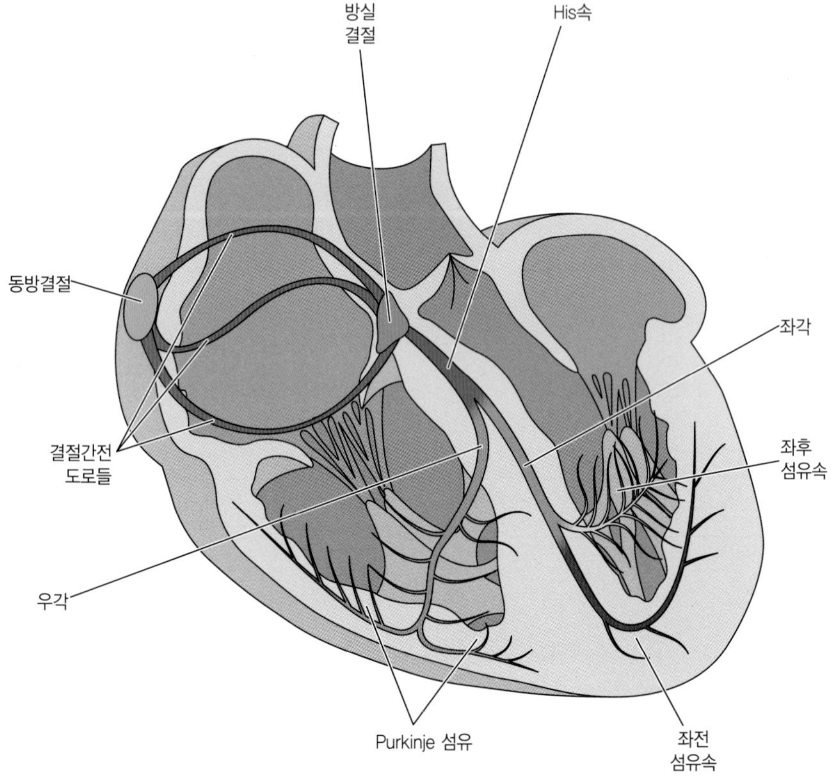

그림 1-7. 심장의 전기전도계

심박조율기(pacemaker) 기능

심장에서 조율기의 기능은 무엇이며 그것이 왜 필요할까? 이 조율기는 심장에게 혈액이 순환하도록 하는 펌프 주기인 심박동수를 지시하도록 한다. 심박동기는 전체 심장 세포들이 규칙적인 박동을 만들고, 특정한 순서하에서 효과적인 펌프 기능을 하도록 한다. 박동을 만들고 다른 모든 세포들은 따르게 된다. 유사한 예를 하나 들어보자.

심장 각각의 세포들이 한명의 음악가라고 상상해보라. 수십명의 음악가들이 모이면 오케스트라 – 심장을 만들게 된다. 만약 음악가들이 각자 자신들이 원하는 때에 연주를 시작하면 이해할 수 없는 뒤죽박죽의 음악을 만들 것이다. 음악가들은 연주를 시작할 때 박동이나 신호를 이용한 시작 사인이 필요하며, 언제 각각의 부분으로 들어올 때인지 혹은 나갈 때인지 지시하면서 연주를 조정하여 아름다운 멜로디를 만든다. 음악에 있어서 심박조율기는 드럼에 의한 기본 박자이거나 지휘자이다. 빠른 부분에서는 박자가 빨라질 것이고, 느리고 부드러운 부분에서는 박자가 느려질 것이다. 심장에서도 같은 일이 발생한다. 운동하는 동안은 심박수가 상승하고, 휴식하는 동안은 심박수가 느려진다.

이전에 이야기했듯이 심장에는 전기적인 신호를 만들 수 있으며, 심장의 조율기와 같은 기능을 하는 특별한 세포들이 있다. 이런 기능을 하는 가장 중요한 영역은 우심방 근육에 위치한 동방결절이다. 이곳에서 신체의 요구에 따라 신경이나, 순환계, 그리고 내분비계에서 받은 정보를 바탕으로 심박동수를 조절하게 된다. 기본적인 심박수는 분당 60에서 100회(beats per minutes, BPM)이며, 평균 분당 70회이다.

심박조율기 설정

우리가 몸에 대해 알고 있는 것 하나는 모든 조직은 백업이 있다는 것이다. 모든 세포들은 심박동을 만들 수 있는 능력을 가지고 있다. 하지만, 각각 세포 고유의 심박동수은 선행하는 세포의 것보다 느리다. 가장 빠른 심박동 세포는 동방결절, 그 다음이 방실결절 등으로 내려간다는 것을 의미한다. 빠른 박동이 전체 박동수를 결정하며 그 후에 따라오는 것들의 박동수를 매 박동마다 재설정해버려서 느린 박동세포는 자극을 생성하지 못한다. 만약 빠른 박동세포가 어떤 이유에서든지 기능을 못하게 되면, 그 다음 빠른 것이 백업을 하여서 가능한 정상적인 기능을 유지하려 한다.

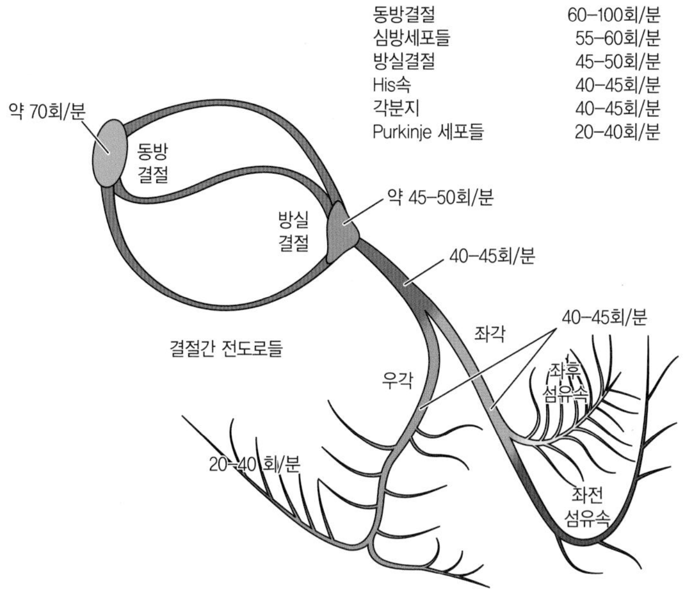

그림 1–8. 심박세포의 고유 심박동수

동방결절(Sinoatrial [SA] node)

심장의 주된 심박동기인 동방결절은 상대정맥과 우심방이 만나는 벽에 위치하고 있다. 혈액공급은 59%의 례에서 우관상동맥에서 받고, 38%의 례에서는 좌관상동맥에서 받고, 3%는 양쪽에서 받는다.

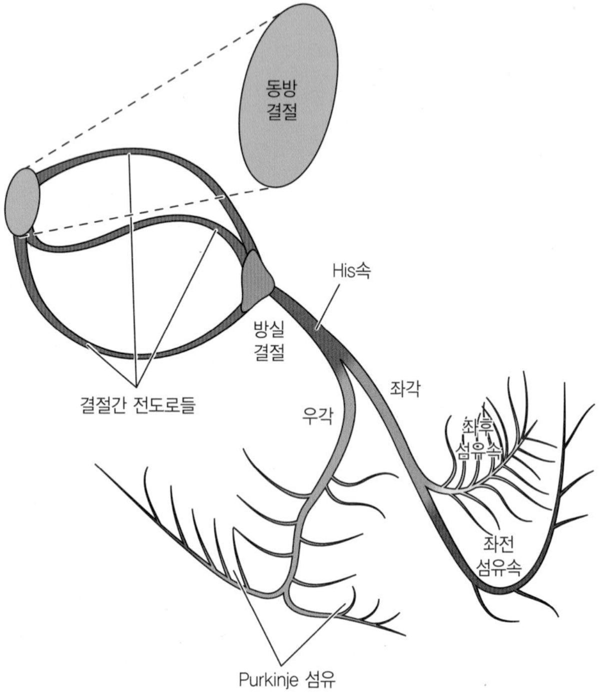

그림 1-9. 동방결절

결절간 전도로들(Internodal Pathways)

3개의 결절간 전도로가 있다: 앞쪽, 중간, 뒤쪽, 이것은 동방결절의 전기자극을 방실결절로 전도해 주는 역할을 한다. 게다가 Bachmann bundle로 알려진 심방간 중격을 통해 전기를 전도하는 특별한 세포로 구성된 작은 다발도 있다. 이 모든 전도로는 우심방 벽과 심방중격에 위치한다.

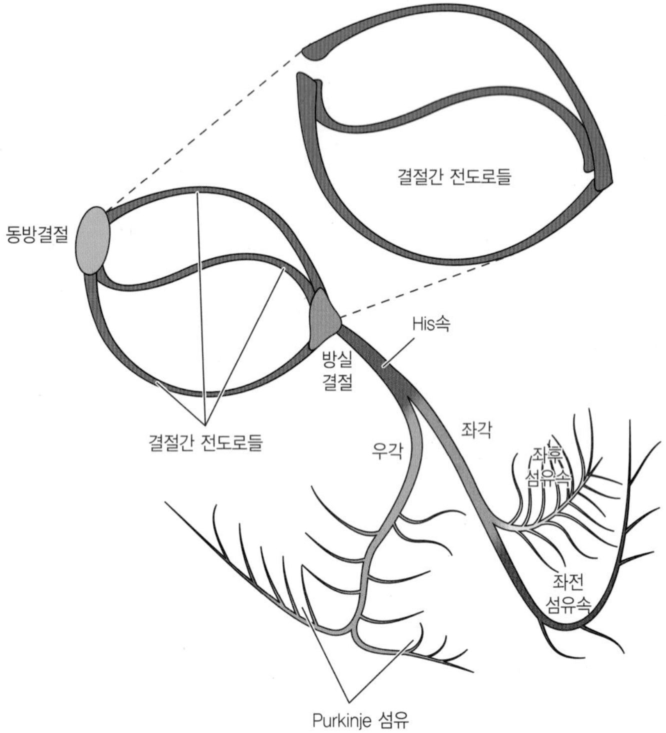

그림 1-10. 결절간 전도로들

방실결절(The Atrioventricular [AV] node)

방실결정은 심장의 가장 큰 정맥인 관상정맥동의 입구 및 삼천판의 중격엽 바로 옆 우심방의 벽에 위치한다. 이것은 심방에서 심실로 가는 전도 속도를 느리게 하여 심방 수축이 일어날 수 있는 충분한 시간을 가지게 해준다. 이렇게 느려진 전도는 심방에서 심실로 혈액이 충분히 차게 만들어서, 최대 심박출량을 유지할 수 있게 해준다. 방실결절은 언제나 우관상동맥에서 혈액공급을 받는다.

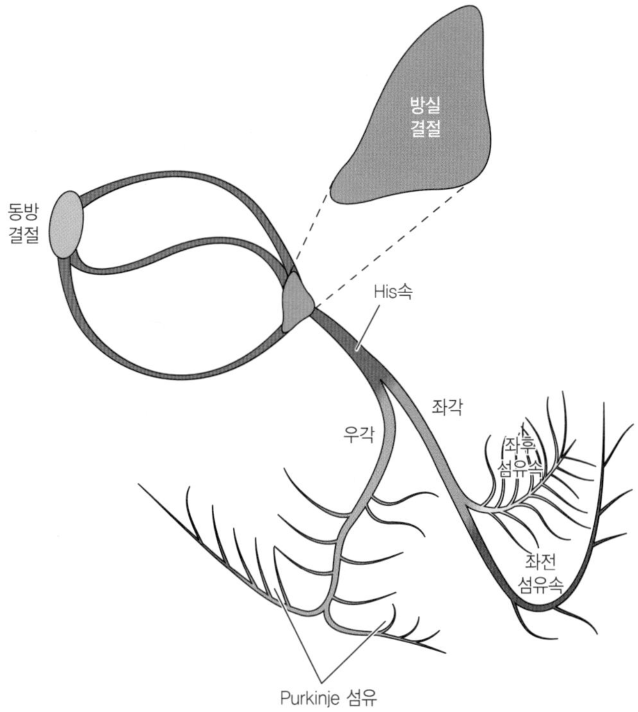

그림 1-11. 방실결절

히스속(The Bundle of His)

히스속은 방실결절에서 시작하여 좌우 각을 만들면서 끝난다. 이것은 우심실의 벽 일부와 심실 중격에 걸쳐 발견된다. 히스속은 심방과 심실을 연결하는 유일한 통로이다

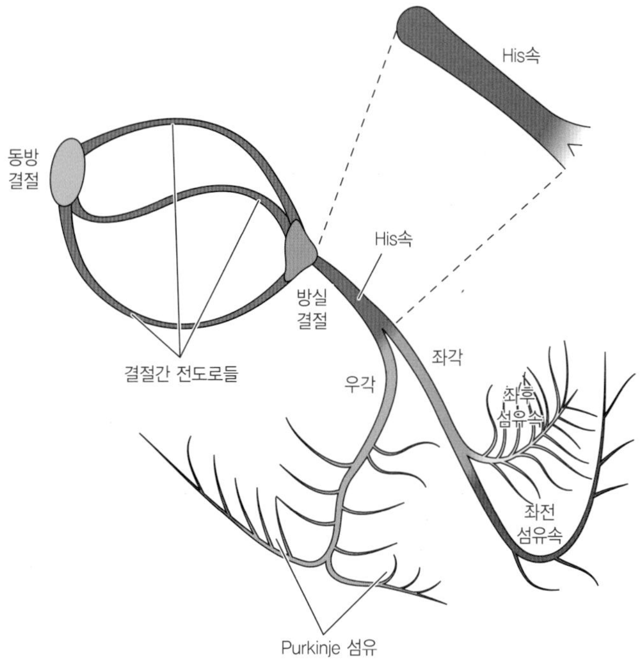

그림 1-12. 히스속

좌각(The Left Bundle Branch [LBB])

좌각은 히스속 끝에서 시작하여 심실중격을 따라 위치한다. 좌각에서 좌심실과 심실중격의 좌측면을 자극하는 섬유들이 생성된다. 먼저 심실중격의 윗부분을 지배하는 작은 섬유속 다발이 되는데 이곳이 가장 먼저 탈분극되는 곳이며 전기가 만들어지는 것을 의미한다. 좌각은 좌전섬유속과 좌후섬유속이 시작하는 곳에서 끝난다.

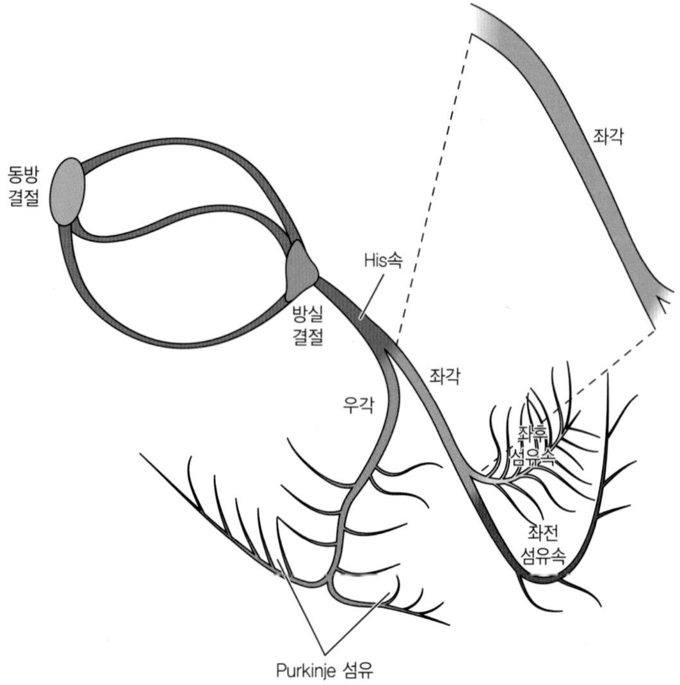

그림 1–13. 좌각

우각(The Right Bundle Branch [RBB])

우각 또한 히스속에서 시작하고, 우심실과 심실중격의 오른쪽에 분포하며, 갈이 연결되는 Purkinje 섬유에서 끝이 난다.

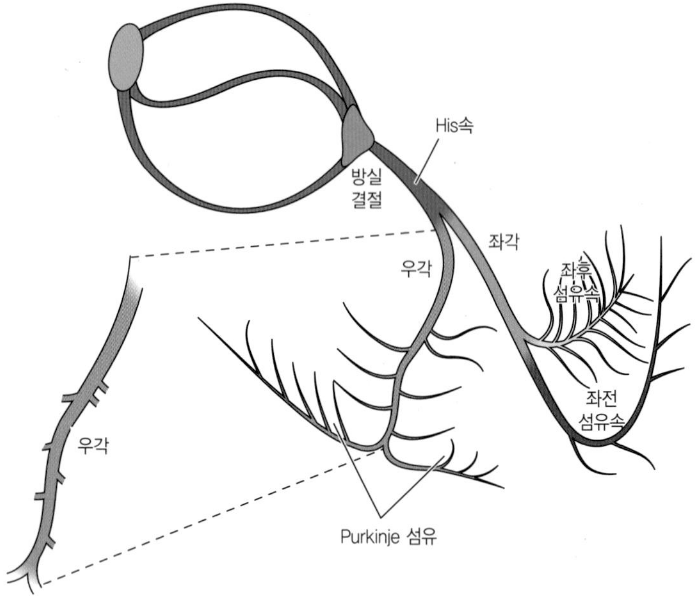

그림 1–14. 우각

좌전섬유속(The Left Anterior fascicle [LAF])

좌전섬유속은 좌전상섬유속(left anteriro superior fascicle)이라고도 알려져 있으며, 좌심실을 지나서 좌심실의 앞쪽, 위쪽에 분포하는 Purkinje 세포들로 연결된다. 좌후섬유속에 비해 한가닥으로 된 섬유속이다.

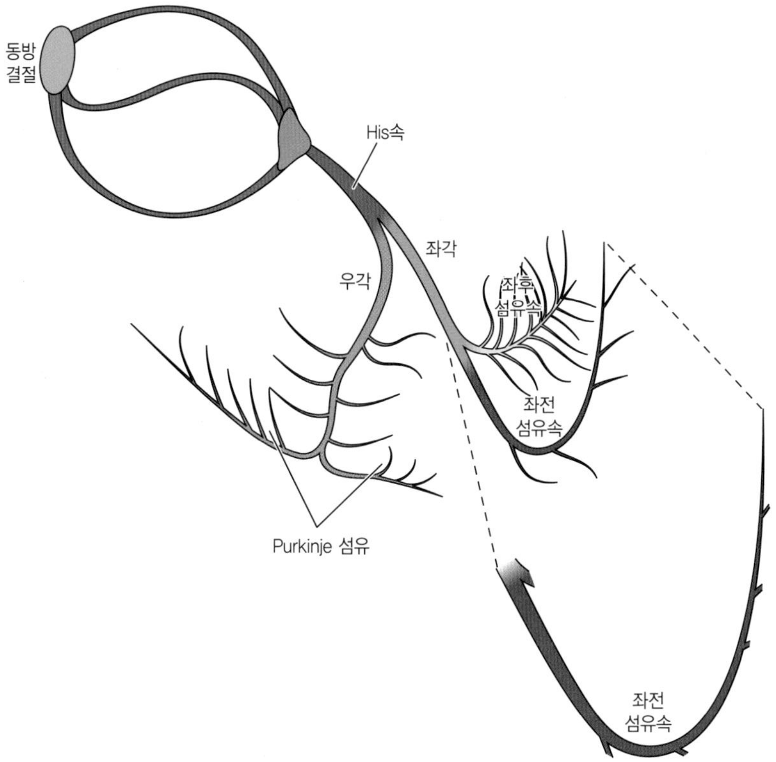

그림 1-15. 좌전섬유속

좌후섬유속(The Left posterior fascicle [LPF])

좌후섬유속은 좌심실의 뒷쪽과 밑쪽에 분포하고 Purkinje 세포들까지 연결되는 부채 모양의 구조물로서, 매우 넓게 분포하고 있기 때문에 한가닥의 좌전섬유속과는 달리 차단되기가 매우 어렵다.

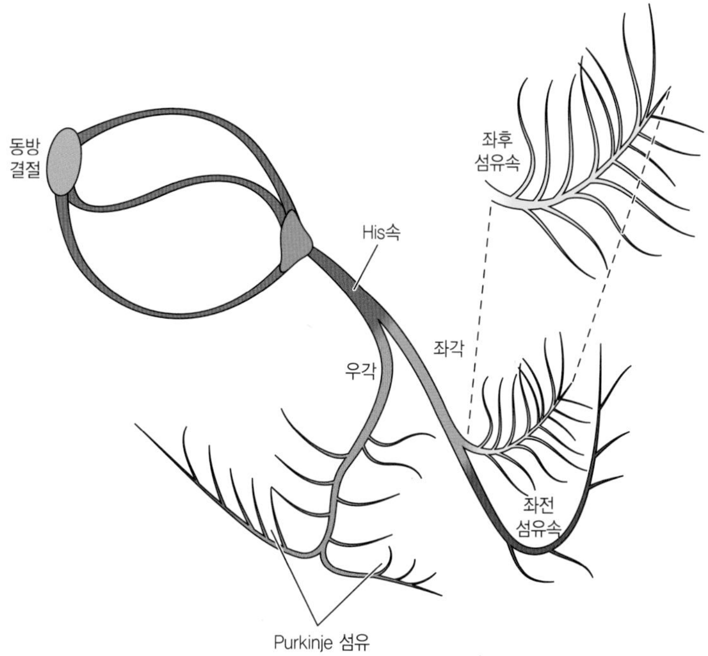

그림 1-16. 좌후섬유속

Purkinje계(The Purkinje system)

Purkinje계는 심내막 바로 밑에 위치한 세포들로 구성되어 있으며, 직접적으로 심근세포를 자극하며, 심실의 탈분극 주기를 시작하게 한다.

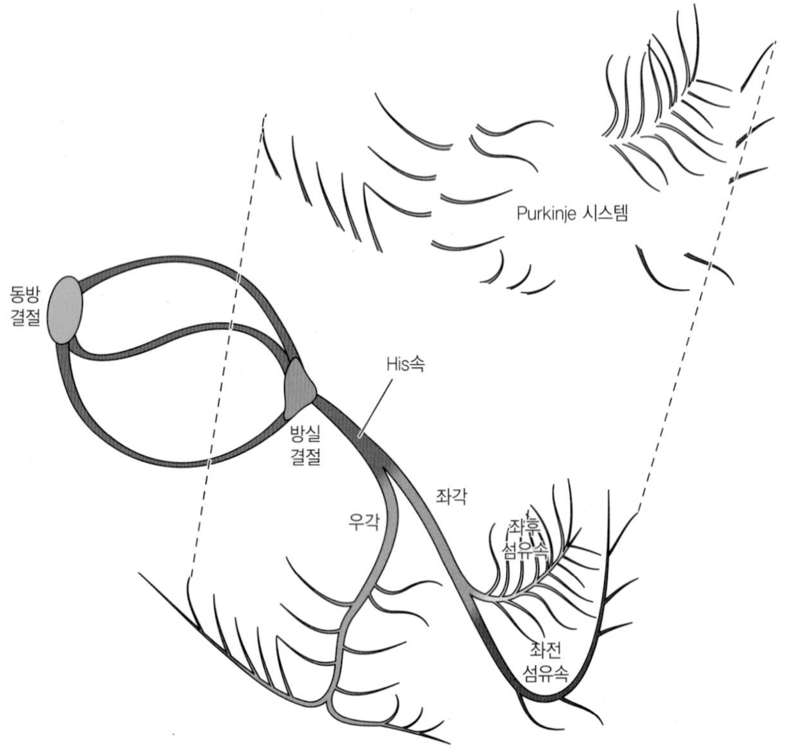

그림 1-17. Purkinje계

조언

이제 우리가 이 책의 나머지에서 보여줄 여러 가지 심장병리에 대해서 이해할 수 있을 것이다. 심장의 전도계를 이해하는 것은 매우 중요하다. 이 병리 현상들은 편위전도된 박동, 각차단, 속차단, 방실차단, 리듬 이상을 포함한다. 지금부터 박동이 시작된 전기 자극이 심장 내에서 지나가는 길과 이것들의 구성요소에 대해 익숙해질 때까지 전기전도계에 대해서 여러 번 반복 학습하기를 권유한다.
이것은 심장과 전도계의 구조에 대한 간단한 검토였다. 각각의 병적인 상태에 따른 여러 관점의 시스템에 대해서 공부하게 될 것이다. 각각의 항목에 대해서 좀 더 많이 알고 싶다면, 추천 도서목록에 나와 있는 책들을 읽어보기 바란다.

1 단원 복습

1. 시각적으로 우심실이 심장 앞쪽 대부분을 차지한다. 참 또는 거짓

2. 우심실은 피를 말초순환으로 내보낸다. 참 또는 거짓

3. 다음의 서술 중 부적절한 것은 무엇인가
   - A. 심장의 전기전도계는 특별히 분화된 세포로 구성되어 있다.
   - B. 전도계는 심근조직과 뒤섞여 있다.
   - C. 심장전도계는 특수 염색없이 현미경 하에서 볼 수 있다.
   - D. 결절간 전도로는 동방결절과 방실결절 사이에서 전류를 전달한다.

다음에서 맞는 것을 연결하라.

4.	_____동방결절	A. 40–45회/분
5.	_____심방세포들	B. 30–35회/분
6.	_____방실결절	C. 60–100회/분
7.	_____히스속	D. 20–40회/분
8.	_____Purkinje 세포들	E. 55–60회/분
9.	_____심근세포들	F. 45–50회/분

10. 방실결절은 다음의 동맥에서 혈액공급을 받는다:
    - A. 좌전하행동맥(The left anterior descending artery)
    - B. 우하행동맥(The posterior descending artery)
    - C. 우관상동맥(The Right coronary artery)
    - D. 좌회선동맥(The left circumflex artery)
    - E. 첫번째 사선동맥(The first diagonal artery)

1. 참 **2.** 거짓 **3.** C **4.** C **5.** E **6.** F **7.** A **8.** D
9. B **10.** C

1

왜 세포에서 전기적 활동의 생성과 심전도에 대한 전해질의 영향에 대해서 알아야 할까? 심전도가 무엇을 하는지 이해를 할 수 있기 전에 심전도가 어떻게 정보를 얻는지를 알아야 하기 때문이다. 세포는 전해질을 이용하여 "전기"를 만든다. 또한 전해질 불균형이 생명을 위협하는 문제를 만들 수 있기 때문에 전해질에 대해서도 알아야 한다. 예를 들면, 만약 뾰족하고, 높은 T파가 고포타슘혈증(포타슘 상승)의 징후라는 것, 또는 QT 간격의 연장이 저칼슘 또는 저마그네슘혈증의 징후라는 것을 안다면, 치명적인 부정맥이 발생하는 것을 막을 수 있을 것이다. 뾰족한 T파에서 무수축(asystole)으로 진행하는 데는 어떤 경우는 수분 내에 일어난다(그런데, 고포타슘혈증에서는 박동기가 전기 자극을 발생시키지 못한다!). 전해질과 그 전해질의 심전도 모양에 대한 영향에 대해서 조금만 안다면 환자– 그리고 당신을 살릴 수 있다.

전해질의 이상에 의해 심전도가 왜 변하는지를 이해하기 위해서 심근세포가 분극(polarized)과 탈분극(depolarized)을 하는 법, 세포가 수축하는 것과 관련된 생화학적 작용기전에 대해서 알아볼 것이다.

최대한 쉽게 그 개념에 대해 알게 해줄테니 우리와 함께 조금만 참자. 이 내용은 테마에 대한 매우 기본적인 논의가 될 것이며, 필요하면 좋은 생리학 교과서를 가지고 보충할 수 있을 것이다.

심근 수축 기전

심장은 여러개의 연속적인 작은 원통 또는 세포로 구성되어 있다고 가정하자(그림 2–1). 각각의 원통들은 서로 반대쪽으로 미끄러져 들어가는 두개의 반쪽으로 구성되어 있고, 서로 맞물리는 부분에 의해서 결합되어 있다(엑틴과 마이오신 단백질). 엑틴 분자는 원통 벽의 바깥 테두리에 붙어 있고, 마이오신 분자는 엑틴

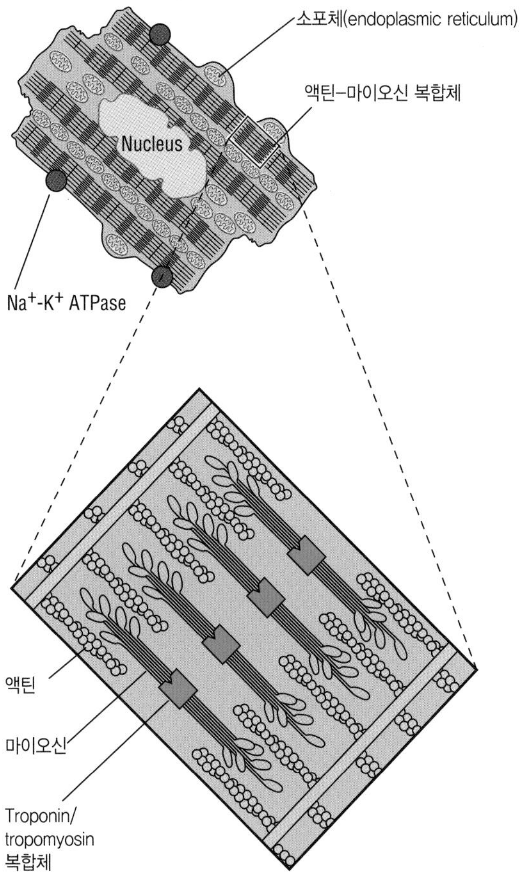

그림 2–1. 심근세포

분자 사이에 놓여 있다.

원통(세포)의 바깥쪽은 서로 붙어서 긴 띠 혹은 근육원섬유(myofibril)을 형성한다(그림 2–2). 이 띠들은 차례로 서로 연결되어 판을 만들며, 액체(세포외액)로 덮혀있다. 이 띠들의 주 기능은 수축과 확장이다. 원통 중 하나가 수축하면 전체 판은 조금 수축하게 된다. 모든 원통이 수축하면 전체 판은 의미있게 짧아지게 된다. 모든 원통이 이완되면 판이 원래의 크기로 돌아가게 된다. 이 판은 배열되어 심장을 구성하는 4개의 방을 형성하게 된다: 두 개의 작고, 얇으면서 위쪽에 있는 심방과, 아래에 있고 두 개의 크고 두꺼운 심실로 구성된다.

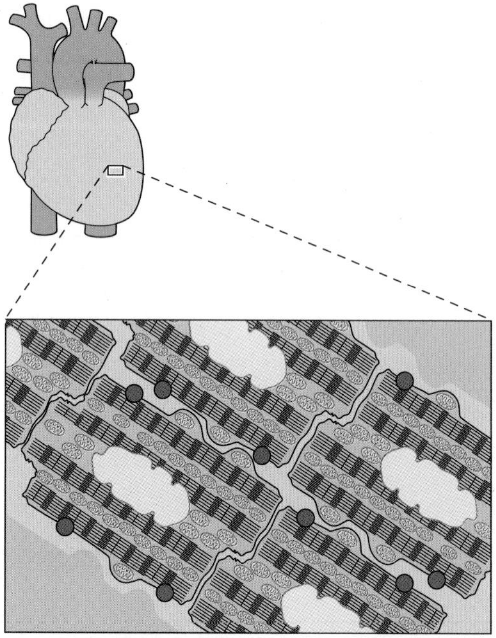

그림 2–2. 원통들이 같이 모여서 근육원섬유(myofibril)와 판들(sheets)을 만든다.

이온의 이동과 극성

원통의 안과 밖의 액체에는 물, 염분 그리고 단백질이 있다. 그러나 액체들은 같지 않고, 염분 분자와 단백질의 농도가 각각 다르다. 액체상태에서 소금은 분해되어 이온이라는 양성과 음성의 극성을 띤 입자로 나뉘게 된다(그림 2–3). 다른 말로하면, 이온이란 용액에서 양성 또는 음성의 극성을 띤 입자를 말한다. 체내에서, 중요한 양성 이온은 나트륨(Na^+), 포타슘(K^+)과 칼슘(Ca^{++})이고, 염소 이온(Cl^-)은 주된 음성 이온이다.

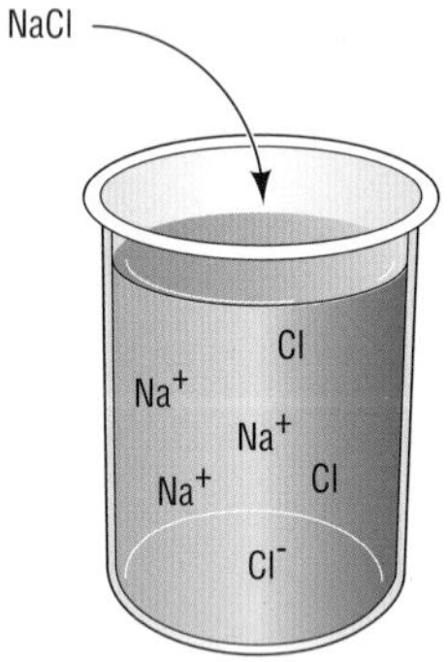

그림 2–3. 액체 용액 안에서 소금은 양성 그리고 음성 극성을 띤 이온으로 바뀐다

만약 세포가 살아 있지 않다면, 원통의 벽(세포막) 양쪽의 모든 이온들의 농도와 극성은 같을 것이다. 하지만, 살아있는 세포는 세포막을 사이로 해서 이온들의 농도 차이를 유지하고 있다(그림 2–4). 세포 내부는 높은 포타슘 농도를 가지고, 외부는 높은 나트륨 농도를 가진다. 세포 외부의 높은 양성 극성은 세포 내부가 더욱 음성 극성을 띠게 만든다. 또한 세포벽 외부에는 칼슘 성분이 더 많고, 이것이 세포외부가 더 높은 양성 극성을 가지게 한다. 세포 내부와 외부의 극성의 차이를 전기적 전위(electrical potential)라고 한다.

극성과 이온은 자연적으로 소멸되어, 중성을 유지하려는 경향을 가지고 있다. 세포벽은 완전히 불투과성 막이 아니다. 세포벽은 반투과성이며, 일부 이온이 세포내외로 이동할 수 있는 작은 구멍을 가지고 있다. 나트륨은 세포 내로 들어오고, 포타슘은 세포 밖으로 나가려는 자연적인 성질이 있다. 전기적 전위차를 유지하기 위해서는 세포는 이온의 성질에 반하여 이온을 밀어내는 어떤 방법을 가지고 있어야 한다. 소듐, 포타슘 ATPase 펌프에 들어가 보자(그림의 파란 점).

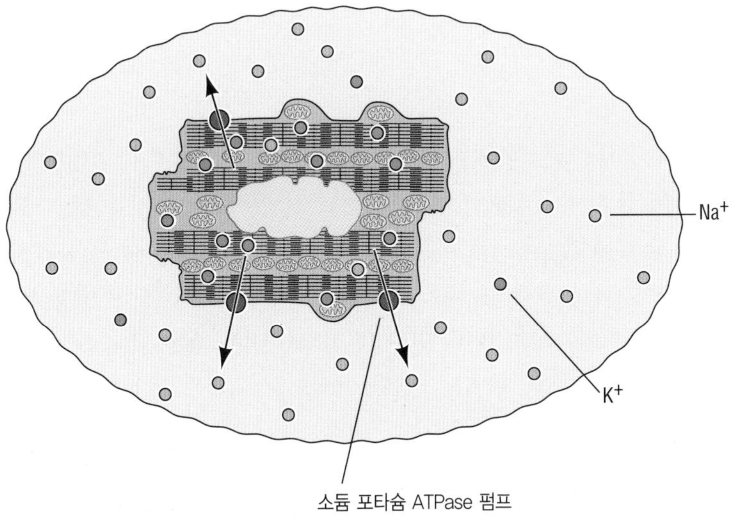

그림 2–4. 원통의 안과 밖 용액이 다르다. 펌프(푸른 점들)가 벽의 양쪽에서 이온의 숫자가 정확하게 유지되게 조절한다.

펌프는 능동적으로 이온을 이동시켜서 세포의 안정막 농도와 세포의 극성을 유지한다. 그러면 어떻게 펌프가 그런 일을 하는 것일까? 펌프는 체내의 연료 탄알인 ATP를 이용하여, 세개의 나트륨 이온(세 개의 양전하)을 밖으로 내보내고, 두개의 포타슘 이온(두 개의 양이온)을 가지고 들어온다. 결과적으로 세포내부에 비해 세포외부에 양의 극성이 더 강해진다. 다르게 말해서, 외부 용액은 양성의 극성을, 내부 용액은 더욱 음성의 극성을 띄게 된다. 이러한 펌프 기능에 의해서, 안정 시 심근세포의 전기전위는 대략 −70 ~ −90 mV 사이가 된다.

시간이 지나면 몇몇 이온들이 세포로 들어와서 펌프의 효과를 상쇄하기 시작하고, 세포내부는 덜 음성화된다(양성 나트륨 이온들이 세포 내로 스며 들어오는 숫자가 증가하게 된다). 이러한 형태로 천천히 세포의 전기전위가 상승하는 것을 활동전위 제 4기라 한다(그림 2–5).

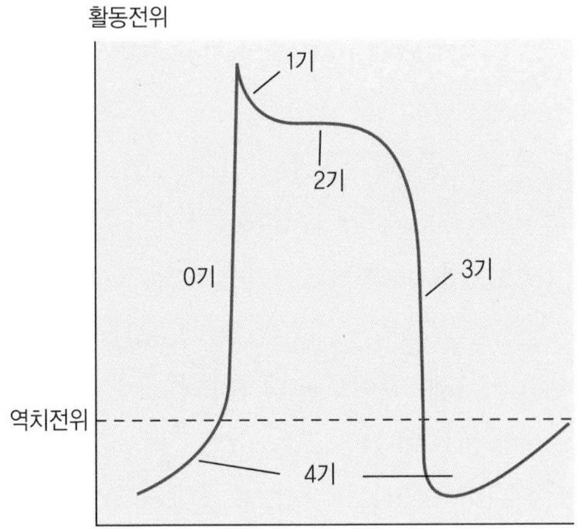

그림 2–5. 심근자극 단계

세포막 채널과 활동전위 단계들(Membrane Channels and Action Potential Phases)

드디어 세포가 양성 전위를 띠게 되면 새로운 세트의 채널들이 열리게 된다. 채널이 열리는 시점을 역치전위(threshold potential)라고 하고 이때의 채널들은 빠른 소듐 채널들이다.이것을 관의 끝에 있는 단방향 밸브라 생각해보자. 세포내 양전하가 어느 지점에 도달하게 되면 밸브가 열린다. 단방향 밸브이기 때문에 이온이 세포 내로 들어올 수만 있다. 그리고 세포외부에 가장 많은 이온은 무엇인가? 소듐(sodium)! 소듐의 세포 내로의 유입은 세포를 더욱 더 양성으로 만들며, 이 주기가 반복되게 된다. 세포 내에서 소듐 이온의 갑작스런 증가를 "스파이크(Spike) 또는 점화(fire)"라고 칭한다. 이것을 0기라고 한다(그림 2–5). 자극은 세포를 따라서 옆에 있는 세포에 전달되기 시작하고, 이것이 반복되어, 모든 세포들이 자극될 때까지 전달된다. 모든 세포들이 활성화되는 시점이 되면, 더 이상 세포는 음전하를 띠거나, 분극되지 않게 되며, 세포는 이제 탈분극되어, 세포 외부 용액 만큼 양성을 띠게 된다.

다음 단계에서는 세포가 양전하의 최고치를 띠게 되면 이를 1기라 한다. 이때 음전하를 가진 소량의 염소(Cl^{+}) 이온이 세포 내로 들어오면서, 소듐의 세포 내 유입을 느리게 한다. 이러한 초기 유입 저하는 급속 소듐 채널에 대한 단방향

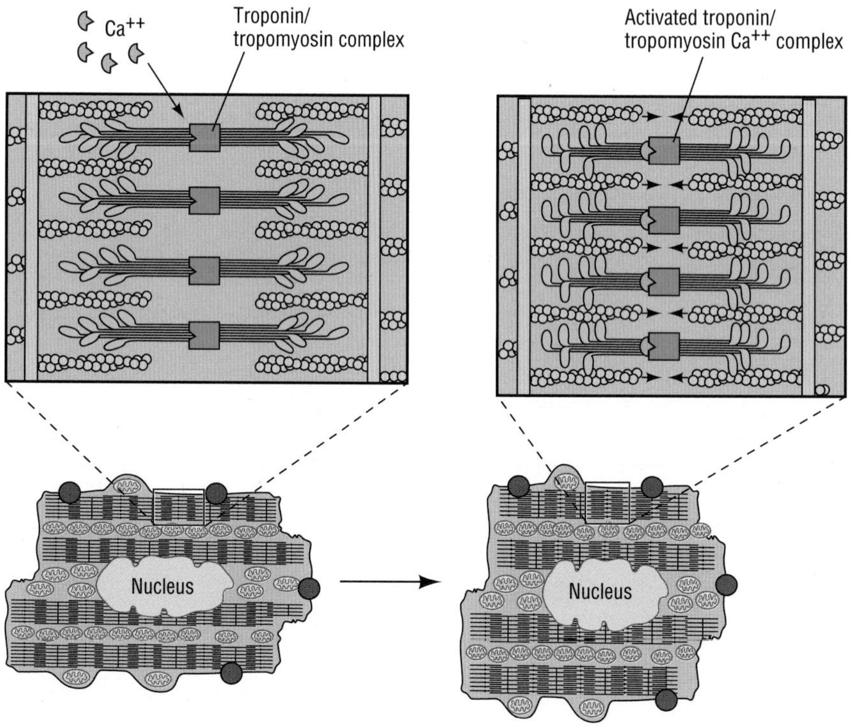

그림 2–6. 액틴–아이오신 복합체에서 칼슘의 작용

밸브를 급격히 차단하게 되며, 그 후 두 종류의 채널 즉, 완속 소듐 채널 및 칼슘 채널이 열리면서 느린 "안정기(plateau)"가 시작하게 된다. 2기. 완속 소듐 채널은 소듐 이온의 세포 내 느린 유입을 담당하고 빠른 유입에는 관여하지 않는다. 칼슘채널들이 열리고, 칼슘이 세포 내로 유입된다. 칼슘은 양전하가 두개인 이온이다. 칼슘의 세포 내 유입과 소듐의 느린 세포 내 유입은 세포를 계속 탈분극 상태로 유지하는 것을 돕는다.

여기에서 재미있는 현상이 나타난다. 칼슘은 세포가 수축하는데 필요하다. 칼슘은 열쇠와 같은 역할을 하여, 트로포닌과 트로포마이오신 단백질로 구성된 연결고리(clamp)를 활성화시킨다. 연결고리는 2개의 톱니바퀴 지지(ratcheting) 단백질인 엑틴과 마이오신을 모으고 서로 가까이 이동시켜 세포가 수축하게 한다(그림 2-6). 칼슘이 없다면, 정확한 열쇠 모양이 만들어지지 않기 때문에, 연결고리 단백질의 자물쇠를 열거나 자유롭게 하지 못해서 엑틴과 마이오신 단백질이 서로의 이빨을 맞물릴 수 있을 만큼 가까이 접근시키지 못하게 된다. 칼슘이 많아지면 이러한 집게의 역할이 빨리지며, 수축이 더 오래 지속된다.

다음은 3기이다. 이 기간 동안 소수의 포타슘채널이 열려서, 포타슘이 세포 안에서 밖으로 빠져 나가게 된다. 이 빠른 재분극 시기에는, 양이온이 세포 밖으로 빠짐으로 해서 세포 내는 상대적인 음전하를 띠게 된다(재분극시킨다).

세포가 안정 전위에 도달하게 되면, 모든 과정이 다시 시작된다. 소듐-포타슘 ATPase 펌프가 다시 소듐을 세포 밖으로, 포타슘을 세포 안으로 움직이게 하고, 세포가 새기 시작하고, 이후 세포가 다시 전기적으로 활성화하기 위해서 천천히 역치 전위에 도달하게 된다. 4기에서 꼭 알아두어야 할 것은 각각의 심근 세포들이 그 역치에 도달하는 속도가 다르다는 것이다. 어느 심근세포가 가장 빨리 역치에 도달할까? 심장의 박동을 유지하는 역할을 하는 동방결절 세포들이다. 그 다음이 심방세포들, 방실결절 세포들, 각(bundle) 세포들, Purkinje 세포들, 마지막으로 심실심근 세포들이다. 각각의 세포들이 독자적으로 가지고 있는 박동수가 이전 단계의 세포들보다 느린 속도를 가지고 있다는 것이 재미있지 않은가? 단순히 한 종류의 세포들만 맥박을 만들 수 있는 기능을 가지고 있는 것에 비해, 이것이 신체의 보호기전이다. 만약 동방결절의 모든 세포가 죽었다면, 그 다음 빠른 4기를 가지고 있는 것은 심방세포이며, 이것이 다른 세포들 이전에 박동을 시작하며, 이것에 의해서 박동이 결정되게 된다. 이런 것이 필요에 따라서 계속 밑으로 진행하게 된다.

노트

계속 진행하다.

마지막으로, 수백만의 활동전위가 심장전체에서 생성되고 있다고 상상해보자. 각각의 세포들은 분당 70에서 100회 분극화 탈분극화된다. 심장에는 수백만 개의 세포들이 존재한다. 이것은 분당 수백만, 수십억 번의 활동전위가 발생된다는 것을 의미한다. 놀랍게도, 이것들이 완벽히 동시에 발생한다는 것에, 우리는 *해부학*장에서 배운 심장의 전기전도계에 감사해야 한다. 이런 집단적인 전기적 방출이 모여서 하나의 커다란 전류를 형성한다-이것이 바로 심장의 전기 축이다. 다음 몇 장에서 우리는 심전도 기계가 어떻게 전위를 측정하고, 이것들을 차후에 우리가 배우게 되는 심전도파의 변화 양상으로 어떻게 바꾸는지에 대해 보게 될 것이다. 우리는 정상 심장이 어떻게 몇몇 특징적인 파형과 군들을 만들어 내는지 그리고 이런 군들이 병적인 상태에서 어떻게 변하는지 보게 될 것이다.

심전도의 기초를 심는 것은 지루한 일이다. 만약 심전도를 올바르게 이해하고 판독하고 싶다면, 이것은 중요하다. 심전도의 지식을 진단으로 바꾸기 위해서는, 단지 심전도를 읽는 것만으로는 충분하지 않다. 이 심전도 모양을 만든 원인은 무엇인지를 이해하여야 하며, 존재하는 병리에 대해서 이해해야 함을 명심하라. 그 진단은 치료의 지침에 사용되며 그러므로 환자의 생명을 구하게 된다.

1 단원 복습

1. 다음 중 틀린 것은 무엇인가?
- **A.** Na^{+}
- **B.** K^{-}
- **C.** Ca^{++}
- **D.** Cl^{-}
- **E.** K^{+}

2. 세포 내에는 나트륨의 농도가 높다. 참 또는 거짓

3. 세포 외에는 포타슘의 농도가 높다. 참 또는 거짓

4. 안정 시 심근 세포의 전기 전위는?
- **A.** +70에서 +90 mV
- **B.** +100에서 +120 mV
- **C.** 거의 0
- **D.** −70에서 −90mV
- **E.** −100에서 −120mV

5. 소듐-포타슘 ATPase 펌프는 ATP를 사용하여 두 개의 나트륨 이온을 세포 바깥으로 보내고, 한 개의 포타슘 이온을 세포 내로 가져온다. 이것은 세포 안이 음성 극성을 만들게 된다. 참 또는 거짓

6. 엑틴과 마이오신은 심근세포를 짧게 하는 단백질 고리이다. 어떠한 이온이 Troponin/Tropomyosin 복합체를 고정시켜 그들이 움직이도록 하는데 작용하는가?
- **A.** 소듐
- **B.** 포타슘
- **C.** 칼슘
- **D.** 마그네슘
- **E.** 염소(chloride)

7. 세포는 정상 안정막 상태에서 극성을 띤다. 참 또는 거짓

8. 활동전위에 도달하게 되면 세포는 활성화된다. 세포는 이런 과정 중 극성을 띄게 된다. 참 또는 거짓

9. 다음 중 어떤 것이 가장 빠른 심장박동을 하게 하는가?
- **A.** 동방결절
- **B.** 심방의 심근세포
- **C.** 방실결정
- **D.** 각(Bundle branches)
- **E.** 심실의 심근세포

10. 분극-탈분극의 전기 화학적 활성도는 심전도로 측정 가능하다. 참 또는 거짓

1. B **2.** 거짓 **3.** 거짓 **4.** D **5.** 거짓 **6.** C **7.** 참
8. 거짓 **9.** A **10.** 참

각각의 벡터들(Individual Vectors)

3장

1

각각의 세포가 그들 고유의 전기적 자극(Electrical impulse)을 생성한다고 생각해 보자. 이러한 자극은 그 강도나 방향이 다양하다. 우리는 이러한 전기적 자극을 벡터(vector)라고 부른다. 벡터는 전기적 자극의 강도와 방향을 보여주는 도식적 방법이다. 예로 하나의 세포에서 생성되는 전기적 활동도가 1달러의 가치를 가지고 있다고 가정하고, 방향은 페이지의 위쪽을 향한다고 하고, 우리는 이것을 벡터 A라고 부른다(그림 3-1). 그리고 다른 세포의 전기적 활성도는 2달러 정도의 가치를 가지고, 오른쪽 우측 코너를 향하고 있으며, B라고 부르고, 벡터 A 크기의 두배이다. 당신이 상상한 대로 심장은 이런 각각의 벡터를 수백만개 가지고 있다(그림 3-2).

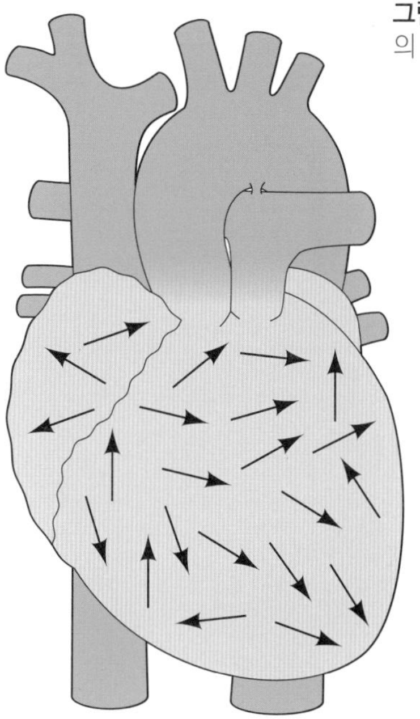

그림 3-2. 심장이 가진 수백만개의 벡터들

벡터의 덧셈과 뺄셈

벡터는 에너지의 양과 방향을 나타낸다. 같은 방향으로 향하면 더해지고, 반대 방향이라면 서로 상쇄하게 된다. 만약 서로에 대해 각도를 가진다면, 그들이 만나는 경우 에너지를 합하던지 또는 감하게 되며, 방향도 변하게 된다(그림 3-3). 이것이 벡터 수학에 대한 간단한 소개이다. 좋은 물리 서적이 더 많은 정보를 제공해 줄 것이다.

그림 3-1. 두 개의 벡터들

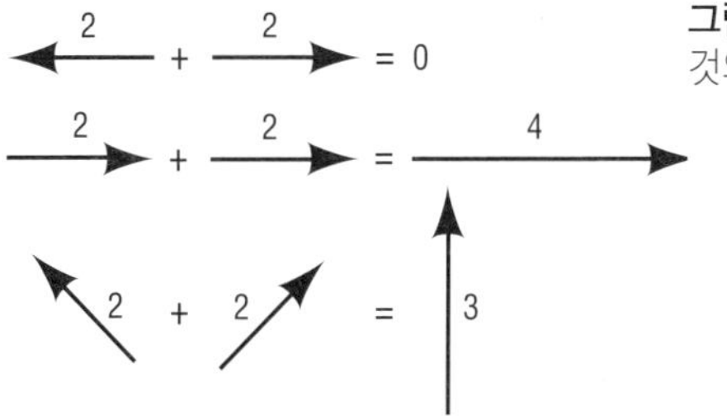

그림 3-3. 벡터를 더하는 것의 예들

심장의 전기축

이제 심장의 심실에서 발견되는 수백만개의 벡터를 합해보자. 당신이 그것들을 합하는 몇 분을 기다려 줄 것이다. 모든 벡터를 다 합하고, 빼고, 그리고 방향의 변화를 시행한 후에 나온 마지막 벡터를 심실의 전기축이라고 한다(그림 3-4). 같은 방법으로 각각의 파형, 분절은 각자의 벡터를 가지고 있다. 그것을 P파 벡터, T파 벡터, ST분절 벡터, QRS 벡터라고 한다. 심전도는 전극의 아래로 지나가는 이러한 벡터를 측정한 것이다. 바로 이것이다! 전극 혹은 유도 아래로 지나가는 주요(main) 벡터의 전기적 이동을 나타낸 것이다. 다음 페이지에서는 QRS 벡터에 대해서만 이야기하겠다.

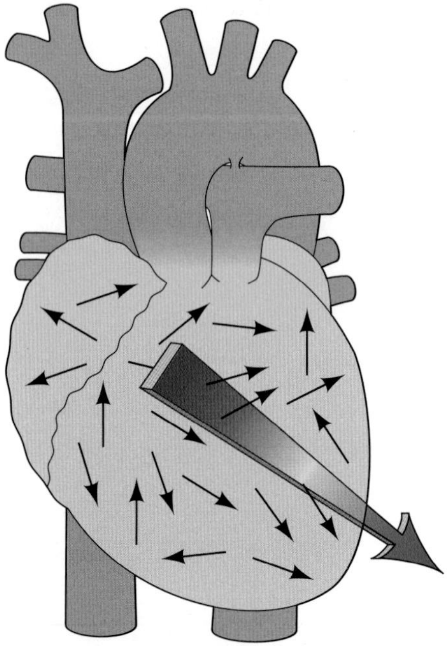

그림 3-4. 전체 심실 벡터의 합=전기축

전극들과 파형들(Electrode & wave)

전극은 자기 아래에서 일어나는 전기적 활성을 잡아내는 장치이다. 만약 양성의 전기적 자극이 전극에서 멀어진다면(그림 3-5, A), 심전도 기계는 그것을 음성파(하향파)로 나타낸다. 양성 전기파형이 전극으로 다가오면(그림 3-5, A),심전도는 그것을 양성파(상향파)로 나타낸다(그림 3-5, C). 만약 전극이 중간 부위 어디에 있다면(그림 3-5, B), 심전도는 다가오는 전기적 에너지만큼 상향편향(deflection)을 보였다가 멀어지는 만큼 하향편향(deflection)을 보이게 된다. 이것은 도플러 현상과 비슷하다. 앰블런스가 사이렌 소리를 울리면서 다가올 때 점점 까까워질수록 소리가 커지고, 멀어질수록 소리가 작아지는 현상이다.

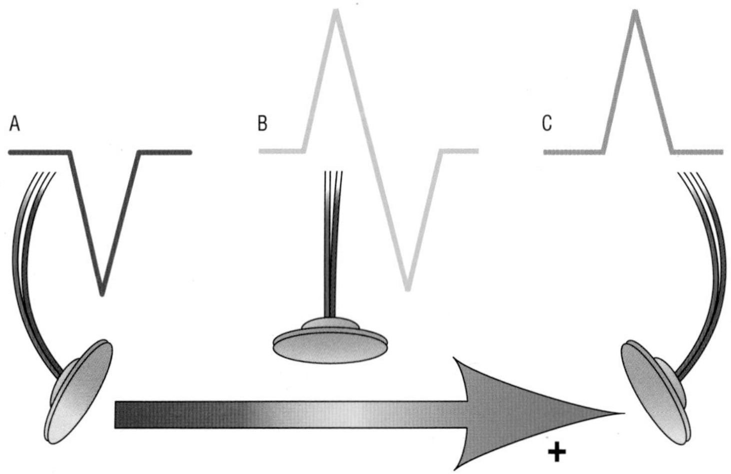

그림 3-5. 다른 유도 위치들에 의해서 발생하는 동일한 벡타에 대한 3가지 다른 심전도 모양

유도들은 심장의 그림들과 비슷하다.

전극들(유도들)은 벡터의 전기적 활성을 잡아내고, 심전도 기계는 그것을 파형으로 전환시킨다. 각각의 파형들 세트를 한개의 그림이라고 생각해보자. 주축에 어떤 각도를 가지고 여러 전극(혹은 사진기라고 생각하라)을 위치시킨다고 가정해보자(그림 3−6). 우리는 삼차원적 시각으로 심장의 다양한 그림을 얻을 수 있을 것이다. 심전도를 사진 앨범이라 생각하면 쉬울 것이다. 이것을 더욱 재미있게 하기 위해, 우리가 어떤 크기에 대한 참고치(reference for scale)를 포함하는 장난감 코끼리의 다양한 사진을 주었다고 생각해보자. 그리고 이것들을 통합하여 마음의 눈으로 삼차원적으로 합성을 할 수 있겠는가? 당연히 가능하다! 이것이 심전도가 우리에게 주는 의미이다: 심장의 전기축을 삼차원적으로 찍은 사진. 이 사진에서 경색 비대, 차단과 같은 병적인 현상에 대한 정보를 얻게 된다.

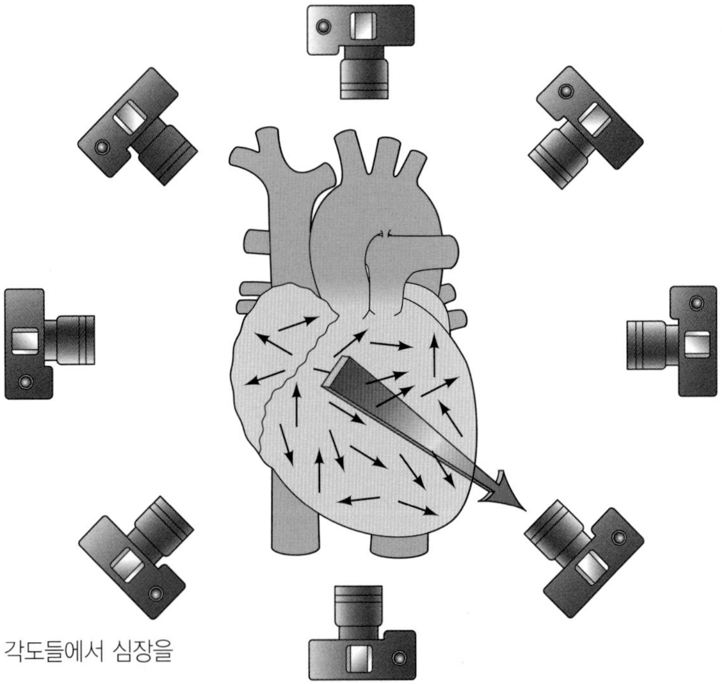

그림 3−6. 다른 각도들에서 심장을 보는 유도들

유도위치("카메라"를 어디다 놓을 것인가)

좋다. 그러면 카메라 또는 전극을 어디다 놓을 것인가? 그림 3−7과 같은 위치에 두게 된다. 사지 유도는 우측 팔(RA), 좌측 팔(LA) 우측 다리(RL)와 좌측 다리(LL)에 두고 최소한 심장에서 10cm 떨어져야 한다. 심장에서 10cm 떨어지기만 하면 어깨들이나 팔들 중 어디에 두든지 상관없다. 하지만 흉부유도는 정확한 위치에 두어야 한다. V_1과 V_2 유도의 위치는 흉골의 양면의 4번째 늑간에 위치시킨다. 이 위치를 찾기 위해서는 먼저 Louis 각을 확인해야 한다. 이곳은 흉골의 위쪽 1/3 지점에 위치하는 튀어나온(hump) 지점이다. 당신의 흉골을 위에서 아래로 만지다보면 그것을 느낄수 있을 것이다. 이것은 제2늑골에 연하고 있고, 이 지점의 바로 아래 공간이 2늑간(2nd intercostal space)이다. 2개의 늑간을 더 내려가면 V_1, V_2 유도의 정확한 위치이다. V_4는 쇄골 중간선의 다섯번째 늑간이다. 나머지 위치는 아래 그림을 참고하라.

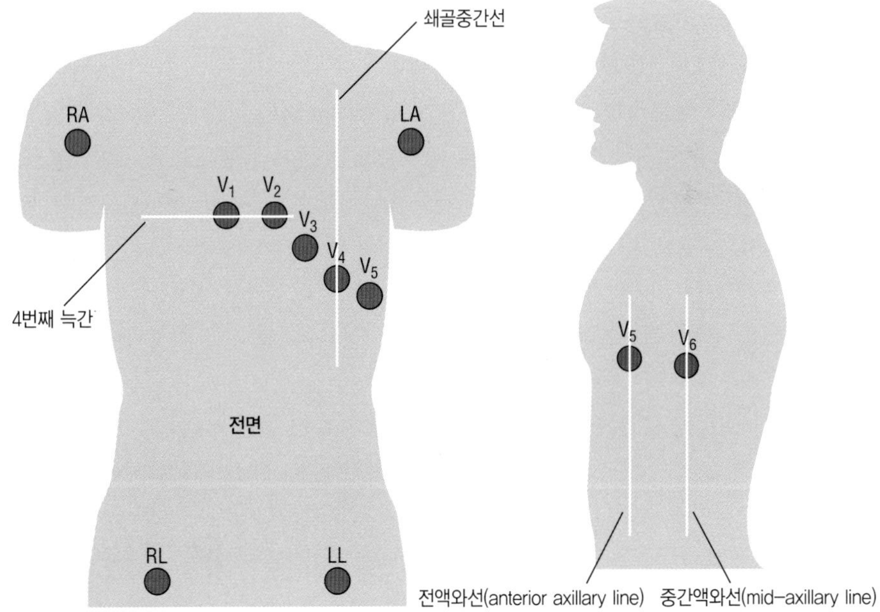

그림 3−7. 유도 위치

어떻게 기계가 유도들을 조정하는가

심전도 기계는 심전도에서 사지전극들의 양성, 음성 극성을 읽어서 유도 I, II 그리고 III을 만들어낸다(그림3-8). 다른 말로, 카메라가 양성 극성에 위치하여, 확인 하려고 하는 유도를 밑으로 바라보면서 놓여있다. 물리학에서 두개의 벡터(지금의 경우는 유도들)가 그들이 평행하고, 같은 크기와 극성을 가지는 한 이 둘은 같습니다. 그러므로 유도의 위치를 그림 3-8의 위치에서 심장의 중심을 통과하는 지점으로 옮길 수 있으며, 그것들은 같은 것이 될 것이다(그림 3-9). 조금 복잡한 벡터 조작을 통해서 3개의 다른 부가적 유도를 만들게 된다(그림 3-9, B).

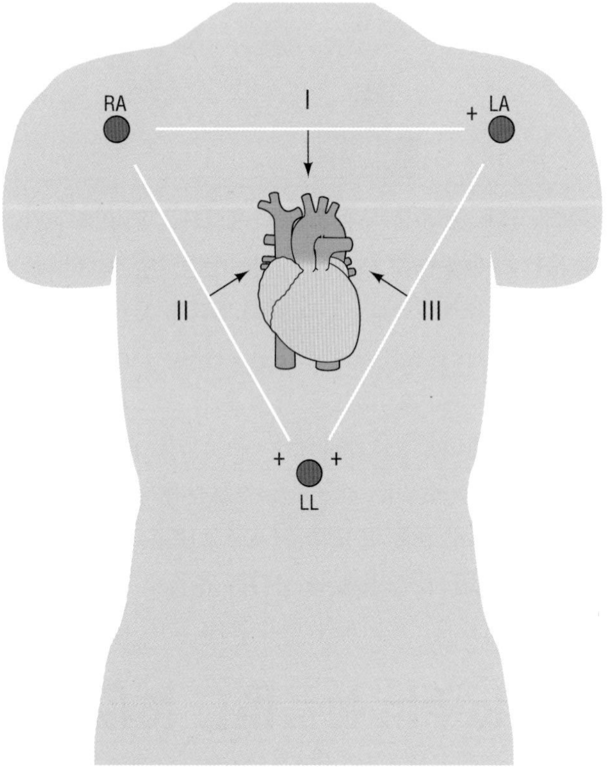

그림 3-8. 유도 I, II, 그리고 III

유도 시스템

6개 유도 시스템(The hexaxial system)

이제 그림 3-9의 A와 B를 합쳐보자. 전에 사용했던 것과 같은 원칙-유도들은 결과적으로 만들어지는 유도가 원래 벡터와 평행하고 같은 극성을 가지는 한 옮길 수 있다- 우리는 6개 유도를 이용하는 방법(hexaxial system)을 만들 수 있다(그림 3-10). 이것을 심장 중앙을 절단하는 면의 벡터를 분석하는 시스템으로 생각하라. 이렇게 하여 앞쪽 반과 뒤쪽 반을 만든다. 이것은 마치 귀에서 귀로 몸을 반으로 나누는 유리판(glass sheet)과 같다. 이를 해부학적 용어로 '관상절단(Coronal cut)' 이라고 한다. 진행하면서 당신이 평가하는 것은 벡터가 2면상의 유리면에 어떻게 투영되는가 하는 것이지, 3차원 앞뒤의 심장에 대한 것은 아니라는 것을 기억하라.

6가지 축 시스템은 6개의 사지유도를 가진다: I, II, III, aVR, aVL, 그리고 aVF. 전통적으로 유도의 양성 전극 쪽 끝에 그 유도의 이름을 기술한다(그림 3-10). 그러므로 I 유도의 양성 극성은 원의 오른쪽이고, aVF의 양성 극성은 아래쪽이다. 또한 각 유도는 30도 각도로 떨어져 있다. 이것은 심장의 축을 이야기 하는데 매우 유용하다.

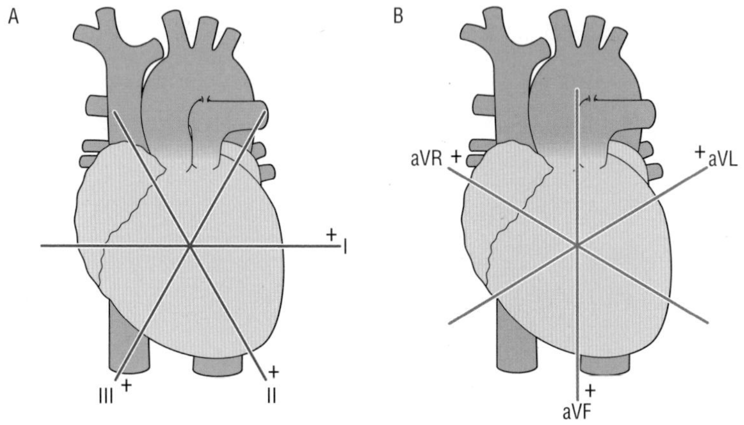

그림 3-9. 벡터 조작 후 더 만들어진 3개의 유도들

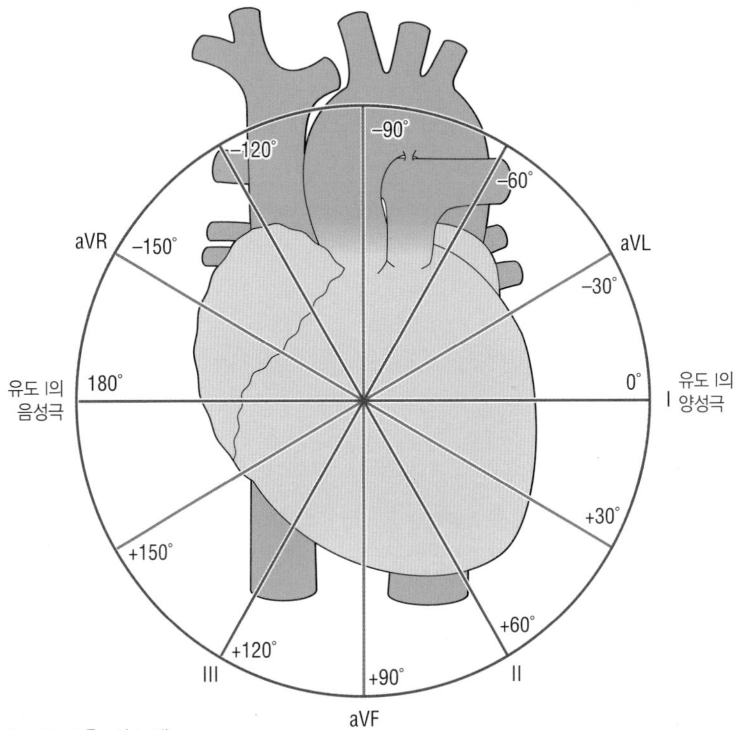

그림 3-10. 6축 시스템

전흉부 시스템(The Precordial system)

전흉부 유도들을 꼭 기억하라 – 흉부에 존재하는 것? 이 유도들이 사지유도들과 직각의 면으로 앉아 있다고 생각해보자. 다시 한번, 유리판(glass sheet)을 생각하여, 이번에는 몸에 심장을 중심으로 상 1/2 그리고 하 1/2로 나눈다. 이것을 횡단면(transverse plane)이라 한다. 이것의 결과로 횡단면(Cross section)을 얻게 되며, 6개의 흉부 전극들에 의해서 6개의 유도가 생성되게 된다(그림 3-11).

그림 3-11. 6개 전흉부 유도들

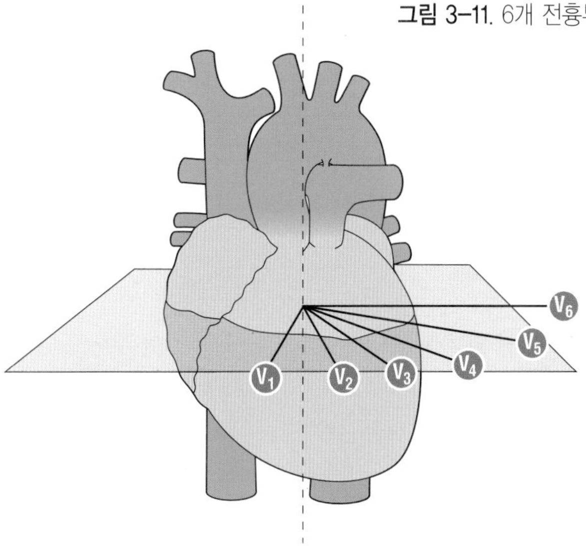

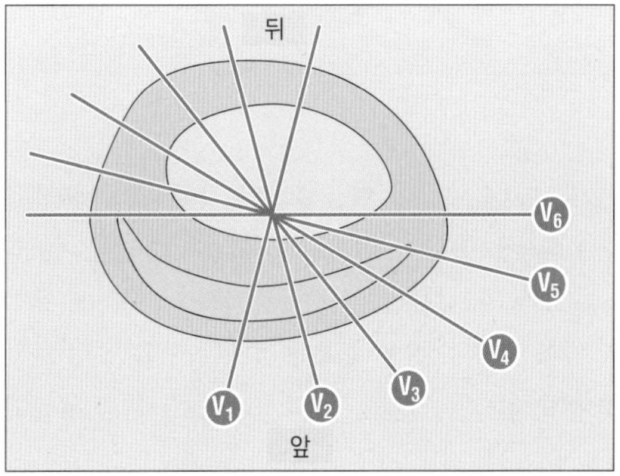

심장의 3차원(The heart in three dimensions)

당신이 이때까지 이 책을 잘 따라왔다면, 논리적으로 생각해보라, 다음단계는 무엇일까? 그렇지... 이 전체를 합치는 것이다! 심장을 관상면과 횡단면으로 자르면, 심장의 삼차원적인 그림을 보여주게 된다. 이 조금의 지식으로 무엇을 할 수 있는가? 자, 간단한 시험을 쳐보자.

환자가 하벽심근경색(heart attack)을 가지고 있다고 하자. 그렇다면 심전도상 어디에 변화가 생길까? 그림 3-12를 보자. 심장의 밑바닥을 향하는 유도는 무엇인가? 그것들은 II, III, aVF이다. 만약 심전도상에서 II, III, aVF 유도에서 급성심근경색(AMI)에 합당한 소견을 본다면 이 환자는 하벽심근경색을 가지고 있다는 것을 알 수 있다. 보았는가? 당신은 벌써 좋아져 가고 있다. 자, 이제 심전도가 V_1, V_2유도들의 변화를 보여준다고 가정하자. 이것은 중격부를 따라간다. -그래서 중격심근경색이다. V_3와 V_4는 대부분 전벽부(전벽심근경색)에 위치한다. I, aVL, V_5, V_6는 외측벽과 관련이 있다. 이해가 되는가? 각각의 영역에 대해서 살펴보자.

영역을 정한다: 하벽(Inferior Wall)

유도 II, III, 그리고 aVF 유도에서 이상이 있는 심전도를 보았다고 하자. 기억하고 있는 형태가 없다면, 이러한 변화가 발생한 곳이 심장의 어느 영역에 해당하는지 알지 못할 것이다. 암기는 생각나게 하는 최선의 방법이 아니기 때문에(우리가 암기한 것의 90%를 잊어버린다.) 우리는 이 형태를 기억하기 위해 더 논리적인 방법을 생각해 내어야 한다. 만약 6축(hexaxisal system)과 전흉부 시스템에 대해서 안다면, 이상이 발생한 유도가 하벽에서 일어난 현상임을 알게 될 것이다(그림 3-13). 허혈이나 경색의 변화가 이 영역에서 발생하면, 심전도는 환자가 하벽 허혈인지 경색인지 알려줄 것이다. 이 시스템에 대해서 안다면, 당신이 심전도와 관련하여 풀지 못하는 문제는 거의 없을 것이다.

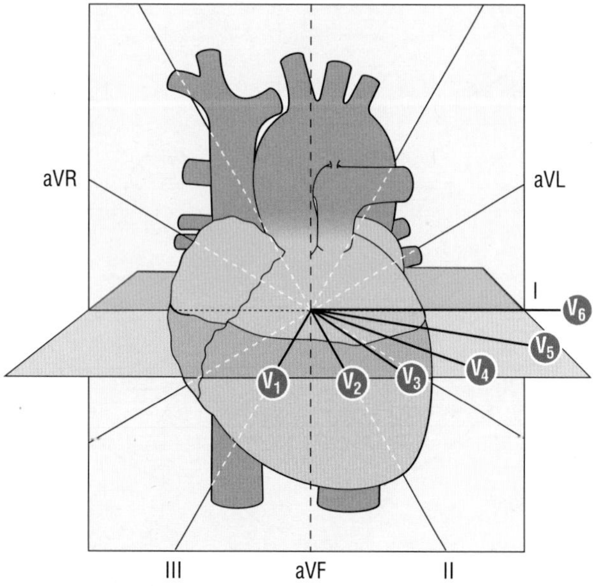

그림 3-12. 3차원에서의 유도들

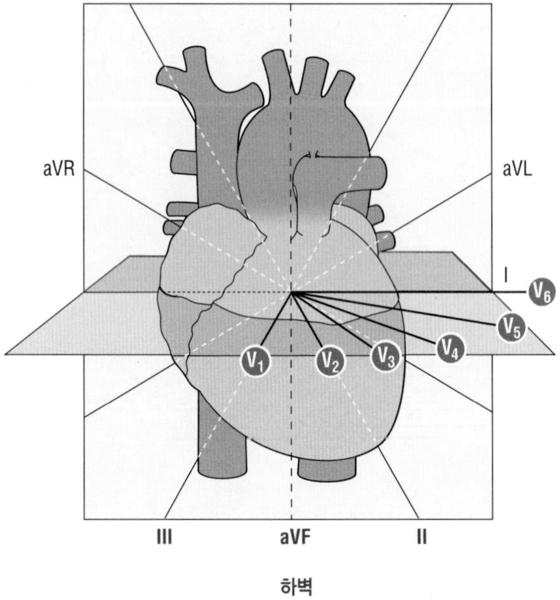

그림 3-13. 하벽을 정한다.

다른 영역을 정하다

이러한 접근법을 통하여 전벽부, 중격, 외측벽을 정할 수 있고(그림 3–14), 예를 들어 하외측(inferolateral) 벽과 같은 한군데 이상에서 발생하는 변화도 알 수 있게 된다. 이것은 하벽과 외측부를 다 침범한 경우를 말한다. 어떤 유도가 침범되었는지 알겠는가?(답은 그림 3–15에 있음)

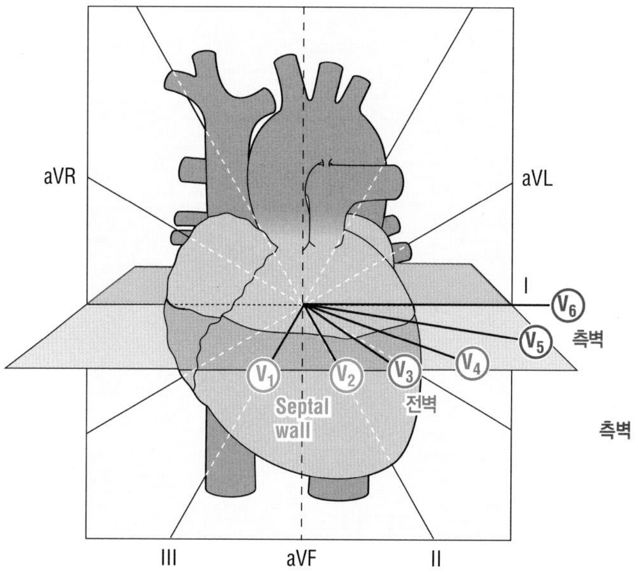

그림 3–14. 다른 영역들을 정한다.

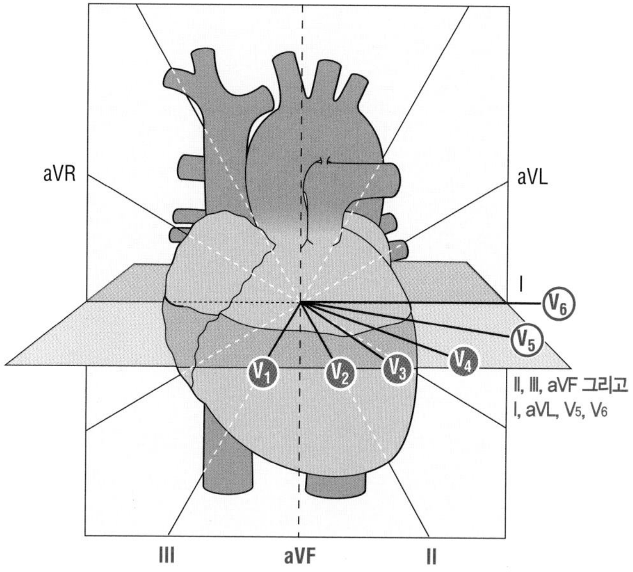

그림 3–15. 하나 이상의 영역을 침범하는 경우를 알아낸다.

1 단원 복습

1. 다음 기술 중 옳은 것은 무엇인가?

A. 벡터는 전기자극의 *힘(strength)*을 나타내는 도식적(Diagrammatic) 방법이다.

B. 벡터는 전기자극의 *방향(direction)*을 나타내는 도식적 방법이다.

C. A와 B 모두 맞다.

D. A와 B 모두 틀리다.

2. 심장 전기축은 심실 탈분극을 만드는 각각의 모든 벡터들의 합을 나타낸 것이다. 참 또는 거짓

3. 다음 기술 중 틀린 것은 무엇인가?

A. 전극은 전극 아래에서 일어나는 전기적 활성을 잡아내는 장치이다.

B. 전극을 향해오는 양성 극성의 전기 파형은 심전도상에서 상향파로 나타난다.

C. 전극에서 멀어지는 양성 극성의 전기 파형은 심전도 상에서 하향파로 나타난다.

D. 전극을 향해오는 양성 극성의 전기 파형은 심전도 상에서 등전위파로 나타난다.

4. 전기유도는 각각의 유도 위의 지점에서 전기축에 대해 사진을 찍는 것 같다. 12 유도 심전도는 12개의 개개의 유도에서 시스템화된 형식에 의해 찍은 사진의 앨범과 같은 것이다. 참 또는 거짓

5. V_3와 V_4는 흉골을 기준으로 반대쪽에 위치한다. 참 또는 거짓

6. *Louis각(Angle of Louis)*은 Einthoven 삼각형의 가장 아래쪽 각이다. 참 또는 거짓

7. 사지유도는 유도 I, II, III, aVR, aVL, 그리고 aVF로 구성된다. 참 또는 거짓

8. 사지유도에서 사용되는 6가지 전기축은 전기적으로 심장을 관상축으로 자른 것이다. 참 또는 거짓

9. 흉부유도는 전기적으로 심장을 가로로 잘라서 위 1/2, 아래 1/2로 나누는 것이다. 참 또는 거짓

10. 심장의 전기축의 삼차원적인 그림을 만들기 위해서는 사지유도와 흉부유도를 사용해서는 안 된다. 참 또는 거짓

1. C **2.** 참 **3.** D **4.** 참 **5.** 거짓 **6.** 거짓 **7.** 참 **8.** 참 **9.** 참 **10.** 거짓

4장 실제 심전도: 종이와 잉크

1 상자들과 크기

펜이 종이 위의 심전도 파형과 분절을 기록한다(전기생리학 단원에서 언급하였다). 쉽게하기 위해, 그림 4-1에서 심전도 군을 표현하기 위해 직선의 수평선을 그려보자. 심전도 종이는 펜 아래를 25mm/초의 속도로 지나간다. 각 작은 상자는 1/25초, 혹은 0.04초이다. 큰 상자는 다섯 개의 작은 상자로 구성되어 있어서 5 × 0.4초 = 0.2초이다. 그러므로 다섯 개의 큰 상자는 1초를 나타낸다. 각 유도는 2.5초간 나타나며, 전체 심전도는 10초 길이이다.

심전도 종이는 3개 또는 4개의 가늘고 긴 조각(Strip)으로 나뉜다. 위에서 언급했듯이, 위쪽 3개 조각들(strips)은, 앞에서 언급한, 12개의 유도들로 나눠진다. 각각의 유도는 알기 쉽게 적절한 표시를 한다. 가장 아래쪽에서 보이는 네 번째 조각(strip)은 리듬 스트립이다. 많은 심전도 기계에서 리듬 스트립은 그 위에 있는

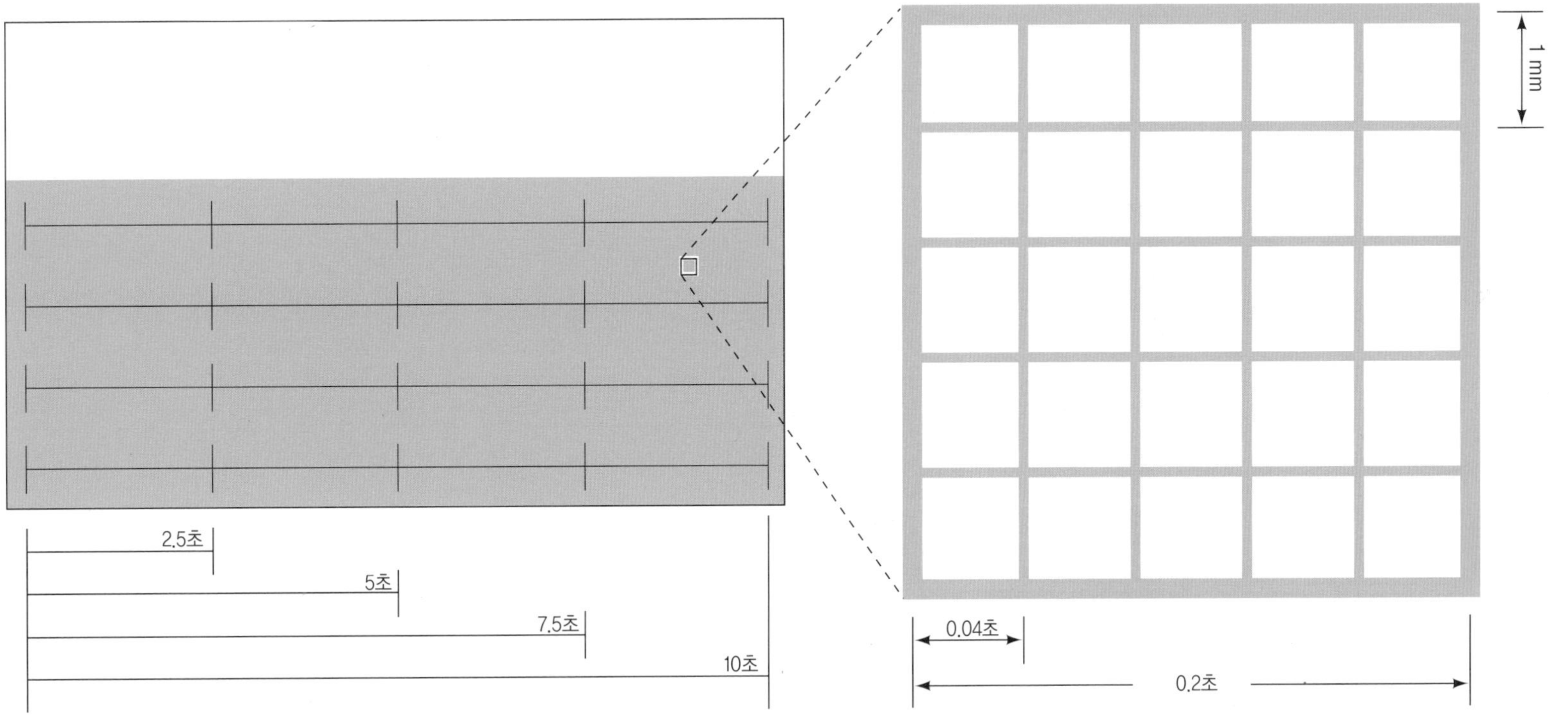

그림 4-1. ECG 종이, 높이는 밀리미터(mm) 그리고 너비는 miliseconds (ms)로 측정한다.

유도들과 동기화(synchronize)되어 있다. 다른 기계들에서는 동기화가 되지 않은 것도 있다. 여기에 대해서는 이 단원 뒤에서 논하겠다.

파나 분절의 수직 높이에 대해 이야기 할 때는 millimeters (mm)를 사용한다. 예를 들어 파형이 5개의 작은 상자의 크기이면, 높이가 5mm이다. 이것과 비슷하게 더 어둡고 진한 큰 상자 하나는 5mm 높이이다.

특히 박동수, 파형이나 분절의 너비를 이야기를 할 때 이 치수를 기억해 두는 것이 유용하다. 심전도의 모든 것은 millimeters 혹은 milliseconds (ms)로 측정된다. 심전도를 검사할 때 판독을 기술할 때 이 측정법을 이용해야 한다.

예를 들어 파형 하나의 높이가 15mm이고, 너비가 0.06초라고 기술할 수 있다. 이는 파의 높이가 15개의 작은 상자 또는 3개의 큰 상자의 높이이고, 너비는 1.5개의 작은 상자의 너비라고 생각하시면 된다. 조금만 연습하면, 쉽게 터득할 수 있다.

눈금 조정(Calibration)

각 심전도 스트립의 끝에는 계단 모양의 소위 조정(calibration)상자라고 하는 것을 볼 수 있다. 조정상자는 높이 10mm이고, 너비 0.20초이다(그림 4-2, A). 조정 상자가 있다는 것은 심전도가 표준 상태에서 측정되었다는 것을 나타낸다.

때로는 반-표준화 조정(half-standard calibration)된 심전도를 발견할 수 있다(그림 4-2, B). 이것은 QRS파가 너무 커서 서로 충돌하는 경우에 사용한다. 부수적으로 중간단계(step halfway)에서 증가가 있는 상자가, 표준상자 1/2 넓이 동안 지속하는 경우에 반-표준화된 것을 알 수 있다. 이런 계단을 닮은 모양을 보면, 반-표준화된 상태를 마주치게 된것이다.

당신이 우연히 마주치게 될 다른 조정 하나는 용지의 속도가 전통적인 25 mm/초 대신 50mm/초로 정해진 경우이다. 이런 경우 조정상자는 0.40초의 너비를 갖게 된다(그림 4-2 C).

각각의 유도가 나타내는 장소는 어디인가?

그림 4-3은 대부분의 심전도에서 여러 유도들이 위치하는 표준 양식을 보여준다. 하지만, 심전도 제조회사에 따라 다른 차이가 있을 수 있다. 당신 기관에서 어떤 양식을 사용하는지 익숙해져야 한다.

어떤 양식은 맨 아래에 리듬 스트립을 포함하지 않는 경우도 있다. 하지만, 이것은 심전도 판독에 있어 대단한 불이익으로 작용할 것이라 믿는다. 어떤 양식의 또 다른 불이익은 리듬 스트립은 있지만 리듬 스트립 위에 있는 박동들과의 시간적 연관성을 나타내지 못하는 경우이다(다음에 시간의 연관성에 대해 설명하겠다). 박동의 모양이 유도에 따라 다르게 나타나기 때문에 이런 형태의 심전도에서 정상과 편위전도를 감별하기 어렵다. 다음 단원에서 심전도의 판독에서 시간적으로 일치하는 리듬 스트립이 심전도의 판독에 결정적이라는 수많은 예를 보여줄 것이다.

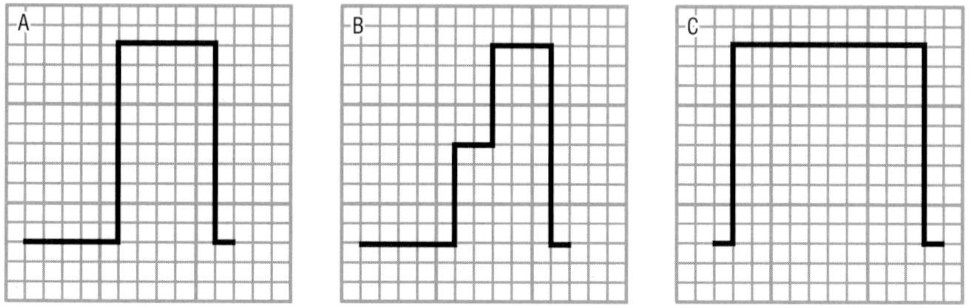

그림 4-2. 3 종류의 눈금조정(caliberation)

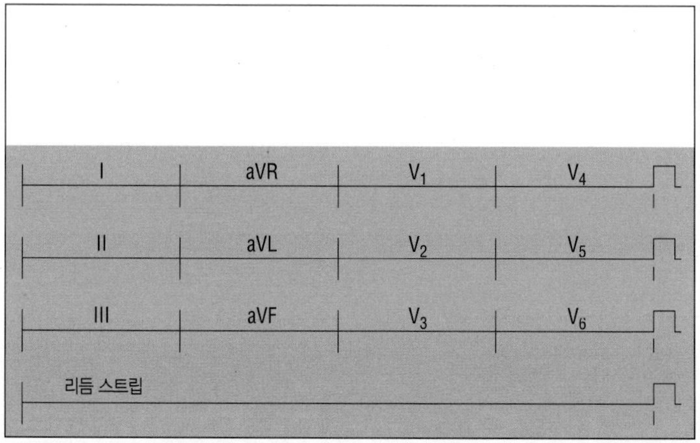

그림 4-3. 심전도 용지에서 유도들의 위치

심전도의 시간적 연관성

붉은색 선이 쭉 그어진 투명한 자를 심전도 제일 위에 놓았다고 상상해 보자(그림 4-4). 자를 용지에 가로질러 놓고 움직이면, 심전도의 시작 시점에 발생한 현상은 끝에 발생한 사건 전에 일어난 것이며 시간적으로 다른 여러 위치에 마주치게 된다. 그러나 수직의 빨간선에 닿는 각각의 사건은 같은 시간에 발생하는 것이다. 심전도 기계는 세 개나 그 이상의 유도를 동시에 측정할 수 있고, 심전도상 동시에 나타낼 수 있다. 빨간선 위의 현상은 동시에 나타나는 현상이라는 것을 알기 바란다. 군들의 끝 지점들은 심전도 용지의 동일한 수직선 상에 나타나는 것을 항상 확인하라. 이것이 복합체들(complex)을 잘못 판독하는 것을 막아 줄 것이다.

왜 시간적 간격(temporal spacing)이 중요한가?

왜 우리는 시간적 간격에 대해서 그렇게까지 많은 신경을 써야 하는가? 그림 4-5와 같은 상황에 대해서 생각하라. 간단하게 심전도상의 복합체를 오각형 또는 육각형의 별로 나타내었다. 각 유도는 각각의 색깔을 가지고 있고, 리듬 스트립은 유

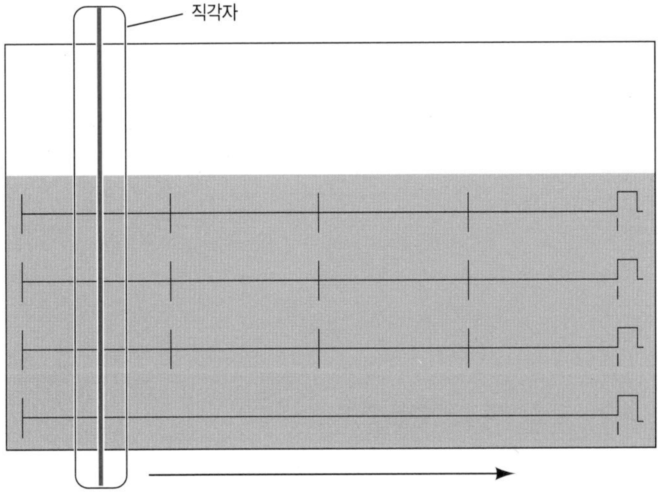

그림 4-4. 붉은선은 시간을 나타낸다; 붉은선에 닿는 사건들은 동시에 발생하는 것이다.

> **조언**
>
> 판독할 때 항상 심전도 양식을 확인하라!

도 2의 색깔과 같다. 당신이 심전도를 판독하는 것과 같이, 리듬 스트립의 다섯 번째와 여섯 번째 별의 모양이 다른 것을 알게 될 것이다. 이것은 기존의 오각형 별이 아니라, 육각형 별이다. 당신은 이 정보를 당신의 판독이 적절하게 변화하도록 이용할 수 있다. 만약 이들 2개의 편위전도된 박동들이 다르다고 하는 것을 보여주는 리듬 스트립이 없다면, 당신은 쉽게 심전도를 잘못 판독하게 될 것이다. 리듬 스트립 덕분에 유도 V_1에서 V_3 사이에 나타나는 QRS군의 모양이 다른 것들과 다르다는 것을 알게되고 올바른 판독과 진단을 할 수 있게 된다.

요점을 아주 분명하게 정리해보자: 이 지식은 당신의 최종 진단을 극적으로 바꾸게 만들 수 있다. 그것이 가능하지만 – 우리는 여기서 너무 극적이지 않길 원한다 – 환자를 살려야 한다. 아주 좋은 예로 *PR 간격(The PR Interval)* 장의 10–12 심전도를 봐라. 다른 여러 것들 중에서 시각적 간격(temporal spacing)은 리듬, 간격(intervals), ST분절의 변화, 조기박동, 편위전도된 박동을 판별하는데 중요하다.

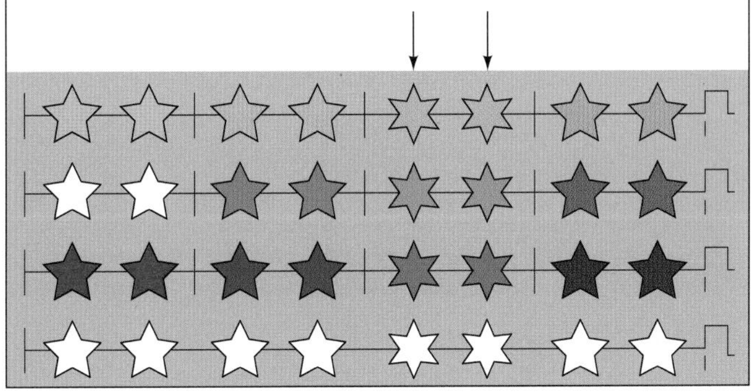

그림 4-5. 다른 형태의 별들은 다른 모양들을 의미한다.

1 단원 복습

1. 심전도 용지는 정상적으로 얼마의 속도로 움직이는가?
A. 초당 50mm
B. 초당 75mm
C. 초당 25cm
D. 초당 25mm
E. 아무것도 해당 안됨

2. 각각의 작은 상자의 너비는 얼마인가?
A. 0.04초
B. 0.02초
C. 0.40초
D. 0.20초
E. 아무것도 해당 안됨

3. 표준 12유도 심전도에서 하나의 유도는 몇 초를 차지하는가?
A. 0.3초
B. 2.5초
C. 13초
D. 30초
E. 아무것도 해당 안됨

4. 전체 심전도의 시간은 얼마인가
A. 3초
B. 6초
C. 9초
D. 10초
E. 아무것도 해당 안됨

5. 심전도의 작은 상자의 크기는 얼마인가?
A. 1cm는 0.20초
B. 1mm는, 0.20초
C. 1cm는 0.04초
D. 1mm는 0.04초
E. 아무것도 해당 안 됨

6. 심전도의 큰 상자의 크기는 얼마인가:
A. 5mm는 0.20 초
B. 1mm는 0.20 초
C. 5mm는 0.04초
D. 1mm는 0.04초
E. 아무것도 해당 안 됨

7. 높이는 작은 상자 10개이며, 너비는 작은 상자 3개의 파형은 어떻게 표시하는가?
A. 1.0mm에 0.3초
B. 10mm에 0.12초
C. 12mm에 0.3초
D. 12mm에 0.10초
E. 아무것도 해당 안 됨.

8. 큰 상자 2개와 작은 상자 2개의 너비의 거리는 어떻게 묘사하는가?
A. 22mm 너비
B. 0.22초 너비
C. 0.48초 너비
D. 4.8초 너비
E. 아무것도 해당 안 됨

9. 만약 심전도가 반 표준화의 방법으로 측정된다면, 20mm 높이의 파형은 원래 얼마인가?
A. 10mm 높이
B. 20mm 높이
C. 30mm 높이
D. 40mm 높이
E. 아무것도 해당 안 됨

10. 모든 심전도는 심전도 용지에 동일한 형식으로 표현된다. 참 또는 거짓

1. D **2.** A **3.** B **4.** D **5.** D **6.** A **7.** B **8.** C **9.** D
10. 거짓

5 장 심전도 도구들

심전도를 읽고 판독하는 것을 보다 쉽게 하기 위해서 여러가지 도구(그림 5-1)가 사용된다.

1. 측경기(Caliper)
2. 축-회전자(Axis-wheel ruler)
3. 심전도 자(ECG ruler)
4. 직각자(Straight edge)

이 장에서는 이 각각에 대해서 상세하게 이야기하겠다. 이 도구에 대한 소개는: 도구는 쉽게 일을 할 수 있도록 해주지만, 도구에 너무 의존하지 않는 것이 중요하다. 만약 너무 의존하게 된다면 도구가 없을 때 우리는 무기력한 느낌을 받을 수도 있다.

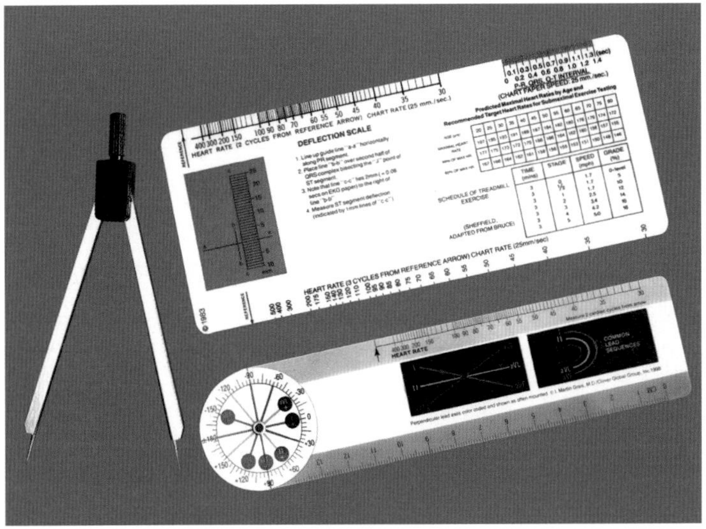

그림 5-1. 측경기(calipers) 그리고 축바퀴(axis wheel)와 직각(stright edge)을 가진 심전도자

측경기(caliper) : 심전도 판독자의 가장 친한 친구

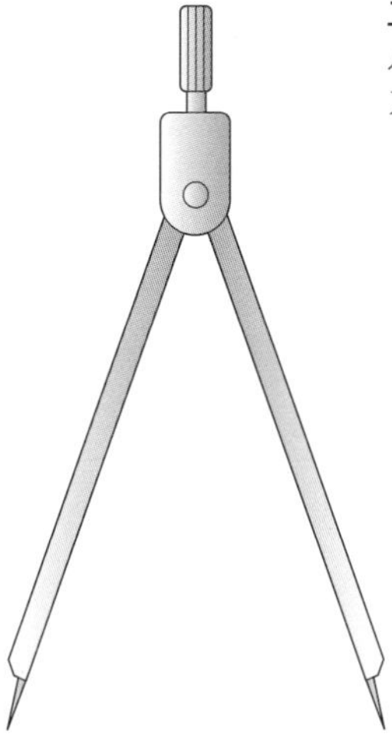

그림 5-2. 측경기를 사용하여 심전도상의 거리를 측정한다.

우리들 생각에 측경기를 사용하지 않으면, 어느 정도의 정확도를 가지고 심전도 판독하는 것은 거의 불가능하다(그림 5-2). 이것은 강한 글이지만, 그러나 진실이다. 측경기 없이도 파와 너비는 측정할 수 있다. 그것에 더해서 리듬을 평가할 때 일관성도 평가할 수도 있다. 우리는 사람들이 심전도 군들(complexes)의 높이와 너비를 옮기기 위해서 종이 한 조각에 모든 종류의 창의적인 표식을 하는 것을 보았다. 하지만, 정확성, 신뢰성에서 측경기를 견줄 수 있는 것은 없다. 당신 것이 없다면, 가까운 의학서점이나, 제도용품 공급점에 가서 하나를 구하라. 임상 근무할 때는 언제나 가지고 있어라. 이것이 당신의 삶을 단순하게 만들어 줄 것이다.

측경기를 어떻게 사용할까? 한쪽 바늘을 당신이 측정하고자 하는 부분의 시작점에 놓고, 다른 바늘을 끝에 두면 된다. 측정한 대상의 높이와 시간을 알기 위해 그 간격을 심전도의 흩어지지 않은 부분으로 옮길 수 있다. 다음은 측경기를 쉽게 사용하는 방법들이다.

측경기(Calipers) 사용법

거리를 측정한 후, 심전도에서 깨끗하고, 비교적 덜 산만한 영역으로 옮겨서 실제 시간을 계산하는 것이 쉽다(그림 5-3). 큰 상자는 0.20초를 기억하라. 그림

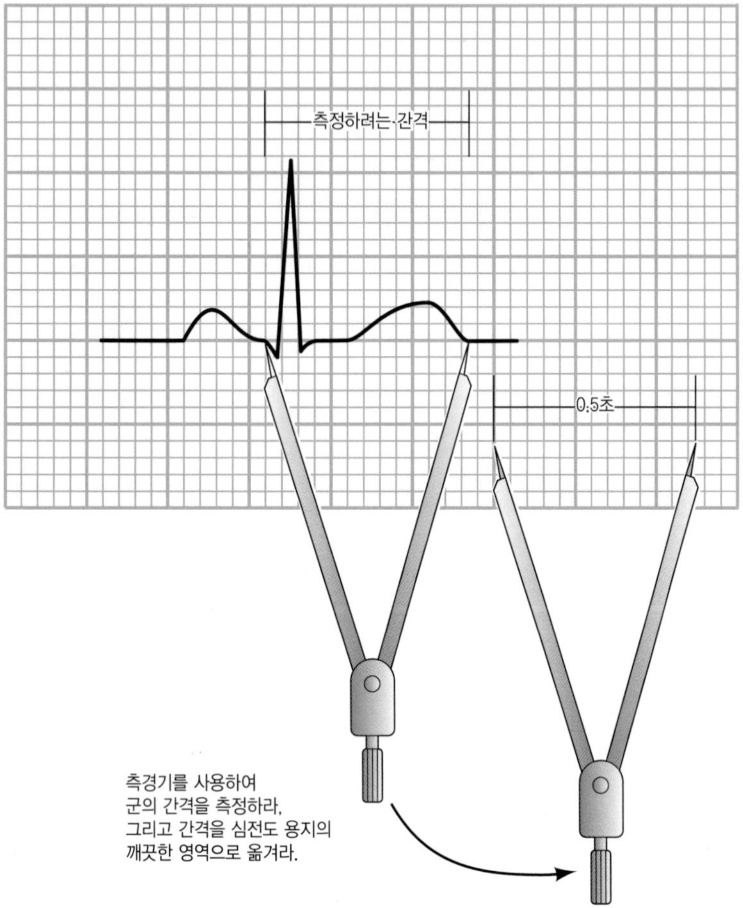

그림 5-3. 군의 전체 폭은 0.5초이다.

5-3에는 측경기 양끝 사이에 총 0.40초의 두개의 큰 상자가 있다. 작은 상자는 0.04초이다. 작은 상자는 2개 반으로 합해서 0.1초를 나타낸다.

이제 세 박동의 간격이 같다는 것을 알고 싶다면, 먼저 A군과 B군 사이의 거리를 측정한다. 오른쪽 바늘은 움직이지 말고, 왼쪽 바늘을 회전시켜서, B와 C 사이의 거리가 같은지 관찰한다(그림 5-4). 오른쪽 바늘을 움직이지 않고도 거리가 같다는 것을 알게 될 것이다. 이렇게 한쪽 핀과 다른 핀을 고정하고 회전시키는 것을 측경기의 "걷기"라고 한다.

측경기를 앞뒤로 움직이며 각 군들의 규칙성을 확인할 수 있다. 그것의 거리를 얻어서 당신이 가고 싶은 심전도 용지의 어디든지 옮길 수 있다. 이 방법은 3도 방실차단 또는 다른 심전도상의 많은 이상을 진단하는데 도움이 된다. 2부에 있는 몇개의 심전도에서 측경기를 사용해서 연습해 보라. 당신이 어떤 측정들이든 잘 한다는 것을 확인하라.

파의 높이들의 비교

파의 높이를 측정하여 최종 상향 혹은 하향을 판별하는데도 측경기가 도움이 된다. 그림 5-5에서 첫 번째 하향파의 깊이는 7.0mm이고, 두 번째 상향파의 높

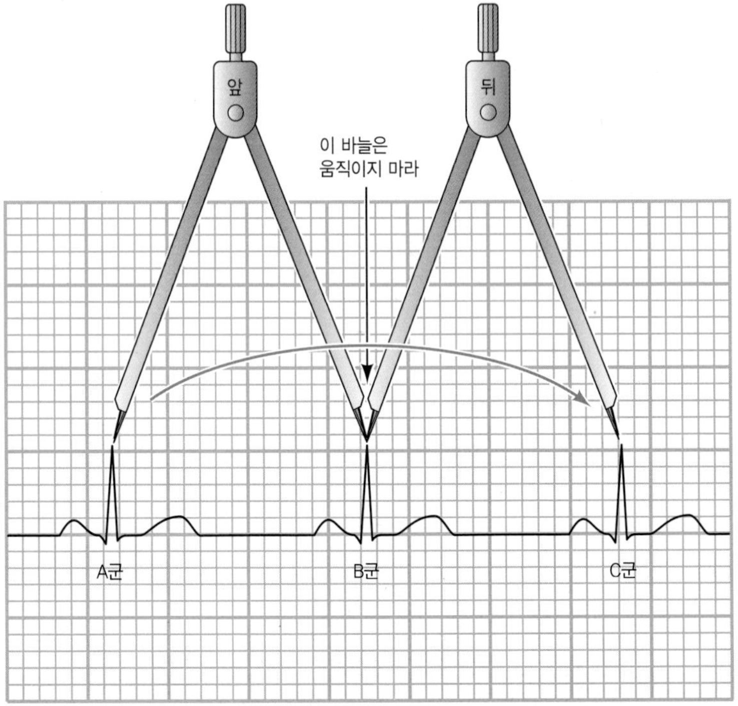

그림 5-4. 측경기의 걷기. 거리들이 동일하다.

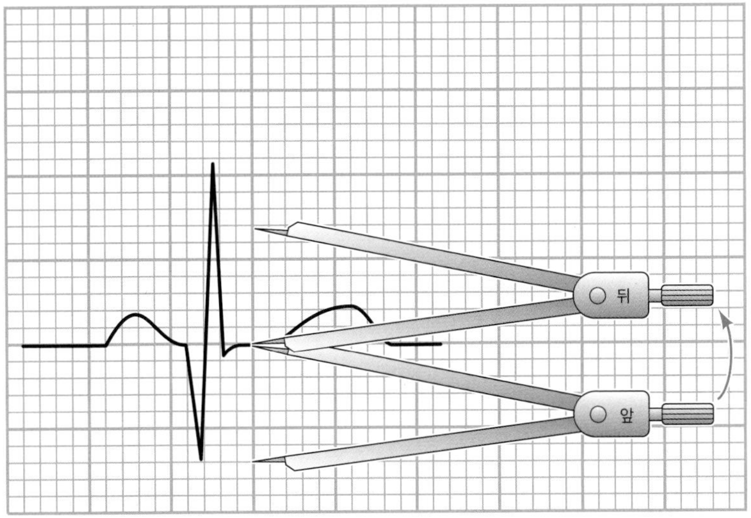

그림 5-5. 전체 군은 3.8mm이며 하향파의 값보다 상향파의 값이 크다.

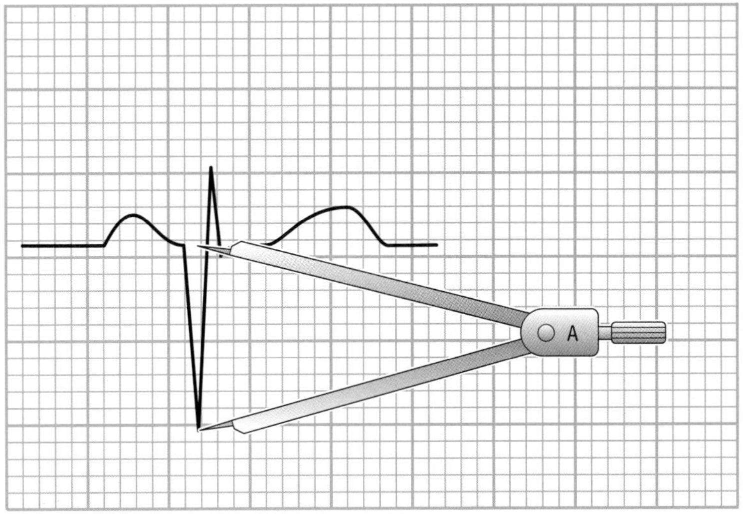

그림 5-6. 2개 파의 높이를 더한다.

이는 10.8mm인 것을 알 수 있다. 이것은 파들의 크기가 차이가 많이 없을 때 대단히 유용하다. 측경기를 위 또는 아래로 걷게 하면 어느 것이 더 큰지 알 수 있다. 이것은 심장의 축을 결정하는데 유용할 것이다.

파의 높이들을 더하다.

한 파형의 하향 깊이와 다른 유도의 다른 파형의 상향 높이를 합해야 하는 경우가 있다고 하자. 첫 번째 유도에서 박동의 하향파를 먼저 재고 그림 5-6과 같이 측경기를 위치하여 그 거리를 잰다.

이제 측경기를-아직까지 계속 A의 거리를 유지한 상태에서-옮겨서 두 번째 유도에서 상향군의 꼭대기에 위치시켜라(그림 5-7, B). 위쪽의 바늘을 움직이지 말고, 아래쪽 바늘을 파형의 가장 아래 부분에 위치시킨다(그림 5-7, C). 이것을 측정하라(그림 5-7 오른쪽). 그렇게 하면 측정은 끝난다.

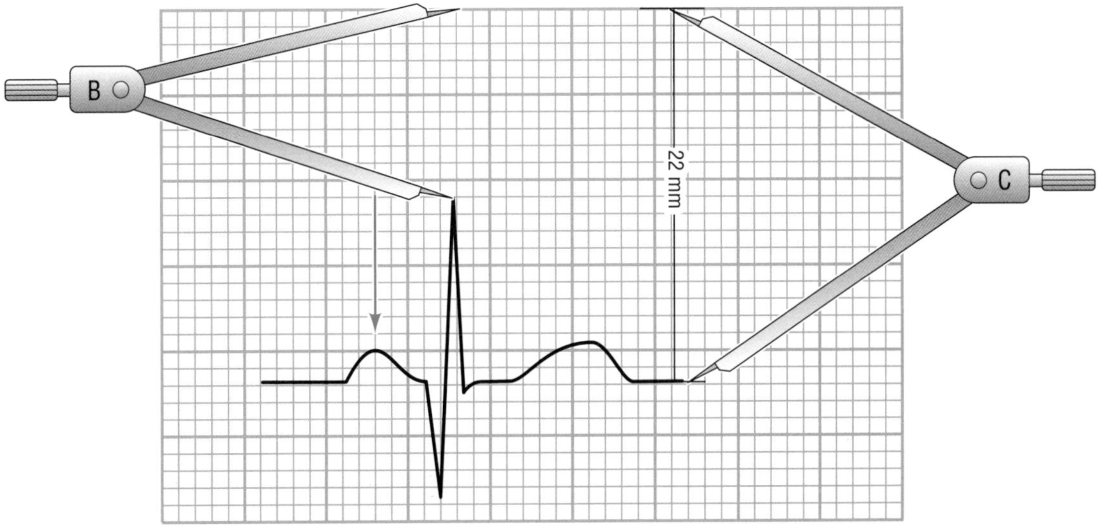

그림 5-7. 전체 높이는 22.0mm이다.

넓이의 비교

좀 지나치게 설명한 감은 있지만, 측경기의 편리함을 정말로 이해하기 바란다. 그림 5-8에서와 같이 A의 간격이 B의 간격보다 같거나 혹은 더 길다는 것을 확인하길 원한다고 가정하자. 측경기로 A의 거리를 재고, 이것의 길이를 정확하게 옮겨서, B가 같은지를 확인하면 된다.

이런 방법을 사용해서 방실차단, 편위전도, 심방 조기박동, 심실 조기박동 등 많은 것을 비교할 수 있다. 지금 이 단어들을 잘 모른다고 해도 걱정하지 마라. 본 도서를 통해 공부를 하다보면 알게 될 것이다.

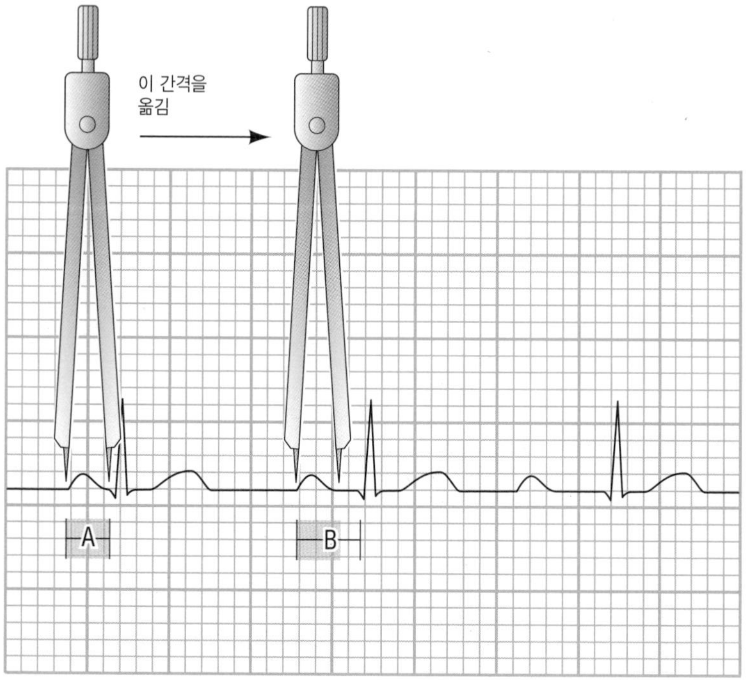

그림 5-8. A와 B의 거리는 같지 않다.

> **조언**
>
> 언제나 측경기를 가지고 다녀라.

축-회전자(Axis-Wheel Ruler)

축-회전자는 각 파형과 분절의 실제축을 계산하는데 매우 유용하다(그림 5-9). 우리가 알기로 이것은 제약회사를 통해서만 얻을 수 있다. 6개 축 시스템을 나타내는 표시가 자의 뒷면에 있다. 앞의 선은 빨간선과 화살표를 가진 수직선도 있다. 지금 당장 이 바퀴를 어떻게 사용할지에 대해 두려워할 필요는 없다. 각 전기축에 대한 자세한 설명은 그림을 가지고 *전기축* 장에서 자세히 설명할 것이다.

심전도 자들(ECG rulers)

심전도 자들은 축-회전자 형태를 제외하고는 값비싼 플라스틱의 낭비이다. 만약 한쌍의 측경기만 있다면 이것들은 필요하지 않다. 대개의 자는 한쪽 면은 심박수를 측정할 수 있고, 다른 쪽은 미터법 자로 이용하게 되어 있다. 측경기와 심전도 용지가 있다면, 자를 들고 있는 것이나 마찬가지이다. 또한, 이것들은 일부 쓰모

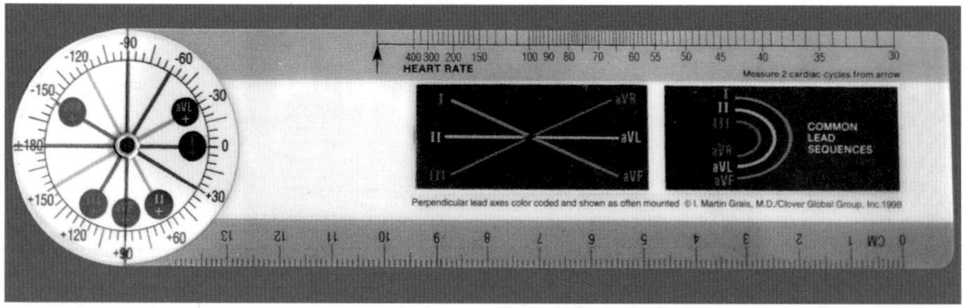

그림 5-9. 축회전자

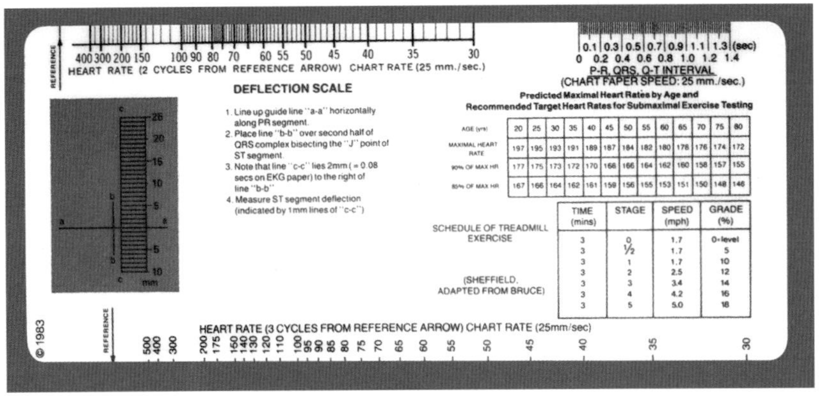

그림 5-10. 직각자

없는 기본지식과 같은 심전도 척도를 가지고 있다. 하지만, 공간이 많거나, 지니고 다닐 때 무게에 별로 신경을 쓰지 않는다면….

직각자(Straight Edge)

직각자는 기준선을 평가하고 이것에 비교해서 상승 또는 하강되어 있는지 판별하는데 도움이 된다. 종이 조각을 사용할 수도 있고, 심전도 용지 그 자체를 접어서(종이에 주름을 잡지 않고-어질러진 심전도는 판독하기가 어렵다.) 가장 좋은 직각자는 투명하며 중앙에 선이 있는 것이다. 이렇게 하면 어떤 심전도군도 방해하지 않고 의문이 가는 전체영역을 볼 수 있다. 그리고 이 직선은 기준선을 확인하는데 사용할 수 있다. 만약 그런 자가 없다면, 그림 5-11의 그림을 오버헤드 투명 필름(OHP 필름)에 복사해서 사용하라. 당신 주위의 복사집을 이용하고, 칼라복사를 하면 더 좋겠다.

그림 5-11. 심전도 직각자

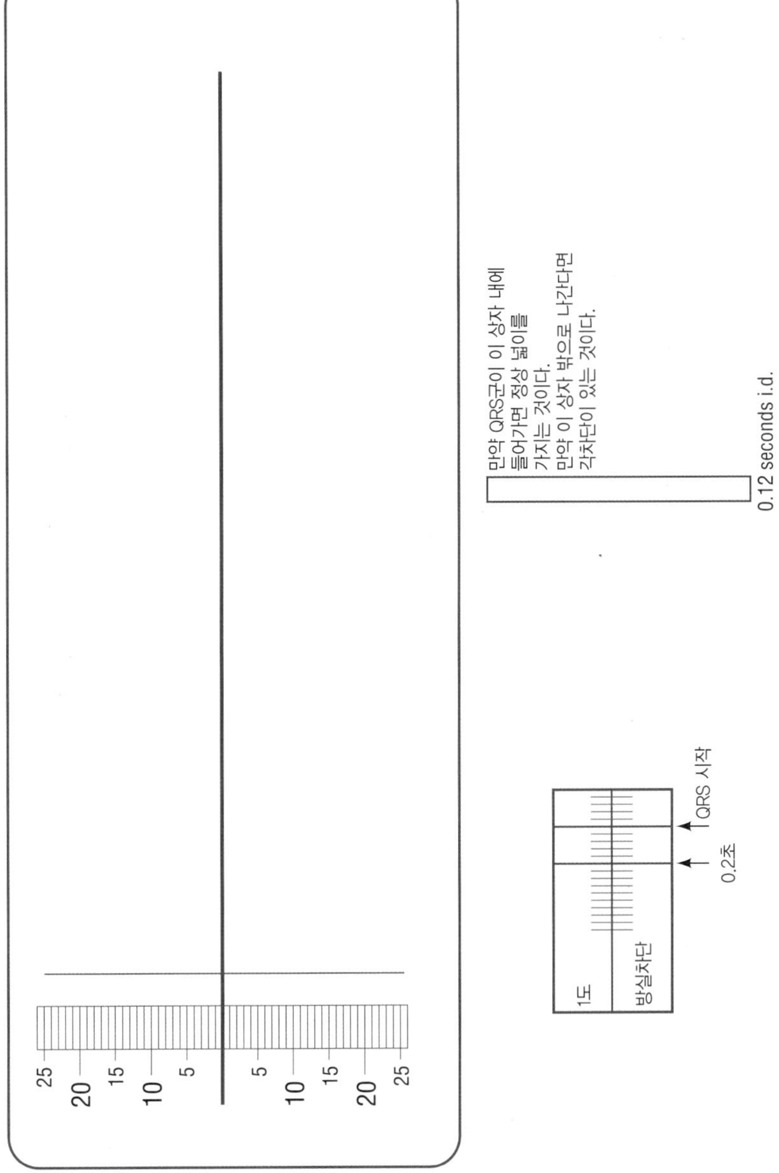

기본 박동들(The Basic beats)

6장

1

자, 여기까지 왔으니 여러분은 이제 몇개의 실제 심전도를 판독할 준비가 됐다! 이제는 심전도상의 모든 선이 어떤 의미를 가지는지를 관찰하는 것으로 시작하자. 기본 박동 혹은 심전도 군들부터 시작하겠다. 이것은 심전도에서 나타나는 하나의 심주기이다. 각각의 부분을 나누어서 보겠다. 여기에서는 각 구성요소에 관련된 개념에 대해서만 소개하고, 2부에서 실질적인 예와 임상적으로 나타나는 이것의 변화를 소개하겠다. 자, 이제 시작하자.

기본 요소의 소개

그림 6-1에 심전도군의 기본 요소들을 보여주고 있다. 여기에 다소의 기본 정의가 있다. 파형(wave)은 기준선에서부터 휜(deflection) 것이며 이것은 심장의 어떤 사건을 반영하는 것이다. 예로, P파는 심방의 탈분극을 나타낸다. 분절(Segment)은 심전도에서 나타나는 군(complex)의 특정한 부분이다. 예로 P파의 끝부분부터 Q파의 시작까지를 PR분절이라고 한다. 간격(interval)은 두 심장 사건 사이의 시간으로 측정되는 거리이다. P파의 시작 지점부터 QRS의 시작 지점까지를 PR 간격이라고 하며, PR 간격 그리고 PR분절이 있다는 것을 기억하자. 그림 6-1에 나타나는 파형들에 덧붙여 몇가지 언급되지 않았던 것이 R'(R prime)파와 U파이다. 이것은 나중에 각각 설명하겠다. 이후에 언급할 다른 간격들은 RR 간격, PP 간격 등이 있다. 기본 용어의 정의를 이해해야 나중에 혼란이 오지 않는다. 그림 6-1에서 파형과 분절을 글자마다 색상을 다르게 표시해 놓았으며, 간격은 쉽게 구별할 수 있게 검은색으로 표기되어 있다.

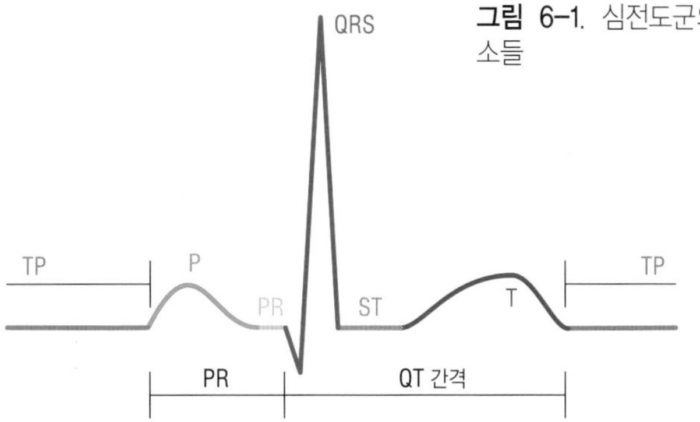

그림 6-1. 심전도군의 기본 요소들

파형의 명명법(Wave nomenclature)

파형(Wave)라는 것은 심방의 탈분극, 심방의 재분극, 심실의 탈분극, 심실의 재분극, 히스속을 통한 전기의 전도와 같은 심장에서 일어나는 전기적 현상을 반영하는 것이다. 파형은 단독으로, 상향 또는 하향의 편향성(deflection)을 가지거나; 이상성(biphasic) 편향으로 상향과 하향의 구성을 가지거나; 여러개의 상향, 하향 구성을 가질 수 있다. 파형은 기준선에서의 편향을 말한다. 기준선은 무엇인가? 앞과 뒤의 TP분절을 서로 연결하는 선이다.

그림 6-2에서 이것이 무엇을 의미하는지 살펴보자. QRS복합체는 2개 이상의 파가 합쳐진 것이라는 것을 알고 있을 것이다. 정확히 하기 위해서는 크기, 위치, 편향성의 방향에 따라 이름이 정해진다. QRS파에서 크고 깊은 파들은 대문자로 표시한다: Q, R, S, R'. 작은 파는 소문자로 표시한다: q, r, s, r'. 그러므로 그림 6-2의 예는 qRs파라고 할 수 있다. 하지만, 이러한 표준적 방법은 불행하게도 당신이 예측했듯이 그렇게 엄격하게 사용되지는 않는다. 많은 저자들이 간단히 대문자들을 사용한다. 하지만 이 책에서는 대문자, 소문자를 사용하는 정식 명명법을 따르겠다.

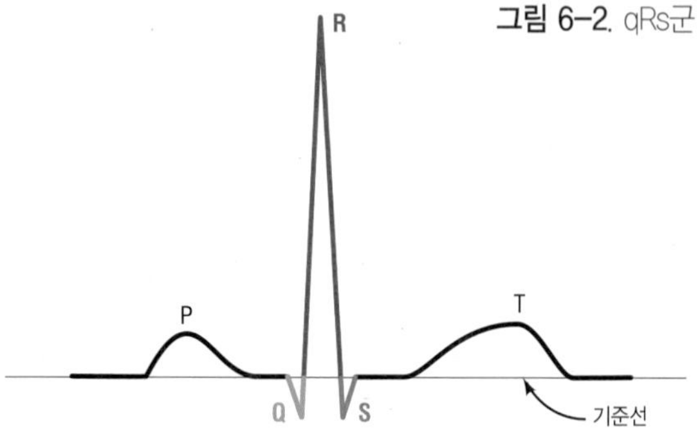

그림 6-2. qRs군

R' 그리고 S'파들 좀더 재미있게 하기 위해서 QRS파의 몇몇 문제점들을 살펴보자. QRS파에 발생한 변화는 이상한 모양의 QRS군을 만들게 되며, 만약 방향이 변하고 기준선을 왔다갔다 한다면 이름이 달라진다. 이런 경우 X'(X prime)파라고 하지만, 이 X는 실제 파형은 아니며, R 또는 S파를 의미하는 단어이다. R'과 S'파는 QRS군 내의 추가적인 파형을 말한다. 정의상 P파 이후의 첫 음성파를 Q파라 한다. P파 이후 첫 상향파를 R파라고 한다. 여기에 까다로운 점이 존재한다. S파는 R파 이후의 첫 음성 요소를 말한다. 만약 다음 위를 향하는 요소가 있는 경우 R'파라고 한다. 그 다음 음성 요소를 S'파라고 하며, S' 이후에 나타나는 양성파를 R"(R double prime이라고 읽는다)파라 한다. 그림 6-3에 몇몇 예가 있다.

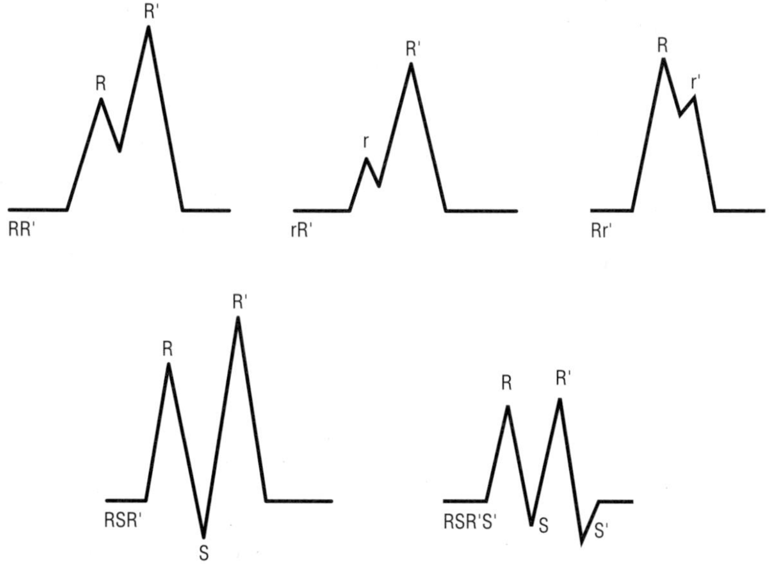

그림 6-3. R 그리고 S' 군들(노트: 윗줄은 기술적으로 S파를 가지고 있지 않다. S파는 음성군들 혹은 군들이 기준선 밑으로 내려갈 때만 사용되는 단어이다. 그러나 대개 사람들은 R파가 움푹 팬(notched, 노치) 경우에 기준선 밑으로 떨어지는 것에 상관하지 않고 어떤 종류의 함몰이던 S파로 사용한다. 이런 이론을 근거하여 대개의 저자와 임상가들은 2번째 정점을 R'이라고 칭한다. 이 명명법이 기술적으로 틀렸지만 대개 사람들은 정상으로 받아들인다.

심전도군의 각각의 구성 요소

P파

P파는 TP분절 이후에 처음 만나는 파형이다(그림 6-4). 양심방의 전기적 탈분극을 나타낸다. 동방결정이 전기자극을 생성하면 P파가 만들어지기 시작한다. 이것은 세가지 결절간 전도로, Bachmann 속(bundle), 심방의 심근 세포들 자체 등을 통과하는 전기자극의 전도를 포함한다.

P파의 간격은 정상 성인에서 0.08초에서 0.11초 사이이다. P파의 축은 대개 왼쪽 아래로 향한다. 전기자극의 방향은 방실결절과 심방이(atrial appendages)을 향해 전기가 여행을 하는 방향이다.

조언

P파로 나타나는 심장의 현상 : 심방 탈분극

정상 간격 : 0.08에서 0.11초

축 : 0에서 +75도, 왼쪽 하향 방향

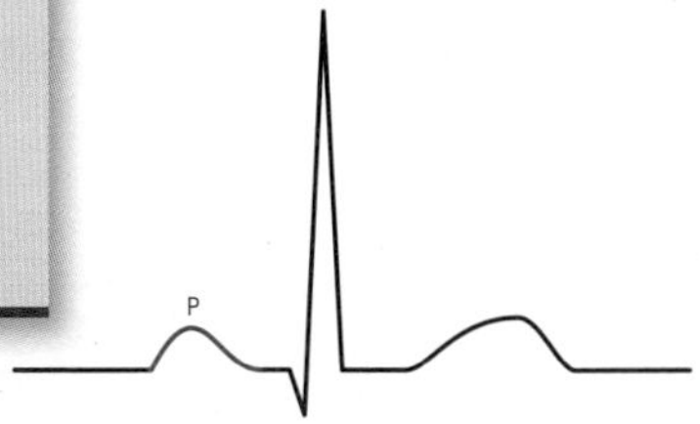

그림 6-4. P파

Tp파

Tp파는 심방의 재분극을 의미하며, P파의 반대 방향이다(그림 6-5). QRS파와 동시에 나타나기 때문에, 그리고 더욱 강한 QRS군에 감춰져서 거의 보이지 않는다. 그러나 가끔 P파 이후에 QRS파가 없는 경우에 볼 수 있다. 이런 경우로는 전도되지 않은 심방조기박동, 방실해리(AV dissociation) 등에서 나타난다. 매우 빠른 동성빈맥의 경우 PR 하강 혹은 ST 하강에서 또한 보인다. 심주기에서 QRS가 빨리 나타나면, 또한 Tp파가 – 만약 하향이면– ST분절을 잡아당겨서 ST분절 하강으로 나타난다.

그림 6-5. Tp파

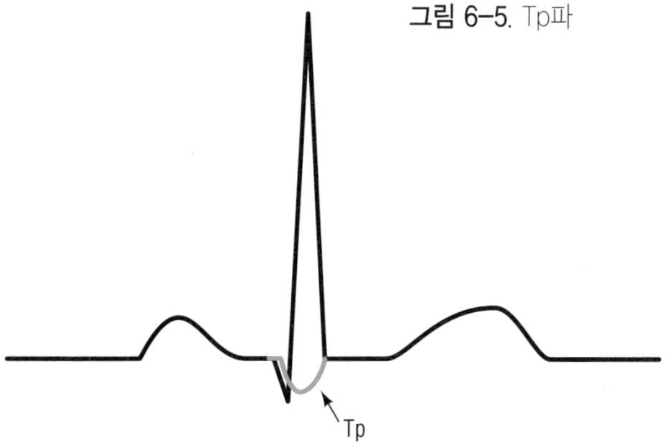

조언

Tp파로 나타나는 심장의 현상 : 심방 재분극

정상 간격 : 대개 보이지 않음

파형의 방향 : P파와 반대

PR분절

PR분절은 P파의 끝에서부터 QRS파의 시작 지점까지의 시간상의 거리를 말한다(그림 6-6). 대개 기준선을 따라 발견되며, 정상적으로 기준선보다 0.8mm 이내에서 하강될 수 있다. 이보다 심한 것은 병적이다. 병적으로 하강하는 경우는 심낭염과 심방경색 시(드물다) 나타난다.

그림 6-6. PR분절

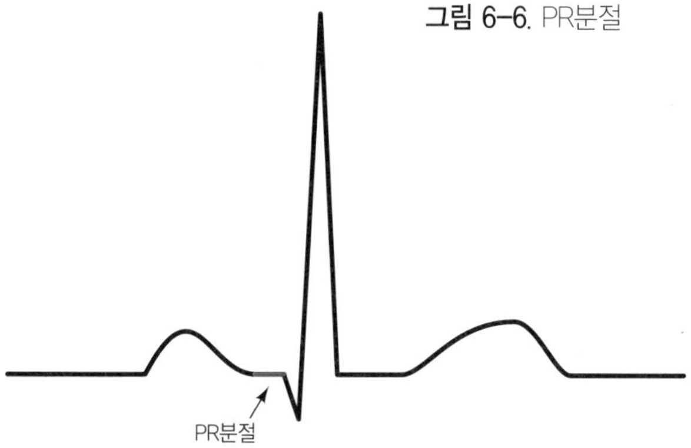

조언

PR분절이 대변하는 심장의 현상 :

방실결절, 히스속, 각(bundle branch) 그리고 Purkinje계를 통과하는 전기적 탈분극파의 전도

PR 간격

PR 간격은 P파의 시작부터 QRS군의 시작까지의 시간 간격을 말한다(그림 6-7). 앞에서 언급한 P파와 PR분절을 포함한다. PR 간격은 동방결절에서 전기자극의 시작부터 심실탈분극 시작 순간 직전까지의 모든 현상을 포함한다. 정상간격은 0.12초에서 0.20초이다. 만약 PR 간격이 0.11초보다 짧다면, 이것은 짧아진 것이다. PR 간격이 0.20초보다 느리다면 이후에 이야기할 1도 방실차단이다. PR 간격은 더 느려질 수 있고, 때로는 0.40초 이상이 되기도 한다. 때때로 PQ 간격이라는 용어를 바꿔서 사용하는데, QRS의 시작파형이 Q파인 경우 PR 간격을 다르게 표현한 것이다.

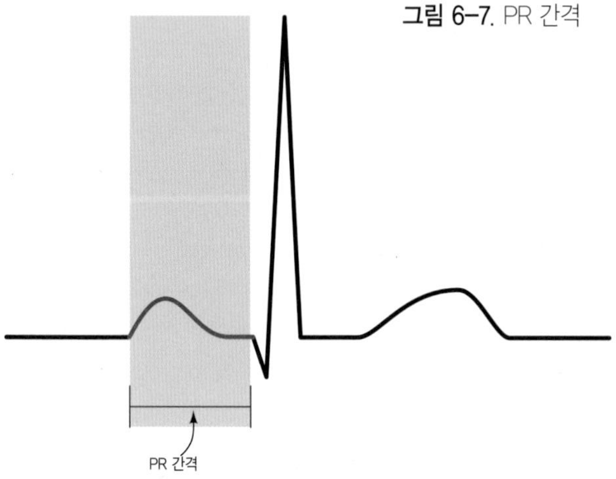

그림 6-7. PR 간격

조언

PR 간격이 나타나는 심장의 현상 : 전기자극 생성, 심방 탈분극, 심방 재분극, 방실결절 자극, 히스속 자극, 각 그리고 Purkinje계 자극

정상간격 : 0.11초에서 0.20초

QRS군

QRS군은 심실의 탈분극을 나타낸다. 두 개 또는 그 이상의 파들로 구성되어 있다(그림 6-8). 각각의 파는 고유의 이름이 있다. 그것들은 제법 복잡할 수 있다. 중요 구성요소는 Q, R, S파들이다. 합의에 의해서 Q파는 P파 이후의 첫 음성 파형이고, Q파는 있을 수도 없을 수도 있다. R파는 P파 이후 첫 상향 편위이며, Q파가 없는 경우 QRS군의 시작파이다. R파 이후 첫 하향 파형은 S파이다. 만약 QRS군에 부가적인 구성요소가 있다면 프라임(prime)파라고 명명한다(그림 6-3).

그림 6-8. QRS군

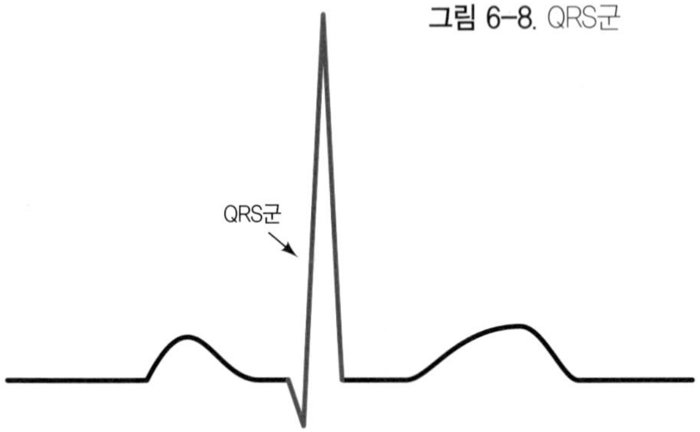

조언

QRS군이 나타내는 심장의 현상 : 심실 탈분극

정상간격 : 0.06초에서 0.11초

전기축 : −30에서 +105°, 아래쪽 그리고 왼쪽 방향

Q파의 의미(Q wave significance) Q파는 양성(benign)일 수 있지만, 괴사된 심근조직의 표시일 수 있다. 너비가 0.03초 이상이거나, 그 높이가 R파 높이의 1/3 이상인 경우 병적인 것으로 본다. 위의 두 가지 기준 중 하나라도 만족하면, Q파가 있는 영역의 심근경색(MI)을 시사한다. 만약 그렇지 않다면, 병적인 Q파가 아니다(그림 6-9). 병적이지 않는 Q파는 I, aVL, V_6에서 자주 발견되며 이것은 중격부 전기자극에 의해서 나타나며, 이를 중격 Q파들이라 한다.

그림 6-9. 의미없는 Q파

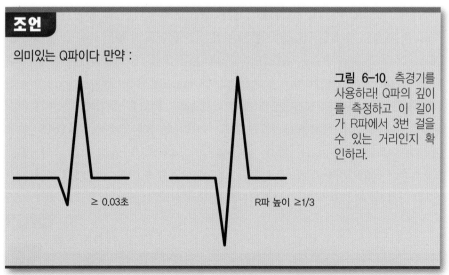

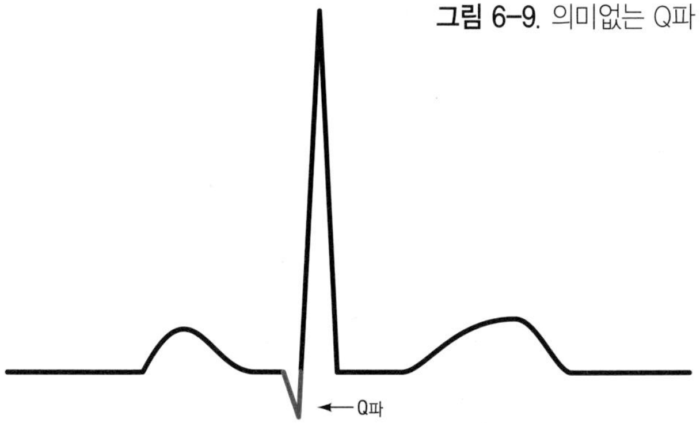

조언

의미있는 Q파이다 만약 :

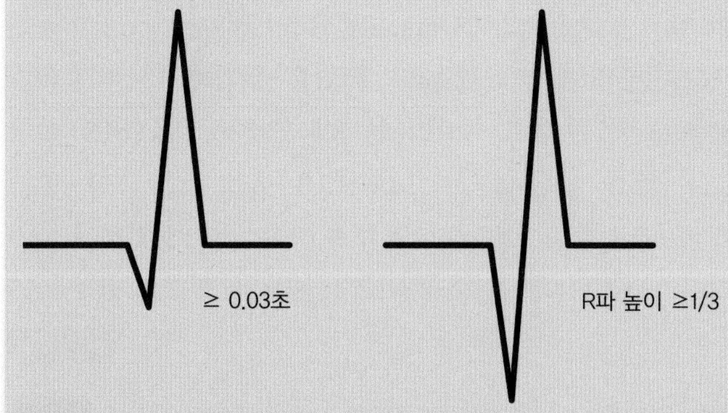

그림 6-10. 측경기를 사용하라! Q파의 깊이를 측정하고 이 길이가 R파에서 3번 걸을 수 있는 거리인지 확인하라.

내인성 편향(The Intrinsicoid Deflection) 내인성 편향(intrinsicoid deflection)은 Q파 없이 R파로 시작하는 유도에서 QRS군의 시작 지점부터 R파가 하향으로 변하는 부분까지 측정한 것이다(그림 6-11). 이것은 전극 바로 아래에서 심내막의 Purkinje계에서 심외막까지 전기적 자극이 퍼지는데 걸리는 시간을 말한다. 우심실이 좌심실보다 벽의 두께가 얇기 때문에 오른쪽 흉부유도 V_1~V_2에서 짧다(0.035초까지). 좌흉부유도 V_5, V_6에서는 좌심실의 두께로 인해 길다(0.045초까지). 이제 언제 내인성 편향이 길어지는지 상상할 수 있겠는가? 만약 내인성 편향이 길어진다면, 이것은 심실비대와 같이 심근이 두꺼워진 경우이거나, 좌각차단과 같은 심실내전도지연으로 인해 그 부위로 전도되는 전도계의 전도시간이 길어지기 때문인 것이다.

그림 6-11. 내인성 편향

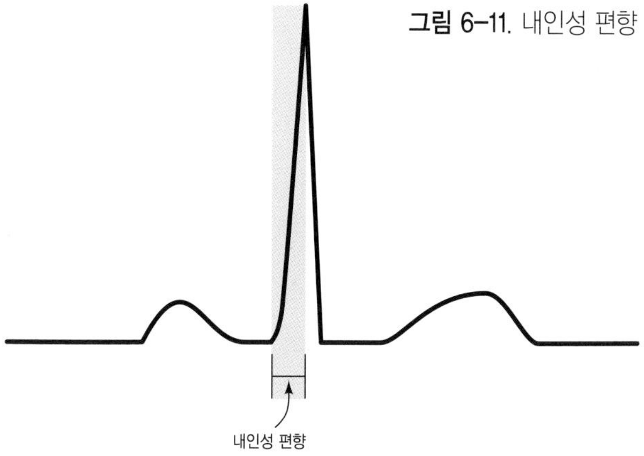

조언

내인성 편향의 정상 상한 값 :

우측 흉부 유도 = 0.035초

좌측 흉부 유도 = 0.045초

ST분절

ST분절은 심전도 주기에서 QRS군의 끝부터 T파의 시작까지의 부분이다. QRS군이 끝나고 ST분절의 시작 부위가 만나는 곳을 J포인트(J point)라고 부른다(그림 6-12). 많은 경우, ST분절의 상승 때문에 선명한 J포인트는 잘 나타나지 않는다. ST분절은 기준선에서 관찰된다. 그러나 정상인에서 사지 유도에서 기준선보다 1mm 상승할 수 있으며, 어떤 경우 우측 흉부유도에서 3mm까지 상승되는 경우도 있다. 이것은 좌심실비대나 조기재분극 패턴일 때 나타날 수 있다. 이것은 단지 서론에 불가하다. 이 분절에 대해서 *ST분절과 T파들* 장에서 많이 공부할 예정이며, 우리는 정상의 변이와 병적인 상태를 감별하는 방법을 제공할 것이다.

이제 ST분절 상승과 정상 변이에 대해서 이야기하겠지만, 여기에 대해서는 몇번이고 더 들어서 명백히 해야 한다. 증상이 있는 환자의 어떤 ST분절의 상승도 의미있는 것으로 생각하여야 하며, 다른 것으로 규명될 때까지 심근의 손상이나 경색을 의미한다고 생각해야 한다.

그림 6-12. J포인트

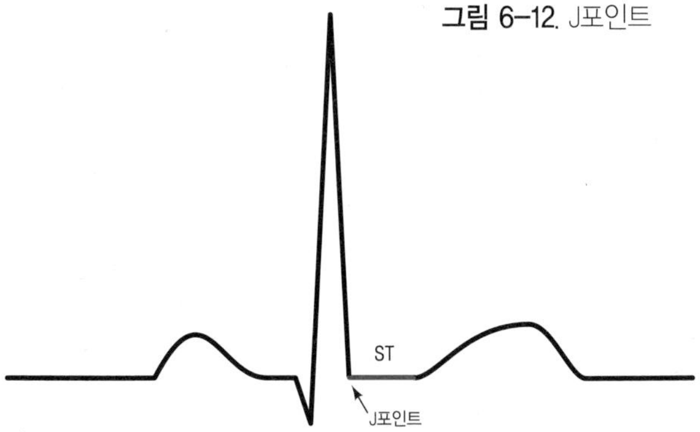

조언

ST분절이 의미하는 있는 심장의 현상 : 심실의 탈분극과 재분극 사이의 전기적 중립기간

정상 장소 : 기준선 높이에 위치

축 : 하향 그리고 좌측

급성심근경색을 정상 변이로 오인하지 마라! 혈전용해제를 투여해야 하는 적응증(2개의 연속하는 유도에서 1mm의 상승)을 만족하지 않는 ST분절 상승이라도 이것이 양성(benign)이라 생각하면 안된다. 이런 경우에는 강력하게 의심을 하고 이전 심전도와 비교해 봐야 한다.

ST분절은 심장의 전기적 중립 시간을 의미하며, 심실들은 탈분극(QRS군)과 재분극(T파) 사이에 있다. 기계적으로는 심근이 심실의 피를 밖으로 보내기 위해 수축을 유지하는 기간을 의미한다. 심실이 0.12초만 수축한다면 아주 소량의 혈액만 심실에서 나갈 것이라는 것은 충분히 상상할 수 있을 것이다.

T파

T파는 심실의 재분극을 나타낸다(그림 6-13). 양성이든 음성이든 ST분절 이후에 나타나는 편위(deflection)이며, QRS 복합체와 같은 방향으로 나타난다. 왜 T파는 QRS군과 같은 방향으로 나타날까? 만약 T파가 재분극을 나타내는 것이

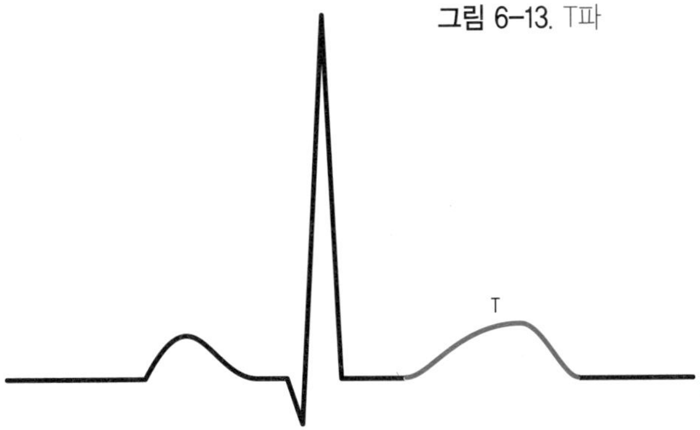

그림 6-13. T파

라면, QRS와 반대로 나타나야 하지 않을까? 이 문제를 해결하기 위해 심실 흥분 개념으로 다시 돌아가 보자. Purkinje계는 심내막에 위치하고 있기 때문에 전기적 탈분극은 심내막에서 심외막으로 진행된다(그림 6-14 위쪽 화살표).

당신은 먼저 탈분극된 세포가 재분극을 시작해야하는 것이 당연하기 때문에 재분극이 같은 방향으로 일어날 것이라고 추측할 것이다. 그러나 이 경우는 해당되지 않는다. 수축기 동안에 발생하는 심내막의 압력 증가에 의해서 재분극파는 반대방향 심외막에서 심내막으로 진행하게 된다(그림 6-14 아래 화살표). 하지만, 재분극은 음성파이므로 전극에서 멀어지는 음성파는 양성파가 다가오는 것과 같게 된다. 즉, 정상적인 T파는 QRS파와 같은 방향이 되어야 하는 것이다. 일부 병적인 상태에서는 예외이다.

T파는 비대칭적이다. 첫 부분이 올라가든지, 내려가든지 처음에는 천천히 증가하며, 이후 뒷 부분은 빨리 움직인다(그림 6-15). T파의 대칭성을 평가하는 방법은, 만약 ST분절이 상승되어 있다면, ST분절은 고려하지 않고, T파의 최고점에서 기준선까지 수직으로 선을 그리고 양쪽의 대칭성을 비교한다(그림 6-16). 대칭적인 T파는 정상일 수 있지만, 대개는 병적 상태의 징후이다.

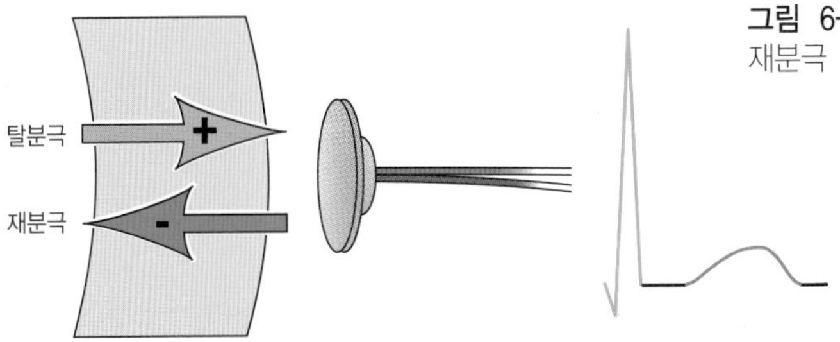

그림 6-14. 탈분극과 재분극

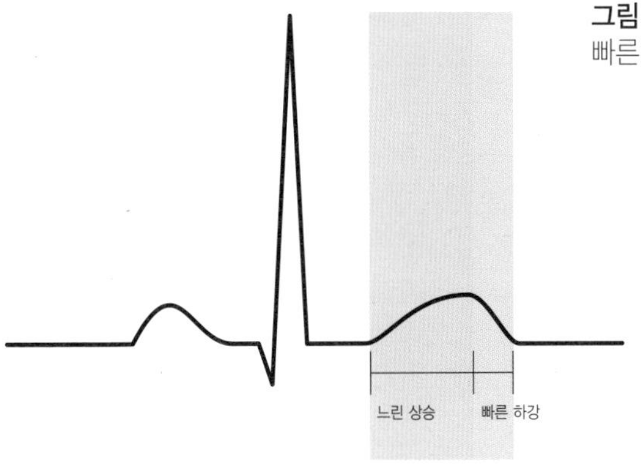

그림 6-15. T파의 느린 상승과 빠른 하강

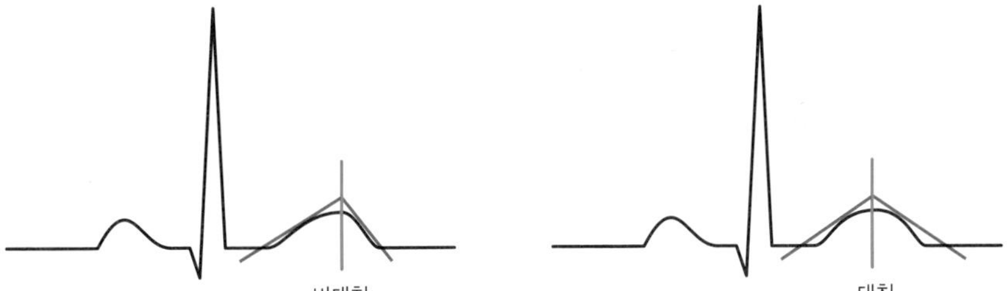

그림 6-16. T파의 대칭성의 평가

조언

T파가 나타나는 심장의 현상 : 심실 재분극

축 : QRS 축과 비슷한 좌, 하향

QT 간격

QT 간격은 QRS군, ST분절, T파를 포함하는 심전도 복합체의 일부분이며, Q의 시작점부터 T의 끝나는 지점까지이다(그림 6–17). 심실의 수축 시 일어나는 모든 사건들 즉 심실의 탈분극부터 재분극까지를 모두 포함한다. 심박수, 전해질 이상, 나이, 성별에 따라 그 간격이 변화한다. QT 간격의 연장은 특히 Torsade des Pointes 같은 부정맥의 전조일 수 있다. 이것은 흔히 발생하지는 않지만, 생명을 위협할 수 있다. QT 간격은 선행하는 RR 간격(2개의 선행하는 R파의 정점 사이의 간격)의 1/2보다 짧아야 한다. 의미있는 QT 간격의 연장을 평가하는 여러 방법이 있지만, 가장 유용한 것은 QTc를 평가하는 것이다(다음에서 언급).

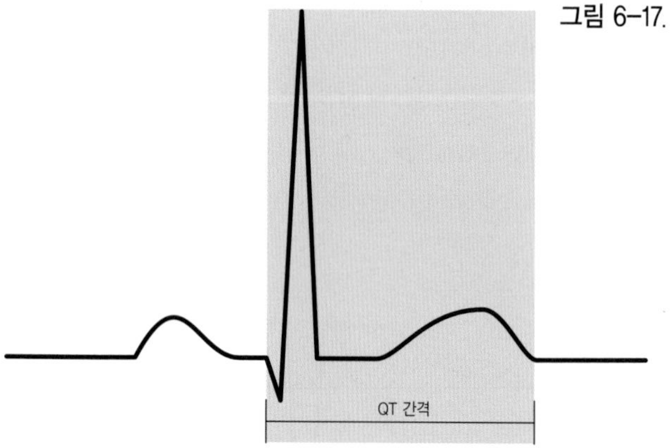

그림 6–17. QT 간격

조언

QT 간격으로 나타나는 심장의 현상 : 심실 수축 시 나타나는 모든 현상

정상 기간 : 심박수에 따라 변화하며, 대개 RR 간격의 1/2보다 짧다.

QTc 간격 QTc 간격은 보정된 QT 간격을 의미한다. 무엇에 대해서 보정한다는 말인가? 심박수이다. 심박수가 감소하면, QT 간격은 늘어나게 되고, 반대로 심박동수가 증가하면, QT 간격은 짧아진다. 이로 인해 어느 정도의 QT 간격이 정상인지 알 수 없게 된다. QTc 간격을 계산함으로, 우리는 정상이 0.410초 혹은 410miliseconds 정도라고 이야기 할 수 있다. 좁게 정의하면 0.419초 이상을 연장되었다고 이야기 할 수 있다. QTc 간격을 계산하는 방법은 아래 상자에 있다. 대개 심전도 기계는 자동으로 QTc 간격을 계산해 준다.

조언

$$QTc = QT + 1.75(\text{심실박동수} - 60)$$

QTc 간격으로 나타나는 심장의 현상 : 심실수축 시에 나타나는 모든 현상

정상 기간 : 0.410초

QTc 간격의 연장 : > 0.419초

U파

U파는 T파 이후, P파 전에 간혹 나타나는 작고 편평한 파이다(그림 6–18). U파가 무엇을 의미하는지에 대해 심실의 탈분극 혹은 심내막의 재분극 등 여러 이론들이 있다. 하지만, 누구도 명백히 이야기하지 못한다. 서맥이 있는 경우 정상인에서도 보일 수 있다. 저칼륨혈증에서도 보인다. 중요한 점은 U파가 있는 경우 고칼륨혈증의 가능성은 없다는 것이다(이후에 더 언급하겠다). 다른 임상적으로 중요한 점은 가끔 QT 간격을 측정하는데 오류를 초래하게 된다는 것이다. 어떤 심전도 기계는 QT 간격의 측정에 U파를 포함하기 때문에 실제보다 길게 측정되기도 한다. 심전도 기계의 이런 실수는 아주 악명 높다.

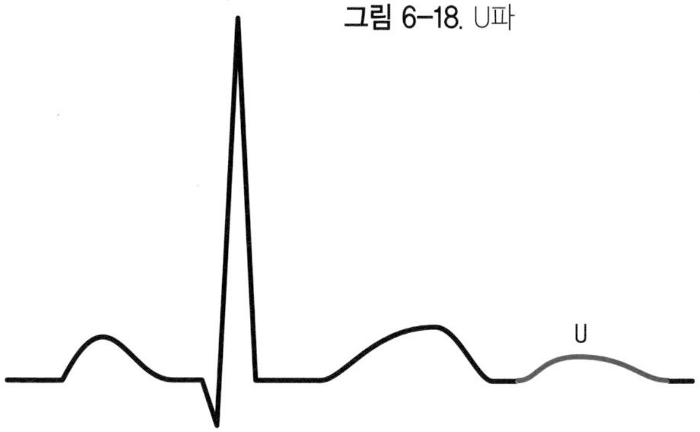

그림 6-18. U파

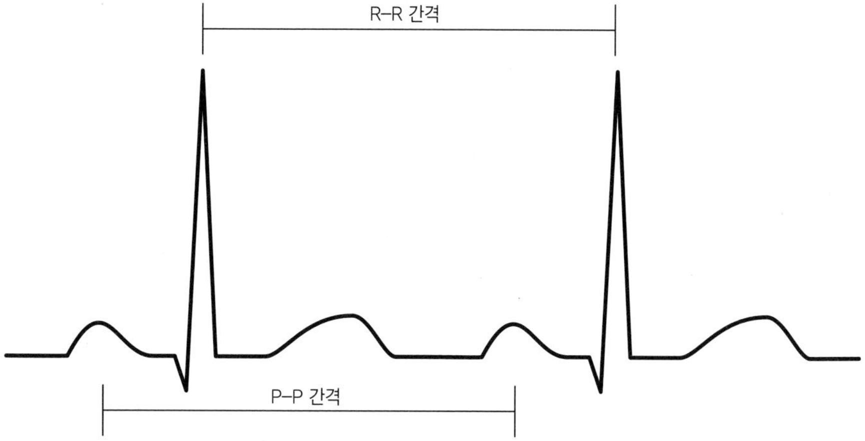

그림 6-19. P-P 간격 그리고 R-R 간격

조언

U파로 나타나는 심장의 현상 : 알 수 없다.

중요점 : 저전압이고, T파와 같은 방향이다.

임상적 중요성 : 대개 양성(benign)이며, 임상적으로 가장 중요한 것은 저칼륨혈증의 징후일 수 있다는 것이다.

부수적 간격

책에서 언급하는 간격이 몇 개 더 있다. 그러나 여기서는 가장 흔한 두 가지만 이야기하겠다. 그 첫 번째는 RR 간격으로 두 개의 연속된 QRS군들의 같은 지점들(대개 꼭지점들) 사이의 간격을 말한다(그림 6-19). 리듬을 평가할 때 자주 측정한다. 규칙적인 리듬은 일정한 R-R 간격들이 일치한다. 다른 하나는 P-P 간격이고, 이것은 P파와 그 다음 P파의 동일한 포인트 사이의 간격이다(그림 6-19). 리듬의 이상이 있는 환자를 평가하는데 매우 유용하다. 예를 들어 Wenchebach 형 2도차단, 심방조동, 3도차단과 같은 경우에 도움이 된다. 리듬 이상에 대해서는 *리듬들* 장에서 이야기하겠다.

임상의 진주

실제적인 심전도의 기준선은 한 박동의 TP간격과 다른 박동의 TP 사이를 서로 연결한 선이다. PR분절이 여기에 포함되어야 하지만, 언제나 많은 경우 그렇지 않다. 기준선에서의 변동은 병적인 상태를 의미할 수도 있다. 이런 변동이 의미하는 것에 대해서는 *PR 간격* 장에서 논의할 예정이다.

심장 주기와 군의 형성

앞 섹션에서 ECG군의 기본 요소들에 대해 설명하였다. 우리는 여러 파형들이 어떻게 불리는지, 무엇을 언급하는지, 그리고 임상 요소들을 알아보았다. 이제 우리는 실제 심장 질환들로 주의를 돌려 그들이 어떻게 ECG군의 각각의 요소들의 형성에 어떻게 관여하는지 알아보자.

심전도의 튼튼한 기초를 확립하기 위해서, 당신은 우리가 스트립에서 보는 파형을 기계에서는 그래픽으로 인식되는 벡터를 생성하는 전기적인 힘에 대해서 명확하게 이해해야 한다. 당신은 이 벡터가 어떻게 생겨나는지, 그것들이 어떻게 커지고 방향과 크기를 얻는지, 결국에 어떻게 사라지는지 이해해야 한다. 여기 제공된 그림은 당신이 마음 속에서 파형에 생명력을 불어넣고 심장의 마음에 그림을 만들 수 있게 하기 위한 것이다.

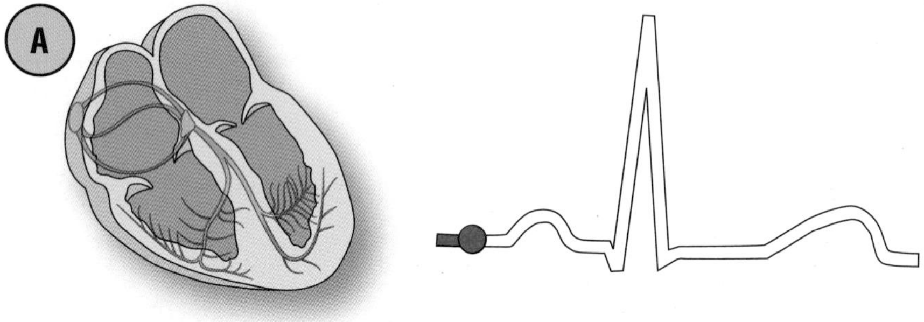

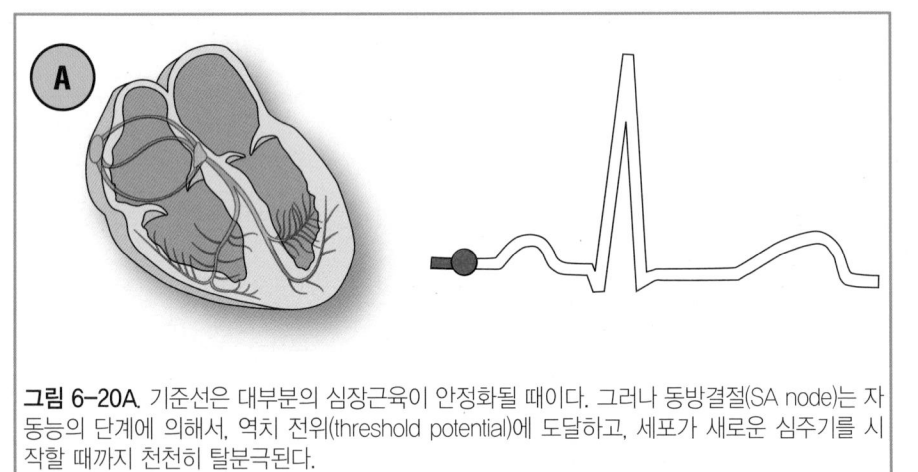

그림 6–20A. 기준선은 대부분의 심장근육이 안정화될 때이다. 그러나 동방결절(SA node)는 자동능의 단계에 의해서, 역치 전위(threshold potential)에 도달하고, 세포가 새로운 심주기를 시작할 때까지 천천히 탈분극된다.

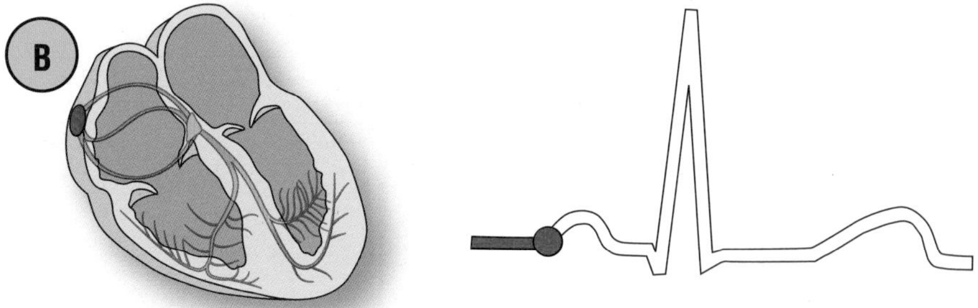

그림 6–20B. 이 지점에서는 동방결절이 점화된다. 방실결절로 가는 결절간 경로들을 통해서 퍼져나간다. 이 기간은 측정 가능한 벡터를 만들만큼 심근세포를 탈분극시키지 못하기 때문에 심전도적으로 중립의 상태이다.

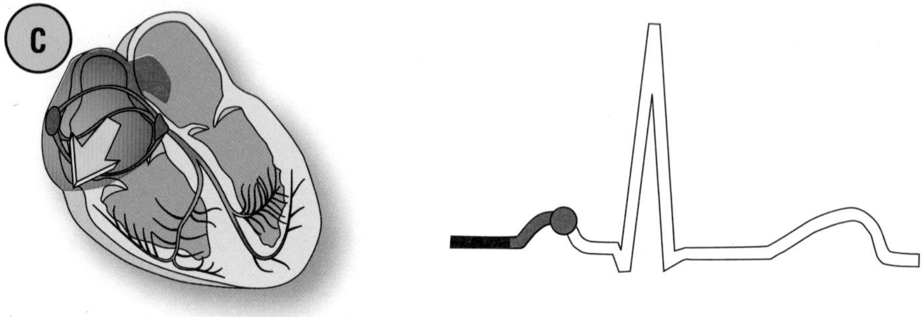

그림 6–20C.
우심방이 이제 탈분극된다. 이것은 우측, 그리고 조금 앞쪽, 하향(노란색 벡터)으로 향한다. 부수적으로 많은 다른 것들이 일어난다(다음 페이지의 '추가적인 정보' 내용). 방실결절은 원래의 가장 중요한 기능인 생리적 차단을 유발시킨다.

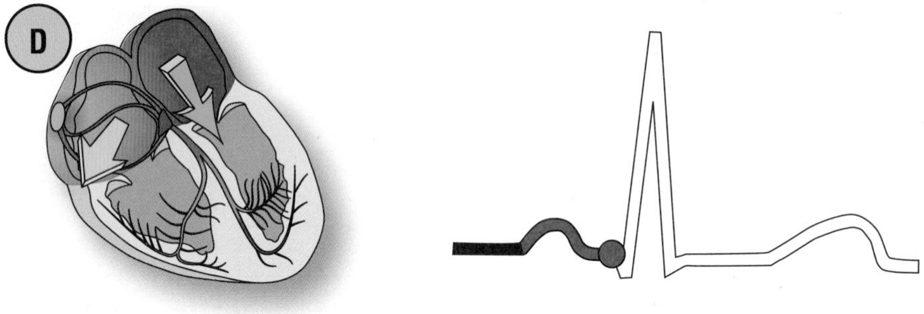

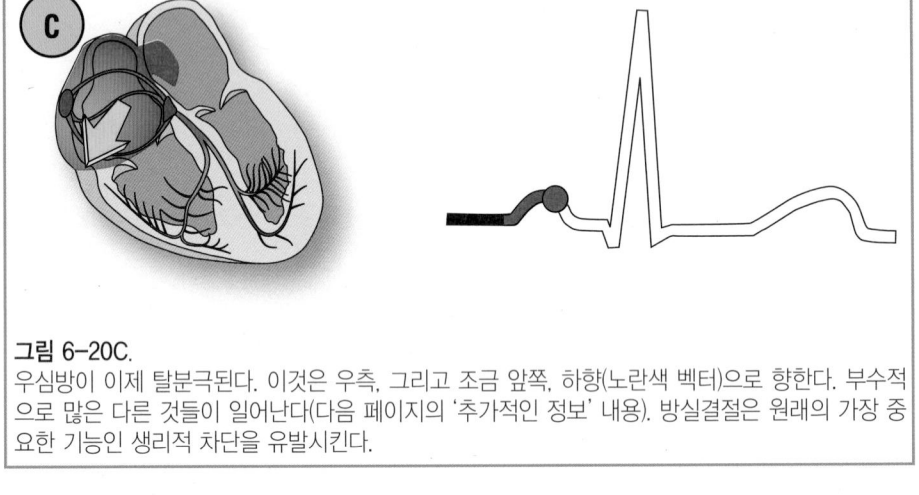

그림 6–20D.
양쪽 심방이 완전히 탈분극된다. 동방결절 그리고 그 주위 영역들은 서서히 재분극된다. 좌심방 벡터는 왼쪽, 하향, 그리고 조금 뒤쪽(푸른 벡터)을 향한다.

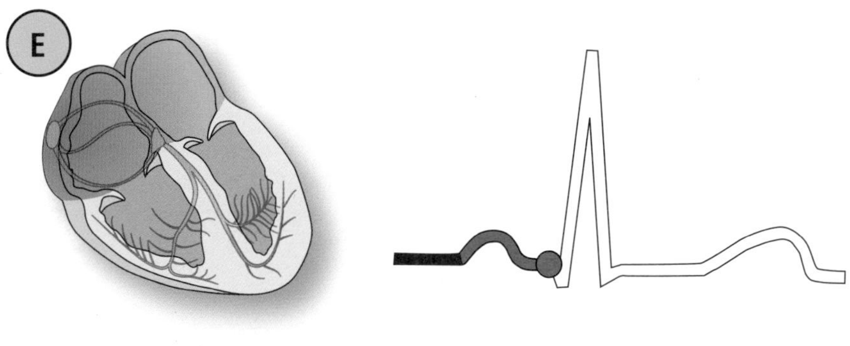

그림 6-20E.
이 지점에서, 좌심방의 탈분극이 거의 끝나고 우심방의 재분극은 잘 진행되고 있다.

추가적인 정보

정상 동율동

정의에 의해, 동방결절은 정상 동율동에서 심장의 최초 심박조율기(pacemaker)이다. 오직 하나의 조율기 밖에 없기 때문에, ***P파는 동일하여야 한다.*** 추가적으로 방실결절에 도달하는 거리와 경로가 같기 때문에 *PR 간격은 정상적이고 일정하다.*

자극은 항상 동방결절에서 시작하여 심방을 탈분극시키기 위해 아래로 퍼져나가기 때문에, 심방의 벡터는 정상동율동에서 항상 하향이어야 한다.

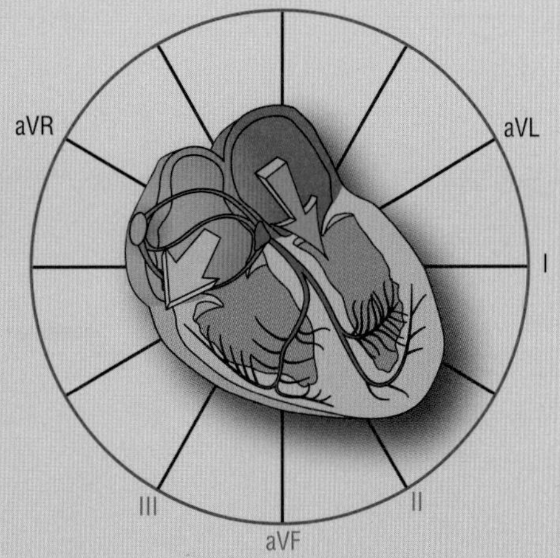

그림 6-21. 정상 동율동, 심방 벡터는 하향이다.

그림 6-21에서 보면 우심방(노란색)의 벡터와 좌심방(파란색)의 벡터는 밑을 향하며, 6개의 유도시스템의 II, III, aVF 유도들을 향한다. 전극으로 향하는 양성의 벡터는 ECG에서 항상 양성 파형을 만들어 낸다. 이것은 심전도학적으로, **P파는 정상 동율동(normal sinus rhythm, NSR)의 경우 II, III, 그리고 aVF 유도에서 항상 위쪽을 향해야 한다.** II, III, 그리고 aVF에서 P파가 아래를 향하면, 리듬은 정상 동율동일 수 없고 이소성(ectopic) 조율기가 있는 것이다(대부분 이소성 심방 혹은 접합부 조율기).

PR 간격은 심주기에서 매우 복잡한 시간을 나타낸다. 심방, 방실결절, 히스속, 양쪽 각들, Purkinje계 등은 모두 탈분극되고 자극을 전달한다(그림 6-22).

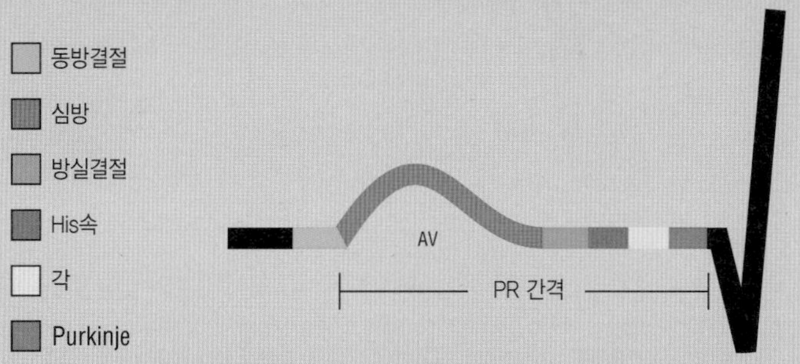

그림 6-22. PR 간격

추가적으로, 방실결절은 *생리적차단* 이라는 불리는 자극의 일시적인 감속을 만들어 냄으로써 주된 역할을 하게 된다. 이 자극의 감속은 심실 충만을 최대화하기 위해서 심방의 기계적인 수축을 조정하는데 중요하다. 이 차단이 없다면, 심방과 심실은 동시에 수축할 것이다.

PR 간격은 0.12초에서 0.20초 사이이면 정상으로 간주한다. 0.11초 이하인 경우 짧아진 것이고 0.21초 이상인 경우 길어진 것이다. 몇몇 저자들은 0.20초가 연장된 것의 경계로 생각한다.

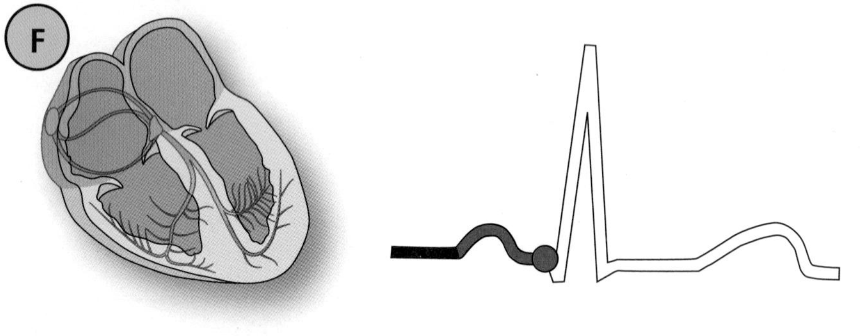

그림 6-20F. 재분극은 대부분의 심방에서 일어났다. 생리적 차단이 거의 끝이 났으며 자극은 심실로 전달되려고 한다.

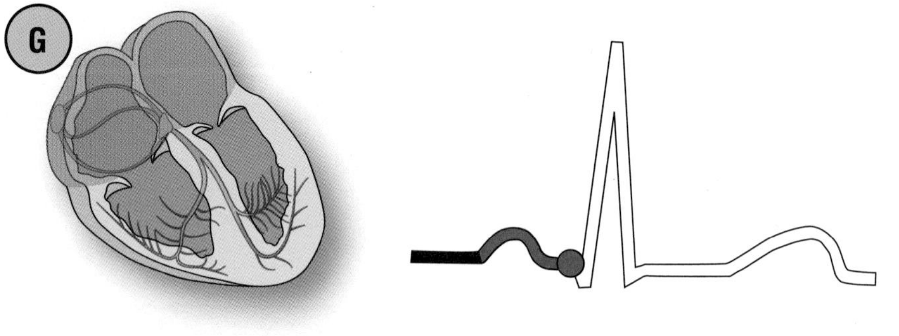

그림 6-20G.
생리적 차단이 끝이 났으며 자극은 His속, 우각 좌각, 섬유속(fascicle), Purkinje계로 전달된다. 자극은 대부분의 심내막으로 퍼져나간다. 자극의 전도는 심내막 표면에서 심외막 표면으로 전파된다.

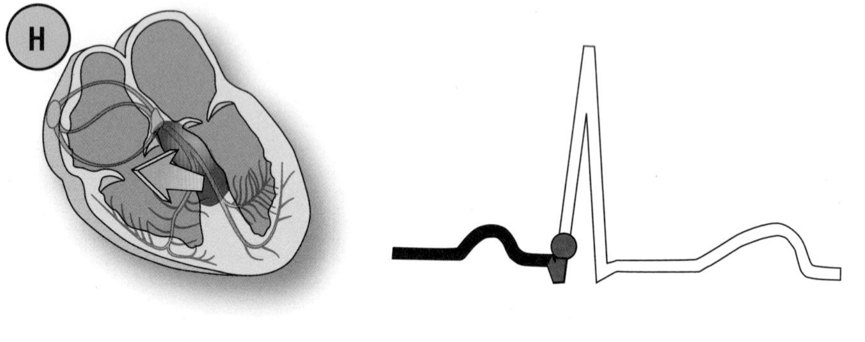

그림 6-20H.
심실에서 제일 처음 탈분극되는 장소는 상부 중격 영역이다. 이것은 작은 벡터(붉은 벡터)가 왼쪽에서 오른쪽으로 탈분극시키며 심전도에서 중격 Q파를 의미하게 된다.

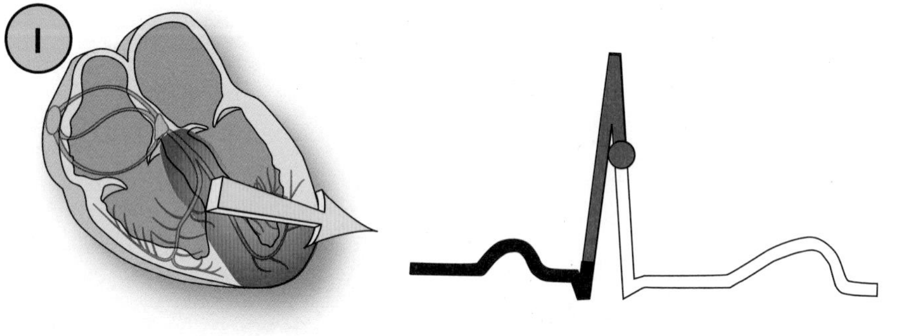

그림 6-20I. 좌심실 대부분을 탈분극시키며 큰 벡터(노란색)을 만들고 이것은 하향, 뒤쪽, 그리고 거꾸로 돌아가는 방향(inferiorly, posteriorly, and backward)을 향한다. 이것은 이번 예제의 경우 큰 R파를 만든다.

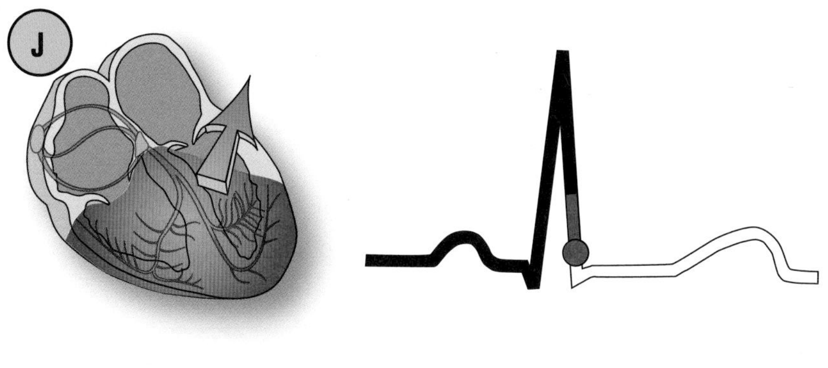

그림 6-20J. 심실의 탈분극이 일어나는 마지막 부분은 좌측 상부, 뒤쪽 부분이다. 양성의 탈분극파가 그 방향으로 가면서 벡터(푸른벡터)를 만들며 이것이 S파 혹은 QRS군의 마지막 부분을 나타낸다.

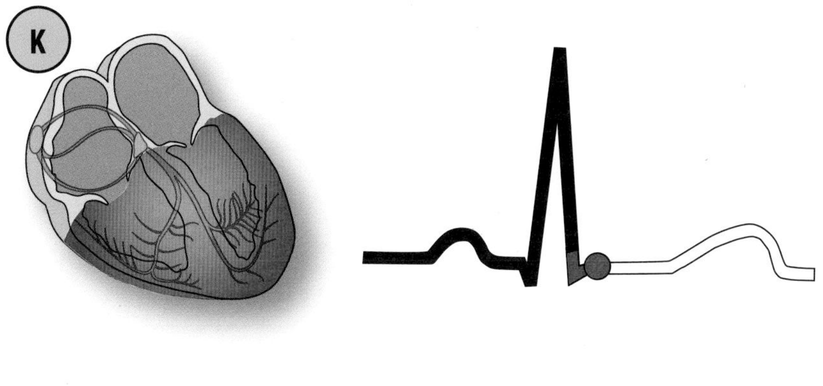

그림 6-20K. 이 지점에서 양쪽 심실은 탈분극되어 QRS군이 완성되었다. 심실의 탈분극이 정상 전도계를 통하여 일어났기 때문에, ***QRS군의 폭은 정상이어야 한다.*** 정상 간격은 0.06에서 0.11초 이내이다.

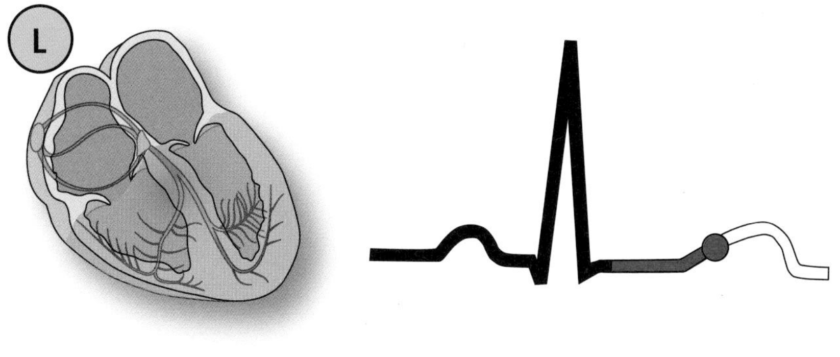

그림 6-20L.
이 기간은 심실의 탈분극이 완전히 끝이난 시간을 의미하며 재분극이 시작된다. 심실 재분극은 T파를 만든다(추가적인 정보 박스를 참조하라).

추가적인 **정보**

절대적 불응기

T파의 초기 부분은 *절대적 불응기(Absolute refractory period)*로 알려진 부분을 나타낸다. cycle 12에서 심장의 도식과 그림 6-20L을 본다면, 대부분의 심실은 여전히 어느 정도 탈분극되어 있다(분홍색 영역으로 표시된 부분). 이 영역은 *어떠한 자극에도 반응하지 않을 것이다.* 다시 말해서, 그들은 여전히 탈분극되어 있기 때문에(훨씬 양성), 그들은 점화하거나 새로운 자극을 전도하지 못한다. 비유를 사용해 보면, 대포를 생각해보자. 장전된 대포는 방아쇠를 당김으로서 쉽게 발포될 수 있다. 그러나, 당신이 대포가 충분히 재장전되기 전에 방아쇠를 빠르기 당긴다면, 방아쇠가 당겨진다 해도 두 번째에는 발포되지 않을 것이다.

(계속)

오직 고립된 작은 영역만 완전히 재분극된 것을 보여주고(이전의 그림에서 푸른색으로 표시된 부분과 그림 6-23에서 파란색 세포) 다른 자극에 사용될 수 있다. 더 많은 세포가 재분극되면, 문제가 발생할 것이다; 다음 추가적인 정보 박스에서 보게 될 것이다.

그림 6-23. 오직 일부의 세포들만 완전히 재분극되며 다음 자극에 준비되어 있다.

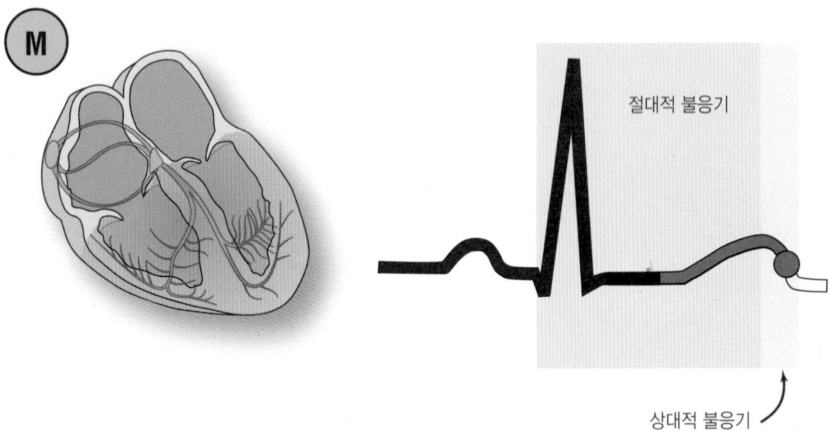

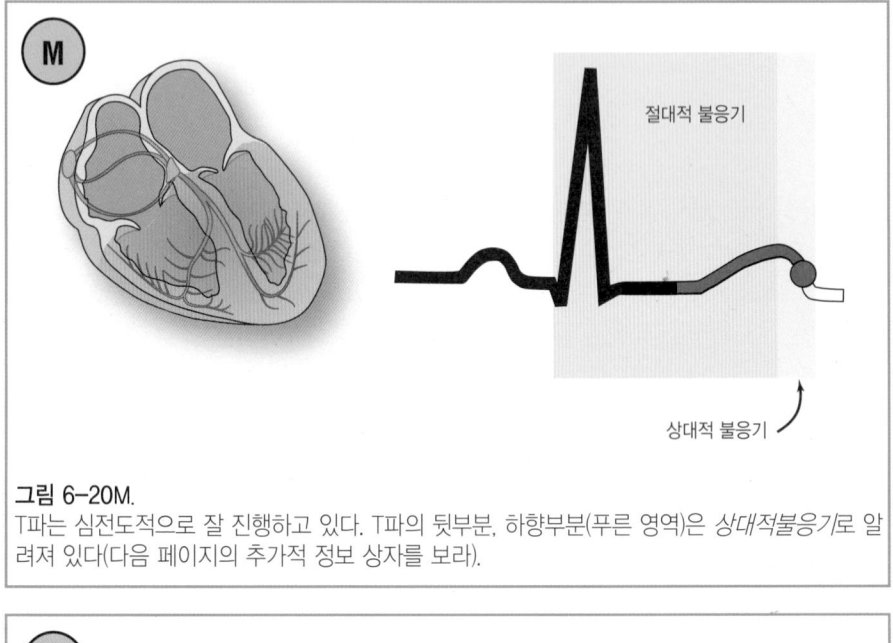

그림 6-20M.
T파는 심전도적으로 잘 진행하고 있다. T파의 뒷부분, 하향부분(푸른 영역)은 *상대적불응기*로 알려져 있다(다음 페이지의 추가적 정보 상자를 보라).

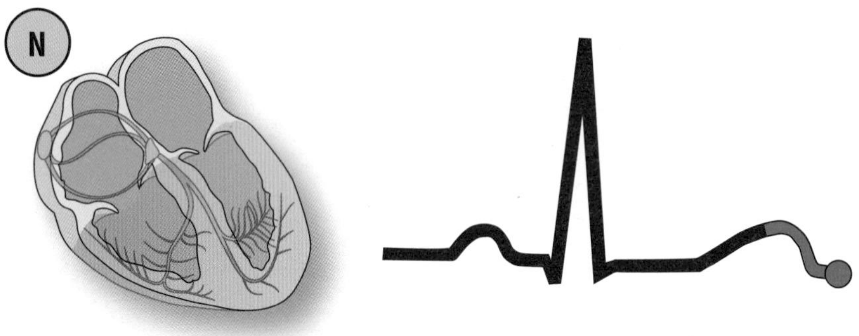

그림 6-20N.
이것이 마지막 부분이다. 이 포인트에서 심장은 이완된다. 그러나 모든 세포들의 자동능은 계속된다. 정상 동율동의 경우 동방결절이 자동능 박동수에서 중요하고, 가장 빠르며, 심장의 조율기로 작용한다. 심장 기능이 정상이라면 이 과정은 계속적으로 반복된다.

추가적인 정보

상대적 불응기

상대적 불응기는 절대적 불응기에 비해서 더 많은 세포들이 재분극되고 자극을 받을 준비를 하게 된다. 결과적으로, 자극의 전달이 발생하게 되지만 자주 매우 우회경로를 따라 전달된다. 가끔, 원형 경로가 그림 6-24와 같이 형성된다. 이러한 경우, 자극은 붉은색 별로 표시된 조율 세포에서 심실조기박동의 형태로 시작하게 된다. 그러면 느리게, 직접적인 세포-세포간 전달을 통해, 자극은 심장의 한 부분들을 따라 길을 형성하게 된다. 자극 전달은 매우 느리기 때문에 원래의 조율 영역에 도달하게 되면, 그 영역은 이미 재분극되어 있다. 즉, 그것은 이미 전달을 다시 받을 준비가 되어 있음을 의미한다. 이 형태의 순환움직임(circus movement)은 심각한 *부정맥을* 초래하고 심실 빈맥을 위한 구성이 된다. 우리는 이후에 이 부분에 대해서 더 많은 시간을 할당할 것이다. 이것은 단지 T파의 절대적 그리고 상대적 불응기에 대한 작은 소개일 뿐이다.

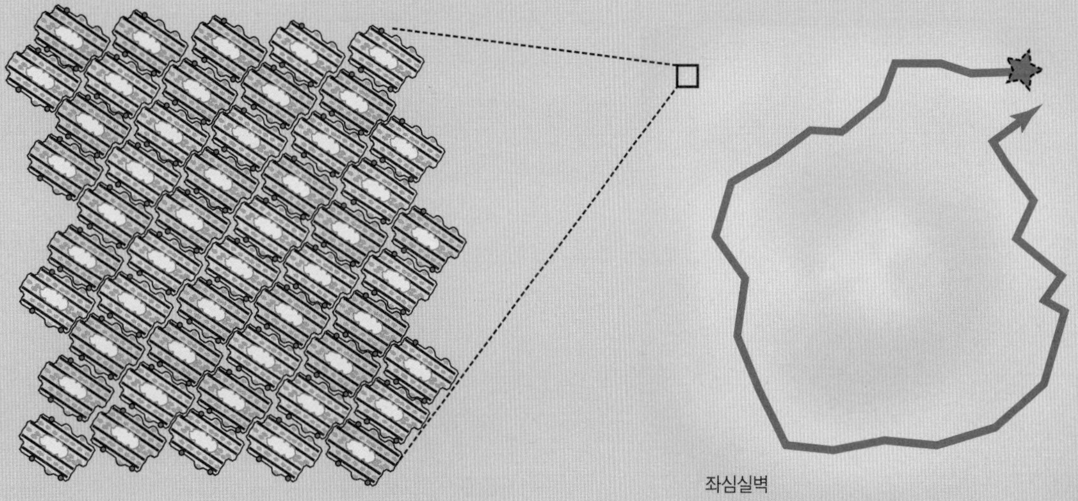

그림 6-24. 자극이 심박조율 세포에서 심실조기박동으로 시작하게 되면 자극전달이 느려져서 자극이 원래 심박조율 영역에 도착할 쯤이 되면, 그 영역은 다시 재분극되어 있다.

1 단원 복습

1. 기준선은 한 박동의 __________와 다음 박동의 __________를 연결한 직선이다.

A. PR분절 – PR분절

B. P파 시작점에서 다음 P파의 시작점

C. TP 분절 – TP 분절

D. QT 간격 – QT 간격

E. 해당 없음.

2. P파는 심방의 재분극을 의미하고, 심방 심근세포의 신경지배를 의미한다. 참 또는 거짓

3. PR분절과 PR 간격은 동일한 시간 간격을 의미한다. 참 또는 거짓

4. PR 간격의 정상범위는 ________초이다.

A. 0.08~0.10

B. 0.11~0.15

C. 0.11~0.20

D. 0.20~0.24

E. 해당 없음.

5. QRS 간격의 정상 범위는 ______초이다.

A. 0.06~0.08

B. 0.06~0.11

C. 0.08~0.14

D. 0.12~0.20

E. 해당 없음.

6. Q파는 어떤 경우에 의미 있다고 할 수 있는가?

A. ≥0.03초(작은 상자 1개) 넓이

B. R파 높이의 1/3 보다 깊은 경우

C. A, B 모두 맞다.

D. A, B 모두 틀리다.

E. 해당 없음.

7. T파는 심실 재분극을 나타낸다. 참 또는 거짓

8. T파는 대개 비대칭적이다. 참 또는 거짓

9. QT는 언제나 선행하는 RR 간격의 1/2보다 길다. 참 또는 거짓

10. U파는 T파 이후, 다음 P파 이전에 나타나는 작고, 편평한 파이다. 참 또는 거짓

11. 생리적인 차단은 자극이 심방에서 심실로 방실결절을 통해서 갈때 정상적인 감속 또는 자극의 지연이다. 이 감속은 심방과 심실의 수축을 조화롭게 하는데 있어서 결정적이다. 생리적 차단이 없다면, 심방과 심실은 거의 동시에 수축할 것이다. 참 또는 거짓

12. PR 간격 동안, 심방, 방실결절, 히스속, 각, Purkinje system은 모두 점화한다. 참 또는 거짓

1. C **2.** 거짓 **3.** 거짓 **4.** C **5.** B **6.** C **7.** 참 **8.** 참 **9.** 거짓 **10.** 참 **11.** 참. **12.** 참

7 장

1

각 군들의 심박수를 평가할 때, P파의 심박수와 QRS의 심박수가 다를 수 있다는 것을 먼저 생각해야 한다. 그래서 속도에 대한 논의를 위해 QRS 심박수만 생각하도록 하겠다. 하지만, 필요하다면 P파의 심박동수에도 같은 개념이 적용될 수 있다.

심박동수는 여러 가지 방법으로 얻을 수 있다. 심전도의 윗부분에 컴퓨터에 의한 분석이 되는 것이라면, 이것이 제공하는 심박동수를 사용할 수 있을 것이다. 하지만, 그 심박동수가 틀릴 수 있다. 만약 심박수가 틀린 것 같으면 직접 측정해야 한다. 측정하는 방법 중 하나는 *심전도 도구들*에서 이야기한 것처럼 자를 이용하는 것이다. 다른 방법으로 심전도와 당신의 시간 간격에 대한 기본 지식을 가지고 판독하는 방법이다. 측경기(caliper)와 위의 방법을 같이 사용하면 매우 쉬울 것이다. 자, 이 방법의 일부에 대해서 공부해 보자.

심박동수를 설정한다(Establishing the Rate)

정상과 빠른 심박동수

심박수를 측정하는 쉬운 방법은 그림 7-1에 묘사된 방법을 사용하는 것이다. 굵은 선에서 시작하는 QRS군을 찾고 그것이 시작점이 된다. 그리고 다음 QRS 파의 동일한 지점을 잡는다. 이것이 끝나는 지점이다. 전통적으로 QRS파의 가장 높은 부분 정점을 사용한다. 그러나 일관성이 있다면 어느 지점을 사용해도 무방하다. 두 지점 사이의 두꺼운 선을 그림 7-1에 보이는 숫자를 사용하여 센다. 이 순서를 기억해야한다. 암기는 힘들겠지만, 기억해두면 더 큰 가치를 가질 것이다.

다른 방법은 측경기를 사용하여 한 군의 파의 가장 높은 정점 부분과 다음 파의 가장 높은 정점을 측정하여 심박수를 측정하는 것이다. 그 다음 측경기 – 측정한 길이를 유지한 채 – 왼쪽 끝을 굵은 선위로 옮겨서 측경기 두 끝 사이의 간

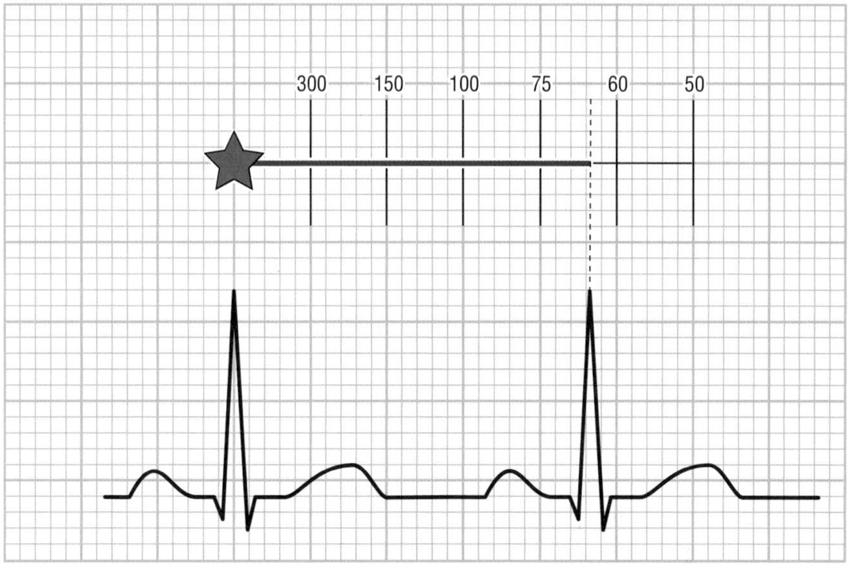

그림 7-1. 심박수는 대략 65~70회/분(BPM)이다.

조언

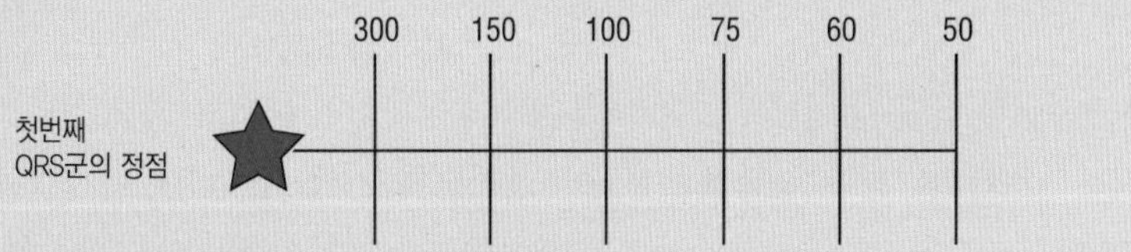

그림 7-2. 이것들은 QRS군의 정점이 처음 두꺼운 선에 위치(맞추거나 혹은 측경기 사용)한 후 뒤에 따라오는 두꺼운 선들에 해당되는 심박수이다.

격을 위의 심박동수 계산방법을 이용하여 측정한다. 이 방법을 사용하면 출발점으로 사용하기 위한 굵은 선 위에 있는 QRS파를 찾을 필요가 없다.

느린 심박동수들

실질적 심전도: 종이 그리고 잉크? 장에서 나온 그림 7-3의 개념을 기억하는가? 서맥을 평가할 때, 이 시간 간격을 알고 있다면 아주 유용하게 사용할 수 있다. 일반적으로 이 간격 계산법을 사용하여 계산할 수 있습니다. 하지만 불규칙하고 느린 리듬은 어떻게 할까?

간단하다: 리듬 스트립을 보고 있다면, 6초 스트립에 나타난 심주기의 수를 세어서 거기에 10을 곱하면 된다. 이것이 60초 동안 심박수에 해당된다; (6초 동안의 군들) × 10 = 회/분. 다른 방법으로는 12초 스트립 동안의 심박수를 세어서 5를 곱한다(1분에 12초가 5번 있기 때문에).

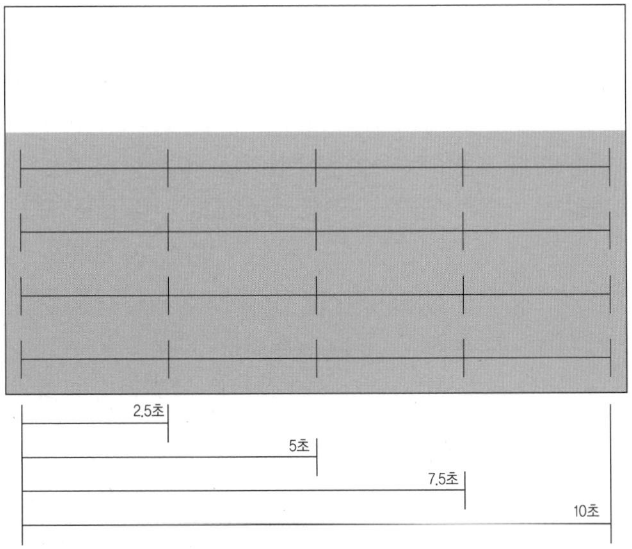

그림 7-3. 심전도 종이

일반 12 유도 심전도는 10초이므로, 계산은 10초 스트립에서 발생하는 군의 개수를 세고, 여기에 6을 곱하여 분당 심박동수를 계산할 수 있다; (10초 동안의 심주기) × 10 = 회/분. 계산할 때 부분을 이용하는 것을 기억해라. 예를 들어, 10초 심전도 스트립에서 12.5개의 군들이 있으면 75회/분의 심박동수를 나타낸다(12.5군들 × 6 = 75회/분).

조언

혼란스러워 하지 말라! 규칙적인 리듬 스트립에서는 매 3초마다 해시마크(hash marks)가 나타날 것이다. 심전도에서 유도들의 길이는 2.5초이다. 해당되는 스트립(리듬 스트립 혹은 12 유도 심전도)에 맞는 계산을 해라. 12 유도 심전도에서 분당 심박수를 얻는 쉬운 방법은 이것이다 : (10초 동안의 심주기) × 6 = 분당 심박수(BPM)

몇몇 심박동수를 계산해보자

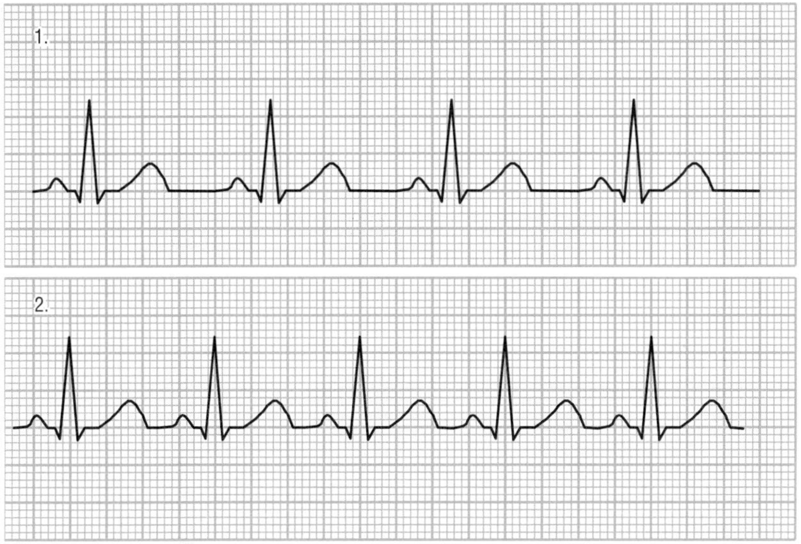

그림 7–4.

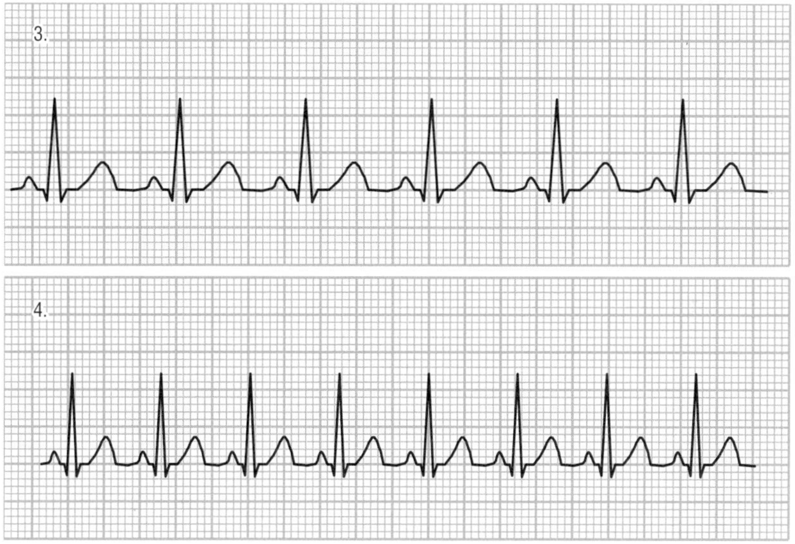

그림 7–4. 계속

답: **1.** 60회/분, **2.** 75회/분, **3.** 대략 80~85회/분,
4. 대략 130회/분

심박동수를 계산하자

별들을 사용하여 각군들을 단순화하여 나타내었다.

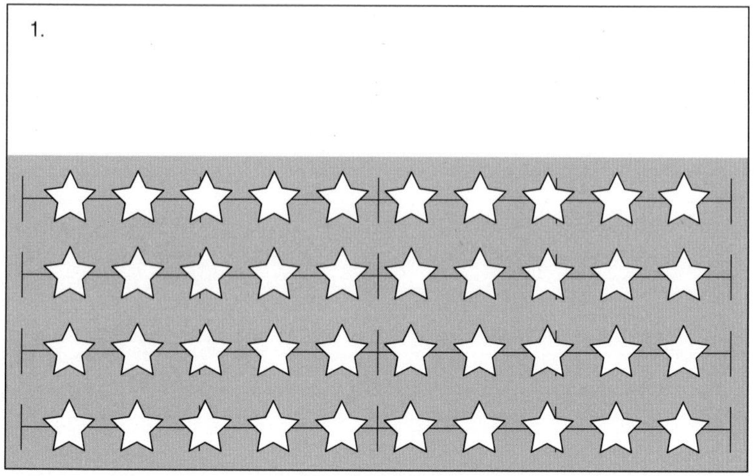

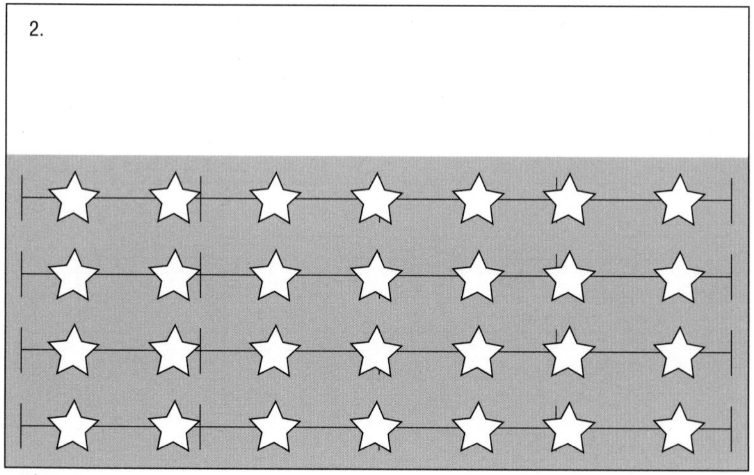

그림 7–5.

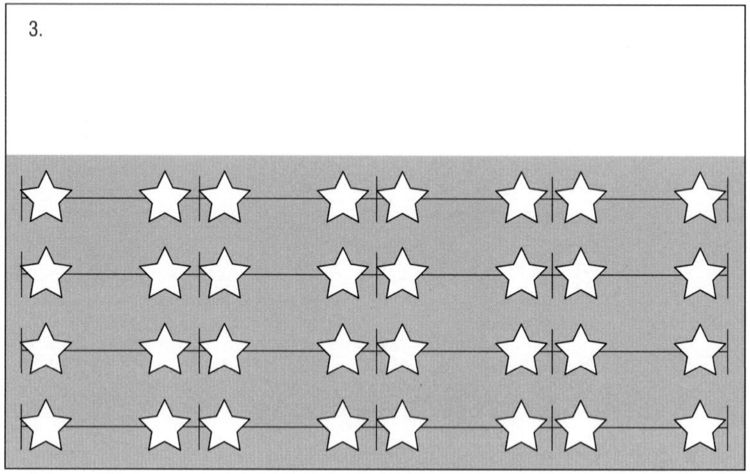

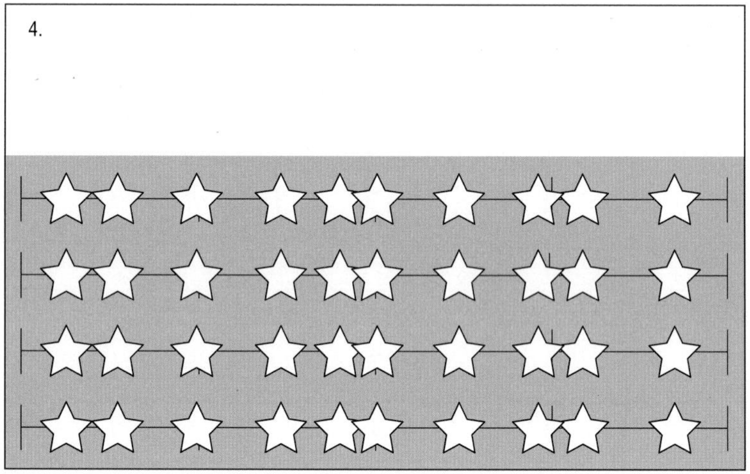

그림 7–5. 계속

답: **1.** 10초 심전도에 있는 박동수를 확인하여 6을 곱해서 심박수가 60회/분 인 것을 알 수 있다(10 박동들 × 6 = 60회/분). **2.** 이번에는 10초 스트립에서 7개의 군들이 있기 때문에 42회/분이다. **3.** 불규칙적인 리듬이다, 그러나 8개의 선명한 군들이 10초 스트립에 있다. 심박수는 48회/분이다. **4.** 이 리듬 스트립은 불규칙하며 심전도 스트립은 10회/10초이다. 심박수는 60회/분이다.

1 단원 복습

1. 심박동수를 계산할 때 기억해야 할 수는 무엇인가?

A. 300 – 160 – 90 – 75 – 60 – 50
B. 300 – 150 – 100 – 75 – 60 – 50
C. 300 – 150 – 80 – 70 – 60 – 50
D. 400 – 160 – 100 – 75 – 60 – 50
E. 해당 사항 없음

2. 느린 심박수를 계산할 때 심전도상의 6초 간격 동안의 군들의 숫자를 세어 10을 곱한다. 이것이 1분 동안의 심박수를 말한다. 참 혹은 거짓.

3. 6초 스트립 동안에 3.5박동이 있었다면 심박동수는 얼마인가?

A. 3.5회/분
B. 35회/분
C. 350회/분
D. 3500회/분
E. 해당 사항 없음

4. 12초 스트립 동안 3.5박동이 있다면 심박동수는 얼마인가?

A. 3.5회/분
B. 5회/분
C. 17.5회/분
D. 175회/분
E. 해당 사항 없음

5. 6초 스트립 동안에 5박동이 있다면 심박동수는 얼마인가?

A. 5회/분
B. 15회/분
C. 50회/분
D. 150회/분
E. 해당 사항 없음

1. B **2.** 참 **3.** B **4.** C **5.** C

8 장 리듬들

1

이번 단원은 리듬과 부정맥에 대해서 이야기할 것이다. 각 주제에 대한 간단한 소개만 할 것이다. 각각에 대해서는 이후의 이 책의 다른 부분에서 자세히 설명할 것이다. 다음의 "중요한 개념"을 한 번 숙지하고 각각의 리듬으로 넘어가기를 권장한다. 그리고 마지막으로 한 번 더 이 중요한 개념을 읽기를 권한다. 이렇게 하면 용어의 개념을 명확하게 하는데 도움을 줄 것이다.

중요 개념

부정맥을 접근하는데 당신이 생각해야 하는 조직화된 10가지 방법들이 있다.

개요

1. 심박동이 느린가 빠른가?
2. 심박동이 규칙적인가 불규칙적인가? 만약 불규칙하다면, 규칙적으로 불규칙한가, 불규칙적으로 불규칙한가?

P파

3. P파가 보이는가?
4. 모든 P파가 모양이 같은가?
5. 각각의 QRS군은 P파를 가지고 있는가?
6. PR 간격은 일정한가?

QRS군

7. P파와 QRS군이 서로 연계성이 있는가?
8. QRS군이 좁은가 넓은가?
9. QRS군이 그룹을 형성하는가? 또는 형성하지 않는가?
10. 중간에 빠지는 심박동이 있는가?

개요

심박동이 느린가 빠른가? 많은 리듬 이상들은 특정 심박동 범위 내에 있다. 그러므로 리듬의 심박동수가 얼마인지 아는 것이 중요하다. 빈맥(>100회/분), 서맥(<60회/분), 혹은 정상 심박동수인가?

심박동이 규칙적인가 불규칙적인가? P파와 QRS군이 일정한 양상을 보이고, 동일한 간격으로 떨어져 있는지, 아니면 일부 또는 모든 박동의 간격이 다른지? 이것은 앞으로 여러분이 만나게 되는 심전도에서 리듬을 알아내는 데 도움이 되는 훌륭한 도구가 된다.

만약 심박동이 불규칙하다면 다른 문제에 직면하게 된다: 규칙적으로 불규칙한가? 아니면 불규칙적으로 불규칙한가? 처음에는 이 말이 무슨 말인지 혼동이 될 것이다. 박동이 규칙적으로 불규칙하다는 것은 불규칙한 군들의 양상이 어떤 규칙성을 가진다는 것이다. 예를들어, 매 세 번째 박동이 선행하는 2개의 박동에 비해서 빨리 온다면, 간격은 "길고-길고-짧고, 길고-길고-짧고"의 예측이 가능하고 불규칙적인 것이 일어나는 것이 반복되는 양상을 보인다는 것이다.

불규칙하게 불규칙하는 것은 전혀 규칙성이 없다. 간혹 우연한 예외를 제외하고는 모든 간격이 우발적으로 나타나며, 반복되지 않는다. 운 좋게 불규칙하고 불규칙한 심박동은 세 가지만 존재한다. 이것은 심방세동, 유주심방조율(wandering atrial pacemaker), 다소성심방빈맥(mutifocal atrial tachycardia)이다. 이 감별 진단들을 기억하면 어려운 상황에 처했을 때 빠져나올 수 있게 해준다.

P파

P파가 보이는가? P파가 있다는 것은 심방 또는 심실상성 요소를 가지고 있다는 것을 의미한다. 이것이 또 다른 중요한 부정맥의 감별 진단이다. 동방결절이나 다른 심방박동조율기에서 만들어지는 P파는 대개 그 밑에 연속해 있는 조율세포를 재시동하게 만든다.

모든 P파가 모양이 같은가? 동일한 P를 보이는 것은 동일한 위치에서 심박동이 만들어진다는 것이고, 동일한 P파는 방실차단이 없는 이상 동일한 PR 간격을 가진다(뒤에서 설명함). 만약 P파가 동일하지 않다면 두가지 가능성을 생각해야 한다: 박동을 만드는 다른 조율세포가 존재하거나, 아니면, P파에 다른 심전도 파형이 겹쳐져 있는 경우이다. 즉 T파가 P파와 같은 시점에 발생한다. 3가지 이상의 다른 모양을 보이는 P파가 다른 간격의 PR 간격들을 보인다면, 이것은 이후에 이야기 할 유주심방조율 또는 다소성심방빈맥을 생각해야 한다.

각각의 QRS군은 P파를 가지고 있는가? QRS파에 비해 P파의 수가 이상이 있는 것은 어떤 방실결절의 차단이 있지 않은지 생각해봐야 한다.

PR 간격은 일정한가? 다시 말하지만, 이것은 유주심방조율 또는 다소성심방빈맥을 구별하는데 아주 유용하다. 또 편위전도를 동반하거나 하지 않는 심방조기박동을 평가하는데 유용하다(세포 사이의 느린 전도가 비정상적으로 넓은 QRS군을 만든다).

QRS군

P파와 QRS군이 서로 연계성이 있는가? QRS파 앞에 있는 P파가 QRS파의 형성에 관련이 있는가? 이 물음에 대한 긍정적인 답변은 전체 군이 정상 박동인지, 조기박동인지 아니면 낮은 정도의 방실결절 차단인지를 판단하는데 도움을 줄 것이다. 심실 빈맥의 진단에는 융합박동 및 포획박동이 진단에 중요하다. 이런 융합 또는 포획박동의 경우 선행하는 P가 QRS군과 관련이 있다. 하지만 다른 P파들은 그들 각각의 QRS군들과 해리(dissociated)되어 있다.

QRS군이 좁은가 넓은가? 좁은 QRS군은 자극이 정상 방실결절/Purkinje 네트워크를 통과한다는 것을 나타낸다. 이런 경우는 접합부 박동을 포함하는 심실상성 리듬에서 흔히 발견된다. 넓은 QRS군은 자극이 정상 전기전도계를 통하지 않고, 심장의 어떤 지역에서 전도될 때에는 세포 대 세포 간의 직접적 전도에 의해서 전달되어 발생한다. 이런 넓은 QRS군들은 심실조기박동들(PVCs), 편위전도박동들, 심실빈맥, 각차단에서 나타난다.

QRS군이 그룹을 형성하는가? 또는 형성하지 않는가? 이런 경우는 방실차단이 있거나 이단맥(정상 박동 뒤로 조기 박동이 따라 오는 것이 반복되어 나타나는 것), 삼단맥(두개의 정상 박동 뒤에 조기박동이 나타나는 것이 반복되는 것)과 같은 재발하는 조기박동이 있는지 알아볼 때 유용하다.

중간에 빠지는 심박동이 있는가? 심박동이 빠지는 것은 방실차단이나 동정지에서 나타난다.

각각의 리듬들

심실상성 리듬

정상 동율동(Normal Sinus Rhythm)

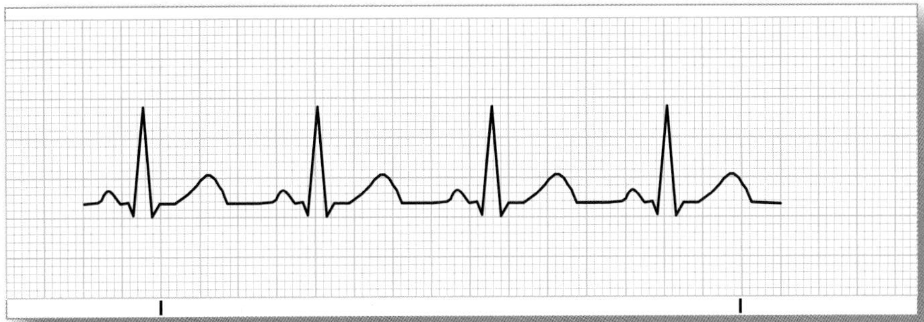

심박동수	60~100회/분
규칙성	규칙적
P파	있음
P:QRS파의 비율	1:1
PR 간격	정상
QRS 너비	정상
그룹화	없음
빠지는 박동들	없음

종합하여

이 리듬은 동방결절이 심박조율을 하는 정상 상태를 나타낸다. 간격은 모두 일정하고 정상범위이다. 이것은 심방의 박동수라고도 한다. 정상 동율동은 방실해리가 같이 있다면 심실 이탈리듬이나, 다른 심실의 이상과 동반될 수 있다.

그림 8-1. 정상 동율동(NSR)

동부정맥(Sinus Arrhythmia)

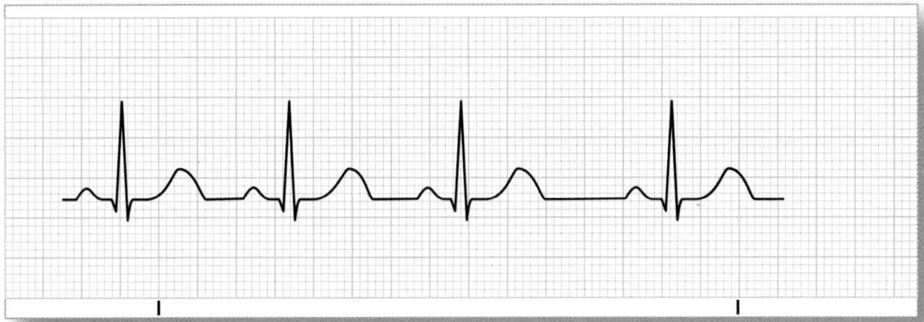

심박동수	60~100회/분
규칙성	호흡에 따라 변함
P파	있음
P:QRS파의 비율	1:1
PR 간격	정상
QRS 너비	정상
그룹화	없음
빠지는 박동들	없음

종합하여

이 심박동은 정상 호흡에 따른 변화를 나타낸다. 호기 시에 느려지고, 흡기 시에 빨라진다. 이는 흡기 시에 흉강 내 압력이 낮아짐으로 인해 정맥의 환류가 증가하여 발생하는 것이다. PR 간격은 같다; TP 간격(한 박동의 T파의 끝에서부터 다음 박동의 P파의 시작까지)만이 호흡에 따라 변한다.

그림 8-2. 동부정맥

동서맥(Sinus bradcardia)

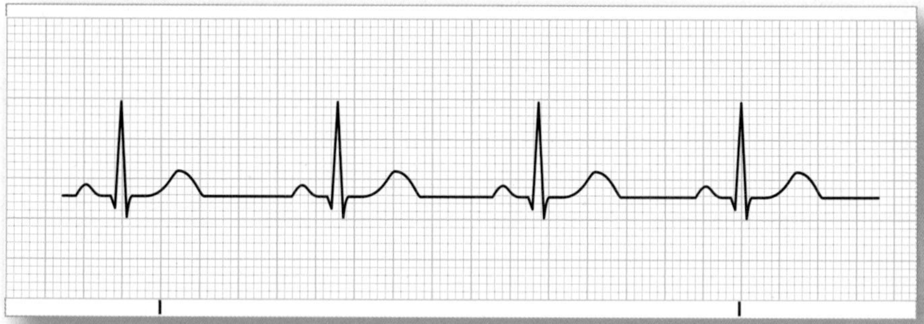

심박동수	60회/분 미만
규칙성	규칙적
P파	있음
P:QRS파의 비율	1:1
PR 간격	정상 또는 약간 연장됨
QRS 너비	정상 또는 약간 연장됨
그룹화	없음
빠지는 박동들	없음

종합하여

박동수가 60회/분 미만이다. 기원은 동방결절이나 심방박동조율기에서 발생한다. 이런 경우는 미주신경이 활성화되어 결절의 속도를 느리게 하거나, 베타차단제와 같은 약제로 인해 생기거나, 정상적으로 잘 훈련된 몇몇 운동선수에서 나타나기도 한다. QRS파, PR 및 QTc 간격은 리듬이 60회/분 이하로 내려가면 약간 늘어날 수 있다. 하지만 그 간격의 정상 범위의 상한선을 벗어나지는 않는다. 예로 PR 간격이 늘어난다고 하지만, 정상 최대 범위인 0.20초를 넘지 않는다.

그림8-3. 동서맥

동빈맥(Sinus tachycardia)

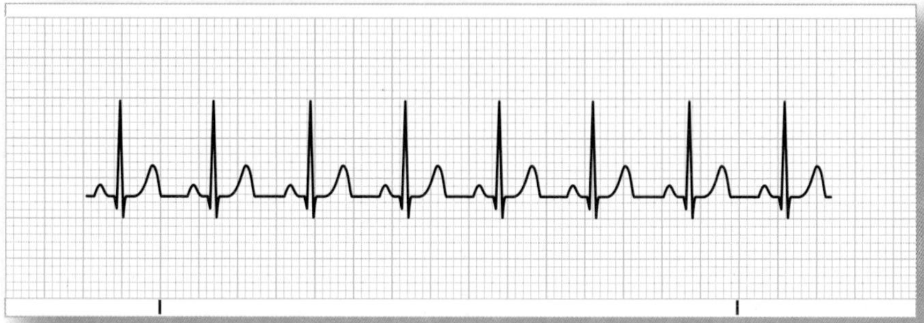

심박동수	100회/분 보다 빠르다.
규칙성	규칙적
P파	있음
P:QRS파의 비율	1:1
PR 간격	정상 또는 약간 짧아짐
QRS 너비	정상 또는 약간 짧아짐
그룹화	없음
빠지는 박동들	없음

종합하여

이런 경우는 약제 혹은 운동, 저산소증, 혈량저하증, 출혈, 산혈증과 같은 심박동의 증가가 필요한 상황에서 나타난다.

그림 8-4. 동빈맥

동정지(Sinus pause/Arrest)

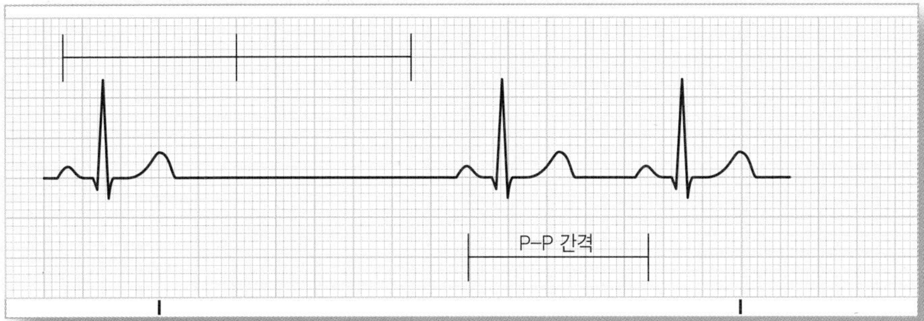

심박동수	다양함
규칙성	불규칙적
P파	동정지가 있는 부분을 제외하고는 존재한다.
P:QRS파의 비율	1:1
PR 간격	정상
QRS 너비	정상
그룹화	없음
빠지는 박동들	없음

종합하여

동정지는 동조율이 없는 동안의 다양한 시간 간격을 이야기한다. 시간 간격은 정상 PP 간격의 배수가 되지 않는다(빠지는 박동의 시간 간격이 정상 PP 간격의 배수가 되는 경우는 뒤에 이야기될 동차단이다). 동정지는 긴 정지이며, 동정지가 얼마나 길어야 한다는 기준은 없다.

그림 8–5. 동정지

동방차단(Sinoatrial block)

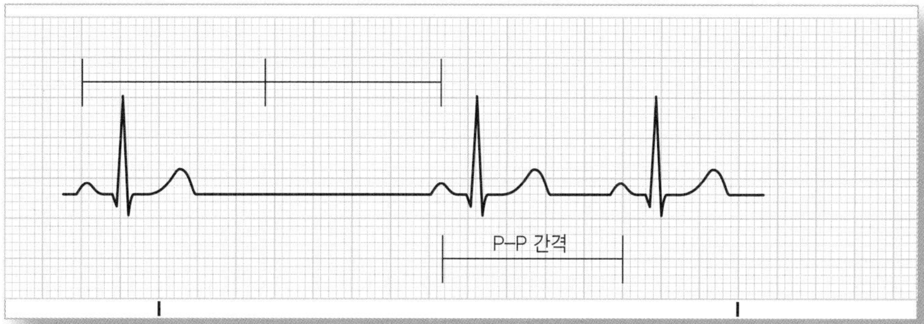

심박동수	다양함
규칙성	불규칙적
P파	빠지는 파가 있는 경우를 제외하고는 존재한다.
P:QRS파의 비율	1:1
PR 간격	정상
QRS 너비	정상
그룹화	없음
빠지는 박동들	없음

종합하여

차단은 P–P 간격의 배수만큼 발생한다. 박동이 빠진 후 이전과 같은 스케쥴로 시간에 맞춰 심박동이 시작되고 진행한다. 이것은 정상적인 삼박조율세포에서 전도되지 않는 박동이 발생한 것이다.

그림 8–6. 동방차단

조기심방수축(Premature Atrial Contraction, PVC)

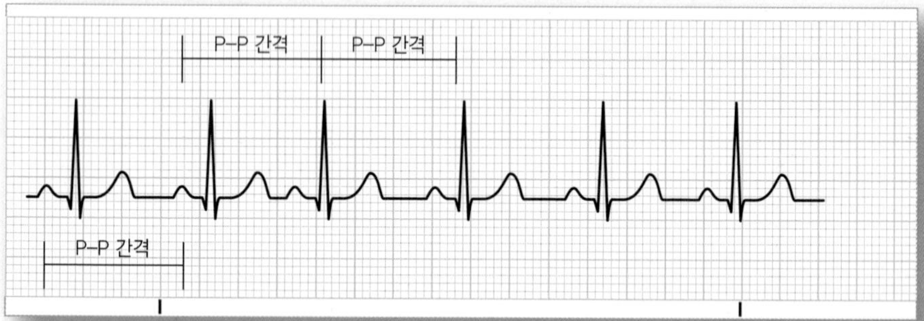

심박동수	기저 심박수에 의한다.
규칙성	불규칙적
P파	있음 : 조기심방수축이 있는 경우는 모양이 다를수 있다.
P:QRS파의 비율	1:1
PR 간격	심방 조기박동의 경우 다양하지만, 다른 경우는 정상적이다.
QRS 너비	정상
그룹화	때때로 나타난다.
빠지는 박동들	없음

종합하여

조기심방수축(PAC)은 동방결절보다 빨리 심방의 조율 세포에서 박동을 유발하는 경우 발생한다. 예상보다 빠른 박동이 나타난다. 조기박동은 동방결절을 다시 재설정하고, 조기박동 후의 휴지(pause)는 보상(compensated) 되지 않는다. 기본 리듬이 변하고, 같은 형태의 심박조율을 하지 않는다. 이러한 비보상적 휴지(pause)는 정상 P–P 간격의 두배보다 짧다.

그림 8–7. 조기심장수축

이소성심방빈맥(Ectopic Atrial Tachycardia)

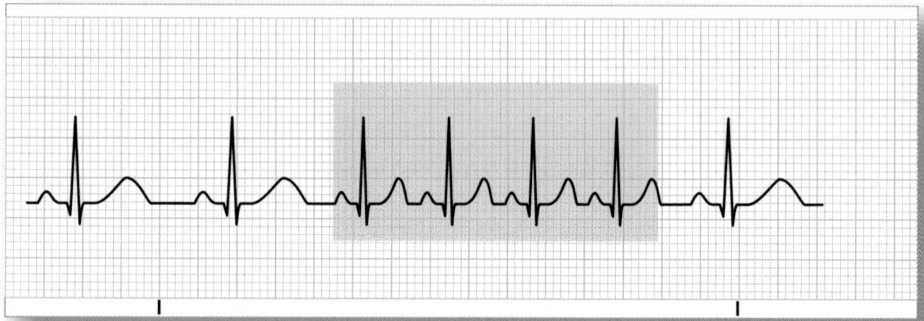

심박동수	100~180회/분
규칙성	규칙적
P파	이소성 박동은 모양이 다르다.
P:QRS파의 비율	1:1
PR 간격	이소성 병소(ectopic focus)는 다른 간격을 가진다.
QRS 너비	정상이지만 때때로 편위전도할 수 있다.
그룹화	없음
빠지는 박동들	없음

종합하여

이소성심방빈맥은 이소성심방병소 박동이 정상 동율동보다 빠른 경우 생긴다. P파들과 PR 간격들은 이소성심방 조율기(심박동조율기가 동방결절의 밖에 존재)에 의해서 리듬이 만들어지기 때문에 다르다. 대개 장기간 지속되지는 않는다. 심박동수가 빨라지기 때문에 약간의 ST와 T파의 이상소견이 일시적으로 생기기도 한다.

그림 8–8. 이소성심방빈맥

유주심방조율(Wandering atrial pacemaker)(WAP)

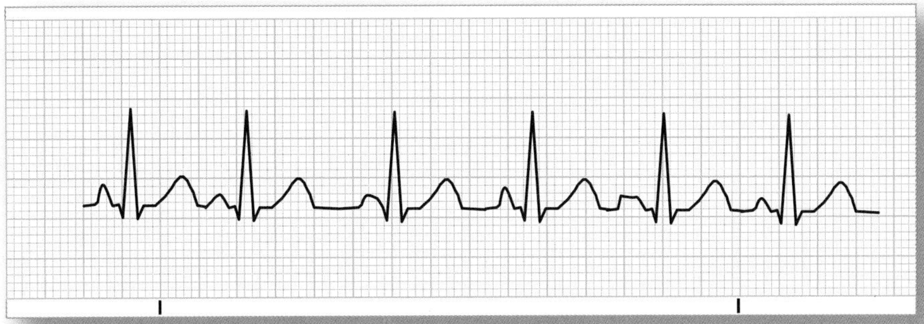

심박동수	100회/분 보다 느리다.
규칙성	불규칙적으로 불규칙적이다.
P파	적어도 3개 이상의 다른 모양
P:QRS파의 비율	1:1
PR 간격	병소에 따라 다양하다.
QRS 너비	정상
그룹화	없음
빠지는 박동들	없음

종합하여

유주심방조율(WAP)은 여러 개의 심방조율 세포가 자신들이 가지고 있는 박동속도에 따라서 박동을 만들기 때문에 불규칙적으로 불규칙한 리듬이다. 결과적으로 심전도상에 그들의 고유한 PR 간격을 가지는 3개 이상의 다른 모양의 P파들이 나타난다. 각각의 맥박 생성기에서 다른 거리와 다른 P파 전기축의 자극을 만드는 것을 생각하라. 거리가 멀면 멀수록 PR 간격이 길다. P파 전기축이 다양한 것이 P파들의 모양도 다르게 한다.

그림 8-9. 유주심방조율

다소성심방빈맥(Multifocal Atrial Tachycardia)(MAT)

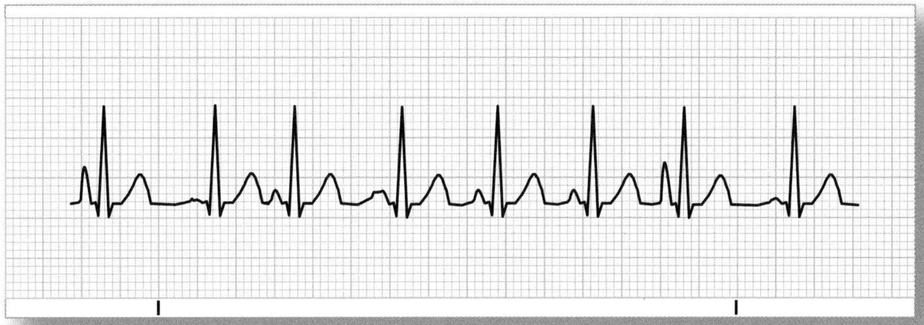

심박동수	100회/분 이상
규칙성	불규칙적으로 불규칙적
P파	적어도 3개 이상의 다른 모양
P:QRS파의 비율	1:1
PR 간격	다양하다.
QRS 너비	정상
그룹화	없음
빠지는 박동들	없음

종합하여

다소성심방빈맥은 이소성심방조율이 심박동수가 빠른 것이다. 다소성심방빈맥, 이소성심방조율 둘 다 심한 폐질환을 가진 환자에게서 흔히 발견된다. 빈맥은 심혈관계 불안정성을 유발할 수 있으며, 꼭 치료하여야 한다. 치료는 어렵고, 원인 질환을 치료하는 것이 중요하다.

그림 8-10. 다소성심방빈맥

심방조동(Atrial Flutter)

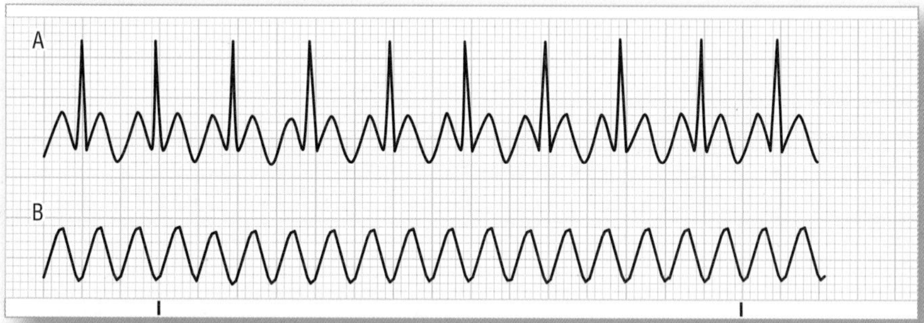

심박동수	심방 박동수는 대개 250~350회/분 심실 박동수는 대개 125~175회/분
규칙성	대개 규칙적, 그러나 다양할 수 있음
P파	톱니 모양, "F파들"
P:QRS파의 비율	다양함, 대개 2:1
PR 간격	다양하다.
QRS 너비	정상
그룹화	없음
빠지는 박동들	없음

종합하여

F파들은 이 심전도에서 보이는 것과 같이 톱니 모양이다(B에서는 F파의 모양을 잘 보기 위하여 QRSs를 없앴다). QRS 심박동수는 대개 규칙적이고, P–P 간격의 몇 배로 나타난다. 대개 QRS 반응은 2:1(각 QRS군에 대해 2개의 F파가 존재하는 것을 의미한다). 심실의 반응은 3:1, 4:1, 그 이상으로 느려질 수 있다. 때때로 심실 반응이 불규칙적일 수 있다.

드물게 어떤 F–F 간격의 배수도 되지 않는 완전하게 다양한 심실반응을 보이는 경우도 있다. 이런 경우는 다양한 심실반응을 보이는 심방조동이라고 부른다.

마지막으로, 모든 12유도에서 톱니모양을 보이지는 않기 때문에, 심실 박동수가 150회/분 되는 경우에는 언제나 2:1 심실반응을 보이는 심방조동의 F파가 숨어있는지 찾아보아라!

그림 8–11. 심방조동

심방세동(Atrial fibrillation)

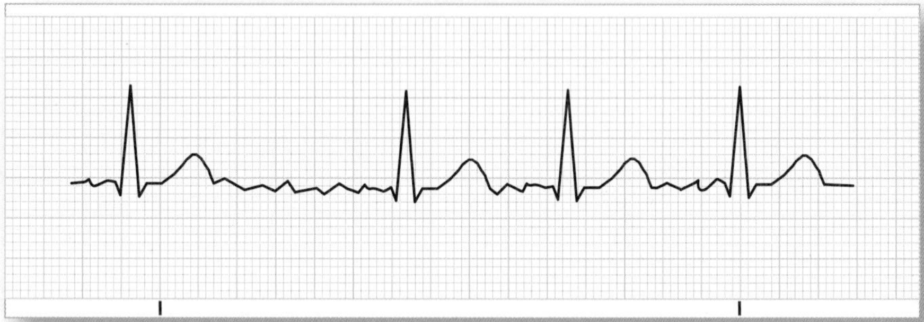

심박동수	다양하고, 심실반응이 빠를수도, 느릴수도 있다.
규칙성	불규칙적으로 불규칙적인
P파	없음, 무질서한 심방 활동
P:QRS파의 비율	없음
PR 간격	없음
QRS 너비	정상
그룹화	없음
빠지는 박동들	없음

종합하여

심방세동은 심방의 수많은 조율 세포들이 완전히 우연한 형태의 무질서한 박동을 생성하여 발생한다. 결과적으로 구별할 수 있는 P파가 없고, QRS 복합체는 불규칙적으로 불규칙하게 우연히 반응하는 양상을 보인다. 심실의 박동은 조율생성 장소들 중 하나에 의해 가끔씩 자극받는 형태를 나타낸다. 심실이 한 위치에서 조율되는 것이 아니기 때문에 그 간격이 완전히 임의로 나타난다.

그림 8–12. 심방세동

조기접합부수축(Premature Junctional contraction, PJC)

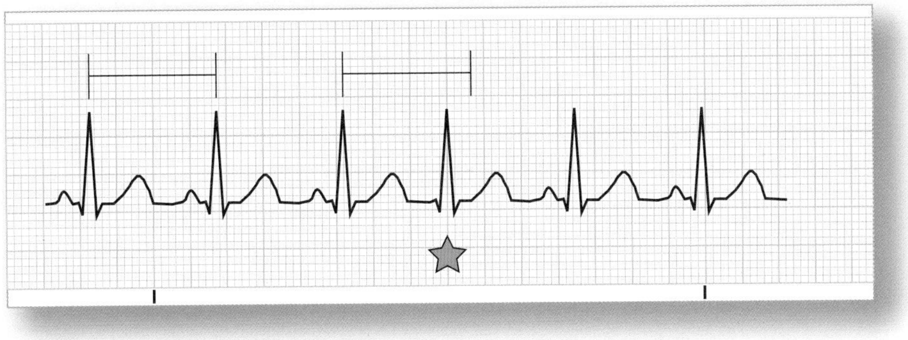

심박동수	기저(underlying) 리듬에 좌우된다.
규칙성	불규칙함
P파	다양하다(없거나, 정방향 전도, 역방향 전도).
P:QRS파의 비율	없거나, 혹은 존재하면 1:1 정방향[antegrade, QRS 앞에 위치], 역방향[retro-grade, QRS 뒤에 위치])
PR 간격	없거나 짧거나 역방향: 만약 존재하여도 심실이 심방을 자극하는 것은 아니다.
QRS 너비	정상
그룹화	대개는 없지만, 때때로 나타난다.
빠지는 박동들	없음

종합하여

접합부 조기박동(PJC)은 방실결절에서 박동이 빨리 발생하는 것이다. 이것은 정상 전기 전도로를 통해서 심실로 전달되기 때문에, QRS군은 기본 QRS와 동일한 모양을 보인다. 조기접합부수축은 대개 산발적으로 발생하지만, 규칙적으로, 그룹의 양상 즉 상심실성 이단맥(bigeminy) 혹은 삼단맥(trigeminy)을 보이기도 한다. QRS군에 대해 정방향 혹은 역방향 P파를 보일 수 있다. 정방향 P파는 QRS군 이전에 나타나는 것이다. PR 간격이 이 경우 대단히 짧고, P파의 축이 비정상적이다(II, III, 그리고 aVF 유도에서 뒤집어진다). 역행 P파는 QRS군 뒤에 나타난다.

그림 8-13. 조기접합부수축(PJC)

접합부이탈박동(Junctional Escape Beat)

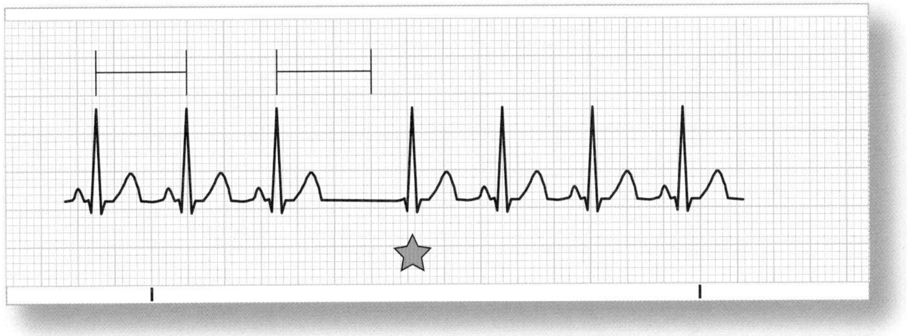

심박동수	기저 리듬에 좌우된다.
규칙성	불규칙함
P파	다양하다(없거나, 정방향[antegrade, QRS 앞에 위치], 역방향[retrograde, QRS 뒤에 위치])
P:QRS파의 비율	없거나, 혹은 존재하면 1:1 정방향 혹은 역방향
PR 간격	없거나 짧거나 역방향: 만약 존재하여도 심실이 심방을 자극하는 것은 아니다.
QRS 너비	정상
그룹화	없음
빠지는 박동들	있음

종합하여

이탈박동은 정상적인 조율 세포에서 박동을 만들지 못하는 경우 전도계의 유효한 다음 조율 세포에서 박동이 발생하여 대치하기 때문에 나타난다. *해부학* 장에서 이야기했던 것을 기억하라. 방실결절의 조율 세포가 정상 조율 세포가 박동하지 못하는 것을 감지한다. 그 후 방실결절의 조율 세포의 차례가 되고, 이것이 역치 전위에 도달하면, 박동이 발생한다. 앞의 박동과 이탈박동 사이의 간격은 언제나 정상 P-P 간격보다 길다.

그림 8-14. 접합부이탈박동

접합부리듬(Junctional Rhythm)

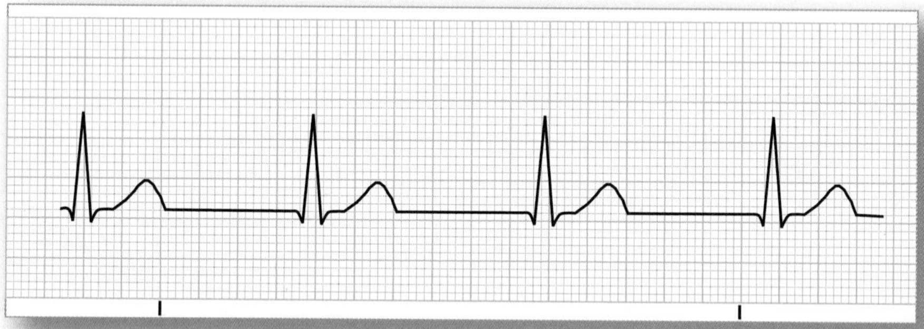

심박동수	40~60회/분
규칙성	규칙적
P파	다양하다(없거나, 정방향, 역방향).
P:QRS파의 비율	없거나, 역방향이나 정방향 전도 시 1:1
PR 간격	없거나 짧거나 역방향: 만약 존재하여도 심실이 심방을 자극하는 것은 아니다.
QRS 너비	정상
그룹화	없음
빠지는 박동들	없음

종합하여

접합부리듬은 심방세포나 동방결절에서 정상 조율기능을 상실한 경우, 이탈리듬으로 발생하는 것이다. 방실해리나, 3도 방실차단의 경우에도 나타날 수 있다(다음에 더 설명함).

그림 8-15. 접합부리듬

가속성접합부리듬(Accerlerated Junctional Rhythm)

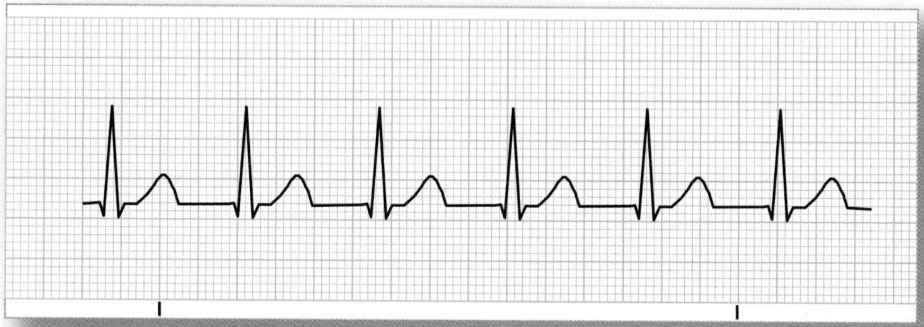

심박동수	60~100회/분
규칙성	규칙적
P파	다양하다(없거나, 정방향, 역방향).
P:QRS파의 비율	없거나, 역방향이나 정방향 전도 시 1:1
PR 간격	없거나 짧거나 역방향: 존재하여도 심실이 심방을 자극하는 것은 아니다.
QRS 너비	정상
그룹화	없음
빠지는 박동들	없음

종합하여

이 율동은 접합부 조율 세포에서 발생하고, 이 경우에는 정상 조율 세포보다 빨리 박동이 발생하여 조율생성기능을 이어받는다. 정상 접합부 율동보다 심박동수가 빠르며, 60~100회/분의 속도로 조율한다. 만약 100회/분보다 빠르면, 접합부 빈맥이다. 다른 접합부 박동과 마찬가지로 P파는 없거나 역방향 또는 정방향으로 전도되는 양상을 보인다.

그림 8-16. 가속성접합부리듬

심실리듬들

심실조기수축(Premature Ventricular Contraction)(PVC)

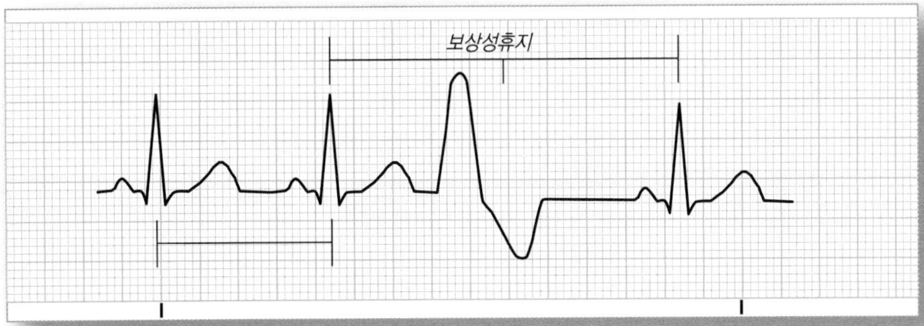

심박동수	기저 리듬에 의해 좌우된다.
규칙성	불규칙함
P파	심실조기수축의 경우에는 없다.
P:QRS파의 비율	심실 조기수축의 경우에는 P파가 없다.
PR 간격	없다.
QRS 너비	넓음(0.12초 이상), 이상한 모양
그룹화	대개는 없음
빠지는 박동들	없음

종합하여

심실조기수축은 심실세포에서 조기박동이 발생한 것이다. 정상 동방결절 혹은 상심실성 심박조율기가 맥박을 만들기 전에 심실조율기가 먼저 맥박을 만드는 것으로, 정상 조율기가 맥박을 만들 때에는 심실이 불응기(아직 재분극이 되지 않았기 때문에 다시 맥박을 만들 수 없는 상태)가 된다 그러므로, 심실은 그들의 정상 시점에 수축하지 않는다. 그렇지만, 기본 조율 스케줄은 변하지 않기 때문에 심실조기수축 이후 박동은 정해진 시간에 나타나게 된다. 이를 *보상성 휴지기*라고 한다.

그림 8–17. 심실조기수축

심실이탈박동(Ventricular escape beat)

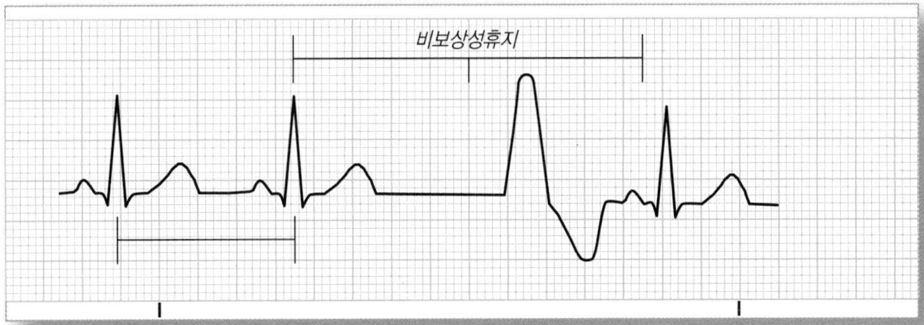

심박동수	기저 리듬에 의해 좌우된다.
규칙성	불규칙함
P파	심실조기수축의 경우에는 없다.
P:QRS파의 비율	심실 조기수축의 경우에는 없다.
PR 간격	없다.
QRS 너비	넓음(0.12초 이상), 이상한 모양
그룹화	없음
빠지는 박동들	없음

종합하여

심실이탈박동은 박동이 심실에서 일어나는 것만 제외하면 접합부이탈박동과 비슷하다. 정상 조율 세포가 박동을 하지 않으므로 휴지기는 비보상성이다(그렇기 때문에 심실이탈박동이라고 부른다). 이 심실조율은 심장 박동주기를 새롭게 시작하게 만들기 때문에 심박동수가 달라질 수도 있게 한다.

그림 8–18. 심실이탈박동

심실고유리듬(Idioventricular rhythm)

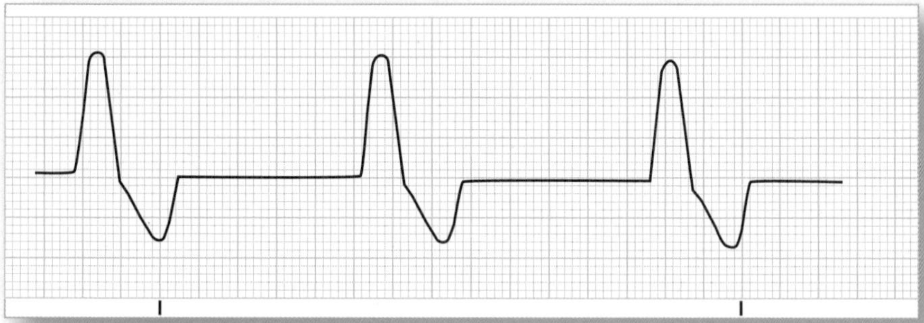

심박동수	20~40회/분
규칙성	규칙적
P파	없음
P:QRS파의 비율	없음
PR 간격	없음
QRS 너비	넓음(0.12초 이상), 이상한 모양
그룹화	없음
빠지는 박동들	없음

종합하여

심실고유리듬은 심실이 심장의 일차적인 박동조율기의 역할을 하는 경우 발생한다. QRS군은 너비가 넓고, 이상한 모양을 나타내며, 심실에서 유래하는 것을 보여준다. 이 박동은 그 자체로 발생하기도 하지만, 방실해리나 3도 방실차단의 구성요소로 나타날 수 있다(후자들의 경우, P파를 가지는 기저 동율동이 있을 수 있다).

그림 8-19. 심실고유리듬

임상의 진주

우리는 보통의 경우에는 치료를 언급하지는 않지만, 주의해야 할 점을 말하면 : 이 리듬을 항부정맥제를 사용하여 치료하면 안 된다! 만약 마지막 박동조율기를 제거해버리면 어떻게 될까? 무수축(Asystole)

가속성심실고유리듬(Accelerated Idioventricular rhythm)

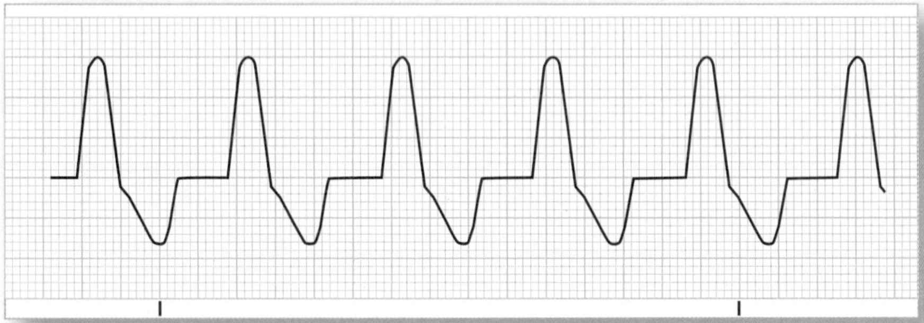

심박동수	40~100회/분
규칙성	규칙적
P파	없음
P:QRS파의 비율	없음
PR 간격	없음
QRS 너비	넓음(0.12초 이상), 이상한 모양
그룹화	없음
빠지는 박동들	없음

종합하여

기본적으로 이것은 심실고유리듬의 빠른 버전이다. 심실에서 조율하기 때문에 대개 관련되는 P파들은 없다. 하지만, 방실해리나 3도 방실차단의 경우 P파들이 있을 수 있다.

그림 8-20. 가속성심실고유리듬

심실빈맥(Ventricular Tachycardia, VTach)

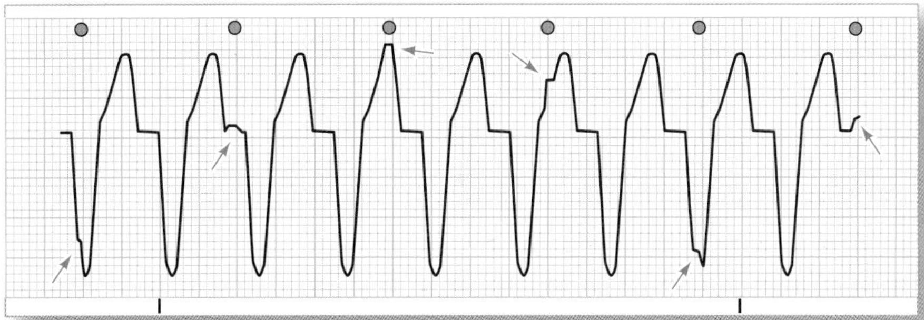

심박동수	100~200회/분
규칙성	규칙적
P파	해리된 심방 박동수(dissociated atrial rate)
P:QRS파의 비율	다양
PR 간격	없음
QRS 너비	넓음, 이상한 모양
그룹화	없음
빠지는 박동들	없음
종합하여 심실빈맥은 대개 기저 심방박동수와는 해리를 보이는 아주 빠른 심실박동이다. 이 ECG에서 규칙적인 간격을 가지는 불규칙적인 QRS 모양들을 볼 수 있을 것이다. 이런 불규칙한 모양은 기존에 있던 동성박동 때문이다(파란 점은 동성박동을 말하고 파란 화살은 불규칙하다는 것을 보여준다). 이제부터 우리가 봐야 할 심실빈맥과 관련된 많은 기준들이 있다.	

그림 8-21. 심실빈맥

포획 및 융합박동들 때때로, 동성박동이 정상 심실 전도계를 통해서 심실을 어느정도 자극할 수 있는 한 장소에 떨어질 수가 있다. 이런 경우에 그림 8-22에서 보이는 비정상 심실박동과 정상 QRS군을 합친 모양 같은 융합박동이 생길 수 있다. 이것은 글자 그대로 동방결절과 심실의 두개의 조율세포에 의해서 형성되는 것이다. 결과적으로 심실의 두 장소가 같은 시간에 자극되기 때문에, 그 결과는 혼합(hybrid) – 융합(fusion) – QRS군의 모양(양쪽의 형태를 조금씩 가지고 있는)을 나타낸다. 아래의 비유를 보면 이해하는데 도움이 될 것이다. 예를 들면, 파란 용액과 노란 용액을 섞으면 초록 용액이 된다. 이 융합박동이라는 것은 초록색 용액과 같은 것이다. 이것이 두 QRS군을 합친 것이다.

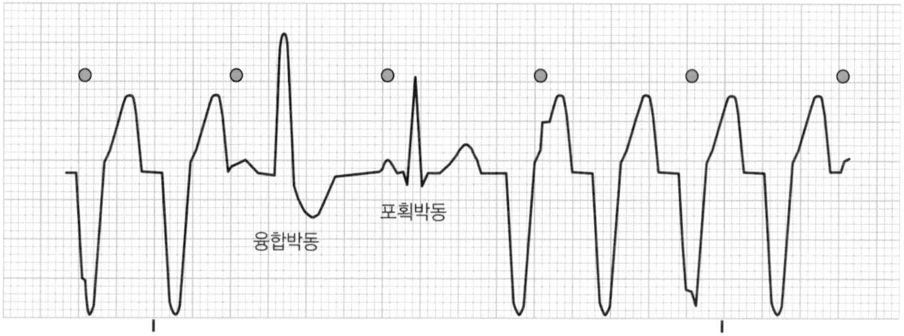

그림 8-22. 심실빈맥에서의 융합박동과 포획박동

포획박동은 동성박동이 완전히 전체 심실을 자극하기 때문에 환자의 정상 QRS군과 감별을 할 수 없는 경우이다. 그러면 이것을 왜 정상박동이라고 하지 않고, 포획박동이라고 할까? 이것은 심실빈맥과 같은 혼란된 상태의 중간에 나타나는 것이고, 찬스에 의해서 동성박동이 정확하게 매우 짧은 millisecond 동안 방실결절을 통하여 전기를 전달하거나 "포획"하게 되며, 이후 심장의 정상 전도계를 통하여 심실로 전달하게 된다.

융합 및 포획 박동은 심실빈맥의 중요한 소견이다. 스트립이 충분히 길면, 대개 볼 수 있다. 이런 융합 및 포획박동이 넓은 심전도군, 빈맥 리듬과 같이 있으면 심실빈맥으로 진단하게 된다.

다른 심실빈맥을 시사하는 소견들 몇 가지 더 부가할 소견들이 있다. 이름을 기억할 필요는 없지만, Brugada 징후와 Josephson 징후를 알아야 한다. Brugada 징후는 심실빈맥의 경우 R파부터 S파 밑바닥까지 시간이 ≥ 0.10초인

것을 말한다. Josephson 징후는 S파의 아래쪽 부분의 작은 절흔(notch)을 말하며, 이것도 심실빈맥의 소견 중 하나이다.

다른 심실빈맥의 소견으로는 전체 QRS의 너비 ≥ 0.16초, 전체 전흉부유도($V_1 \sim V_6$)가 완전히 하향의 QRS군을 나타내는 경우이다. 왜 심실빈맥을 위해 이렇게 많은 시간을 소비하는가? 이것은 가장 좋은 환경에서도 진단하기 어려운 생명을 위협하는 부정맥이기 때문이다.

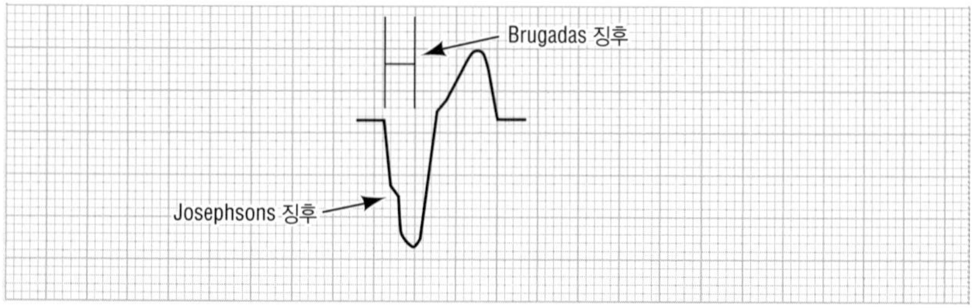

그림 8-23. 심실빈맥에서 Brugada 그리고 Josephson 징후들

임상의 진주

지혜의 말 : 넓은 군(wide-complex) 빈맥(tachycardia)에 직면하게 되면, 다른 것이라는 명확한 증거가 없는 한, 심실빈맥으로 치료를 해라. 편위전도를 동반한 심실상성 빈맥이라고 추정하지 마라. 끔찍한 결과를 초래할 수 있는 흔한 실수이다.

조언

심실빈맥 진단 기준

- 넓은 QRS군(wide-complex) 빈맥
- 포획, 융합박동들
- QRS군의 간격 ≥ 0.16초
- 방실해리
- 전흉부유도 전체의 QRS군이 하향
- Josephson 징후 및 Brugada 징후

Torsade de Pointes

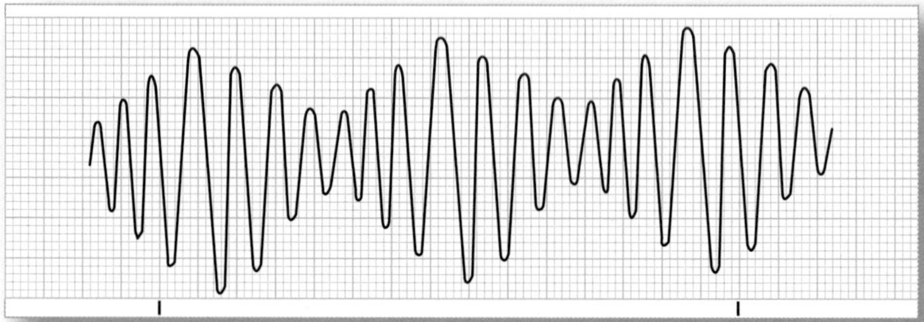

심박동수	200~250회/분
규칙성	불규칙적
P파	없음
P:QRS파의 비율	없음
PR 간격	없음
QRS 너비	다양함
그룹화	다양함, sine파 형태
빠지는 박동들	없음

종합하여

Torsade de pointes는 기저 QT 간격이 늘어난 경우에 발생한다. 이것은 물결치는 sine 곡선 모양이며, QRS 복합체의 전기축에 양성에서 음성으로 그리고 뒤돌아가는 무질서한 양상이다(torsade de pointes라는 말은 지점들이 비틀어진다[twisting of points]는 뜻이다). 정상 동율동 또는 심실세동으로 진행할 수 있다. 아주 조심해야 하며, 사망의 전조증상이다.

그림 8-24. Torsade de pointes

심실조동(Ventricular flutter)

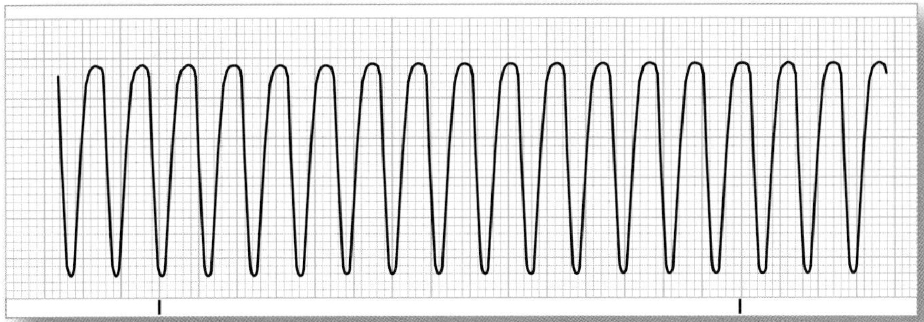

심박동수	200~300회/분
규칙성	규칙적
P파	없음
P:QRS파의 비율	없음
PR 간격	없음
QRS 너비	넓음, 이상한 모양
그룹화	없음
빠지는 박동들	없음

종합하여

심실조동은 매우 빠른 심실빈맥이다. QRS군, T파, ST분절을 감별할 수 없을 때, 심실조동이라고 할 수 있다. 박동수가 너무나 빠르기 때문에 완전히 직선의 sine파 모양을 보이며, 파형들을 구별할 수 없다.

그림 8-25. 심실조동

임상의 진주

심박동수 300회/분의 심실조동을 본다면, 심방조동이 동반된 Wolf-Parkinson-White 증후군(WPW) 1:1 전도를 생각해라(아마도 지금은 어떤 의미인지 잘 모를 수 있다. 나중에 알게 된다).

심실세동(Ventricular fibrillation, VFib)

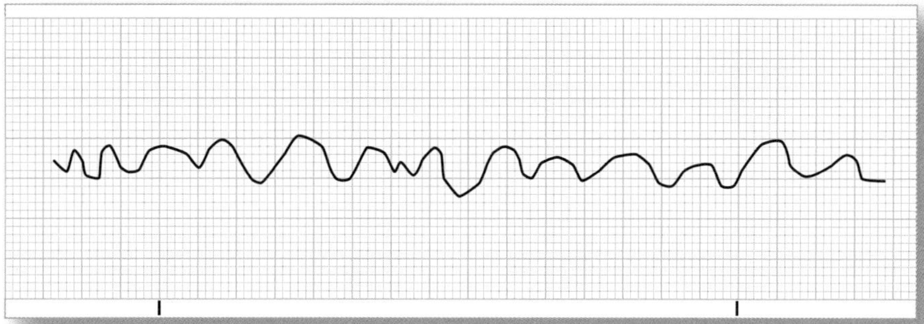

심박동수	불확실하다.
규칙성	혼돈된 리듬
P파	없음
P:QRS파의 비율	없음
PR 간격	없음
QRS 너비	없음
그룹화	없음
빠지는 박동들	박동이 전혀 없음!

종합하여

만약 당신이 심장의 무질서를 그리려고 한다면, 이것일 것이다. 심실조율 세포들 모두가 복잡하게 엉켜 있으며 그들 각자의 속도로 박동을 만든다. 결과적으로 심장의 많은 작은 부분이 박동을 동시에 하기는 하지만, 조직화된 형태가 되지는 않는다.

그림 8-26. 심실세동(VFib)

임상의 진주

이러한 심전도를 보이는 환자가 괜찮아 보이고, 깨어서 당신을 똑바로 쳐다본다면, 심실세동이 아니라, 유도전극이 떨어진 것이다.

방실차단(Heart blocks)

1도 방실차단(First-degree heart block)

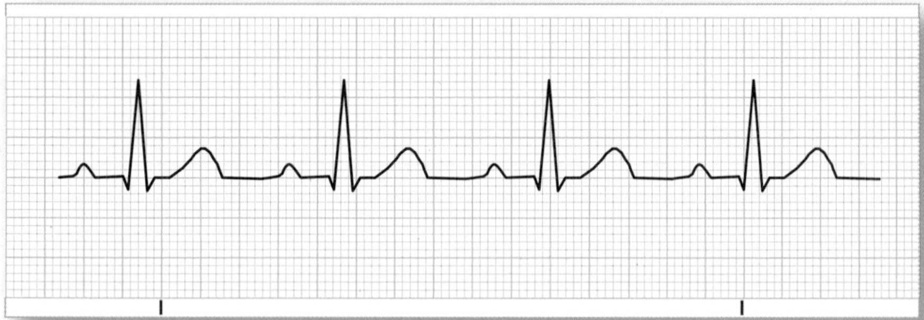

심박동수	기저 리듬에 좌우된다.
규칙성	규칙적
P파	정상
P:QRS파의 비율	1:1
PR 간격	연장 〉 0.20초
QRS 너비	정상
그룹화	없음
빠지는 박동들	없음

종합하여

1도 방실차단은 방실결절에서 생리적인 지단이 연장되기 때문에 발생한다. 약물, 미주 신경 자극, 질병 등의 원인에 의해 발생하고, PR 간격은 0.20초보다 길다.

그림 8-27. 1도 방실차단

Mobitz I형 2도 방실차단(Wenckebach)

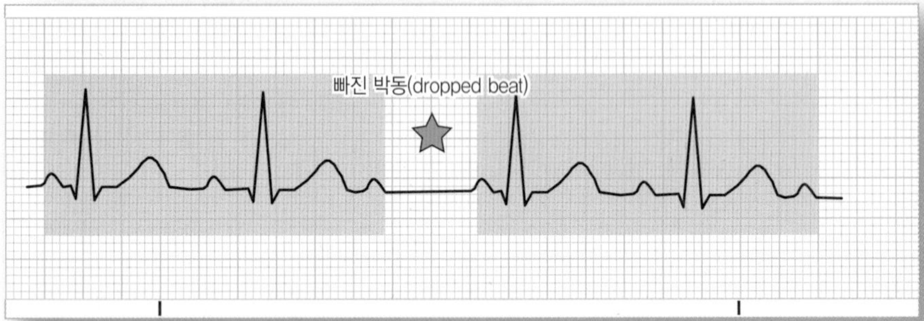

심박동수	기저 리듬에 좌우된다.
규칙성	규칙적으로 불규칙하다.
P파	존재한다.
P:QRS파의 비율	다양하다. 2:1, 3:2, 4:3, 5:4 등
PR 간격	다양하다.
QRS 너비	정상
그룹화	있고, 다양하다(그림 8-28의 파란 음영).
빠지는 박동들	있음

종합하여

Mobits I은 Wenckebach (WENN-Key-Bock으로 발음한다)로 잘 알려져 있다. 질환이 있는 긴 불응기를 가진 방실결절에 의해서 발생한다. PR 간격이 연속되는 박동들에서 점점 연장되다 빠지게 된다. 그 이후에 다시 같은 주기가 반복된다. 반대로 R-R 간격은 각 박동마다 점점 짧아지게 된다.

그림 8-28. Mobitz I형 2도 방실차단(Wenchbkach)

노트

차단이라는 단어를 유의해야 한다 : 리듬 이상, 여기서 보는 것은 방실결절차단이다. 아주 다른 현상으로 각차단(bundle branch block)도 있다.

Mobitz II형 2도 방실차단

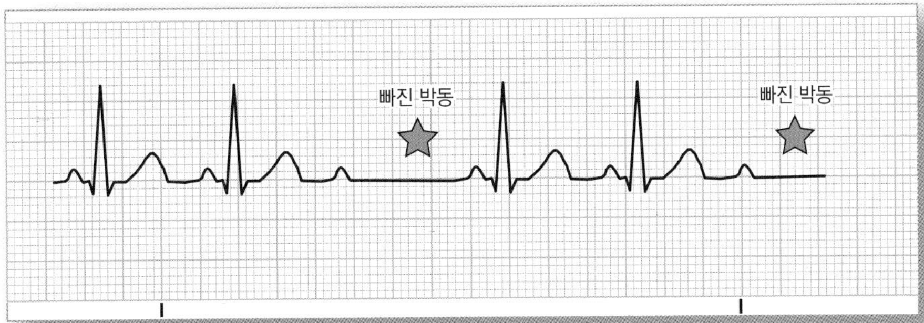

심박동수	기저 리듬에 좌우된다.
규칙성	규칙적으로 불규칙하다.
P파	정상
P:QRS파의 비율	X:X–1 : 예로 3:2, 4:3, 5:4 등. 비율 또한 드물지만 변동될 수 있다.
PR 간격	정상
QRS 너비	정상
그룹화	있고, 다양하다.
빠지는 박동들	있음

종합하여

Mobits II에서는 각 그룹들 사이에서 한 박동이 빠지는 그룹된 박동들이 있다. 중요한 점은 모든 전도된 박동에서 동일 PR 간격을 가진다는 것이다. 이것은 병든 방실결절에 의해 발생되며, 완전 방실차단이라고 하는 더 나쁜 율동으로 가는 전조현상이다.

그림 8–29. Mobitz II형 2도 방실차단

임상의 진주

Ps와 QRSs가 2:1의 전도를 보인다면 이것은 Mobitz I일까 II일까? 실제적으로 뭐라고 말하기는 어렵다. 이런 경우 2:1 2도 방실차단이라고 한다(유형을 결정하기 어렵다). 뭐라고 이야기할 수 없기 때문에, 나쁜 것(Mobitz II)을 가정해야 한다. 환자의 생명을 다룰 때 너무 조심하는 것이 잘못된 것은 아니다.

3도 방실차단(Third–Degree Heart Block)

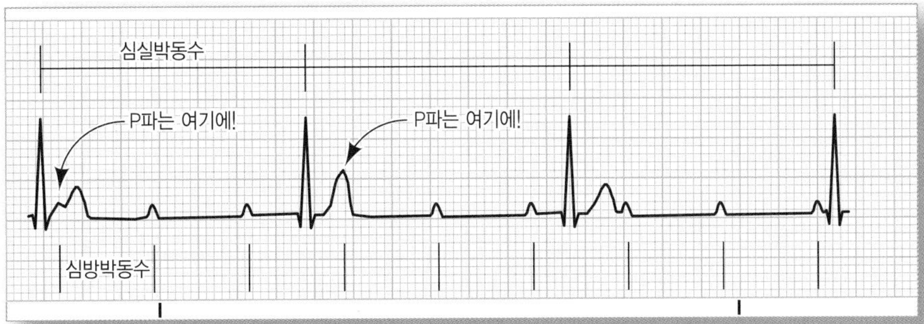

심박동수	기저(동율동)리듬과 이탈리듬의 심박수를 분리시켜라. 그것들은 서로서로 해리(dissociaated)되어 있다.
규칙성	규칙적, P 박동수와 QRS 박동수는 서로 다르다.
P파	존재한다.
P:QRS파의 비율	다양하다.
PR 간격	다양하다. 패턴이 없다.
QRS 너비	정상 또는 넓다.
그룹화	없음
빠지는 박동들	없음

종합하여

이것은 완전 방실결절 차단이다; 심방과 심실이 각자 따로따로 맥박을 만든다– 말하자면, 각각은 자신의 드럼주자를 가지고 있는 것이다. 동율동은 서맥, 정상, 혹은 빈맥일 수 있다. 이탈박동은 접합부 혹은 심실일 수 있기 때문에, 모양은 다양할 것이다.

그림 8–30. 3도 방실차단

노트

의미론적 경고(semantics alert) : QRSs가 있는 숫자 만큼 P파들의 숫자가 존재하면, 그러나 서로 해리되어 있으면, 이런 경우 3도 방실차단보다는 방실해리이다.

1 단원 복습

1. 동부정맥은 정상호흡에 의한 변이이다. 참 또는 거짓

2. 각각의 QRS군 앞에 정상적인 P파가 보이고, 심박동수 125회/분을 보이는 규칙적인 리듬은 무엇인가?
   A. 동서맥
   B. 정상동율동
   C. 이소성 심방빈맥
   D. 심방조동
   E. 동성 빈맥

3. 리듬 스트립에서 완전히 전체 파형 하나가 없어지며, 기본 리듬은 변화가 없고, P–P 또는 R–R간격이 일정하게 유지되는 것은?
   A. 동성서맥
   B. 심방이탈박동
   C. 동정지
   D. 동방차단(sinoatrial block)
   E. 접합부이탈박동

4. 적어도 3개 이상의 다른 P파의 모양과 PR 간격이 있으며, 불규칙적으로 불규칙한 65회/분의 박동은 무엇인가.
   A. 심방세동
   B. 유주심방조율
   C. 다소성심방빈맥
   D. 심방조동
   E. 가속성심실고유율동

5. 심방조동에서 조동파는 대개 박동수가 250~300회/분이다. 참 또는 거짓

6. 심방세동은 어떤 유도에서도 명확한 P파를 볼 수 없는 불규칙적으로 불규칙한 율동이다. 참 또는 거짓

7. 식별가능한 P파가 없는 박동수 195회/분의 불규칙적으로 불규칙한 율동은 무엇이라고 하는가.
   A. 빠른 심실반응을 보이는 심방세동
   B. 다소성 심방빈맥
   C. 심방조동
   D. 이소성 심방빈맥
   E. 가속성 심실고유율동

8. 가속성 접합부율동은 접합부 율동이 100회/분보다 빠른 경우를 말한다. 참 또는 거짓

9. 심실고유율동은 심실의 병소가 1차 박동조율기 역할을 하기 때문에 발생하고, 대개 심박동수는 20~40회/분 정도이다. 참 또는 거짓

10. 심실빈맥은 다음 중 무엇과 관련 있는가?
   A. 포획박동
   B. 융합박동
   C. A와 B 모두
   D. 아무것도 해당 안 됨

11. 넓은–QRS군 빈맥은 다른 것으로 판명될 때까지 심실빈맥으로 생각하고 치료해야 한다. 참 또는 거짓

12. 심실세동에서 스트립을 자세히 보면 확인 가능한 심전도군들이 있다. 참 또는 거짓

13. 박동이 빠지기 전까지 PR 간격이 늘어나는 그룹을 이루는 율동을 무엇이라고 하는가?
   A. 유주심방조율
   B. 1도 방실차단
   C. Mobitz I 2도 방실차단 또는 Wenckebach 차단
   D. Mobitz II 2도 방실차단
   E. 3도 방실차단

14. 빠진 QRS군이 있는 그룹을 이룬 리듬이 규칙적 혹은 비규칙적으로 나타나는 경우는?
   A. 유주심방조율
   B. 1도 방실차단
   C. Mobitz I 2도 방실차단 또는 wencke-back 차단
   D. Mobitz II 2도 방실차단
   E. 3도 방실차단

15. 심방 및 심실의 박동조율기가 해리된 리듬을 가지고 있으며, 심방의 박동이 심실의 박동보다 빠른 경우를 무엇이라고 하는가?
   A. 유주심방조율
   B. 1도 방실차단
   C. Mobitz I 2도 방실차단 또는 wencke-back 차단
   D. Mobitz II 2도 방실차단
   E. 3도 방실차단

1. 참 **2.** E **3.** D **4.** B **5.** 참 **6.** 참 **7.** A **8.** 거짓 **9.** 참 **10.** C **11.** 참 **12.** 거짓 **13.** C **14.** D **15.** E

2부

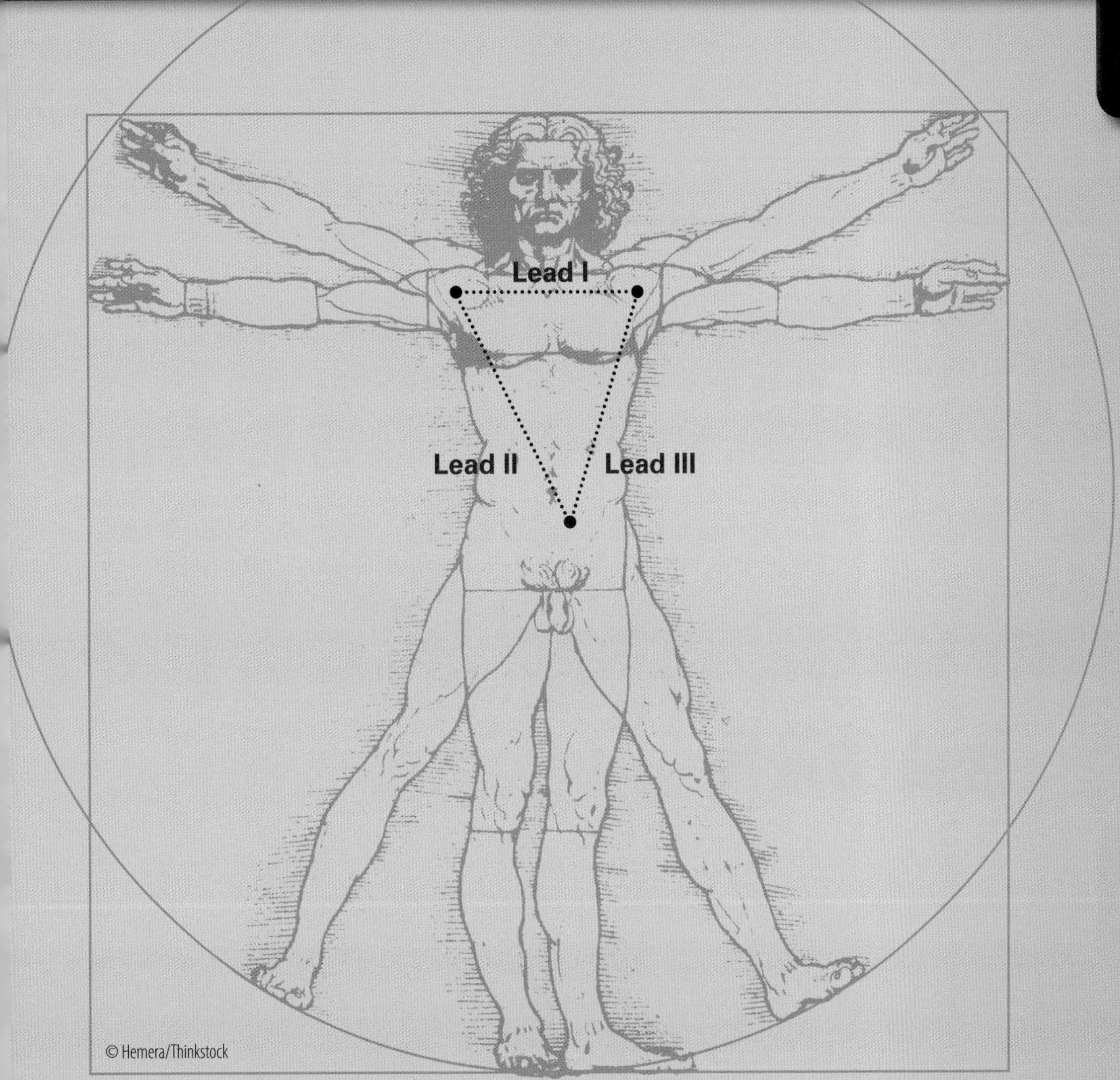

심전도 판독

2부

심전도 판독

2부에서는 실제적인 심전도 판독에 집중하였다. 우리는 자신만만한 실제 심전도를 검토하게 될 것이다. 심전도들은 환자의 움직임에서부터 중대한 병적인 상태까지 많은 이유로 발생하는 허상(artifact)과 큰 의미 없는 불규칙적인 움직임들을 포함하고 있다. 우리가 이런 불규칙한 것들을 포함시킨 이유는 여러분들이 "실제" 심전도를 해석하는데 익숙해지게 하기 위해서이다. 임상에서도 심전도에 이러한 불규칙한 것들이 있으며, 실제와 허상을 구별할 수 있어야 한다.

만일 당신이 초보자라면 단계 1 상자를 읽고 난 다음, 그 장에서 심전도 판독에 있어서 배워야 할 방법과 관련된 심전도들을 판독하라. 예를 들어 *P파* 장은 P파에 관한 장이라면, 그 장의 모든 심전도를 보고 P파의 모양을 평가하라. 그 심전도는 다른 흥미로운 병리를 포함할 것이다. 그러나 부가적인 문제에 대하여 너무 많은 시간을 보내지 마라. 그런 부가적인 정보들은 단계 2와 단계 3을 통하여 차츰 얻게 될 것이다.

만일 당신이 중간 수준에 있다면 단계 1을 복습한 뒤, 단계 2의 내용을 완전히 습득하라. 당신이 지식의 수준에 근거하여 그 심전도들을 복습하라. 다시 한번 이야기하지만, 당신이 충분히 준비가 되기 전까지는 단계 3의 내용은 피하라.

이제 정말 재미있는 일들이 시작될 것이다! 이것은 간단한 검사를 통하여 얻을 수 있는 정보의 세계로 가는 흥미로운 여행이다. 인내를 가져라, 왜냐하면 능숙하게 심전도 해석을 할 수 있게 되기까지는 충분한 시간이 필요하기 때문이다.

노트

소아 심전도는 이 내용을 언급하기에는 광범위한 양의 자료가 있어야 하기 때문에 이 책에서는 언급하지 않겠다. 독자들은 소아 심전도를 주제로 하는 교과서를 읽어보라.

9장 P파

1 개요

P파는 그림 9-1에서 보는 바와 같이 심방의 탈분극을 나타낸다. 심전도군에 있어서 가장 먼저 나타나는 파이며, 파형이 기준선에서 벗어나는 것을 시작으로 다시 PR분절 전의 기준선에 돌아오면서 끝난다. 이 탈분극은 정상적으로 동방결절에서 시작하여 방실결절에 이를 때까지 심방 전역을 통해서 퍼진다. 그림 9-2에서 보듯이 이러한 과정은 0.08~0.11초 동안 지속된다.

P파는 정상적으로 Ⅰ, Ⅱ 그리고 V_4에서 V_6까지 양성, aVR에서 음성이고 그 외 유도들에서는 양성 혹은 음성으로 나타난다.

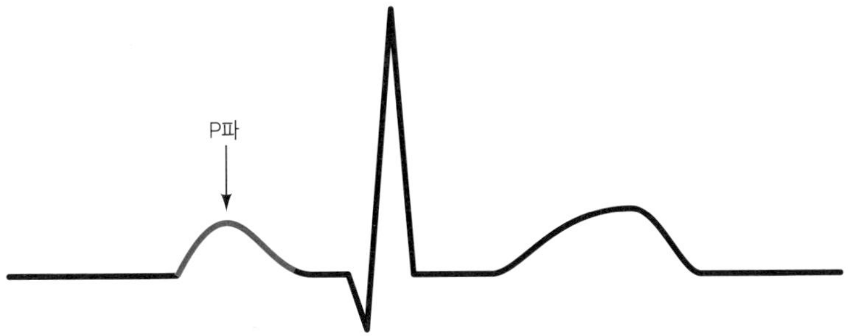

그림 9-1. P파

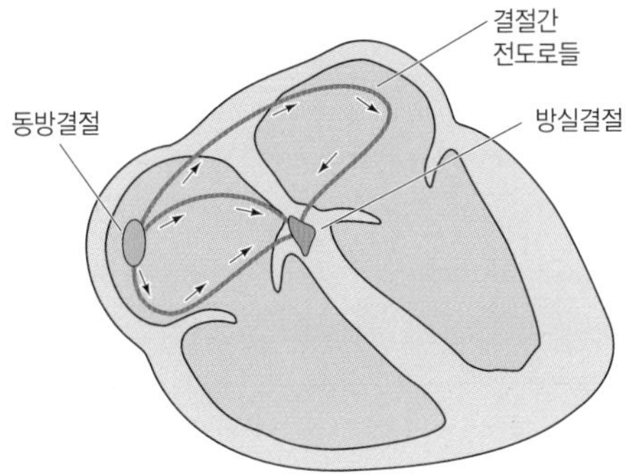

그림 9-2. 동방결절에서 방실결절로의 P파의 주행경로

2 빠른 복습

1. P파는 심전도군 중에서 (　　)파이다.

2. P파는 심방의 탈분극을 나타낸다 참, 거짓

3. 전기적 자극은 (　　) 결절에서부터 심방을 통하여 (　　)결절로 전달된다.

4. P파는 사지유도 aVR에서 대개 위를 향한다.

1. 첫 번째 **2.** 참 **3.** 동방, 방실 **4.** 거짓

심전도 증례 연구 PR 간격 하강

노트

명명법

다른 의학에서 그렇듯이, 현대 심전도에서도 혼란을 줄이기 위해 명명법을 점점 단순화하고 있다. 심전도 테스트에서는 이전의 임상적 명명 체계 대신에, 간단한 용어를 쓰도록 하고 있다. 이 장에서는 두 가지 용어들을 모두 써서, 실제 임상의들이 다른 나라 사람 또는 이전의 임상 용어를 쓰는 사람과도 대화 할 수 있도록 했다. 이것을 알고, 여러분들이 실제로 심전도에 실지로 보이는 것을 기술한 간단한 용어를 사용하고, 여기에 더해서, 추가적인 묘사를 위한 대안 용어(alternative terminology)를 사용하기 바란다.

예를 들어, *승모판성 P파(P–mitrale)*에 대해 생각해보자. 이것은 "심전도에서 승모판성 P파 형태로 나타나는 심한 좌심방 확장"를 의미한다. 똑같은 의미로 *폐성 P파(P–pulmonale)*가 있다. 이것은 "심전도에서 폐성 P파로 나타나는 심한 우심방 확장"를 의미한다. 이 두 가지 경우로 볼 때, 정확한 임상 명명법은 해당되는 심방의 확장을 나타내는 것이다. 그러나 "폐성 P파", "승모판성 P파" 로 서술하는 것은 이런 환자들에게 특징적으로 나타나는 부수적인 심전도 소견 세트를 찾게하여 정확한 진단을 하는 것을 향상시킨다.

심전도에서 보이는 것들이 전형적인 진단 기준들을 만족하지 못하거나 임상적으로 적당한 기술을 하기에 다소 의문이 있을 경우에는 *가능한(possible), 있을 것 같은 (probable), 고려해야 한다(consider)*라는 표현을 사용한다 예를 들어, 만약 "이런 경우에는 좌심실 비대와 이차적인 ST–T파의 변화가 긴장 패턴과 일치하는 지를 고려해야 한다(consider)." 라고 표현할 수 있다.

3

동방결절로부터 방실결절까지 전도는 정상적으로 전, 중, 후 결절간 경로들(그림 9–2의 빨간색 선)로 알려진 특별한 전도계를 통하여 일어난다. Bachman 섬유는 두 심방을 연결하는 결절간 경로이다. 이 경로는 심실의 Purkinje계와 유사하며 빠른 속도로 전기적 흥분을 심방으로 전도하게 하여 심방 근육세포의 동시적 자극을 가능하게 한다.

역전된 P파는 방실결절 혹은 그 이하 위치에서 전기적 흥분이 시작될 경우 나타난다. 즉, 역행성 전도가 있는 접합부율동 혹은 고유심실율동 등등. 이런 경우 심방의 탈분극은 역행성으로 전도되어 P파의 축이 위로 향하게 된다. 전기적 흥분이 심전도 사지유도 Ⅱ, Ⅲ, 그리고 aVF 유도의 양극(positive pole)에서 멀어지는 방향으로 진행하기 때문에 이러한 유도에서 P파가 역전된다.

2

심전도 9-1 이 장을 공부하는 동안 단지 P파만을 보라. 심전도 9-1에서 P파는 리듬 스트립에서 파란색 점으로 선명하게 표시하였다. 이 리듬 스트립에서 박동은 그 위의 사지유도나 흉부유도들의 군들과 일치한다. 첫 번째 군의 붉은 수직선이 이것을 보여준다.

이제 당신의 측경기를 들고 두 개의 P파의 꼭대기에 측경기의 끝을 위치시켜라. 그리고 모든 P-P 간격이 일정한 지 보기 위해 측경기를 이동시켜라. 일치한다면 리듬이 일정하다고 할 수 있다. 각각의 QRS군 앞에 정상의 P파(Ⅱ, Ⅲ, aVF에서 위로 향하고, aVR에서 밑으로 향한다)가 있고, 모든 P파가 같은 모양으로 일정한 간격마다 나타난다면 동율동임을 의미한다. 그러므로 이것은 분당 약 80회의 정상 동율동이다.

P파의 모양, 높이, 그리고 넓이를 평가하라. 모두 같은가? 이 장이 끝난 뒤 이 심전도를 다시 보도록 하라.

조언

P파의 모양, 높이, 폭을 평가하라.

모두 똑같은가?

3

심전도 9-1 이 심전도는 양심방확장을 보여주는 좋은 예이다. 사지유도 Ⅱ에서 P파는 우심방확장(RAE)에 적합한 소견인 폐성-P파의 예이다. V_1에서 이상성(biphasic) 형태를 가지는 P파의 뒤 1/2 부분은 *높이* × 폭이 0.3 mm sec 이상이어서 좌심방확장(LAE)의 가능성이 높다.

덧붙여서 QRS군의 폭이 거의 0.11초로 불완전 우각차단(incomplete right bundel branch block, CRBBB)이 있다. 유도Ⅰ에 S파, 유도 Ⅲ에서 q파, 그리고 우축편위로 좌후섬유속차단(left posterior fascicular block, LPFB)을 시사한다. 그러나 3mm로 측정되는 폐성 P파가 있으며 V_1에서 우심실비대(RVH)에 해당하는 증가된 R:S 비가 있다. 우심방확장(RAE)과 우심실비대(RVH)는 좌후섬유속차단의 가능성을 배제시킨다. 또한 유도 Ⅲ에서 뒤집혀진 모양의 T파가 있다. 이것은 유도 Ⅰ과 유도 Ⅲ에서 $S_1Q_3T_3$를 만족하게 한다. 이 증례에 있어 $S_1Q_3T_3$는 우심방긴장에 의한 것으로, 급성 폐경색이나 좌후섬유속차단 때문이 아니다. 이 환자는 하외벽 ST분절 하강을 보이며 그 부위에 허혈이 있는 것을 나타낸다.

심전도 증례 연구 계속

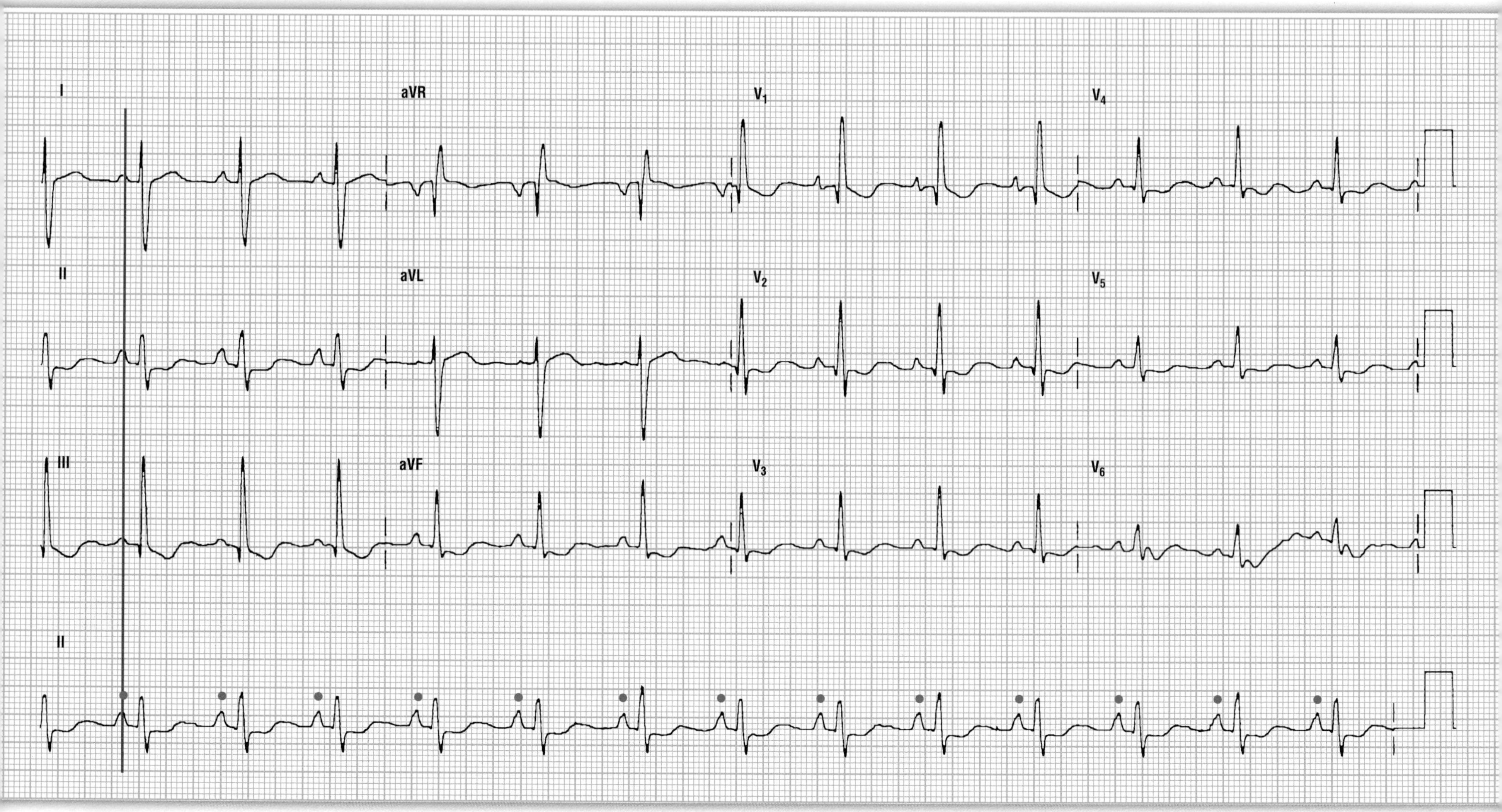

ECG 9-1

1

P파의 모양

P파의 모양은 심박동 조율기의 위치에 따라 변할 수 있다. 그림 9-3의 예를 보자. 동방결절이 심박동 조율기를 작동할 경우, P파의 모양은 심박동 조율기 A에서와 같다. 박동이 심박동 조율기 B에서 시작하였을 경우, P파의 모양과 PR 간격은 다르다. 심박동 조율기 C는 다른 예를 보여준다. 많은 장소들이 이차적인 심박동 조율기 역할을 할 수 있으므로 P파의 모양은 다양하게 변할 수 있다.

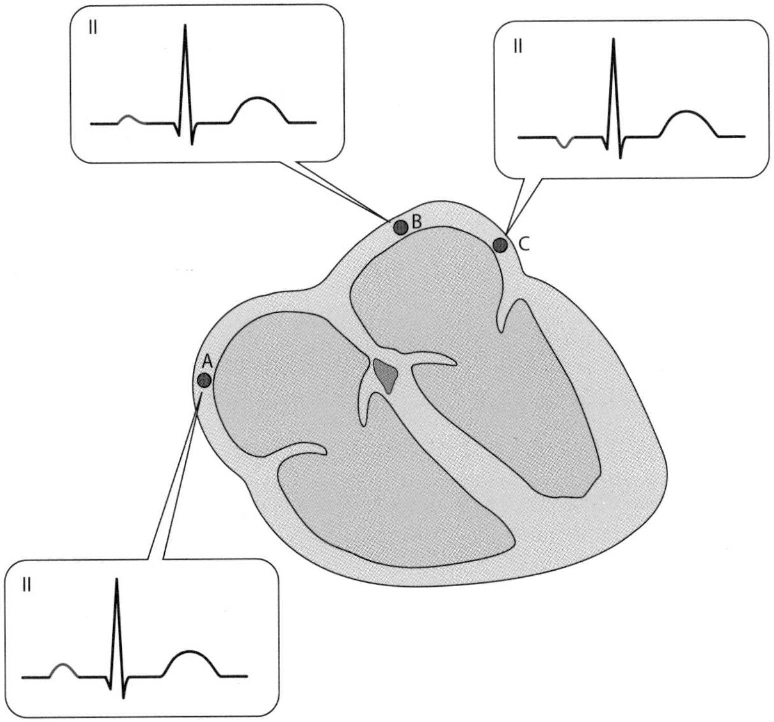

그림 9-3. 심박동 조율기의 위치에 따른 3개의 다른 P파의 모양들

2

다른 모양은 다른 곳에서 기원하는 박동을 심방조기수축 등과 같이 분류하는데 도움이 된다. 심방조기수축(APC)은 원래의 심박동 조율기 이외의 다른 곳에서 기원하므로 P파의 모양은 다른 것들과 다르다. 만일 심방조기수축을 유발하는 곳이 자극에 예민하고 지속적으로 간헐적인 박동을 만든다면 당신은 같은 P파의 모양을 가지는 빈번한 심방조기수축을 볼 것이다. 심전도 9-2에서 심방조기수축을 찾을 수 있는가?

3

유주심박조율과 다소성심상빈맥은 심방 내 여러 곳의 예민한 병소들에 의해서 최소한 세 개 이상의 다른 모양의 P파를 가진다. 이것은 이런 리듬 이상을 감별하는 전통적인 기준을 제시해 준다.

조언

P파의 모양은 심박동 조율기로 작용하는 곳의 장소에 따라 달라진다.

심전도 증례 연구 P파 모양

2

심전도 9-2 이 심전도에는 심방조기수축이 있다. 찾을 수 있는가? 심방조기수축은 동방결절 기원의 박동과는 다른 모양과 PR 간격을 가진다. 푸른선으로 표시된 세 번째 박동은 나머지 P파와 다르다. 이것은 유도 Ⅰ, Ⅱ, 그리고 Ⅲ에서 분명하게 모양이 다르다.

이 박동은 예정보다 빨리 시작하므로 조기박동이라고 부른다. P파의 간격인 P–P 간격은 정상의 경우 일정하다. P–P 간격으로 표시된 P파들의 꼭대기에서 측경기로 거리를 측정한 뒤, 문제의 박동으로 측정한 측경기의 길이를 옮겨라. 이 P–P 간격을 X초 길이라고 가정하자. 그러면 푸른색 선이 위에 있는 박동인 심방조기수축은 예정보다 X초~0.2초 빨리 발생하는 것을 확실히 볼 수 있을 것이다. 또한 심방조기수축 전의 P파와 후의 P파와의 간격은 정상 P–P 간격의 2배인 2X초와 같다. 무슨 일이 일어났는가? 동방결절은 조기수축으로 인해 재시동(reset)되지 않고 정상적인 주기로 계속 박동하는 것이다. 그러나 심방과 방실결절은 불응기 상태이기 때문에, 자극이 전달되지 않는다. 동방결절에서는 다음에 계획된 시점인 2X에서 박동을 만든 것이다. 이러한 형태의 휴지기를 *대상적 휴지기(compensatory pause)*라고 한다. 이것은 다음 박동이 이전 박동에 동조되는 것을 의미한다. *비대상적 휴지기(non–compensatory pause)*는 동방결절이 탈분극될 때 일어난다. 그러므로 동방결절은 재시동(reset)되며 그 간격은 2X초보다 짧다. 이 경우는 다음 박동이 이전 박동에 동조되지 않는다. 심방조기수축은 대부분 비대상적이나 이 심전도에서 보여 주듯이, 두 형태 모두 다 일어날 수 있다.

심전도 9-3 이 심전도는 처음 볼 때 조금 당황스럽다. 여러 복잡한 것을 포함하고 있는 심전도를 접할 경우, 각각 부분들을 덜 두려운 존재로 분해하여라. 지금 당신은 단지 P파만 보고있다는 것을 기억하라. 다른 것은 생각하지 마라. 유도 Ⅱ에서 P파들을 보아라, 혹은 스트립에서 앞부분의 4개 P파를 보라. 모두 유사한가? PR 간격들– P파의 시작부터 QRS군의 시작까지의 간격들–은 같은가? 당신의 측경기를 사용하라! 아니다. PR 간격은 다르다.

이제 그림 9–3으로 되돌아간다. 만일 네 개의 다른 곳의 심박 조율기가 있다면, 처음 네 개의 박동이 이 심전도와 같을 것인가? 그렇다. 모양과 PR 간격이 다른 P파가 얼마나 더 많이 있는가? 그것들 중에서 서로 유사한 것이 있는가? 이 심전도에서는 대략 8개에서 10개의 다른 형태의 P파가 있다. 이것은 유주심박조율로 알려진 율동의 예이다.

리듬 스트립에서 별표된 곳을 보아라. 별표 앞의 T파가 다른 박동과 비교하여 다르지 않는가? 이제 별표가 된 복합체를 보라. P파를 볼 수 있는가? P파와 T파가 동시에 발생한 것이다. T파의 모양이 다르고 P파를 찾을 수 없는 이유가 여기 있다. 이러한 파의 중첩은 자주 발생한다. 그래서 다른 것들과 모양이 다른 파형을 발견할 때는 항상 이것을 염두해야 한다.

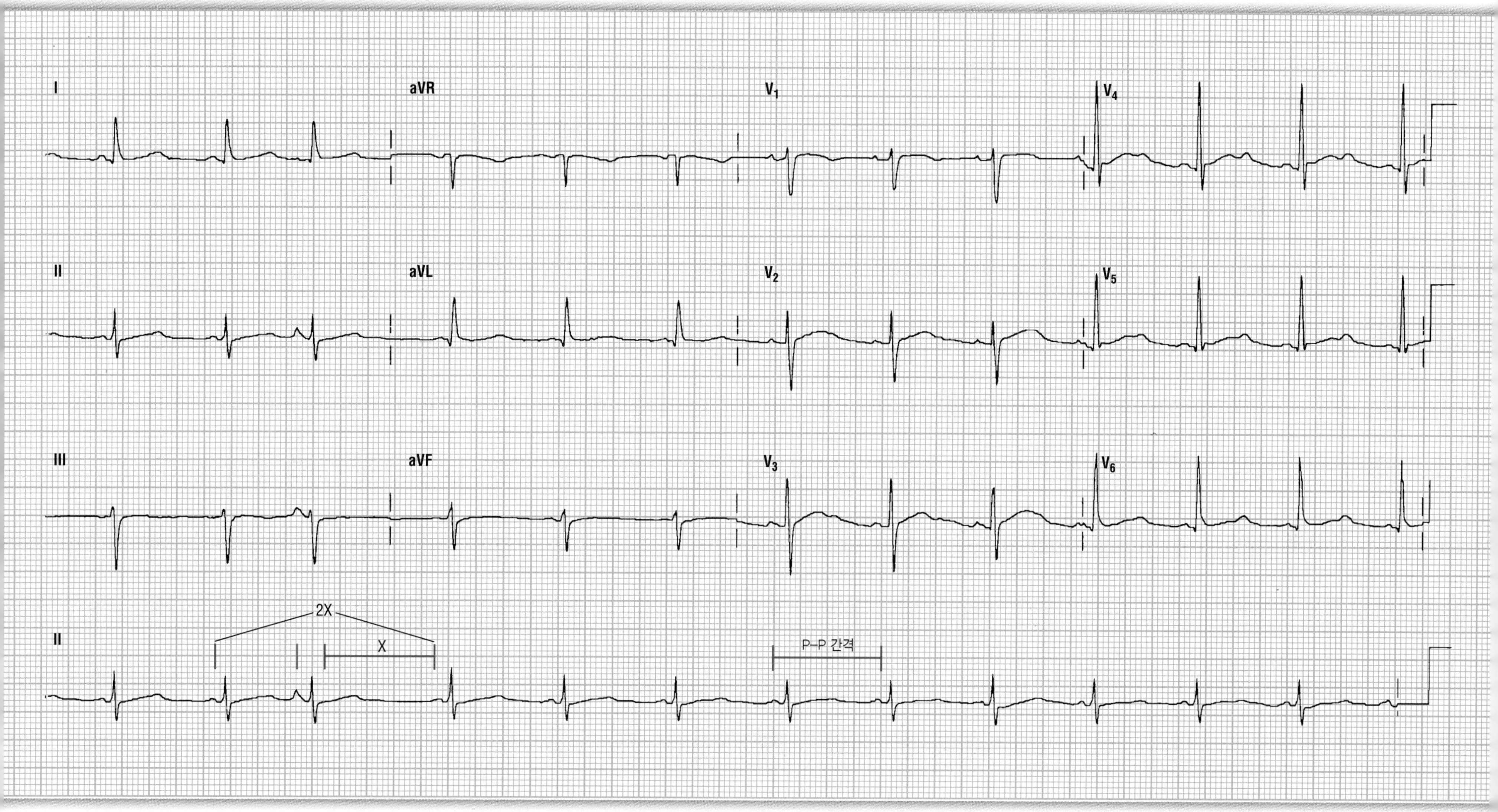

ECG 9-2

심전도 증례 연구 계속

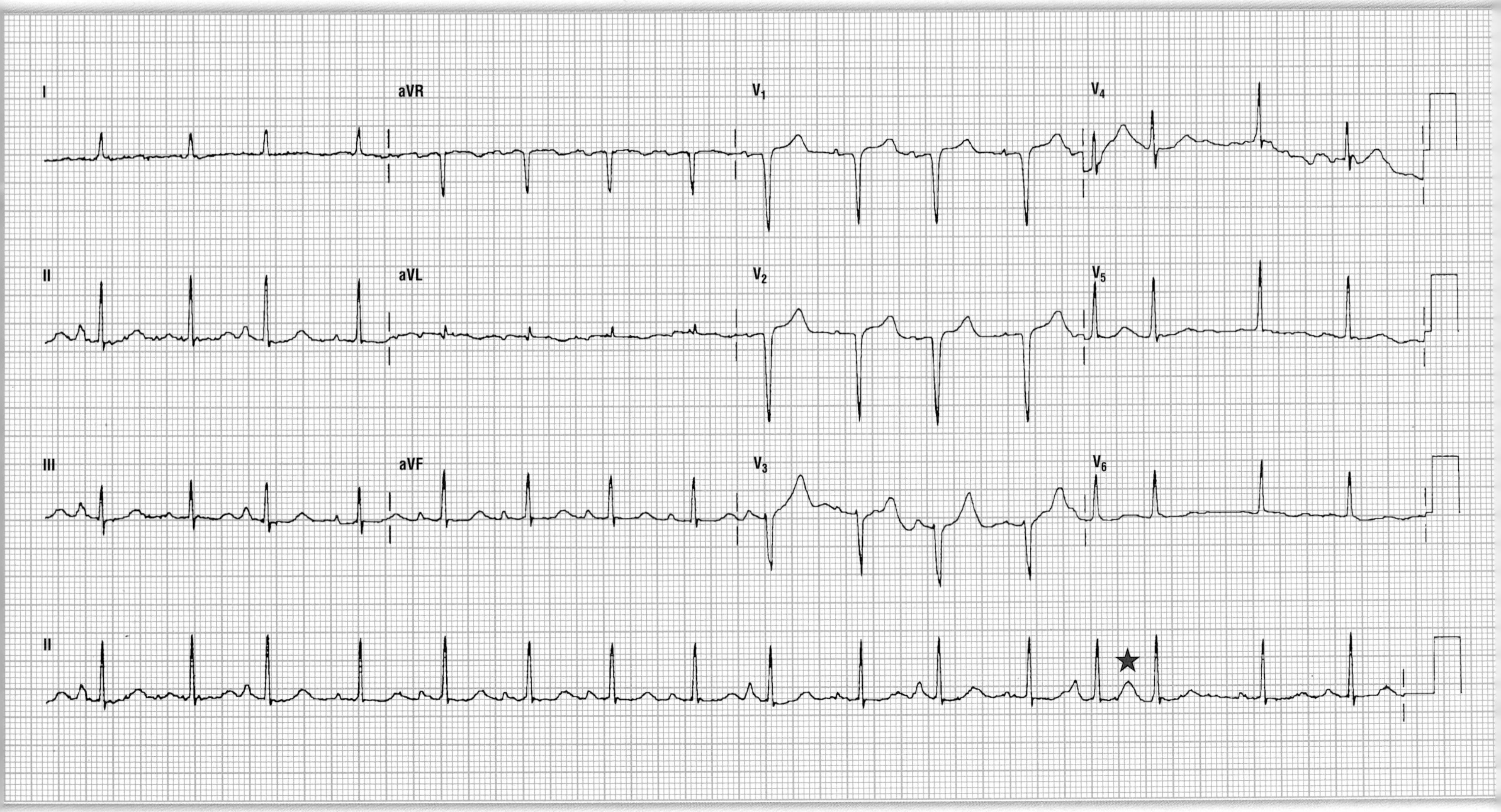

ECG 9-3

2

심전도 9-4의 모든 유도에서 P파를 보자. 간격과 모양에서 이상한 점들을 보았는가? 유도 Ⅱ, Ⅲ, 그리고 aVF에서 P파들은 역전되어 있다(음으로 혹은 기저선 아래로). 우리는 이미 정상적으로 P파는 유도 Ⅰ, Ⅱ에서 위로 향함을 알고 있다. 무언가가 잘못된 것이다. 이 증례에서 P파는 방실결절 혹은 그 근처에서 만들어져 심방을 통해서 역방향으로 퍼져나간다. 이러한 *역방향전도(retrograde conduction)*는 유도 Ⅱ, Ⅲ, aVF에서 역전된 P파를 만든다.

여기서는 두 개의 율동이 가능하다. 첫 번째는 방실결절에 심박 조율기가 위치할 경우로 이런 경우 율동은 소위 역행성 전도의 P파가 있는 방실접합부율동(junctional rhythm)이다. 이것의 문제는 대개 짧은 PR 간격을 가진다는 것이다. 두 번째는 하부심방 이소성박동조율기(low atrial ectoic pacemaker)이다. 이소성심박조율기는 방실결절 근처에 있고 그림 9-3의 C와 같이 생리적 차단이 발생하기 전의 장소에 위치하게 된다. 이 증례는 PR 간격이 정상이므로 두 번째 가능성이 더 많다.

조언

항상 유도 Ⅱ, Ⅲ, aVF에서 P파를 보아라. 만일 P파가 역전되어 있다면 심박 조율기는 방실결절 혹은 하부(원위부) 심방이다. 이것은 심방을 통한 역전도를 의미한다.

3

심전도 9-4는 좌심실비대(LVH)의 기준을 만족한다. 유도 aVL에서 R파가 11mm 이상이고, ST분절들과 T파들이 전벽 전흉부 유도에서 전형적인 긴장을 동반한 좌심실비대를 보여준다. – 약간의 ST분절의 상승과 비대칭적인 T파.

정상 P파의 축은 0~75° 사이이다. 방실접합부 율동일 경우 P파의 축은 −60°에서 −80° 사이에 있다. 이것은 P파가 유도 Ⅱ, Ⅲ, aVF에서 하향, 그리고 유도 Ⅰ, aVR에서 상향이 되게 한다. 흉부유도에서 P파들은 다양하다. 이 심전도가 방실접합부 율동일 가능성이 있는가? 일반적으로 방실접합부 율동에서는 PR 간격이 0.11초 이하이다. 이 심전도가 방실접합부 율동이 되기 위해서는 심박 조율기 원위부에 위치한 방실결절의 정상적인 혹은 전향전도(antegrade conduction)의 결함이 있어야 하며, 이렇게 해서 역행성 P파가 심실 탈분극보다 빨리 일어나게 만든다.

심전도 증례 연구 **계속**

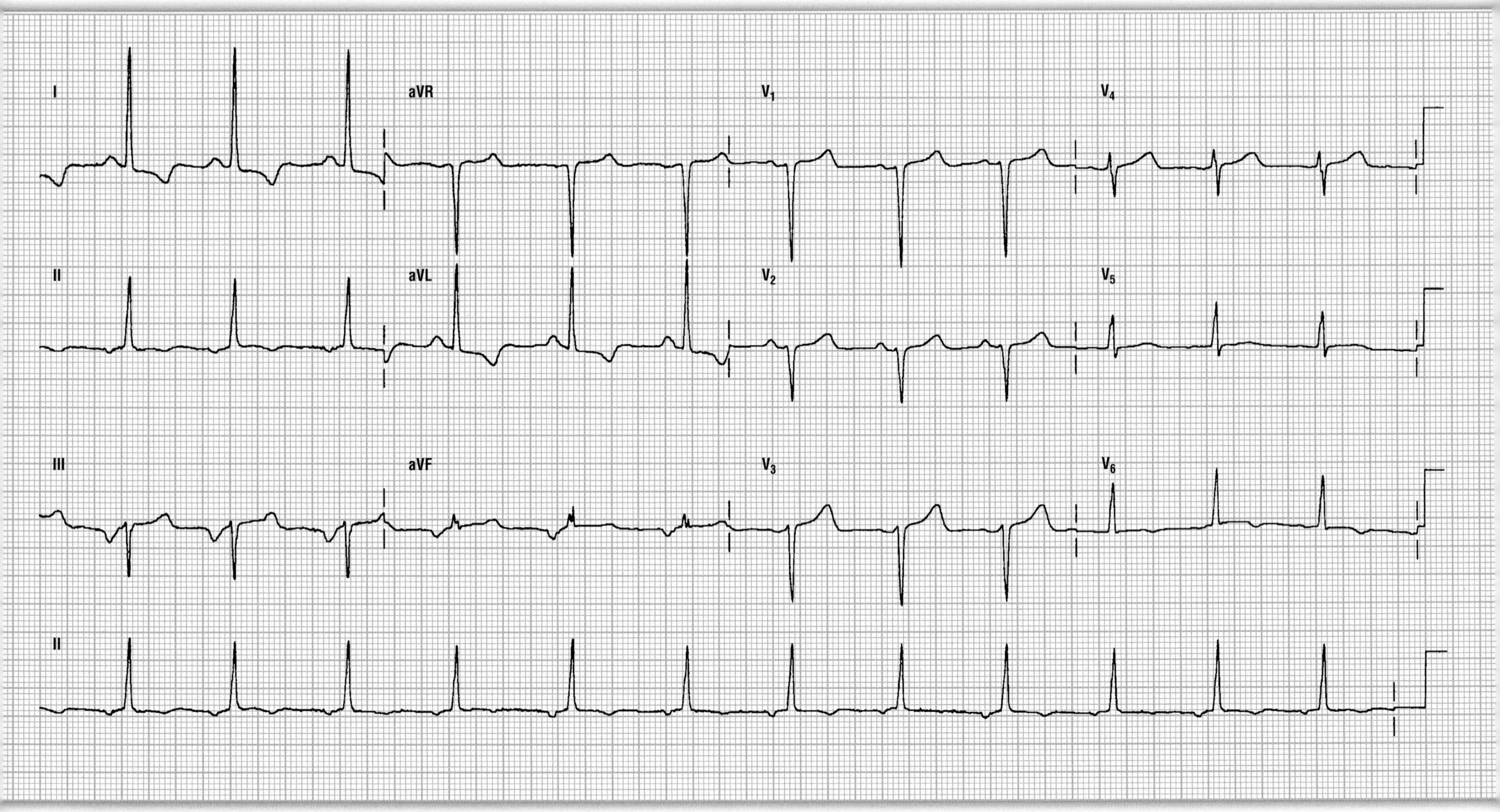

ECG 9-4

1

이상 P파들

승모판성–P파(P–mitrale)

만일 P파가 사지유도 Ⅰ, Ⅱ에서 0.12초 이상이고 절흔이 있으면(M자형), 승모판성 P파라고 한다.(그림 9–4) 이것은 전형적이지만 흔하지 않은 심한 *좌심방확장(left atrial enlargement)* 때 나타나는 소견이다. 두 개의 융기부(hump) 사이 공간은 0.04초 이상이어야 한다.

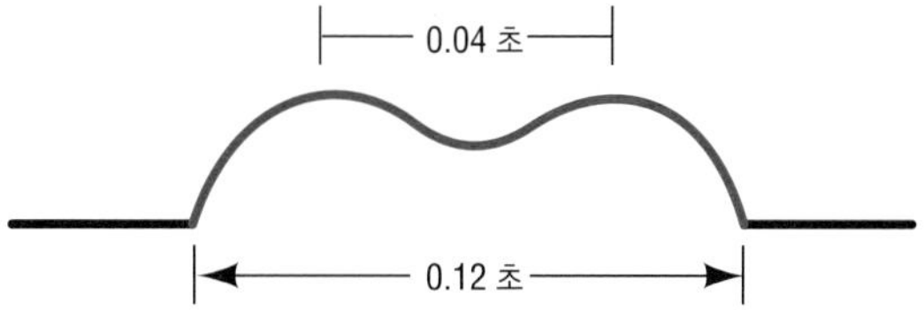

그림 9–4. 사지 유도에서 절흔 모양의 P파가 0.12초 보다 길 때 승모판성 P파를 시사한다.

이 절흔 모양은 좌심방이 커져 있기 때문에 발생하는 길어진 전도시간 때문에 생긴다. 동방결절은 우심방에 있음을 기억하라. 동방결절에서 전기자극이 발생하면, 작은 우심방의 통과는 빠르게 진행되어 끝나지만, 확장된 좌심방의 전도는 계속 진행되고 있다. 결과적으로 두 개의 융기(hump)가 생기게 된다.

절흔 모양은 P파가 0.12초 이하인 경우도 있을 수 있으나 이때에는 좌심방확장(LAE)과 관계없다.

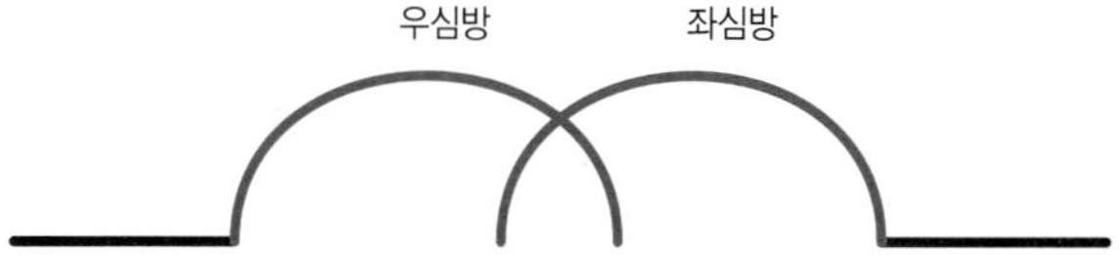

그림 9–5 P파 절흔의 원인.

2 **빠른 복습**

1. 승모판성 P파는 (　　　) 심방확장과 관련이 있다.
2. 절흔이 있는 P파의 넓이는 최소한 (　　　)초 이상이어야 한다.
3. 승모판성 P파는 많은 심전도에서 흔히 볼 수 있다. 참 또는 거짓
4. 승모판성 P파의 절흔은 (　　　　) 심방을 지나는 느린 전도 때문이다.

1. 좌 **2.** 0.12초 **3.** 거짓 **4.** 좌

3

승모판성 P파의 가장 흔한 원인은 심한 승모판 질환이다. 이것이 승모판성 P파라고 이름 붙여진 이유이다(어떤 사람들은 주교관 모양과 비슷해 그것에서 이름을 따왔다고도 한다). 승모판 협착에서 좁아진 판막을 이기기 위해 심근량을 증가시키기 때문에 좌심방의 확장이 생긴다. 결과적으로 더 많아진 혈류량을 보상하기 위해, 근육이 팽창하면 확대도 발생한다. 심방확장(dilatation)은 승모판 역류에 관계하는 병리기전이다.

조언

심전도 증례 연구 PR 간격 하강

2

심전도 9–5 이것은 승모판성 P파의 교과서적인 예이다. P파의 모양이 이상성(biphasic)이며, 또 넓이가 0.12초 이상이며 절흔 사이가 0.04초 이상 떨어져 있다. 낙타의 등을 상상하라. 만일 그것을 연상할 수 있다면 훨씬 재밌고 쉬울 것이다.

3

심전도 9–5에는 모든 유도에서 뒤집혀지고(flipped) 비대칭적인 T파가 있다. T파의 축은 거의 QRS 축과 반대 방향이다(T파 축은 −120°, QRS 축은 30°). 덧붙여 유도 V_1에서 35mm 정도의 큰 S파와 ST분절의 상승이 있는데 이러한 소견은 긴장이 동반된 좌심실비대의 소견일 가능성이 높다. 그러나 왜 측벽(lateral) 흉부유도로 갈수록 전위가 작아질까?? 분명하진 않지만, 이전의 경색으로 인한 심실근육량의 감소 혹은 좌측 늑막 삼출, 비만 등의 원인이 있을 수 있다. Z축은 후방으로 약 60° 향하고 있으며, 사지유도 Ⅱ, Ⅲ, aVF 그리고 흉부유도 V_2~V_5까지 심실간전도장애(intraventricular conduction defect, IVCD)가 있다.

이런 심전도를 해석함에 있어서 항상 임상적인 환자의 상태를 염두에 두어야 한다. 종합해 볼 때 이 심전도는 확장성 심근증, 다판막질환, 침윤성 원인에 의한 이차적 심장 질환 등을 생각할 수 있다. 그나저나 이 환자는 18세 여자 환자이다.

2

심전도 9–6 이것은 승모판성 P파의 다른 예이다. 마치 낙타들 등의 혹이 모두 같지 않듯, 다양한 환자에서 승모판성 P파는 다른 형태로 나타난다. 이런 형태를 인식하게 하기 위해 여러 가지 예를 준비했다.

3

심전도 9–6은 양심방확장 소견이 있다. 이 장의 끝부분에 이에 대해 이야기할 것이다. 추가해서 이 환자는 좌축편위(LAD)를 가지는 좌전섬유속차단(LAH)이 있다. 다른 흥미로운 것은 유도 aVL에서 R파가 11mm 이상인 것으로 알 수 있는 좌심실비대가 있는 점이다.

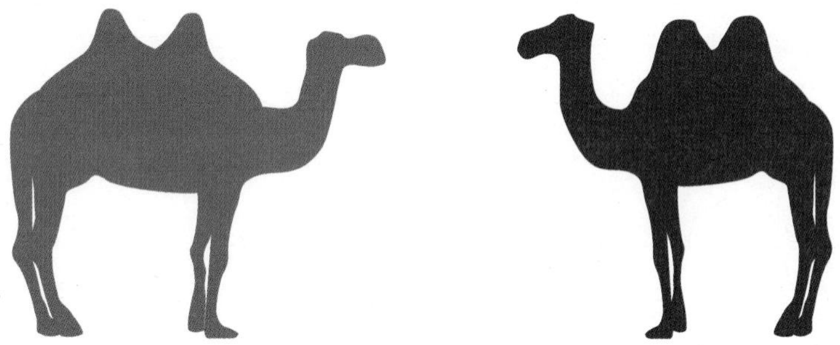

그림 9–6. 승모판성 P파의 모양은 환자들에 따라서 다를 수 있다.

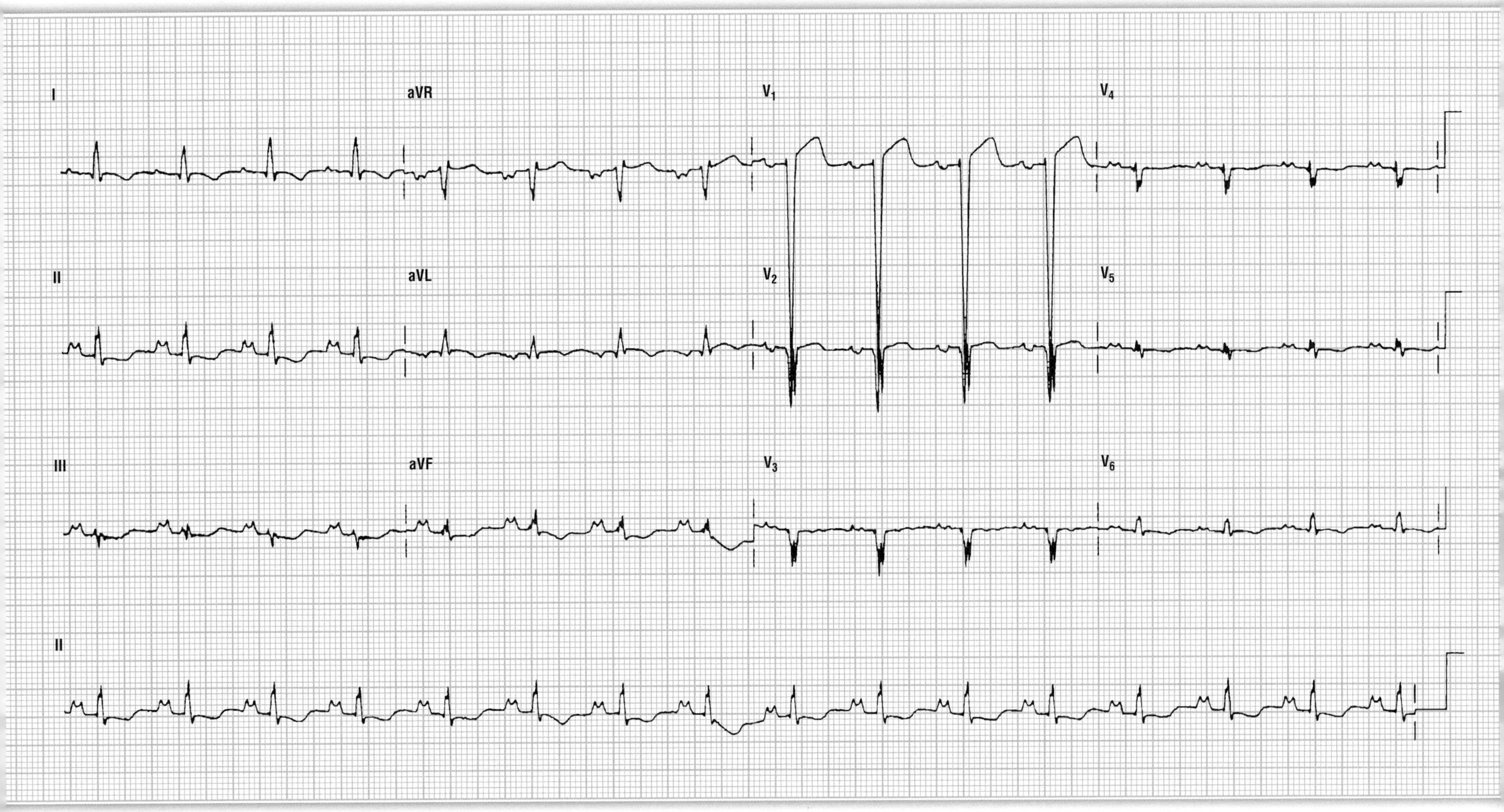

ECG 9-5

심전도 증례 연구 **계속**

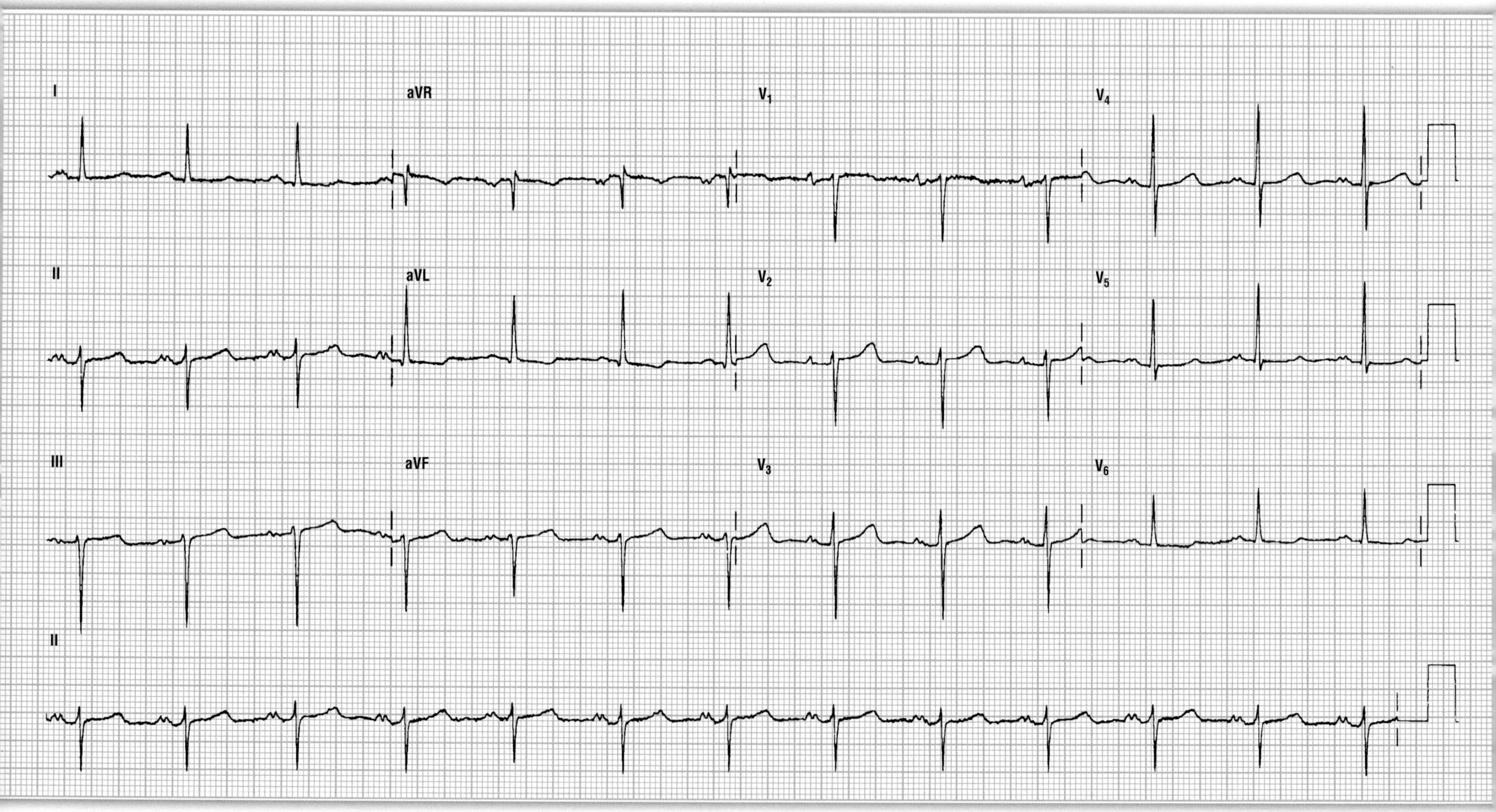

ECG 9-6

2

심전도 9–7 심전도의 P파는 이전의 심전도만큼 혹이 뚜렷하지는 않다. 그럼에도 승모판성 P라고 할 만한 모든 특징들이 있다. 첫 번째 박동 동안 환자가 조금 움직여서 기저선이 흔들리면서 이상한 모양을 나타낸다. 그러나 속지 말라. 단지 허상(artifact)일 뿐이다. 긴 QT 간격 때문에 선행한 T파에서 각각의 P파를 찾아내는 것이 다소 어려울 수 있다. T파는 기저선 위 아래로 오르락내리락 하고 매우 길다. 이러한 문제가 있을 때는 제일 먼저 P파가 가장 뚜렷이 보이는 유도를 찾으라. 이 증례의 경우 V_1 유도이다. P파의 시작부터 QRS의 시작까지 PR 간격을 측정하라. 그리고 그 길이를 다른 곳에서 비교하라. 그 간격은 심전도에서 모두 같음을 기억하라. 어느 것이 P파인지 쉽게 알아낼 수 있을 것이다.

유도 V_4~V_6의 시작 시 나타나는 이상한 박동은 심실조기수축이다. 앞에서 조기수축에 관하여 배운 것들을 여기에서 적용하면 그 기준에 잘 맞을 것이다. 심방이 아니라 심실에서 기원하여 넓고 이상한 모양이다. 전도계를 통하여 전달되는 것이 아니라 세포에서 세포 사이로 천천히 전달된다. 이것 자체는 해롭지 않다. *리듬들* 장에서 다시 자세히 언급될 것이다.

3

심전도 9–7에서 QT 간격은 연장되어 있고 이상성(biphasic)이며 Z축이 5°에서 10°도인 조기이행(early transition)이 있다. 여기의 심실조기수축은 실제로는 편위전도를 가진 방실접합부 조기수축이다. 왜냐하면 이것과 정상 QRS와 같은 시작 형태를 가지고, 같은 방향을 가지기 때문이다. 이것은 편위전도에서 흔히 볼 수 있다. 이 경우 단순화를 위해 심실조기수축이라고 하였다.

조언

한 심전도 내에서는 간격들은 항상 일정하다.

측경기를 사용하여 가장 긴 간격을 재고 그 간격을 옮기는 것이 심전도 판독을 단순화시켜줄 것이다.

심전도 증례 연구 **계속**

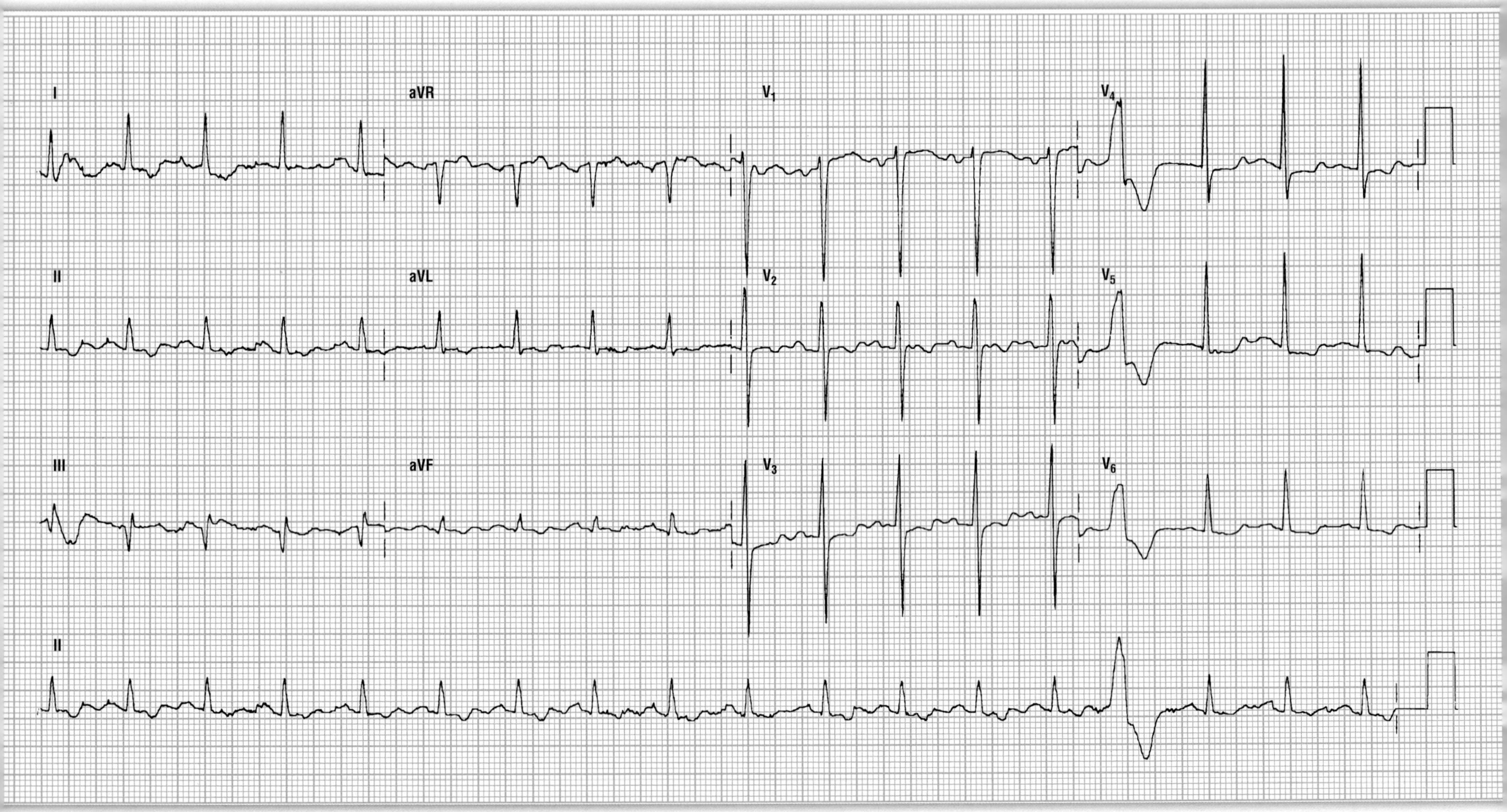

ECG 9-7

1

폐성 P (P-pulmonale)

P파가 사지유도에서 인디언의 원뿔형 천막(teepee)처럼 뾰족하고 높이가 2.5mm 이상일 경우 폐성 P라고 한다(그림 9-7). 이것은 심한 *우심방확장(right atrial enlargement)*의 전형적인 소견이다. 이러한 P파들이 가장 두드러지는 유도는 대부분 사지유도 II와 III이다.

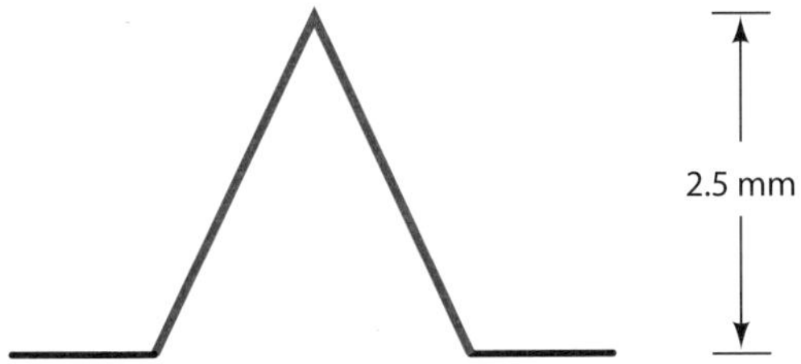

그림 9-7. 사지유도에서 뾰족한 P파가 2.5mm 보다 클 경우 폐성 P라고 한다.

뾰족한 P파는 보통 원뿔형 천막 모양이다. 이것은 2.5mm 이하일 수도 있다. 그래서 폐성 P는 뾰족한 P파의 특별한 형태이다. 2.5mm 이하일 경우 뾰족한 P는 심방확장과 관계가 없다.

조언

이런 파들은 원통형 천막 모양이다. 기억하기 쉽게 천막(teepee)의 뒤 음절이 폐성 P (P-pulmonale)를 나타낸다고 기억하자!

2 빠른 복습

1. 폐성 P는 (　)심방 확장 소견이다.
2. 폐성 P는 높이가 최소한 (　　)mm 이상이다 .
3. 2.5mm 미만의 높은 P파는 우심방 확장과 관련이 있다. 참 또는 거짓
4. 폐성 P는 전흉부 유도에서 관찰된다. 참 또는 거짓

1. 우 **2.** 2.5 mm **3.** 거짓 **4.** 거짓

3

만일 우측편위와 동반된 폐성 P가 있다면 좌후섬유속차단(LPH)을 진단할 수 없다. 오른쪽 심장의 병변은 심장의 축을 우사분면(right quadrant)으로 이동시킬 수 있어서 좌후섬유속차단을 감별할 수 없게 하기 때문이다. 좌후섬유속차단은 다른 것을 제외시킨 후 얻어지는 진단이라는 것을 기억해라. 우심방 혹은 우심실의 병변 어느 것이라도 있으면 심전도로 좌후섬유속차단을 진단할 수 없다.

심전도 증례 연구 폐성–P

2

심전도 9–8에서 P파들이 유도 II 와 III에서 모두 2.5mm 보다 커서 폐성 P 모양을 가진다. 이 증례의 경우 P파들은 7mm에 이르는 것도 있다. 이 정도로 큰 경우는 드물다. 앞으로 폐성심을 기억나게 하는 것들이 있을 경우, 이것일 것이다. 리듬 스트립에서 P파의 이상한 점이 없는가? 모든 P파의 모양과 PR 간격이 일정한가? 이것은 비정상적인 율동을 유발하는 많은 다른 심방 조율기의 또 다른 예를 보여준다. 빈맥이 없다면 이것은 이전에 유주심박조율기(WAP)라고 지칭하였다. 이와 같이 빈맥이 있을 경우 다소성심방빈맥(MAT)이라고 한다. 다른 말로는 빈맥성 유주심박조율기라고 한다. 유주심박조율기이든 다소성심방빈맥이든 불규칙적으로 불규칙한 율동을 가진다. 이들은 완전히 무질서한 모양으로 나타난다.

심전도에서 다른 것들과 위에 점이 찍힌 박동들의 차이점이 있는지 알아차렸는가? 그것들은 P파와 T파가 중첩되어 있다. P파가 심실이 재분극일 때 박동을 만든 것이다. 수직으로 된 선이 위에 있는 세 개의 박동을 보라. 그것들은 선행하는 T파의 끝에서 P파가 만나고 있다. 부분적으로 T파와 중첩되는데 당신은 이것을 구별할 수 있을 것이다.

조언

만일 다른 것들과는 다른 T파가 있다면 그것은 다른 P파가 T파에 "묻혀" 있기 때문일 수 있다.

2

심전도 9–9에서도 P파는 2.5mm 보다 크며 우심방확장(RAE)를 보여주는 폐성 P이다. 비대(hypertrophy)라고도 이야기하는 것을 들은 적이 있을 것이다. 이것은 심전도 소견을 기술하는 구식 용어이다. 연구에 따르면 단지 심방근육의 전기적 탈분극이 다른 경로로 일어난다고 이야기할 수 있고 정확히 심근의 비후나 팽창(dilatation)에 의한 확장(enlargement)이상인지를 알 수 없어서 용어가 바뀌게 되었다.

3

심전도 9–9 유도 V_1~V_4에서 ST분절의 작은 상승은 문제가 될 수 있다. 왜냐하면 유도V_1~V_3에서 QS파가 있으며 이것은 언제 발생했는지 알 수 없는 전중격부 경색을 나타내기 때문이다. 이전 심전도는 이 문제를 명확히 해 주는데 도움이 된다.

유도 V_1에서 완전히 뒤집어진 P파를 보라. 이 환자의 경우에는 좌심방확장(LAE)에 대해서는 언급할 수가 없다.

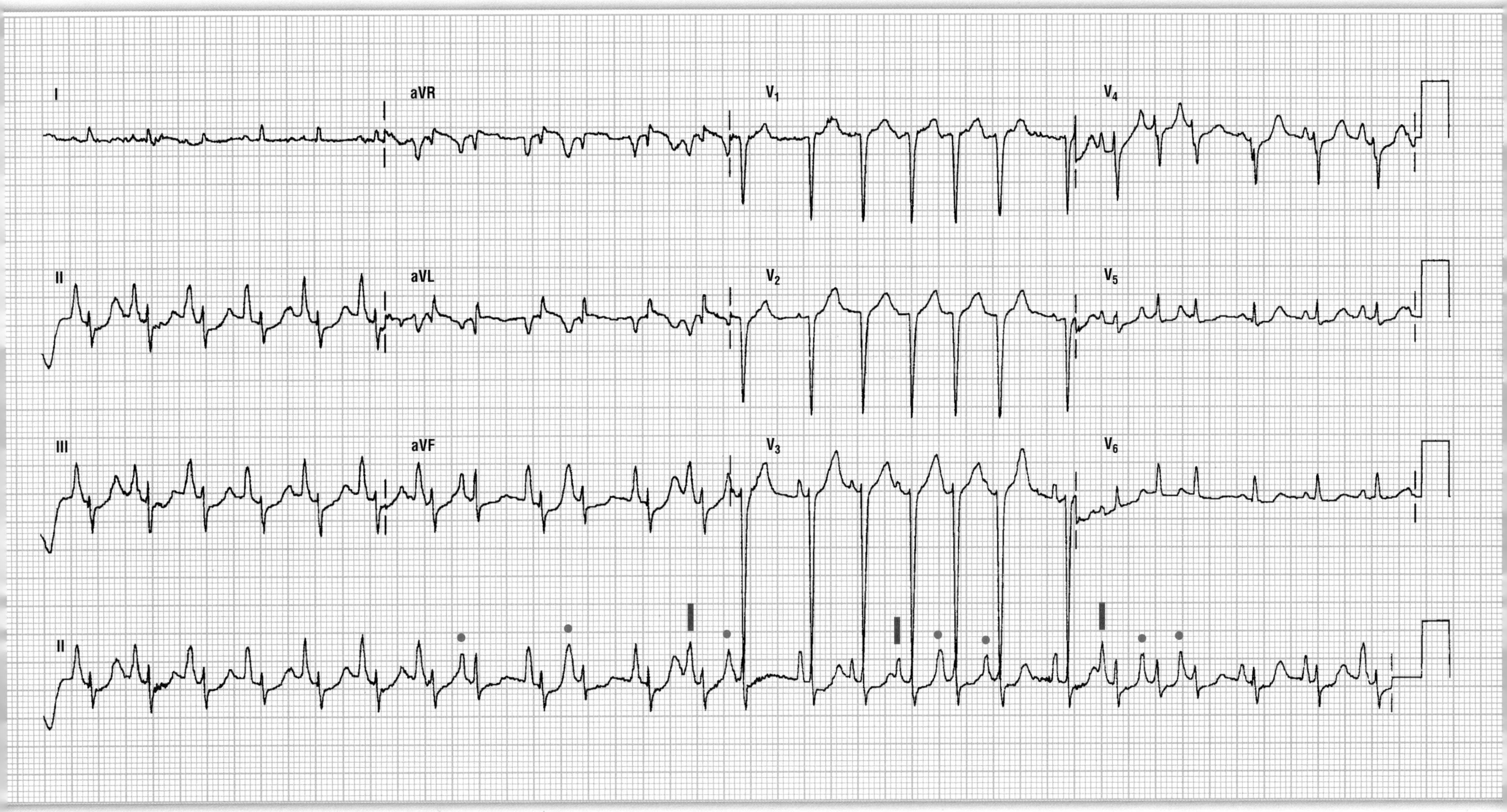

ECG 9-8

심전도 증례 연구 계속

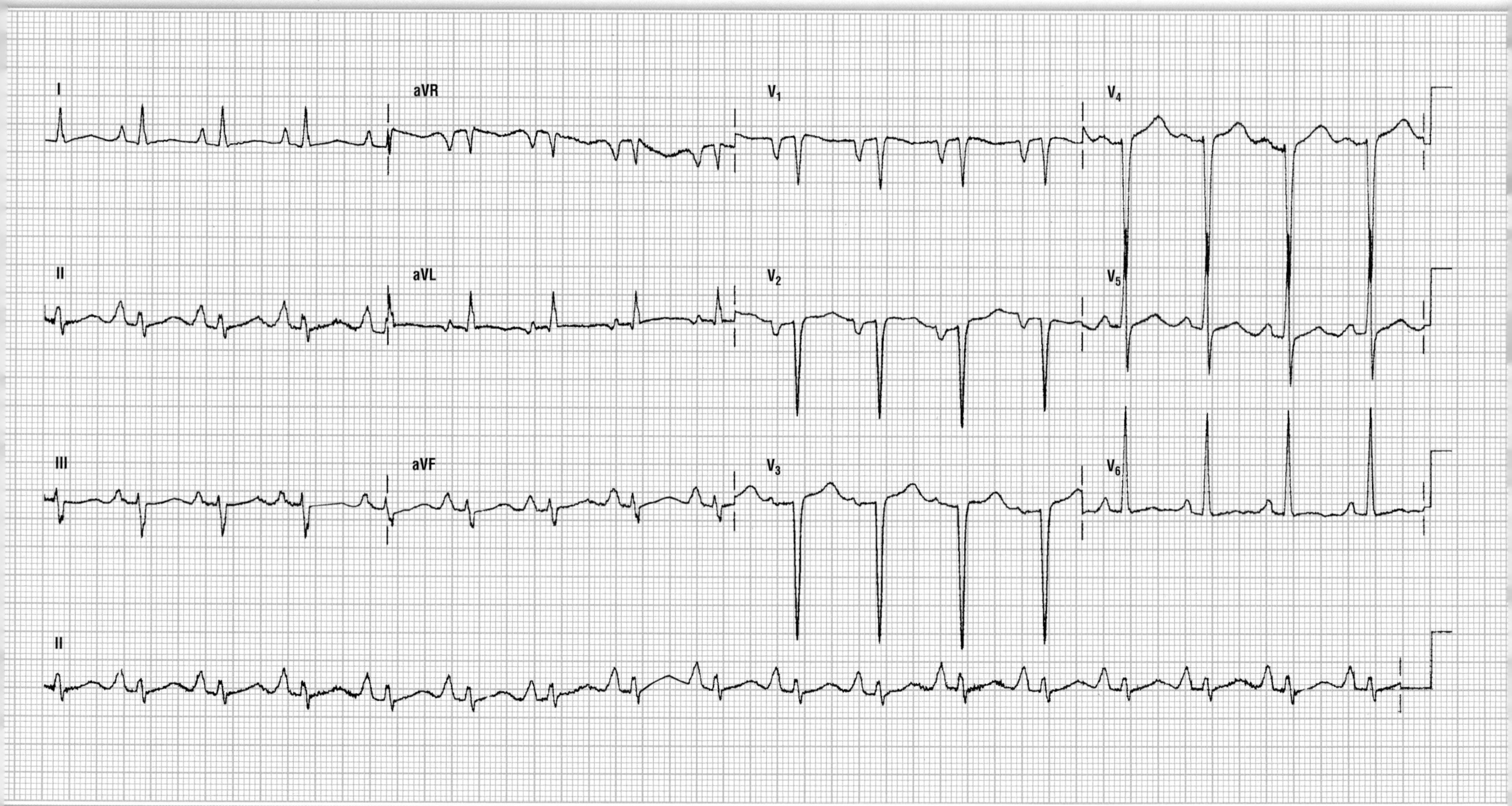

ECG 9-9

2

심전도 9-10 P파들은 폐성 P의 모양에 합당하다. 이 심전도는 바닥에 고급스러운 리듬 스트립이 없다. 이것이 심전도 해석에 다소 어려움을 줄 수 있으나 세 개의 유도들을 세트로 뭉쳐서 봐라: 유도 I, II와 III을 한 묶음으로 꿰어서 보고 유도 aVR, aVL와 aVF를 다른 묶음으로 보라. 이상한 것을 보았는가? 이상이 있는 있는가? 왼쪽부터 시작하여 박동을 헤아려서 세 번째 박동은 비정상 P파를 가진다. 심방조기수축이 있을 때처럼 PR 간격과 P–P 간격을 확인하라. 이상 박동을 포함하여 확인하였나? 그렇다. 그 박동은 무엇인가? 심방조기수축이다.

같은 방법으로 9번째 박동을 보라. 심방조기수축인가? 아니다. 왜 아닌가? P파는 유도 I, II, 그리고 V_4~V_6에서 P파는 상향이고 유도 aVR에서 하향임을 기억하라. aVR에서 P파가 상향인가 혹은 하향인가? 상향 – 기저선의 위에 있다. 다른 무엇이 가능성 있을까? 접합부조기수축(PJC)은 어떠한가? 이제 11번째 박동을 보아라. 정상인가? 아니다. 무엇과 일치하는가? 심방조기수축이다. 이제까지 배워왔던 법칙을 바탕으로 그것을 이해할 수 있을 것이다.

3

심전도 9-10 이 심전도는 우축 편위가 있는 우각차단의 심전도이다. 이것과 폐성 P파는 우심실긴장 혹은 만성폐쇄성폐질환의 가능성이 많다. 각각의 심방조기수축은 다소간의 편위전도를 보인다. 세 번째 박동의 편위전도는 축을 약간 이동시킨다.

조언

조기 수축들(premature beats)을 알아맞히기 위해서는 P–P 간격과 PR 간격을 비교하라.

심전도 증례 연구 계속

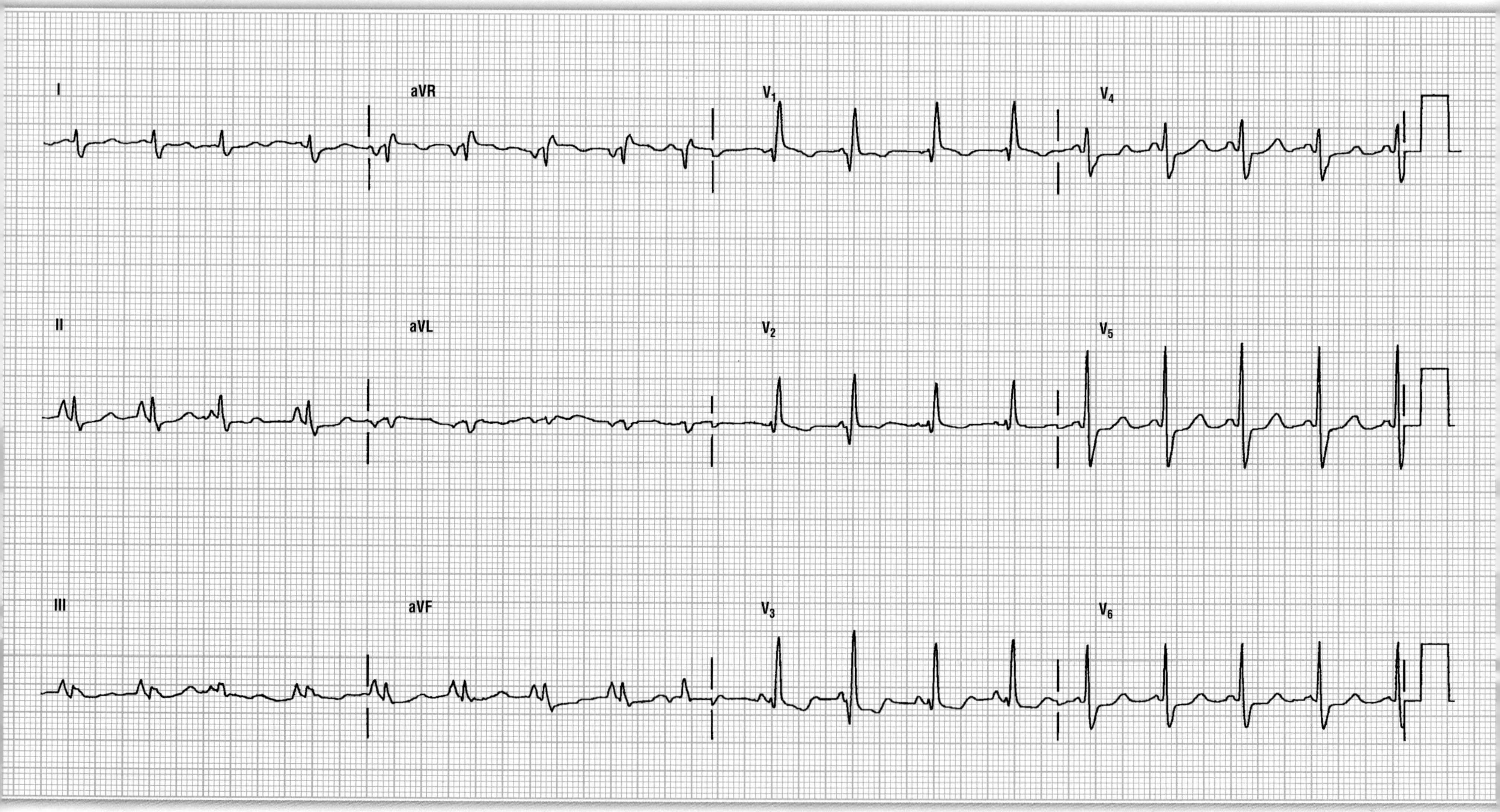

ECG 9-10

1 심방내전도지연(intraatrial conduction delay, IACD)

V_1에서 종종 이상성(biphasic) P파를 보게 될 것이다. 이런 것들은 심방내전도지연의 증거이다. 심방내전도지연은 다르게 말해서 심방 내 비특이적 전도장애가 있다는 것이다. 보통 심방확장이 원인이나, 이전에 배웠던 폐성 P나, 승모판성 P 만큼 확장되지 못하거나 혹은 어느 심방의 확장이라고 확실하게 이야기할 수 없는 상태이다. 그럼에도 불구하고 이상성 P파가 좌심방 혹은 우심방확장(LAE, RAE)을 감별하는데 도움이 되는 두 증례가 있다. 아래에서 보기로 하자.

V_1 이상성 P파의 첫 1/2이 V_6보다 클 때 우심방확장일 가능성이 많다.

그림 9-8. V_1과 V_6의 이상성 P파들

P파의 두 번째 반이 0.04초(작은 눈금 한칸)보다 깊고 넓을 때 좌심방확장일 가능성이 많다(그림 9-9). 실제로 이상성 P파의 나중 반의 높이와 시간 폭의 곱이 0.3 이상(높이[mm] × 넓이[sec]=0.3)인 경우 좌심방확장일 확률은 95%이다.

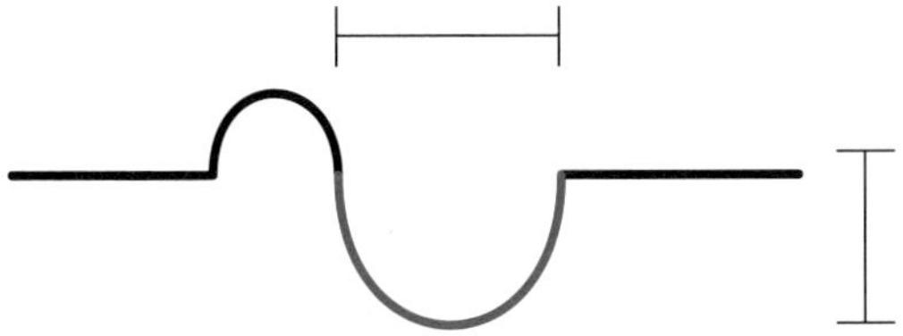

그림 9-9. 이상성 P파의 2번째 반이 0.3 이상인 경우 좌심방확장을 시사한다.

2 빠른 복습

1. V_1에서 이상성 P파는 심방내전도지연과 관계있다. 참 또는 거짓
2. V_1에서 P파의 첫 번째 반이 V_6에서 P파의 첫 번째 반보다 (   )경우 우심방확장일 가능성이 많다.
3. V_1에서 P파의 깊이가 1.5mm이고 넓이가 0.6초이면 좌심방비대이다. 참 또는 거짓
4. V_1에서 모든 이상성 P는 심방내전도지연의 예이다. 참 또는 거짓

1. 참 **2.** 클 **3.** 참 **4.** 참

3

우심방확장의 원인은 만성폐쇄성폐질환, 폐색전증, 폐동맥고혈압, 승모판, 삼첨판, 폐동맥 판막질환이 있다.

좌심방확장의 원인은 심한 고혈압, 대동맥판, 승모판 판막질환, 제한성 심근병증, 좌심실부전이 있다. 바꾸어 말하면 판막질환 혹은 경직된 좌심실 등의 전방향 흐름을 방해하는 것들이 있을 경우 좌심방확장을 유발한다.

조언

심방내전도지연은 비특이적인 심방내전도장애가 있을 경우 적절한 용어이다.

심전도 증례 연구 이상성 P파들(Biphasic P Waves)

2

심전도 9-11 V_1에서 이상성 P파는 우심방확장과 부합한다. 유도 V_1에서 P파의 첫 번째 부분이 V_6의 첫 부분보다 얼마나 큰지 보아라. 사지유도들의 P파는 정상이다.

3

심전도 9-11 이 환자는 좌전섬유속차단을 동반한 좌축편위가 있다. 전흉부유도에서 눈에 띄이는 것은 R-R 진행(progression)이 없는 것이다. 전흉부유도에서 이행대가 없어 Z축은 알 수 없다. 유도 V_1~V_5에서 아주 작은(ditzel) R파가 S파들 앞에 있다(ditzel이라는 단어를 사용하였는데, 아주 작은, 심전도에서 거의 감지되지 않는 것을 묘사할 때 저자들이 사용하였다).

REMINDER

다른 박동들 사이에서 P-P 간격과 PR 간격을 비교하기 위해서 측경기를 사용하라.

2

심전도 9-12 전흉부유도에서 P파는 약 0.12초로 넓다. 그러나 절흔이 없어 승모판성 P파는 아니다. 유도 V_1의 P파의 두 번째 1/2의 넓이(0.7sec)와 깊이의(2.3mm)의 곱이 1.61로 좌심방확장 소견 0.3보다 훨씬 크다. 우심방확장 소견은 없다.

왼쪽에서 다섯 번째 박동을 보아라. 무엇인지 알겠는가? 그것은 편위전도가 있는 접합부조기수축(PJC)이다. 다른 가능성은 심실조기수축(PVC)이다. 이 경우 차이를 감별하는 것이 중요하지는 않다. 나중에 이 두 가지를 구별하는 방법을 배울 것이다. 때로는 이 두 가지를 감별하는 것이 매우 중요하다. 만일 당신이 두 가지의 진단 요건을 기억하지 못한다면 *리듬* 장을 복습하라

3

심전도 9-12 다시 한번 더 논의를 위해서 이야기하자면 심전도의 5번째 박동이 접합부조기수축(PJC)의 편위전도일 수 있음을 주의하라. 편위전도는 정상전도와 같은 방향으로 시작하며 이것은 심실조기수축보다는 편위전도의 가능성 있다. 그러나 이 증례의 경우 분명히 나누어지지는 않는다. 두개의 선택에 있어서는 여러 이견들이 있을 수 있다. 휴지기는 대상적이며, 이것은 편위전도된 박동에 의해 동방결절(sinus node)이 재시동(reset)되지 않았다는 것을 말한다. 이러한 상황은 접합부조기수축(PJC)이든 심실조기수축(PVC)이든 모두 일어날 수 있다. 사실상 방해받지 않는 P파는 정상적인 심주기에 해당되는 지점에 나타나며 이것은 ST분절이 시작하는 지점에서 볼 수 있다.

축을 생각해 볼 때 기준선은 유도 II의 TP분절에 있다. 이것을 기준선으로 사용하여 박동은 대략 1mm 정도 음성이며 (양성 5.5mm, 음성 6.5mm) 이로서 축은 −30°에서 −90°도에 해당하며 좌전섬유속차단이 된다.

긴장을 동반한 좌심실비대가 있으며 QTc가 420 이상인 QT 간격의 경한 연장이 있다.

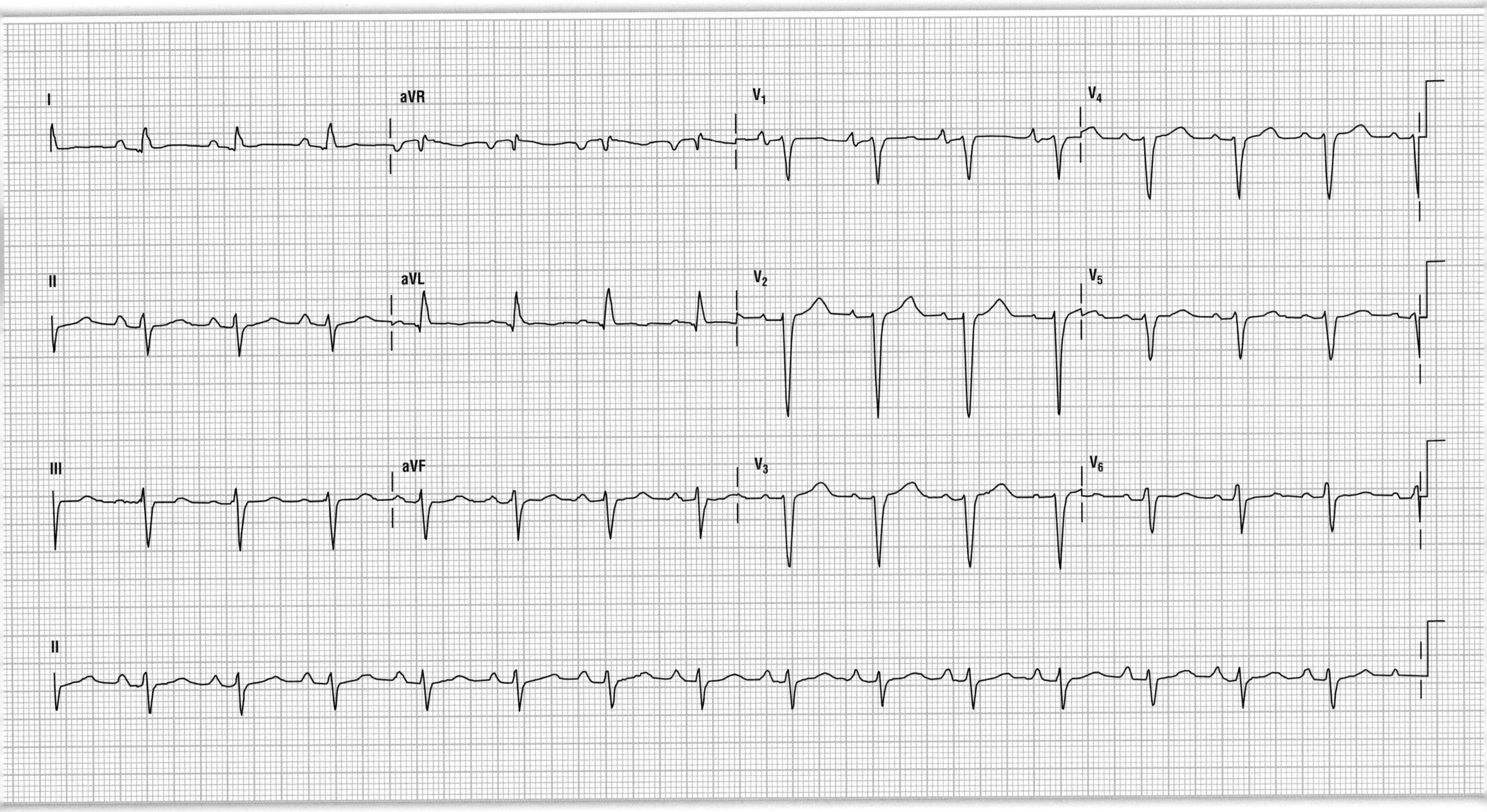

ECG 9-11

심전도 증례 연구 계속

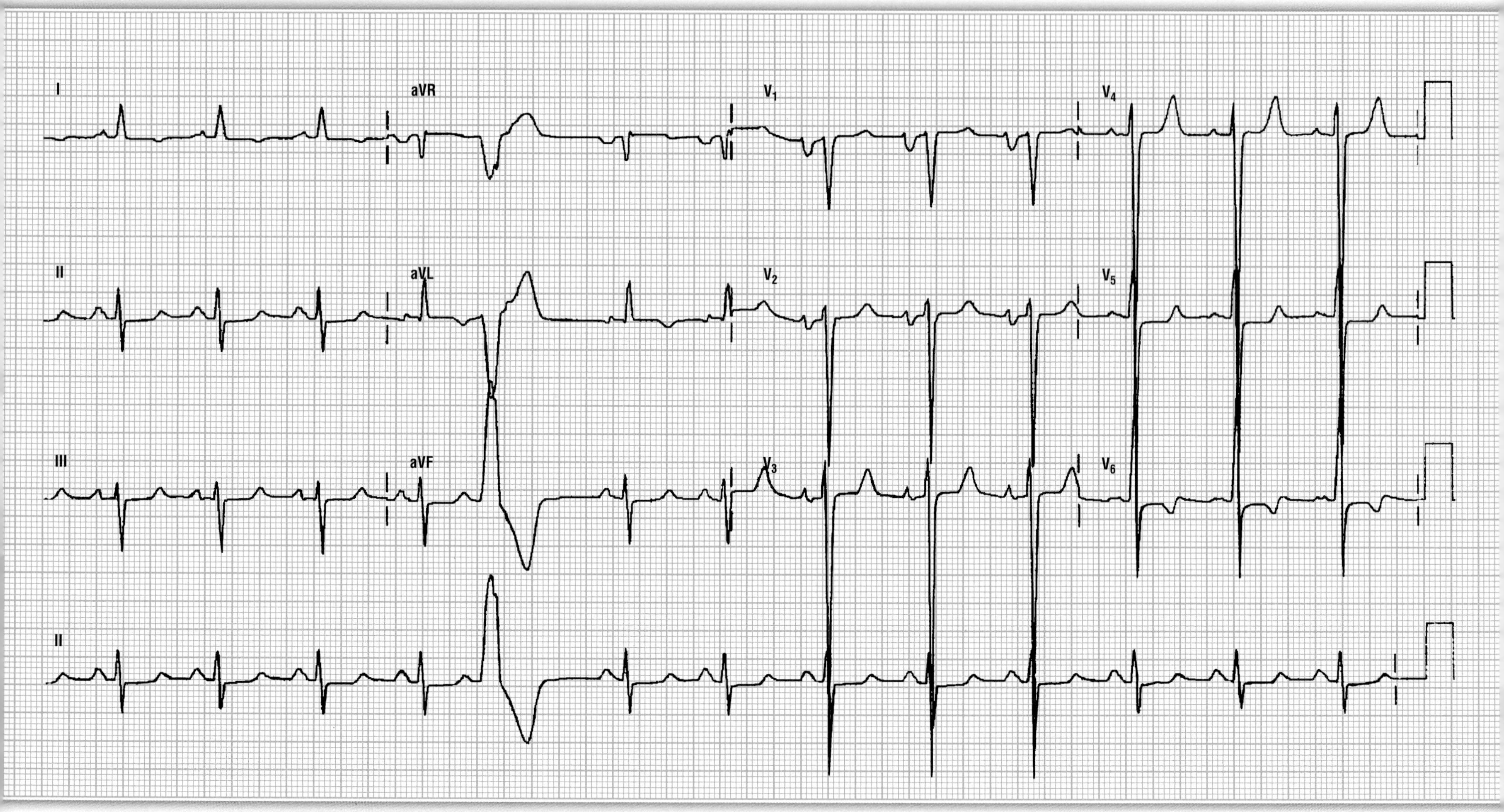

ECG 9-12

2

심전도 9-13 유도 V_1에서 이상성 P파는 확실한 좌심방확장이다. 깊이(1mm)와 너비의(0.7sec) 곱이 0.7로 0.3인 좌심방확장의 기준보다 충분히 크다.

율동은 어떠한가? 각각 QRS군 앞에 P파가 있고, 모양은 정상이며, 유도 I 와 II에서 P파는 위로 향한다. 그래서 동율동이라고 할 수 있다. 그러나 정상 동율동인가? 정상 동율동(normal sinus rhythm, NSR)이 되기 위해서는 분당 맥박수는 60회에서 99회 사이에 있어야 한다. 분당 60회 미만일 경우 서맥, 99회 보다 빠를 경우는 빈맥이다. 이 증례의 경우 분당 54회로 동서맥이다.

3

심전도 9-13 T파는 대칭적이다. 대칭적인 T파는 허혈증후군들, 전해질 이상, 그리고 두개 내 병변이 있을 경우 자주 보인다. 비대칭적인 T파는 긴장 혹은 양성(benign)의 원인들인 있을 경우 잘 나타난다.

임상적 의미를 가지는 Q파는 너비가 0.03초보다 넓은 경우 혹은 깊이가 R파의 1/3 보다 깊을 경우이다. 이 둘 중 너비가 0.03초보다 넓은 경우가 좀 더 확실한 기준이다. 유도 III에서 Q파가 있으며, 너비가 0.03초보다 넓으므로 병적인 Q파이다.

2 빠른 복습

1. 유도 I에서 좌심방확장이나 우심방확장을 만족시키지 않는 이상성 P파는 심방내전도지연이라고 할 수 있다. 참 또는 거짓
2. 좌심방확장에서 너비 × 깊이 0.3 보다 크다. 참 또는 거짓
3. 우심방확장에서 너비 × 높이 2.5mm 보다 크다. 참 또는 거짓

1. 참 **2.** 참 **3.** 거짓

2

심전도 9-14 유도 II에서 P파는 높이가 2mm이고 너비가 0.12초 정도이다. 사지 유도들에서 절흔이 없다. 이것은 유사하기는 하나 폐성 P 혹은 승모판성 P의 기준에는 맞지 않다. 그러나 V_1에서 이상성(biphasic) P파를 보이며 너비와 깊이의 곱이 0.12로 좌심방확장에 맞다.

3

심전도 9-14 유도 V_1에서 T파가 뒤집혀 있으며 QRS군의 R:S의 비가 1 이상인 것은 긴장을 동반한 우심실비대(RVH) 소견이다. 다른 가능한 기준인 V_1~V_2 의 ST분절의 하강은 이 증례에는 존재하지 않는다.

우심실비대의 경우 비정상적인 ST와 T파는 대부분 우측 전흉부유도에서 존재한다. 가끔 하벽부 유도에서 나타나기도 한다. 이 경우 T파가 우심실비대로 인한 것인지 허혈로 인한 것인지 결정해야 할 경우 당신의 판단력과 함께 이전 심전도를 참고하라. 대칭적인 T파의 역위는 허혈의 소견에 더 합당하다.

심전도 증례 연구 계속

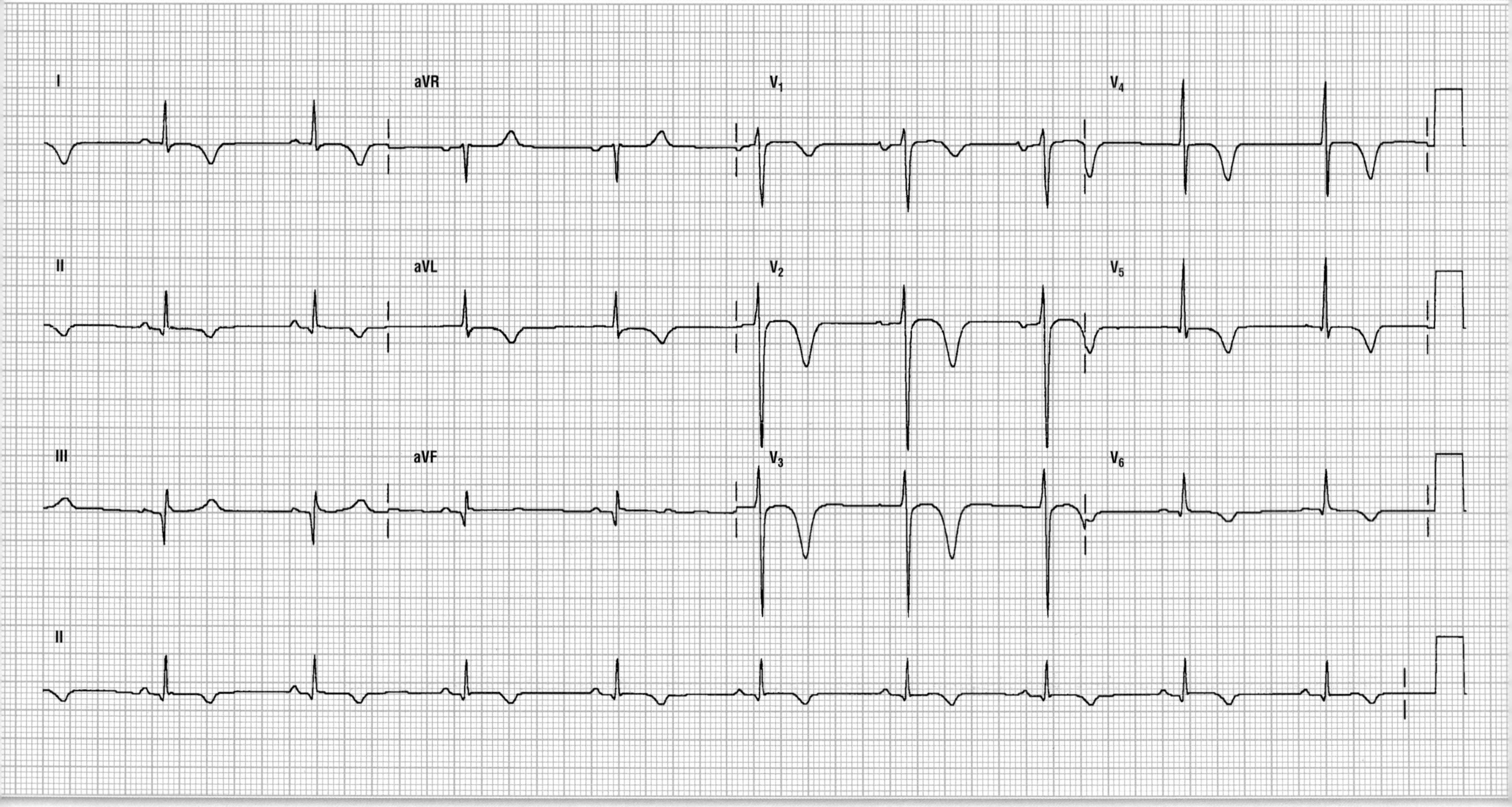

ECG 9-13

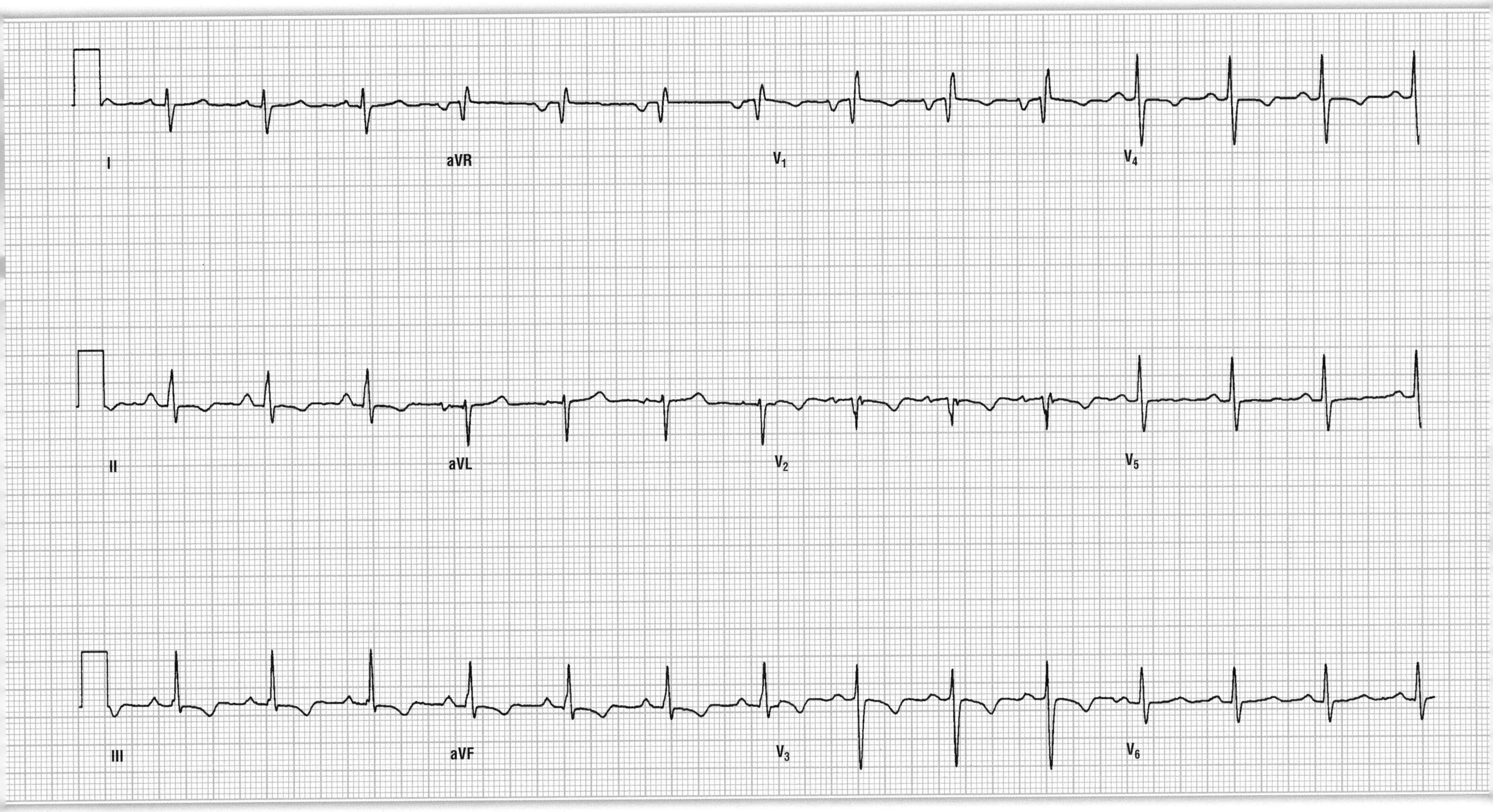

ECG 9-14

심전도 증례 연구 계속

2

심전도 9-15 어디서 P파가 시작하고 T파가 끝나는가? 다시 말해서 긴 QT 간격으로 T파가 다음 박동의 P파까지 가까이 가 있다. P파가 깨끗하게 나오는 V_1 혹은 V_4 유도를 보고, 측경기로 PR 간격을 측정하라. 그리고 의문이 가는 유도로 옮겨 가면 어느 것이 어느 것인지 확실해진다.

유도 V_1을 보라. 이상성(biphasic) P파로 좌심방확장이 있다. 심전도에서 우심방확장 소견은 없다.

3

심전도 9-15 QT 간격의 연장은 인상적이고 명백하다. 만일 원인을 쉽게 생각해 낼 수 없다면 그림 17-3을 보고 그 원인을 검토하라. 또한 이 심전도는 하벽 그리고 외벽유도들에서 허혈에 부합하는 ST-T파의 변화가 있다.

좌전섬유속차단(LAH)이 있는가? 기저선이 어디인가? 이 증례에 있어서는 PR 간격을 기저선으로 사용한다. 보통은 TP분절과 PR 간격은 같은 선상에 있으나, 때로는 그렇지 않는 경우가 있다. PR 간격을 사용하는 것은 위험할 수 있다. 가능하면 TP분절을 정확한 기저선으로 사용하도록 노력하라. 그렇다 이 심전도는 좌전섬유속차단이 있다.

2

심전도 9-16 P파는 V_1에서 이상성이고 좌심방확대 기준을 만족한다. 덧붙여 PR 간격은 0.2초로 매우 연장되어 있다. 이것은 1도 방실차단이며 *PR 간격* 장에서 자세히 설명할 것이다.

율동은 정상동율동이다. 1도 방실차단은 율동을 결정할 때 필요한 기준에 영향을 주지 않는다.

3

심전도 9-16 경색의 증거가 있는 영역이 몇 곳 있는가? 시간을 알 수 없는 경색은 하벽, 전벽, 중격, 측벽 유도들에 있다. Q파들이 유도 II, III, 그리고 aVF에 있고 QS파는 유도 V_1에서 V_5까지 있다. V_6에서는 S파에 앞서 매우 작은 R파가 있어서 의문스럽다. Z축은 이행대(transitional zone)가 존재하지 않으므로 결정할 수 없다.

임상의 진주

심전도상 구조적인 문제(structural problem)가 보일 경우 행동하기에 앞서 먼저 생각하라. 승모판성 P 또는 폐성 P가 있을 경우 환자를 다시 보고 그리고 다시 진찰하라. 폐질환이 있는지 혹은 심부전이 있는지 조사하라. 심장음을 청진하라. 이런 환자들에 약을 처방하는데 있어서 전부하(preload)를 너무 심하게 감소시키거나 혈역동학적으로 나쁘게 만들 수 있는 약들은 사용에 조심하라.

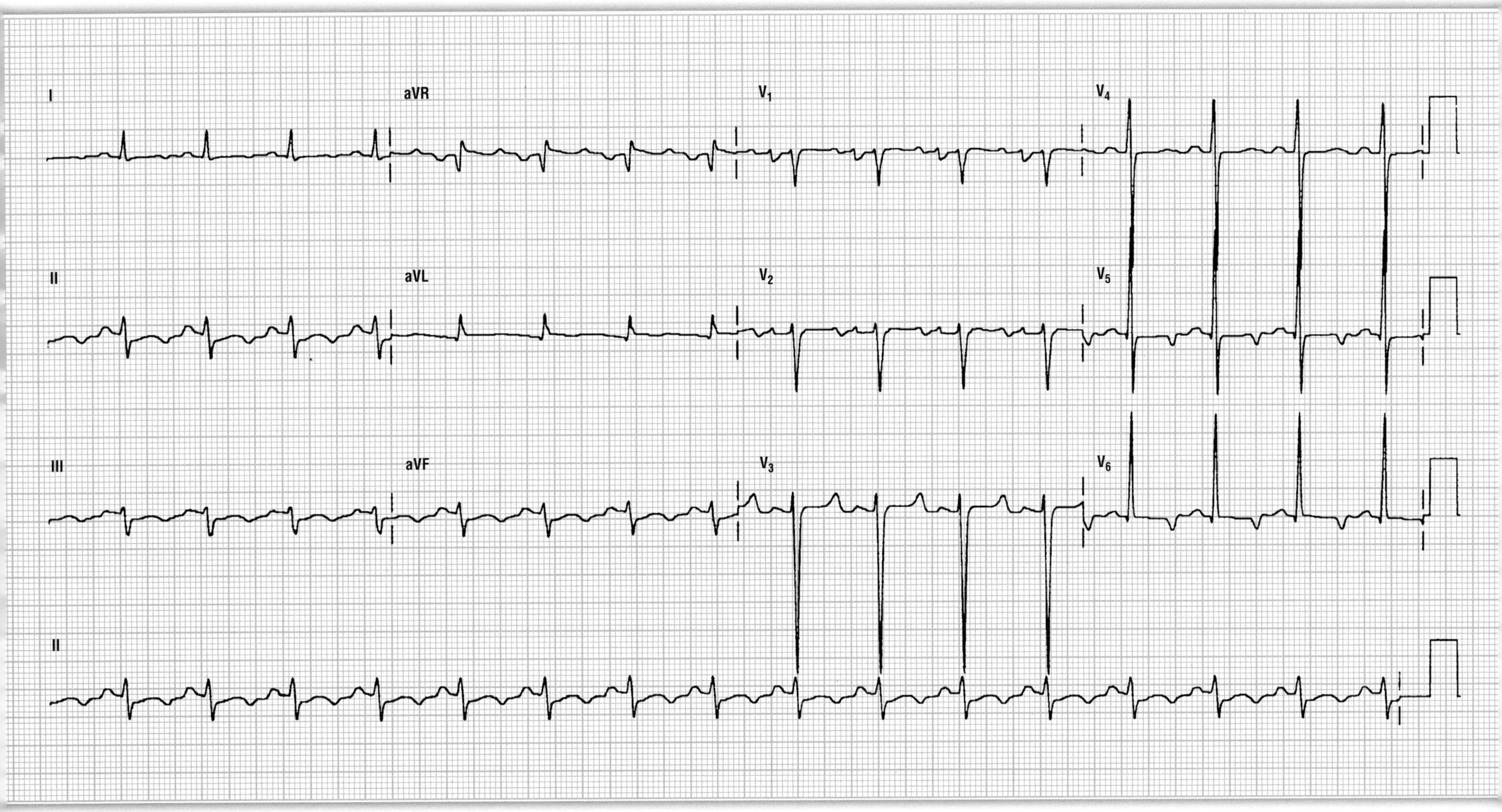

I
aVR
V1
V4
II
aVL
V2
V5
III
aVF
V3
V6
II

ECG 9-15

심전도 증례 연구 계속

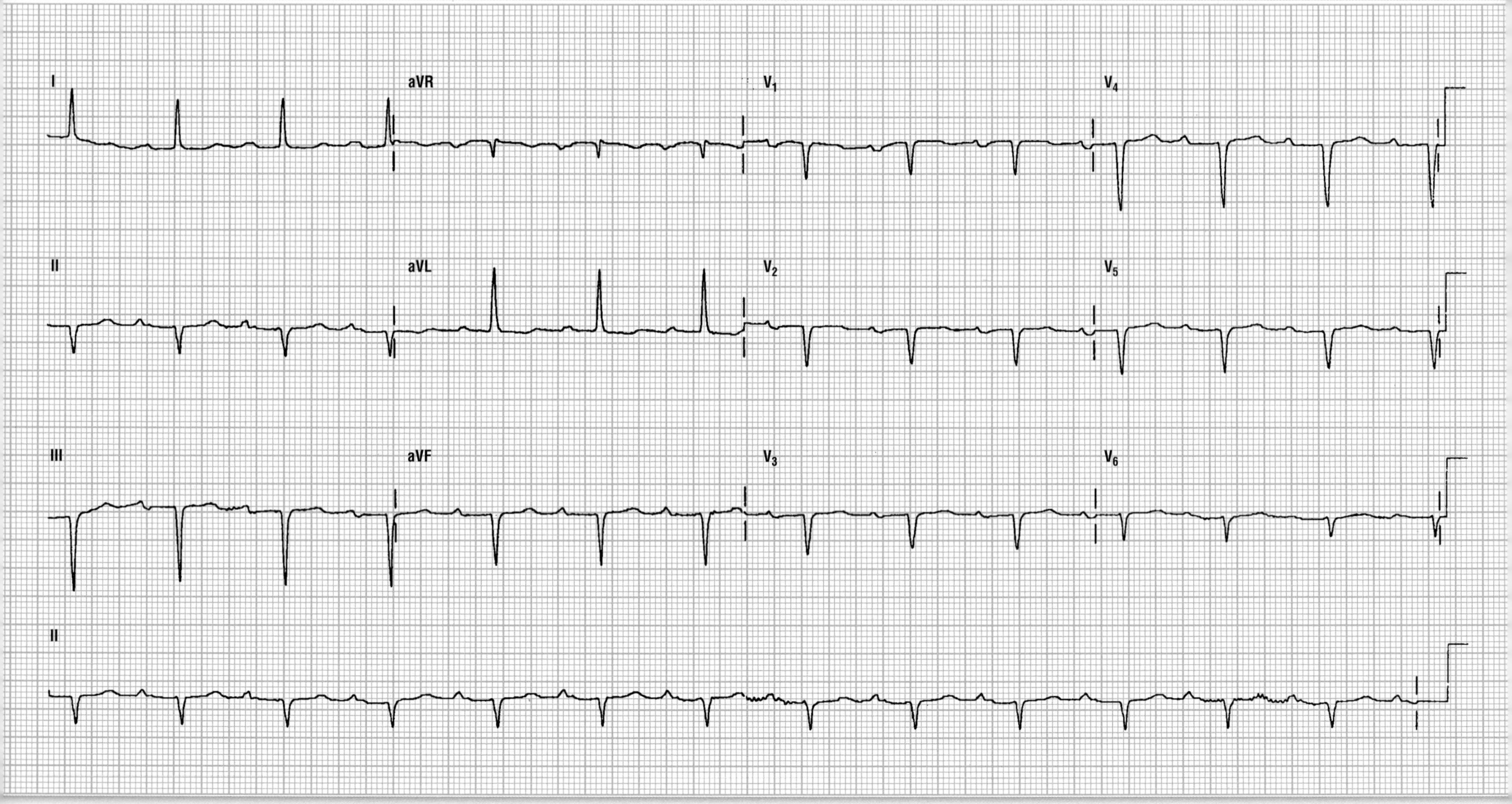

ECG 9-16

2

심전도 9-17 유도 II에서 P파는 높이가 2.4mm에서 2.5mm로 폐성 P에 가깝다. 이 값들은 P파의 시작점에서 측정한 값이다. P파의 끝에서는 0.5에서 1mm 가량 더 깊다. 이것은 PR 간격이 다소 하강하여 있기 때문이다. 항상 심전도의 기저선에서 측정하라. 그 기준선은 TP분절 – 한 박동의 T파에서 다음 박동의 P파까지 간격 – 에서 측정한다. 항상 한 TP 간격에서 다른 TP 간격까지 선을 그어 문제의 파를 중간에 놓고 측정하라(그림 9-10에서 붉은색 선). 만일 유도 II에서 그와 같이 시행한다면 최소한의 하강을 다시 볼 것이고, 그래서 P파 높이 측정은 기저선에서 꼭대기까지를 측정하는 것이다.

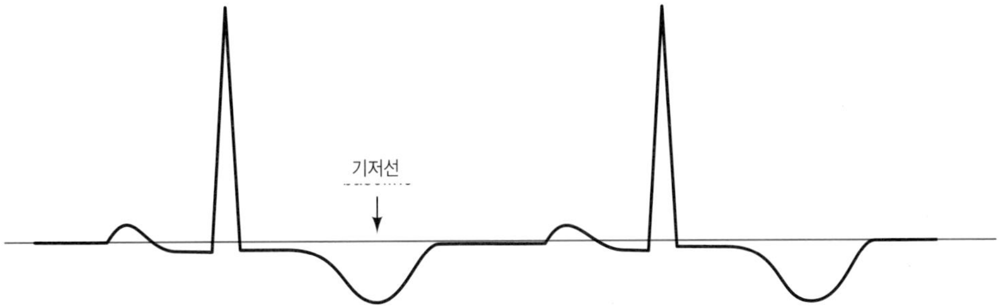

그림 9-10. 하나의 TP분절에서 다음 파형까지 직선(여기에서는 붉은선)을 그리면 파의 하강이나 상승을 알 수 있다.

심전도 증례 연구 계속

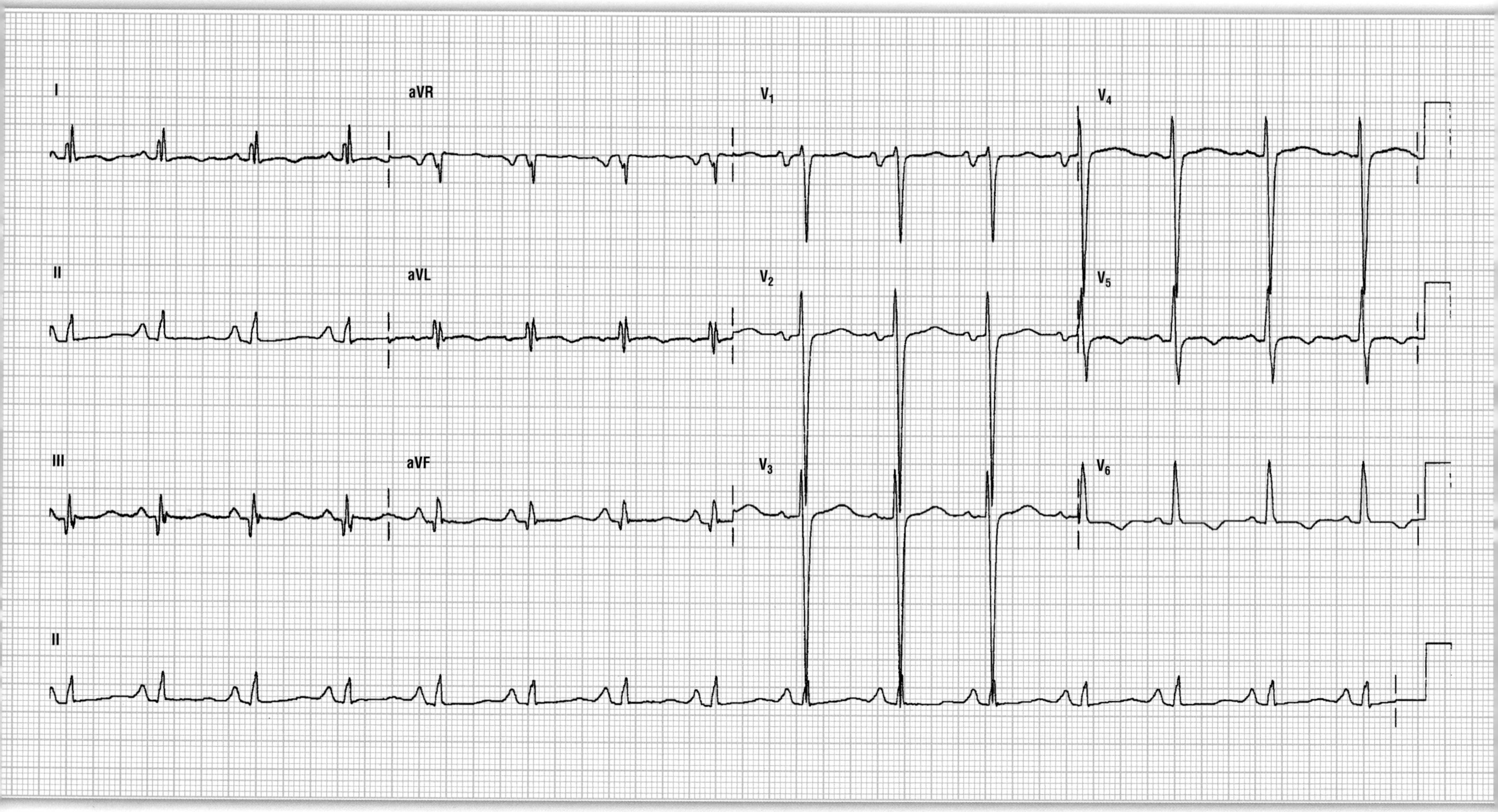

ECG 9-17

1

양심방확장

양심방확장, 이름에서 의미하듯이 양심방확장은 좌우 양쪽 심방의 확장이 있는 경우 발생한다. 이것은 예를 들어, 폐성 P와 깊이 × 너비 시간 ≥ 0.3인 큰 이상성 P파가 같이 있는 경우처럼 이전에 공부한 심방확장의 기준이 같이 있을 경우에 진단하게 된다.

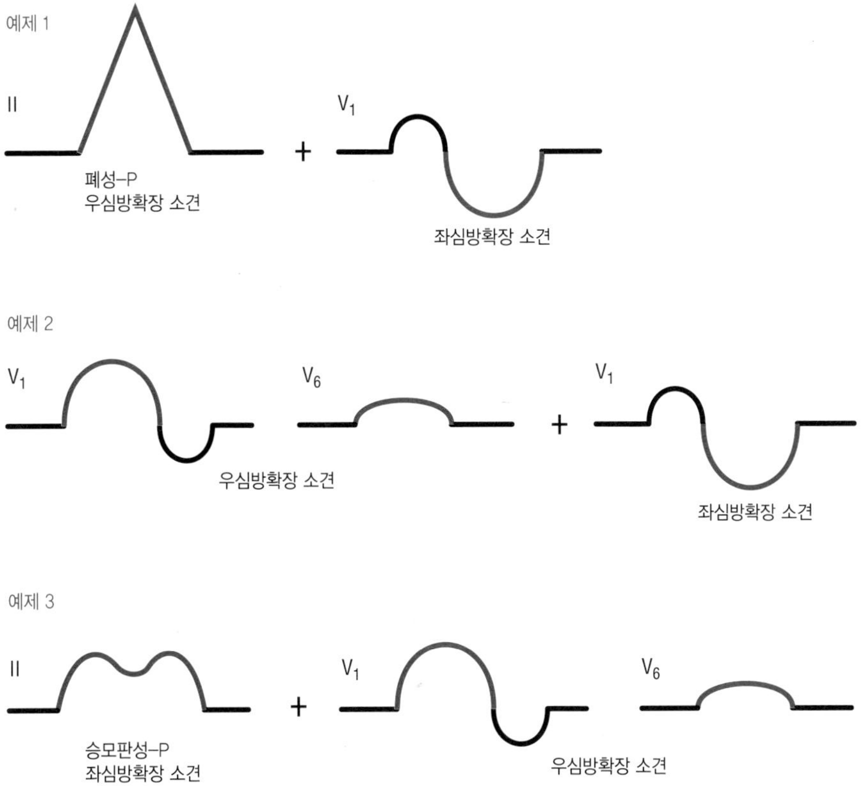

그림 9–11. 좌심방확장과 우심방확장이 같이 있는 예들.

2 빠른 복습

1. (   )확장은 좌심방확장과 우심방확장이 같이 있는 경우 일어난다.

2. 폐성 P과 승모판성 P는 한 심전도 내에서 동시에 발생할 수 있다. 참 또는 거짓

3. 각각의 심방은 P파의 일부분(section)의 형성(responsible)에 관여한다. 참 또는 거짓

1. 양심방 **2.** 참 **3.** 참

3

심실과 심방 확장의 징후를 보이는 심전도는 판막 또는 구조적 질환의 진단에 도움이 된다. 예를 들어, 승모판 협착증(좁아짐)은 좌우심방과 우심실의 비대를 일으키고, 폐동맥고혈압의 징후가 나타난다. 대동맥판 협착증이 심한 경우는 양쪽 심방과 양쪽 심실의 확장을 일으킬 수 있다. 심전도를 평가할 때 심장의 구조를 마음속으로 그려보자. 놀라운 결과를 얻을 수 있을 것이다.

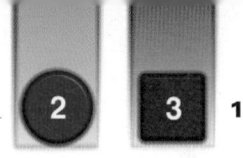

심전도 증례 연구 양심방확장

2

심전도 9-18 사지유도들은 폐성 P와 일치하는 P파를 보여준다. 게다가, V_1의 이상성 P파는 좌심방확장을 나타낸다. 이 증례는 양심방확장의 예이다.

3

심전도 9-18 환자는 좌심실비대(LVH)가 있다. 이것이 유도 V_2 그리고 V_3에서 ST분절의 경한 상승과 유도 V_5와 V_6에서 ST분절의 하강의 원인이 되고 이러한 것들은 조기재분극(early repolarization)의 양상과 일치한다. 환자의 사지유도에서 고민스런 T파의 소실이 있으나 원인은 알 수 없다.

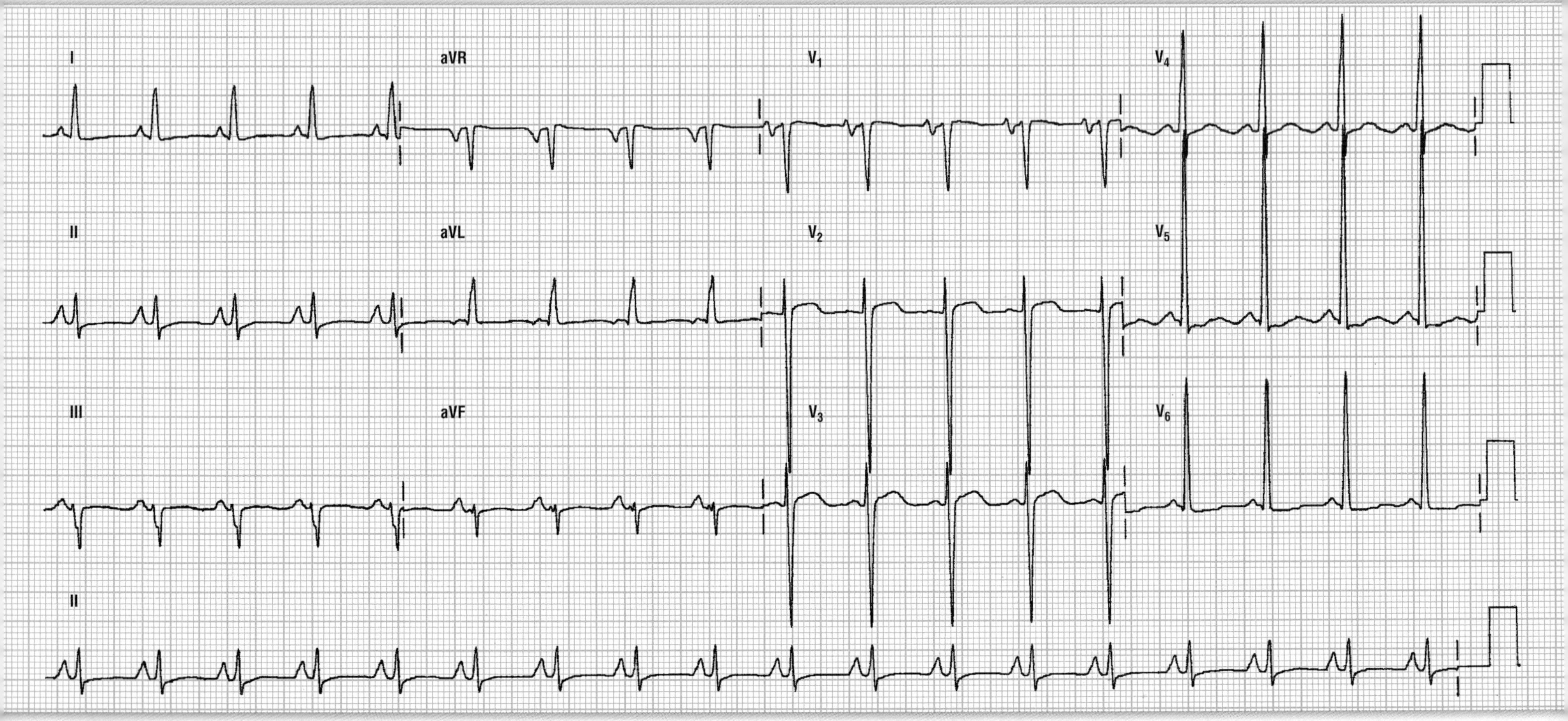

ECG 9-18

2

심전도 9-19 심전도는 승모판성 P와 우심방확장의 소견인 이상성 P파가 있는 양심방비대를 보여준다. 1도 방실차단을 보았는가? 이것은 주의 깊게 보아야 할 심전도 중의 하나이다. 혼란스러운 심전도를 대할 때는 한번에 하나만 집중해서 관찰하도록 하라. 만일 이것들을 분석할 수 있다면 모든 것이 명확해 질 것이다. 첫째, P파를 확인하라. 둘째, P파의 모양과 병리(pathology)를 조사하라. 셋째, 1도 심장차단과 같은 것을 확인하기 위해 P파와 QRS간의 긴 거리를 확인하라. 왜 QRS군들의 모양이 이상한가? 그것은 나중에 공부할 심실내전도차단(inteventricular conduction block, IVCD)이다.

3

심전도 9-19 이것은 폭이 넓고 이상한 심실내전도차단이다. V_6에서 늘어진(slurred) S파와 토끼 귀 혹은 RSR 형태는 우각차단(RBBB)의 지표이다. 그러나 유도 I에서 이것보다 더욱 늘어진 S파가 있어야 한다. 모양이 왜 그토록 이상한지는 확실하지 않다. 덧붙여 환자는 좌전섬유속차단(LAH)이 있다(당신은 양속차단(bifascicular block)과 1도 방실차단이 같이 있는 이런 상황을 지칭하기 위해 "3 섬유속차단(trifascicular block)"이라는 용어를 들어보았을 수 있다. 그러나 이 용어는 정확한 용어가 아니다. 왜냐하면 1도 방실차단은 전도차단(conduction block)이지 속차단(fascicular block)은 아니기 때문이다).

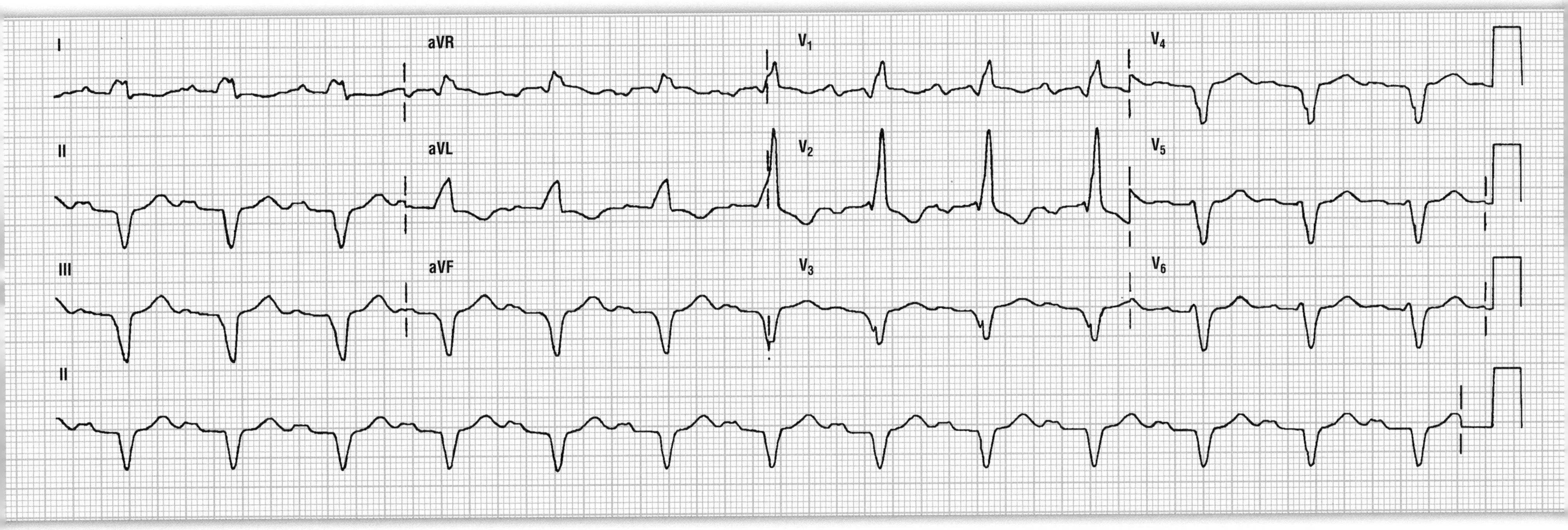

ECG 9-19

심전도 증례 연구 계속

2

심전도 9-20 이것은 양심방비대의 다른 예이다. 이유를 확인할 수 있겠는가? 유도 II에서 폐성 P를 쉽게 볼 수 있는 것에서부터 시작하자. 또한 V_1에서 큰 좌심방 소견에 맞는 이상성 P파가 있다. PR 간격은 정상이다. *PR 간격* 장에서 논의할 것처럼 PR 간격은 P파의 시작 부분에서부터 QRS군의 시작 파형까지이다.

V_1에서는 보이나 다른 유도 V_2, V_3 혹은 II에서는 볼 수 없는 P파들의 변동이 있다. 이것을 그 유도에서의 호흡으로 인한 변이이거나 다른 양성(benign)의 이유를 반영하는 것으로 생각된다.

3

심전도 9-20 전체적인 ST분절의 하강이 있다. 원인은 Tp파 혹은 빈맥에 의한 심내막의 허혈에 의한 것으로 생각된다. 이 Tp파는 심방의 재분극파이며 대개는 QRS군에 묻혀서 보이지 않는다. 빈맥와 전도차단일 경우 잘 나타난다. 빈맥일 경우 심박수가 너무 빨라 Tp파를 확인할 수 있는데 이 경우 ST분절의 하강으로 나타난다. 이때는 환자를 관찰하는 것이 도움이 된다. 예를 들어, 만일 환자가 극심한 저혈압과 빠른 호흡이 있다면 허혈이 맞을 것이고 당신은 빨리 근본 문제를 해결해야 한다. 만일 환자가 앉아 있고 매우 편안해 보인다면 이것은 Tp파일 것이다.

2

심전도 9-21 V_1에서 P파는 첫번째 반이 매우 높은 이상성 P파이다. V_1과 V_6의 높이를 비교하면 당신은 확실하게 V_1의 첫 1/2이 더 높은 것을 볼 것이다. 이것은 우심방확장의 증거이다. V_1에서 두번째 1/2은 폭이 넓고 깊다. 이것은 좌심방확장의 조건을 만족한다. 만일 곱하기를 하고 싶지 않다면, 일반적으로 규칙이 있다. 만일 P파의 반이 합하여 작은 눈금 한 개보다(1mm의 높이와 0.04초의 너비) 크다면 그것은 좌심방확장을 가리킨다. 우리들이 완전한 *한 개의 눈금 (one total box)*이라고 한 것을 주목하라. 이것은 P파가 두 개 박스 눈금의 너비를 가지고 깊이는 한 개 박스의 눈금의 반일 경우 혹은 다른 경우도 가능한 시나리오이기 때문이다.

9번째와 10번째 박동 사이의 불규칙한 것들은 허상(artifact)이다. 측경기를 사용하라 모든 간격이 같을 것이다.

조언

당신의 측경기를 사용하라.

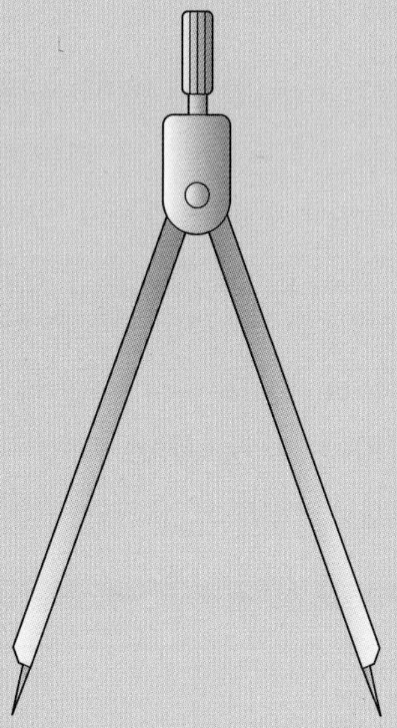

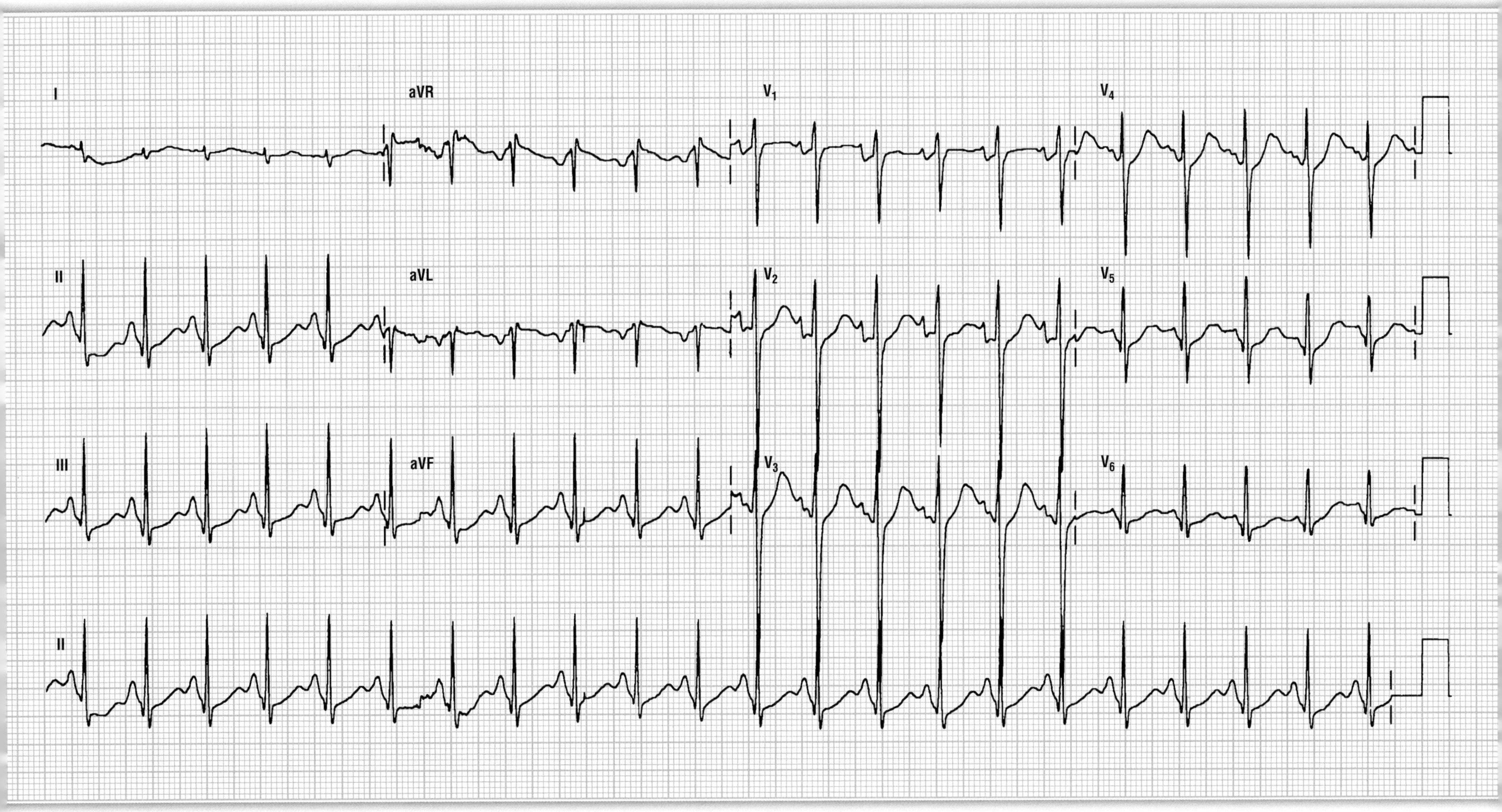

ECG 9-20

심전도 증례 연구 계속

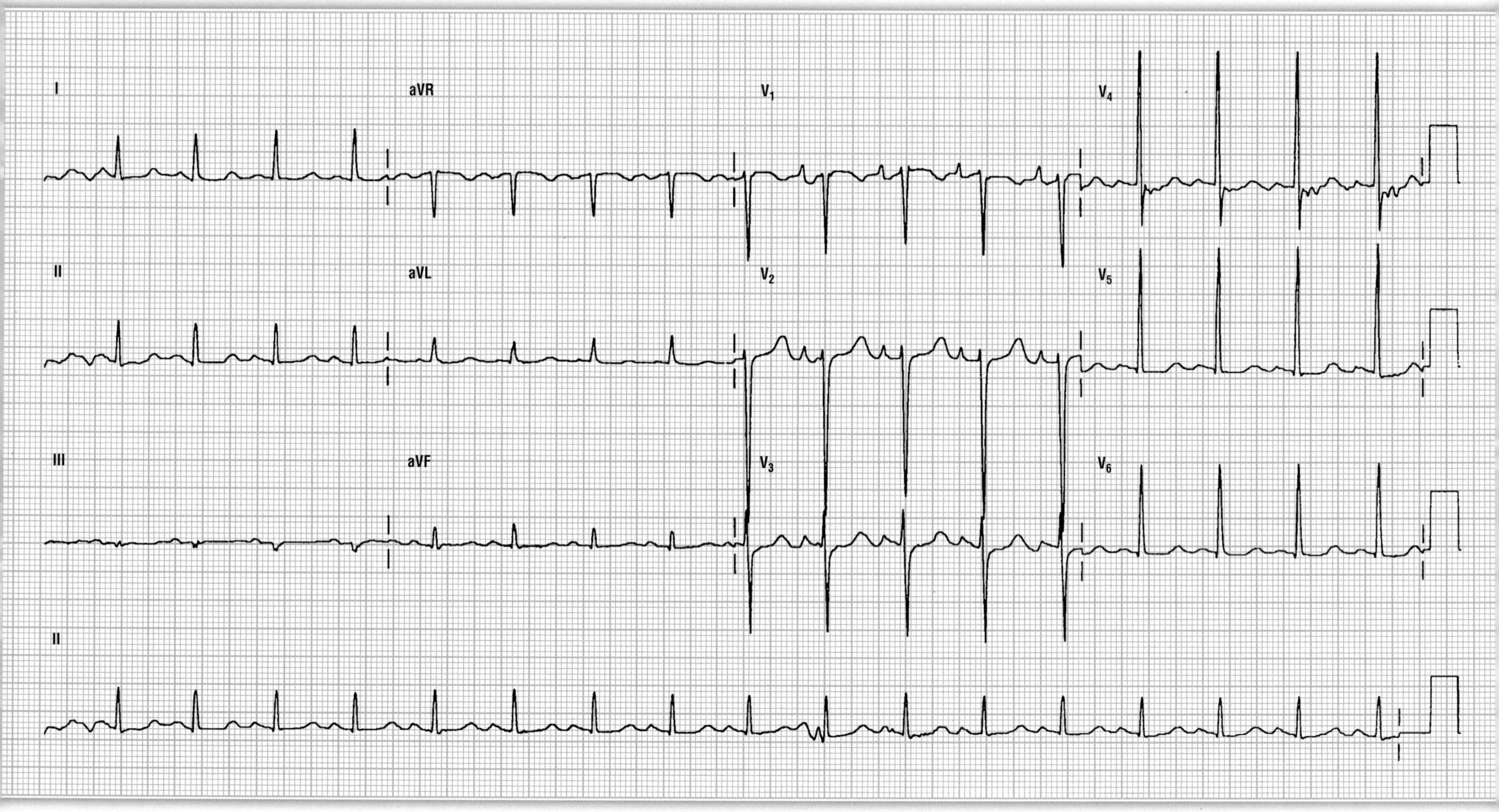

ECG 9-21

1 단원 복습

1. P파는 다음 중 무엇을 나타내는가?

A. 심방 재분극
B. 심방 탈분극
C. 심실 재분극
D. 심실 탈분극
E. 해당사항 없음

2. 어떤 한 유도에서도 P파의 모양은 심박동기로 작용하는 부위의 위치에 따라 달라진다. 참 또는 거짓

3. 다음 중 어느 것이 좌심방확장에 해당하는 것인가?

A. 폐성 P
B. V_1에서 이상성 P파의 두 번째 1/2이 작은 눈금 한 개보다 넓고 깊을 때.
C. A, B 다 맞음
D. 해당사항 없음

4. 다음 중 어느 것이 우심방확장에 해당하는가?

A. 폐성 P
B. V_1에서 이상성 P파의 첫 번째 1/2이 작은 눈금 한 개보다 넓고 깊을 때.
C. A, B 다 맞음
D. 해당사항 없음

5. 양심방확장은 심전도로 진단할 수 없다. 참 또는 거짓

1. B **2.** 참 **3.** B **4.** A **5.** 거짓

2 빠른 복습

6. 심방조기수축은 동방결절에서 생긴 P파와 비교하여 모양과 PR 간격이 다르다. 참 또는 거짓

7. P파는 정상적으로 다음 유도에서 양성이다.

A. I
B. II
C. V_4에서 V_6까지
D. 위 모두 다
E. 해당사항 없음

8. 승모판성 P의 진단요건은?

A. P파 ≥ 0.12초
B. 절흔이 존재할 때
C. 절흔의 두개의 혹 사이 거리 ≥ 0.04초
D. 위 모두
E. 해당사항 없음

9. 폐성 P의 진단 기준은?

A. P파 ≥ 0.12초
B. 절흔이 존재할 때
C. 절흔의 두 개의 혹 사이 거리 ≥ 0.04초
D. 위 모두
E. 해당사항 없음

10. 때로는 하나의 군의 P파가 선행하는 군의 T파에 겹쳐질 수 있다. 참 또는 거짓

6. 참 **7.** D **8.** D **9.** E **10.** 참

10 장

1

전도계 개관

'기본 박동' 장에서 말했듯이 PR 간격은 P파의 시작부터 QRS군 시작까지의 간격이다. 이것의 의미는 심방의 탈분극 시작부터 심실의 탈분극 시작까지의 시간이다.

PR 간격 중에 발생하는 것들에 대해서 분석해 보자. 그림 10-1는 전기적 자극이 ECG와 어떻게 연관을 가지는지 보여준다. 첫 번째, 특화된 심방의 전도로, Bachman bundle 등의 경로를 통한 전기적 자극을 심방세포들로 보내서, 심방을 탈분극하기 시작한다. 전기적 자극은 Bachmann bundle 밑으로의 빠른 전도 때문에, 모든 심방 근육 세포가 탈분극하기 전에 방실결절에 먼저 도달하게 된다. 모든 심방 근육세포의 탈분극은 방실결절의 탈분극보다 더 큰 전기적 힘을 가지는데 이 힘이 심전도에서는 P파로 보이게 된다.

방실결절에서 전기적 전도는 잠시 느려지게 된다(점선의 직사각형을 보라, 이 직사각형이 P파 아래 겹쳐져 있으며, 심전도 상으로 나타나지 않는다). 이 생리적인 속도 감소는 기계적으로 심방의 혈액을 심실로 보낼 수 있게 해준다. 이러한 전기적 차단이 없으면 심방과 심실은 거의 동시에 박동하게 되고 심실은 단지 이완기 동안 수동적 유입(passive inflow)에 의해서만 혈액이 차게 될 것이다. 그러면 결과적으로 심실의 혈액 충만을 감소시켜 심실에서 내보내는 혈액량도 감소할 것이다. 이 '심방의 킥(atrial kick)'이 없으면 많은 환자들이 쇼크에 빠질 것이다.

이 다음으로 활성화되는 His 속은 전기적 자극을 좌각과 우각으로 전도한다. 최종적으로 각각의 Purkinje 섬유로 전도되며, 이것은 심실 심근세포를 자극하게 된다. 이것이 심전도상의 QRS군으로 나타난다.

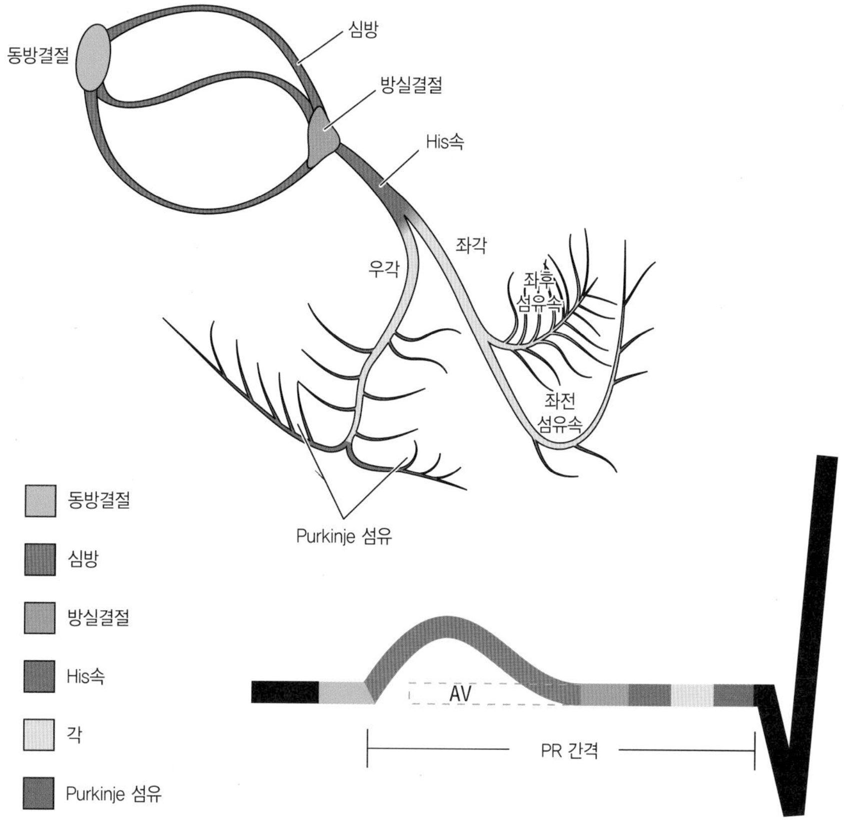

그림 10-1 PR 간격과 연관된 전기전도계

2

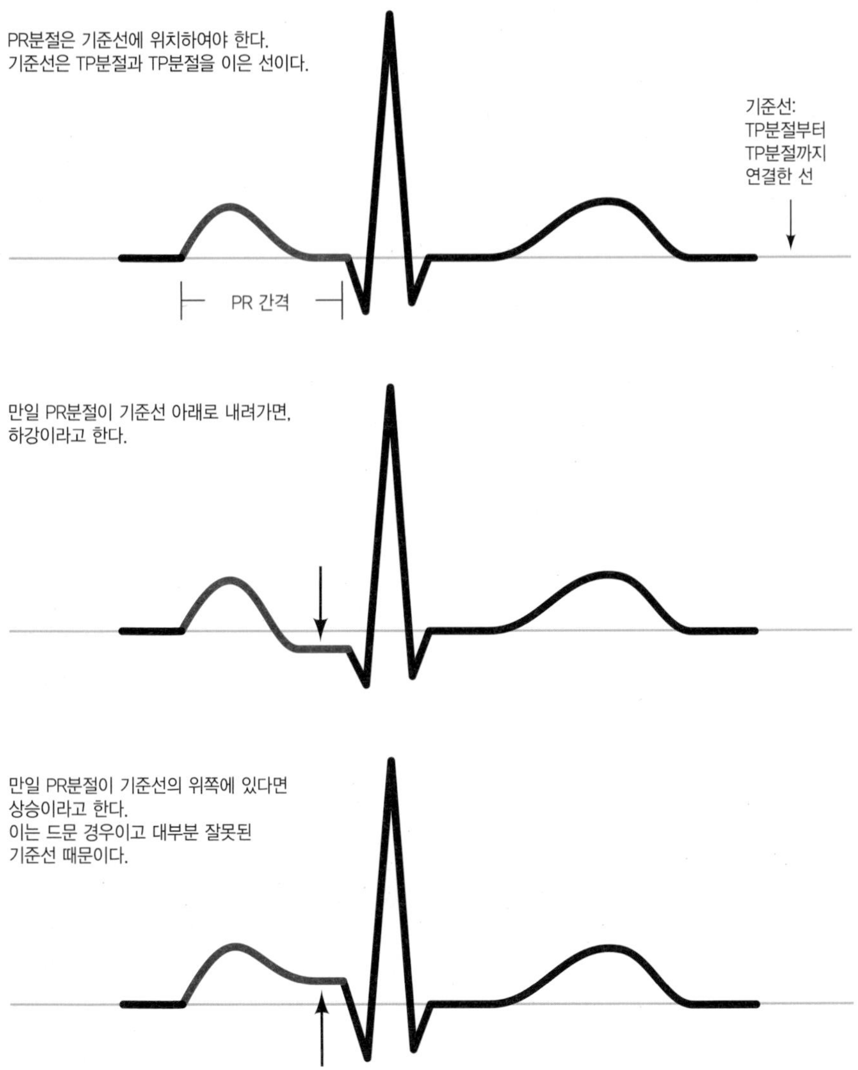

PR분절은 기준선에 위치하여야 한다.
기준선은 TP분절과 TP분절을 이은 선이다.
기준선:
TP분절부터
TP분절까지
연결한 선
PR 간격
만일 PR분절이 기준선 아래로 내려가면,
하강이라고 한다.
만일 PR분절이 기준선의 위쪽에 있다면
상승이라고 한다.
이는 드문 경우이고 대부분 잘못된
기준선 때문이다.

그림 10-2. PR분절의 위치와 기준선과의 관계

2 **빠른 복습**

1. 심전도에서의 기준선은 TP분절부터 __________ 으로 측정한다.

2. PR분절은 기준선에 위치하는가?

3. ST분절이 기준선에 위치하는가?

4. 기준선은 항상 측정될 수는 없는데 이는 빠른 빈맥시 명확한 TP분절을 볼 수 없기 때문이다. 참 혹은 거짓

5. PR분절 상승은 대개 심전도상에서 자주 발생하는 현상이다. 참 혹은 거짓

1. TP 분절 **2.** 예 **3.** 예 **4.** 참 **5.** 거짓

3

심방조기수축들은 짧거나 긴 PR 간격을 가질 수 있다. 왜 이러한 일이 일어날까? 이 질문에 답하기 위해서는 앞 페이지를 보고 PR 간격의 구성을 분석해 보아야 한다. 여기에는 수천분의 몇 초(a few milliseconds)가 빨라지거나 늦어질 수 있는 몇 군데의 위치가 있다. 만일 P파의 시작이 방실결절 근방이거나 생리학적 차단을 일으키는 방실결절 전체를 우회한다면 수천분의 몇 초가 빨라져서 PR 간격을 감소시킨다. 또한 수천분의 몇 초가 늦어져서 PR 간격을 더 연장시킬 수도 있는데, 이는 이소성 심방의 전기적 자극이 결절간 경로를 통하지 않고 세포 대 세포로 전도되면 가능하다. 또 다른 요소들이 PR 간격을 연장할 수 있는데, 여기에는 미주신경 자극, 약물, 전해질 이상 등에 의해 생리적 차단이 발생할 수 있다. 또한 His속, 우각 좌각, Purkinje 섬유계 등에서 위의 같은 원인 혹은 전도로의 해부학적 차단에 의해 전도가 늦어져서 PR 간격의 연장이 발생할 수 있다.

1

PR 하강

PR 하강의 예가 그림 10-3에 있다. 감별 진단

그림 10-3. PR 하강

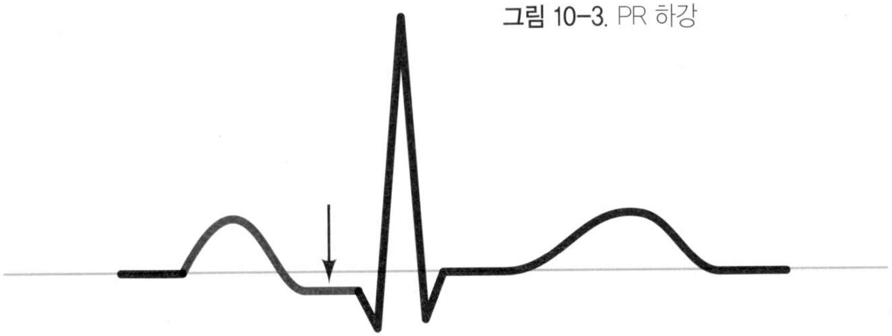

1. 정상 변이(normal variant)

   보통 PR분절은 기준선에 위치한다. 경우에 따라서 정상적으로 약간 하강할 수 있다. 정상으로 생각하기 위해서는 기준선에서 0.8mm 보다 더 하강하여서는 안된다. 이 정상 변이는 PR분절을 아래쪽으로 이동시키는 심방의 재분극에 의해 발생한다. 심방의 재분극 파는 Tp파라고 하는데 보통 QRS군에 묻히기 때문에 보이지 않는다.

2. 심낭염(pericarditis)

   심낭염은 심장을 보호하면서 싸고 있는 섬유 주머니인 심낭의 염증을 의미한다. 우리는 여기에서 당신이 다음의 몇가지 예들을 볼 때 PR분절에만 집중하길 바란다. 단지 기억할 것은 심낭염은 0.8mm 이상의 PR분절 하강을 가지거나 가지지 않을 수 있는 병리적인 과정이다. 2단계를 마치고 이 부분으로 다시 돌아왔을 때 당신은 다른 진단기준들도 배울 것이다.

3. 심방 경색

   굉장히 드물다. 심전도에서 경색의 증거가 있으면서 명확한 PR분절 하강이 있지만 심낭염의 진단 기준을 만족하지 않을 때 심방경색을 생각할 수 있다.

2

심낭염이 있을 때 심전도상에 다음 중 한 개나 그 이상의 소견이 나타난다.

1. 빈맥
2. PR 하강
3. 전반적인 ST분절 상승, 국자로 푹 파낸 것 같은 모양(scooped out appearance)으로 위로 오목(concave upward)하다.
4. QRS군 끝부분의 절흔, 특히 측벽 전흉부유도에서 그러하다.

다음 몇 페이지들에서 나오는 ECG 예들을 보라, 한 개나 그 이상의 심낭염 진단 기준을 찾을 수 있겠는가? 이런 경우들에서 환자의 병력이 중요한데, 대부분 흡기 시나 기침할 때, 바로 누울 때 악화되는 날카로운 흉통을 호소한다. 흉통은 가슴을 앞으로 내고 앉을 때 완화된다.

3

Tp파는 보통 QRS군에 묻혀 보이지 않는다. 매우 빠른 심실상성빈맥 특히 빠른 동빈맥 시 ST분절의 하강을 가끔 볼 수 있다. 보통 이런 경우에서 TP분절을 포함한 기준선이 일정하지 않기 때문에 명확하게 보이지는 않는다.

심방 경색은 심방에 가해지는 압력이 작고 벽이 얇기 때문에 매우 드물다. 또한 심방의 혈액 순환은 테베지우스(thebesian) 정맥에 의해서 혈액을 직접 공급받는 것도 포함되어 있다. 이 작은 정맥들은 심방이나 심실 강(cavity)에서 바로 기시하며 관상동맥계를 거치지 않는다.

심전도 증례 연구 PR 간격 하강

2

심전도 10–1 이 장은 PR 간격에 대한 것이기 때문에 이 예제에서 PR 간격에 집중하자. 아래에 나오는 예제에서 어디가 기준선인가? 종이 한 장을 집어 측정하고 싶은 QRS군을 둘러싸고 있는 TP분절의 끝에 갖다 대어보자. 만일 당신이 측정하고 싶은 QRS군 아래로 종이를 대었다면 PR 간격을 볼 수 없을 것이다. 왜냐하면 PR 간격이 밑으로 놓여 있기 때문이다. 이제 종이의 모서리를 조절하여 종이를 위쪽에서 맞추어 보자(이렇게 하면 QRS군이 거의 안보일 것이다). 당신은 이제 PR 간격이 보일 것이며 얼마나 하강하였는지 측정할 수 있을 것이다. 이 예의 경우에 대략 한 칸 혹은 1.0mm가 될 것이다. 만일 당신이 PR 하강을 발견하면 심낭염이나 심방경색을 염두에 두어야 한다. 심낭염에 대해서는 ST분절에 대한 장에서 더 이야기 하도록 하겠다. 이 심전도에서 PR 간격은 얼마인가? 연장되어 있는가?

3

심전도 10–1 빈맥을 제외한 모든 심낭염에 대한 진단 기준이 이 심전도 소견에 있다.

1. 전반적인 ST분절 상승, 국자로 푹 파낸 모양이고 위쪽으로 오목
2. PR 하강
3. S파의 절흔

ST분절 상승이 하부 유도와 V_3~V_6 사이의 전흉부유도에서 보이면 반드시 하측벽의 급성심근경색을 생각해야 한다. 만일 여기에 V_2를 포함한다면 특수한 형태의 급성심근경색으로 심첨부 급성심근경색을 의미한다. 이것은 주로 매우 큰 우관상동맥이 발달한 관상동맥계로 인해 발생한다 .

조언

기준선을 측정하기 위해서는 직각자 혹은 심전도 자를 사용한다. 기준선은 TP분절에서 TP분절을 연장하여 확인한다.

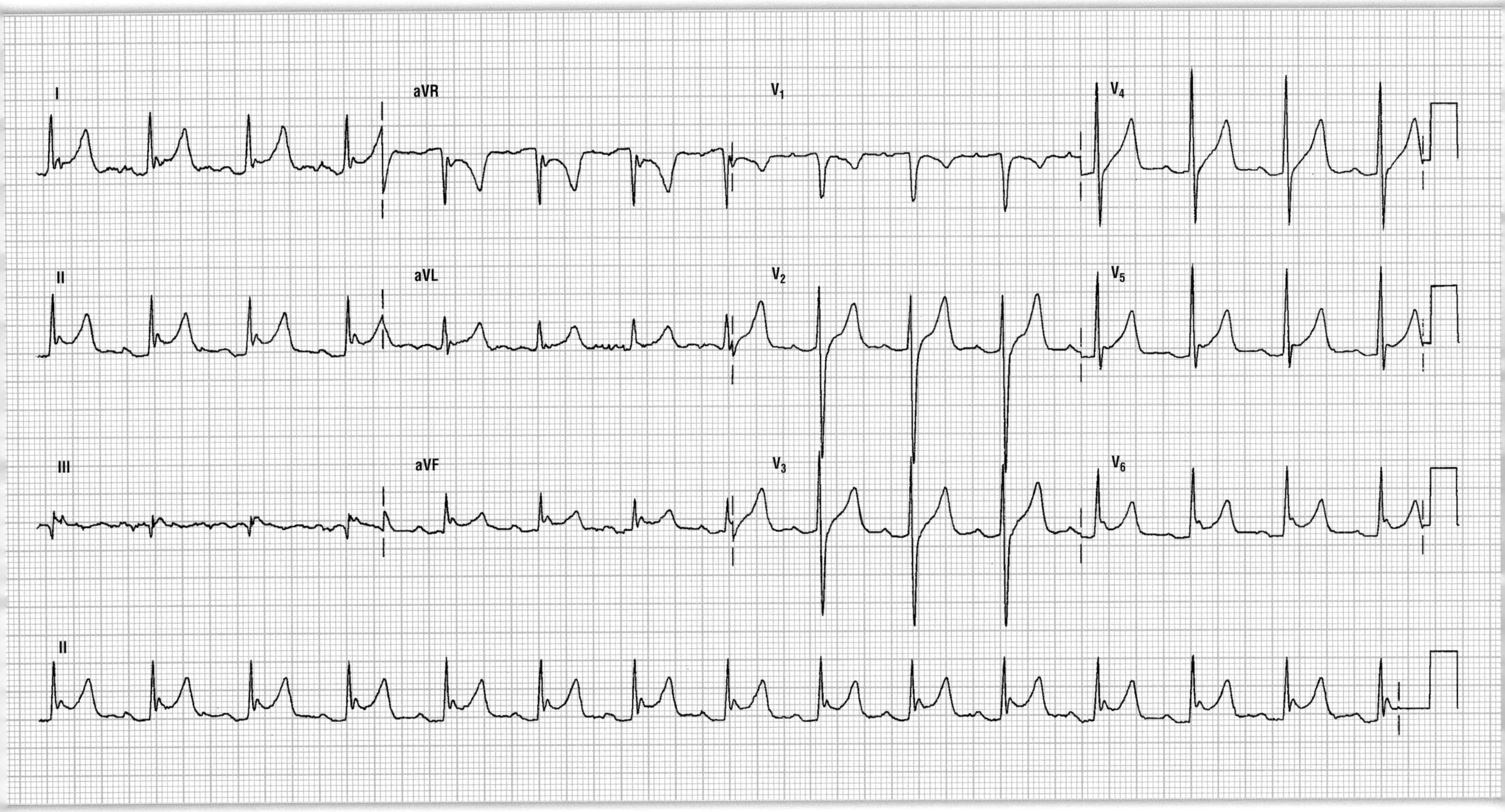
I
aVR
V1
V4
II
aVL
V2
V5
III
aVF
V3
V6
II

ECG 10-1

간격의 측정

그림 10-4에 나오는 정상 PR 간격은 0.12 ~ 0.20초*이다. 0.11초 이하일 때 짧아진 것이며(그림 10-5) 0.20초 보다 클 때 연장된 간격이라고 한다(그림 10-6). P파의 등전위(isoelectric) 부분을 무심코 생략하고 측정하는 오류를 범하지 않기 위해서 간격을 측정할 때는 P파와 QRS군이 가장 넓은 유도에서 측정해야 한다. 만일 이 등전위 부분을 빠뜨리고 측정하게 된다면 부정확하게 PR 간격이 짧아지게 된다. 가장 긴 PR 간격을 가진 유도를 택하여 측정하면 이러한 문제를 피할 수 있다. 기억할 것은 간격들은 모든 유도를 통하여 모두 같아야 한다는 것이다. 이것은 다음 장들에서 더욱 분명해 진다.

PR 간격은 동빈맥과 소아에서 짧고 노인에서 대개 길다.

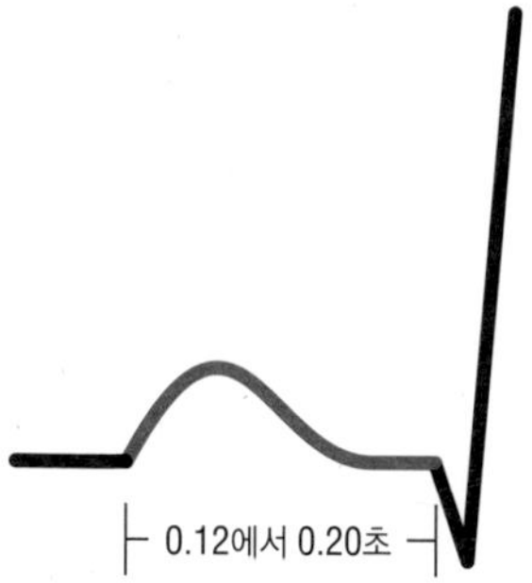

그림 10-4. 정상 PR 간격

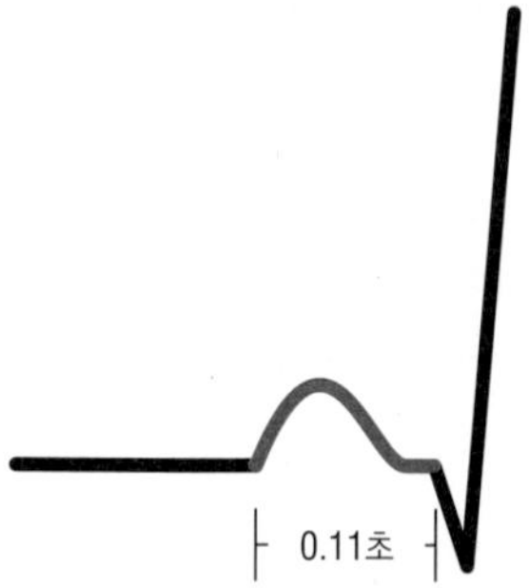

그림 10-5. 짧은 PR 간격

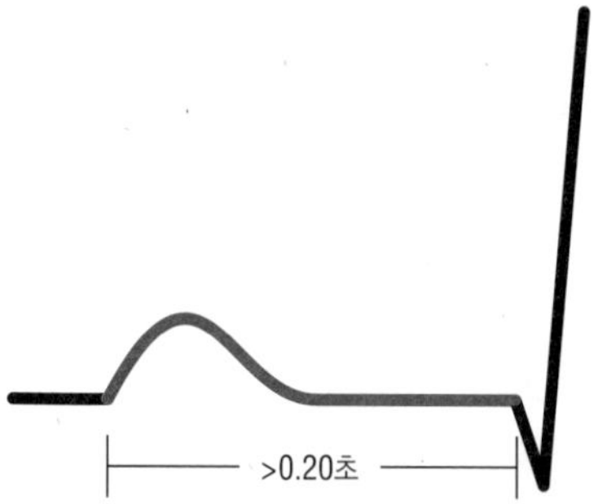

그림 10-6. 긴 PR 간격

*대부분의 책에서 정상 PR 간격은 0.12초에서 0.2초까지이고 1도 방실차단은 0.2초보다 길다. 그러나 그 책들의 예에서는 0.2초를 연장된 것으로 간주하는데 우리는 0.2초를 PR 연장의 경계에 있다고 간주한다.

2 빠른 복습

1. PR 간격은 정상이거나 짧거나 _____ 될 수 있다.
2. 정상 PR 간격은 _____에서 _____ 까지이다.
3. PR 간격이 ____초 이하일 때 짧다고 간주 한다.
4. 빈맥은 PR 간격을 연장시킨다. 참 또는 거짓
5. PR 간격은 어떠한 유도에서도 측정할 수 있다. 참 또는 거짓
6. 간격은 한 유도와 다른 유도에서 다를 수 있다. 참 또는 거짓

1. 연장 **2.** 0.12초, 0.19초 **3.** 0.11 **4.** 거짓 **5.** 거짓 **6.** 간격은 각각 유도에서 짧거나 길게 보일 수 있지만 실제 간격은 모든 유도들에서 항상 같다.

3 빠른 복습

1. 짧은 PR 간격을 가지는 질환에 대한 감별 진단할 수 있는가?
2. 긴 PR 간격을 가지는 질환에 대한 감별 진단할 수 있는가?
3. 왜 우리는 다른 유도들에서 등전위 구역을 가지는가?

1 & 2. #3 답을 보라. **3.** 모든 파형과 분절들은 각각의 개별적인 축을 가진다는 것을 기억하자. QRS 축에서 등전위 분절을 가지고 있는 것과 같이, P, ST분절, QRS 등에서 등전위 분절을 가지고 있다. 그렇기 때문에 가장 긴 간격을 측정해야 한다.

임상의 진주

심전도에서 긴 PR 간격을 접하였다면 재빨리 다른 간격들을 보아야 한다. 만약 모든 간격들이 연장되어 있다면 그것은 아마도 대사의 문제일 것이다. 흔한 것은 고칼륨혈증이다.

2

짧은 PR 간격

PR 간격이 0.11초 이하일 경우 PR 간격이 짧다고 한다. 원인에는 3개의 중요한 기전이 있다.

1. 역행성 접합부 P파들(retrograde junctional P wves)
2. Lown–Ganong–Levine 증후군(LGL)
3. Wolff–Parkinson–White 형태 그리고 증후군(WPW)

역행성 P파는 이전 장에서 논의하였다. 필요 시 되돌아가서 복습하라. 반복학습은 중요하다. LGL 증후군은 양성(benign)인 질환으로, 짧은 PR 간격과 정상 P파, 정상 QRS군을 보인다. 어떤 저자들은 이것이 빈맥과 연관되어 있다고 하나, 다른 저자들은 동의하지 않는다. 발작성 빈맥의 가능성과 기타의 빈맥이 동반되어 있을 수 있다는 것만 염두해 두자. 짧은 PR 간격에 대한 설명은 그림 10–7에 나와 있는 James 섬유라고 하는 우회로를 통해 전기적 자극이 전도된다는 것이다. 이 섬유는 정상 생리적 차단이 일어나는 방실결절의 위쪽과 중간 부위를 우회한다. 그래서 전기적 자극은 정상적인 생리적 차단을 우회하여 PR 간격을 짧게 한다. QRS군은 정상인데 그것은 His속과 우각, 좌각을 통한 전도는 정상적으로 일어나기 때문이다. WPW 증후군에 대해 짧게 논의해 보겠다.

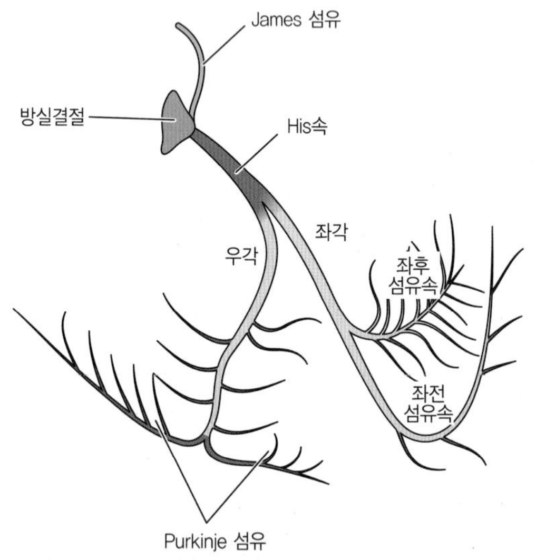

그림 10–7. James 섬유

2 빠른 복습

1. 짧은 PR 간격의 3가지 중요한 원인은 무엇인가.?
2. 역행성 P파는 ECG에서 쉽게 찾을 수 있다. P파가 II, III, 그리고 aVF 유도들에서 뒤집어져 있기 때문이다. 참 또는 거짓
3. 짧은 PR과 정상 QRS군을 보이는 증후군의 명칭은 무엇인가?
4. LGL 증후군과 연관된 우회로의 명칭은 무엇인가?
5. 만약 짧은 PR 간격과 정상 QRS군을 가진 환자가 매우 빠른 빈맥 에피소드로 보고된다면 당신은 놀랄 것인가?

1. 이 질문 바로 위의 2 단계의 내용을 참고 **2.** 참 **3.** LGL 증후군 **4.** James 섬유 **5.** 아니오

3

James 섬유 이외에 다른 2개의 우회로가 존재한다. 이름을 알고 있는가? 그것들은 Kent속(bundle)과 Mahaim 섬유이다. Mahaim 섬유는 방실결절 하부나 심실중격 내의 His속을 연결하는 짧은 우회로이다. Mahaim 섬유는 delta파와 관련이 있고 WPW 일부 증례들의 원인일 수 있다. 이 2가지 섬유로는 같은 환자에서 존재할 수 있지만 드물다.

Mahaim 섬유를 가지는 환자는 정상 생리적 차단이 유지되기 때문에 PR 간격이 정상이다. Kent속은 방실결절을 우회하기 때문에 PR 간격이 짧아질 수 있다.

2

심전도 10-2 이것은 대략 0.08초의 짧은 PR 간격이다. LGL 증후군의 예로 매우 짧은 PR 간격과 정상군들을 가진다. 이것의 임상적 의의는 무엇인가? 빈맥과 연관될 수 있다는 것 빼고는 딱히 없다. 그렇다면 왜 우리는 LGL과 WPW (다음 페이지) 조사하려고 시간을 낭비하고 있는 것일까? 왜냐하면 이것들은 우리가 쉽게 지나치는 경우가 많기 때문이다. 실신을 주소로 36번이나 응급실에 온 환자가 있었는데 그동안 20번 정도의 심전도를 찍었다. 그는 정신과로 보내졌고 항우울제와 항정신약물을 처방 받았다. 이것은 WPW를 진단만 하면 피할 수 있었던 환자 인생을 부정적인 악순환으로 몰고 갔다.

3

심전도 10-2 기본 율동은 동부정맥이다. 많은 이야기를 할 것 없는 심전도이다. 그래서 알아야 하고 기억해야 하는 다양한 소견들에 대한 감별 진단에 대해 논의해본다. 훌륭한 임상의가 되기 위해서 환자의 상태에 대한 모든 가능성을 생각해보아야만 한다. 정확한 진단을 내리기 위한 유일한 방법은 그것에 대해 생각해 보는 것이다. 특정 상태를 판정하거나 배제하기 위해 정보를 활용하라. 이 책에 나오는 감별 진단들을 3×5 사이즈의 작은 카드로 만들어 항상 가지고 다니면서, 이 카드들을 몇일 복습한다면 절대로 잊어버리지 않을 것이다.

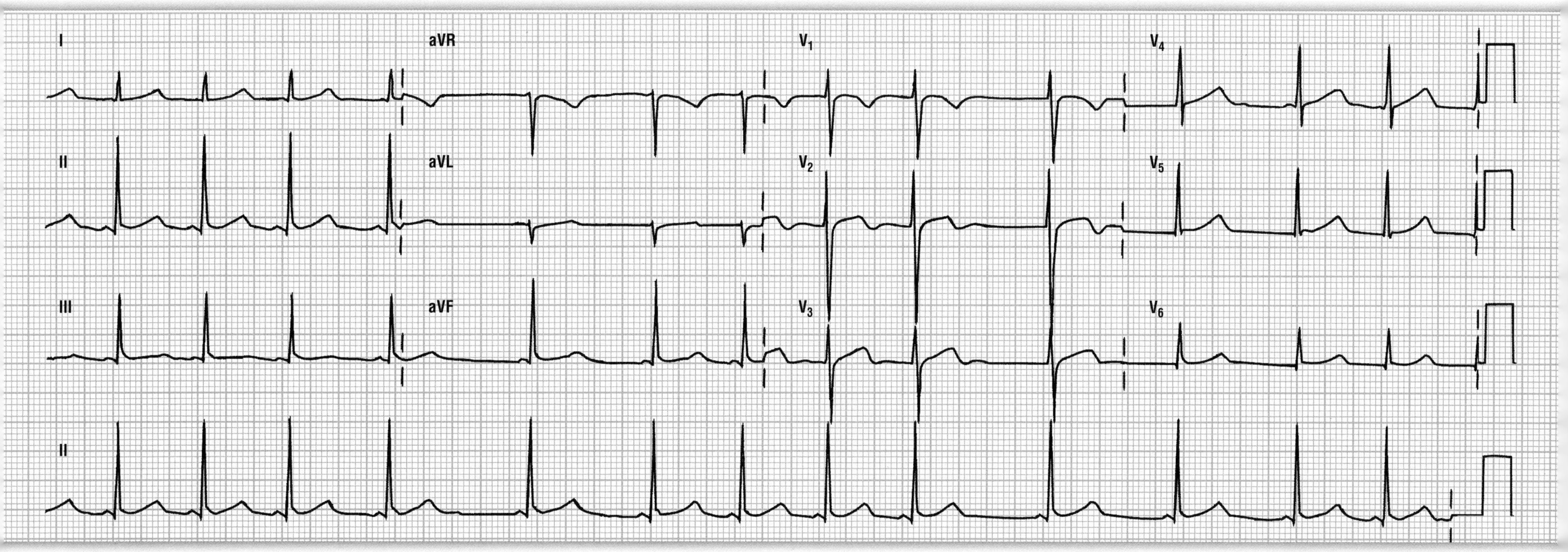

ECG 10-2

2

Wolff-Parkinson-White 증후군(WPW) (조기흥분증후군)

WPW 증후군은 다음과 같이 정의한다.

1. 짧은 PR 간격(< 0.12초)과 정상 P파
2. 넓은 QRS군(≥ 0.11초)
3. delta파의 존재
4. ST-T파의 변화나 이상
5. 발작성 빈맥의 동반

WPW 환자들은 그림 10-8에서 보이는 것과 같이 방실결절을 우회하는 Kent속(bundle)이라고 알려진 우회로를 가진다. 이제 전기적 자극이 심방을 통해 아래로 전달되는 것을 상상해보자. 자극이 방실결절과 Kent속에 거의 동시에 전달된다. 자극은 방실결절을 통과하면서 생리적적 차단을 만나게 된다. 전기 자극은 Kent속을 통해서도 같이 전달되며 이것은 어떠한 차단도 없기 때문에 곧 바로 심실 근육으로 퍼져 나가기 시작한다. 이러한 진행은 느리게 일어나며 심전도 기록에 넓은 QRS 모양으로 나타난다. 이것은 Kent속의 마지막 지점에서 심실조기박동(PVC)이 (넓고, 이상한 모양의 군) 발생한다고 말하는 것과 실질적으로 같은 것이다. 이제 전기적 자극이 방실결절을 따라 내려오는 것을 기억하는가? 이 자극은 정상적인 전도로를 타고 내려와 아직까지 Kent속을 타고 내려온 자극으로 탈분극되지 않은 심실 근육을 탈분극시킨다. 왜냐하면 Kent속을 타고 내려와 심실근육을 통과하는 자극보다 방실결절에서 나온 전기 자극이 더 빠르기 때문이다. 이 두 파형은 만나서 각 지역의 불응기로 인해 서로를 소멸시킨다. 느린 Kent속에서 나온 자극은 정상적인 전기적 자극와 겹쳐지고 융합하여 그림 10-9에서처럼 융합 박동인 델타파(delta wave)를 만들게 된다. 실제의 델타파는 QRS군 초기에 나타나는 불명확한 부분인데, 이것은 Kent속을 통해 전해진 자극으로 흥분한 심근조직의 조그만 양을 의미한다.

만일 환자가 빈맥을 제외한 상기의 모든 소견을 가지고 있다면 그것을 WPW 형태(pattern)라고 한다. 덧붙여 12%의 환자들은 정상 PR 간격을 가지고 있다. 그렇다면 왜 WPW에 많은 설명을 하였을까? 그것은 위에서 말했듯이 빈맥과 연관되어 있기 때문이다. 이런 빈맥은 넓을(>0.12초) 수 있고 규칙적이거나 불규칙적일 수 있고, 매우 빠를 수 있다. 심실상성빈맥 형태와 심실빈맥 형태를 구별하는 것은 어렵고 경우에 따라서는 불가능하다. 이 빈맥의 치료에 관한 것은 이 책의 범위 밖이다. 하지만 우리는 충분히 치료전략에 대해 공부하고 왜 그것이 중요한지 알기를 바란다. 기억해야 할 것은 넓은 QRS군 빈맥을 치료하여야 할 때는 정확히 어떤 종류의 빈맥인지 판명나기 전까지 심실빈맥으로써 치료하여야 한다.

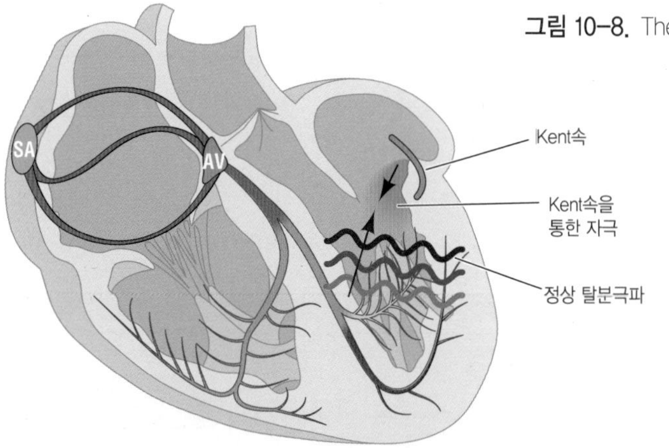

그림 10-8. The Kent속

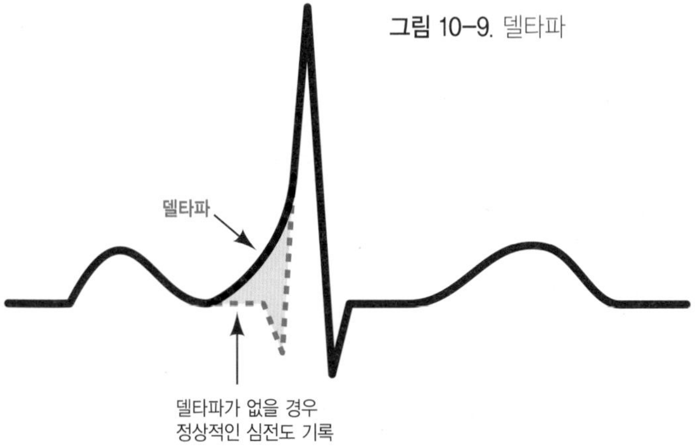

그림 10-9. 델타파

2

심전도 10-3 심전도 상 고전적인 WPW 형태 예제이다. 짧은 PR 간격과 명확한 델타파에 주목하자. 이 예제에서 델타파는 모든 유도에서 볼 수 있다. 항상 델타파가 보이는 것은 아닌데, 어떤 유도들은 델타파의 성분과 등전위(isoelectric)를 이루기 때문이다. 유도 III와 aVF에서 델타파가 있는가? 그렇다. 하지만 하향파이다(밑으로 향해 있다). 만약 당신이 이 책을 순서대로 읽었다면 Q파에 대해 공부하였을 것이고 이 책의 끝에서 기본적인 경색 패턴에 대해 공부하게 될 것이다. 유도 III와 aVF에서 보면 Q파와 유사한 것을 볼 수 있다(때때로 Q파로 혼돈하지만). 이런 Q파와의 유사성 때문에 가성경색 유형(pseudoinfarct pattern)이라고 불려진다. 이것은 실제 경색이 아니다.

심전도에서 ST와 T파의 변화를 살펴보자. V_1에서 V_3 까지 ST 상승과 I, aVL과 V_4에서 V_6까지의 T파 역위를 볼 수 있다. 이것들이 허혈 소견일까? WPW를 가진 환자에서는 아니다. 왜 이런 현상이 생기느냐 하면 탈분극파의 일부가 우회로(accessory pathway)를 타고 내려오고 이것이 또한 재분극을 비정상적으로 만들기 때문이다. 이러한 비정상적인 재분극으로 인해 ST와 T파의 이상을 만든다. 이것이 WPW를 가진 환자에서 급성심근경색의 진단이 어려운 이유이다. 병력이 진단에 도움을 줄 것이며, 급성심근경색증이 의심되면 빨리 심장전문의에게 의뢰해라.

조언

LGL은 양성 경과를 가지는 질환이다. WPW는 생명이 위급할 수 있다.

심전도 증례 연구 계속

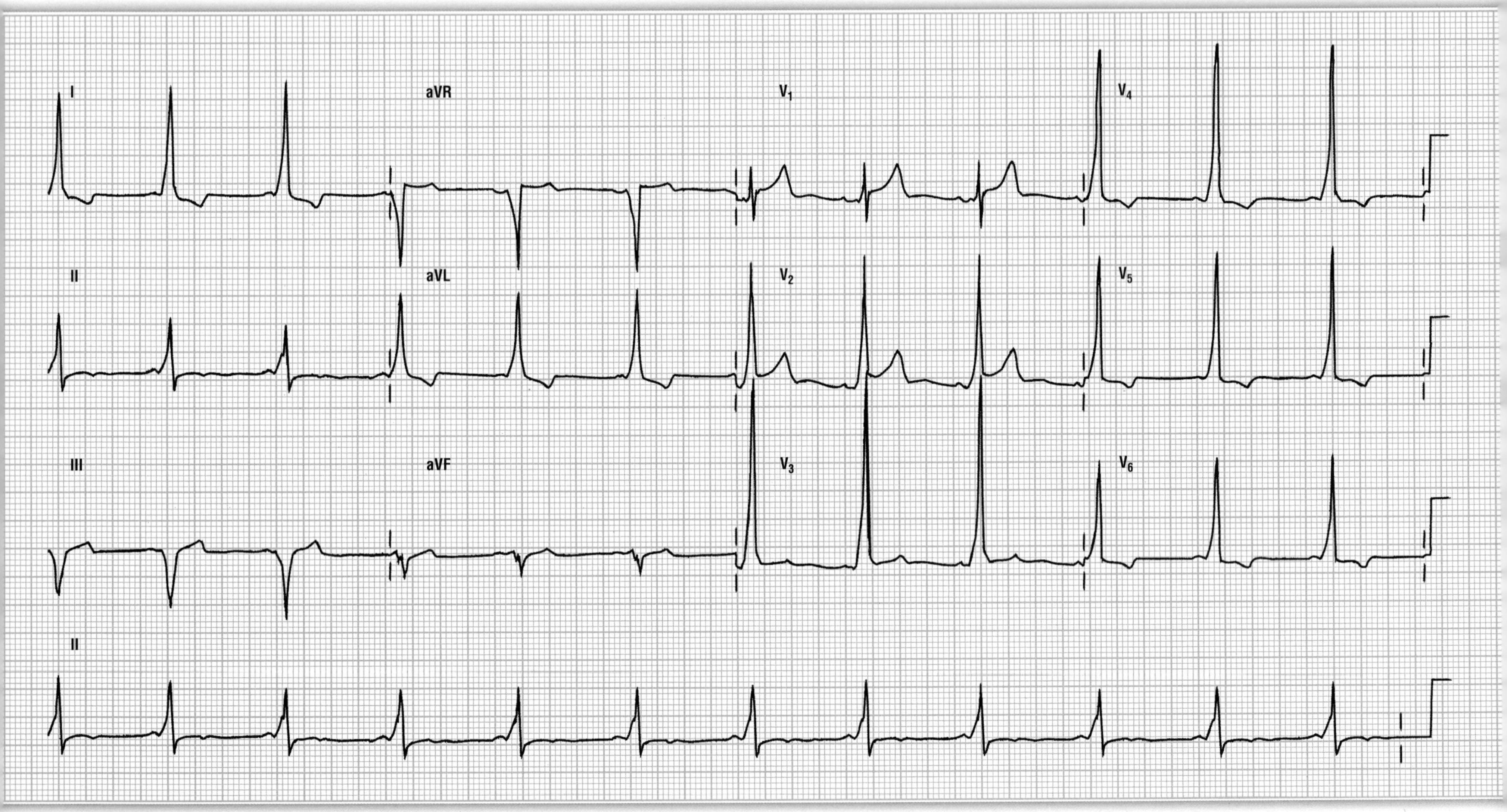

ECG 10-3

WPW 증후군-고급 정보

3가지 유형의 WPW가 있다.

A형: 이 유형에서는 QRS군이 모든 흉부유도에서 기본적으로 상향파이다. A형을 기억하기 좋은 방법은 V_1의 QRS군의 중간에 조그만 가로줄을 긋고 "A"와 유사하다고 생각하는 것이다(그림 10-10, 위). B형은 다르게도 V_1과 V_2에서 하향파이다. 상상력을 이용하여 이것이 "b"와 유사하다고 생각하자(그림 10-10, 아래). 이것은 가끔 RSR' 유형을 가진 우각차단과 비슷해서 보통 실수를 잘한다. ST-T파의 재분극 이상은 보통 우측 흉부 유도에서 나타나며 ST 하강과 T파의 역위로 나타난다. A형은 보통 Kent속이 심장의 왼편에 있는 경우 나타난다.

B형: 여기서는 QRS군이 V_1과 V_2에서 하향파로 나타나고 왼편의 전흉부유도에서 상향파로 나타난다. 이 형태 때문에 좌각차단과 오인할 수 있다. 재분극 이상은 좌측 전흉부유도에서 볼 수 있다.

C형: 여기서는 V_1에서 V_4까지 QRS군이 상향파이고 V_5~V_6에서 하향파이다. 시작은 A형과 비슷하지만 상향파가 측벽 유도까지 이어지지 않는다. 이 유형은 매우 드물다.

모든 유형의 WPW에서 델타파가 하향파일 경우 Q파와 비슷하기 때문에 심근경색으로 오인할 수 있다. 이것은 특히 하부유도에서 하향파일 때 그렇다. 이런 패턴을 가성경색(pseudoinfarct)이라 한다(B형의 도식 참고). 또 다른 가능성은 A형과 관련된 급성심근경색증인데 V_1의 큰 R파로 인해 후벽부 경색과 닮았다.

빈맥이 있을 때 전기 자극은 Kent 속을 타고 내려와 다시 방실결절로 올라가거나 방실결절로 내려와 Kent 속을 다시 올라갈 수 있다. Kent 속을 타고 내려와 방실결절로 올라갈 때를 역방향(antidromic)이라 한다.

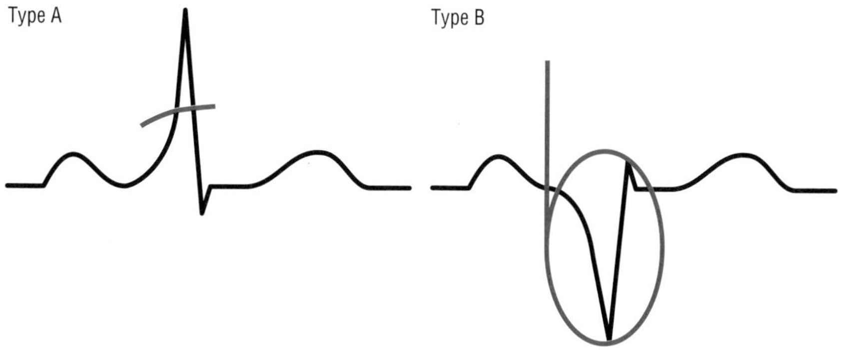

그림 10-10. WPW 증후군, A형 그리고 B형.

이런 원형운동(circus movement)을 가진 경우 넓은 QRS 빈맥이 나타나며 심실빈맥과 구별하기 어렵다. 역방향 빈맥은 매우 빠를 수 있는데 특히 심방세동이나 심방조동이 1대1 전도를 할 때 가능하다.

다른 빈맥의 양상이 존재하는데, 전기 자극이 방실결절을 내려가서 Kent속을 타고 다시 심방으로 돌아올 때 이것을 정방향(orthodromic)이라 한다. 이 경우에 빈맥은 폭이 좁은 QRS 형태를 보이며 방실결절이 생리적 차단으로 그 기능을 아직 발휘하기 때문에 덜 위험하다. 그래서 빈맥은 대부분 느리며 역행성 빈맥보다 좀 더 조절하기 쉽다.

임상의 진주

V_1에서의 높은 R파에 대한 감별 진단 :

1. 우각차단
2. 후벽 심근경색
3. 우심실비대
4. WPW type A
5. 청소년기 및 소아에서 정상 소견

심전도 증례 연구 계속

2

심전도 10-4 이 예제에서 특징적인 WPW 델타파를 또 볼 수 있다. 하지만 PR 간격은 어떠한가? 짧은가? 이 심전도에서 PR 간격은 0.12초이다. 대략 12%의 WPW 환자들에서 짧은 PR 간격을 볼 수 없다. 어떤 경우에 1도 방실차단일수도 있다. 왜 이런 일이 발생할까? 델타파가 밑에 있는 PR 간격을 단지 감추기만 한다는 것을 기억하자(그림 10-9 참조) 만일 근본 문제가 PR 간격이 연장이라면, 델타파가 겹쳤을 때 정상이거나 연장된 PR 간격을 보일 수 있다.

이 환자는 aVL에서 가성경색(pseudoinfarct) 형태를 보이고 WPW에서 흔한 ST-T파 이상을 보인다.

3

이 심전도와 **심전도 10-3**은 V_1의 QRS군의 델타파가 상향파인 A형 WPW이다. B형은 하향파이다. 이 다른 형태가 의미하는 바는 일반적으로 A형이 심장의 좌측에서 기시하는 우회로와 연관이 있고 B형은 심장의 우측의 우회로와 연관이 있다. 이것은 엄밀하게는 사실이 아닌데 많은 환자에서 하나 이상의 우회로를 가지기 때문이다. 우회로를 찾는 가장 좋은 방법은 전기생리검사이다.

조언

Q파는 항상 병적이지는 않다.

2

심전도 10-5 이것은 또 다른 WPW 예제이다. 흥미로운 변이가 있는데 그것을 지적할 수 있는가? 자세히 보고 다시 돌아오라.

우선 6번째 심전도파는 대부분 방실결절을 통해 전도한 심방기외수축(APC)이다. 어떻게 이것을 알 수 있을까? 델타파가 이 군에서 작은데 이 의미는 방실결절을 통해 대부분의 전도가 이루어졌기 때문이다.

두 번째로, 지금쯤에는 P파에 대한 전문가로서, P파가 많은 군들에서 다름을 알 수 있다. 게다가 많은 례에서 PR 그리고 RR 간격이 다르다. 측경기를 사용해 보자. 이것은 WPW와 유주심방심박조율(wandering pacemaker)이 동반된 경우이다.

3

심전도 10-5 이 심전도에 대한 2 단계 자료를 읽었는지 확인하고 지시에 따라라. 이제 리듬과 심방조기수축을 지적할 수 있겠는가? 그렇다고 안심하지는 말자. 당신은 이제 측경기를 쥐고 아주 자세히 이 심전도를 조사하여야 한다. 이것이 심전도를 읽고 판독하는 것에 도사가 되는(정통하게 되는) 유일한 길이다.

이것은 B형 WPW의 예제이다. V_1에서 델타파가 음성인 것을 주목하자. 그리고 III, aVF, V_1에서 멋진 가성경색 형태를 보이고 있다. B형 WPW는 종종 전벽의 심근경색이나 좌각차단과 오진할 수 있으니 조심해야 한다.

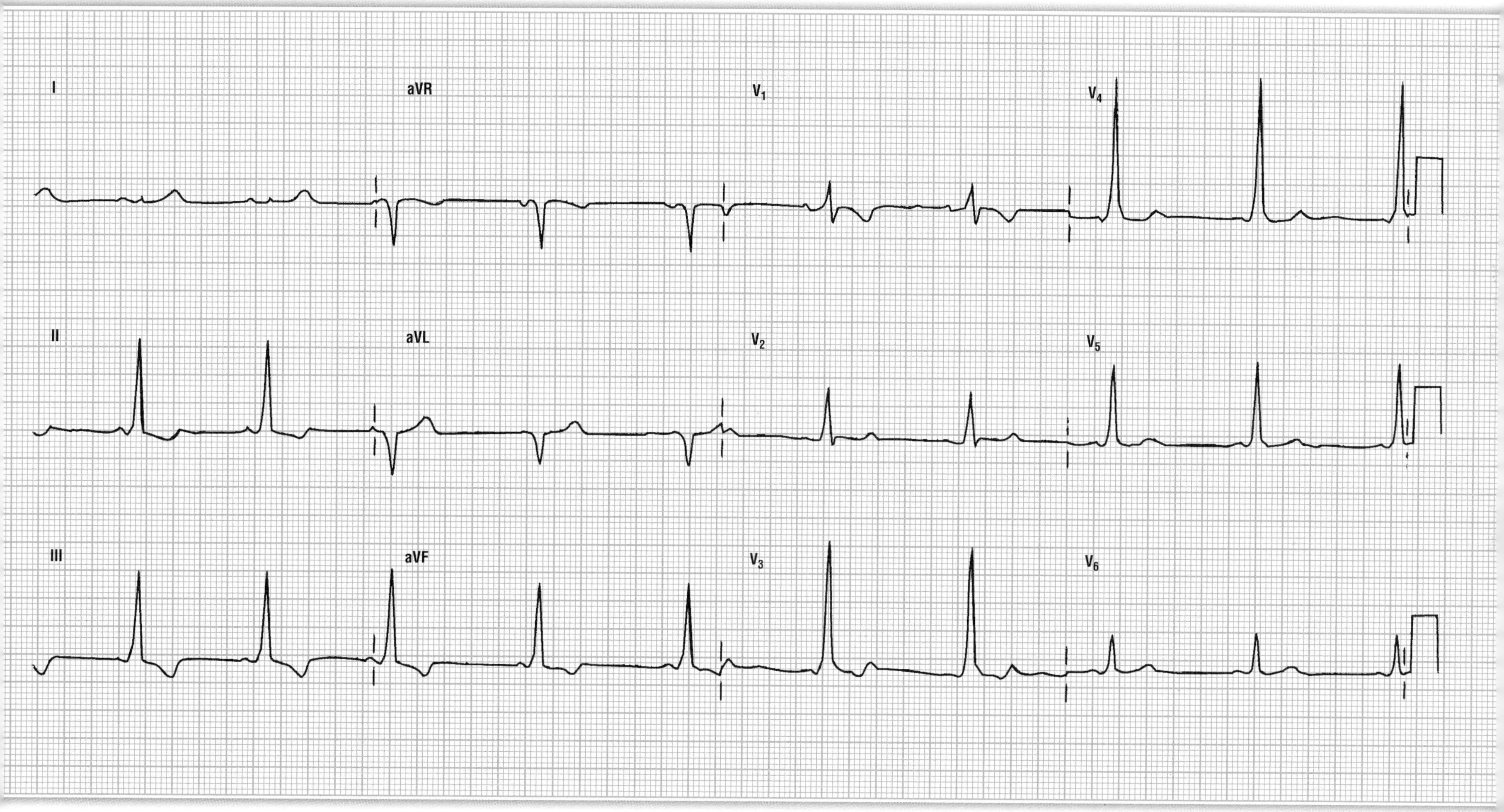
I
aVR
V1
V4
II
aVL
V2
V5
III
aVF
V3
V6

ECG 10-4

심전도 증례 연구 계속

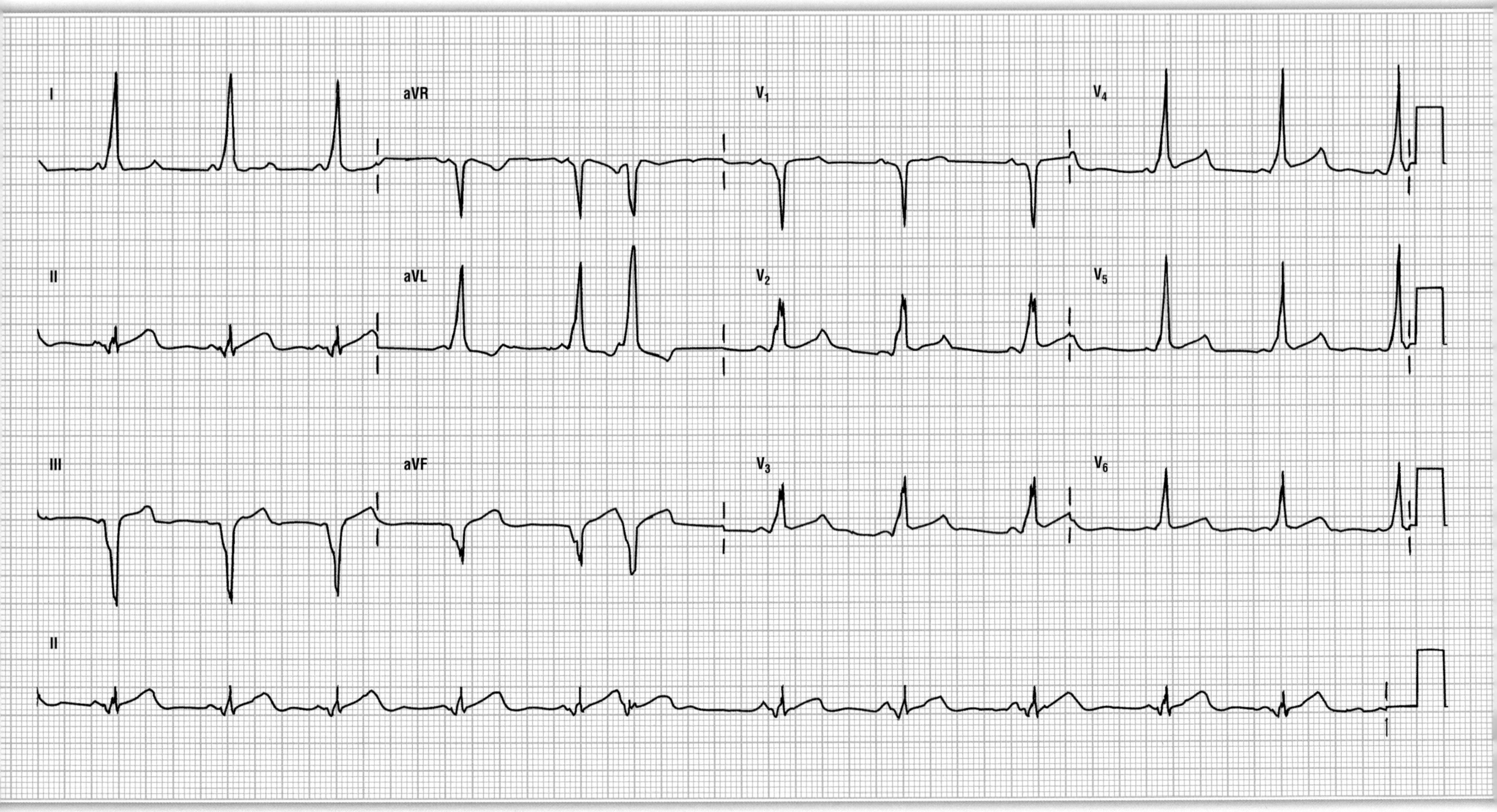

ECG 10-5

2

심전도 10-6 또 다른 WPW 예제가 있다 이 경우에 여러 유도에서 쉽게 델타파를 볼 수 있다. 여기서도 PR 간격은 WPW에서 예상하는 것보다 길다. 유도 II, III, 그리고 aVF에서 Q파가 있는가? 아니다. 하부 유도의 델타파는 하벽 심근경색에서 볼 수 있는 Q파와 흡사하다는 것을 기억하라.

3

심전도 10-6 또 WPW이다. 그런데 A형일까 B형일까? 글쎄, A형에서 V_1의 델타파는 상향이다. 문제는 이 상향파가 모든 흉부 유도에서 상향파이어야 한다는 것이다. B형은 V_1에서 하향파이어야 한다. 그래서 이것은 바른 대답이 아니다. 이것은 C형이다. 시작은 A형과 비슷하나, 좌측벽 전흉부 유도에서 하향 델타파를 보인다. 이것은 희귀한 증후군의 매우 보기 드문 형태이다. 여기서 중요한 것은 WPW로 진단하는 것이고, 심장전기생리검사(EPS)가 전문인 심장부정맥 전문의에게 보내는 것이다.

2

심전도 10-7 이것은 다른 형태의 심전도이다. 눈금상자가 모든 유도의 시작점에 나타나며 아래쪽에 리듬 스트립(rhythm strip)이 없다. 만약 익숙하게 보던 것과 다른 유형의 심전도와 직면하면 그냥 구성 요소와 각 유도들을 하나하나 떼어서 보면 된다. 각 유도에 대한 이름이 없어도 우리가 흔히 보던 심전도와 같은 형식이다. 만일 각 유도의 순서가 다르다면 그 심전도에 표시되어 있다.

이것은 WPW 환자이다. 전통적인 델타파를 모든 유도에서 쉽게 찾아낼 수 있다. III과 aVF를 보자. 이 유도에서 무슨 일들이 벌어지고 있는 것일까? 글쎄, P파들이 이들 유도에서 등전위를 이루거나, 이것에 가깝고, 잘 보이지도 않는다. 당신에게 보이는 것은 명확한 절흔을 가진 작은 QRS군이다. 이 군의 첫 부분은 P파가 아니다.

이것은 고립된 심실내전도지연(isolated intraventricular conduction delay)이다. QRS군을 넓히지 않고 단지 몇 개의 유도에서만 보이기 때문에 이것은 고립(isolated)돼 있다고 한다. QRS군이 이상한 모양을 보이는 이유는 (비정상 경로를 통해) 편위전도되기 때문이고 이것이 심전도에서 다른 모양으로 보이게 된다. 만일 전도장애가 방실결절 근처에서, 빨리 일어나면, QRS군은 더 넓어질 것이고 QRS군 모양에서 전체적인 변화를 보일 것이다. 나중에 각차단에서 더 자세히 논의하도록 한다.

임상의 진주

WPW형 심전도 패턴과 WPW 증후군은 차이점이 있다. 증후군은 발작성 빈맥이 동반된 경우이다.

심전도 증례 연구 계속

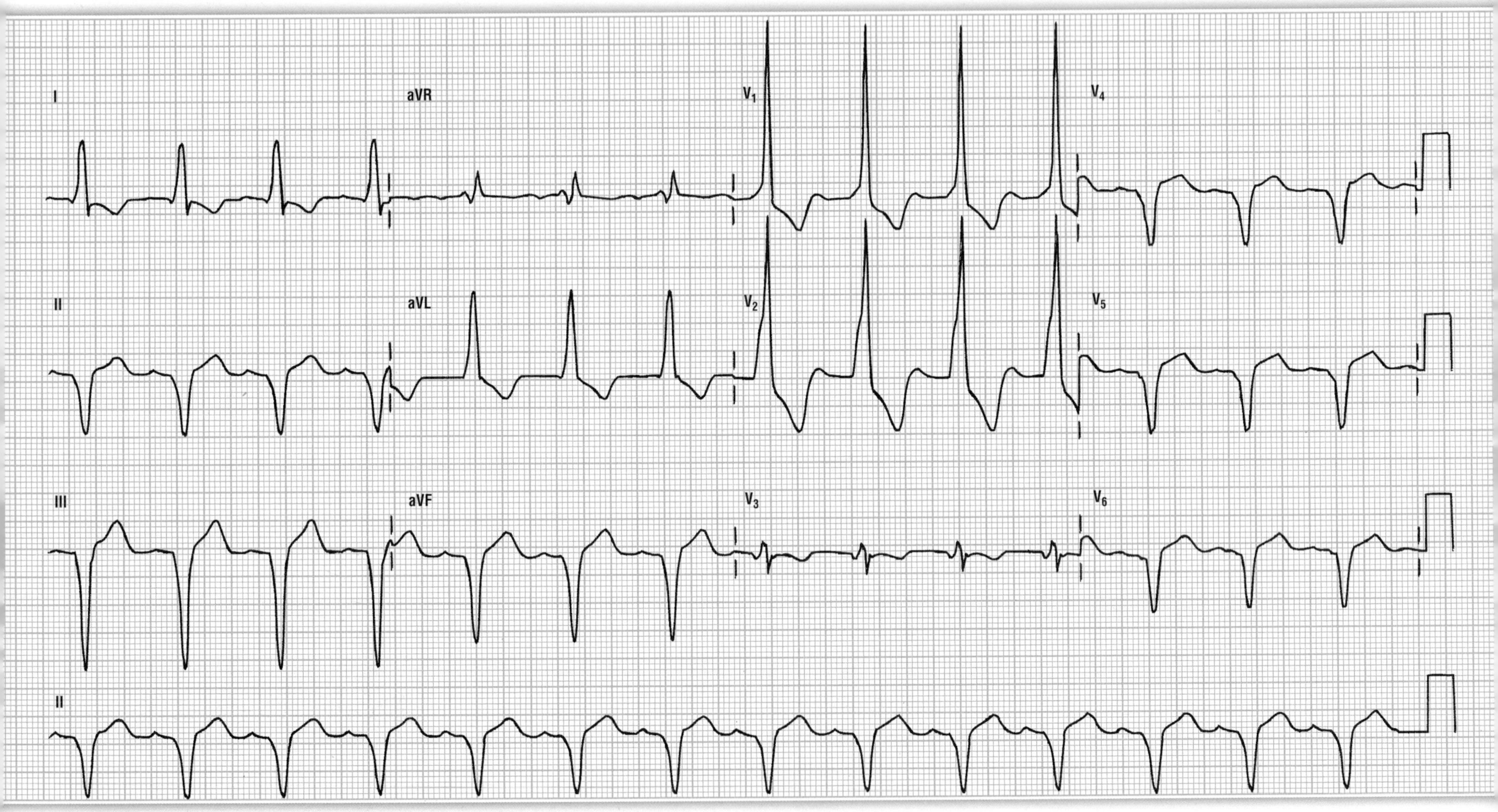

ECG 10-6

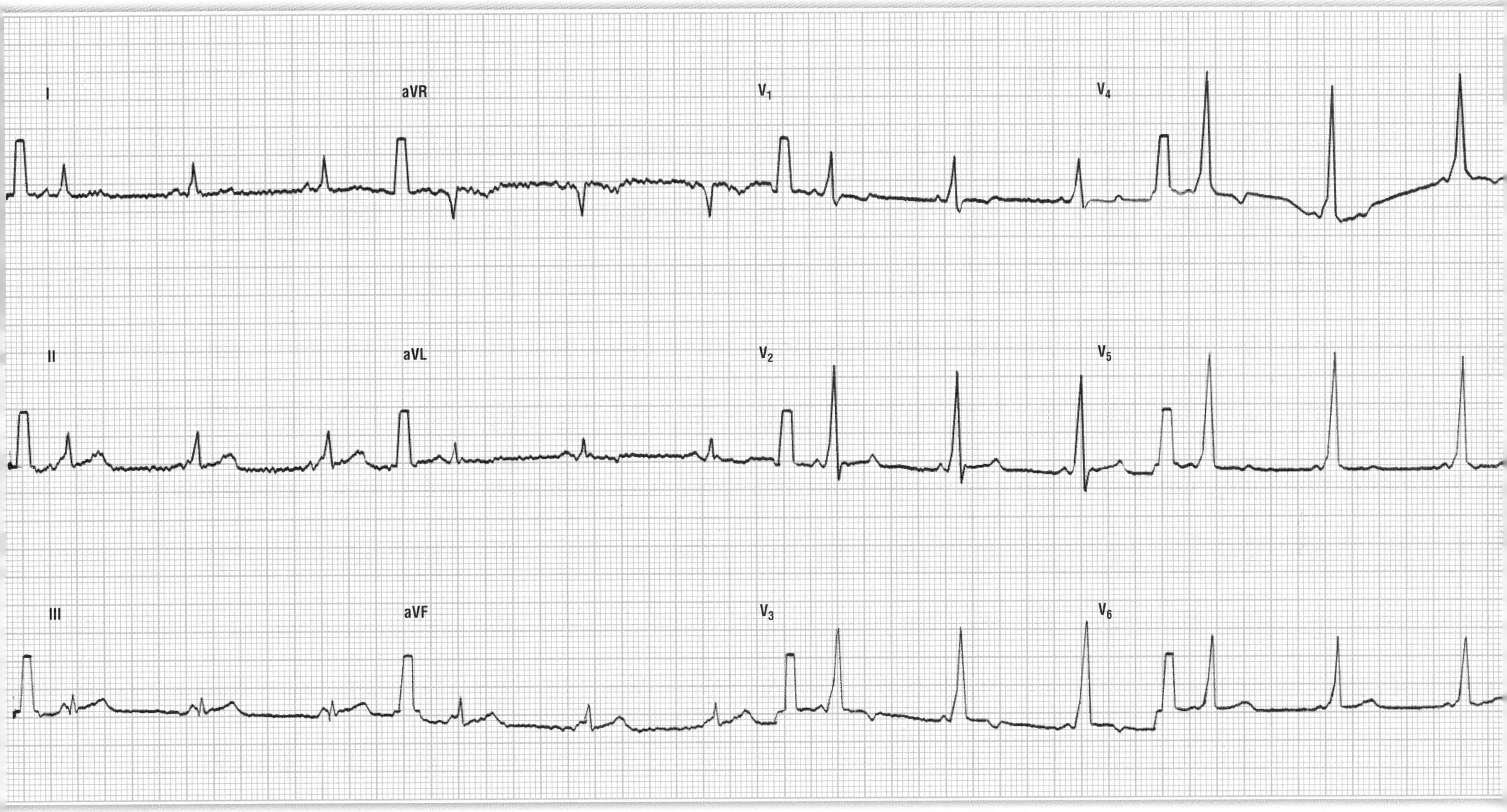

ECG 10-7

심전도 증례 연구 계속

3

심전도 10-8 이 심전도와 이전 심전도는 모두 A형 WPW이다. 일반적으로 WPW에서 나타나는 델타파와 ST-T 이상에 더하여 이 심전도에서 흥미로운 소견을 볼 수 있다. 위쪽을 향해 크게 오목한 ST분절, 국자로 푹 뜬 자국을 볼 수 있다. 이때 오목한 부분이 심전도의 양성(positive) 부분을 향하고 있다. 이 오목함은 그림 10-11에서 보다시피 누군가 아이스크림 주걱으로 푹 뜬 모양을 하고 있다. 그렇지 않은가? 만일 잘 모르겠으면 V_5와 V_6를 보라. 이 국자로 퍼낸 것 같은 모양은 디곡신 치료 시 전통적인 모양이다. 이 환자는 심전도를 찍는 시점에서 디곡신 투여를 하고 있었다. 이 ST분절의 국자로 퍼낸 것 같은 모양은 WPW 뿐만 아니라 다른 경우에서도 모두 나타난다.

하부 유도에서 가성경색 모양이 있다.

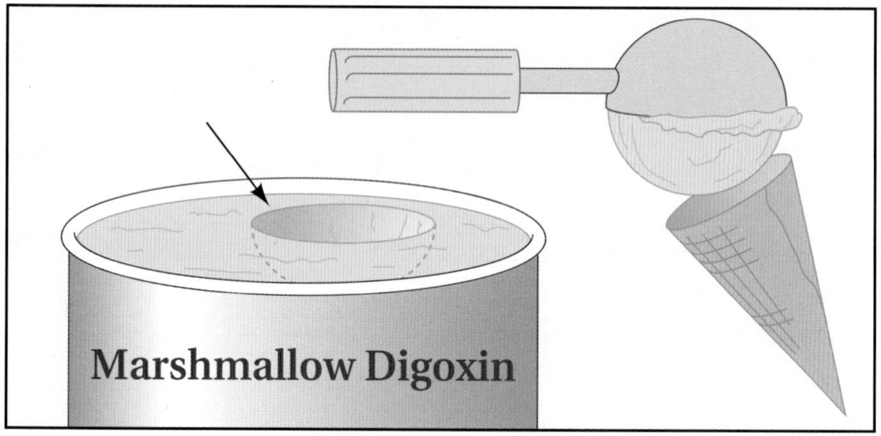

그림 10-11. ST분절의 국자로 푹 뜬 모양은 디곡신 치료에 의해서 발생한다.

심전도 10-9 이것은 넓은군 빈맥이다. 이 환자는 응급실을 방문하였는데 WPW의 병력을 가지고 있었다. 이 병력으로 쉽게 치료가 가능했다. 다시 한 번 말하는데 빈맥과 동반된 WPW의 치료를 의학 교과서에 복습하기 바란다.

이 빈맥과 동반되어 나타나는 각차단 형태는 무었인가? 우각차단(RBBB) 형태이다. 유도 I과 V_6의 불분명한(slurred) S파, V_1의 토끼 귀 모양 혹은 RSR'가 그 명확한 증거이다. 다음 페이지를 잘 살펴보자. 이것은 같은 환자의 동율동으로 전환 후 검사한 심전도이다. 환자는 B형 WPW 형태를 보였다. 일반적으로 B형 WPW 환자는 오른쪽에 Kent 속을 가진다. 그런 까닭에 이것은 역방향 회귀를 하는 우각차단 패턴의 빈맥이다.

단순 기억법 : B형 WPW의 알파벳 B와 우측 Kent속의 알파벳 R이 비슷하다.

B R

그림 10-12. B형 WPW를 대표하는 B와 오른쪽 Kent속을 대표하는 R이 연상기억을 가능하게 해준다. B형 WPW 환자는 오른쪽에 Kent속이 있다.

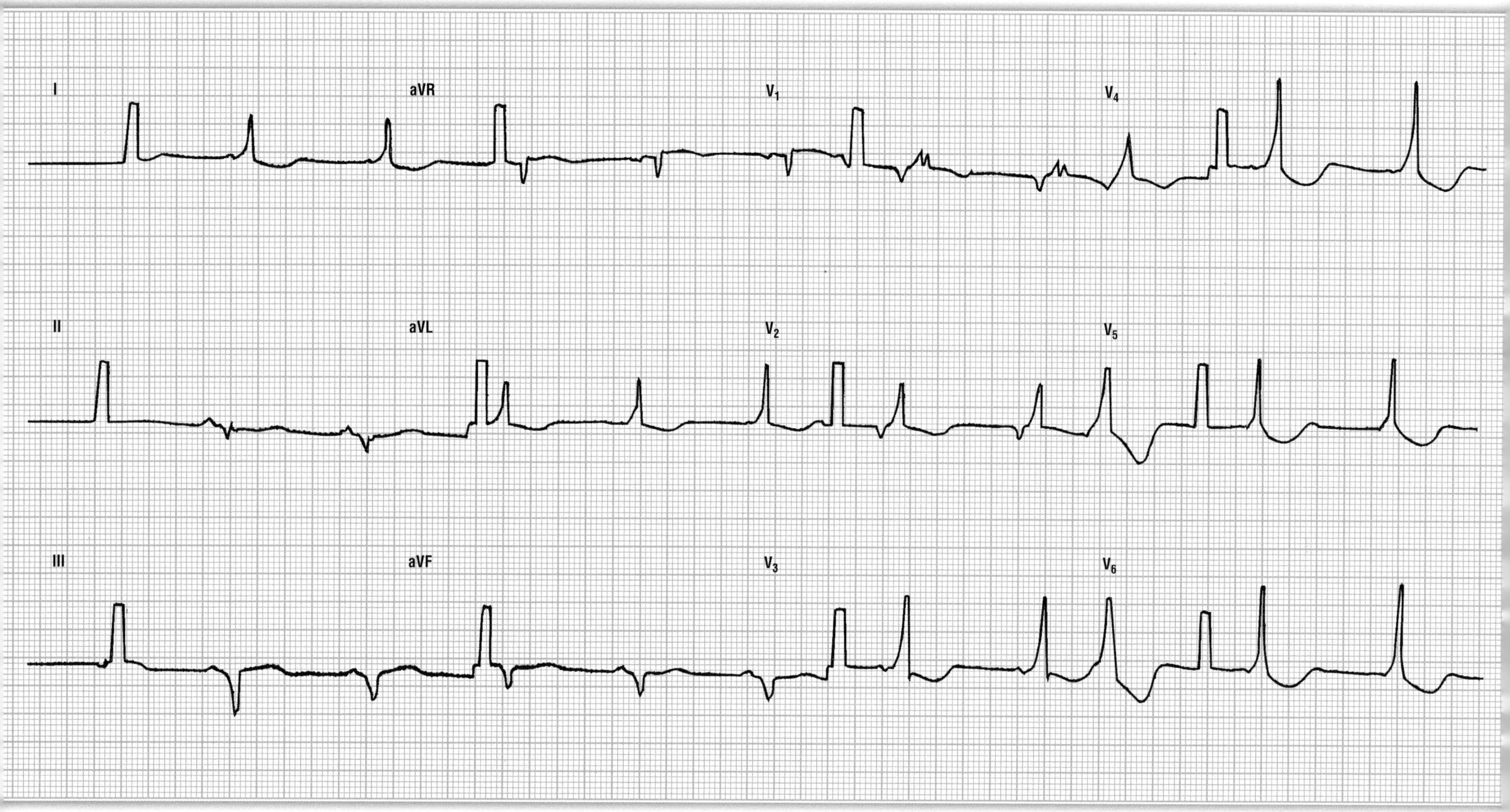
I
aVR
V1
V4
II
aVL
V2
V5
III
aVF
V3
V6

ECG 10-8

심전도 증례 연구 계속

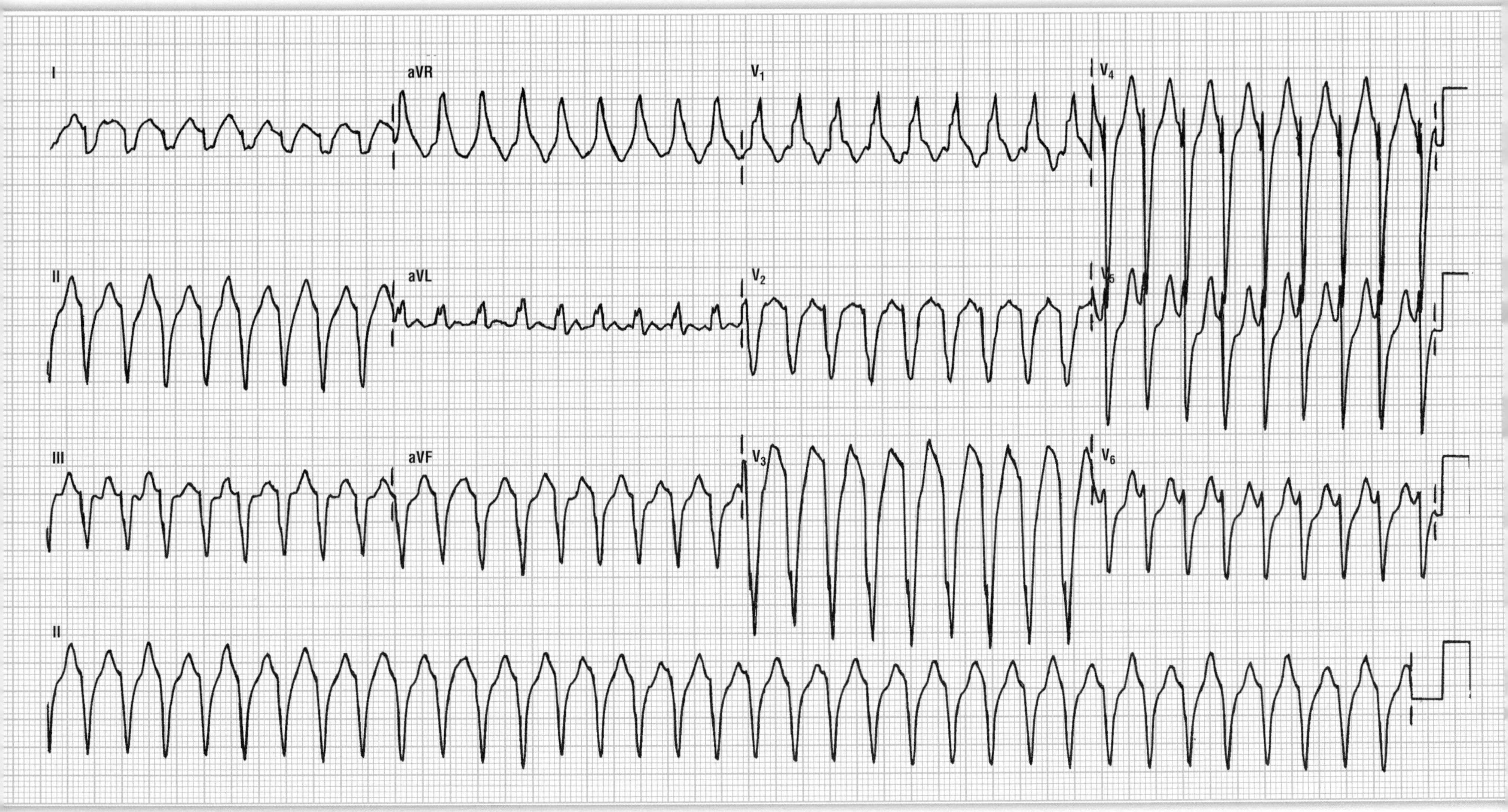

ECG 10-9

3

심전도 10-10 이것은 앞 장의 심전도에 나온 넓은군 빈맥이 동율동으로 전환되었을 때의 심전도이다. 만약에 이것 한 장만을 보았다면 쉽게 좌각차단이라고 할 것이다. 좌각차단은 자주 볼 수 있는 것이고 처음 보았을 때는 항상 좌각차단 형태에 대해 감별 진단을 하여야 한다. 델타파는 작아서 알아내기가 힘들지만 여러 유도에서 볼 수 있다.

분당 250회 이상의 빈맥은 어떠한 종류이던지 조심하여야 하고 특히나 넓은 QRS는 더욱 그렇다. 만약 심방동수가 분당 250회가 넘어가면 대부분 빈맥과 연관된 우회로가 있다. 300회의 빈맥에서는 반드시 우회로가 있는데 방실결절을 통해 전도될 수 있는 것보다 훨씬 빠르기 때문이다.

만약 빈맥이 250회 이상이라면 심전도파의 구성요소들을 구별하기가 매우 힘들어진다. 그래서 아무리 해도 진단이 어렵다. 열쇠는 우회로가 관여했을 수 있다는 것을 기억하는 것이다. 당신은 이 환자를 치료하기 위해 사용하는 약물에 조심할 것이다. 방실결절의 전도를 더욱 지연시키는 약물은 이미 좋지 않은 상황을 더 악화시킬 것이다. 우리의 충고는, 환자에게 진정제를 투여하고 전기적 심율동 전환을 시행하는 것을 두려워 말라는 것이다. 이런 상황에서는 정맥투여 약물이 일으킬지 모르는 알 수 없는 문제들보다 전기적 심율동 전환이 더 안전하다.

조언

정상적인 내재성 편향(intrinsicoid deflection)과 델타파를 혼돈하지 않게 주의하자.

2

심전도 10-11 이 환자는 분당 280회 가량의 매우 빠른 빈맥이라는 것은 명확하다. WPW가 빠른 빈맥과 동반된다고 언급한 것을 기억하는가? 이것이 또 하나의 예이다. 이 예제와 2페이지 앞 심전도와의 차이를 주목하자. 이것은 QRS군이 0.12초보다 짧은 좁은군 빈맥이다. 앞에 것은 넓은군 빈맥이고, QRS군이 0.12초보다 넓다. 다음 심전도를 보자. 이것은 같은 환자의 심전도인데 이번에는 이전보다 느리다.

3

심전도 10-11 이 환자의 심박수는 대략 분당 280회로 매우 빠른 빈맥이다. 심박수가 250회가 넘으면 우회로를 염두에 두자. 이 환자는 자연적으로 동율동 전환되었고 간헐적인 WPW가 발견되었다(다음 심전도 참조). 이것은 정방향 전도에 의한 좁은-군 빈맥이다. P파가 잘 보이지 않기 때문에 리듬은 발작성심실상성빈맥이나 심방조동의 1:1 전도로 생각할 수 있다. 심방조동이라고 생각하면 심박동수가 대략분당 280회이기 때문에 전통적인 분당 300회보다 느려진 것이다. ST 분절 하강이 전체 심전도에서 보이는데 이것은 아마도 빈맥에 의한 이차적인 심내막하 때문일 것이다.

심전도 증례 연구 계속

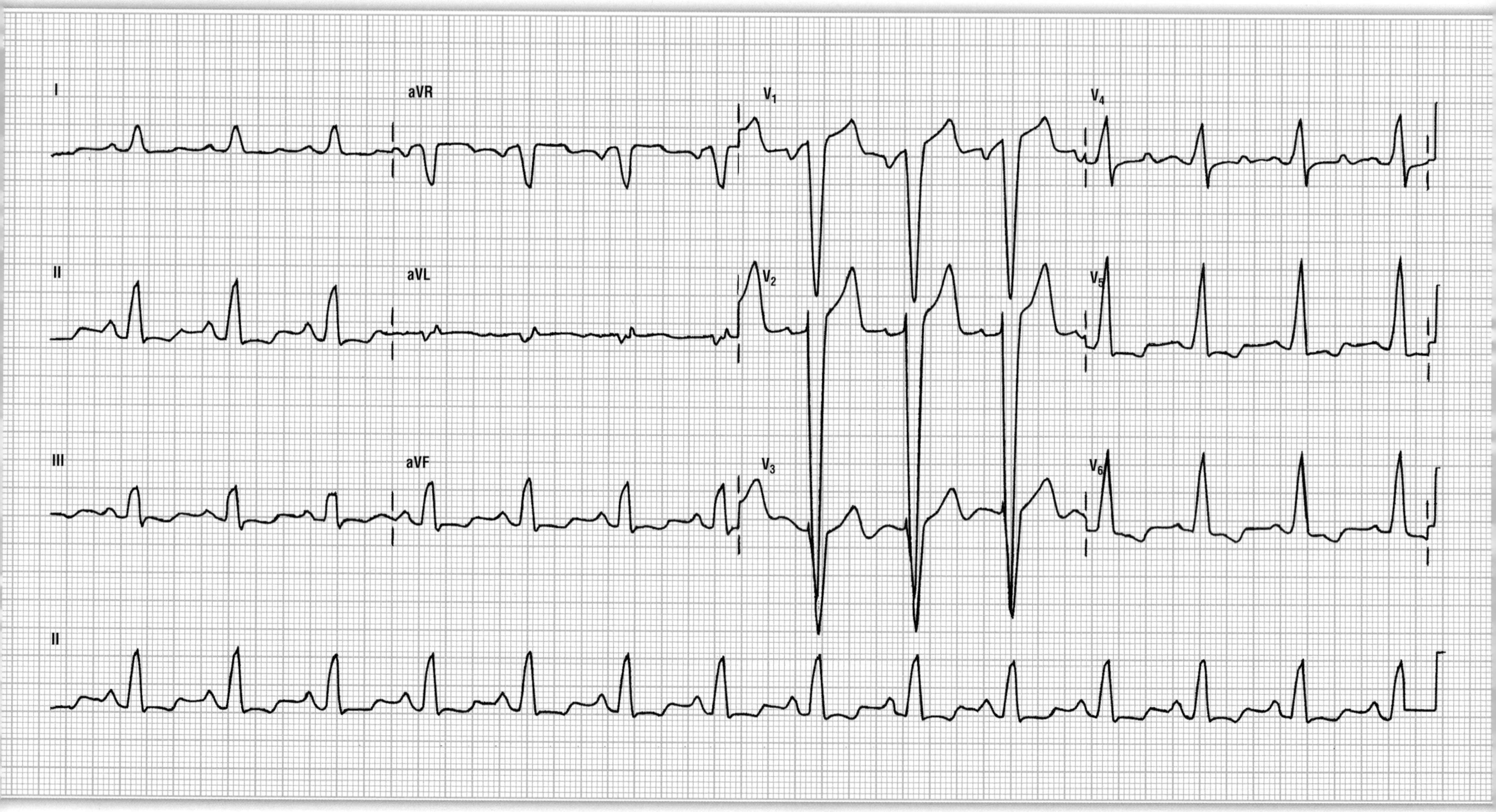

ECG 10-10

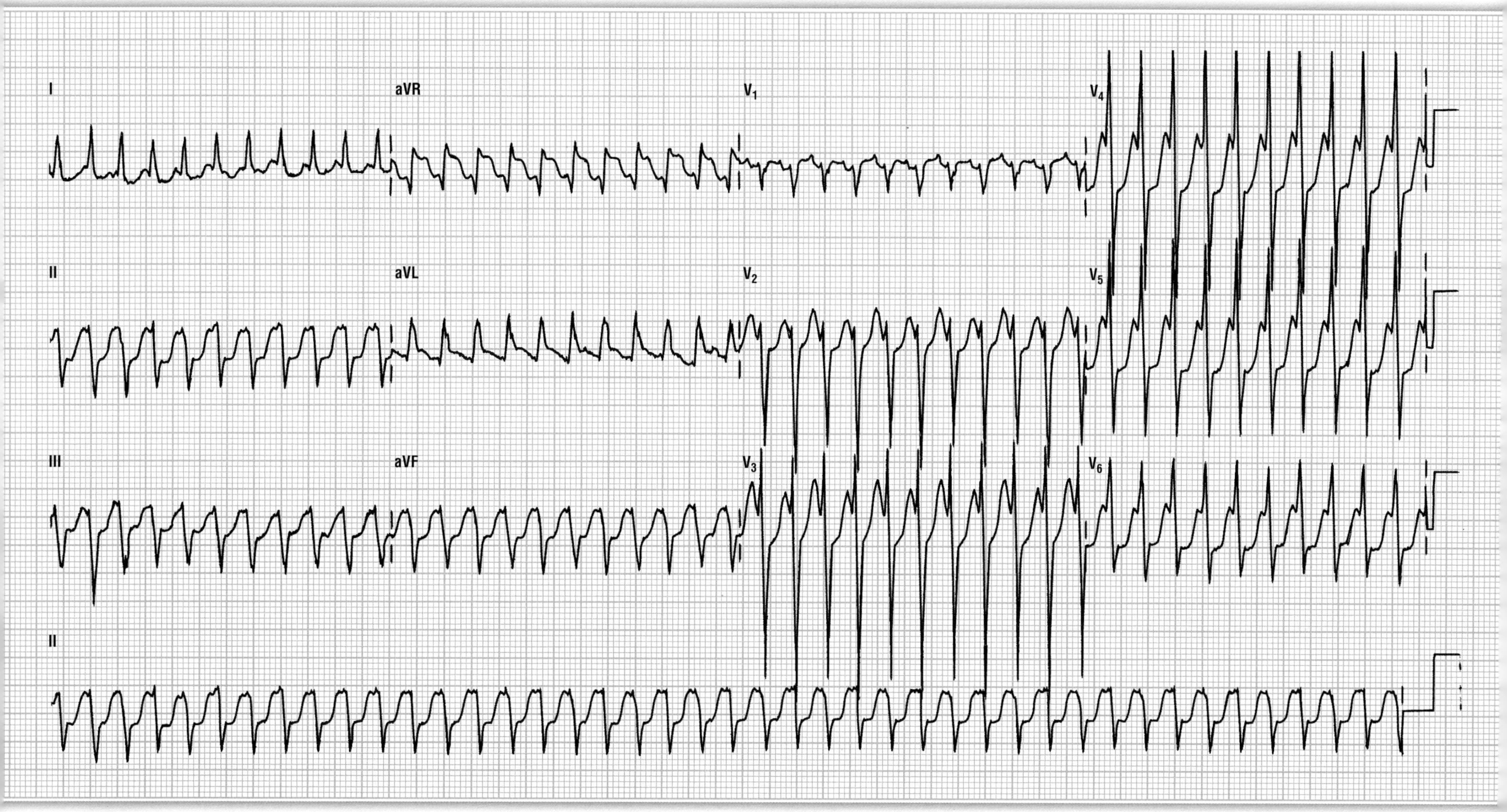

ECG 10-11

심전도 증례 연구 계속

2

심전도 10-12 앞 장의 심전도와 같은 환자로 리듬이 전환된 상태이다. 무엇이 진행되고 있는가? 율동은 무엇인가? 이것은 전반적으로 불규칙하게 불규칙적이며 여러 다른 모양의 심전도 파형이 같이 보이기 때문에 매우 알아내기 힘든 율동이다. 심전도 군들 위에 별표가 있는 경우는 더욱 상향 QRS군을 가지며 시작 부위 또한 약간 늘어진(slurred) 모양을 가진다. 만약 이것이 주어진 단 하나의 심전도라면 난감할 것이다. 그러나 매우 빠른 빈맥에서 금방 회복한 환자의 심전도라고 하면 쉽게 간헐적인 WPW로 진단할 수 있을 것이다. 어쨌든 율동은 무엇인가? 다양한 방실차단을 동반한 심방조동이 나타나고 있다. V_1의 수직의 푸른선으로 표시된 P파들을 보면 분명할 것이다.

3

심전도 10-12 이 심전도는 간헐적인 WPW와 같이 동반된 다양한 차단을 동반한 심방조동을 보여준다. 심방의 박동수는 앞전의 빈맥의 심박동수와 동일하다. 심방조동의 1:1 전도가 앞 심전도의 율동이다. V_1은 진단을 위한 유일한 단서이다. P파를 살펴보고 켈리퍼로 위치를 표시해 보자. P파에 대한 다양한 반응은 QRS군의 모양을 각기 다르게 만든다. 또한 델타파가 군데군데 끼여드는 것을 볼 수 있다. 아직 전반적으로 ST분절 하강을 볼 수 있으며 허혈이나 박동수로 인한 변화일 수 있다.

3

심전도 10-13 아래의 심전도를 눈여겨 보자. QRS군에서 특이한 점을 발견할 수 있나? 이것은 간헐적 WPW의 예이다. 무슨 일이 벌어지고 있느냐 하면 어떤 전기적 자극은 방실결절을 통해 전도되고, 어떤 때는 Kent속으로 전도되고 있다. 별표한 것이 정상적으로 전도된 것이다. 리듬 스트립에서는 알아내기 힘들지만 III, aVL, 그리고 V_2에서는 가능하다. 이들 유도에서 전도는 현저하게 다른 QRS군을 보여 준다.

정상 전도로 만들어진 QRS군과 Kent 속을 통한 전도로 만들어진 QRS군이 다른게 이해가 되는가? 당연하다! 심실로 전도되는 경로를 생각해 보면 된다. 전기적 자극은 심실에 도달하기 위해 해부학적으로 다른 2가지 경로를 거친다. 그래서 각각 다른 전기축을 보여준다. Kent속을 통한 부분 전도는 원래의 전기축을 변화시킨다. Kent 속을 통한 전도는 속의 해부학적 위치와 델타파의 크기에 따라 전기축에 영향을 미친다.

2 빠른 복습

1. WPW 증후군에서 WPW 형태는 항상 보인다. 참 또는 거짓
2. WPW 형태는 절대로 간헐적이지 않다. 참 또는 거짓
3. 델타파는 Kent 속을 통한 이른 전기적 전도로 인해 발생한다. 참 또는 거짓

1. 거짓 대부분의 WPW 환자는 불현성 경로(concealed pathway)를 가짐. **2.** 거짓 **3.** 참

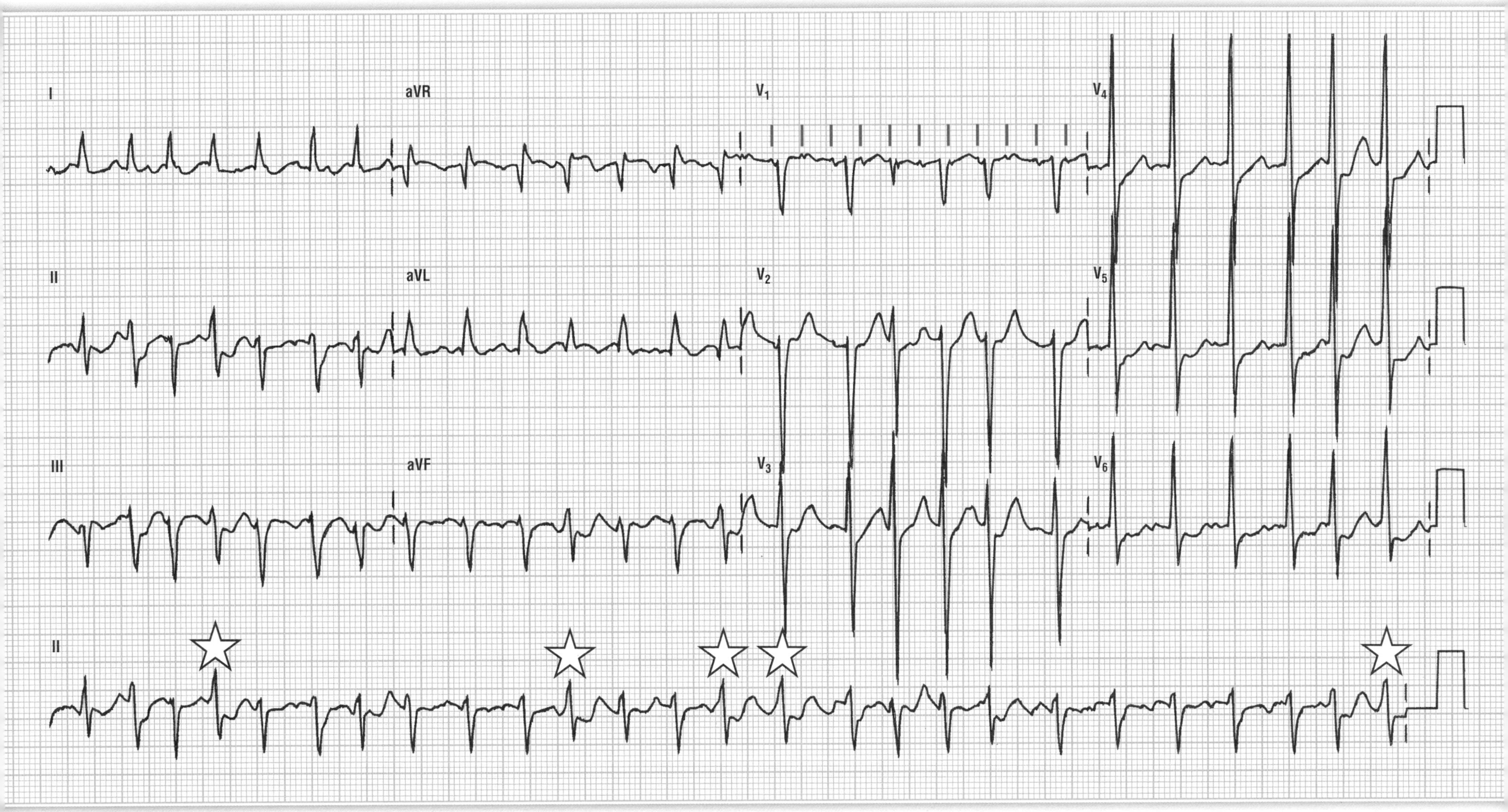

ECG 10-12

심전도 증례 연구 계속

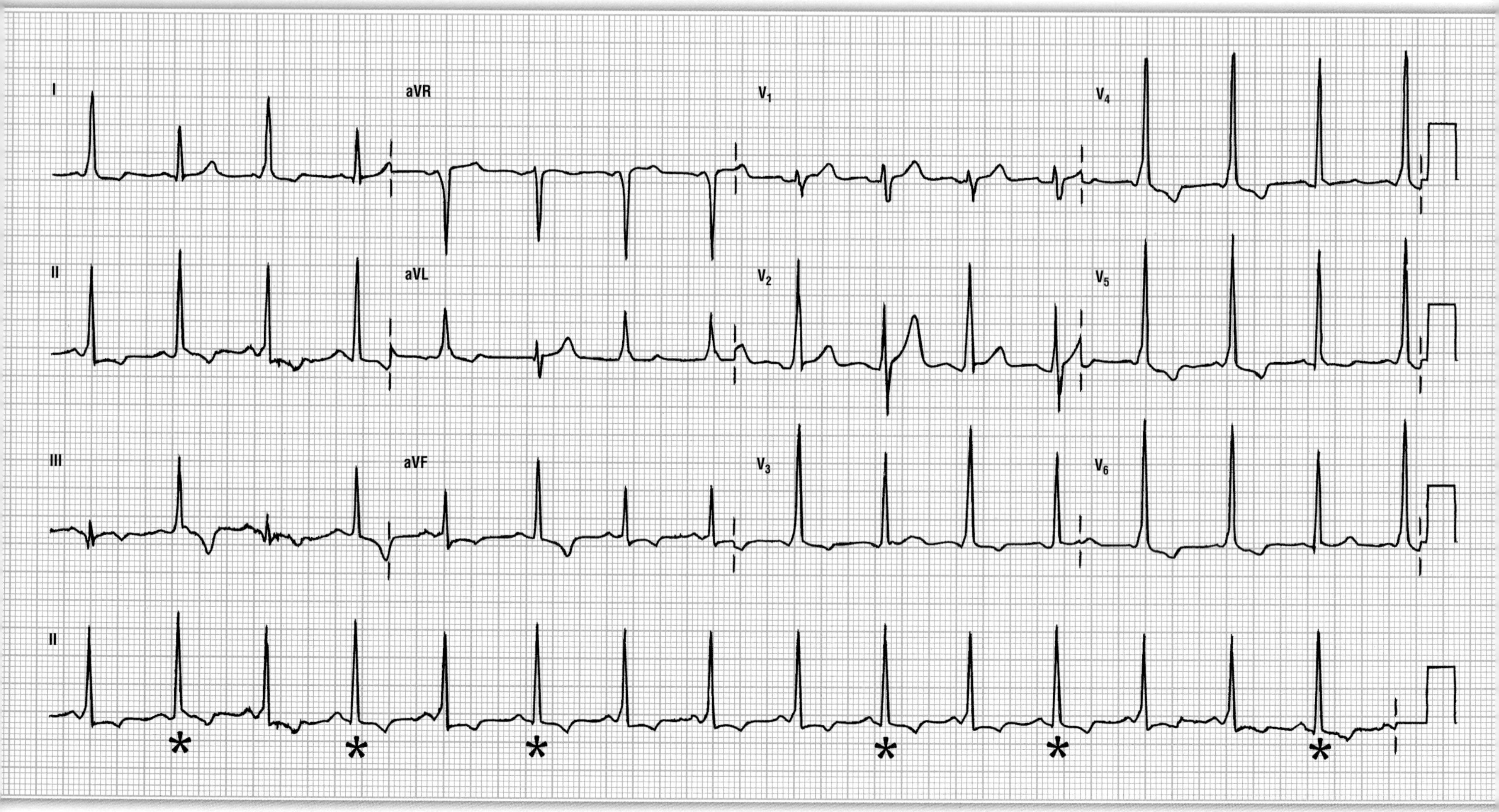

ECG 10-13

3

심전도 10-14 이것은 우리가 언제나 좋아하는 심전도 중 하나인데 이를 해석하고자 하는 98%의 사람들을 쩔쩔매게 하였다. 당신은 알아낼 수 있겠는가? 이 책에서는 해석하기 쉬운데 이 심전도가 PR 간격을 다룬 장과 특히 WPW 장에서 나오기 때문이다. 해석의 열쇠는 리듬 스트립에 있다. 마지막 2개의 심전도군을 보자. 이것은 마지막 2개의 QRS군들에서 정상 박동으로 전환되는 또 다른 간헐적 WPW의 예제이다. 이 심전도를 분석하기 어렵게 만드는 것은 이 2개의 정상 심전도군들이 V_4에서 V_6까지의 이행 지점에서 나타나기 때문이다.

이 WPW는 B형이다. aVL에서 가성경색 형태를 보이고 통상의 ST-T 변화가 전반적으로 보이고 있다. PR 간격은 짧지 않음에 주목하라.

심전도를 분석하기 위해 철저하고 조직적으로 해야 함을 기억하자. 당신이 Level 3까지 왔다면 나름대로의 방법을 확립하였기 때문이다. 그렇지 못하다면 *종합* 장을 복습하라.

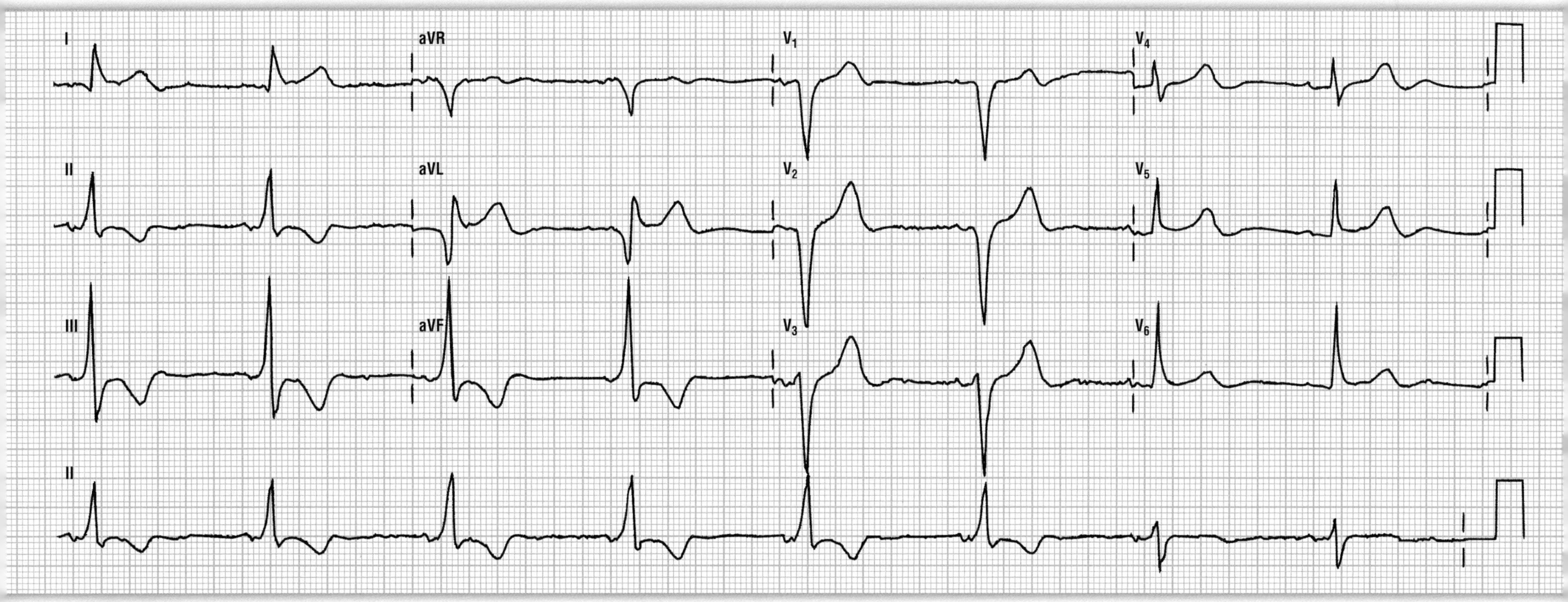

ECG 10-14

2

노트

방실차단에 대한 몇 가지 말들...

방실차단은 방실결절이나 His 속의 전도장애이다. 이것은 PR 간격을 연장시키거나 이상을 초래하며, 극단적인 경우에 심실로 가는 전도를 완전히 차단할 수 있다. 각차단(bundle branch block)과 방실차단을 혼돈하지 마라. 각차단은 우각이나 좌각(또는 이들의 좌전, 좌후 섬유속) 또는 각차단이 같이 동반되는 것을 말한다.

1도 방실차단은 정상적 차단의 연장이다. 보통 방실결절 부위에서 발생하며 기질적 심장질환이 원인이다. 또한 약물 독성(디곡신, 칼슘 채널 차단제, 3환계 항우울제)이나 고칼슘혈증, 저체온증, 그리고 하벽 심근경색에서와 같이 미주신경이 항진되었을 때 발생할 수 있다.

2도 방실차단은 Mobitz I(혹은 Wenckebach)와 Mobitz II 2가지가 있다. Mobitz I은 결함이 있는 방실결절의 긴 불응기가 원인이 된다. 첫 번째 P파가 방실결절에 도착하면 느려진다. 동결절은 정상적으로 작동하기 때문에, 다른 P파를 만들어서 아직 방실결절이 불응기에 있을 때 조기(earlier)에 도달하게 된다. 그래서 방실결절을 통과하는데 더 시간이 필요하기 때문에 PR 간격이 길어진다. 그 다음 P파 또한 조기에 방실결절에 도착해서 통과하는데 시간이 걸리고, 또 이것이 계속된다. 이것은 P파가 방실결절에 도착하여 전도되지 못하고, QRS군이 빠질 때까지 계속된다. 이것이 Wenckebach 형태를 만드는데, 하나가 전도차단 될 때까지 PR 간격이 길어지는 그룹을 이룬 박동들을 만든다. P파들에 대한 QRS군들의 비율은 2:1, 3:1, 4:1로 또는 그 이상으로 다양하다. 만약에 박동들이 그룹을 이루어 나타난다면 Wenckebach를 생각하자. 추가적인 진단기준이 도움이 되는데: R–R 간격이 전도차단되기 전까지 짧아진다. 그리고 박동이 빠진 QRS군들 사이의 간격은 그룹을 형성하는 박동들 중 가장 짧은 R–R 간격의 2배보다 작다.

Mobits II는 보다 더 위험하며 완전 방실차단의 전조일수 있다. 이 경우 PR 간격은 일정하지만 여전히 간헐적으로 QRS군들이 빠진다.

만일 2:1 방실차단이면 Mobitz I 인지 Mobitz II인지 알 수 없다. 이런 경우에는 리듬 스트립을 길게 찍어 차단의 종류를 결정하는데 도움을 주는 다른 그룹이 있는지 확인하는 것이 진단에 도움이 된다. 정상적으로, 차단의 형태는 전 리듬 스트립에 걸쳐 지속된다.

3도 방실차단은 방실결절로 들어오는 전기적 자극의 완전한 차단이다. 그리고 P파와 QRS군이 각각에 해리되어 있다. 말하자면 각각의 북소리에 맞추어 행진하는 것이다. 보통 심방 박동은 동율동이거나 동빈맥이다. 심실박동은 방실접합부 율동이거나 심실에서 기원하며, 좁거나 넓은 QRS군들이다. 언제나 QRS군들보다 P파들이 더 많다. 만약 같은 수의 P파와 QRS가 보인다면 그것을 방실해리(AV dissociation)라 하고 3도 방실차단이라고 하지 않는다. 이것은 정교한 명명법의 문제이다. 다시 한 번 말하지만 이 책에서는 치료법을 다루지 않는다. 이런 경우를 마주치게 된다면 가까운 곳에 임시형 심박동기를 준비하라.

2

연장된 PR 간격

PR 간격이 0.20초 보다 길 때 연장되었다고 한다. 연장된 PR 간격을 만나게 되면 스스로에게 몇가지 질문을 던져 봐라.

1. 모든 PR 간격과 P파가 동일한가? 동일하다면 그것은 필시 1도 방실차단일 것이다. 동일하지 않다면 심방조기박동(premature atrial complexes), 유주심박조율(wandering pacemaker), 다소성 심방빈맥(multifocal atrial tachycardia), 혹은 다른 종류의 차단을 생각해야 한다.
2. PR 간격이 변화가 지속적으로 변화하는가(vary consistently)?
   (a) P파들이 모두 같은가?
   (b) PR 간격이 점차적으로 길어지는가?
   (c) 박동들이 그룹을 지어 나타나는가? (그림 10-13)
   (d) P파들와 QRS군들이 해리되었는가? 만약 P파의 모양이 모두 다르다면 틀림없이 유주심박조율이나 다소성심방빈맥(MAT)를 말하는 것이다. 만약 P의 모양이 모두 같다면 어떤 종류의 차단인지 생각해 보아야 한다. Mobitz I인가 II인가? 3도 방실차단인가 방실해리인가(AV dissociation)? 리듬 스트립을 찍어야 하나? 마침내 가장 중요하게는 환자 상태가 어떠한가? 이 모든 것을 종합하여 올바른 답을 유추해야 한다.

다음 페이지들 나오는 예제들을 보고 정답을 찾을 수 있는지 한 번 보자. 그런데 만약 당신이 심전도에 대해 우리와 다른 견해를 보인다고 해도, 괜찮다. 당신이 틀렸지만 그래도 괜찮다(농담이다). 해석에는 항상 이견이 있다는 것을 기억하여야 한다. 같은 심전도에 대해 여러분의 해석이 매번 다를 수 있다. 이것은 여러 번의 연구로 검증된 과학적 사실이다.

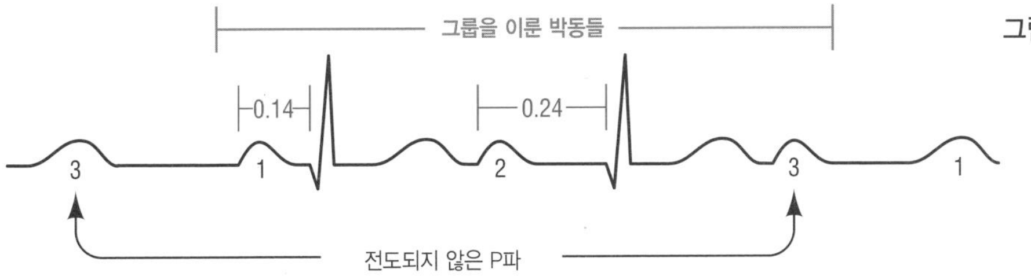

그림 10-13. 그룹을 이룬 박동들

2

심전도 10-15 PR 간격의 길이는 얼마인가? 0.20초 보다 약간 길다. 이것은 1도 방실차단의 예이다. V_1에서 P파가 좌심방이 약간 커져 있는 것처럼 보이지만 P파는 큰 이상이 없다. 유도 III과 aVF에서 약간 PR 하강되어 있지만, 다른 유도들에서는 발견되지 않으므로 심낭염은 아닐 것이다.

이 시점에서 당신은 그동안 자세히 공부한 P파와 PR 간격에 대해서만 관찰하라. 다음에 3단계를 가면 흥미 있는 소견들을 더 알게 될 것이다.

3

심전도 10-15 그렇다면 이제 이 환자를 위해 무었을 해줄 것인가? 그는 단지 경한 1도 방실차단만을 가지고 있다. 맞나? **틀렸다!** 이 환자는 하부유도의 급성심근경색에 합당한 심전도 변화를 가지고 있고 우심실을 침범하였을 가능성도 있다. 분명한 II, III, 그리고 aVF의 Q파를 보이고 있고 ST분절 상승도 동반되어 있다. 더하여 aVL의 ST분절 하강을 보인다. V_1부터 V_5까지 약간의 ST분절 상승과 RR의 진행이 나쁘다(poor RR progression, or poor progression of R waves). 하벽의 급성심근경색이 있으면서 V_1에서의 ST분절 상승은 전통적으로 우심실을 침범한 소견이다. V_1의 ST 상승이 0.5mm 밖에 안되어도 우측 흉부 유도가 필요하다.

심전도 증례 연구 계속

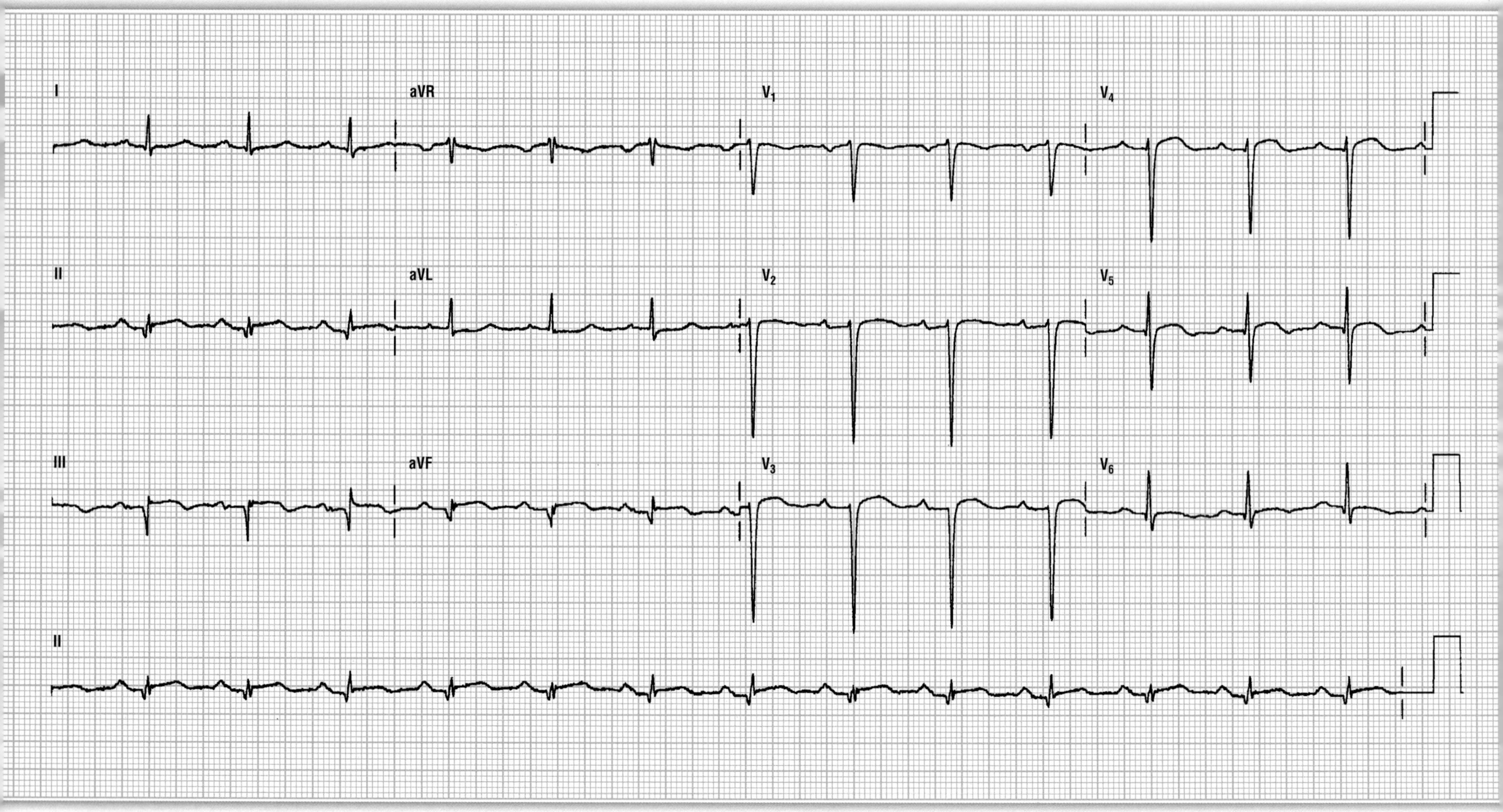

ECG 10-15

2

심전도 10-16 여기에 1도 방실차단의 또 다른 예가 있다. 여기 3개의 대표적인 1도 방실차단의 예를 보여 주는 것은 PR 연장의 진행을 보여 주기 위함이다. 이 간격이 매우 다양할 수 있다는 것을 기억하라.

P파에 대해 평가하였는가? 하였다면 폐성 P가 있는 것을 보았을 것이다. 이 책을 계속 읽어 나가면서 앞서 배웠던 것들을 모두 가지고 심전도를 조사해 보라. 이렇게 하면 이 책의 마지막을 읽을 때쯤 3 단계로 넘어갈 충분한 준비가 되어 있을 것이다.

3

심전도 10-16 이 심전도에서는 전기축이 0°에 가깝고 허혈의 가능성이 있는 측벽의 약간의 T파 이상 소견을 보인다. 역시나 폐성 P(P-pulmonale)도 있다.

조언

방실차단(AV block)과 각차단(bundle branch block)은 다르다.

2

심전도 10-17 아래 오른쪽 절반의 심전도는 긴 1도 방실차단이다. PR 간격이 얼마나 긴가? 대략 0.48초다. 이제 왼쪽 절반의 심전도를 보자. 완전한 첫 번째 심전도파는 마지막 심전도파와 유사하고 이 환자의 정상 심전도파를 보여준다. 그리고 첫 번째와 2번째 박동 사이에 더 긴 휴지(pause)기간을 보여 준다. 더하여 이 2번째 심전도군은 보다 짧은 PR 간격을 가지고 정상적으로 전도된 것이 아니라는 생각을 하게 만들 것이다. 이것은 동이탈 박동(sinus escape beat)으로 보인다. 2번째과 3번째 군들 사이에서 다시 휴지기간이 길어졌다. 하지만 이제는 세 번째 군의 PR 간격은 정상이다(편집자주: PR 간격이 길지만 이 환자가 원래 가지고 있는 PR 간격이기 때문에 정상이라고 하는 것임). 이것은 하나의 군만을 포함하는 동부정맥이 아니다.

3

심전도 10-17 이 환자에서 보이는 것은 어떤 종류의 차단인가? 이것은 명확하게 V_6의 늘어진(slurred) S파와 V_1의 RSR' 소견을 보이는 우각차단이다. 축은 극우측사분면(extreme right quadrant)이다. 이것은 넓은 영역의 차단이고 이상한 모양의 ST-T파 이상소견을 보인다. V_1과 V_2를 보고 T파와 ST 하강에 대해 기술할 수 있겠는가? ST분절이 하강하였고 T파도 일치한다(concordant); QRS군의 마지막 부분의 방향과 같은 방향이다. 이것이 후벽 급성심근경색을 의미할 수 있는가? 물론이다! 확실하게 이야기하기 위해서는 임상적인 연관성과 이전의 심전도가 필요하다.

심전도 증례 연구 계속

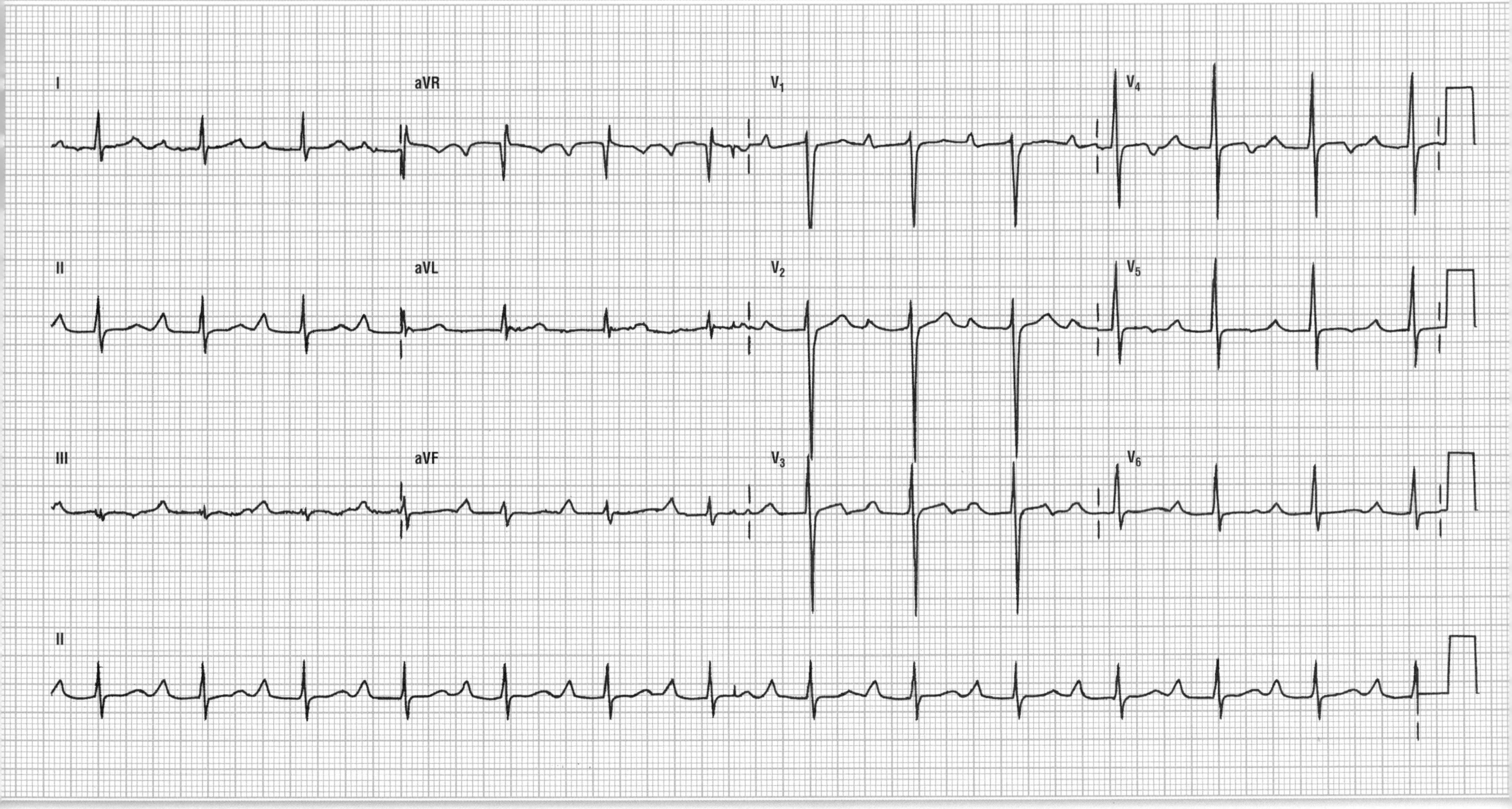

ECG 10-16

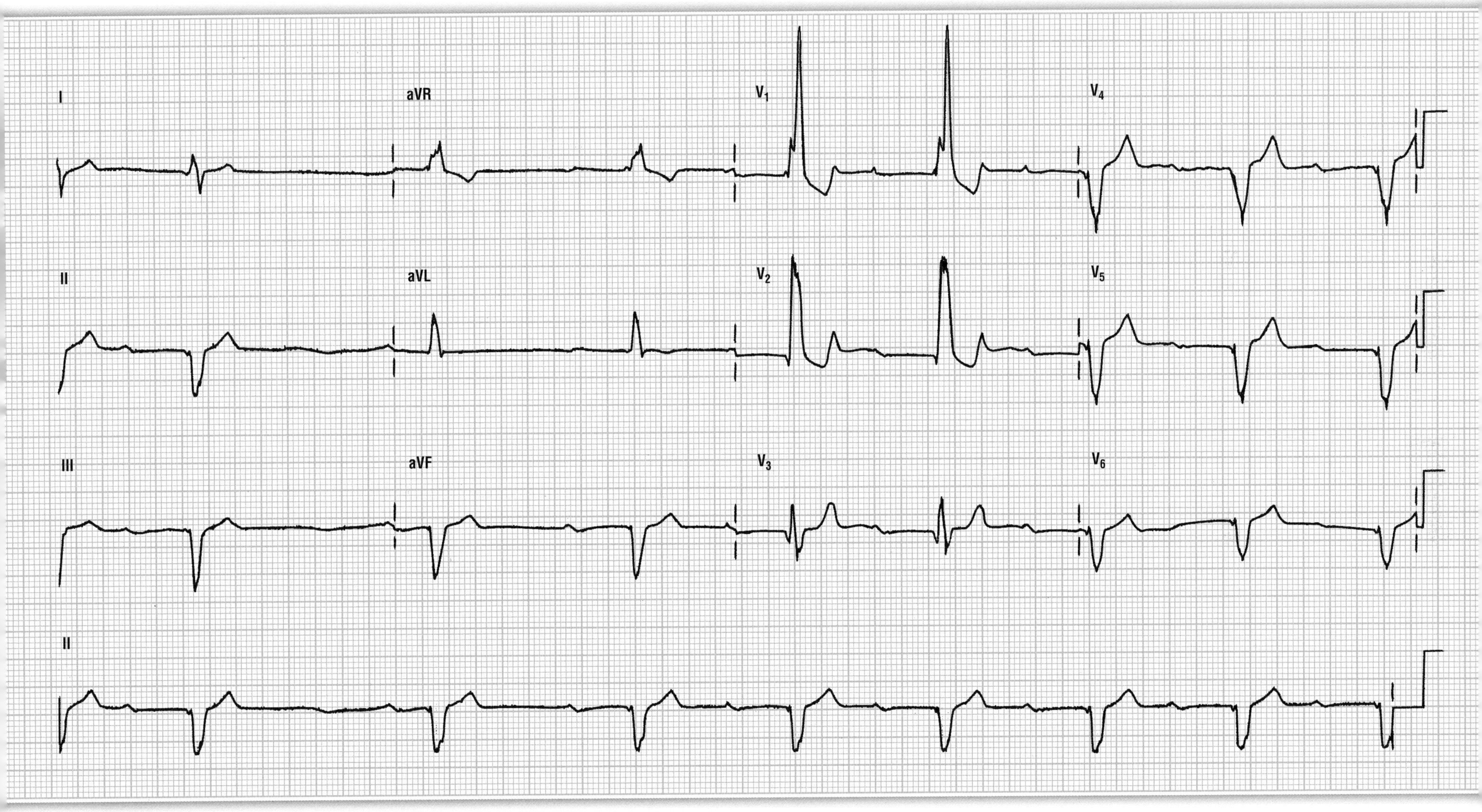

ECG 10-17

심전도 증례 연구 **계속**

2

심전도 10-18 누군가 예민하여 집어낼 수도 있겠지만 앞의 1도 방실차단 편에서 검토하였던 환자의 심전도와 같은 것이다. 이제 율동은 완전히 달라졌다. 이 심전도에서 그룹을 이룬 것을 볼 수 있는가? 그렇다 여기에는 각각 3개의 QRS군으로 이루어진 2개의 완전한 그룹이 있다. 이제 PR 간격을 살펴보자. 같은가? 다르다. 연속되는 심전도군에서 PR 간격이 점점 연장되는 것 같다. 덧붙여서 세트를 이룬 그룹 내에서 각각의 연속되는 군들에서 RR 간격들이 짧아진다. 이것은 연장된 PR 간격을 가진 Mobitz I 혹은 Wenckebach 2도 방실차단의 예이다. 빠진 박동에서 P파를 발견할 수 있는가? 아니다. P파는 3번째 QRS군의 T파에 숨겨져 있다. 이렇게 그룹이 지어진 율동들이 있는 경우에는, 항상 2도 방실차단을 생각해야 한다!

3

심전도 10-18 우측 흉부 유도에서 큰 R파의 감별 진단은 무엇인가?

1. 청소년이나 소아에서의 정상소견
2. 우각차단
3. WPW 증후군
4. 우심실비대
5. 후벽심근경색

이들 사이의 차이점을 이야기할 수 있는가? 동반된 소견들을 확인해 보라. 환자가 젊은가? 늘어진 S파나 델타파가 있는가? 우심방확장(right atrial enlargement, RAE) 혹은 우축편위(right axis deviation, RAD)의 증거가 있는가? 환자가 보기에 만성폐쇄성폐질환를 가진 것처럼 보이는가? 아니면 급성심근경색처럼 보이는가?

2

심전도 10-19 우선 겁먹지 마라. 단지 다른 형식의 심전도이다. 그리고 이전에 알고 있었던 것과 크게 다르지 않다. 위쪽은 4개의 스트립(strip)만 보고 나머지 2개는 마음속으로 지워버리면 이 책에서 다루고 있는 심전도 형식과 다를 바 없다. 이 형식은 3개의 리듬 스트립을 가지며 3개가 모두 동시에 일어나는 것을 기록하기 때문에 유용하다(같은 박동들이 6개의 스트립들(strip)에서 같은 시간에 나타나고 있음에 유의하자). 이 복합 리듬 스트립(multiple-rhythm-strip)은 율동을 조사하는데 매우 유용하다.

그룹을 만든 것을 관찰할 수 있는가? 그렇다. 2개의 QRS군들이 그룹을 이루고 있다. P파가 있는가? 그렇다. PR 간격이 연장되고 있나? 그렇다. 전도되지 않는 P파가 있는가? 그렇다. 각 그룹의 3번째 P파가 전도되지 않았다. 율동은 무엇인가? Mobitz I이나 Wenckebach 2도 방실차단이다. 누워서 떡 먹기다! 그건 그렇고 환자 역시 1도 방실차단도 있다.

3

심전도 10-19 각 세트의 심전도군들에서 3번째 P파를 모든 유도에서 살펴보자. 어느 유도에서 가장 쉽게 발견할 수 있는가? 유도 aVL, V_1과 V_2이다. 왜 그런지 알겠나? 왜냐하면 이 유도들에서 T파가 가장 평평하거나 가장 등전위선(isoelectric)에 가깝기 때문이다. P파는 이 유도들에서 가장 잘 나타난다. 이 개념은 당신이 리듬 스트립(rhythm strip)을 의뢰할 때 유용하다. P파를 보고 싶다면 이들 유도가 포함된 스트립을 달라고 하면 된다. 이 심전도가 우리가 그렇게 했던 예이다. 리듬 스트립을 사용할 경우에는 가장 유용한 정보를 얻을 수 있는 유도를 선택하라. 기본 12 유도 심전도를 보면 어떤 유도를 사용하는 것이 좋은지 찾아낼 수 있을 것이다.

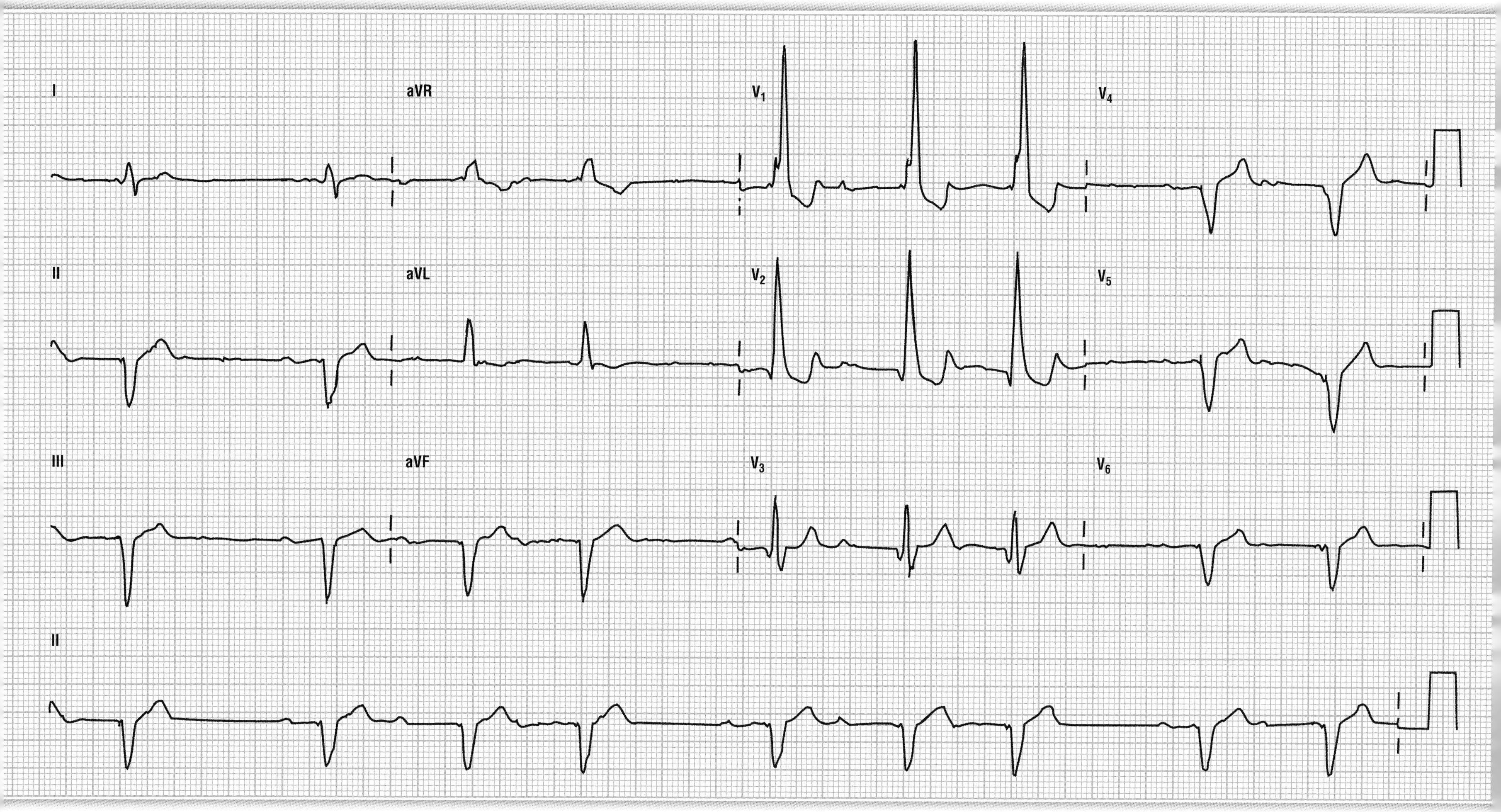

ECG 10-18

심전도 증례 연구 계속

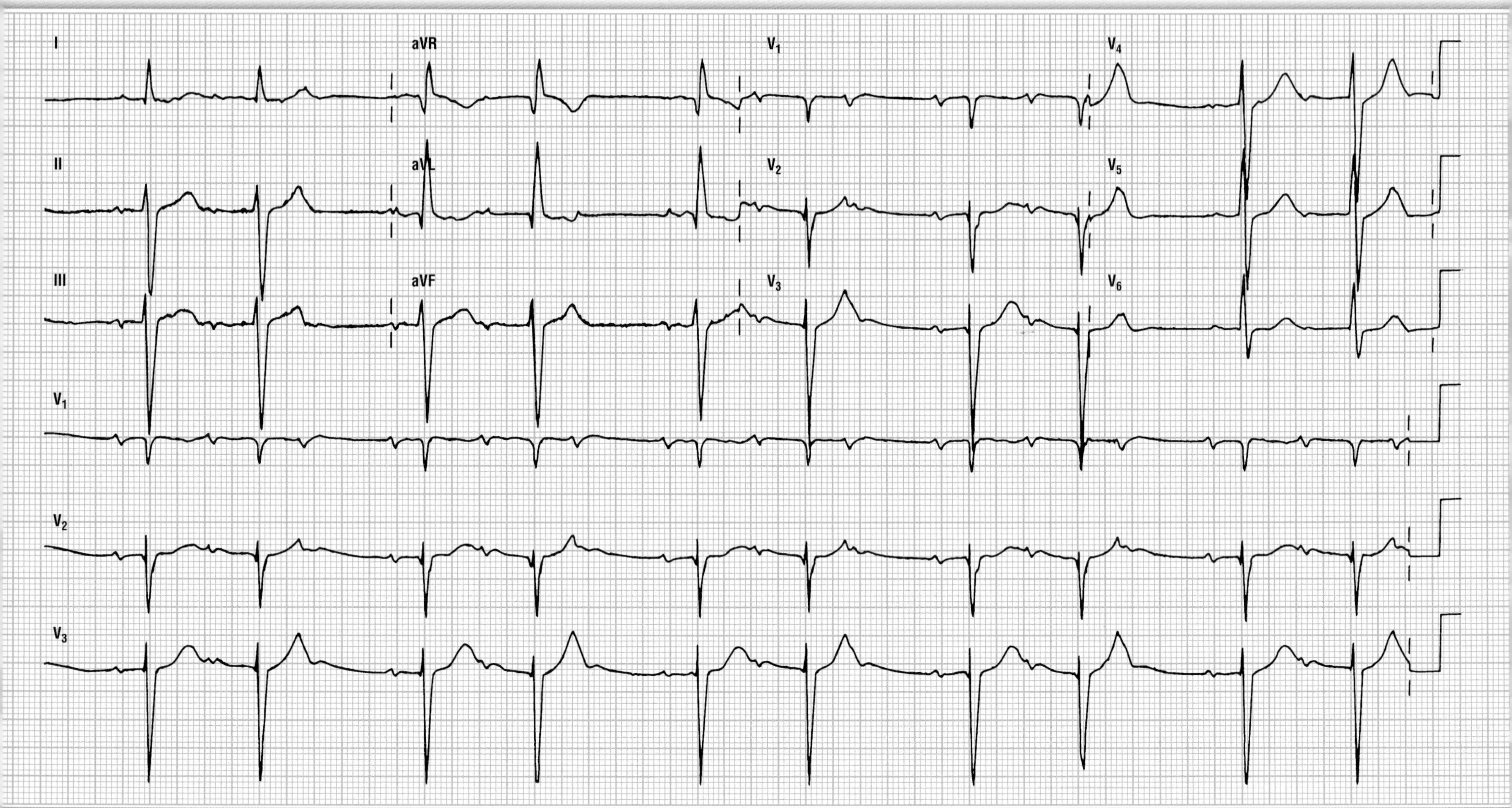

ECG 10-19

2

심전도 10-20 심전도를 분석해보자. 첫 번째는 명확히 확인할 수 있는 P파를 확인하는 것이다. 이제 측경기를 첫 부분 2개의 P파에 두자. 그 다음 측경기를 앞뒤로 움직여서 나머지 P파에 대어 보자. 파란색 밑줄이 그어진 부분에서는 처음 8개의 박동은 정확히 일치하고 규칙적이다. 초록색 화살표로 표시된 박동은 다른 박동과 모양도 다르고 타이밍도 다르다. 그리고 나서 다시 첫 그룹에서 나오는 P파와 같은 모양으로 돌아가지만 속도가 다르다. 어떻게 그렇게 되었느냐 하면 이소성 부위에서 기시한 2개의 박동이 동결절의 속도를 바꾸어(reset) 놓았기 때문이다. 이제 P파와 QRS군과의 관계를 살펴보자. 연관되어 있는가? 아니다. 3도 방실차단이다.

3

심전도 10-20 이 환자는 유도 I과 V_6에서의 늘어진 S파와 V_1에서 RSR' 소견을 보이는 우각차단을 바탕에 깔고 있다. T파는 대칭이고 유도 V_3와 V_4에서 뾰족하다. 이제 유도 II, III, 와 aVF의 T파를 살펴보자. T파는 높고 동반된 QRS보다 더 높다. 만약 이런 T파가 차단을 동반하면서 있으면 반드시 고칼륨혈증을 생각하여야 한다. 이 환자가 임상적으로 고칼륨혈증인지는 알지 못한다. 그러나 이것을 고려하여야 하고 만일 있다면 치료하여야 한다. 고칼륨혈증의 전통적인 높고 뾰족하고 좁은 모양은 단지 전체 환자의 22%에서만 볼 수 있다.

2

심전도 10-21 이것은 3도 방실차단이다. 심실박동보다 동성박동(sinus beat)이 더 빠른 것을 주목하자. 심실리듬은 접합부이탈박동(junctional escape beat)이며 심박수는 분당 35회 정도이다. 이 심전도에서 심실이탈율동(ventricular escape rhythm)을 배제할 수 없지만 모양은 심실상성 기원임을 유추할 수 있다.

첫 2군들을 보자. 이 2개의 군으로 어떤 차단인지 진단할 수 있는가? T파 위에 있는 2개의 융기를 잘 살펴보면 2개의 T파가 같지 않음을 알 수 있다. 만일 T파 위의 2개의 융기를 관찰하였다면 스스로에게 "이것이 겹쳐진 P파일까?" 라고 물어보아야 한다. 켈리퍼를 사용하여 이것이 P−P간격의 배수에 위치하는지 또는 중간에 있는지 관찰하여야 한다. 만약 맞다면, 그것은 위에 놓인(superimposed) P파이다.

3

심전도 10-21 이 심전도는 덧붙여 아주 훌륭한 2섬유속 차단(Bifascicular block)을 가진 3도 방실차단의 예이다. 환자는 심전도 상에서 우각차단(RBBB)과 좌전섬유속차단(left anterior hemiblock, LAH) 형태를 보인다. 만약에 환자가 2섬유속 차단을 일으키기에 충분한 전도계의 뚜렷한 심근 손상을 가지고 있다면 완전차단을 만들기 위한 경색이나 허혈의 양은 매우 작아도 가능하다. 환자가 허혈과 동반하여 2섬유속 차단을 가지고 있다면 완전 방실차단으로 이행할 수 있는 가능성을 항상 기억하고 있어야 한다. 이 환자를 어떻게 처치할 것인가? 만일을 위해서 침대 옆에 외부형 심박동기(external pacemaker)를 준비하고 있어야 한다.

심전도 증례 연구 계속

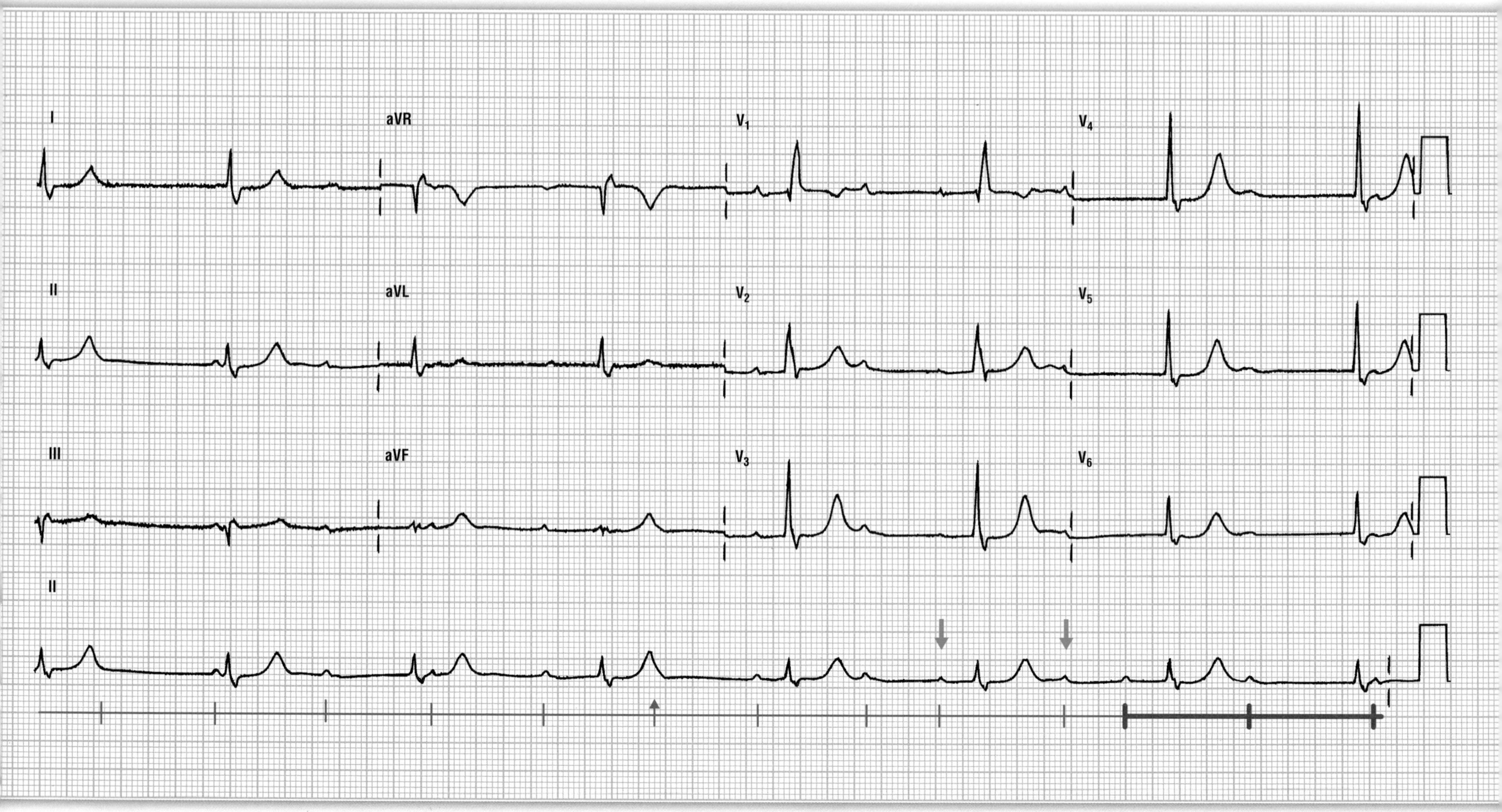

ECG 10-20

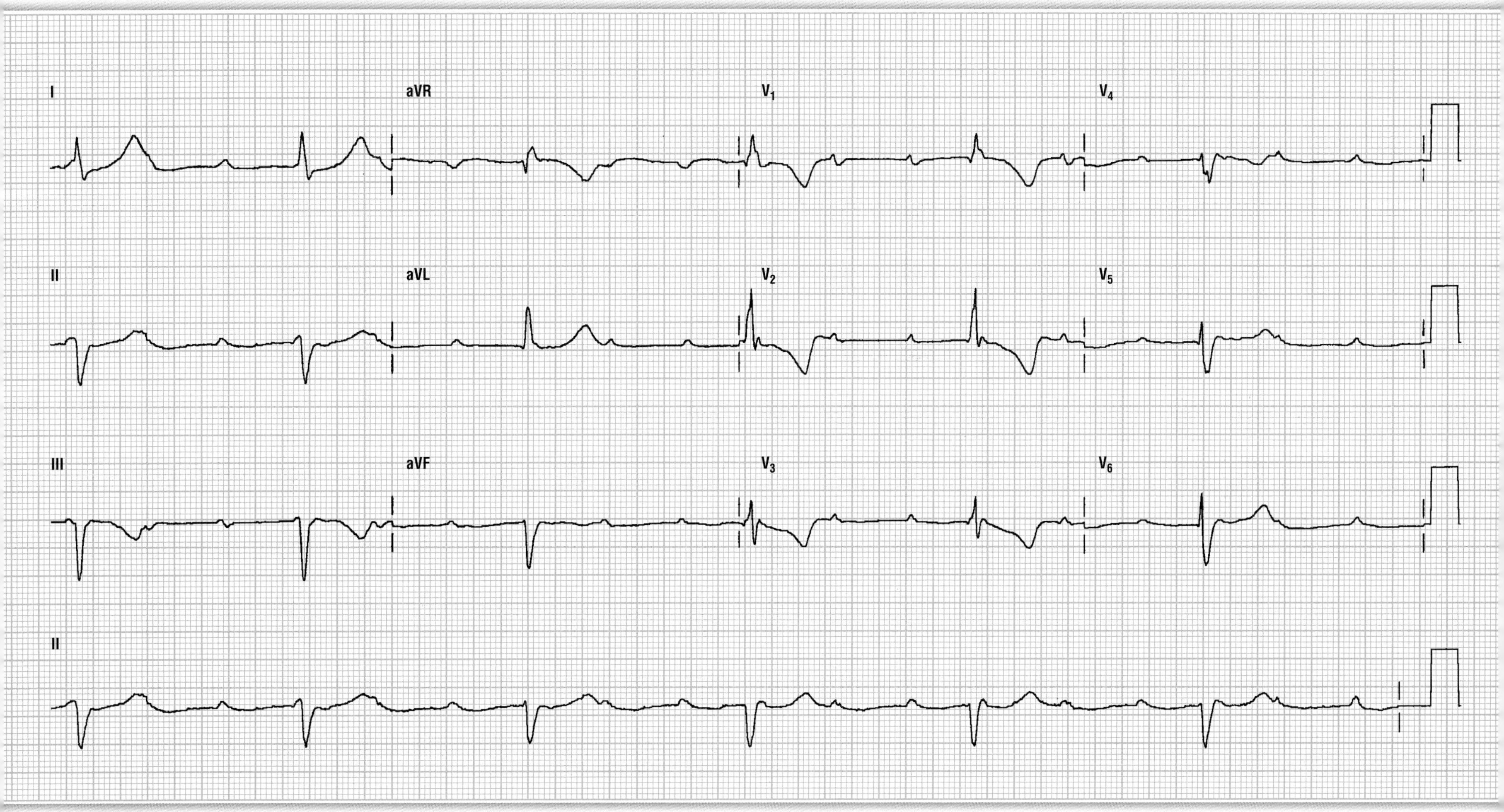
I
aVR
V1
V4
II
aVL
V2
V5
III
aVF
V3
V6
II

ECG 10-21

심전도 증례 연구 계속

2

심전도 10-22 굉장히 엉망이다! 중요한 것을 먼저하자 : P파를 확인할 수 있는가? 리듬 스트립에서 P파를 명확히 관찰할 수 있어야 한다. 측경기를 이용하여 위치를 확인해 보자. 규칙적인가? 그렇다. QRS군와 조금이라고 연관성이 있는가? 아니다. QRS군 보다 P파가 많은가? 그렇다. 이것은 3도 방실차단의 예이다.

이제 주의를 QRS군으로 돌려 보자. 첫 번째로 얼마나 빠른가? 심실 박동은 분당 20회 정도이다. QRS군이 넓은가 좁은가? 정말로 넓다. 넓은 QRS군 율동과 이 정도로 느린 심박수는 심실고유율동(idioventricular rhythm)이라고 알려진 심실이탈율동(ventricular escape rhythm)이다.

3

심전도 10-22 우리는 이 책에 치료에 대한 것은 다루려 하고 있지 않지만 가끔씩은 당신에게 치료에 대해 생각해 보도록 의견을 제시할 것이다. 만일 당신이 이 환자에게 있어서 atropin이나 외부 심박동기를 선택할 수 있으면 어떤 것을 선택할 것인가? ACLS 가이드라인은 atropine 0.5–1.0mg 정맥주사, 그리고 가능하다면 경피적 인공심박동기(transcutaneous pacemaker) 시술을 추천하고 있다. 아트로핀(atropoine)은 정맥경로가 확보되어 있다면, 빠르고 쉽게 투여할 수 있다, 그러나 아트로핀 투여 후 나타나는 반응은 다양하고 예측하기 어렵다. 경피적 인공심박조율(transcutaneous pacing)은 (만약 빨리 사용할 수 있고, 심실포획[자극, ventricular capture]이 된다면) 심박동수를 조절할 수 있어서 다소의 임상 상황에서 더 선호될 수 있다.

조언

같은 스트립에서 복수의 율동 이상이 있을 수 있다. 예를 들어 심전도 10-22는 기저 심방박동으로 동빈맥이 있고 심실고유율동이 있다. 이 2가지 요소가 3도 방실차단을 이루는데 심방 박동수가 심실 박동수보다 빠르기 때문이다. 이런 정보들을 모두 모아 종합하면 정확하고 가장 완전한 이상 소견을 찾아낼 수 있는데 그것은 차단을 동반한 발작성 심방빈맥이다. 이 심전도의 경우 차단으로 인해 심실고유율동이 발생하였다.

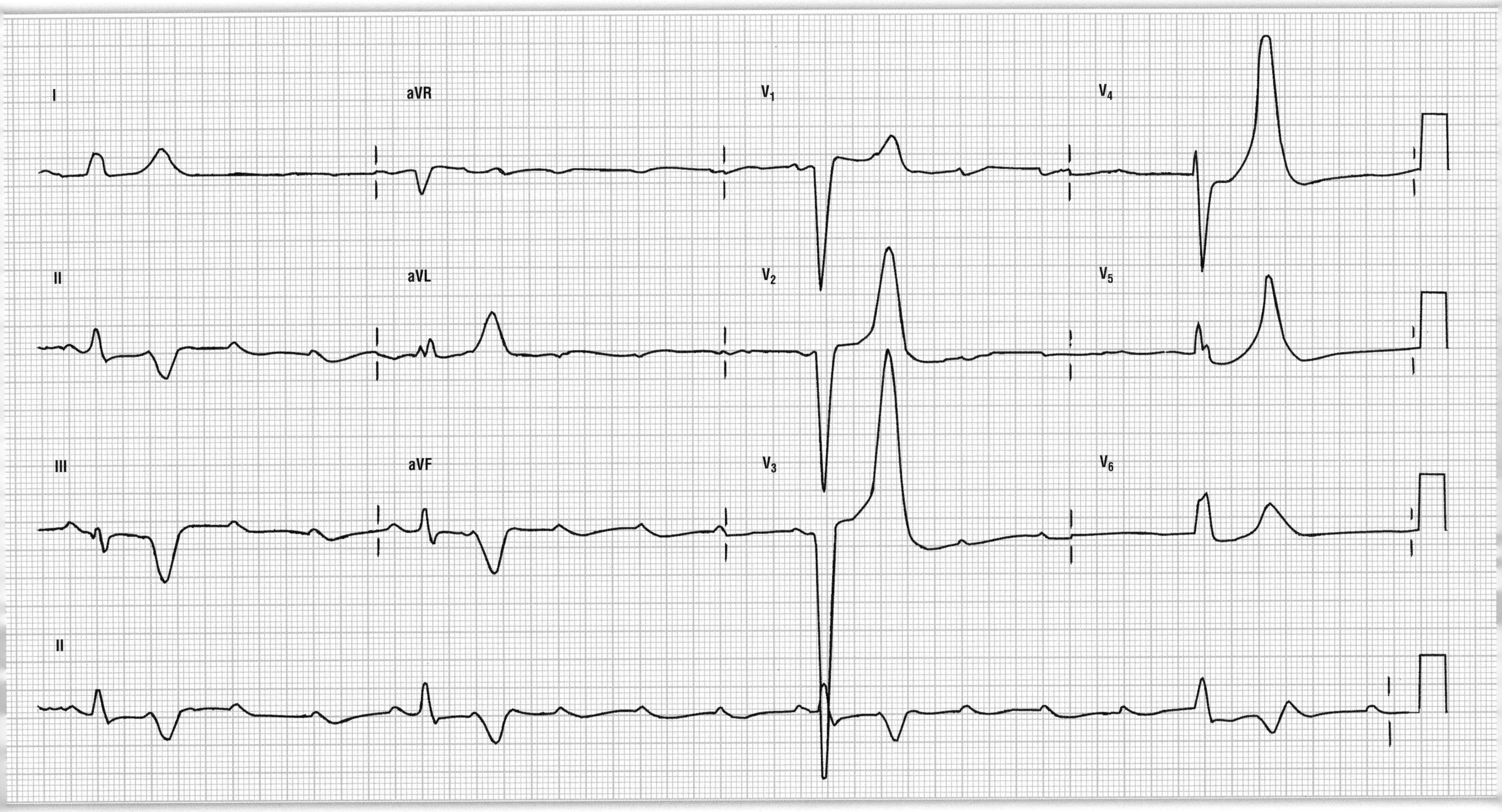

ECG 10-22

1 단원 복습

1. PR 간격은 심방의 탈분극부터 심실의 재분극의 끝까지의 시간을 의미한다. 참 또는 거짓

2. PR분절의 하강에는 다음 감별 진단을 포함한다.
A. 정상 변이
B. 심낭염
C. 심방 경색
D. 이상 모두
E. 해당 사항 없음

3. 만약 유도 II의 PR 간격이 0.18초 이고 V_1의 간격이 0.22초라고 하면 어떤 것이 진짜 PR 간격인가?
A. 0.18초
B. 0.20초
C. 0.22초
D. 0.24초
E. 해당 사항 없음

1. 거짓 **2.** D. **3.** C

2 단원 복습

4. 짧은 PR 간격의 감별 진단은 다음을 포함한다.
A. 역행성 접합부 P파들
B. LGL (Lown–Ganong–Levine) 증후군
C. WPW (Wolff–Parkinson–White) 증후군
D. 이상 모두
E. 해당 사항 없음

5. WPW 증후군에 대한 사항 중 틀린 것은?
A. 짧은 PR 간격은 항상 관찰된다.
B. 넓은 QRS군 ≥ 0.11초
C. 델타파의 존재
D. ST–T파의 이상소견이 동반
E. 발작성 빈맥과 동반

6. 넓은군 빈맥을 관찰하였다면 WPW 증후군에 의해 발생한 것이라고 유추할 수 있다. 참 또는 거짓

7. WPW 환자에서 관찰되는 하부 유도들에서의 Q파는 항상 이전의 심근 경색으로 인한다. 참 또는 거짓

8. 방실차단과 각차단은 같은 것이다. 이것은 명칭상의 문제일 뿐이다. 참 또는 거짓

9. QRS군이 빠지기 전까지 점진적으로 늘어나는 PR 간격을 가지는 그룹을 이루는 박동들은?
A. 1도 방실 차단
B. Mobitz I 2도 방실 차단 혹은 Wenckebach
C. Mobitz II 2도 방실 차단
D. 3도 방실 차단
E. 방실해리

10. 만일 동율동이 분당 100회이고 심실박동이 분당 38회이며 이들이 해리되어 있다면 이것을 무엇이라 하는가?
A. 방실해리
B. 3도 방실차단
C. A와 B 모두 정답
D. 해당 사항 없음

4. D. **5.** A. **6.** 거짓. **7.** 거짓. **8.** 거짓. **9.** B. **10.** B.

11 장

1

파형들은 어떻게 만들어지는가?

기*본 박동* 장에서도 언급한바와 같이 QRS군은 세 개의 다른 파형들로 이루어져있다 : Q, R, S파. 정상적으로 모든 군이나 유도에서 모든 파들을 보지는 못한다. 당신이 기억하고 있다면, QRS군들은 단지 심장의 전기 전위(electrical potentials)에 의해 발생되는 벡터들이 그래프 용지위에 합쳐져서 나타나는 물리적 현상일 뿐이다. 벡터의 각도와 크기에 의하여 군의 어떤 부분은 등전압(isoelectric)이 되며 심전도 상에서는 보이지 않게 된다. 예를 든다면, 그림 11−1에서 유도 II의 붉은색 벡터 부분을 보라 그림 11−1에서 심전도군들을 색깔의 변화로 표현하고 있다. 그것들은 빨간색에서 노란색 그리고 파란색으로 천천히 바뀐다. 이런 변화는 심장 탈분극과 재분극이 순차적으로 일어나는 일련의 과정이기 때문이지만, 각각이 분리되어 일어나는 독립된 현상은 아니기 때문이다. 심주기 내에서 발생하는 현상은 하나에서 다른 것으로 조직화된 양상으로 흘러가게 된다. 심실에서 처음으로 탈분극이 일어나는 지역은 중격(septum)이다. 이 지역은 전방과 우측방향으로 탈분극되며, 빨간 벡터로 표시하였다. 그리고 심실 본체가 탈분극되기 시작하고 후하방으로 향하는 큰 벡터를 만든다(노란 벡터). 마지막으로, 심실 기저부위의 탈분극이 후상방으로 일어난다(파란 벡터). 여러 사지 유도들에서 3개의 벡터가 각각 어떻게 들어와서 QRS군으로 나타나는지를 주목하라.

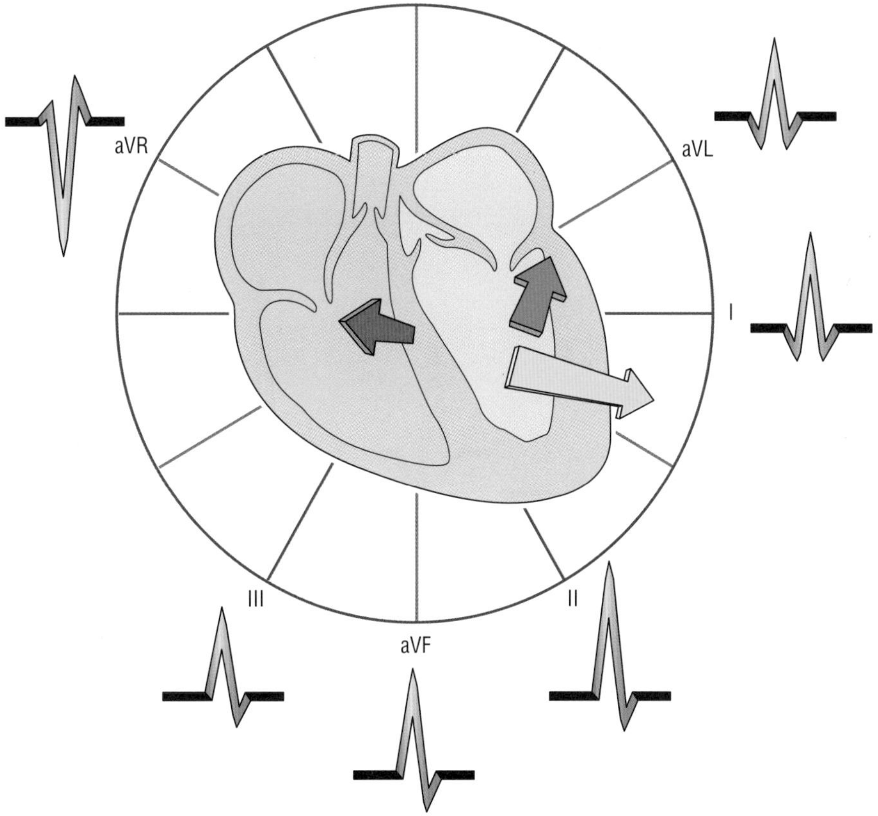

그림 11−1. 심장을 관상(정면) 단면으로 자르는 사지 유도. 벡터의 색이 파들에 반영되어 있다.

기본 박동 장에서도 설명했듯이 사지 유도는 심장을 전기적 관상(정면)면으로 잘라서 나타내며(그림 11−1) 그리고 전흉부 유도는 심장을 수평면으로 잘라서 나타낸다(그림 11−2). 그림 11−2는 전흉부 QRS군들이 어떻게 만들어지는지를 보여준다. 벡터는 그림 11−1과 동일하지만, 바라보는 각도가 정면이나 관상 단면에서 수평 단면으로 변하였다.

당신의 좌심실이 정말로 크다고 가정해보자. 노란색 벡터는 어떻게 보이겠는가? 훨씬 클 것이다. 심실이 클수록 벡터도 크다. 벡터는 이동하는 방향과 크기에 따라 심전도에 나타난다는 것을 기억하라. 이제 전벽부 경색에 의한 큰 심장마비(a big heart attach)로 전기적 힘을 만들 수 없는 심장을 그려보자. 노란색 벡터가 어떻게 보이겠는가? 벡터를 앞으로 당기는 힘이 약하기 때문에 벡터는 보다 작아지고 후방을 향할 것이다.

만일 심낭삼출이 있어 심장을 액체가 둘러싸고 있다면 벡터는 어떻게 보이겠는가? 벡터의 방향은 동일하지만 삼출액에 의해 전기적 힘이 줄어들기 때문에 심전도상 작은 QRS군들이 나타날 것이다. 담요를 덮은 오디오 스피커를 듣는다고 생각해보라. 소리는 같지만 작을 것이다.

만일 생리적 결함이 벡터에 어떻게 영향을 미치는지 생각한다면, 당신은 끝없이 많은 모양과 크기의 QRS군이 생길 수 있다는 것을 알 수 있을 것이다.

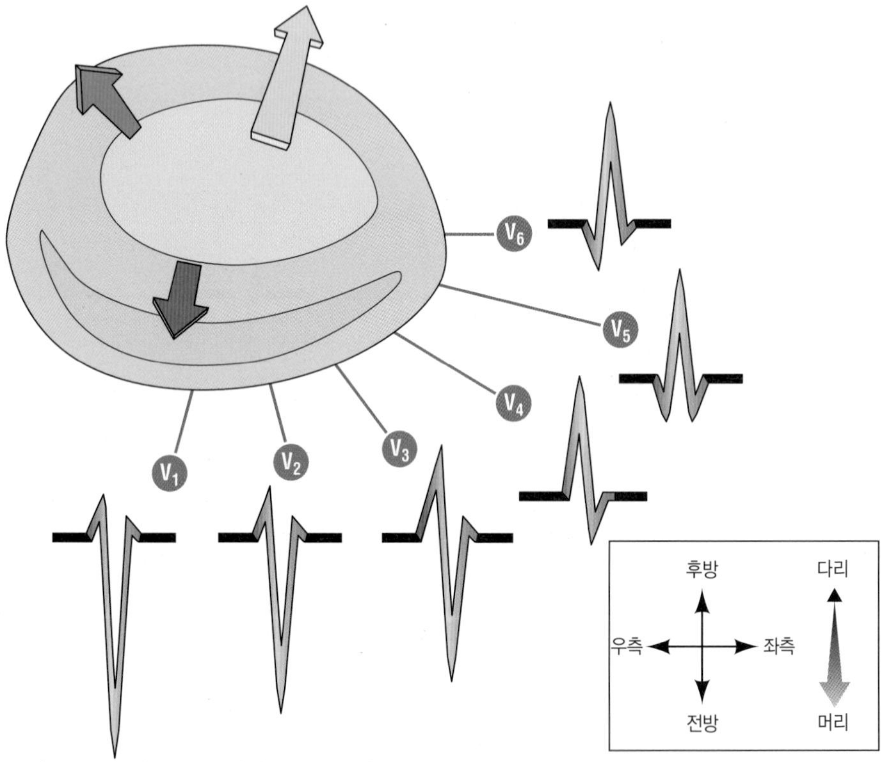

그림 11−2. 심장의 수평 단면에 의한 전흉부 유도. 벡터의 색이 파들에 반영되어 있다.

QRS군을 어떻게 볼 것인가

지금쯤 당신은 QRS군이 어떻게 생겼는지 어느 정도는 알 것이다. 만약 확신이 서지 않는다면 *기본 박동* 장으로 돌아가서 복습하라. 이번 장은 당신이 보는 것이 무엇인지 그것이 무슨 의미가 있는지에 대해 살펴볼 것이다.

QRS군을 해석하는데 살펴봐야 할 것들이 있다 :

1. 높이, 또는 진폭(amplitude)
2. 넓이, 또는 기간
3. 모양
4. 경색 형태의 Q파의 존재
5. 관상면(frontal plane)에 따른 축
6. 이행대(transition zone), 또는 Z축

우리는 다음 몇 페이지에 걸쳐 상세히 각각 하나씩 살펴볼 것이다. 또한 축과 이행대에 대해서는 *전기축* 장에서도 살펴볼 것이다.

모든 유도에서 군들을 살펴봐야 한다. 단지 하나, 또는 2개의 유도만 확인하는 실수를 하지 말라. 다른 유도들의 카메라 유사성에 대해서 기억하는가? 당신은 사물을 해석하기 위해 전체의 그림이 필요하다. −이번에는 심장과 이것의 벡터들이다.

조언

전체 심전도를 보라!

QRS 높이(진폭)

많은 요소들이 QRS군의 높이를 바꾼다. 변화의 주된 유발인자는 벡터들의 크기와 방향이다. 벡터의 크기는 심장의 특정방향으로 만들어지는 활동전위들의 수를 반영한다. 이것은 다르게 말하면 벡터는 세포수와 심실의 크기에 좌우된다. 만약 좌심실이 크거나 비대되어 있다면, 우리는 이것을 좌심실비대(left ventricular hypertrophy, LVH)라고 한다. 마찬가지로 우심실이 커져있는 것을 우심실비대(right ventricular hypertrophy, RVH)라고 부른다.

QRS군의 크기를 결정하는 또 하나의 중요한 요소는 다양한 벡터들의 정반대 방향이다. 경색부위와 반흔(scar) 조직은 전기적으로 활성화되어 있지 않다는 것을 기억하라. 그래서 경색 반대 부위의 벡터가 있을 때, 이것을 방해하는 벡터가 없게 된다. 왜냐하면 벡터의 크기를 줄일 수 있는 것이 없기 때문에, 정상 심전도의 비율에 맞지 않는 모양을 보인다.

앞에서도 언급했듯이 삼출(effusion)도 QRS군 진폭에 영향을 끼칠 수 있다. 삼출과 비슷한 완충역할(dampener)을 할 수 있는 다른 무언가를 생각할 수 있겠는가? 체지방은 어떤가? 대체로 비만환자에서 과다 지방조직으로 인해 작은 전압(voltage)를 나타낸다. 갑상선 저하증 환자에서 아밀로이드 축적도 비슷한 작용을 한다. 국소적 흉막 삼출액이 특정 유도에서 전압을 감소시킬 수 있을까? 물론 가능하다. 이럴 경우에는 V_5와 V_6에서 전압이 감소되는 것을 때때로 볼 수 있으며, 이 지역이 흉막 삼출이 대개 모이는 곳이다.

대체로 여성보다 남성에서 더 큰 진폭을 나타나며 노인보다 젊은이에서 높은 진폭을, 사지 유도보다 전극이 심장에 가까운 전흉부 유도에서 높은 진폭을 나타낸다.

비정상 진폭

매우 큰 군은 보통 단독 또는 양쪽 심실비대가 있을 때 발생하거나, 비정상의 심박동기나 편이전도 박동(aberrantly conducted beat)이 있을 때 발생한다. 그림 11-3에서, 크기가 큰 군은 심실조기박동이다.

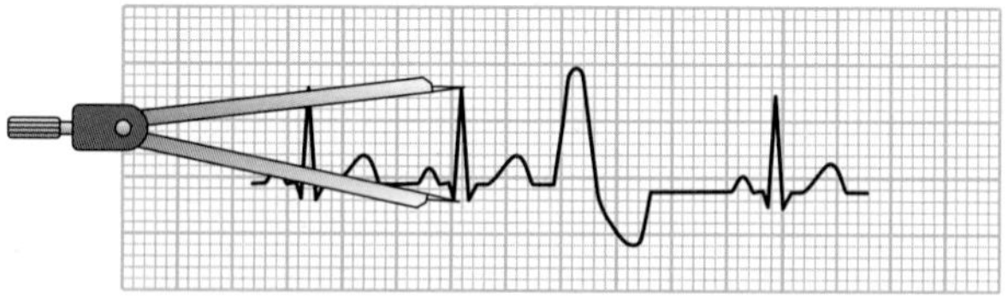

그림 11-3. 크고 작은 진폭. 측경기들이 정상 군을 측정한다.

낮은 전압은 흔하다. 비정상적인 작은 QRS군의 기준은 무엇인가 – 예를 들면 심낭 삼출액에 의한 경우? 모든 사지유도에서 5mm 이하의 전압은 비정상이다(그림 11-4). 모든 흉부 유도의 파들이 10mm 보다 작은 경우도 역시 매우 비정상이다(그림 11-5). 하지만, 흉부 유도에서는 나타나지 않고도 사지 유도에서만 낮은 전압이 나타날 수 있다. 이것은 흉부 유도가 심장과 직접 접하는 흉벽에 부착되기 때문이다. 삼출액이 있는 야윈 사람에서는 삼출액이 있는 건강한 사람보다 큰 흉부유도를 가진다. 무거운 사람은 삼출액 뿐만 아니라 심장과 전극 사이의 체벽의 크기도 QRS의 크기에 영향을 끼친다.

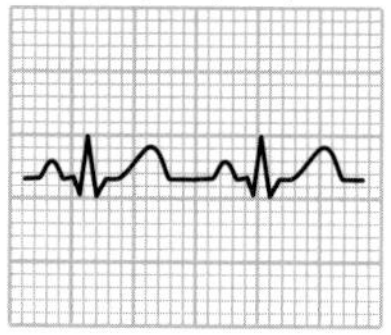

그림 11-4. 낮은 사지 유도 전압

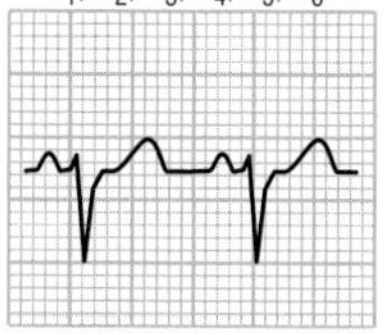

그림 11-5. 낮은 흉부 유도 전압

빠른 복습

1. QRS군은 단지 3개의 벡터만이 나타난다. 참 또는 거짓
2. 모든 유도에서 모두 3개의 파가 나타난다. 참 또는 거짓
3. 심실 탈분극이 가장 먼저 시작하는 부위는 중격이다. 참 또는 거짓
4. 좌심실의 주된 벡터는 좌측과 전방을 향한다. 참 또는 거짓
5. 탈분극과 재분극은 순차적으로 일어나지만, 시간적으로 약간 겹칠 수 있다. 참 또는 거짓
6. 사지 유도는 심장을 수평면으로 잘라서 나타낸다. 참 또는 거짓
7. 흉부 유도는 심장을 관상면으로 잘라서 나타낸다. 참 또는 거짓
8. 흉부 유도는 보통 사지유도보다 작은 진폭을 가진다. 참 또는 거짓
9. 반흔 조직(scar tissue)는 심전도상 전압을 증가시킨다. 참 또는 거짓

1. 거짓. QRS군은 수백만 개의 벡터를 가진다. 그러나 임시로 3개의 주 그룹으로 나눈다. **2.** 거짓. 일부 유도에서 등전위이거나 전하가 없는 지역이 몇군데 있다. **3.** 참 **4.** 거짓 **5.** 참. 탈분극의 끝은 재분극의 시작과 겹치는 경우가 일부에서 있을 수 있다. 이런 현상으로 QRS군과 ST분절 사이의 이행점인 J점이 분명치 않게 보일 수 있다. **6.** 거짓 **7.** 거짓 **8.** 거짓 **9.** 거짓

2

심전도 11–1 소량의 심낭액은 정상이다(그림 11–6). 그림 11–7과 심전도 11–1에서 보여지는 많은 양의 삼출액이 있을 때, 약화시키는 효과를 보게 될 것이다. 심전도 11–1은 이런 효과의 예이다.

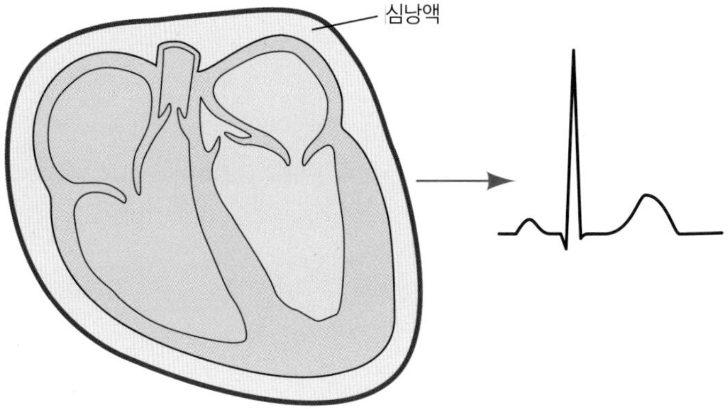

그림 11–6. 소량의 심낭액에서 나타나는 심전도파

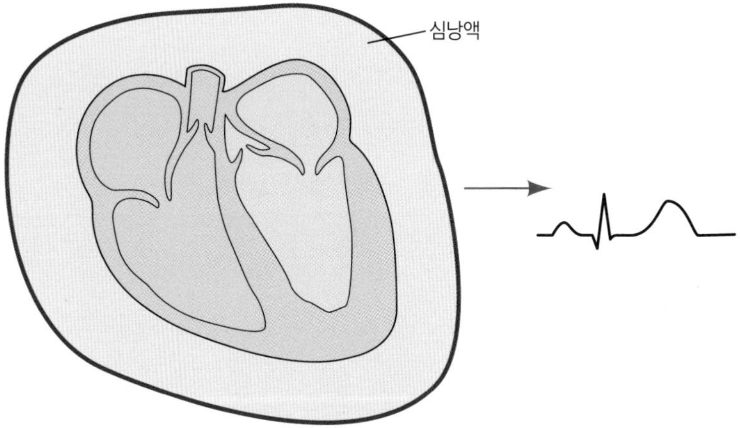

그림 11–7. 다량의 심낭액에서 나타나는 심전도파

심전도 11–2 삼출액이 있는 환자에서 심방확장의 기준을 적용하는 것은 힘들다. 하지만 모든 군이나 일부 군에서 똑같이 영향을 받고 이 환자에서 P파가 매우 크다는 것을 기억하라. 4번째 군을 보라. 무엇인가? 만약 당신이 심실조기박동이라고 대답한다면, 정답이다! 이제 돌아가서 당신이 보았던 심실조기박동들을 떠올려보자. 대부분의 심실조기박동은 세포 대 세포의 접촉에 의해 심실을 통해 전파되고, 반대 벡터가 매우 느물기 때문에 대개 매우 크다. 그러나 이 심전도에서 심실조기박동은 정상 진폭이다; 삼출액이 군을 감소시키기 때문이다(그림 11–8에서도 볼 수 있다). 흉부 유도는 매우 작다. 왜 그런지 짐작할 수 있겠는가?*

심전도 11–2 후의 답을 보라.

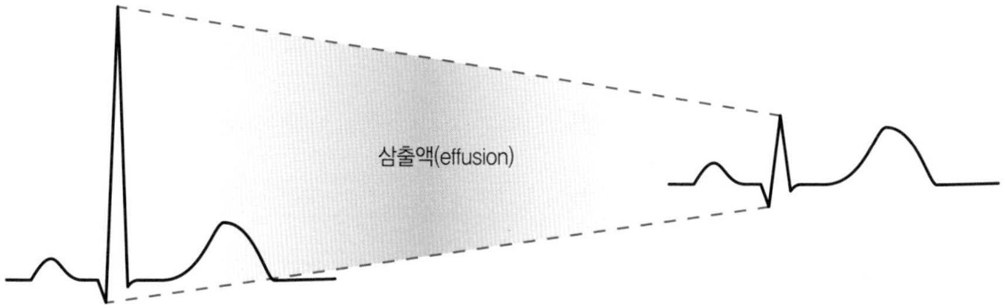

그림 11–8. 삼출액이 많을수록, 군의 크기는 작다!

심전도 증례 연구 계속

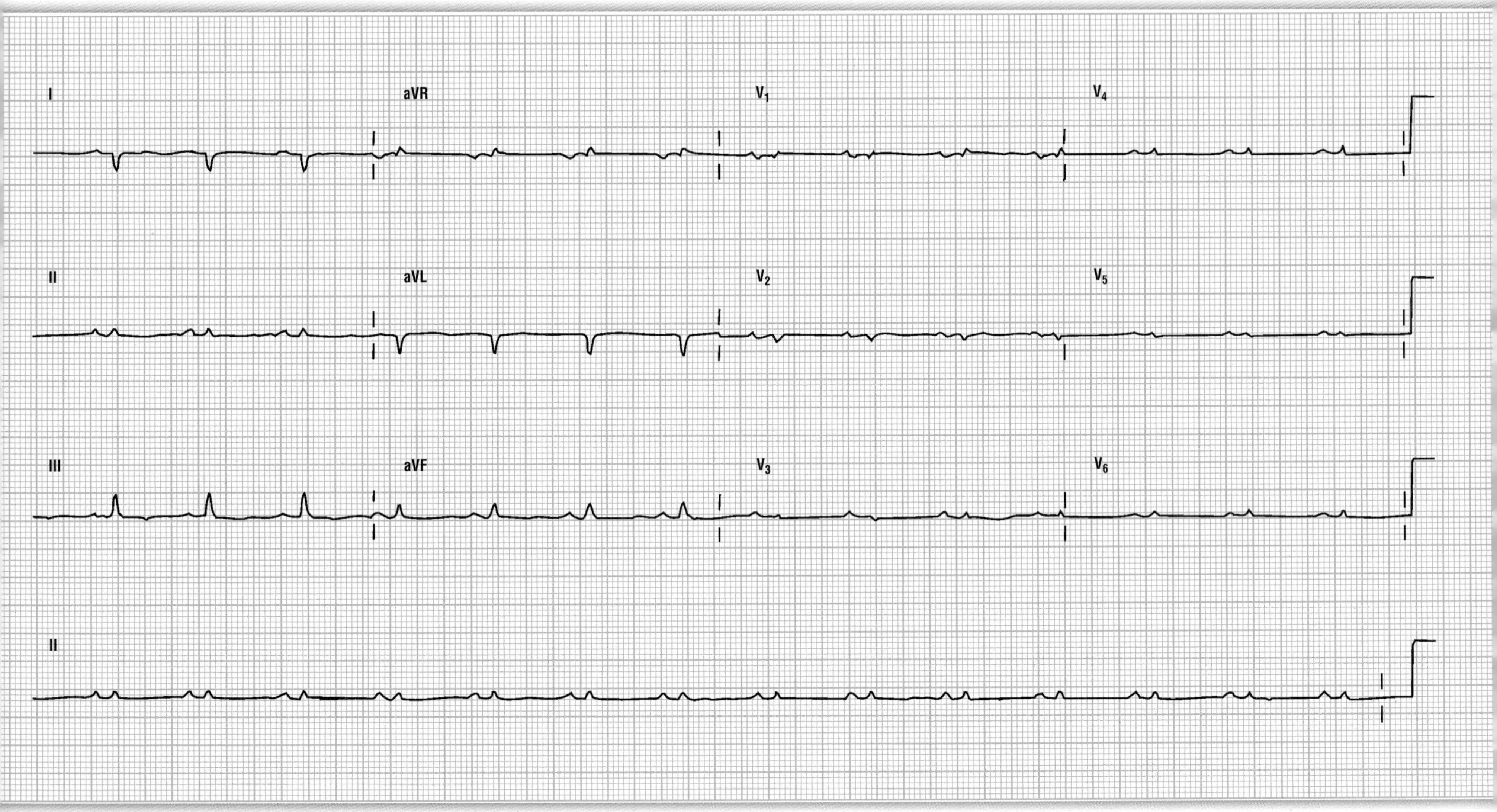

ECG 11-1

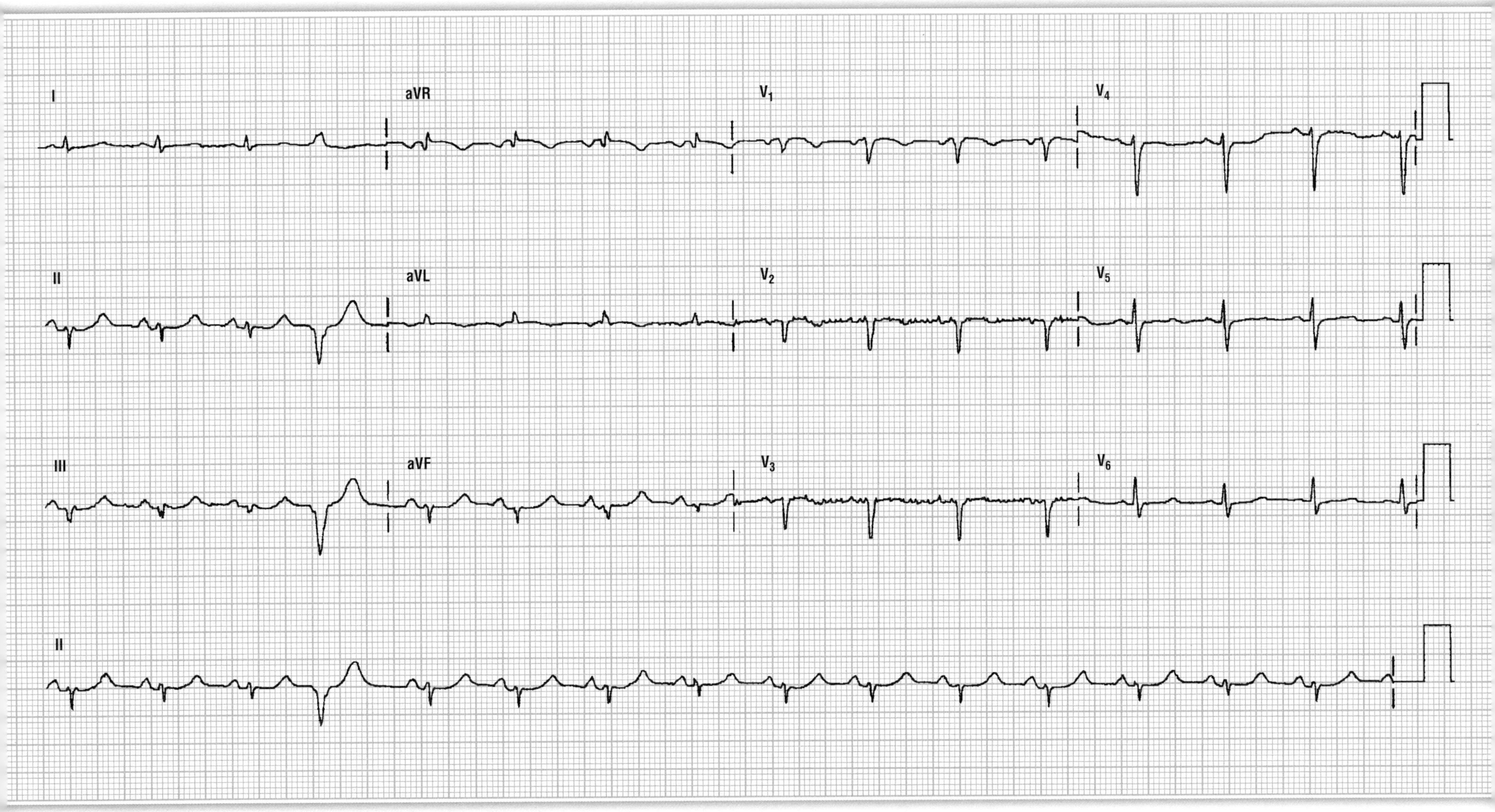

ECG 11-2

*정답 : 비만이나 만성폐쇄성폐질환(COPD)에 의한 체벽의 크기가 증가함으로 부가적으로 감소시키는 효과가 있다. 이런 현상은 사지 유도보다 흉부 유도에서 더 많이 나타난다. 사지 유도의 전극이 심장에서 10cm 보다 떨어진 지점에 부착되는 한, QRS 크기의 변화는 매우 작다는 것을 명심하라.

심전도 증례 연구 큰 QRS군들

2

심전도 11-3 크기가 작은 QRS군을 발견했는가? 농담이다. 우리가 본 가장 큰 QRS군 중 하나이다. 아마도 이렇게 큰 것은 볼 수 없겠지만, 연구해볼 필요는 있다. 가장 큰 유도는 V_2이다 : S파를 추적해 내려가면 페이지의 끝에 도달할 것이다. 군은 매우 넓으며 이것은 다음에 얘기하도록 하자. 경한 양심방비대의 증거가 V_1에 있다. QRS군과 ST분절 사이의 이행점인 J점을 주목했는가? 기저선에서 20mm 정도 위에 있다. 이것은 극히 높은 것이며 다음에 언급하겠지만 급성심근경색(AMI)의 징후이다.

3

심전도 11-3 이것은 좌각차단(LBBB)의 예이다. 환자의 이전 심전도는 V_2에서 매우 큰 군을 가진 좌심실비대 소견을 보인다. 새롭게 나타난 좌각차단(LBBB)과 20mm의 굉장한 ST분절 상승은 이 환자에서는 급성심근경색에 일치하는 소견이다. 좌각차단(LBBB)에서 급성심근경색을 진단하는 기준을 기억하라 :

1. 우측 흉부유도에서 ST 상승 ≥ 5mm
2. 이전 심전도와 비교하여 우측 흉부유도에서 3mm 이상의 ST 상승
3. V_1에서 V_2에 조금이라도 나타나는 ST 하강
4. 좌측 흉부유도에서 ST 상승
5. 비정상 Q파의 존재

2 빠른 복습

1. QRS군은 다수의 파형들이 그룹을 이루어서 만들어진다. 참 또는 거짓
2. 파형들은 벡터의 심전도학적 표현이다. 참 또는 거짓
3. 심장은 2차원적으로만 관찰할 수 있다. 참 또는 거짓
4. 벡터가 클수록 군은 작다. 참 또는 거짓
5. 벡터를 숙지할 때는 크기와 방향 *둘다* 모두 중요하다. 참 또는 거짓
6. QRS군에서 우리가 보아야 할 것 :
   - **A.** 높이 또는 진폭
   - **B.** 넓이 또는 기간
   - **C.** 형태
   - **D.** Q파의 존재
   - **E.** 전면에 따른 축
   - **F.** 이행대 또는 Z축
   - **G.** 위 모두

1. 참 **2.** 참 **3.** 거짓 **4.** 거짓 **5.** 참 **6.** G

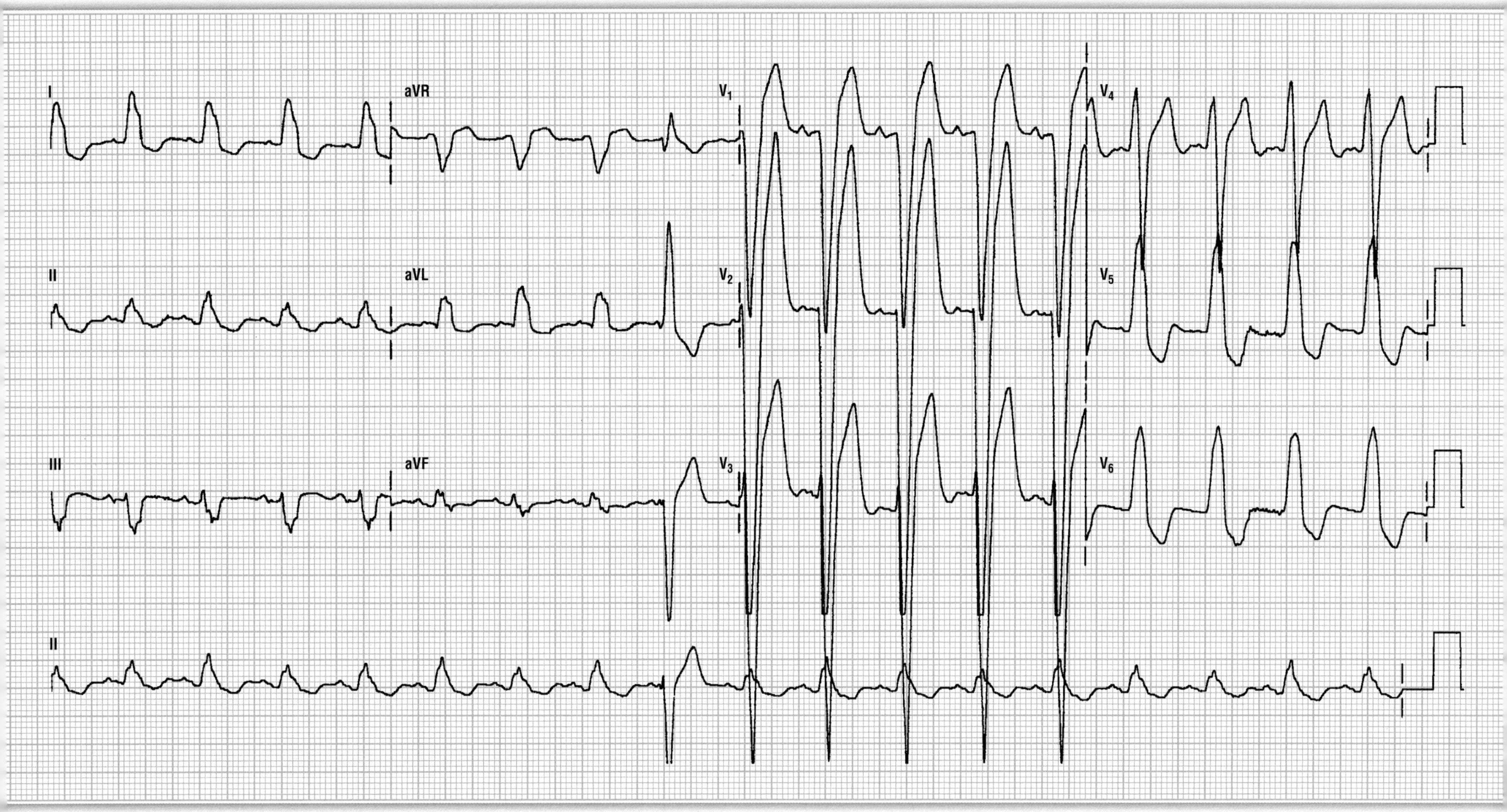

ECG 11-3

2

좌심실비대(Left Ventricular Hypertrophy, LVH)

좌심실 비대를 정확하게 말하면 다음과 같다 : 크거나 비후된 좌심실. 이것은 2가지 기전 중 한 가지에 의해서 가능하다 : (1) 유출로 문제, 압력 과부하, 높은 동맥압이나 대동맥 협착과 같은 저항에 대응하여 심실이 힘들게 수축해야만 하는 경우 (2) 용적이나 확장기 문제, 용적 과부하, 수축 후 판(valve)을 통해 혈액이 역류하여(대동맥판 부전 또는 승모판 폐쇄부전) 발생하는 경우.

추가의 부하(workload)에 직면했을 때, 심장은 강해지고 혈액 펌프를 보다 많이 하기 위해 커진다. 이것은 당신이 체육관에서 무게를 이기며 운동할 때 당신의 근육에 일어나는 현상과 유사하다. 이것은 매우 복잡한 문제를 간단히 본 관점이지만, 우리 목적으로는 충분하다.

이제 심전도에 무슨 일이 일어났는가? 아시다시피, 심장에 보다 많은 부피와 세포들이 있을수록 많은 활동전위들(action potentials)이 발생한다. 다음에, 이것은 큰 벡터와 심전도에서 높은 진폭을 유발한다. 이것은 전극이 흉벽과 근접해 있기 때문에 흉부 유도에 그대로 나타나게 된다. 다른 중요한 점은 커진 좌심실은 심장을 전방으로 밀기 때문에 전극에 가까워지고 더 큰 군을 만든다는 것이다.

좌심실비대를 진단하기 위해 전압에 기초한 다양한 기준들을 사용할 것이다. 이런 기준들은 확실한 것은 아니나, 비교적 잘 사용되고 있다. 한 가지 명심할 것은, 만일 전기 전도가 정상 경로를 통해 일어나지 않는다면 QRS군의 모양은 상당히 변화하여서 이런 기준들을 이용할 수 없다는 것이다. 전도 변화에 의해서 비-좌심실비대성 심전도 변화(편집자주 : pseudo-LVH 소견)가 일어날 수 있는 경우는 좌각차단(LBBB), WPW 증후군, 심실 리듬, 특정 전해질이나 약물의 심한 영향들이다.

좌심실비대의 심전도 기준

좌심실비대는 너무나 많은 진단 기준이 있어서, 전부를 기억하는 것은 불가능한 것은 아니지만 어렵다. 저자들은 본인들의 취향에 따라 다양한 기준을 내어놓는다. 그것은 그들이 맞고 우리가 틀리거나 혹은 그 반대를 의미하는 것은 아니다. 이것은 단지 혼란스런 주제이다. 임상적 연관성이 강하고 기억하기 쉬운 기준을 살펴보자. 우리는 아래의 것만을 기억하라고 권유한다(그림 11-9에서 11-11까지 이 기준을 묘사하였다).

1. V_1이나 V_2의 S파 중 가장 깊은 것과 V_5나 V_6의 R파 중 가장 높은 것을 더하라. 좌심실 비대를 진단하기 위해 합이 35mm 이상이어야 한다. 즉, (V_1 또는 V_2의 S파) + (V_5 또는 V_6의 R파) ≥35mm
   부수적으로, 다음이 있을 때 좌심실비대라고 한다.
2. 어떤 흉부유도라도 ≥45mm
3. aVL의 R파 ≥11mm
4. I의 R파 ≥12mm
5. aVF의 R파 ≥20mm

ST분절과 T파 장에서, 좌심실비대와 흔히 잘 동반되는 2차적 ST-T 이상에 대해서 논의할 것이다. 그때까지 QRS군들과 관련된 개념을 이해하는데 시간을 보낼 것이다.

지금은 단지 좌심실비대는 어떤 경우에는 비정상적인 재분극과 연관되어 있으며 ST분절 하강과 T파 역위를 유발할 수 있다는 것만 기억하라. 이것은 재분극 이상에 의해서이며 허혈은 아니다.

좌심실비대 확인, 한걸음 한걸음씩

좌심실비대를 결정하기 위해서는 거리(distance) 측정이 필요하다. 먼저, V_1이나 V_2에서 가장 깊은 S파를 측정해라(그림 11-9의 거리 A). 이제 측경기(caliper)를 간격이 변하지 않게 옮겨서 V_5나 V_6의 가장 큰 R파의 꼭지가 아래로 오도록 하라(그림 11-10, A). 다음은, 위쪽 핀은 움직이지 말고, 아래쪽 핀을 움직여 R파의 기저선까지 측정하라(그림 11-10, B). 그 간격이 V_1이나 V_2의 S파 깊이와 V_5나 V_6 R파의 높이를 합한 것이다. 만일 이 합계가 35mm 이상이라면, 좌심실비대라고 할 수 있다. 쉽지 않은가? 그림 11-11은 다른 좌심실비대 기준을 설명하였다.

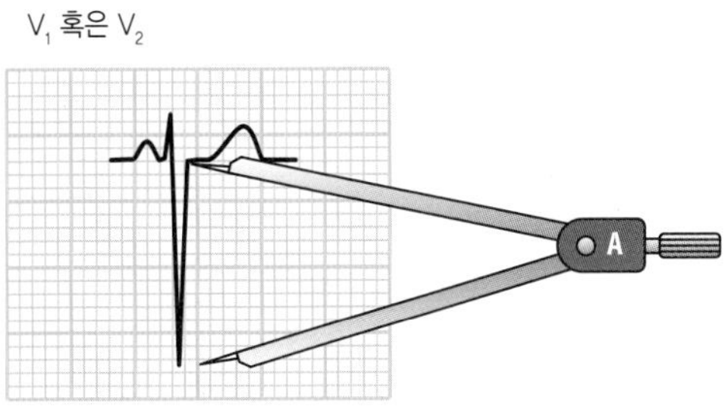

그림 11-9. 좌심실비대의 측정

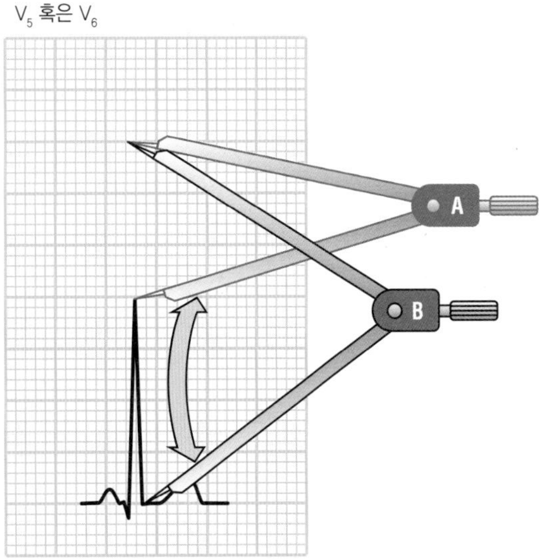

그림 11-10. 좌심실비대 기준 #1

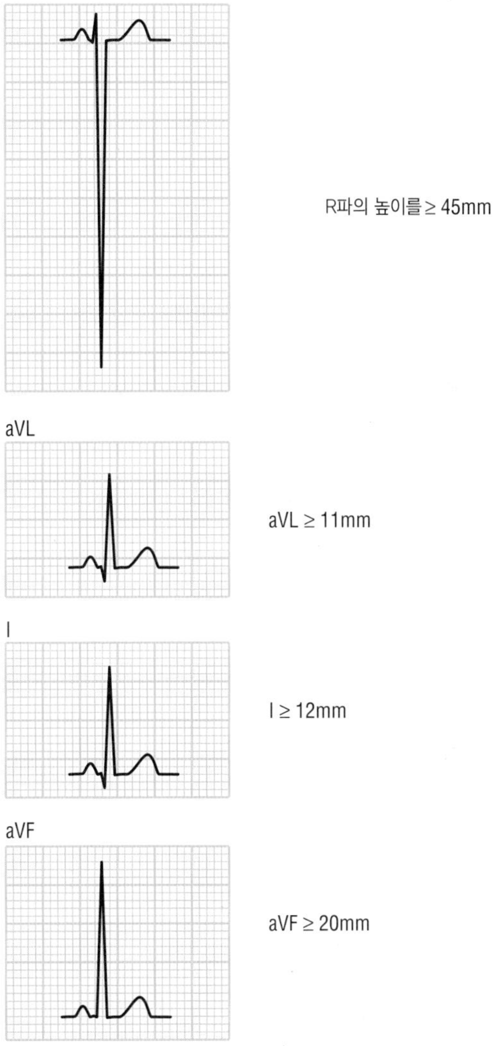

그림 11-11. 좌심실비대 기준 #2–5. 측경기를 이용해라!

심전도 증례 연구 **좌심실비대**

2

심전도 11-4 V_1과 V_2에서 QRS군을 보아라. 어떤 것이 더 깊은 S파를 가지고 있는가? V_2가 약 25mm로 더 깊다. 이제, V_5와 V_6을 보아라. 어떤 것이 더 높은 R파를 가지고 있는가? V_5가 약 13.5mm로 우세하다. V_2의 S파와 V_5의 R파를 더하면 38.5mm이며 좌심실비대에 합당하다. 이것만 있으면 된다! 당신의 측경기를 이용하여 쉽게 측정할 수 있다. 측경기를 사용하여 간격을 더하면 숫자를 더할 필요가 없다.

나머지 심전도를 보라. 유도 II에서 승모판성 P파가 보이는가? 이것은 좌심방확장을 시사한다. PR 간격을 보라. 이상한 점이 있는가? 유도 II, III, aVF와 V_3에서 V_6까지 약간 하강되어 있지만 의미는 없다. 이것은 심낭염이 아니다.

R파가 크고 S파가 작거나 그 반대의 경우에도 마찬가지로, 그림 11-12에 그려진 것처럼 최종 합계가 35mm 이상인 경우는 상관이 없다는 것을 명심하라. 중요한 것은 최종 합계이지 두 부분 중 어느 것이 더 큰지가 아니다.

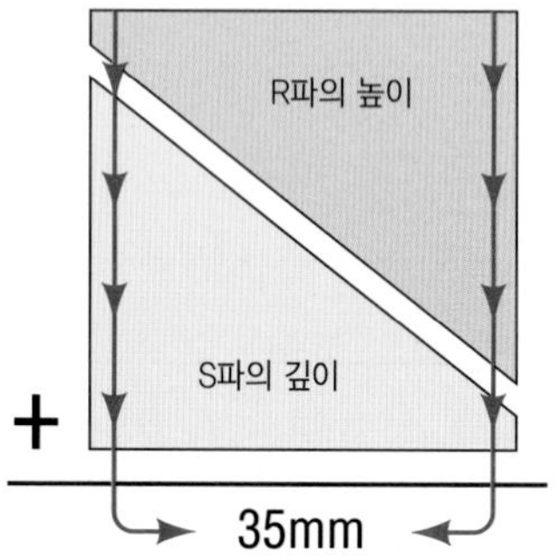

그림 11-12. 좌심실비대를 결정하는 R파와 S파

2

심전도 11-5 심전도 11-5를 보면, 가장 높은 유도는 V_2와 V_5이다. 유도 V_2는 23mm로 측정되며, 유도 V_5는 20mm로 측정된다. 눈으로만 보기에는, 단지 1mm의 차이밖에 나지 않기 때문에 V_5와 V_6 중 어느 것이 더 높은지 구분하기 힘들다. 측경기를 사용하여 간격을 측정해야 할 것이다. 우리는 측경기의 필요성에 대해 강조한다. 만약 측경기없이 심전도 판독을 시도한다면 굉장한 불이익이 있을 것이다.

율동은 동성빈맥이다. 뿐만 아니라 좌심방확대의 소견이 보인다. PR 간격이 하강되어 있는가? 약간 하강되어 있다. 0.8mm 미만은 정상임을 기억하라.

3

심전도 11-5 이것은 수축이나 압력과부하보다는 용적과부하에 의한 긴장(strain)을 동반한 좌심실비대의 좋은 예이다. 만일 그 차이에 대해 불확실하다면 *ST분절과 T파들* 장에 있는 기준을 재검토하라. 간단히 말하면, 좌심실비대가 작은 Q파와 ST분절이 위쪽으로 오목하고 비대칭성의 T파를 동반하기 때문에 용적과부하와 연관이 있다.

유도 I, II, III, aVF와 V_5에서 V_6까지 의미가 없는(insignificant) Q파들이 있다. 게다가, V_2에서 V_3까지 위쪽으로 오목한 ST분절 상승이 있어 다시 한번 긴장을 동반한 좌심실비대라고 추측된다. 이행대는 정상적으로 V_3와 V_4 사이에서 일어났다.

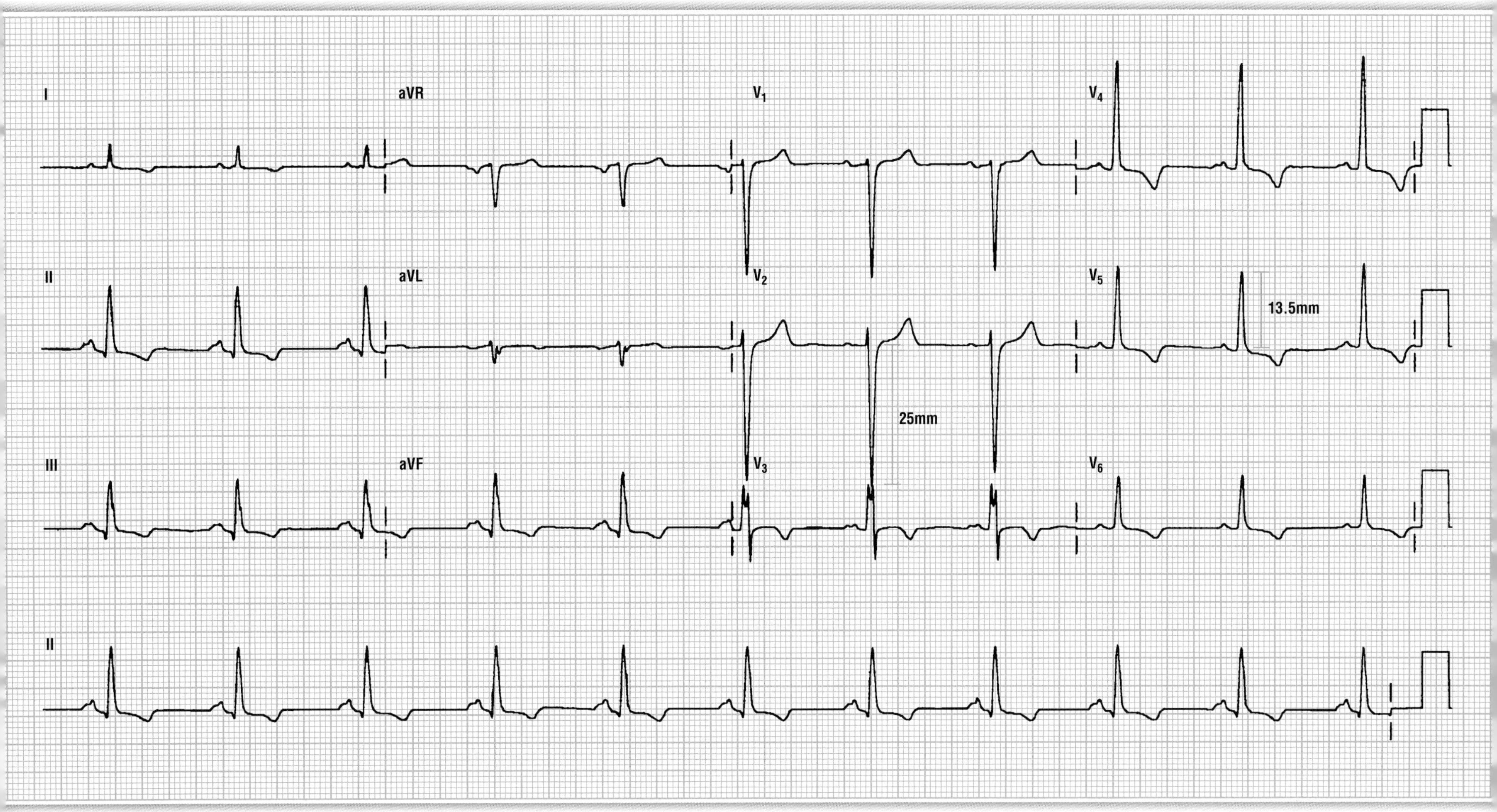

ECG 11-4

심전도 증례 연구 **계속**

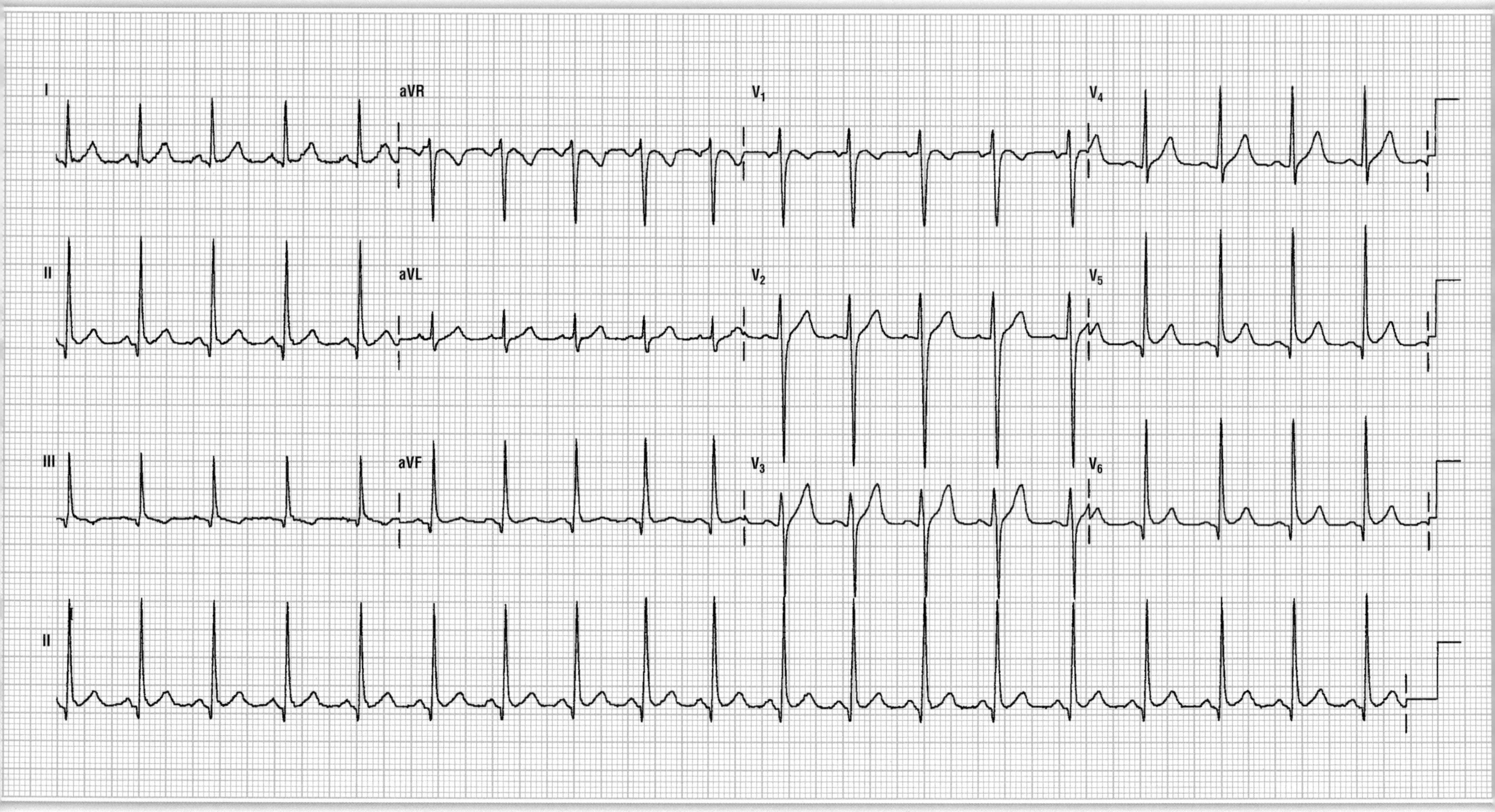

ECG 11-5

2

심전도 11-6 너무 강조하는 것 같지만 좌심실비대를 진정으로 이해하는 것은 정말 중요하다. 좌심실비대와 ST분절의 상승 그리고 하강 등이 연관되어 있기 때문에 급성심근경색으로 오진하는 실수를 종종한다. 우리는 시간을 투자하여 좌심실비대 심전도를 관찰하고, 각각의 뉘앙스 차이를 알기 바란다. 파형과 ST분절을 보라. 가장 높거나 깊은 파형들의 ST분절 변화가 가장 심하다는 것을 주목하라. QRS의 파형 모양과 ST분절을 관찰하라. 또한 나머지 심전도를 주목하라. U파가 있는 것을 알아챘는가? 주의 깊게 보라!

3

심전도 11-6 이 좌심실비대 심전도는 우측 흉부유도 긴장양상을 가지고 있지만, 측벽(lateral)의 ST분절이 편평하고 상향의 T파가 동반되어 있다. 이것은 아래쪽으로 오목한 ST분절과 비대칭성의 T파를 보이는 전형적인 형태의 좌심실비대는 아니다. 유도 V_2에서 V_6까지 T파가 대칭인 것을 주목하라. 대칭성의 T파를 동반한 편평한 ST분절을 봤을 때, 허혈을 생각해 볼 필요가 있다. 긴장을 동반한 좌심실비대는 조심해라 : 많은 경우에서 환자를 과소치료하거나 과잉치료하여 당신을 우롱할 수 있다.

2

심전도 11-7 이 환자는 좌심실비대의 기준에 적합한가? V_1 또는 V_2의 S파와 V_5 또는 V_6의 R파의 합은 35mm 이상이 아니다. 다른 기준들은 어떤가? 흉부유도에서 45mm 이상인 유도가 있는가? 아니다. aVF에서 R파가 20mm 이상인가? 아니다. aVL에서 R파가 11mm 이상인가? 그렇다! 유도 Ⅰ에서 R파가 12mm 이상인가? 그렇다! 이 심전도에서 이것들이 좌심실비대를 진단하는 기준이다. 기저선에서부터 파형들을 측정한다는 것을 기억하라.

이 심전도의 다른 소견들은 동서맥, U파, 승모판성 P파이다. 유도 Ⅱ에서 P파는 정확하게 0.12초이며 2개의 혹을 가지고 있다.

3

심전도 11-7 2 단계에서 좌심실비대 진단기준이 포함되었다. 유도 Ⅲ에서 승모판성 P를 보이고 있어 흥미롭지만, 유도 V_1에서 큰 끝부분의 편향(deflection)이 없다. 이것은 보기 드문 현상이며 해답이 없다.

조금 편평해(flattening) 보이는 비특이성 ST−T파 변화가 관찰된다. 축은 −20°이며, 이행대는 정상범위이다. 축의 호흡성 변화를 보인다 : 이것은 유도 Ⅲ에서 S파가 증가하였으며, aVL에서 R파가 증가한 것으로 설명된다. 호흡에 따른 변화는 다음 장에서 자세히 기술하겠다. 그것은 흔하고 양성소견이다.

심전도 증례 연구 계속

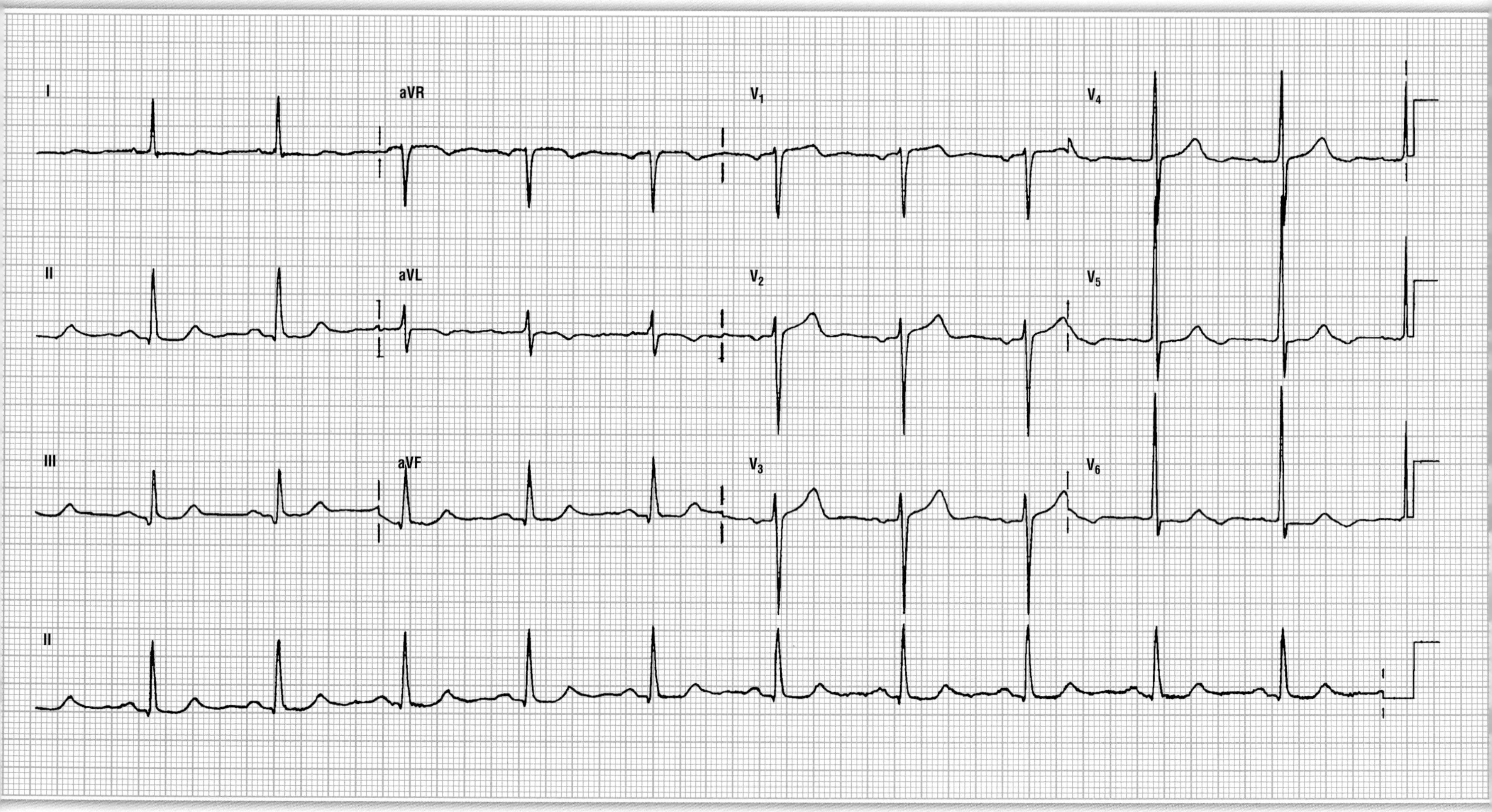

ECG 11-6

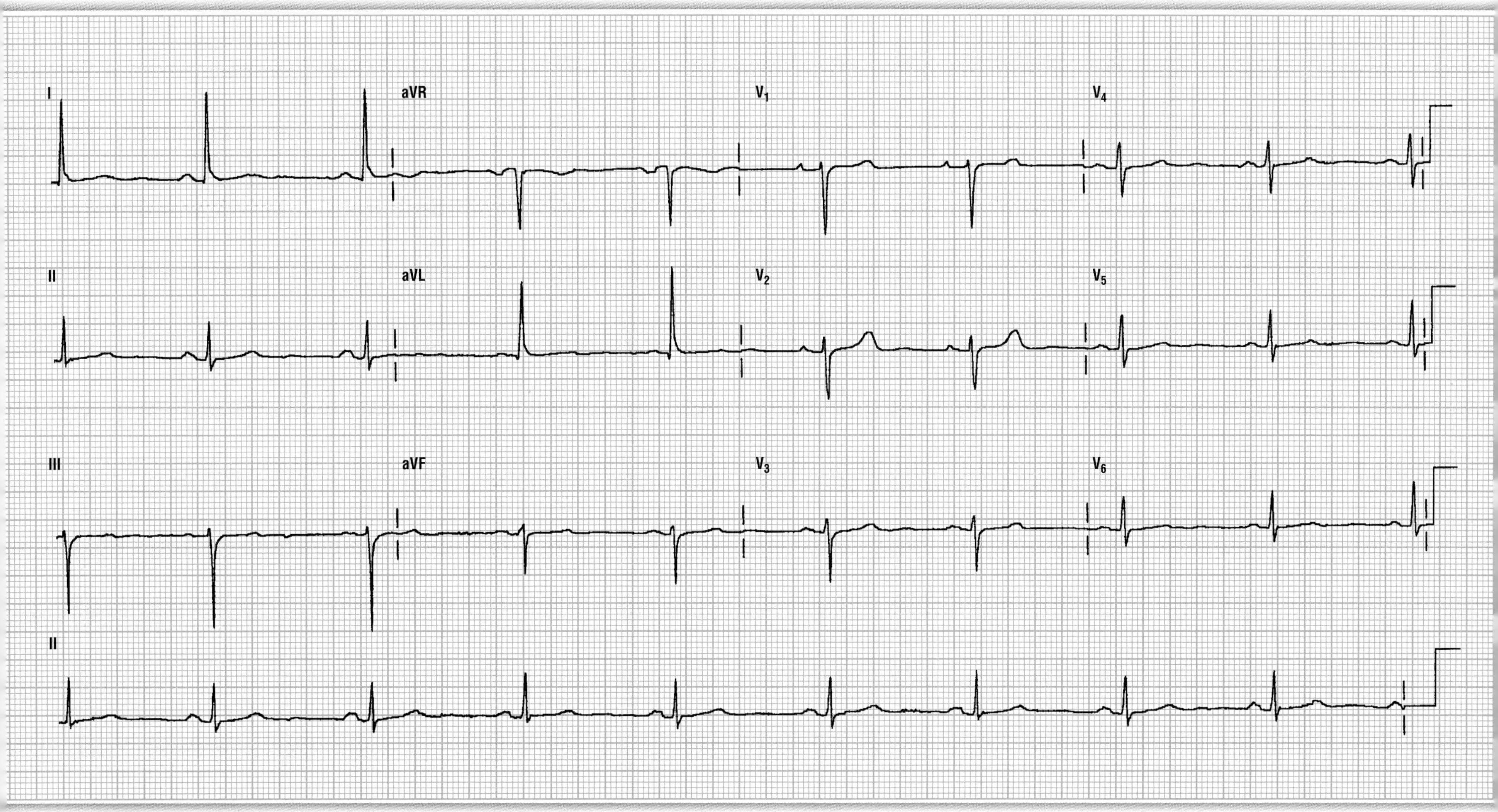

ECG 11-7

심전도 증례 연구 **계속**

2

심전도 11-8 여기 좌심실비대의 다른 좋은 예가 있다. 이 심전도는 3개의 기준을 만족한다. 첫째, R+S=35mm이다. 둘째, aVL에서 R>11mm이다. 셋째, 유도 Ⅰ에서 R>12mm이다.

이 증례에서는 35mm 이상의 기준을 적용시켜보면, V_6에서 그 자체만으로 34mm로 측정된다. 유도 V_1의 전압를 더하면 경계선(cutoff)을 뛰어넘는다.

3

심전도 11-8 이것은 긴장을 동반한 좌심실비대의 다른 예이다. V_3에서 ST분절의 모양의 변화가 나타나기 시작하고 유도 V_5까지 완전히 아래쪽으로 오목한 모양의 비대칭성의 T파를 보인다. V_1과 V_2에서 위쪽으로 오목하고 비대칭성의 T파를 동반한 약간의 ST분절 상승이 있어 긴장을 동반한 좌심실비대의 소견에 일치한다. 유도 aVL에서 뚜렷한 중격 Q파가 있다. Ⅱ, Ⅲ, 그리고 aVF에서는 아마도 좌심실비대에 의해 생긴 뒤집힌 T파가 있다. 그렇지만, 허혈의 유무를 반드시 확인하여야 한다. 이럴 때 이전의 심전도가 매우 중요하다. 주된 QRS 축은 약−35°나 −40°이며 약간 늦은 이행(transition)을 가진다.

2

심전도 11-9 이 환자는 2가지에 의해 좌심실비대 기준에 적합하다 : S+R > 35mm, 그리고 유도 aVF에서 R파 > 20mm(정확히, 24mm).

율동은 무엇인가? 동성빈맥이다. PR 간격은 어떻게 보이는가? PR 간격이 아주 짧다 − 대체로 0.12초 보다 짧다. 그래서 가능한 것은 무엇인가? Wolff−Parkinson−White (WPW) 증후군과 Lown−Ganong−Levine (LGL) 증후군이다. 델타파가 관찰되지 않으므로 LGL이다. LGL은 드물기는 하지만 종종 빈맥과 연관이 있다. 이것은 이런 드문 증례 중 하나이거나, 다른 이유에 의한 빈맥일 수 있다 .

3

심전도 11-9 하부 유도들에서 T파 이상은 3개의 가능한 이유 중 중 하나이다 : (1) 유도 Ⅱ, Ⅲ, aVF에서 매우 높은 R파를 가진 좌심실비대, (2) 빈맥성부정맥, 또는 (3) 하벽 허혈. 번호 1과 2가 가장 가능성이 높은 이유이다.

LGL은 주목할 만하나, 빈맥은 이 증후군의 원인으로 돌릴 수는 없다. 하측 유도에서 P파가 뾰족하지만, P파는 우심방확장의 기준에 들지는 않는다.

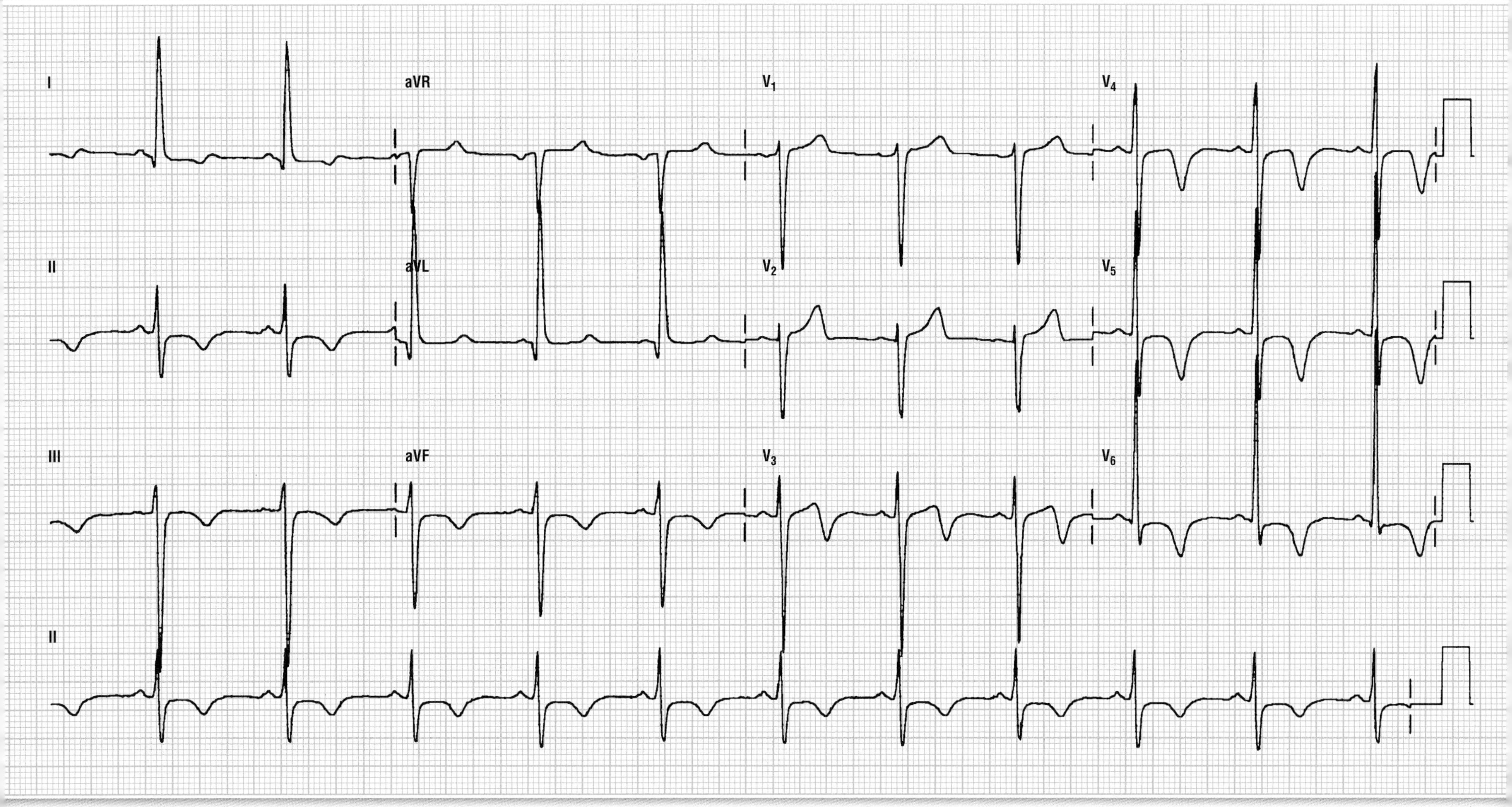

ECG 11-8

심전도 증례 연구 계속

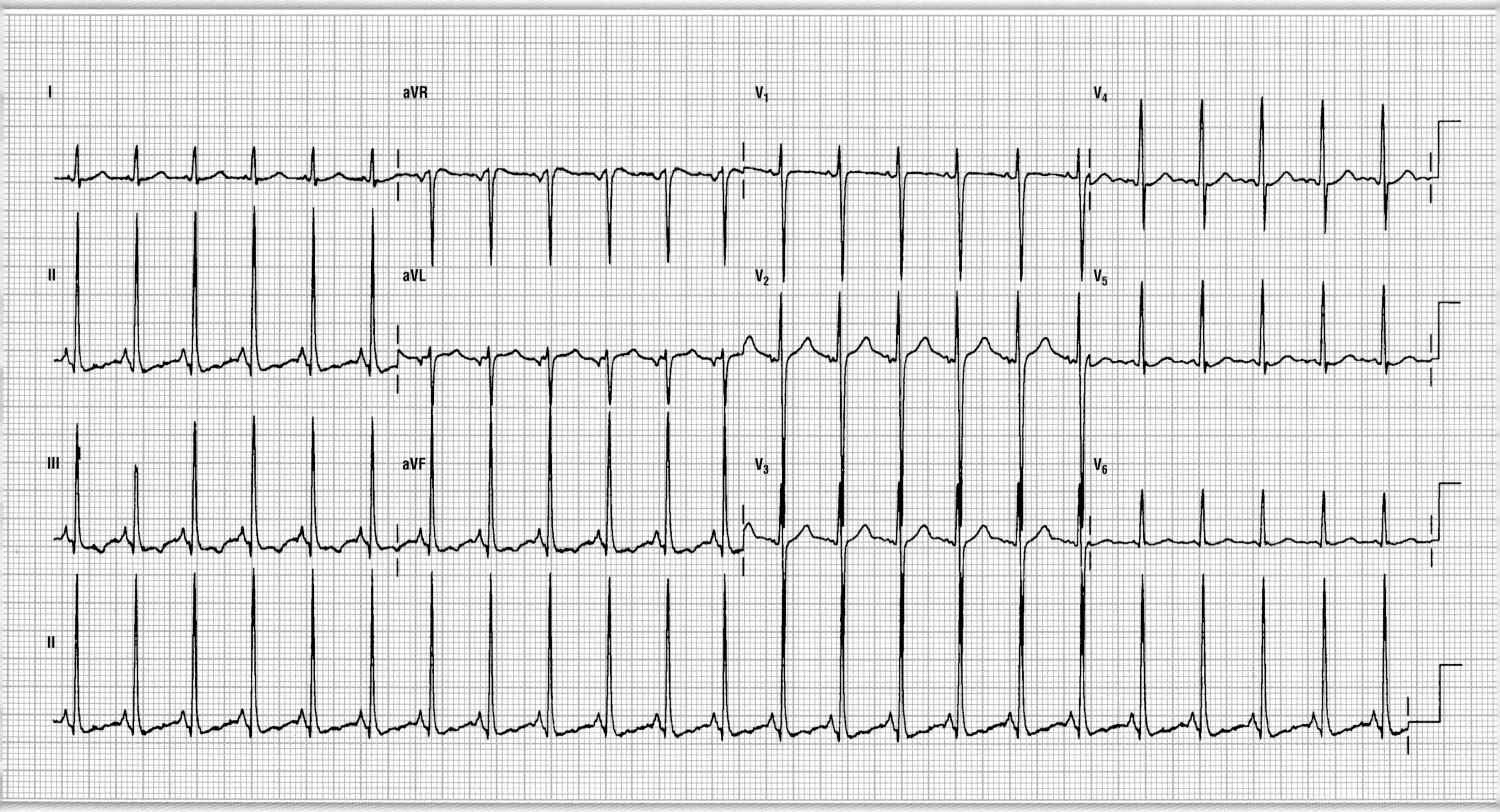

ECG 11-9

2

심전도 11-10 이 환자는 유도 V_3와 V_5에 큰 QRS군을 가지고 있다. 유도 V_3의 S파의 깊이는 53mm이다! V_5에서 R파의 높이는 44mm여서 45mm 이상 기준에는 맞지 않는다.

유도 Ⅱ에서 보이는 폐성 P파는 좋은 예이다. 유도 V_1에서 좌심방확장의 증거 또한 있으므로 양심방확장을 나타낸다. 그러므로 네 개의 심장의 방(chamber)중 3개방(chamber)의 확장이 있다는 증거다. 마지막 3개의 박동에서 P파 모양의 변화를 눈치챘나? 리듬 스트립을 살펴보면 분명히 변하는 것을 볼 수 있다. 이것은 박동 기능을 하는 또 다른 심박동기로 보인다.

3

심전도 11-10 이곳의 2단계에서 언급했듯이 4개의 심장의 방(chamber)이 확장이나 심근증이 있을 것이라 생각할 수도 있다. ST분절 역시 흥미롭다. 유도 V_5와 V_6에서 긴장을 동반한 좌심실비대의 소견이 있다. 부가하여 편평한(flattening) T파가 전체 사지 유도에 나타난다. 심전도 전반에서 늦은 내인성 편향(late intrinsicoid deflection)이 QRS군에서 발견된다.

유도 V_2에서 QS파가 V_2까지 연장되는 가능성을 낮게 해주는 조그마한 r파가 있다. 유도 aVL에도 역시 작은 r파가 있다.

2

심전도 11-11 이 환자 역시 –심장의 세 개의 방(chamber) 확장의 증거를 가지고 있다. 환자는 우심방확장을 나타내는 폐성 P파를 유도 Ⅱ에서 가지고 있다. 유도 V_1에서 큰 2번째 부분을 동반한 이상성(biphasic) P파가 있어 좌심방확장을 시사한다. 마지막으로, 3가지 기준을 만족하는 좌심실비대가 있다. 유도 V_5에서 R파가 약 54mm이며, V_4의 정점은 볼 수가 없다. 당신이 이런 크기의 좌심실비대를 일았을 때, 당신은 그림 11-13에 보이는 것 같이 심전도를 반으로 줄여달라고(반표준화, half-standard) 요구하라. 그래야 모든 파형을 다 볼 수 있으며, 정확한 QRS군을 측정할 수 있다. 측정 후 2배로 계산하여 실제 파형의 크기를 알 수 있다.

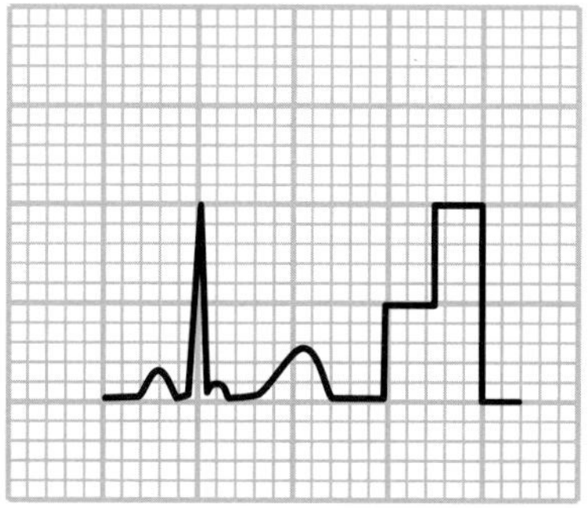

그림 11-13. 반표준의 예. 왼쪽 QRS군이 반표준으로 측정 시 10mm이므로, 실제 측정값은 표준을 정상화 한 상태에서는 20mm이다.

심전도 증례 연구 계속

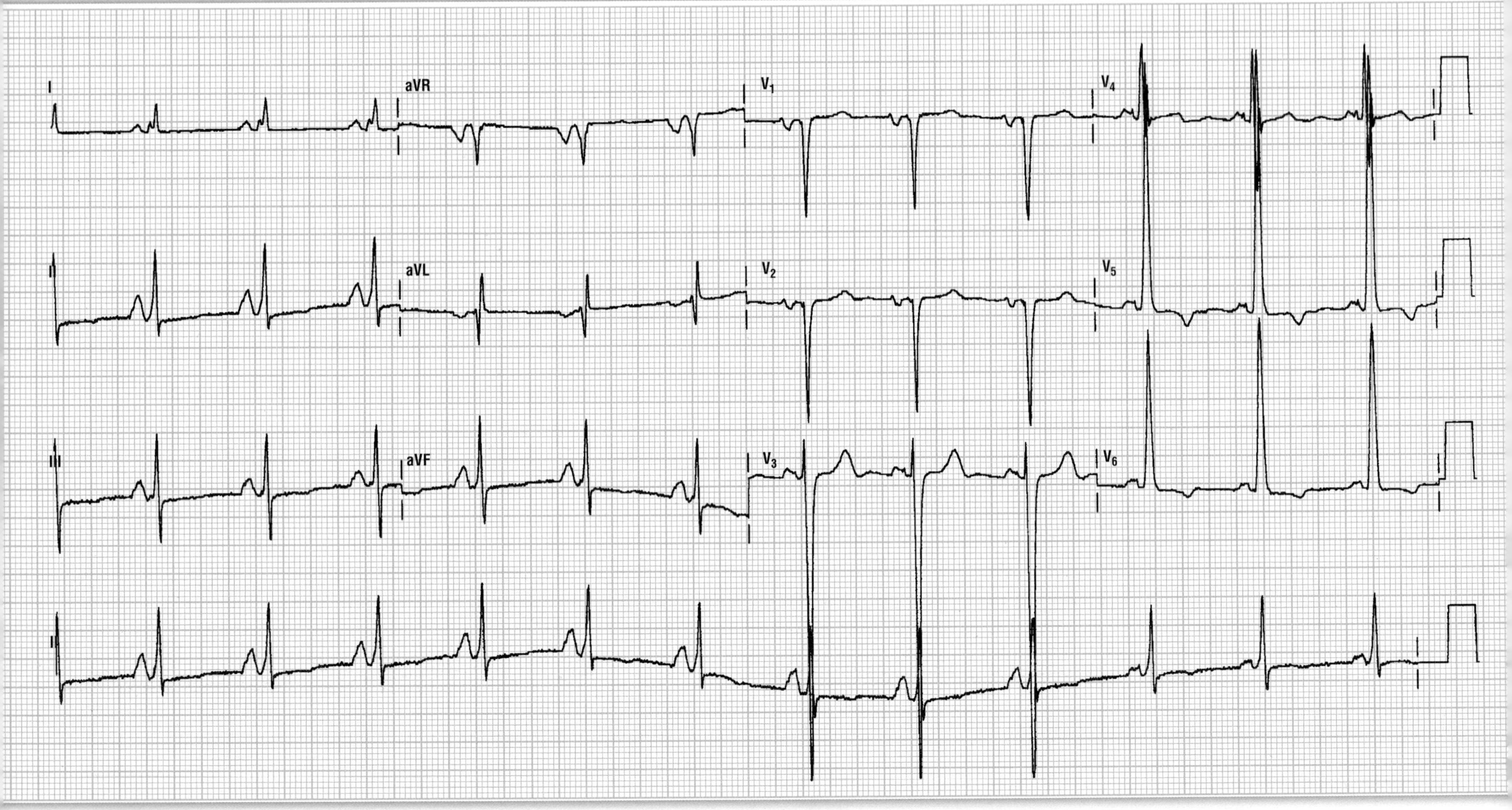

ECG 11-10

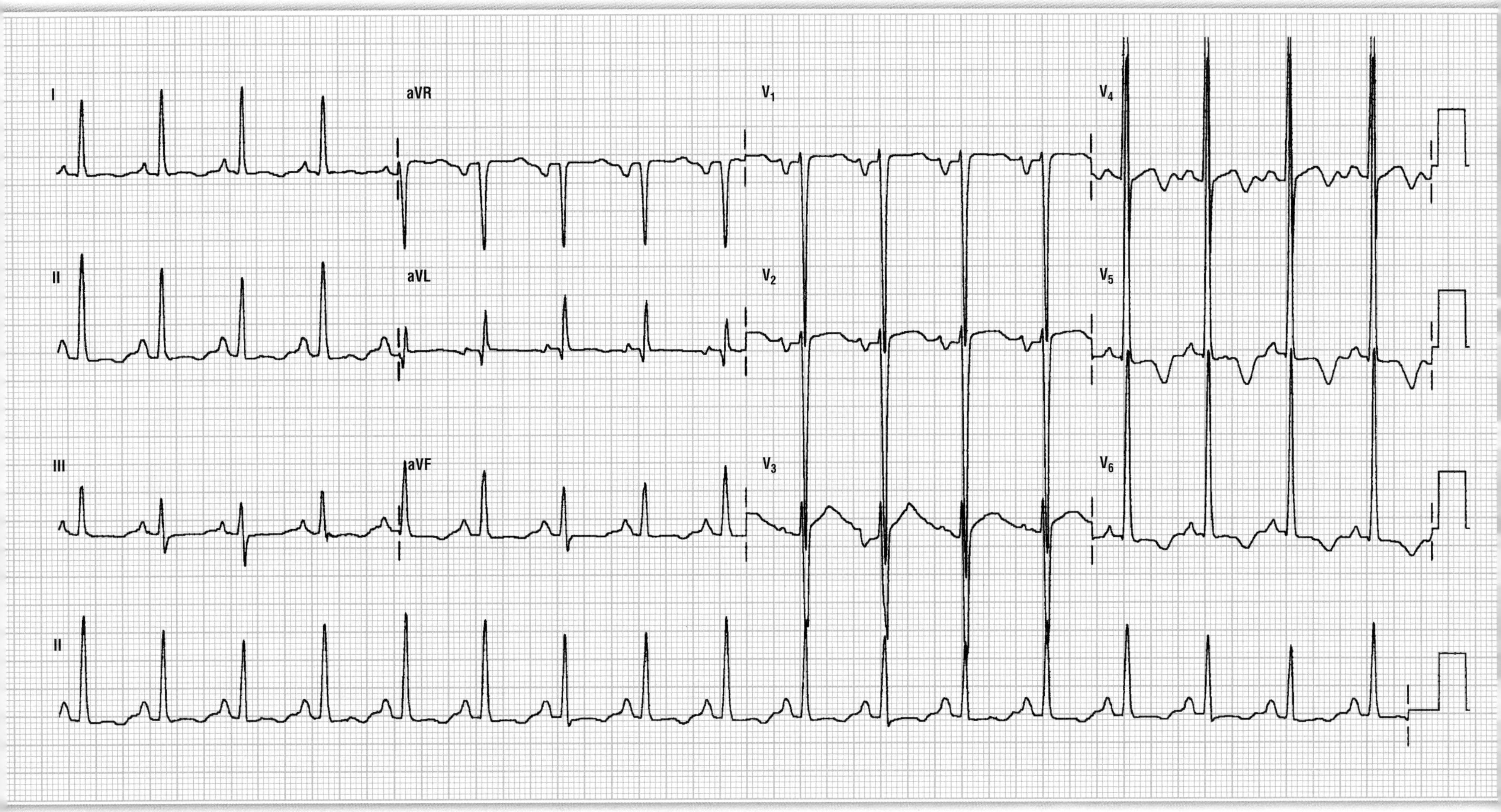

ECG 11-11

2

우심실비대(Right Ventricular Hypertrophy, RVH)

좌심실이 비대해지는 것처럼, 우심실도 커질 수 있다. 이것은 보통 우심실에 압력 과부하가 생기는 증례 : 다발성 폐색전증, 원발성 폐동맥 고혈압, 반흔 등과 같은 폐동맥 고혈압을 유발하는 여러 예들에서 볼 수 있다.

예상하겠지만, 우심실에서 벡터가 만들어지기 때문에 벡터의 영역과 방향이 좌심실비대와는 심전도 양상이 다르다(그림 11−14). 벡터는 전방과 우측을 향한다. V_1과 V_2는 이 방향과 가깝다, 특히 V_1에서 가깝다. 그러므로 우리는 심전도에서 우심실비대의 가능성을 진단하기 위해 V_1과 V_2 유도들을 유심히 살펴야 한다.

한 번 더, 정상 심전도 형태에서 변하는 정도는 우심실에 의해 만들어지는 벡터의 크기에 좌우되는 것을 보게 될 것이다. 큰 근육세포에서 더 큰 활동전위를 만든다면, 작은 세포에서보다 큰 세포에서 만드는 벡터가 더 극적인 변화를 만들 것이다.

이제, 확장된 우심실에서 큰 벡터가 만들어진다면 유도 V_1에서는 어떻게 보일지 예상할 수 있겠는가? QRS군에서 가장 먼저 보이는 것이 큰 R파일 것이다(그림 11−15). 이 큰 R파는 초기 QRS 벡터(심실중격 자극에 의한)에 새롭게 우심실에서 만들어지는 큰 벡터가 합쳐서 만들어진다. 이 심전도 그림은 정상 심장에서 보이는 큰 S파와 작은 r파가 있는 보통의 V_1과는 전혀 다른 것이다. *분절과 T파들* 장에서 큰 R파와 함께 나타나는 ST−T파의 변화에 대해 논의할 것이다.

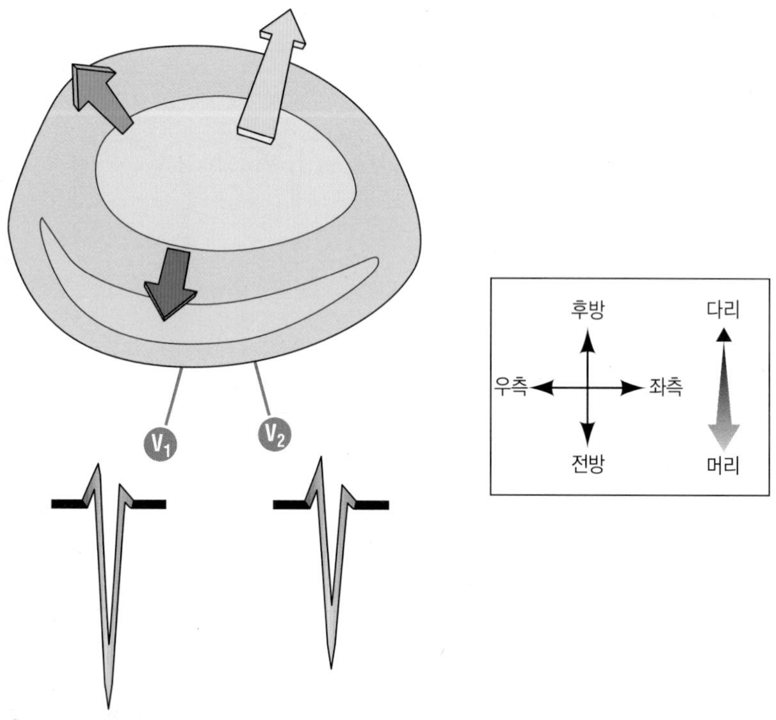

그림 11−14. 정상상태

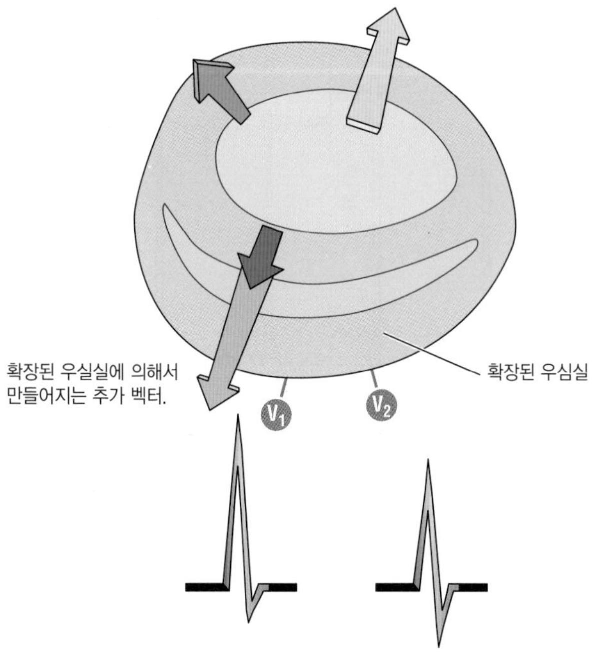

그림 11−15. 우심실비대

우심실 비대와 심전도

그림 11-16 A에서, 당신들은 전형적인 우심실비대 소견을 V_1에서 볼 수 있다. 얻을 수 있는 메세지는 R:S 비율(그림 11-17)이 V_1 혹은 $V_2 \geq 1$이다. 그림 11-16 B에서 R:S는 여전히 1보다 크지만 ST와 T파는 달라보임을 주목하라. 이것은 *ST분절과 T파들* 장에서 얘기할 긴장(strain)양상이다. 이제, QRS군들에 집중하자. 우리는 앞으로 몇 페이지에 걸쳐 V_1과 V_2가 어떻게 보이는지에 대한 다양한 예들을 보여줄 것이다

우심실비대의 다른 심전도 소견들이 있다. 이미 언급했던 것 하나를 생각할 수 있겠는가? 만약 압력과부하에 의한 비대한 우심실을 가지고 있다면, 심장이 딱딱하고 튼튼할 것이다. 맞지 않는가? 심실을 채우기 위해 보다 많은 피를 공급해 줄 수 있는 튼튼한 우심방이 필요할 것이다. 이렇게 해서 우심방확장이 발생한다. 심전도에서 어떻게 보이는지 기억하고 있는가? 만약 기억나지 않는다면 *P파* 장으로 돌아가 복습하라. 그런데, 이 이론은 좌심실비대와 좌심방확장에도 적용이 된다.

노트

나중에 우심실비대가 축과 나머지 심전도 부분에 어떤 영향을 끼치는지 알아볼 것이다. 놀린 것이다 : 가끔 우축편위를 유발할 수 있다.

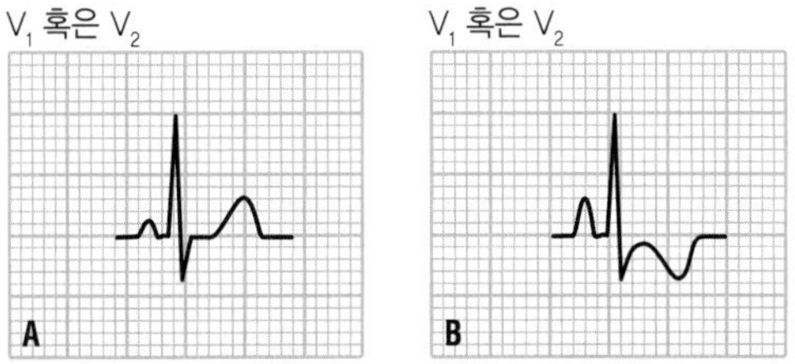

그림 11-16. 전형적인 우심실비대 형태(A) vs. 긴장을 동반한 우심실비대(B)

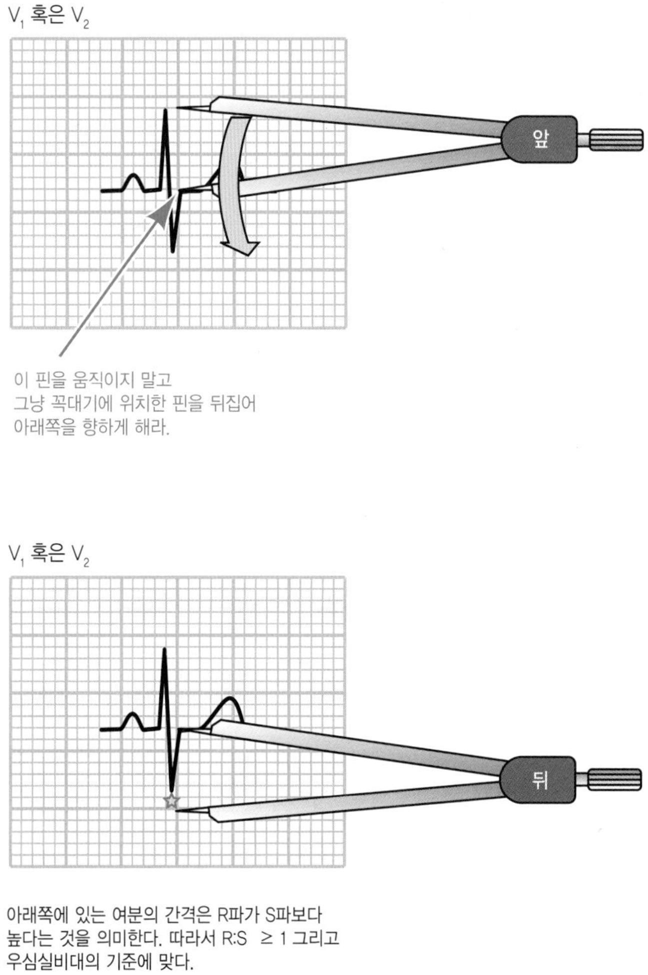

V1 혹은 V2
앞
이 핀을 움직이지 말고
그냥 꼭대기에 위치한 핀을 뒤집어
아래쪽을 향하게 해라.
V1 혹은 V2
뒤
아래쪽에 있는 여분의 간격은 R파가 S파보다
높다는 것을 의미한다. 따라서 R:S ≥ 1 그리고
우심실비대의 기준에 맞다.

그림 11-17. R:S 비의 측정, 측경기를 사용하라!

심전도 증례 연구 우심실비대

2

심전도 11-12 아래의 심전도는 유도 V_1에서 R:S 비가 증가되어 있어, 아마도 긴장을 동반한 우심실비대에 합당한 소견이다. 뒤집힌 T와 연관되어 있으므로 이것을 "긴장양상"이라고 부른다(*ST분절과 T파* 장에서 ST분절에 대해 논의하면서 보다 자세하게 알아볼 것이다). 게다가 V_1에 좌심방확장 소견도 있다.

3

심전도 11-12 이제 유도 V_1이나 V_2에서 R:S비가 증가했을 때 가능한 것들에 대해 생각해보자. 이때까지 우심실비대만 언급했었다. 다른 것을 생각해낼 수 있겠는가? 여기 나머지 것들을 열거하였다.

1. 우심실비대
2. 우각차단
3. 어린이나 청소년
4. WPW A형
5. 후벽 급성심근경색

이 목록은 매우 중요하다. 당신은 유도 V_1 혹은 V_2에서 R:S 비가 증가한 소견을 볼 때면 언제나 이것들을 떠올릴 수 있어야 한다. 종종 골치 아픈 심전도를 이해할 수 있게 도와줄 것이다.

2

심전도 11-13 아래의 예에서는 R:S 비가 유도 V_2에서 증가해 있고 긴장양상과는 연관되어 있지 않다. 당신은 다른 가능성들을 생각해야 한다. 이 심전도는 전형적인 우심실비대 소견이 아니다 : 정말 다른 증거가 없다. 이런 형태를 만드는 다른 이유들이 있을 수 있다. 심전도 11-12의 3단계의 내용에 V_1 또는 V_2가 증가했을 때의 감별 진단 목록이 나와 있다. 당신은 그것들 중에서 어느 것인지는 아직 모르지만, 곧 알게 될 것이다. 이 목록을 훑어보더라도 이 심전도와 맞는 것은 없을 것이다. 따라서 우심실비대가 가장 가능한 원인이다. 배제를 이용해 진단하는 것이다.

3

심전도 11-13 V_2에서 R:S 비가 증가시키는 감별 진단들을 훑어보자. QRS군이 0.12초보다 넓지 않기 때문에 우각차단(RBBB) 형태는 아니다. WPW 증후군의 증거도 없다. 델타파나 짧은 PR분절도 없다. 어린이나 청소년은 아닌가? 음, 47세 남자이다. 후벽 급성심근경색은 가능하다. 그러나, 후벽 경색의 급성기는 ST분절 하강과 상향의 T파가 있어야 한다. 발생한 시간을 알기 어려운 후벽 심근경색은 가능하지만, R파가 반드시 0.03초보다 넓어야 한다는 것을 기억한다면, 이 심전도에서 유도 V_1이나 V_2에서는 그렇지 않다. 이제 무엇이 남았는가? 우심실비대이다. T파가 뒤집혀 있고 대칭이여서 전중격(anteroseptal) 허혈을 나타내는 것일 수 있다.

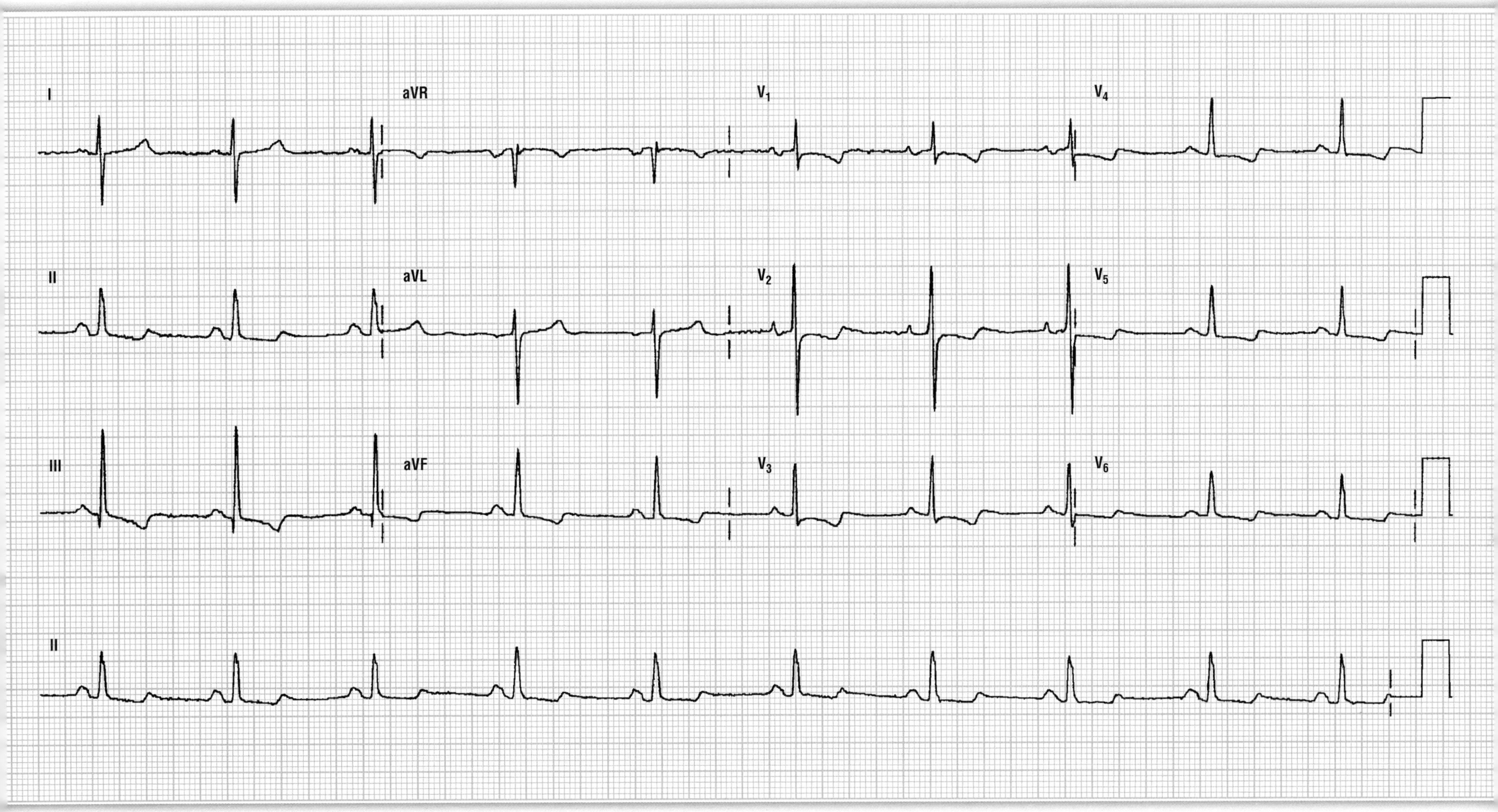

ECG 11-12

심전도 증례 연구 계속

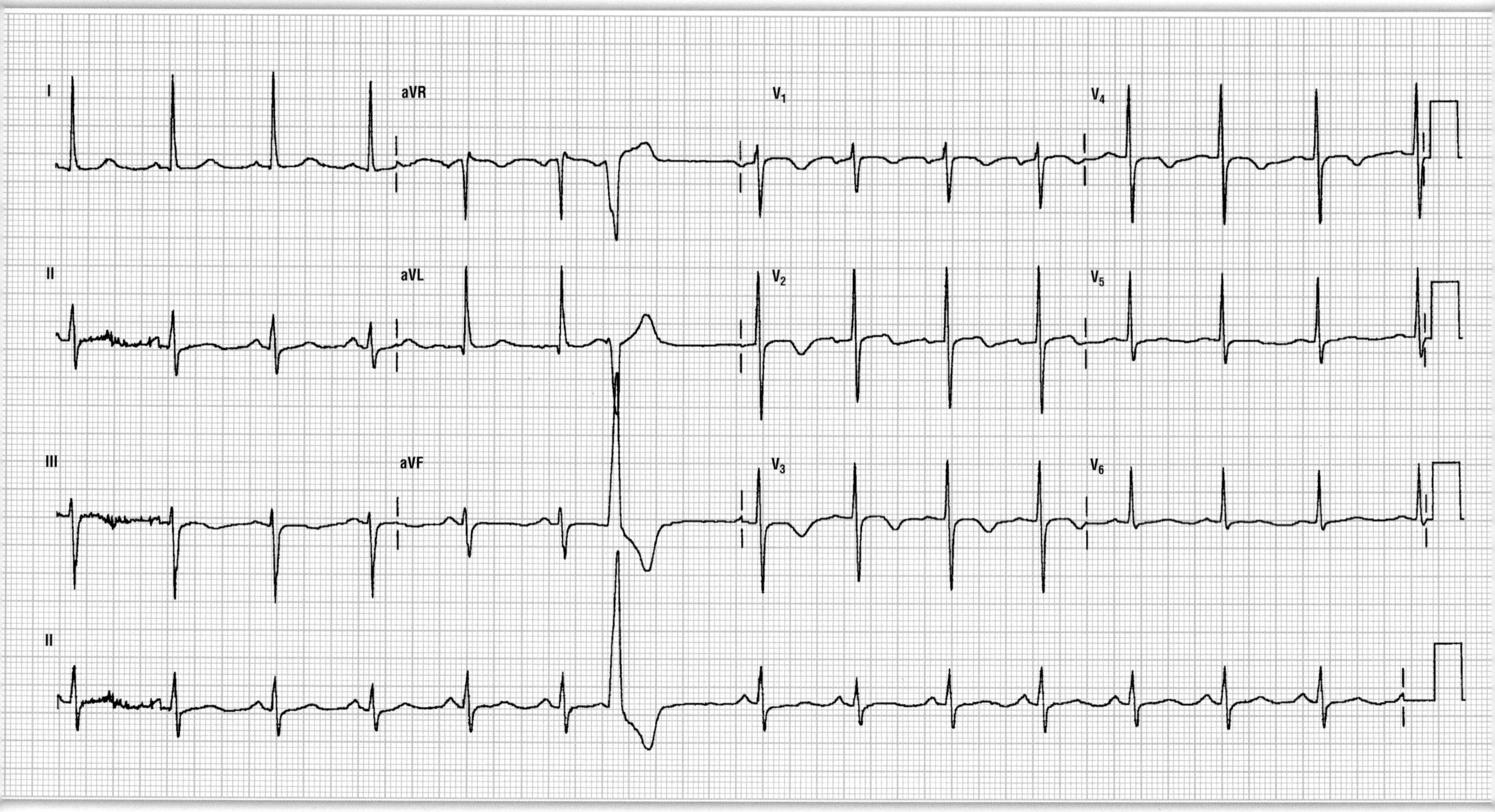

ECG 11-13

QRS 간격

QRS 간격은 PR 간격이 끝난 후 첫 번째 굴절의 시작부터 QRS군의 마지막까지 측정한다. 정상적으로, 0.06에서 0.11초 사이이다. 만약 작은 박스 3개 넓이 이상이라면 비정상이다! 그림 11-18의 예에서, 2가지 형태의 QRS군을 볼 수 있다. A는 본래 정상적인 것으로 QRS 간격은 0.11초이다. B는 심실조기수축(PVC)으로 QRS 간격이 0.15초로 넓다.

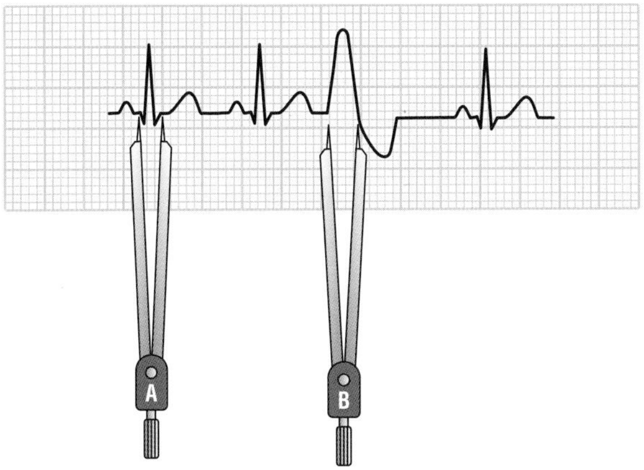

그림 11-18. QRS군의 측정

항상 가장 넓은 QRS군을 측정하지 않으면 올바른 QRS 간격을 측정하지 못한다! 심전도에는 심전도군의 일부가 등전위(isoelectric)이며, 심전도 그래프상 보이지 않는 부분이 있을 수 있다. 당신이 아무 유도나 고른다면, 실제의 수치보다 짧은 간격을 측정할 수 있다. 이것은 심전도 판독 시 치명적인 실수를 할 수 있게 한다. 예를 들면, QRS군을 ST분절로 착각하고 실제로 일어나지 않은 급성 심근경색에 대한 적극적인 치료를 할 수 있다는 것이다. 후에 알게 되겠지만, 이런 경우는 각차단이 있을 때 실제로 일어날 수 있는 일이다. 게다가 당신은 U파를 이상성(biphasic) T파로 착각할 수 있다. 정확한 간격의 측정이 올바른 판독을 하는데 결정적인 많은 사례들이 있다.

모든 심전도가 판독하기 쉬운 것은 아니다! QRS군의 시작이나 J점이 상승되고 뚜렷하지 않은 수많은 증례들이 있다. 이런 증례에서, 당신은 창조적이 되어야 한다. 만약 당신이 운좋게도 다유도(multilead) 심전도(적어도 3개의 유도가 동시에 기록되는 심전도)를 가지고 있다면, 주변의 유도에서 명확한 시작점이나 J점을 찾을 수 있을 것이다. 그 지점부터 수직선을 따라가면 측정하려고 하는 유도의 실지 간격을 측정할 수 있을 것이다. 만일 계속 정확한 지점을 찾지 못했다면, 최선을 다해 추측하여야 한다. 이렇게 한다면, 항상 가장 나쁜 진단을 취하여라. 과소 분석했을 때보다, 과잉 분석하는 것이 환자의 건강에 더 좋을 것이다.

어떤 QRS군이라도 0.12초 보다 클 때는 비정상임을 기억해라. 이 법칙에는 제한이나 예외는 없다. 이런 경우 감별 진단에 대해 알아두는 것은 매우 도움이 된다. QRS 연장(QRS widening)을 유발할 수 있는 원인들이다(사망률이 높은 것에서 낮은 것 순으로 정리).

1. 고칼륨혈증
2. 심실빈맥
3. 심장 전도차단을 포함한 심실고유 율동
4. 약물 효과나 과량복용(특히, tricyclic 제재)
5. Wolff-Parkinson-White
6. 각차단과 심실내전도지연(interventricular conduction delay)
7. 심실조기박동
8. 편위전도군들(aberrantly conducted complexes)

심전도 증례 연구 QRS 간격

2

심전도 11-14 조금 넓지 않은가? 0.12초 보다 큰가? 그렇다! 심전도를 보면서, 문제점이 무엇이라고 생각하는가? 우선, 심박동수부터 시작해보자. 분당 약 40회이다. P파는 있는가? 없다. 심방활동이 없는 느린 심박동이다. 가장 가능한 원인은 무엇인가? 일종의 심실 이탈박동이다. 심실이 심박동기로 작용할 때, 심박동수는 대개는 분당 약 35회임을 기억하라. 이것이 심실고유율동(idoventricular rhythm)이다. 당신은 리도카인(lidocaine)이나 다른 항부정맥제재를 사용하여 심실군들(ventricular complexes, idioventricular rhythm)을 억제시킬 것인가? 절대로 안된다! 만약 심실군을 억제시킨다면,______(일직선)만 남을 것이다.

3

심전도11-14 이제, 넓은 QRS군의 율동을 가지게 되었다. 원인은 무엇인가? 추측을 할 수 있는가? 넓은 율동을 유발하는 몇가지 원인들이 있다 ; 그림 11-19를 보고(몇 페이지 앞) 다시 이 페이지로 돌아오라. 이것은 좌각차단 형태인가? 유도 V_6의 S파 때문에(알아차렸다면, 유도 1에서도 나타난다) 전형적인 좌각차단 형태는 아니다. 우각차단인가? 유도 V_1에서 음성의 QS파가 있으므로, 아니다. 배제의 방법을 사용하여, 이것은 심실내전도지연(intraventricular conduction delay, IVCD)이다. 가장 생명을 위협하는 심실내전도지연의 원인은 무엇인가? 고칼륨혈증이다. 당신은 치료하지 않고 K^+ 수치가 돌아올 때까지 기다릴 것인가? 안 된다. 환자의 K^+은 얼마인가? 겨우 8.7mEq/L !

3

심전도11-15 이 심전도는 쉽다 – 우각차단이다, 맞는가? 그렇다! 그러나 유도 Ⅲ와 aVF에서 하벽경색을 나타내는 ST 상승이 있는 것은 어떤가? 혈전용해 요법을 시행할 것인가? 전체 심전도를 한번 더 보자. QRS군은 얼마나 넓은가? 만일 유도 V_1이나 aVL의 것을 가장 넓다고 한다면 약 0.14초일 것이다. 이제 유도 Ⅲ, aVF의 QRS군의 시작점에 측정기를 놓고 먼저 측정한 길이를 이동시켜보자. ST 상승처럼 보였던 분절이 QRS군의 일부인 것을 확인할 수 있을 것이다! 다른 방법은 직각자(straight edge)를 사용하여 유도 Ⅰ의 QRS 시작점과 끝부분에 수직선을 그려서 아래쪽으로 따라 내려오는 것이다. 이렇게 하면 쉽게 ST분절이 아니라 QRS군의 일부라는 것을 쉽게 알 수 있다.

이 심전도에서 허혈의 증거가 있는가? 우각차단에서 일치와 불일치(concordance and discordance) 법칙을 기억하는가? QRS의 마지막 부분과 T파는 정상군에서는 반대 위치에 있을 것이다. 이것을 불일치라고 하고, 각 차단에서는 정상 소견이다. 일치는 비정상 소견이며, 만약 국소적으로 분포되어 있다면 허혈을 의미한다. 유도 V_2와 V_3는 일치하고 이것은 허혈에 일치하는 소견이다. 치료를 위해 임상적 결정을 내려야 한다면, 이전 심전도가 필요할 것이며 임상적 상관관계를 따져보아야 한다. 마지막으로 지적할 것은 PR연장과 심방내전도지연(intraatrial conduction delay, IACD)이다(좌심방확장이 있을 수 있다).

조언

감별 진단의 목록을 기억하고 이용하기 시작하라.

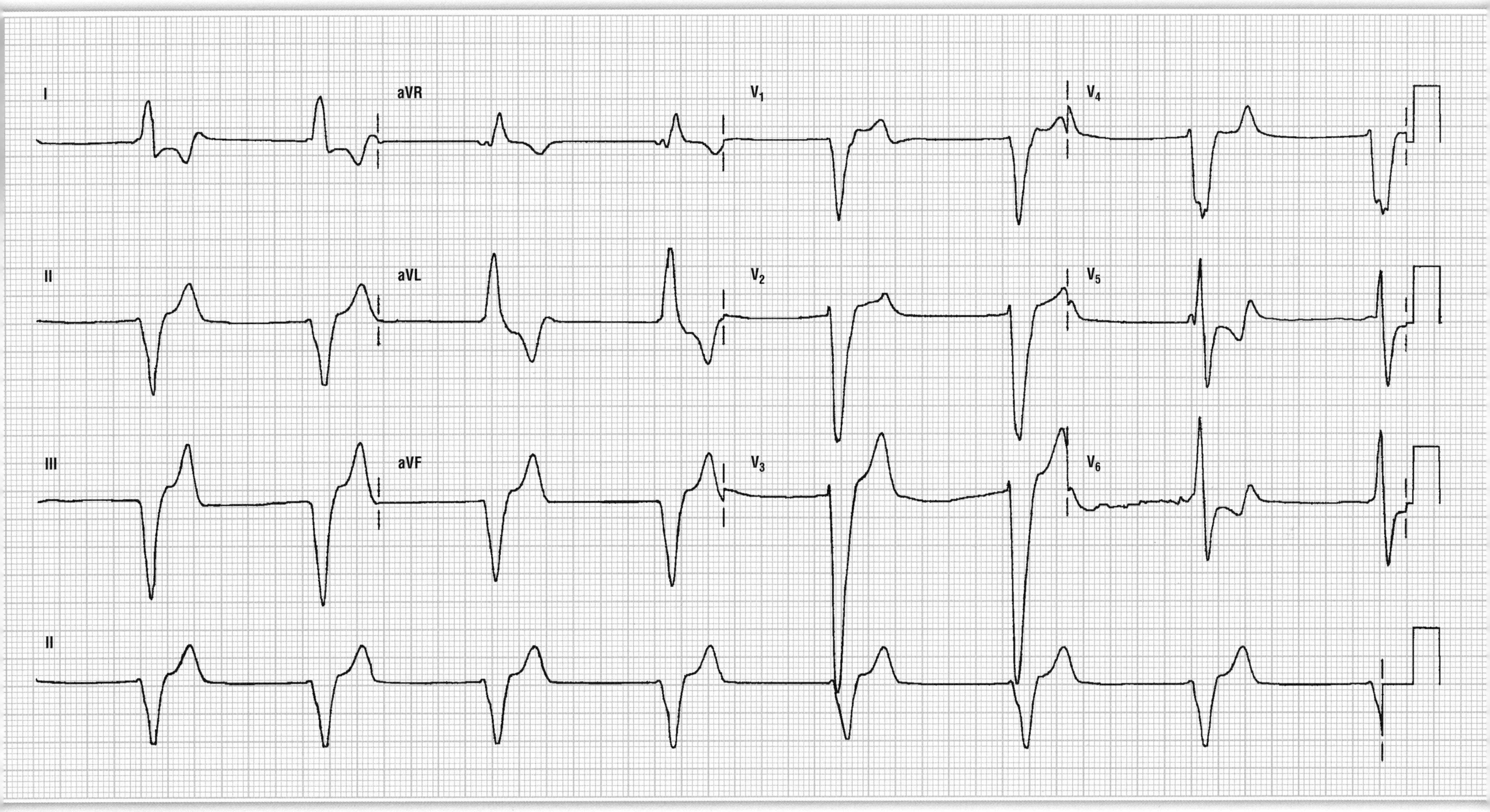

ECG 11-14

심전도 증례 연구 계속

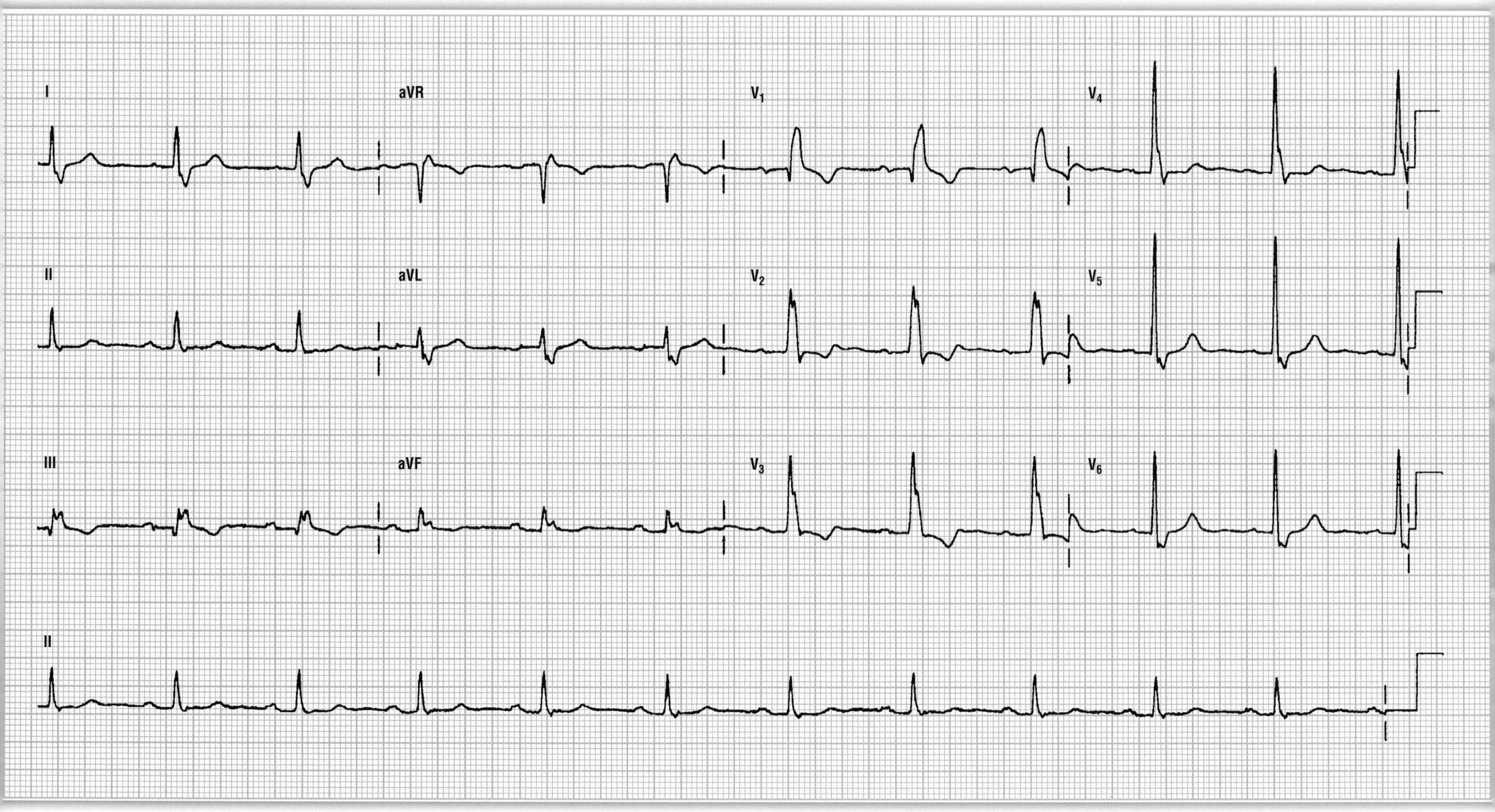

ECG 11-15

2

심전도 11-16 이런 종류의 심전도는 당신이 도망가서 숨기를 원하게 만들겠지만, 그러나 불행하게도 우리는 그렇게 해줄 수 없다. 이 심전도는 깨어있고 말을 하는 환자의 것이다. 그러나 1분 뒤, 이 환자는 심장마비가 되어 더 이상 말할 수가 없었다. 이것은 무엇인가? 매우 넓은 QRS군(wide complex) 빈맥이다. 언제든 당신이 넓은 심전도군 빈맥을 본다면, 다른 것이 증명될 때까지 당신은 심실성 빈맥에 준하여 치료하여야 한다.

2 빠른 복습

1. 심실빈맥은 항상 심방 율동으로 동빈맥이 기저에 깔려있다. 참 또는 거짓

2. 심실빈맥에서는 융합박동이 발견된다. 참 또는 거짓

3. 심실빈맥에서는 이탈박동이 발견된다. 참 또는 거짓

4. 매우 넓고 기괴한 모양의 QRS군을 본다면 항상 고칼륨혈증을 생각하여야 한다. 참 또는 거짓

5. 넓은군 빈맥에 대한 진단에 확신이 없는 상태에서는 항상 심실빈맥이 아니라고 추측하여야 한다. 참 또는 거짓

1. 거짓, 항상 방실해리가 깔려있으나, 동율동은 동성서맥, 정상 동율동이거나 심방빈맥 등이 가능하다. **2.** 참 **3.** 참 **4.** 참 **5.** 거짓, 매우 거짓이다.

3

심전도 11-16 이것은 특히, 당신이 단지 몇 초 밖에 심전도를 볼 시간이 없다면 어려운 심전도이다. 말하고 싶은 것은 당시 칼륨 수치가 9.4mEq/L로 나왔다는 것이다.

임상의 진주

넓은군 빈맥을 치료할 때는 항상 심실빈맥에 준하여 치료하라. 하지만, 고칼륨혈증을 주의하라.

심전도 증례 연구 **계속**

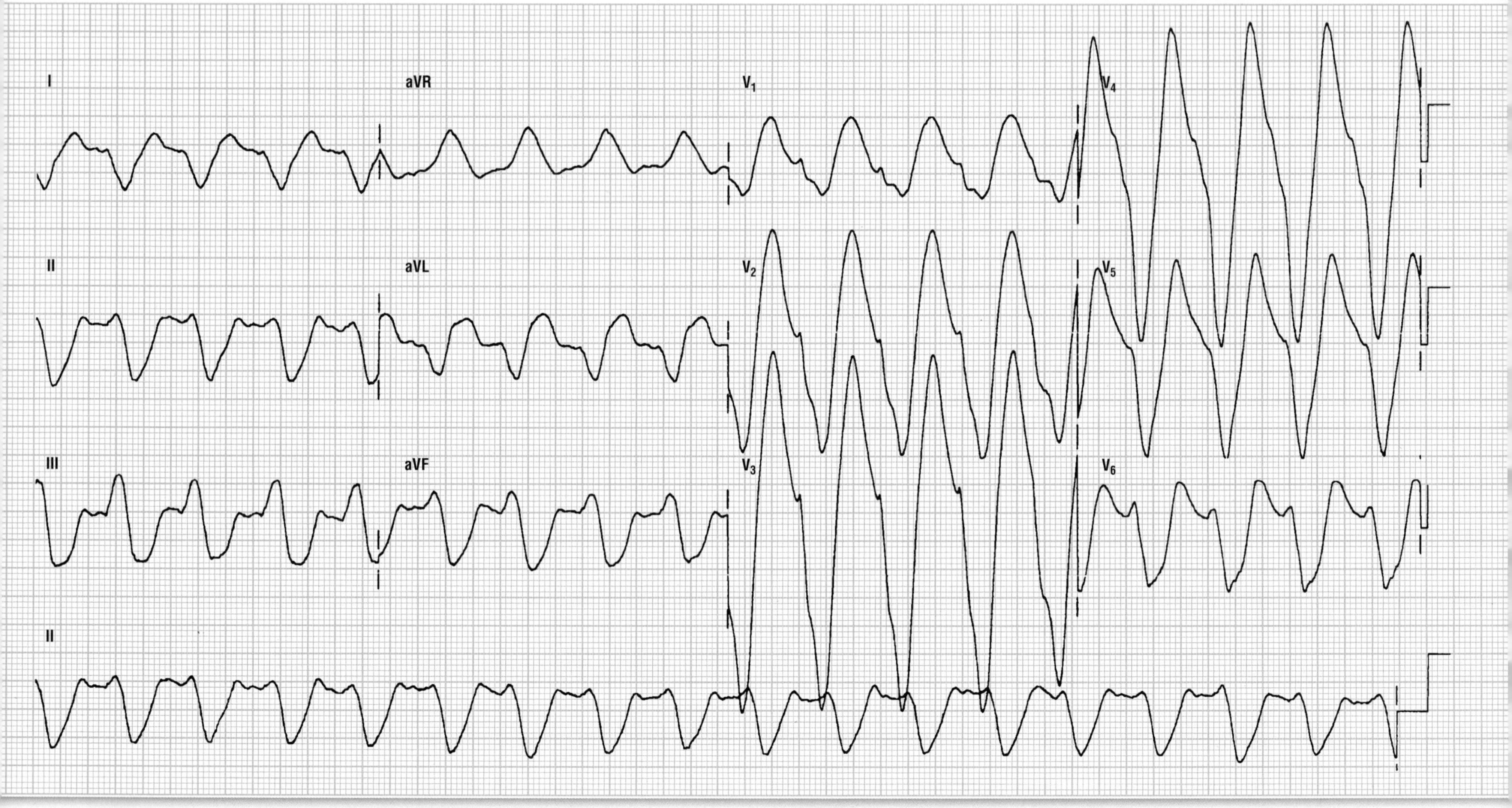

ECG 11-16

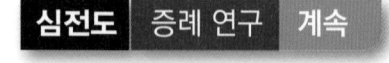

3

간단화한 넓은 QRS 감별 진단

QRS군이 0.12초 이상이면 이 3가지 것 중 하나가 존재한다(그림 11-19).

1. 우각차단
2. 좌각차단
3. 심실내전도지연(interventricular conduction delay, IVCD)

그렇다. 간단명료하다. 197 페이지의 목록을 보라. 당신은 목록에서 더 많은 것을 보게 되더라도, 그것들은 다 이 세가지 범주 안에 있다(WPW 제외). 차단들에 대해서 언급할 때 심실기원의 모든 박동은 좌각이나 우각의 형태를 지닌다. 거기다 고칼륨혈증과 약제의 효과는 심실내전도지연의 예다. Kent속을 통한 자극의 비정상적인 전도에 기인한 WPW는 그것 자체가 넓은 QRS파이다. Delta파가 있으면 알 수 있다. 따라서 앞으로 QRS군이 0.12초 넘는 경우를 본다면, 만약 그것이 WPW가 아닌지 확인하고 아니면 앞의 3가지 가능성을 생각하라.

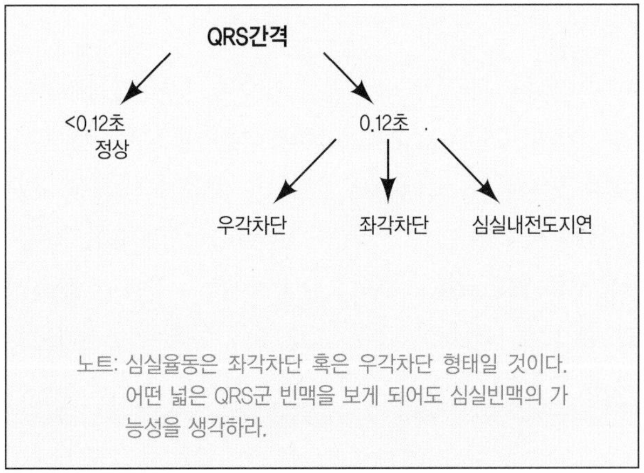

그림 11-19. QRS 간격 0.12초 이상이 가능한 원인들

2

QRS 모양

QRS군을 볼 때 당신이 평가해야 할 가장 중요한 것 중 하나는 그것의 형태이다. 각 군들에서 그 형태가 동일한지 확인하여야 한다. 만약 아니라면 왜 그런지 의문을 가져라. 이 단순한 질문에 대해 답하려면 당신은 많은 정보를 밝혀내게 될 것이다. 예를 들어 당신이 보기좋은 좁은 QRS군의 심전도에서 한 개의 넓은 QRS군을 찾았다고 하자. 이것이 심실조기수축(PVC)일까? 아니면 편위전도된 박동일까? 아니면 간헐적 WPW 증후군일까?

이제 모든 QRS파가 넓은 모양을 가지며 하나가 좁은 파를 가진다면, 그것은 무엇인가? 그 파 주위를 잘 보면 당신은 좁은 QRS군 앞에서만 선행하는 P파가 있음을 확인할 수 있을 것이다. 그렇게 되면 당신이 또 다른 P파를 찾게될 것이다. 아마 당신은 또 다른 P파를 보게 될 것이고, 그리고 이것은 좁은 박동을 제외한 다른 QRS군들에서 해리(dissociated)되어 있는 것을 확인할 수 있을 것이다. 당신의 진단 : 심실빈맥. 이런 한 개의 좁은 QRS군이 여러분의 치료과정을 완전히 바꾸게 하며 환자의 생명을 구할 수 있게 될 것이다. 매우 멋지다. 그렇지 않나?

임상의 진주

임상가로서 우리는 모든 QRS군들은 동일하게 생성되지 않는다는 것을 발견하였다.....

심전도 증례 연구 QRS 형태

3

심전도 11–17 이 책에서 쉬운 심전도 같은 것은 없다! 아래의 심전도는 QRS군의 다양한 형태의 예를 보여준다. 찾아내야 할 첫 번째는 3도 방실차단이다. 심전도의 첫 부분은 첫째 심박조율기(검은색 화살) 그리고 뒤에는 다른 것이 있고(보라색 화살), 파란색 화살은 심방조기수축을 나타내며 이것이 심박조율기를 바뀌게 했다. 심방조기수축의 모양은 다른 두 심박동기와 매우 다르다. 주된 두 개의 심박조율기는 서로 매우 형태가 비슷하여 발생장소가 해부학적으로 매우 가까운 곳에 있을 것으로 생각된다.

첫 번째 세개의 QRS군은 좌각차단 형태이고 다음 세개는 우각차단 형태이다. 다섯 번째 박동(녹색별)은 융합박동 그리고 7번째(금색별)은 포획박동이다.

심전도를 더욱 흥미롭게 만드는 것은 R–R 간격이 좌각차단군들에서 같고 우각차단과 포획 박동군들에서 같다는 것이다. 그러나 2개의 심박동수는 다르다. 2개의 다른 심실박동기의 시작장소는 심방에서 박동을 변화시키는 장소와 다른 곳이다. 앞에서 언급한 바와 같이 이 심전도는 이상한 소견으로 가득 차 있다. 당신이 이 심전도를 분석하는데 시간을 들이지 않으면 이해하기 어려운 심전도이다.

심전도 11–18 밑의 심전도 11–18은 모양이 변화하는 것의 또 다른 예이다. 파란별은 이전이나 이후의 박동에 비해 다른 모양을 나타낸다. 사실 그것은 융합박동이고 정상과 비정상(빨간별) 박동의 특성을 가지고 있다. 이것이 짧은 5개의 심실빈맥을 일제히(salvo) 발생하게 하며, 이 심실빈맥에는 방실해리가 있다. 심실빈맥의 중간에 발생하는 유도 변경에 주의하라.

심실빈맥에 부가하여 심실조기수축들(PVCs)과 편위전도된 박동들이 나머지 심전도 전반에 걸쳐 나타나고 있다. 심장의 축은 좌전섬유속차단(left anterior hemiblock, LAH)에 의해 좌사분면에 위치하고 있다. 유도 V_1과 V_2 사이에 이행대(transition)가 있어서 심장이 시계반대방향으로 회전하고 있다. 대체적으로 헷갈리는 심전도이다.

조언

당신이 심전도에서 다른 형태를 본다면, "왜?"라고 물어라.

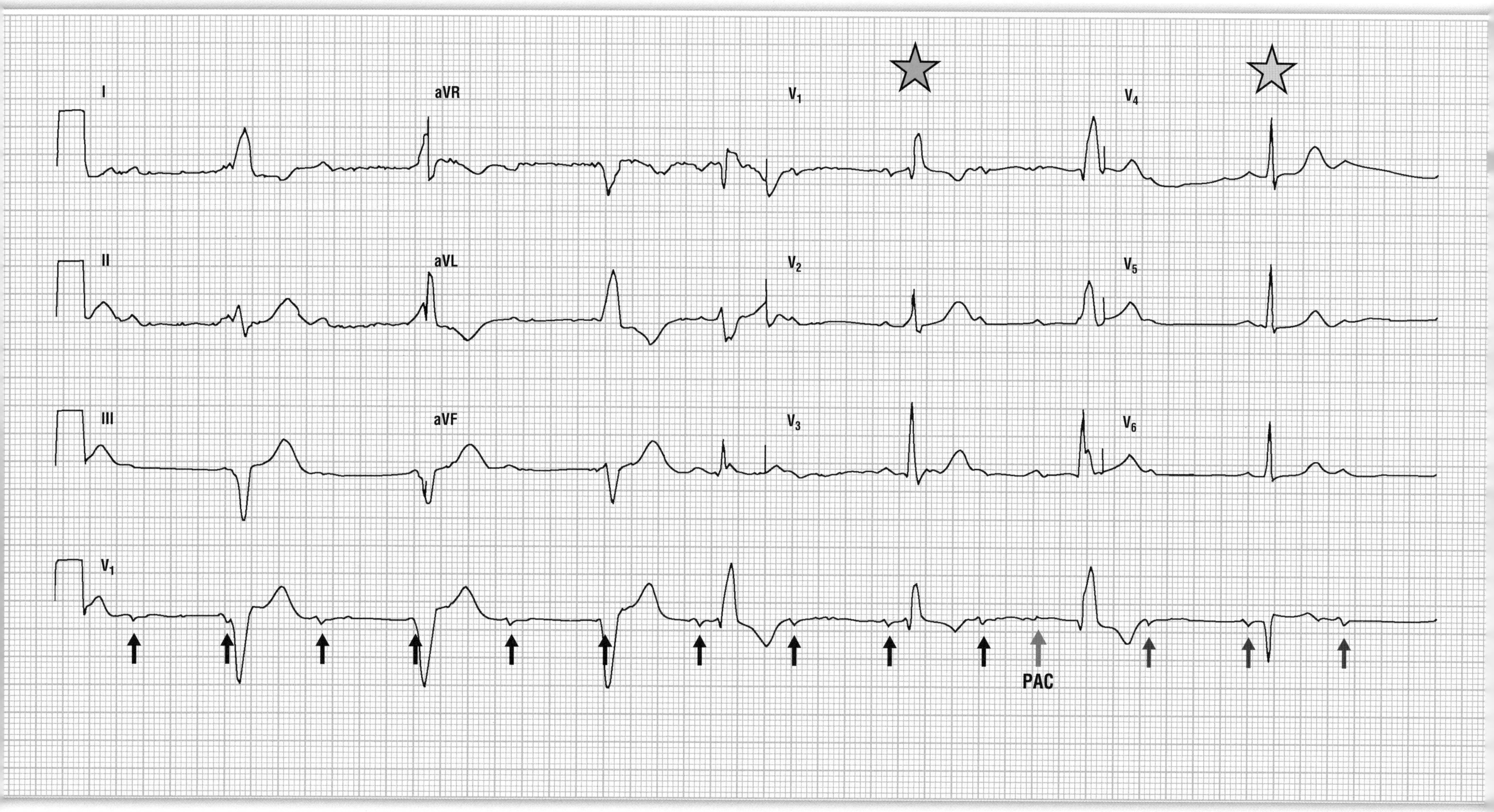

ECG 11-17

심전도 증례 연구 계속

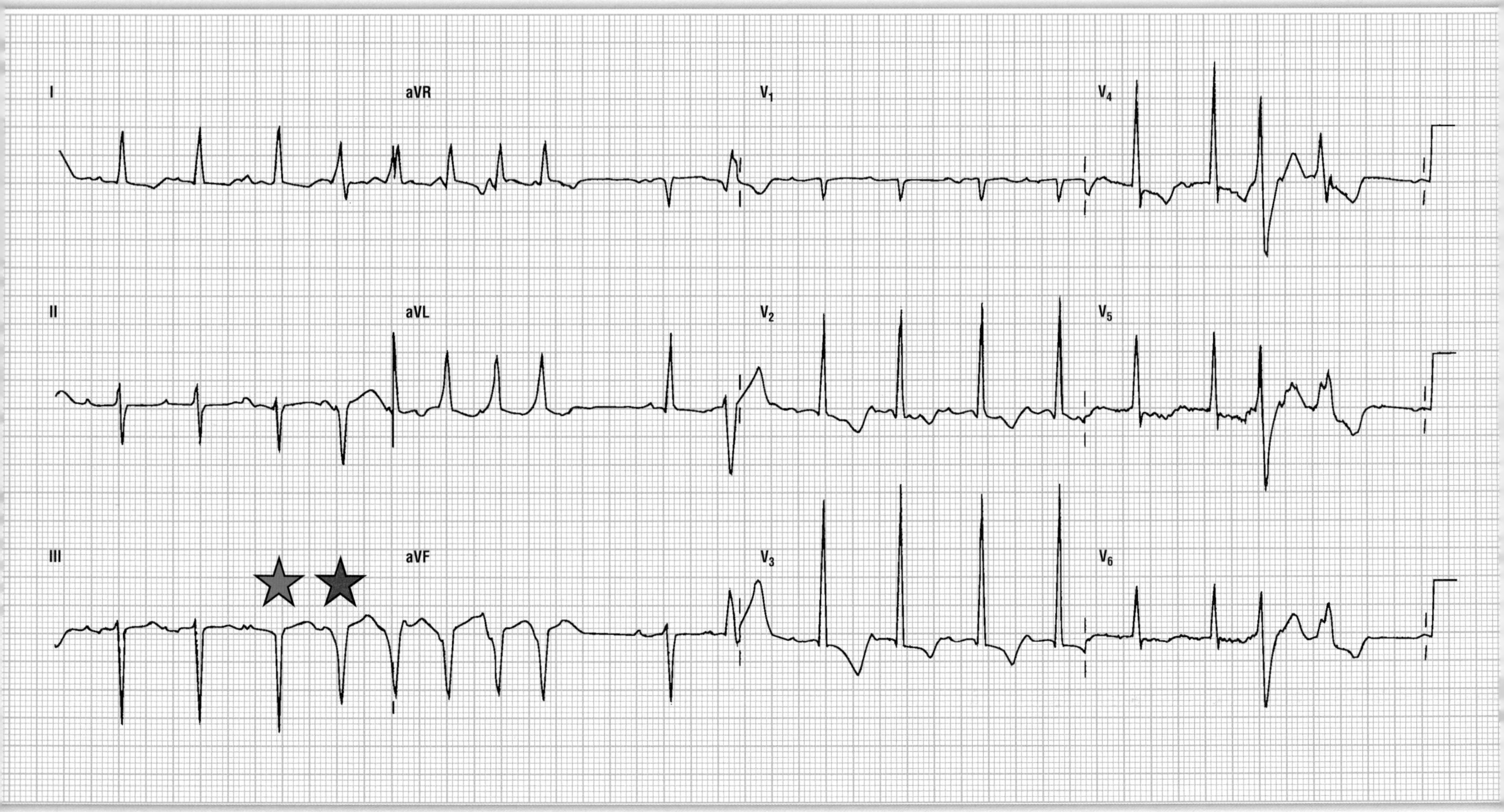

ECG 11-18

Q파의 의미

양성(benign) Q파

우리는 *기본 박동* 장에서 Q파를 다뤘다. 이제 주제를 확장시켜 Q파를 검사함에 있어 중요점에 대해 논의해 보자.

비정상 Q파의 해석에 있어서 중요점은 그것이 죽은 심근을 나타낸다는 것이다. 비정상 Q파라고 이야기하는 것을 주목하라. 이상이 없는 Q파는 단지 심실탈분극의 첫번째 벡터의 표시인 반면, 의미있는 Q파는 그 분포 지역의 오래된 급성심근경색을 의미한다.

이상이 없는 Q파는 심전도 여러 곳에서 관찰된다. 중격 Q파(그림 11–20)는 유도 Ⅰ과 aVL에서 주로 보인다. 그들은 작고 가느다란(thin) 심실 탈분극의 첫번째 벡터를 뜻한다. 심전도 11–19에서 그 예를 볼 수 있다. QS파는 이름과 같이 사이에 들어가서 이것을 둘로 나누는 R파가 중간에 없어서 그것이 Q파인지 S파인지 알 수 없다. 대부분의 경우 QS파는 그림 11–12에서 보듯이 V_1 유도에만 국한되어 있을 때는 양성(benign)이다. 만약 QS파가 V_2, 특히 V_3까지 확장되어 나타나면 그것은 과거 혹은 현재에 발생한 심장의 전중격부의 경색으로 이상 소견이다. 우리는 V_1에 있는 양성 QS파를 보여주고, 병적인 QS파의 심전도를 보여줄 것이다. 여러분들은 그 차이를 알 수 있을 것이다. 또 다른 양성 Q파의 예는 오직 유도 Ⅲ에 국한되어 있을 때이다. 이것은 대개 가늘다(thin). 비정상 Q파가 Ⅱ와 aVF에서 보이면 그것은 하벽 급성심근경색을 뜻한다[이것에 대해 더 공부하고 싶으면, *급성심근경색(Acute myocardial infarction, AMI)* 장으로 가면 된다].

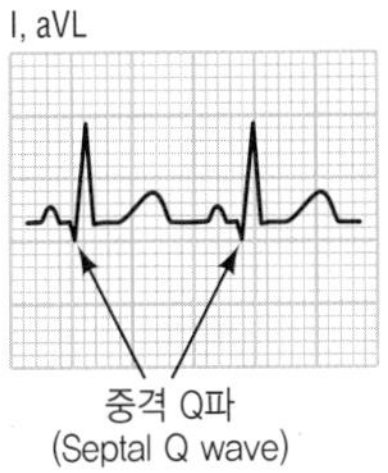

I, aVL
중격 Q파
(Septal Q wave)

그림 11–20. 중격 Q파

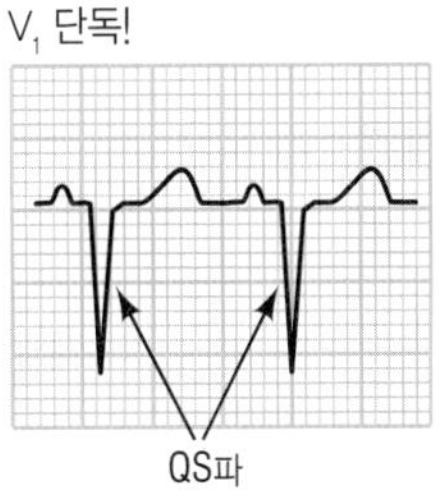

V_1 단독!
QS파

그림 11–21. QS파

호흡에 따른 Q파들의 변이

당신은 심전도에서 가끔 Q파가 유도 Ⅱ, Ⅲ에서 깊어졌다가 다시 짧아지는 양상을 볼 수 있다. 이것이 당신 눈앞에서 3초 스트립 동안에 환자가 경색이 일어난다는 것을 뜻할까? 아니다! 가끔 몇몇 뚱뚱하거나 임산부 혹은 복수가 찬 – 혹은 복부가 커지는 다른 상태 – 사람에게 나타나며 그들은 수평적인 심장을 가지게 된다. 그것은 심장이 수평선상에 놓인다는 것이다. 이제 그들이 숨 쉴 때 어떤 일이 일어날까? 횡경막은 쭉 내려가고 심장이 더욱 수직적(vertical)으로 된다(그림 11–22). 심장의 벡터는 원래 방향 그대로 남아있어서 그들의 Q파는 깊어지고 축이 약간 움직이게 된다. 이것은 심전도의 시각적 착시(optical illusion)이라고 생각하라. 이것은 양성이다. 전혀 걱정할 필요가 없다.

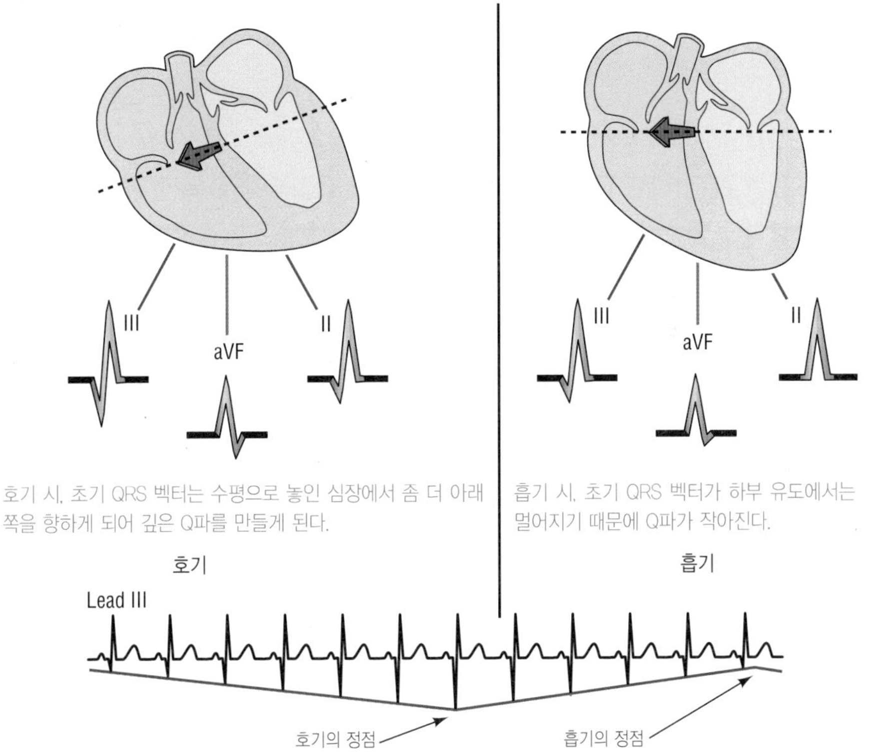

III
aVF
II
호기 시, 초기 QRS 벡터는 수평으로 놓인 심장에서 좀 더 아래쪽을 향하게 되어 깊은 Q파를 만들게 된다.
흡기 시, 초기 QRS 벡터가 하부 유도에서는 멀어지기 때문에 Q파가 작아진다.
호기
흡기
Lead III
호기의 정점
흡기의 정점

그림 11–22. 호기 흡기에 따른 Q파

심전도 증례 연구 Q파 의미

2

심전도 11-19 이 심전도에는 좀 다른 시도를 해 보았다. 두 환자의 사지 유도를 나란히 놓아서 유도 I 과 aVL에 나타나는 Q파를 비교할 수 있다. 왼쪽의 예에서 Q파가 작고 0.03초보다 짧은 것을 알 것이다. 이것은 양성(benign) 중격 Q파의 예이다. 상대적으로 오른쪽 심전도는 넓은 Q파를 가진다. 이것은 병적 Q파이다. 그들은 1/3 높이 규정을 만족시키지 못하지만 넓이의 규정을 만족시킨다. 두 기준이 만나면 이상적일 것이지만, 넓이가 좀 더 심각한 병변에 특이적이다. 당신이 병적인 Q파와 병적이지 않은 Q파의 차이를 이해하는 것은 중요하다. 이 장을 떠나기 전에 이 점을 명확히 이해하기 바란다.

3

심전도 11-19 두 개의 심전도에서 I 와 aVL 유도들 사이에 추가적인 차이를 관찰할 수 있는가? 그 차이는 작으나 매우 중요하다. T파가 대칭적이라는 것에 주목하라. *ST분절과 T파들* 장에서 논의된 것 같이 대칭형 T파는 더욱 병적인 상태를 나타낸다 – 전해질 이상, 약물 효과, 허혈 등이다. 비정상 Q파와 연관하여 허혈이 원인 질환일 가능성이 높다. ST분절은 오른쪽 심전도의 유도 aVL에서 약간 높아져 있는데 초기 혹은 소멸되어가는 어떤 손상 양상을 나타내는 것일 수도 있다.

2

심전도 11-20 우리는 이것과 함께 심전도 11-19에 유사한 방식을 사용하여 양성과 병적 QS파의 차이를 보았다. 이번에는 전흉부 유도를 관찰해보자. 왼쪽에 심전도는 양성(benign) QS파의 예를 보여준다. 왜 그것은 QS파인가? QRS군에 상향의 요소가 없기 때문이다. 그러면 왜 양성(benign)인가? 오직 유도 V_1에서만 나타나기 때문이다. QS군 형태가 유도 V_2까지 연장되어 나타나면 언제 발생한지 모르는 전중격 급성심근경색의 가능성이 높아진다. 그것이 유도 V_3로 확장되면 그 가능성은 더 높아질 것이다. 왼쪽의 심전도는 QS군이 유도 V_4에도 나타난다. 이것은 급성심근경색의 명확한 증거이다. 유도 V_3의 QS군의 깊이를 확인해보라 : 45mm 이상인가? 그것은 약 47mm이고 심장 후벽의 저지받지 않는 큰 벡터를 나타낸다[우리는 이것을 어떻게 급성심근경색이 심전도상으로 나타나는지를 다룰 "*급성심근경색(acute myocardial infarction, AMI)*" 장에 가서 더 논의할 것이다].

3

심전도 11-20 병적 QS파들은 급성심근경색을 나타낸다. 급성심근경색증을 시사하는 ST 상승과 T파의 역위가 같이 있는 경우를 제외하고 QS파는 발생한 시기를 알지 못한다. 오른쪽 심전도의 ST분절은 심전도 소견상 긴장을 동반한 좌심실비대에 더 적합한 소견이다. 대부분의 유도에서 ST분절의 오목함을 보여주고 있다. 그러나 T파는 대칭적이다. 이것을 정확히 해석하기 위해서는 옛 심전도가 꼭 필요하다. 도움이 되는 다른 것들은 환자의 과거력이다. 흉통이 주 증상인 경우에는 심전도에 이미 나타난 시기를 알 수 없는 경색에 더하여 경색이 확대되는 것을 시사하는 것일 수 있기 때문에 골치 아픈 문제가 된다. 다르게 말하면, 새로운 경색 형태는 오래된 경색 형태와 겹쳐져 쉽게 보이지 않는다는 것이다.

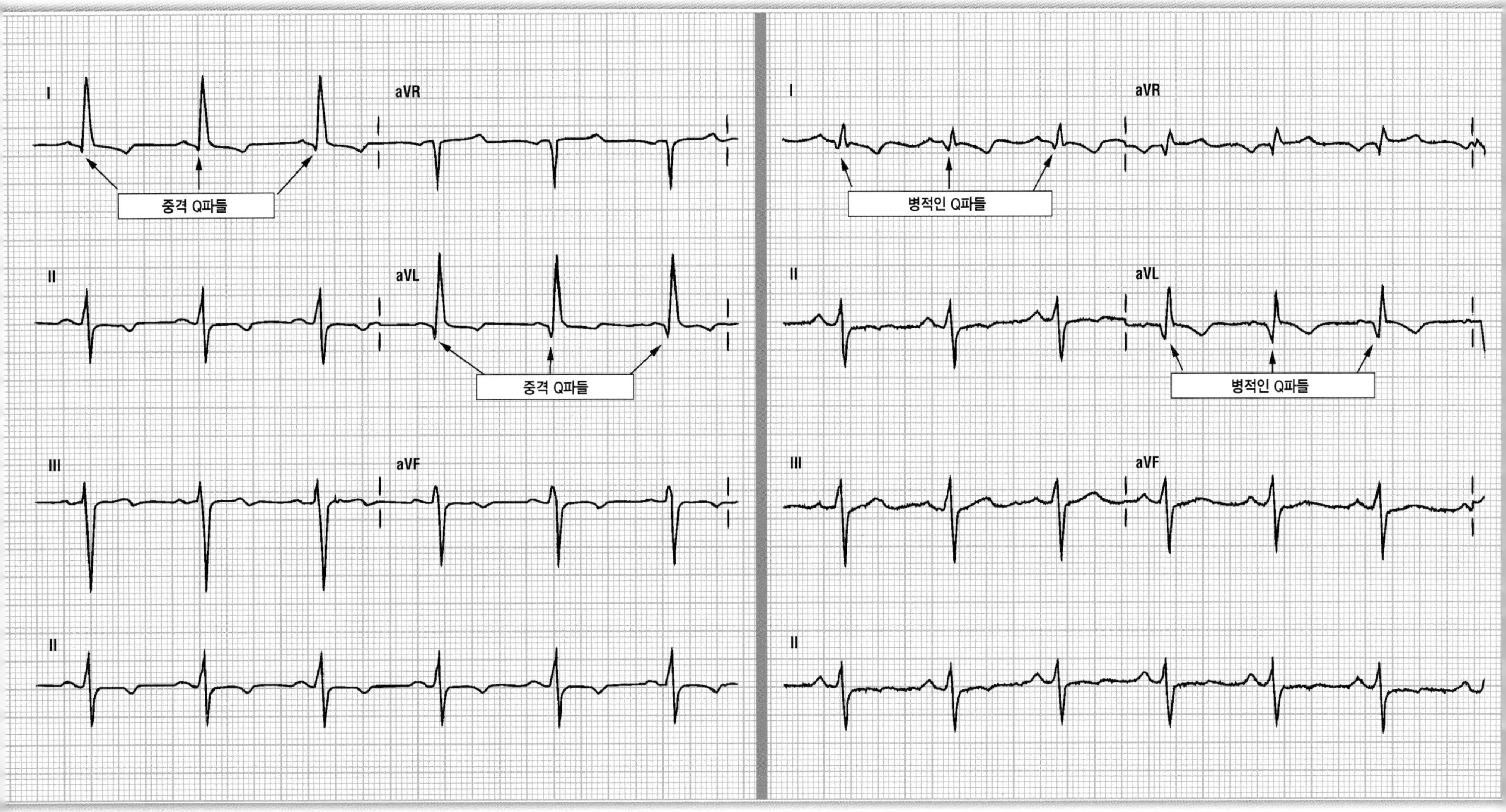
I
aVR
중격 Q파들
II
aVL
중격 Q파들
III
aVF
II
I
aVR
병적인 Q파들
II
aVL
병적인 Q파들
III
aVF
II

ECG 11-19

심전도 증례 연구 계속

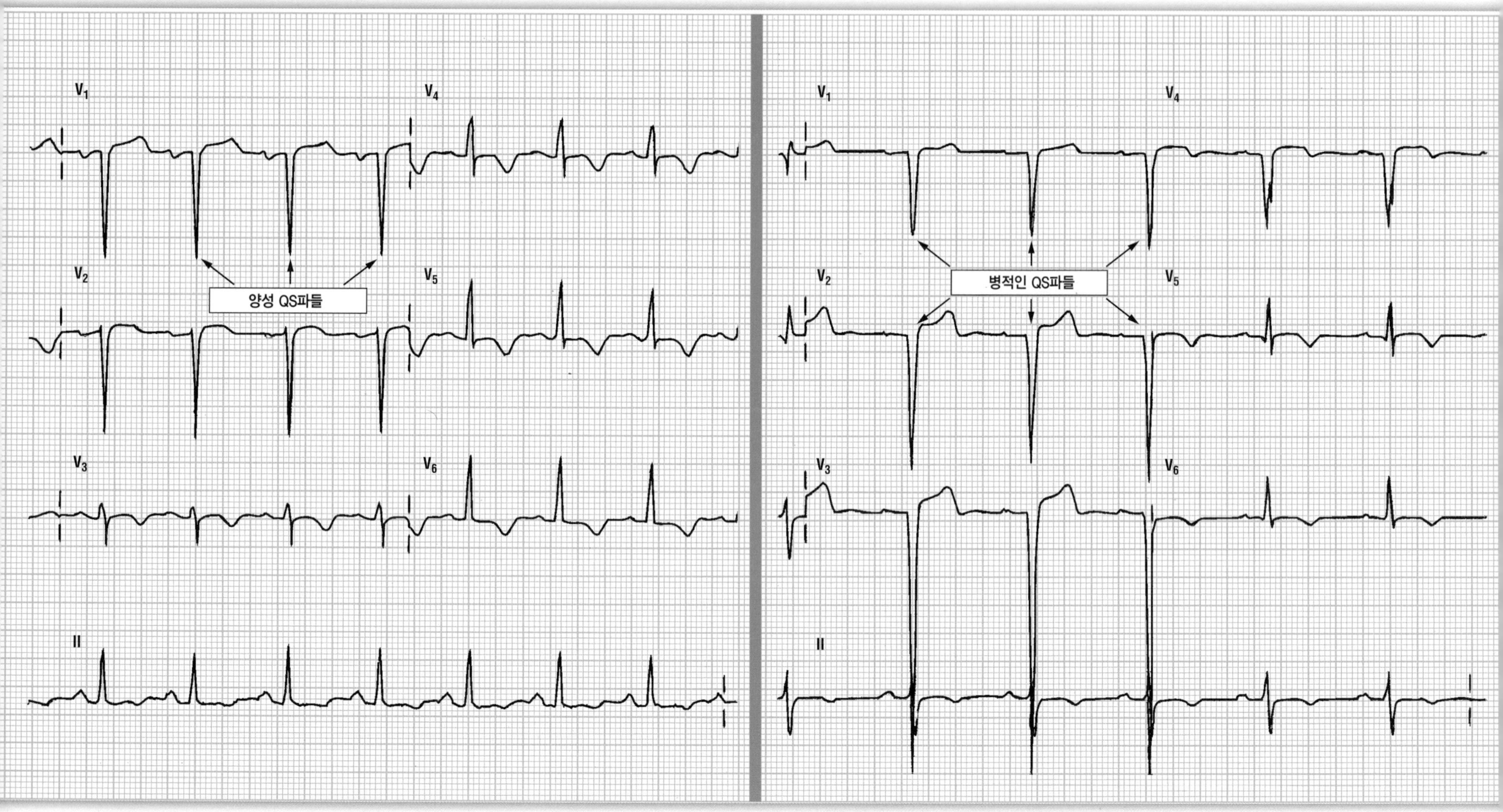

ECG 11-20

2

심전도 11-21 아래의 유도Ⅲ를 보자. 군들 사이에서 Q파의 크기가 현저하게 변화하고 있다. 율동 스트립을 보면, 아래에 붉은색 타원이 있는 군들은 가장 짧은 S파를 가진다. 그것들은 왜 S파인가? 각 QRS군의 음(negative)의 부분 앞에 매우 작은 R파가 있기 때문이다. 군들의 길이가 물결치는 것 같은 형태를 하고 있는 것을 봐라. 3~4초 주기로 반복되고 있다. 우리는 매 3~4초 동안 무엇을 하나? 숨을 쉰다. 이것은 호흡에 의한 변화이다. 호흡에 따른 변화가 심전도에 반영된다. 동부정맥(sinus arrhythmia) 또한 호흡 주기가 원인이다.

3

심전도 11-21 이것은 전기적 교대(electrial alternans)가 아니다. 전기적 교대는 한 개의 박동 혹은 여러개의 박동들에서 일어나는 매우 다른 심전도 모양과 축의 변화와 관계가 있다. 그것은 아래의 예와 같이 단지 작고 서서히 일어나는 변화가 아니며, QRS군의 양의 부분(positive component)과 음의 부분(negative component)이 크게 흔들리는 것을 나타내는 것이다.

전기적 교대는 전형적으로 심장 주위의 많은 삼출액(심낭삼출액, pericardial effusion)이 있거나, 빈맥이 있을 때 볼 수 있다.

단지 ST분절과 T파 만의 전기적 교대가 있을 수 있다. 이것은 전형적으로 급성심근경색증과 관련되어 있고 안 좋은 예후를 가져온다.

조언

병적 Q파와 양성 Q파가 있다 양성 Q파의 예

- WPW에서 가성경색(pseudoinfarct) Q파들
- 중격 Qs
- V_1에서 양성(benign) QS군들

심전도 증례 연구 **계속**

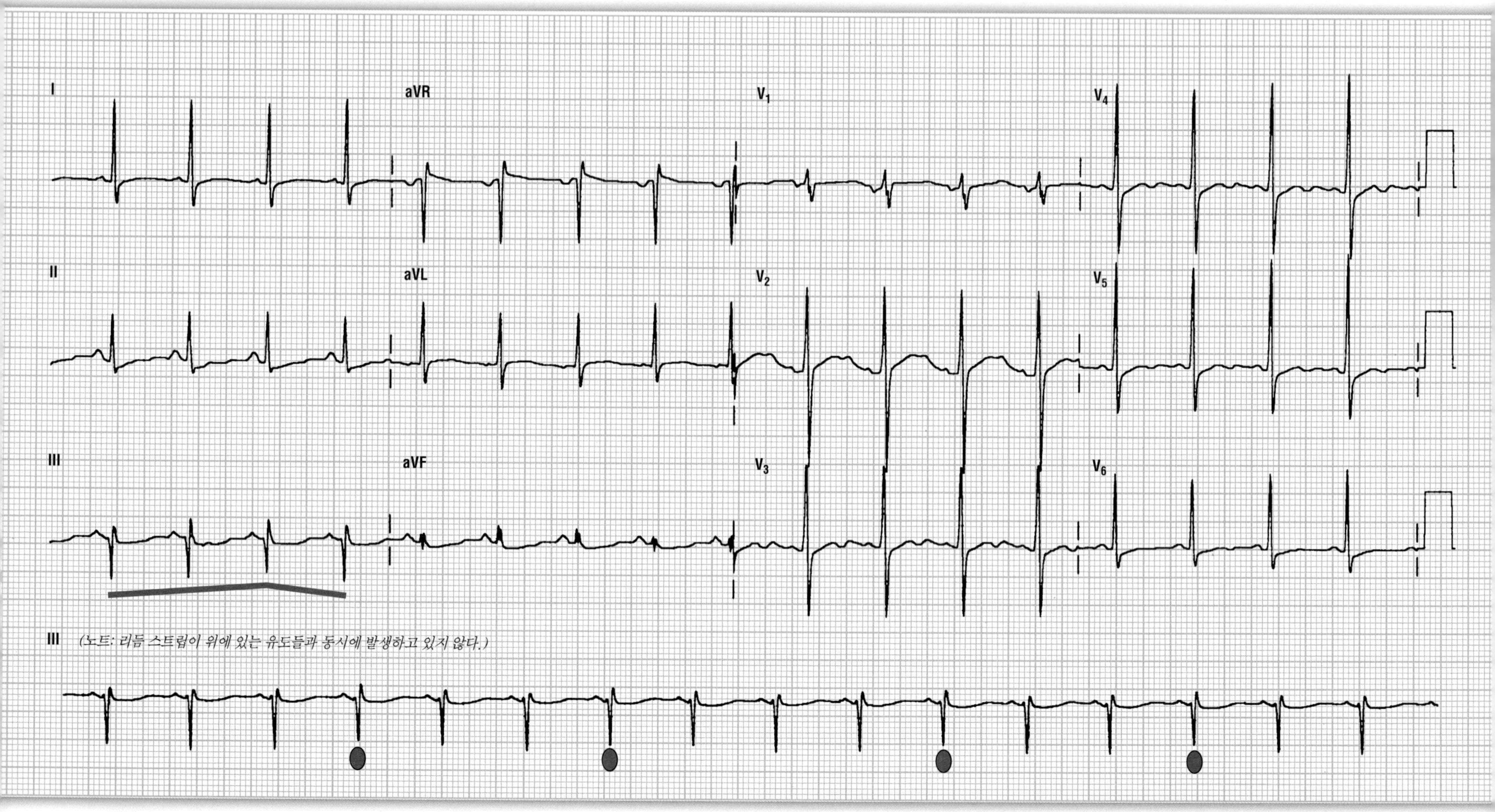

ECG 11-21

비정상(병적) Q파

그렇다면 어떤 것이 비정상(significant) Q파인가? Q파가 다음과 같은 것이 있을 때 비정상이라 한다.

1. 전체 QRS 높이의 1/3 보다 큰 경우(그림 11-23, 11-25)
2. 0.03초 보다 넓은 경우(그림 11-24)

두가지를 다 만족시키는 것이 좋다. 그러나 2번째 항목 - 0.03초보다 넓이가 넓으면 더 의미가 있다. 기간으로 작은 칸 하나에 도달하면 병적인 것이다.

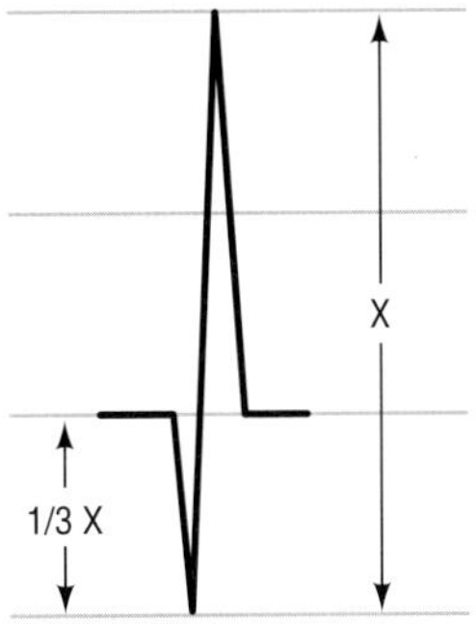

그림 11-23. 만약 Q파가 전체 QRS의 높이의 1/3 보다 크면 병적 Q파이다.

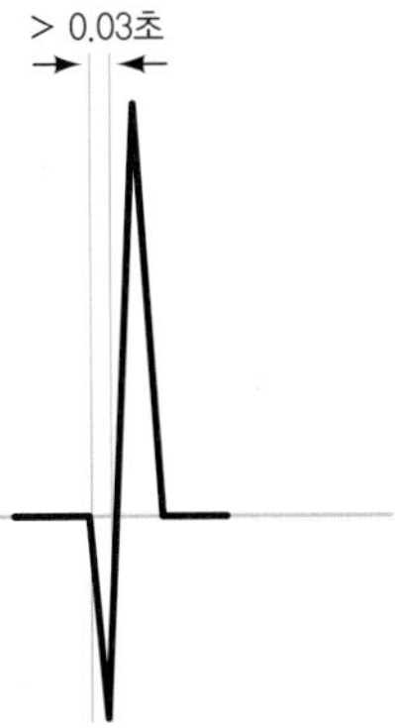

그림 11-24. 만약 Q파의 넓이가 0.03초 보다 크면 이것은 병적인 Q이다.

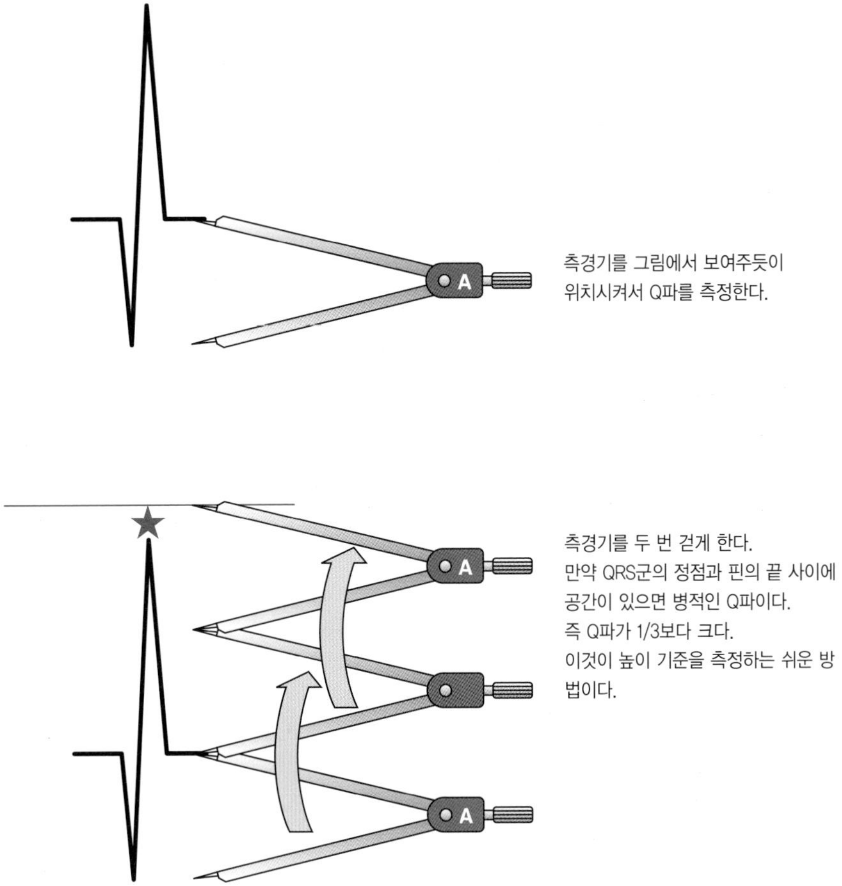
A
측경기를 그림에서 보여주듯이 위치시켜서 Q파를 측정한다.
측경기를 두 번 걷게 한다.
만약 QRS군의 정점과 핀의 끝 사이에 공간이 있으면 병적인 Q파이다.
즉 Q파가 1/3보다 크다.
이것이 높이 기준을 측정하는 쉬운 방법이다.

그림 11-25. Q파의 측정

심전도 증례 연구 계속

2

심전도 11-22 심전도를 보고 비정상 Q파를 찾아내라. 이상이 있는 유도에 원을 그려라. 우리는 유도 Ⅰ, Ⅱ, Ⅲ, aVF, 그리고 V_5, V_6에 있는 Q파를 관찰하면서 시작해보자. aVL의 Q파는 작지만 넓다. 유도 V_4의 Q파는 본질적으로 비정상이 아니지만, 그들은 V_5 그리고 V_6과 연속된 일부분이기 때문에 병적인 것으로 간주되어야 한다.

우리는 조금씩 나아지고 있지만, 벡터를 공부할 때 심장의 3차원 입체적 형태를 연구한 것을 기억하는가? 당시 유도에 따라 심장의 부위를 분리하여서 이야기하였다. 아래의 심전도에서 어떤 부위를 알아낼 수 있는가? 유도 Ⅱ, Ⅲ, 그리고 aVF는 하벽유도를 나타낸다. 유도 V_4~V_6, 그리고 aVL은 측벽(lateral) 유도를 나타낸다. 따라서 이것은 하측벽(inferolateral walls)의 진구성(old) 경색이다.

3

심전도 11-22 이 심전도는 하측벽의 진구성 경색을 보여준다. 게다가 V_1에서 V_2에 높은 R:S 비율을 가지는 전방 이행대(anterior transition)를 나타낸다. 이 유도에서 R파 또한 넓다. 이것은 일관되게 후벽 급성심근경색과 일치하는 결과이다. 후벽 급성심근경색은 하벽 급성심근경색과 관련이 있다는 것을 기억하라. 왜냐하면 그 둘 모두 우관동맥의 분포 아래 있기 때문이다.

조언

감별 진단을 기억해라. V_1~V_2에 증가하는 R:S 비에 대한 감별 진단을 생각하지 못하면 당신은 후벽 급성심근경색을 놓칠 것이다.

2

심전도 11-23 이 심전도에 병적인 Q파는 어느 것인가? 유도 Ⅲ, aVF라 대답한다면, 정답이다. 이것은 넓이, 높이의 기준에 해당하기 때문에 병적이다. 자, 유도 V_1에서 V_3은 어떠한가? : 병적인가? 아니다. 유도 V_1에서 QS파는 정상이다. 그리고 유도 V_2와 V_3에는 QRS군의 처음 시작 부위에 작은 r파를 가지고 있다. 따라서 그들은 병적인 것이 아니다.

관찰되는 다른 것이 있는가? 계속해서 더 찾아보자. 여기에는 좌심실비대의 증거가 있다. 이런 결론에 이르기 위해 어떤 기준을 사용했는가? V_2의 S파와 V_6의 R파를 합치면 35mm 보다 크다.

조언

당신이 이 책을 공부할 때 이 점에 대해 배워야 한다는 것을 꼭 명심해라. 낡은 정보에 새로운 정보를 첨가해야 한다는 것이다. 심전도를 전체적으로 읽어야 한다는 것을 유념하라.

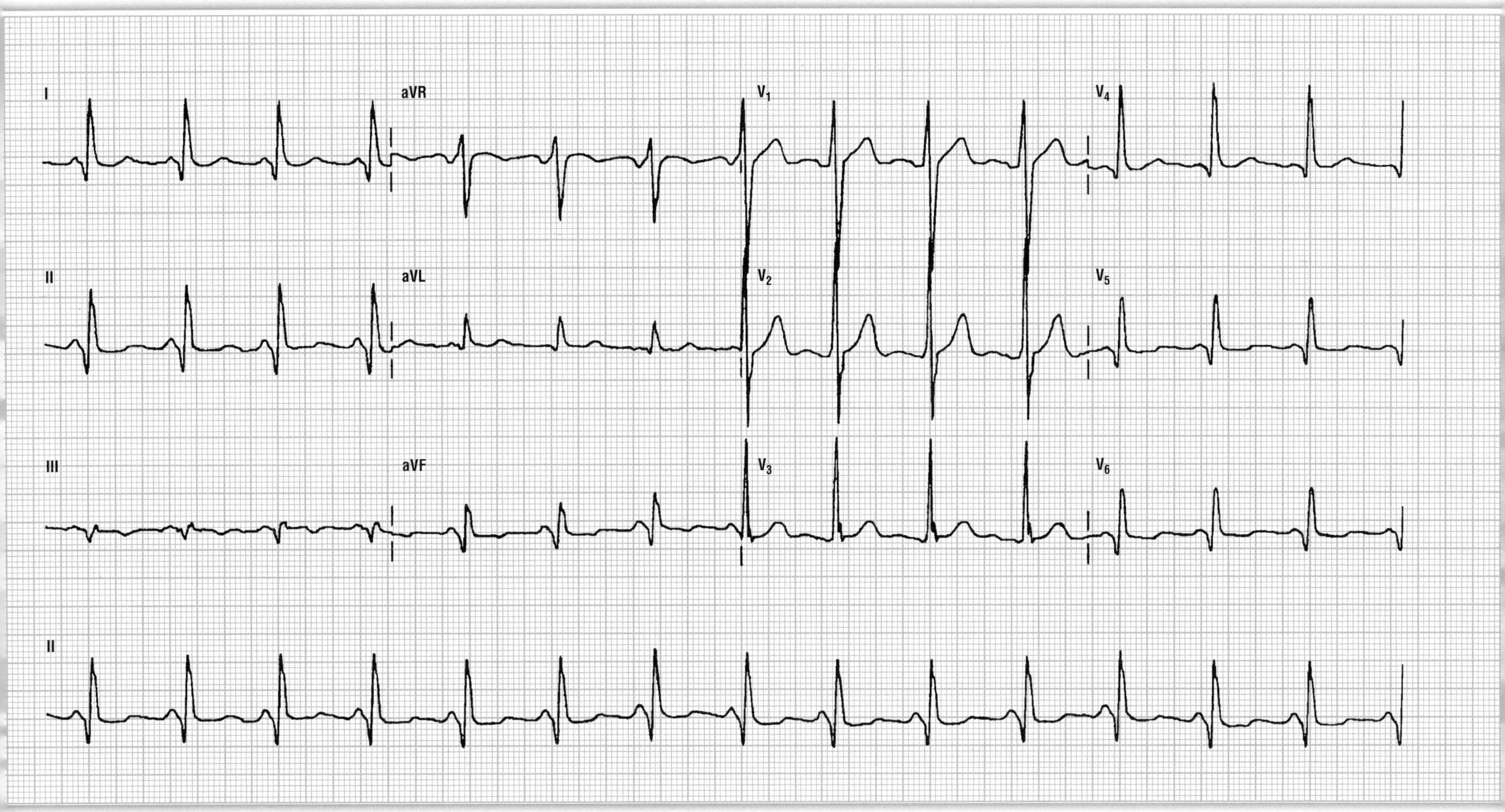

ECG 11-22

심전도 증례 연구 계속

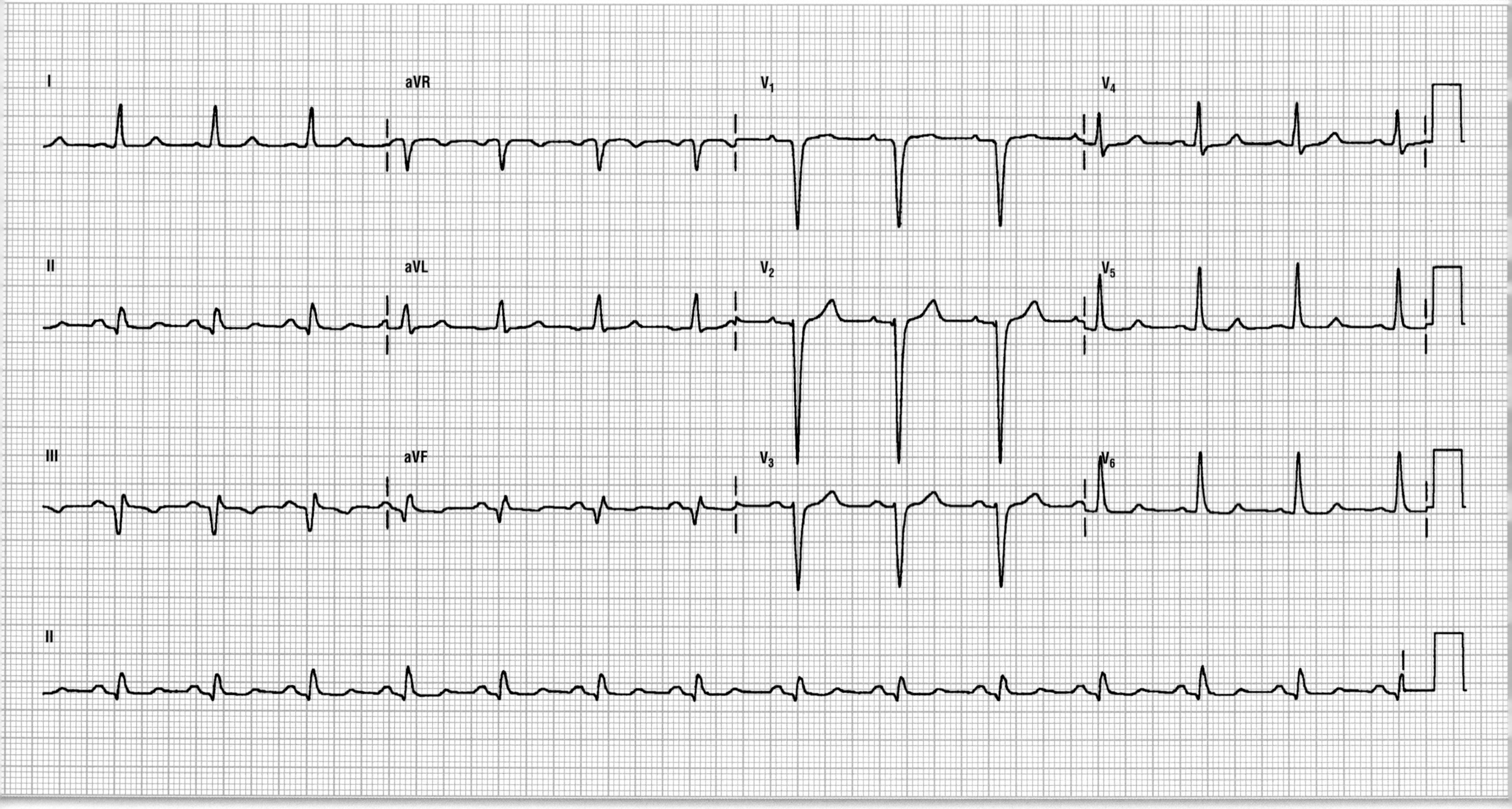

ECG 11-23

2

심전도 11-24는 일단 유도 Ⅲ, aVF에서 쉽게 찾을 수 있는 Q파가 있다. 유도Ⅱ의 Q파 역시 R파 높이의 1/3 보다 크기 때문에 비정상적이다. 측경기를 사용하여 우리가 가르쳐 준 방법을 사용하여 거리를 확인하라.

나머지 심전도를 잊지 마라. 유도 V_1에 좌심방확대가 있다. 유도 Ⅱ, Ⅲ, 그리고 aVF에 있는 ST분절의 변화를 알아챘는가? 그들은 정상인가 혹은 상승했는가? 상승했다. 이것은 같은 유도에 병적인 Q파가 있는것에 비추어 보면 의미가 있다. 우심실비대의 증거가 있는가? 명확히 R:S 비는 증가했으나, 나중에 배우게 되겠지만, 다른 원인에 의해서 증가할 수 있다.

3

심전도 11-24 이것은 급성심근경색이다. 이것은 Q파와 함께 아직까지 상승되어 있고 역전된 T파를 가지고 있다. 그러나 매우 급성은 아니다. 왜냐하면 Q파가 발생하려면 시간이 소요되기 때문이다. 따라서 그것은 최소한 발생한지 몇 시간이 지난 상태이다.

유도 V_2의 증가된 R:S 비는 우심실 비대 혹은 초기 후벽 심근경색일 수 있다. 만약 비교 가능한 이전 심전도를 갖고 있지 않다면 어떤 것인지 설명할 방법이 없다. 이전의 심전도에도 유도 V_2에 같은 R파가 있다면 우심실비대에 합당한 소견이며, 새로운 R파는 후벽 심근경색에 해당되는 소견이다.

2

이행대(transitional zone)

이행대는 전흉부 유도에서 대부분의 음성(negative) QRS군이 양성(positive)으로 변환이 일어나는 곳이다. 실질적인 이행은 QRS군이 등전위(isoelectric)인 곳에서 발생한다. 많은 경우 이행은 대부분이 음성인 군의 다음에 양성인 유도로 변하게 된다. 이 경우 이행은 두 유도 사이의 어떤 곳에 위치하게 된다. 한 예가 그림 11-26에 나타난다(이 논의는 219 페이지에서 계속된다).

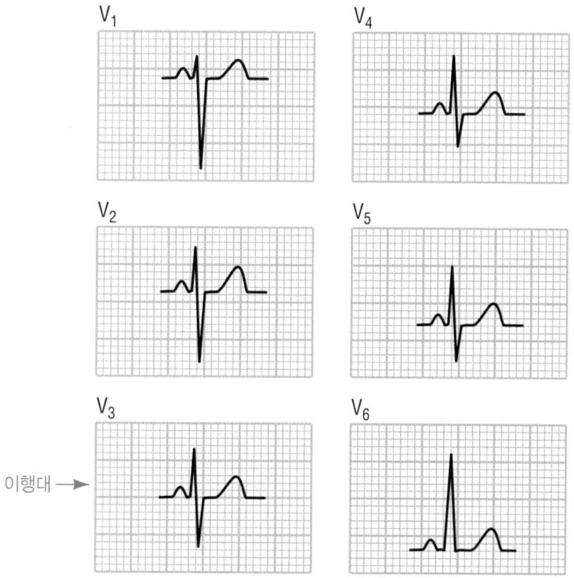

그림 11-26. 이행대

심전도 증례 연구 계속

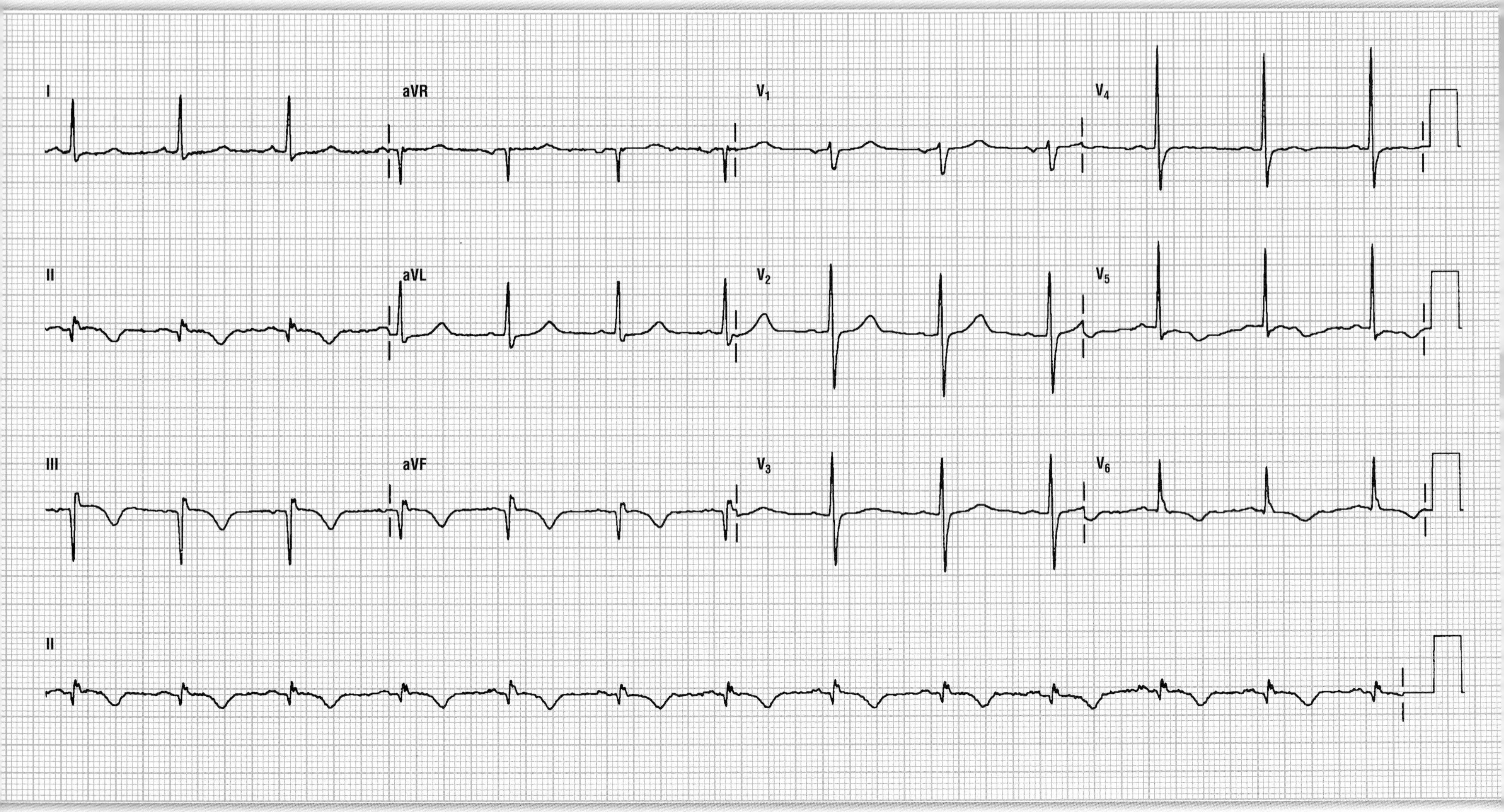

ECG 11-24

(217 페이지에서 계속)

대부분의 사람들에게서 정상적인 이행은 V_3와 V_4 사이에서 발생한다(그림 11-27).

만약 V_3 이전에 이행대가 발생하면 이것은 반시계방향 회전이라 칭한다. V_4 이후에 이행대가 있는 것은 시계방향 회전이라 한다. 시계방향과 시계반대방향은 그들이 흉벽 또는 심장(만약 발에서부터 관찰된다면)에서 관찰되는 실질적인 유도들을 말하는 것으로 단지 심전도 용지에서 관찰되는 것을 의미하는 것은 아니다.

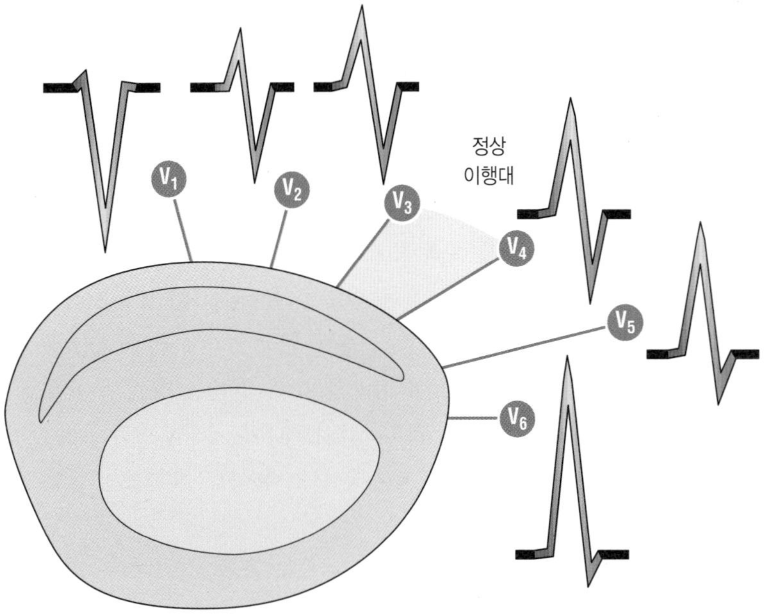

그림 11-27. 정상이행대

이행대는 우리가 Z축과 심장의 전-후 방향 주축에 대한 토론을 시작할 때 더욱 유용할 것이다. 우리는 이것이 많은 저자들에 의해 널리 사용되었기 때문에 이 섹션에서 처음 언급했다. 이것은 당신에게 개념의 표면적 이해를 하게 해주고, 혼돈을 가능한 피하게 할 것이다.

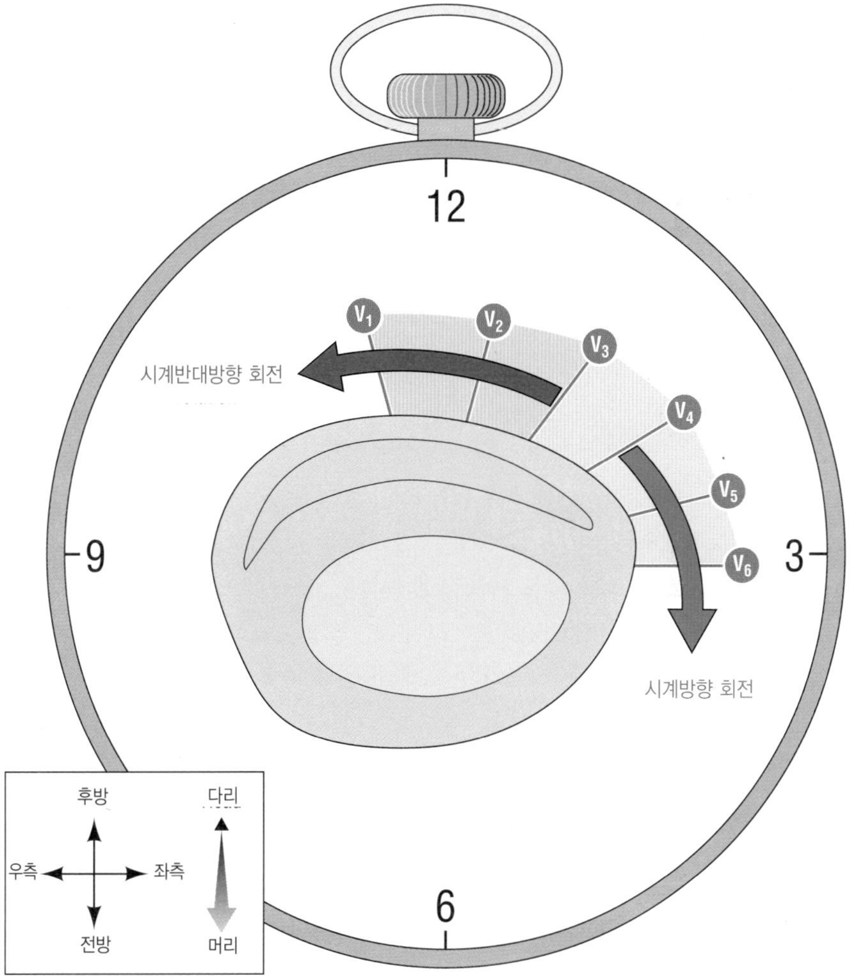

그림 11-28. 2종류의 회전

심전도 증례 연구 이행대

2

심전도 11-25 전흉벽 유도 어디에서 음에서 양으로 변하는가? V_5 바로 다음이다. 만약 당신이 눈치챘다면 V_6가 전부 양인데 반해 V_5는 아직까지 약간 음이다. 그래서 전환이 늦다. 시계방향 회전의 예이다.

이 ECG는 다른 흥미로운 것들로 가득차 있다. 자세히 관찰해보라 그리고 다시 돌아와서 우리들은 이들에 대한 논쟁을 끝내자.

시작하면 유도 V_1에 좌심방확대가 있다 : P파의 모양이 이상성(biphasic)이면서 후반부의 깊은 하향을 보인다. PR 간격은 길어져 있는가? 당신은 가장 긴 간격의 유도를 관찰해야 한다는 것을 기억해라. 이 경우에 유도 Ⅱ, Ⅲ에서 가장 길다. 이 유도에서 PR 간격은 0.20초를 조금 넘는다. 그래서 연장되었다고 할 수 있다. 만약 당신이 다른 유도를 본다면 놓쳤을 것이다.

QRS군의 진폭은 어떠한가? 사지 유도는 유도 Ⅲ와 aVF에서 5mm를 조금 넘는다. 예를 들면 이것은 삼출액에 기인한 낮은 전압인가? 꼭 그런 것은 아니다. 그러나 아주 가깝다! 이것은 기준에 합당하지는 않지만 매우 의심을 해야 하는 증례 중 하나이다. 의심은 특히 심장학에서 좋다. 명백히 기준에 맞지는 않지만 아주 가까운 경우가 많다. 이런 경우들에는 결정을 하기보다는 가능성을 평가하기 위해서 병력이나 이학적 소견과 연관시켜봐야 한다. 항상 조금의 실수의 가능성이 있다는 것을 명심해라. 어떤 경우도 100% 맞거나 틀리는 경우는 없다.

심전도 11-26 이 심전도의 이행 부위 역시 유도 V_5 다음에 온다. 그러나 이번에는 V_5와 V_6사이의 중간에서 일어난다. 우리가 의미하는 것을 확인했는가? 유도 V_5에서 S파는 전체 QRS 크기의 약 2/3를 차지하며, 대부분 음성(negative)이다. V_6에서 R파는 QRS 크기의 2/3를 차지해서, 대부분 양성(positive)이다. 음에서 양으로 변화하는 곳이 정확하게 중앙에 위치한다. 이행(transition)을 하나의 연속(continuum)이라고 가정하자. 그림 11-29에서 나타난 것처럼 연속이 V_1에서 V_6까지 펼쳐져 있다고 하면, 정확하게 이행이 일어나는 곳이 어디인지 찾아봐라. PR 간격은 심전도의 가장 흥미로운 부분이다. 전반적인 ST 하강과 QT 연장이 있다. 심낭염의 다른 기준은 없다. 그래서 원인이 불명확하다.

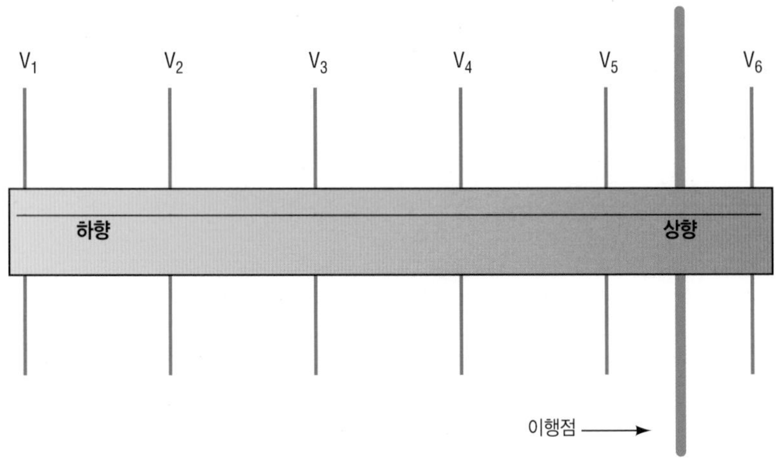

그림 11-29. 심전도 11-26의 이행점

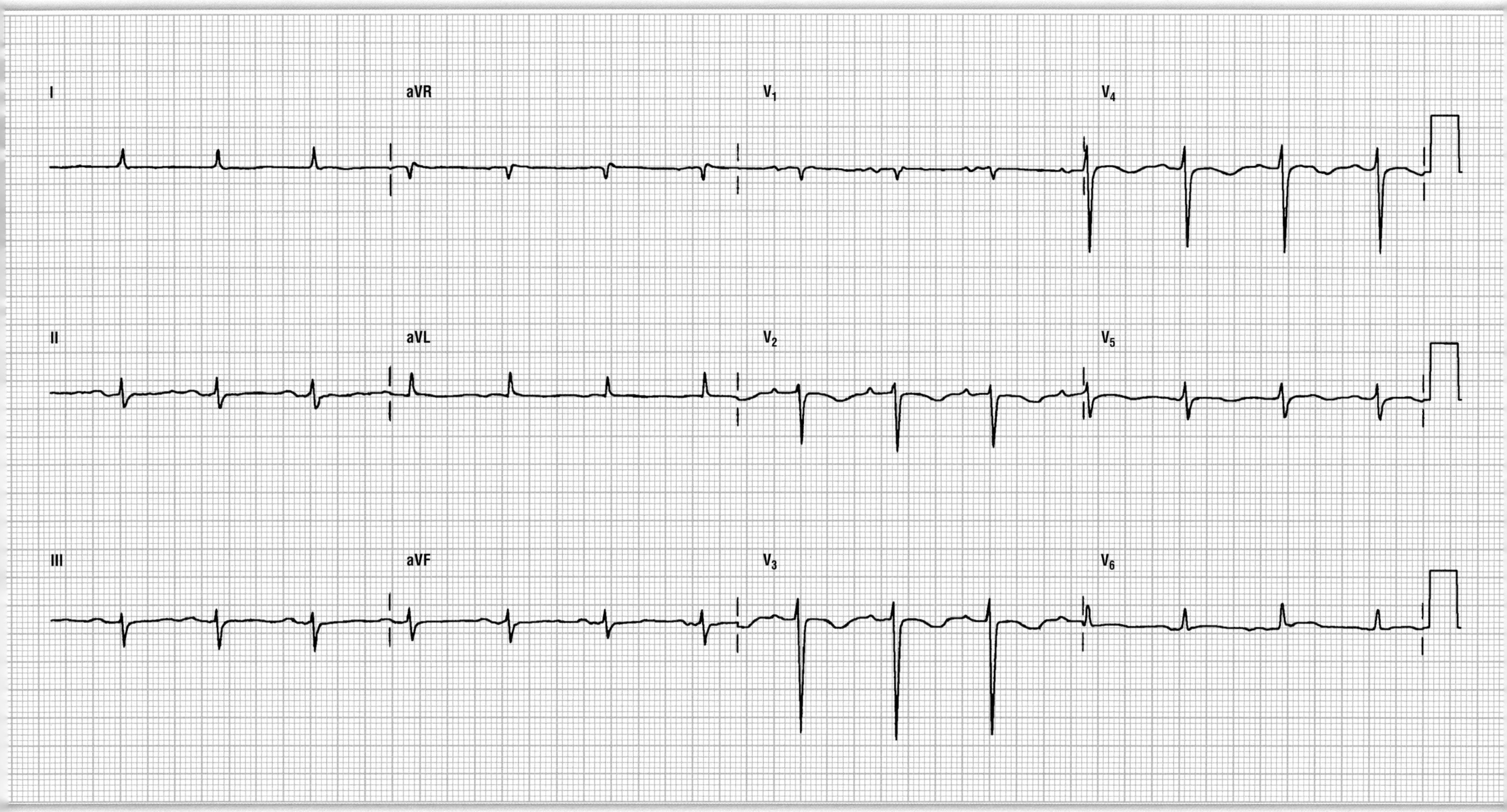
I
aVR
V1
V4
II
aVL
V2
V5
III
aVF
V3
V6

ECG 11-25

심전도 증례 연구 계속

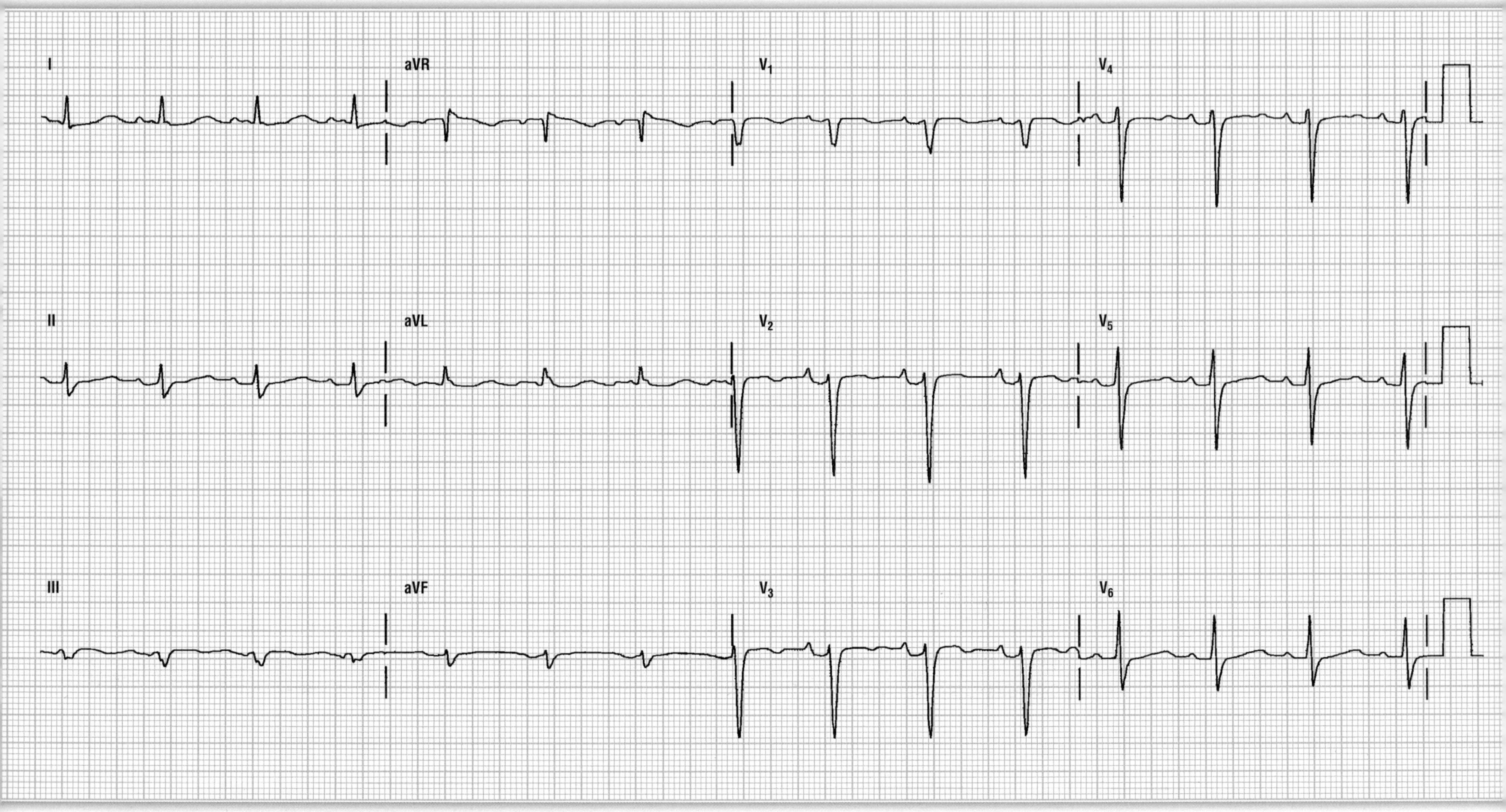

ECG 11-26

2

심전도 11-27 V_1과 V_2 사이에 이행점이 빨리 일어나는 심전도이다. 다시 한 번 그것은 정확하게 유도들의 중간 가까이에 위치한다(그림 11-30에 나타나 있다).

이것이 우심실비대의 예가 될 수 있을까? 물론 가능하다! 우심방확장같은 다른 우측의 비대의 증거가 있지는 않지만, 확실히 가능성이 매우 높다. 다른 가능성은 환자가 아주 어리거나 사춘기이거나 후방으로 향하는 벡터의 힘을 잃었을 경우(후벽 경색) 등이다.

좌심실비대의 경우는 어떠한가? 기준에 만족하는 것이 있는가? 있다면 무엇인가? 중요한 것은 aVL의 R이 11mm 보다 큰 것이다. 그리고 유도 I의 R이 12mm 보다 크다. 그래서 이 환자는 양심실확장의 가능성을 가지고 있다. 임상적인 연관이 아주 도움이 된다.

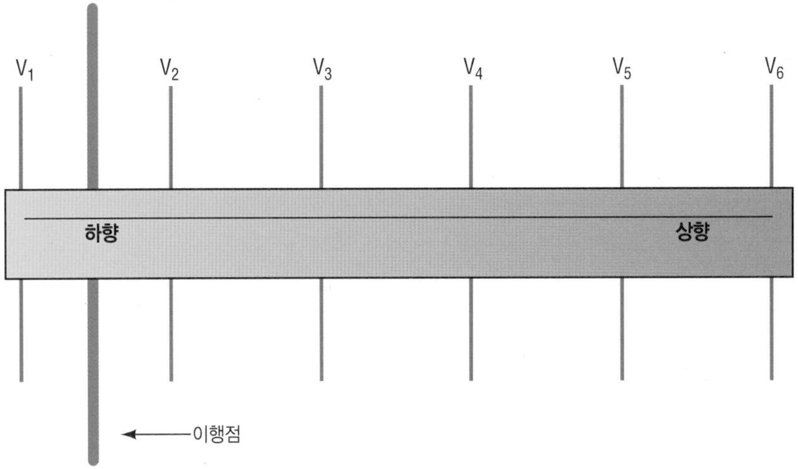

그림 11-30. 심전도 11-27의 이행점

심전도 11-28 이 심전도는 심전도 11-27에서 본 것과 아주 유사한 이행점(그림 11-31)을 가진다. 그러나 여기에 아주 쉽게 감별 진단을 할 수 있는 몇몇 차이점들이 있다. R파가 더 가늘다. 정확하게 말해서 0.03초보다 짧다. 이것은 후벽의 급성심근경색의 가능성을 배제시켜준다. 그리고 오른쪽 전흉벽 유도에 역위된(flipped) T파가 있다. T파는 긴장성 패턴에서 보이는 것보다는 좀 더 대칭적인 모양을 하고 있지만(*ST분절과 T파들* 장을 보라), 역시 허혈성 변화의 특징은 가지고 있지는 않다. 추가적으로 유도 V_1 P파의 첫 번째 반이 V_6 것보다 크기 때문에 경한 우심방확장 소견을 보여주고 있다. 마지막으로 QRS군의 끝에 절흔(notching)이 발견된다(이것은 심전도 11-29에서 다시 논의할 것이다). 이것이 ST분절의 변화가 비허혈적 상태라는 것을 확인시켜준다.

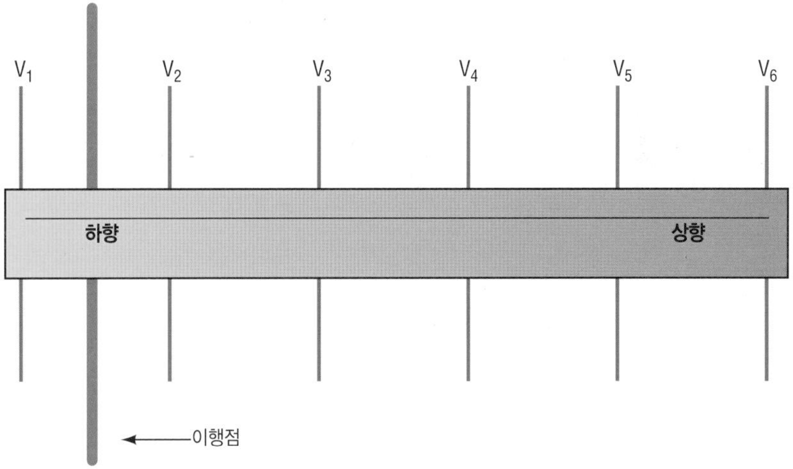

그림 11-31. 심전도 11-28의 이행점

심전도 증례 연구 계속

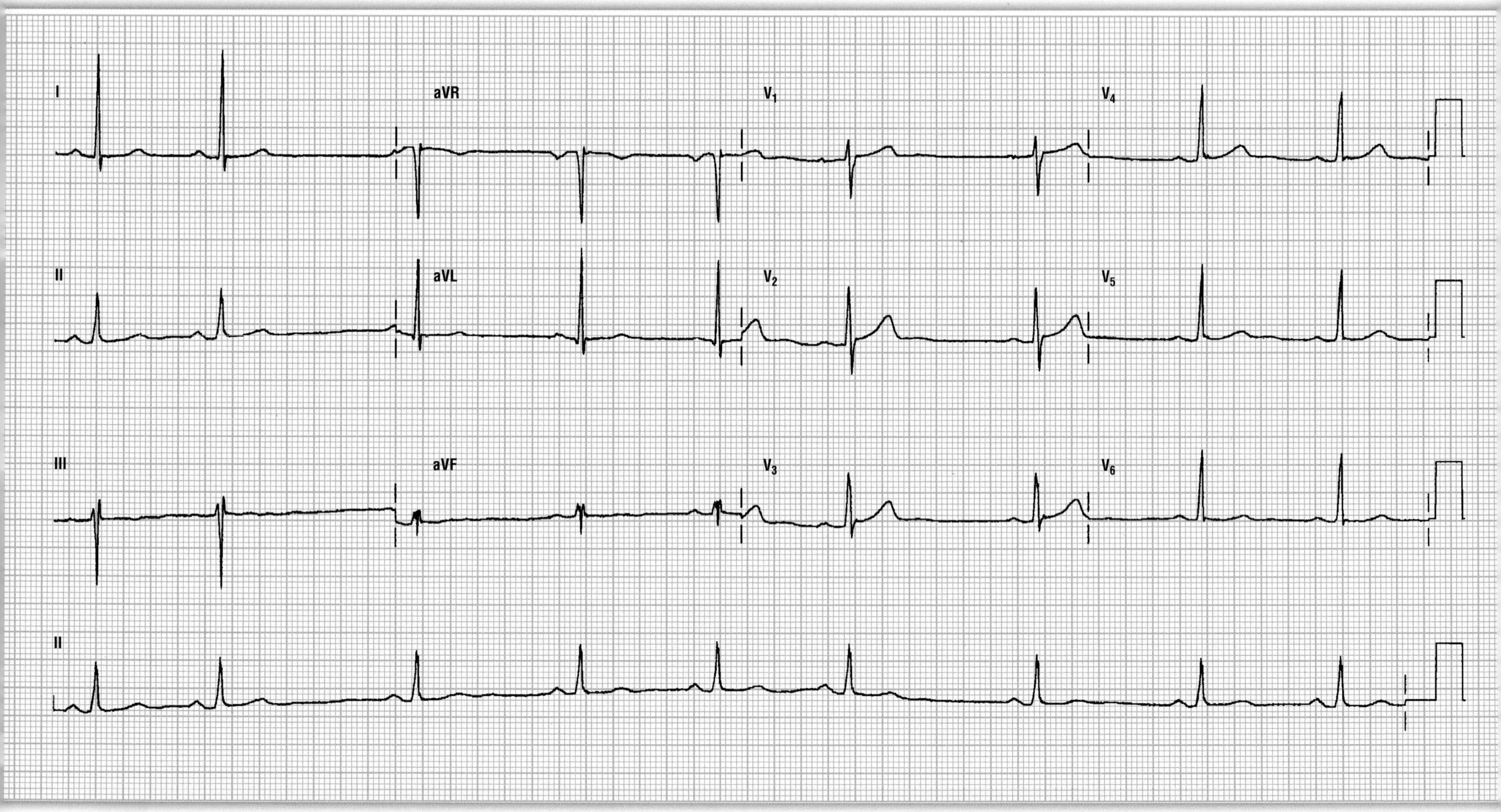

ECG 11-27

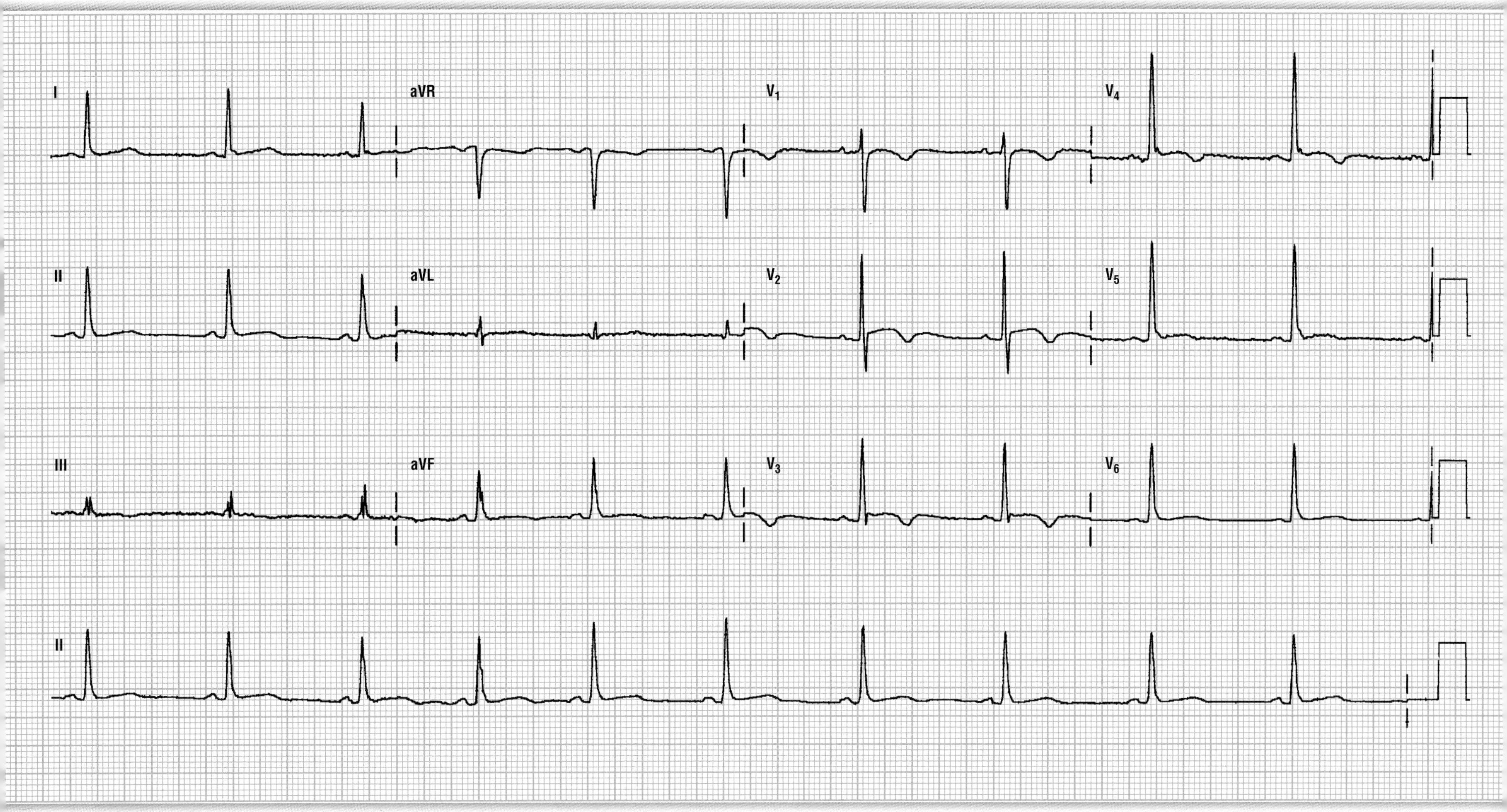

ECG 11-28

2 QRS 절흔(notching)

심전도상 많은 예에서 그림 11-32에서 보이는 것처럼 QRS군의 끝부분에 작은 절흔을 볼 수 있을 것이다. 그 절흔은 조기재분극(early repolarization) 형태나 심낭염(*ST분절과 T파들* 장 참조)처럼 ST분절 상승의 양성(benign)의 원인과 거의 항상 연관이 있다. 그것은 흔히 전흉부 유도에 나타나지만 심전도의 어떤 부위에서도 나타날 수 있다.

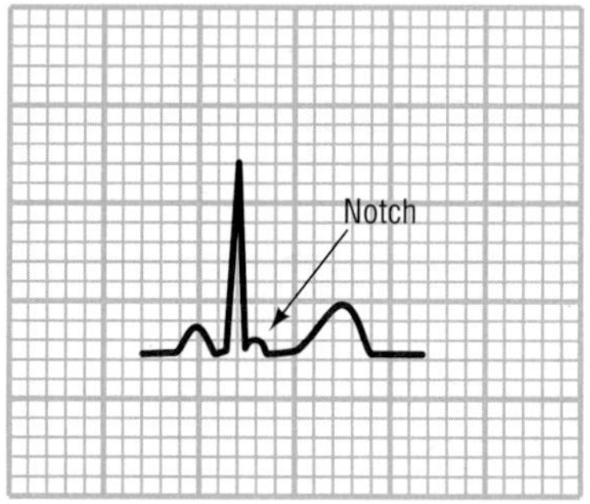

그림 11-32. QRS 절흔

우리가 심전도 해석을 할 때 정확한 진단을 위해서 어떤 임상적인 연관성을 확인해야 한다. 당신은 절흔 후의 ST 상승은 거의 대부분의 예에서 양성이라고 확신할 수 있다. 어떤 저자들은 이것이 항상 양성(benign)이라고 기술하기도 한다. 그러나 우리는 원래 심전도에서 절흔을 가지고 있는 젊은 환자가 코카인과 관련된 심근경색증으로 자신의 평소 형태보다 더욱 상승된 심전도를 가지고 나타난 경우를 보았다. "항상"이라는 이야기를 완전히 안전하게 할 수 있는 경우는 매우 드물다.

우리가 다음에 다룰 Osborn이나 J파 등을 위의 절흔과 작고 QRS군의 혹(bump) 같은 것과 혼동하지 마라.

3 오스본(Osborn, J)파들

그림 11-33에서 보이는 Osborn이나 J파는 심각한 저체온증의 경우에 나타난다. 그것은 QRS군의 끝이 크게 굴절되어 나타나는 것으로 RSR"처럼 QRS의 또 다른 파장으로 혼돈하기 쉽다. 이 파장의 원인은 알 수 없다. 하지만 환자의 중심체온이 하강할수록 Osborn파가 크게 나타나는 것은 확실하다. 또한 ST분절의 하강과 T파의 역위가 매우 큰 Osborn파와 같이 나타난다. Osborn파는 대개의 경우 서맥 혹은 심방세동과 같은 다른 저체온증의 소견과 같이 나타난다.

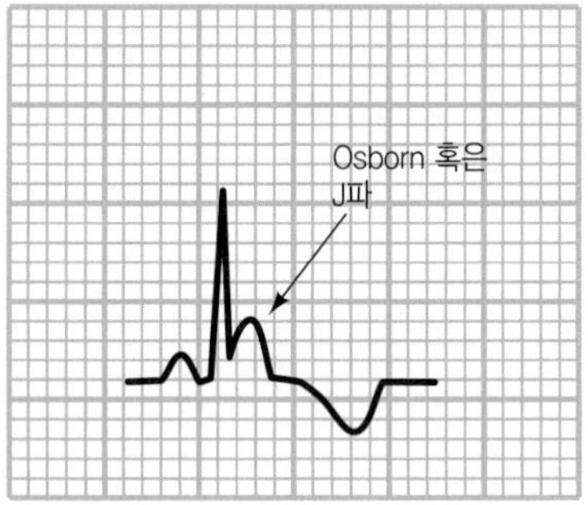

그림 11-33. Osborn or J파

노트

저체온증은 Addison씨 병이나 패혈증 그리고 심한 갑상선 기능저하증을 포함한 많은 경우에 발생할 수 있다. Osborn파는 원인을 불문하고 저체온증과 연관된 어떤 원인에서라도 나타날 수 있다. 비록 저체온 등이 Osborn파의 가장 흔한 원인일지라도 꼭 환경에 노출이 될 필요는 없다.

2

심전도 11-29 아래 파란색 화살표가 가리키는 부분을 보면 이제껏 설명했던 절흔들이 보인다. 작고 매우 분명하게 보이지는 않는다는 것을 주목해서 봐라. 절흔과 연관되어 조금의 ST 상승이 보인다면 그것은 급성심근경색은 아닌 것에 거의 100% 확실해도 된다. 거의라고 표현한 이유는 인생에서 완전히 맞다고 이야기할 수 있는 경우는 매우 드물기 때문이다. 우리는 이전에 언급했듯이 조기재분극(early repolarization) 형태를 보이는 젊은 남자가 코카인에 기인한 급성심근경색으로 나타나는 것을 보기 전까지는 100%라는 말을 사용했다. 첫 번째 심전도는 절흔과 함께 높은 ST 상승을 보여준다. 20분 후에 실시한 두 번째 심전도에서는 좀 더 전형적인 급성심근경색 형태가 나타난다. 하지만 첫 번째 심전도는 100%라는 추정을 바로 없애 버렸지만, 우리는 지금도 이것을 매우 드문 현상이라고 이야기할 것이다.

이제 또 다른 어떠한 것들을 발견할 수 있는가? PR 하강이 많은 유도에서 발견된다. 이것은 의미있는 심한 하강은 아니지만, 나타나고 있다. 이 소견들을 확인하기 위해서 자를 사용해 보라. 미만성 ST분절의 상승이 국자로 뜬 것처럼(scooping) 위쪽으로 오목한 모양이 나타난다. 이 소견들은 초기 심낭염이나 조기재분극 등과 일치하는 소견이다. 그렇다면 어떻게 이 둘을 감별할 수 있겠는가? 환자에게 물어보라. 만약 환자가 뒤로 기댈 때 흉통이 증가한다면 그것은 심낭염일 것이다. 만약 환자가 발목 골절을 동반하여 왔다면 그것은 아마도 조기재분극일 것이다.

조언

임상적 연관성은 판독에 있어서 소중한 것이다.

심전도 11-30 이것을 한번 봤었기 때문에, 이 심전도에서 절흔을 확인하는 것은 쉬워야 한다. 당신은 V_4에서 V_6의 외측벽 유도에서 그것들을 더 잘 관찰할 수 있을 것이다. 이 심전도에서 측벽 유도에 꽤 저명한 절흔이 보인다.

이 심전도는 우리가 심전도 11-29에서 관찰한 것과 유사한 PR 하강과 약간의 ST분절의 변화도 가지고 있다. 그것들의 감별 진단은 같다 : 초기, 심하지 않은 심낭염과 조기재분극 등이다.

노트

오스본파는 정말로 큰 절흔은 아니다! 어떤 것은 병적인 것이고 다른 하나는 정상 심전도의 변형으로 나타난다.

심전도 증례 연구 계속

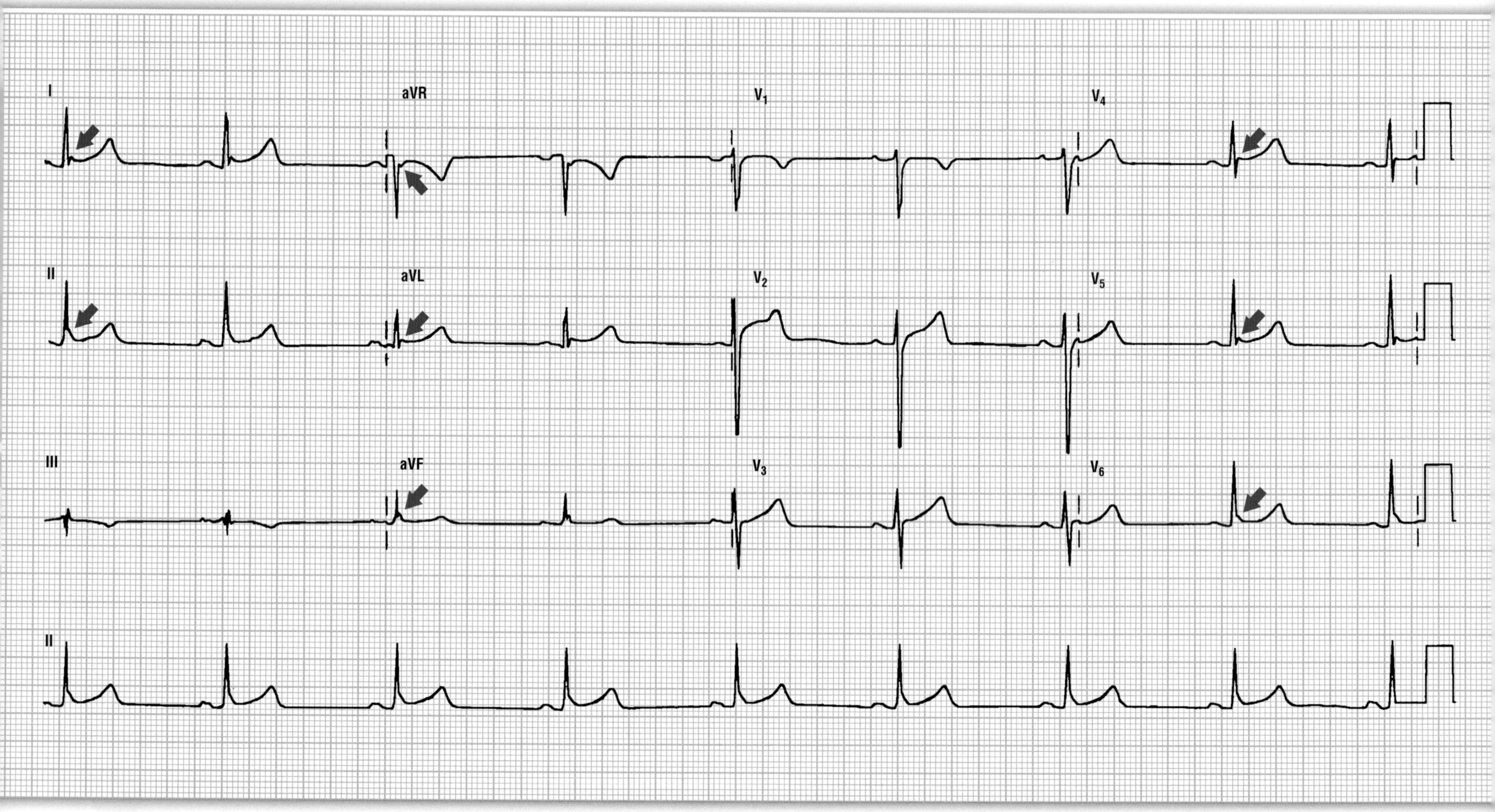

ECG 11-29

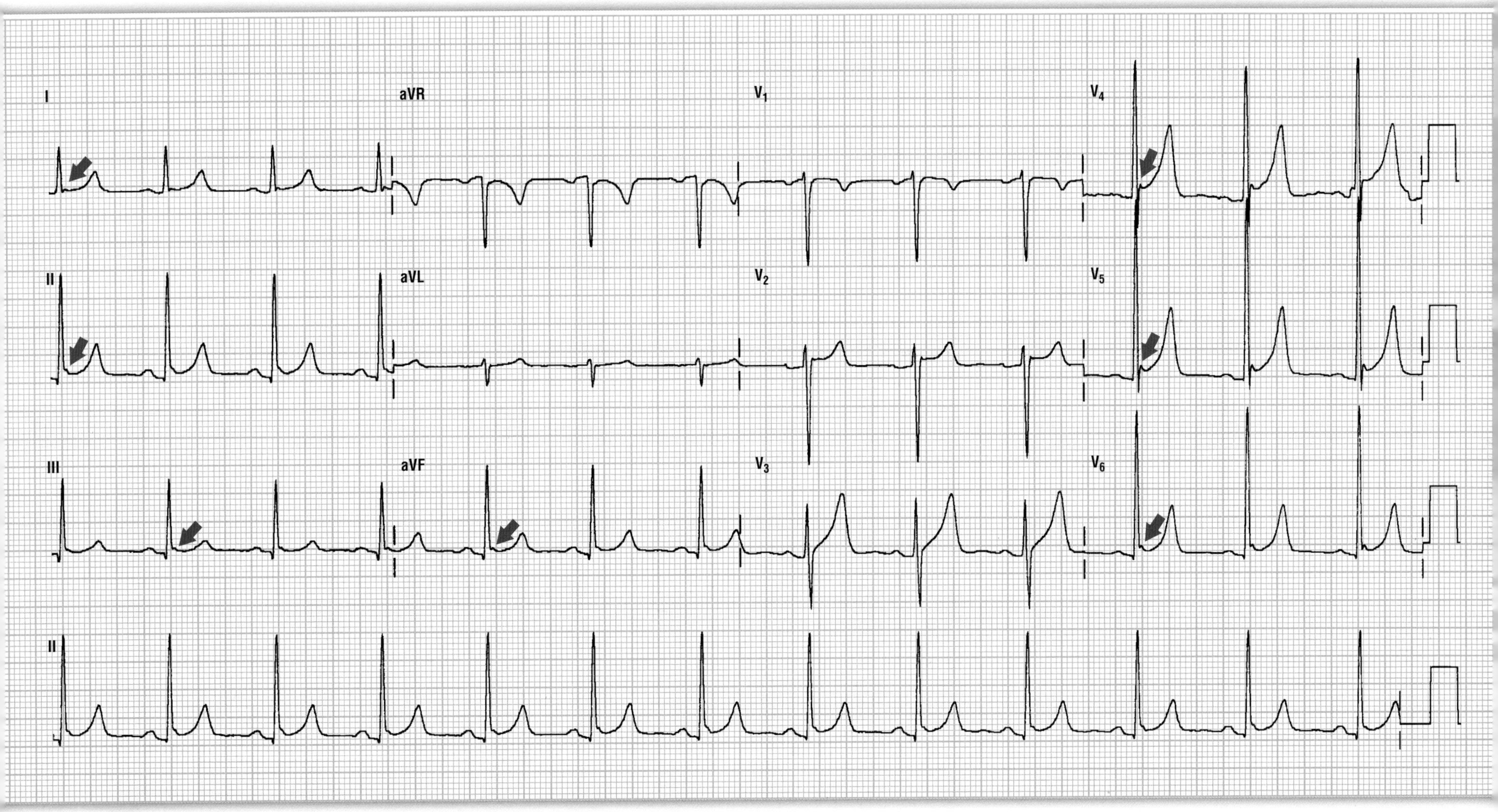
I
aVR
V1
V4
II
aVL
V2
V5
III
aVF
V3
V6
II

ECG 11-30

심전도 증례 연구 **계속**

3

심전도 11-31 우리는 Osborn의 세 가지 례를 연속적으로 보여줄 것인데 그 중에서 어떤 차이점을 발견할 수 있을 것이다. 그것들의 모양이 전혀 같지 않다는 점을 주목해서 보라. 당신이 밑의 파란색 화살표로 표시된 Osborn을 본다면 그것은 우리가 심전도 11-29나 심전도 11-30에서 본 절흔들보다 훨씬 크다는 것을 알 수 있다. 그것들은 양성 절흔들보다 파형이 클 뿐 아니라 넓게 나타난다.

체온 저하는 다른 동반되는 심전도의 변화를 가진다. 환자의 중심 체온이 낮기 때문에 서맥이 매우 자주 나타난다. 비교적 간격이 넓다. 그러나 이 예에서처럼 의미있는 QT 간격의 연장이 일어난다.

당신은 또한 리듬 스트립에서 P파의 차이를 발견했는가? 이것은 심방 조기수축이다.

심전도 11-32에서 Osborn파는 놓치기 쉽다. 이 심전도는 미만성 Osborn파와 QT 연장의 훌륭한 예가 된다. 당신은 심전도에서 어떤 허상(artifact)이 있다는 것을 발견할 수 있을 것이다. 이것은 저체온 환자에게서 흔하다. 이것은 몸을 떨어서 생기는 것이 아니다. 왜냐하면 체온을 증가시키는 몸의 방어기전은 매우 낮은 체온에서는 기능을 하지 않기 때문이다. 이 환자는 응급실에 도착했을 때 체온이 23.7℃였다.

임상의 진주

저체온은 심장의 과민성과 연관이 있다. 심실부정맥이 흔하다. 중심체온이 32℃ 밑으로 내려가면 심장을 민감하게 만들고, 기계적 진동에 대해서, 세동을 포함한 심실부정맥에 취약해진다. 이런 현상은, 환자를 들것이나 난방담요로 옮길 때 발생한다. 당신이 Osborn파를 심전도에서 발견한다면 환자를 옮길 때 특별히 주의를 기울여라!

심전도는 이런 환자들을 응급실에서 평가하는데 매우 귀중한 자산이다. 이들 대부분은 정신 상태에 이상이 있거나 중독된 상태로 응급실에 도착한다. 그리고 그들은 건드리면 차갑다. 하지만 대부분의 환자들은 겨울에 차갑게 느껴진다. 당신이 일반적인 검사의 하나로 심전도를 찍었을 경우 심전도는 올바른 치료를 할 수 있도록 인도해 줄 것이다.

심전도 11-33에서 나타난 Osborn파는 심전도 11-32의 것보다 크지는 않다. 하지만 여기서도 꽤 명확하게 나타난다. 비록 좁은 모양이긴 하지만 많은 환자들에서 이런 특징적인 형태를 나타낸다.

세 번째 복합체는 심방조기수축이다. 좌심실비대는 35mm 이상의 기준(V_1~V_2의 S파와 V_5~V_6까지의 R파의 합)과 aVF의 R파가 20mm 이상일 때 진단한다.

조언

이런 환자들을 옮길 때는 주의하라!

임상의 진주

에피네프린이나 도파민 같은 카테콜라민은 저체온 환자에게서 작용하지 못한다. 그 약들이 환자에게 작용할 수 있도록 하려면 환자를 32℃ 이상으로 따뜻하게 만들어야 한다. 심장마비 발생 시 환자를 따뜻하게 만들 때까지 한 종류의 카테콜라민만 줘라. 환자는 따뜻해지고 사망할 때까지 사망한 것이 아니다!

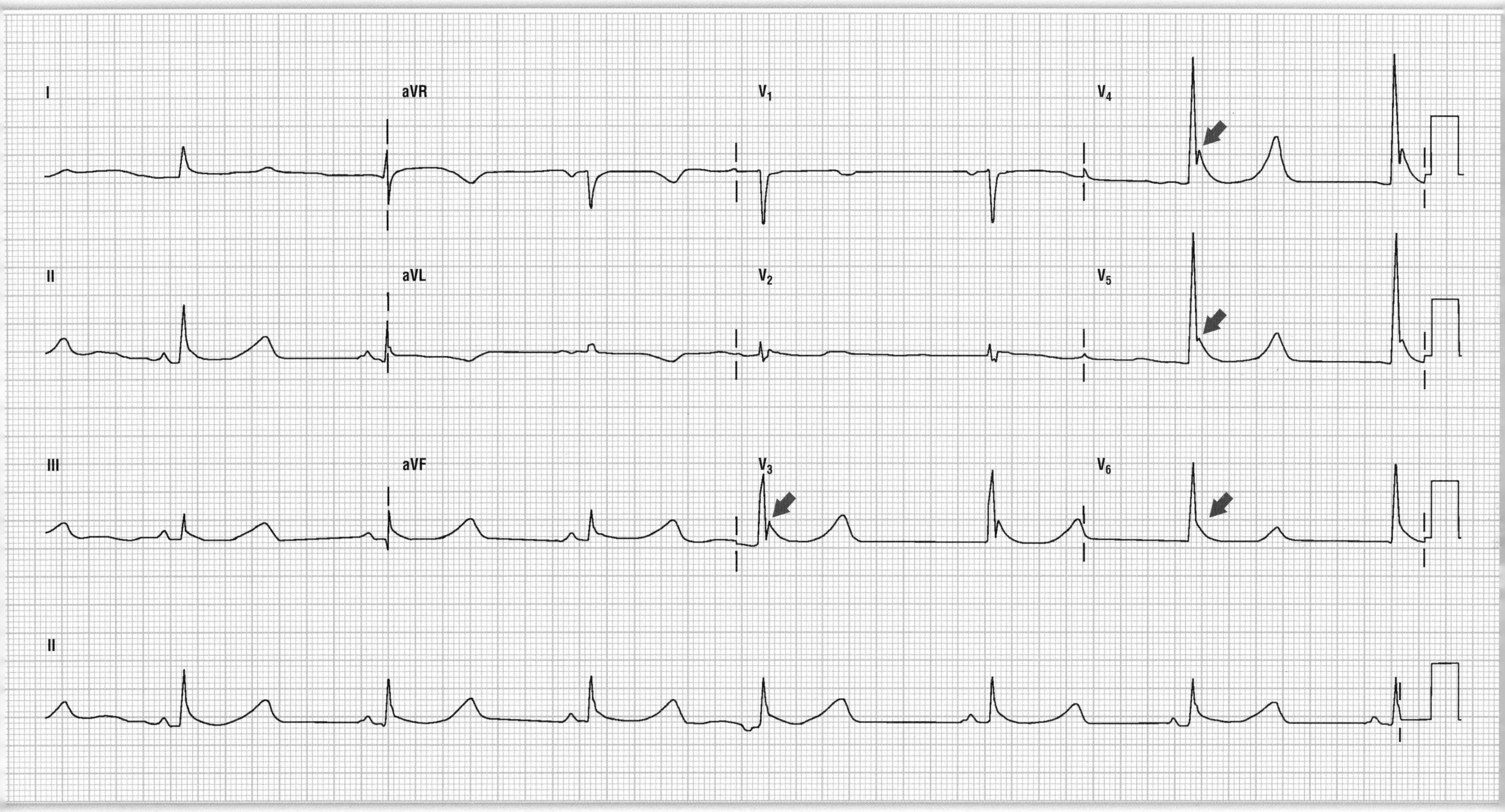

ECG 11-31

심전도 증례 연구 계속

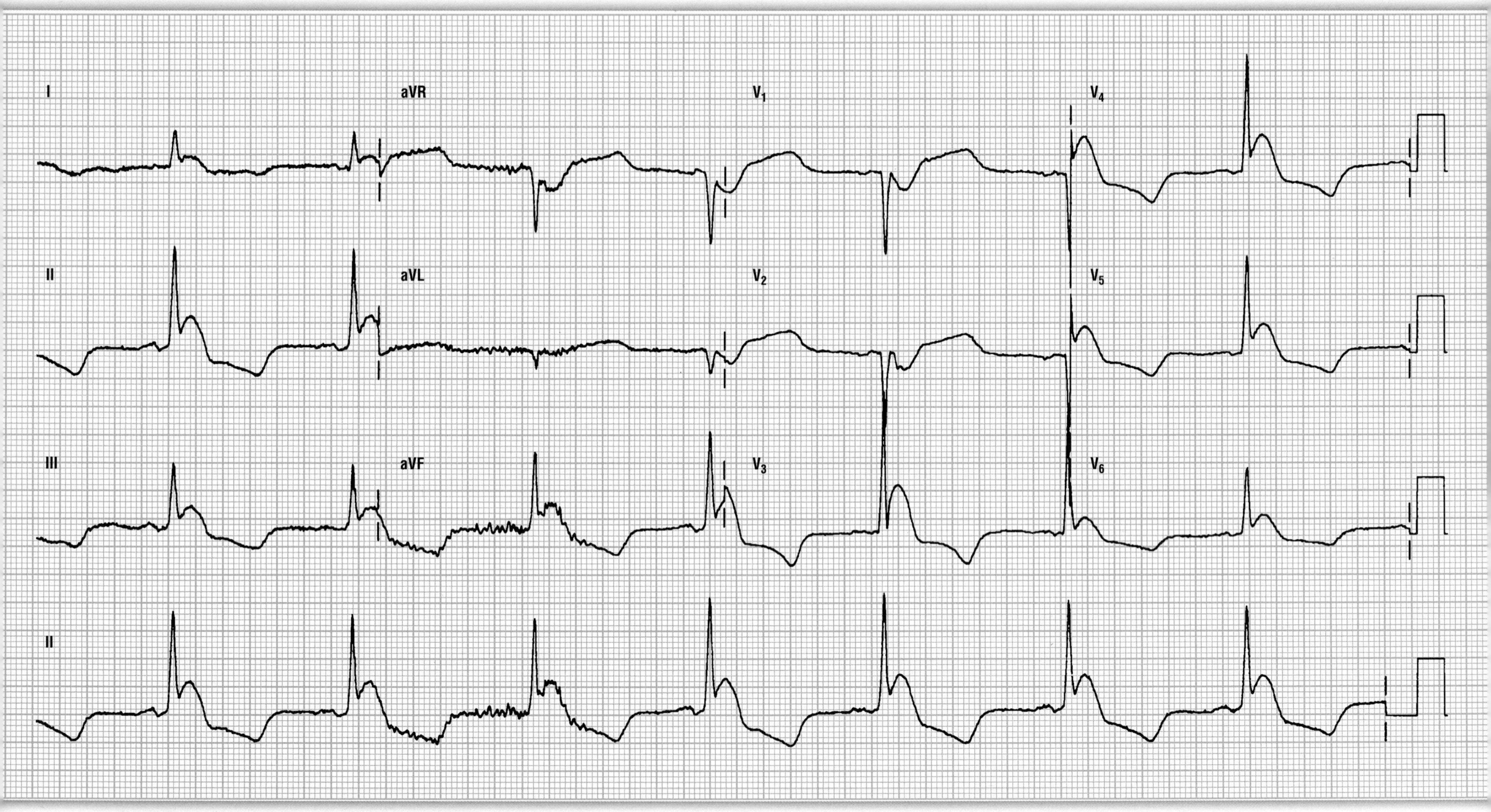

ECG 11-32

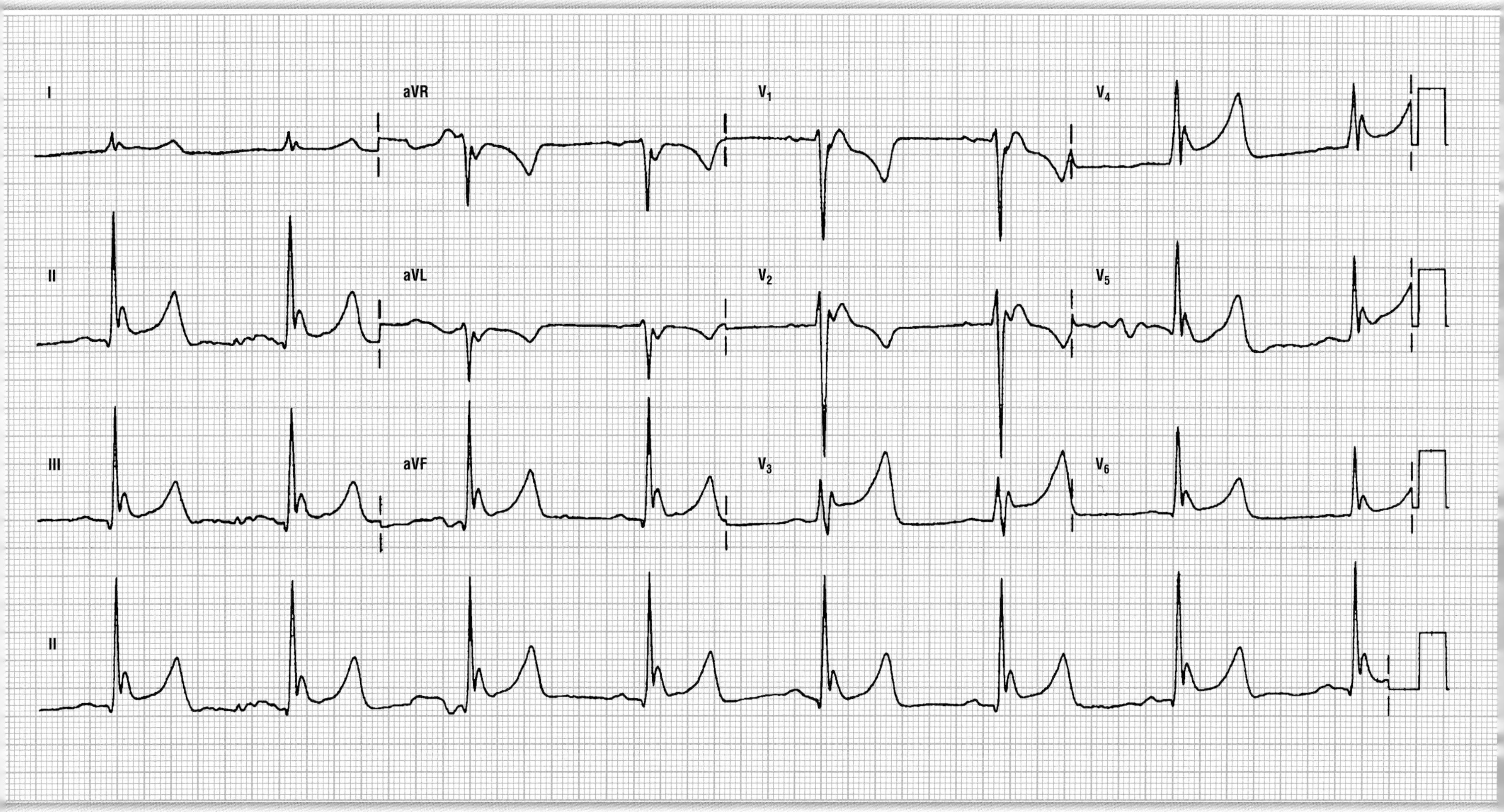

ECG 11-33

1 단원 복습

1. QRS군을 검사할 때 중요하지 않은 것은?

A. 높이나 넓이

B. 군의 모양

C. Q파의 유무

D. 전두면(frontal plane) 축

E. 선행하는 PR 간격의 길이

2. 심근경색 부위는 QRS파에 높이를 더한다. 참 또는 거짓

3. 사지 유도의 전압은 정상적으로 ≥5mm; 전흉부 유도는 정상적으로 ≥ 10mm. 참 또는 거짓

4. 당신은 QRS군의 가장 넓은 부분을 측정하여야 한다. 그렇지 않을 경우에는 QRS군의 정확한 간격을 알지 못한다. 참 또는 거짓

5. 다음 중 틀린 것은?

A. Ⅰ와 aVL 유도에서 중격성 Q파는 정상적으로 나타난다.

B. 중격성 Q파는 정상 변이이다.

C. 중격성 Q파는 중요하지 않다.

D. 중격성 Q파는 나이를 알 수 없는 심근경색을 나타낸다.

E. 해당 사항 없음

1. E **2.** 거짓 **3.** 참 **4.** 참 **5.** D

2 단원 복습

6. 좌심실비대의 진단 기준이 아닌 것은?

A. (V_1 혹은 V_2의 S) + (V_5 혹은 V_6의 R) ≥ 35mm

B. 전흉부 유도 중 하나라도 ≥ 40mm

C. aVL의 R파 ≥ 11mm

D. Ⅰ의 R파 ≥ 12mm

E. 답 없음

7. 우심실비대에서 R:S 비는 유도 Ⅰ, Ⅱ에서 1이다. 참 또는 거짓

8. QRS 간격을 증가시키는 원인이 아닌 것은?

A. 고칼륨혈증

B. 심실성 리듬

C. LGL

D. 약물효과

E. 각차단(bundle branch block)

9. 심전도에서 모든 개개의 군의 모양이 같다는 것을 확인해야 한다. 그것들이 같지 않다면 그 이유를 알아내야 한다. 참 또는 거짓

10. QRS군 끝의 작은 절흔은 항상 이것과 관계가 있다. 이것은?

A. 심근경색

B. 약물효과

C. 온도

D. 감염

E. 답 없음

6. B **7.** 거짓 **8.** C **9.** 참 **10.** E

전기축(The Electrical Axis)

12장

1

이제까지 전기축의 개념에 대해서 여러 장들에서 언급했었다. 심전도에 나타나는 모든 것은 전기축과 관련이 있고, 이것을 여러 유도에서의 그래픽 표현이다. 이 장을 시작하기 전에, *각각의 벡터들* 장으로 돌아가 벡터에 대해서 복습하라.

전기축은 이전에 언급했듯이 개개의 심실 세포들에 의해 형성되는 활동전위 벡터의 총합을 나타낸 것이다. 심실의 축을 직접 측정할 수는 없다. 대신 각각 전극 아래에 지나는 벡터의 방향을 보고 전기축을 측정하여야 한다. 각 유도에서 만들어진 "그림"이 축에 대한 다른 시각을 제공하며 이것이 그림 12-1에서 나타난 것과 같은 3차원적 모양과 관련이 있다. 이 그림들이 어떤 모양을 가지는지 검사할 때, 그들이 얻어진 장소를 알고 있기 때문에 이들 벡터를 종합하여 검사한다.

임상적으로 축을 어떻게 사용할 것인가? 한 심실에 비대가 있다고 가정하자. 심실은 심실의 전기축을 변화시켜 우리들이 문제를 진단하는데 도움을 준다. 심근경색이 있는 장소를 생각해보자. 괴사된 부분에서는 전기적 활성이 없기 때문에 전기축이 확실하게 변하게 된다. 만약 전기 전도계의 일부가 병들었거나, 차단되었다고 하면, 이것이 심실의 전기축을 변화시킬 것이라고 가정할 수 있겠는가? 할 수 있다. 이제 심실의 전기축에 대해서 알아보기로 하자. 각각의 박동의 파형들과 간격들도 전기축을 만든다는 것을 기억하라. 이것들이 서로 영향을 주는 방법이 병적 상태를 반영한다.

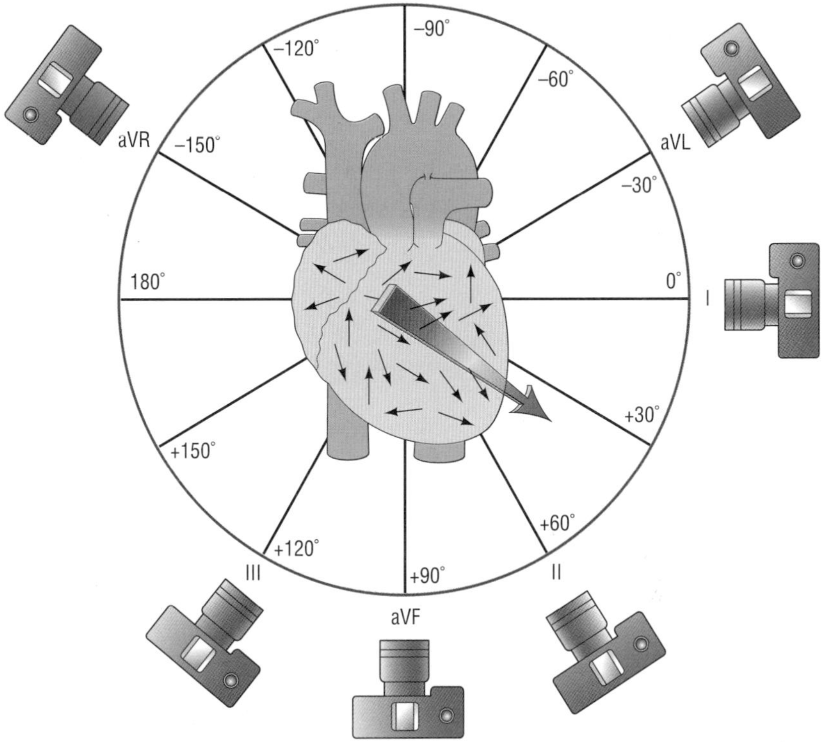

그림 12-1. 유도들의 위치가 벡터의 방향을 결정한다.

전기축은 어떻게 계산해 내는가?

심실 전기축의 방향과 강도를 추정하는 여러 방법들이 있다. 이해하고 사용하기 쉬운 방법에 대해서 이야기하겠다. 이 1단계 도입부에서는 여섯 개 축 시스템을 네부분으로 나누는 매우 쉬운 방법에 대해 이야기하겠다. 그 이후 심실의 전기축이 어느 1/4에 들어가는지 알아내는 방법에 대해 이야기하겠다. 2단계에서는 사지 유도를 이용하여 관상면, 혹은 X−Y축 단면에서 벡터를 계산하는 방법에 대해 이야기하겠고, 3단계에서는 흉부유도를 가지고 앞−뒤 단면을 나타내는 Z축을 계산하는 방법에 대해 설명하겠다.

여섯 개 축 시스템(hexaaxial system)은 전체 유도를 포함한 원을 가지고 나타내었다. 전체 원은 중첩되는 6개의 유도로 구성되어 있다는 것을 기억하는가?(기억이 안 나면 *개별 벡터들* 장을 다시 복습하라) 각 유도는 그림 12−2와 같이 반반의 양성과 음성을 가진다. 간단히 하기 위해 양성을 나타내는 1/2 부분에 색깔을 넣고 유도 표시를 했다. 희고 표시가 없는 1/2 부분은 음성이다.

이제 각 유도의 양성과 음성을 나눈 선에 대해 90° 직각을 가진 선을 확인할 수 있을 것이다. 이 유도는 등전위 유도(isoelectric lead)이며 이것의 의미는 이 선을 따라서는 양성도 음성도 아니라는 것이다(그림 12−2에서 빨간색 글자의 유도). 다른 말로, 각각의 유도는 이 유도에 대응하는 등전위 유도를 가지고 있다는 것이다. 유도 Ⅰ은 유도 aVF와 등전위 관계이며, Ⅱ는 aVL, Ⅲ은 aVR과 등전위 관계이며 역의 관계도 또한 같다. 이러한 등전위에 대한 개념은 10° 이내로 유도를 분리시킬 때 유용하다.

심전도에서 양성벡터는 키가 크거나 위로 향한 방향을 나타낸다. 음성벡터는 깊고, 더 아래로 향한 파형을 나타낸다(그림 12−3). 한 유도가 음성보다는 조금이라도 양성이면, 양성으로 취급해야 한다. 비슷하게 조금이라도 음성을 보이면 음성으로 취급해야 합니다.

한 유도가 등전위를 보인다는 것은 양성과 음성부분의 크기가 꼭 같다는 것이다. 심실의 축은 하나밖에 없기 때문에 심전도에서는 등전위를 나타내는 유도는 하나밖에 없다. 나머지 모두는 양성 또는 음성을 보여야 한다.

우리가 여섯 개 축 시스템에서 벡터를 나타낼 때, 벡터가 조금 양성을 보여도 원의 양성 이분면에 존재하며, 마찬가지로 어떤 음성 파형도 원의 음성 이분면에 나타나게 된다. 만약 정확한 등전위 유도라면, 벡터는 등전위 유도에 위치하게 된다.

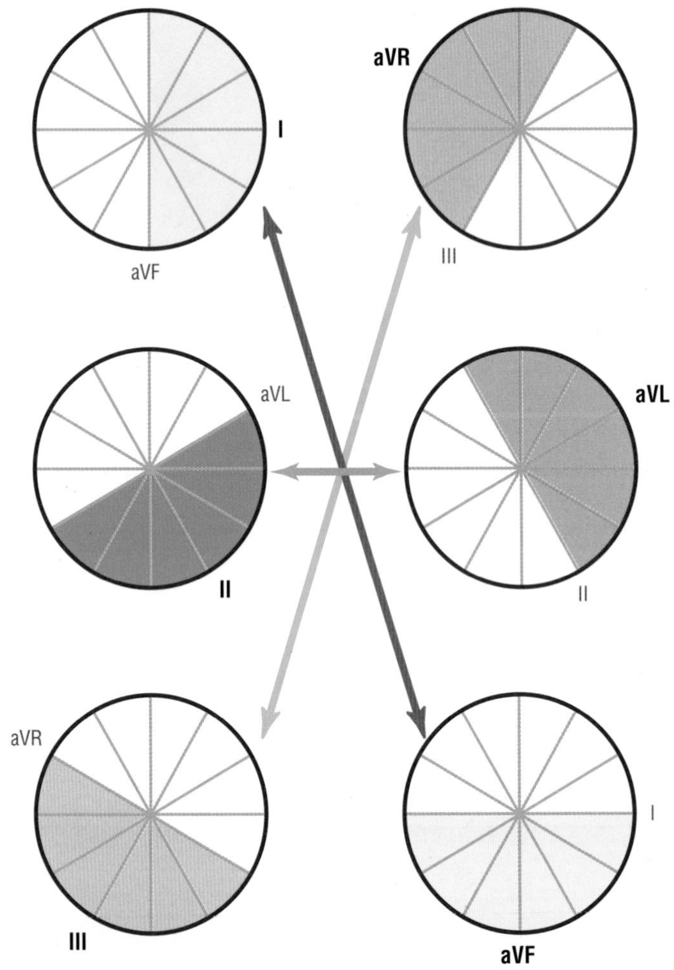

그림 12−2. 유도와 그것들의 등전위 파트너

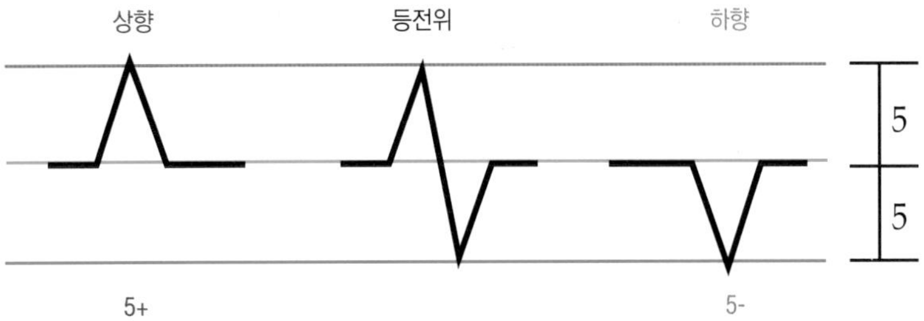

그림 12-3. QRS군의 양성, 등전위, 음성 유도

이렇게 되면 이제 약간의 문제가 생기게 된다. 벡터는 양성 혹은 음성 방향 중 하나를 가리키게 된다. 양방향으로 정확하게 등전위인 유도가 문제가 된다. 어떻게 이 문제를 해결할 것인가? 이 시점에서 심전도로 다시 돌아가, 등전위 유도의 QRS군을 관찰하라. 이것이 양성이면 벡터는 등전위 유도의 양성 쪽을 향할 것이며, 만약 QRS군이 음성이면 벡터는 음성 쪽을 향할 것이다. 이것이 어떻게 두 개의 유도를 가지고 벡터를 분리시키는지에 대한 첫 번째 소개이다. 이것은 중요하지만, 정확하게 이해하기 어렵다. 예를 들어 그림 12-4를 보면 벡터 A, B, C는 유도 I 에서 모두 양성이고, D, E, F는 모두 음성이다.

벡터와 심전도가 어떤게 연관되어 있는지 이해하겠는가? 벡터는 보이지 않기 때문에, QRS군을 이용하여, 각 유도에서 이것들이 양성 혹은 음성을 나타내는 것을 이용하여, 심실 축의 정확한 방향을 계산하게 된다. 이제 어떻게 방향을 360°에서 90° 사분면으로 줄이는지 알아보자.

그림 12-4. 6개 축 시스템에서 양성과 음성벡터

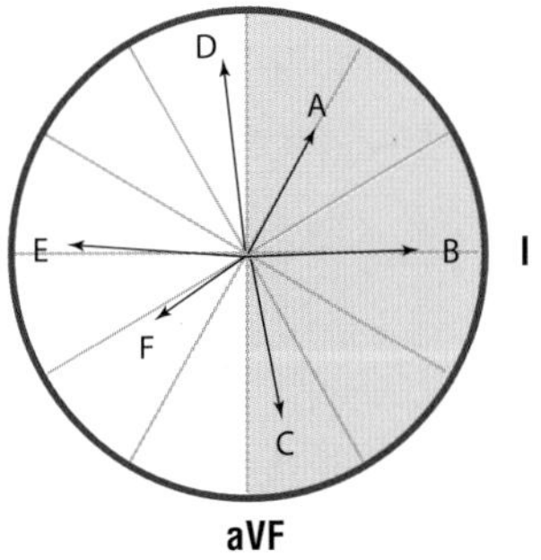

12 유도 심전도를 보면, 축이 어디를 가리키는지 모른다. 방향을 분리하기 위해서, 유도 I 과 유도 aVF를 보라(이것은 서로 등전위 관계이다). 우선 유도 I 을 보고, 이것이 양성인지 음성인지 확인하라. 지금 이것이 얼마나 음성인지 양성파인지 걱정하지 마라. 원의 어느 쪽에 있는지만 알면 된다. 만약 양성이면, 그림 12-5 A에서 유도의 파란부분 또는 양성부분에 위치하며, 음성이면, 흰색부분 또는 음성부분에 위치한다. 그 다음 유도 aVF를 보라. 앞에서와 같이해서 이것이 aVF에서 양성 혹은 음성인가? 그림 12-5 B에서 노란색 또는 흰색으로 가라. 노란색과 푸른색이 혼합되면 초록색이 된다는 것을 알고 있다. 이 두 원을 중첩하여서, 4사분법의 원을 만들게 된다. 그림 12-5 C와 같이 흰색 하나, 푸른색 하나, 노란색 하나, 초록색 하나의 분면을 만들게 된다.

양성, 음성을 말하는 것보다는 양성 유도는 높이가 깊이보다 큰 것이고, ↑

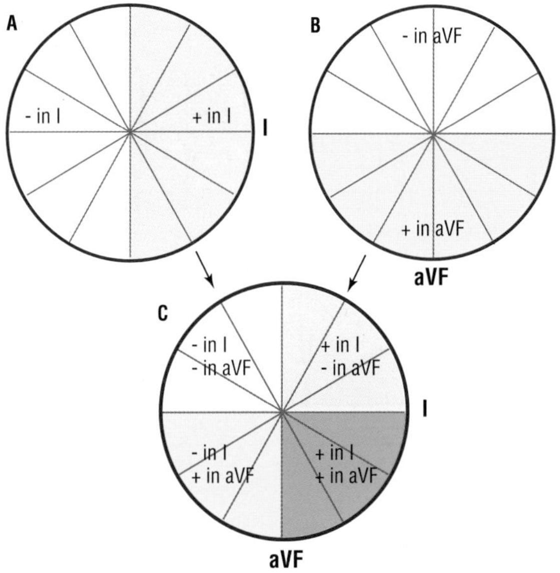

그림 12-5. 축의 방향을 분리한다.

로 표시하고, 음성 유도는 깊이가 높이보다 큰 것이고, ↓로 표시한다. 이것을 이용하면 당신은 심전도군(complex) 요소의 높이를 대수학적으로 표시할 필요가 없다.

12유도 심전도에서 유도 I 양성이고, 유도 aVF 양성이라고 하자. 여기에 만족하는 사분면은 정상 사분면이다(그림 12–6). 쉽지 않는가? 다음에는 10° 이내로 전기축을 분리할 것이다. 그러나 지금은 사분면을 결정하는 첫걸음을 하고 있다.

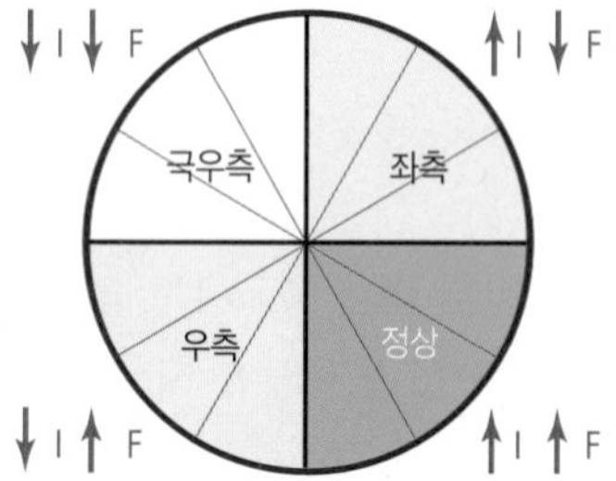

그림 12–6. 6개 축 시스템에서의 사분면

유도 I과 aVF만을 사용하여 6개 축 시스템을 4사분면으로 분리하는 것을 살펴봤다. 이제 그림 12–6과 같이 사분면을 쉽게 알 수 있게, 정상, 좌측, 우측, 극우측으로 이름을 붙였다.

이것들은 우리가 가능하면 가장 가깝게 실제 축을 계산하는데 매우 도움이 된다.

지금은 정상 사분면을 벗어나는 것을 비정상이라고 이야기할 수 있다(실제로 정상 축은 −30 ~ 90°이며, 0 ~ 90°는 아니다, 그러나 지금은 후자도 충분하다). 만약 축이 −30 ~ −90° 사이면 좌사분면에 위치하며 좌축편위라고 하며, 우측 사분면 혹은 극우측 사분면에 있다면, 우축편위라 한다.

1 빠른 복습

예제를 한번 해보자. 연습을 더하고 싶다면 P파와 PR 간격 장으로 돌아가라. 그리고 그곳에 있는 심전도를 이용해서 각 심전도의 축이 어느 사분면에 해당하는지 계산하라.

측경기를 사용하라.

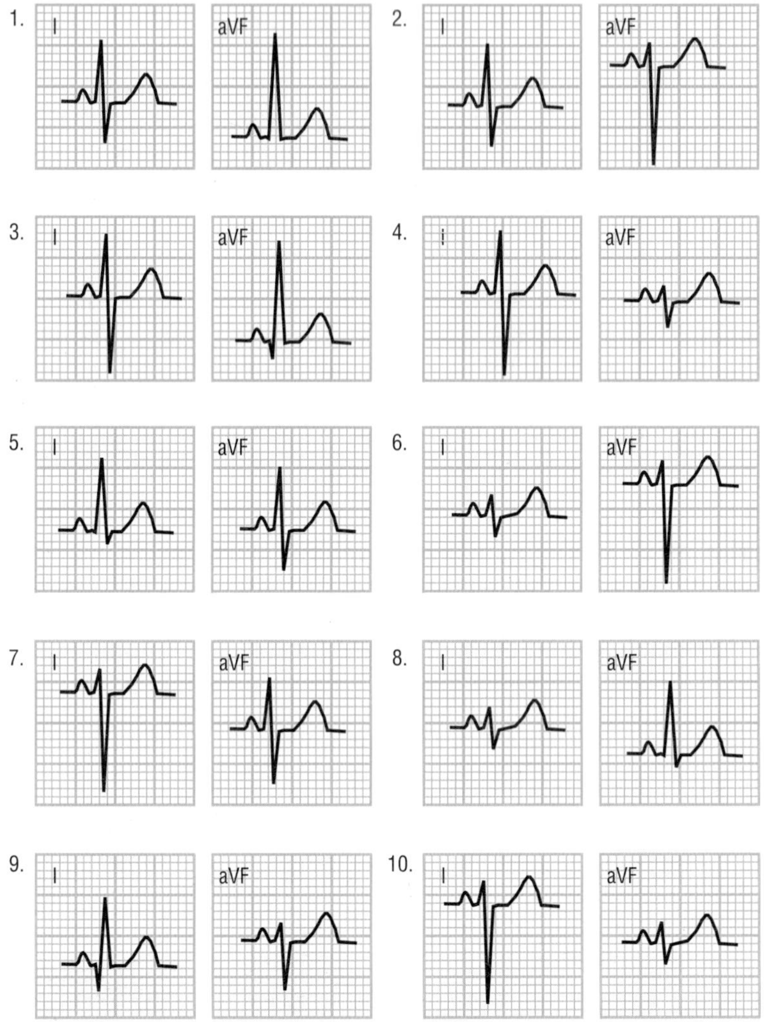

그림 12–7. 사분면을 계산하는 예제 심전도 파형들

1. 정상 **2.** 좌측 **3.** 우측 **4.** 극우측 **5.** 정상 **6.** 좌측(-90°)
7. 극우측 **8.** 정상 (90°) **9.** 좌측 **10.** 우측(180°)

축의 분리

심실의 축을 알아내는 다섯 가지 단계

1. 사분면을 찾는다.

2. 등전위 유도를 찾는다.

3. 가장 가까운 유도를 찾는다.

4. 벡터를 찾는다.

5. 다시 한번 확인한다.

1. 사분면을 찾는다.

이 장의 시작부에 있던 1단계 내용을 다시 확인하라. 축을 포함하는 사분면을 간단히 찾게 해줄 것이다. 그림 12-8은 사분면의 이름을 다시 보여준다.

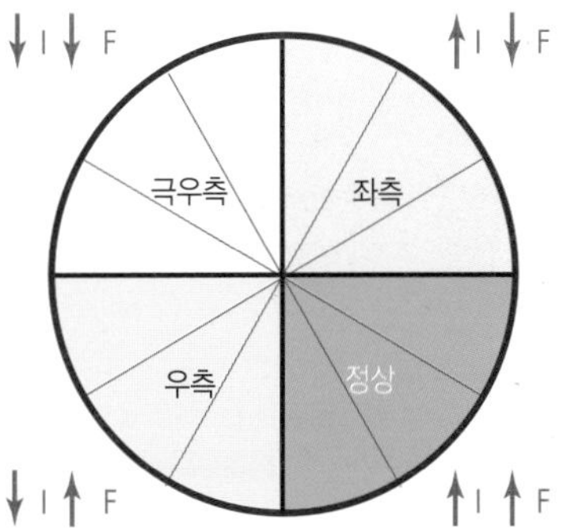

그림 12-8. 6개 축 시스템에서 4사분면

2. 등전위선을 분리하라.

6개 사지 유도를 보고 어디가 등전위 유도인지 결정하라. *축을 알기위해서는 등전위 유도는 항상 가장 작은 QRS 전압을 가지고 있다.* 등전위일 필요는 없다. 가능하다면, 가장 작고 *그리고* 가장 등전위 유도를 골라라. 만약 두 개의 유도가 크기가 같다면, 그 중에서 더 등전위에 가까운 것을 골라라. 그림 12-9는 파의 모양에 따른 벡터의 방향을 나타내고 있다.

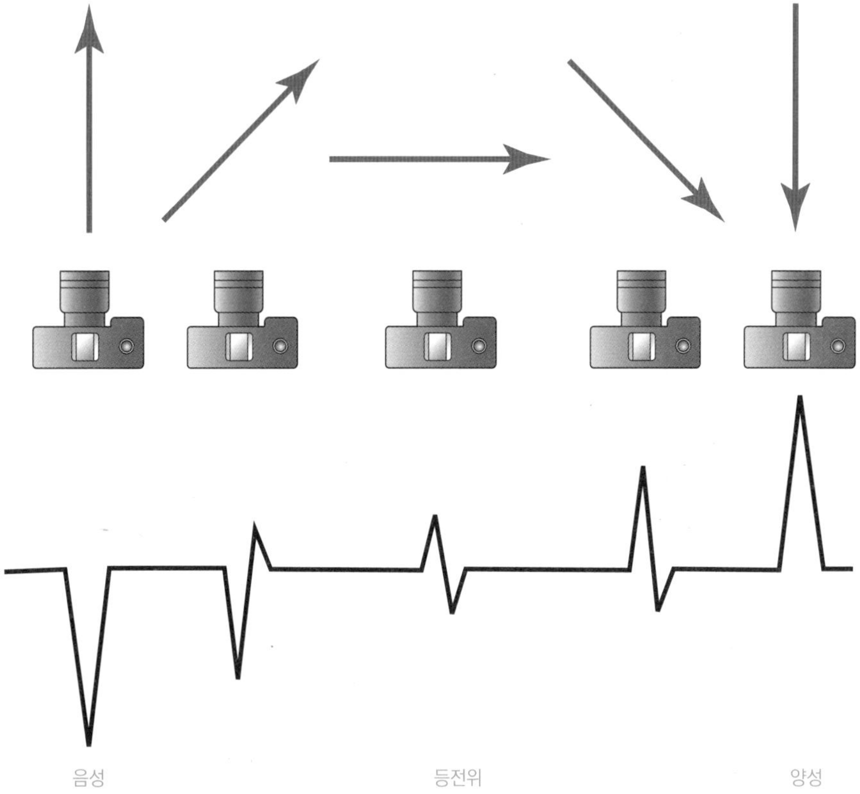

그림 12-9. 벡터의 방향에 따른 음성, 등전위, 양성 심전도 파형

2

3. 가장 가까운 유도를 찾는다.

축을 30° 이내에서 분리하려고 하면 “T”를 생각하라. 이것은 무엇을 의미하는가? 단순히 당신은 변화시킨 T를 이용하여 축과 가장 가까운 유도를 분리한다는 것이다.

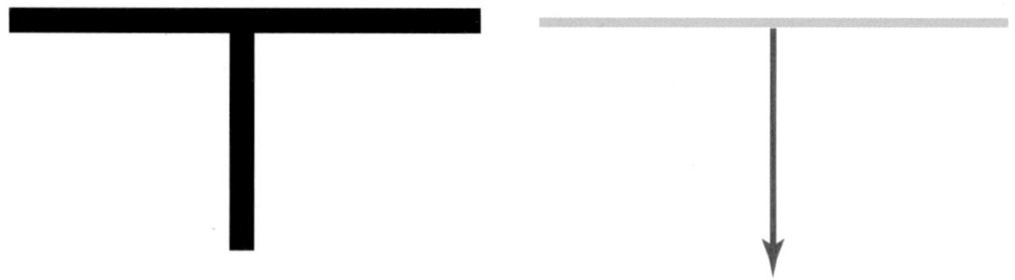

그림 12-10. 축과 가장 가까운 유도를 분리하기 위해 사용할 “T”

이제 그림 12-10의 오른쪽의 T는 빨간 화살표가 기준선에 대해 90° 각도를 향하고 있는 것을 보게 될 것이다. 축은 X-Y축에 대해서 한 방향만 가능하기 때문에 화살표는 오직 하나만 존재한다. 기준 검은선은 등전위 유도를 의미한다. 6개 축 시스템에서 등전위 유도에 검은선을 올리고, 빨간 화살표가 가리키는 곳이 적절한 사분면이 된다. 이것이 스텝 1이다. 이것이 결정적 단계이다. 먼저 사분면을 분리해 내고, 그리고 화살표가 놓이게 하면, 그 화살표는 그 방향을 향하게 된다. 만약 당신이 이 간단한 규칙을 따르지 않는다면, 실제 축에서 180도 벗어나게 된다.

축하한다. 첫 3단계를 따라 왔다면 당신의 축의 진짜 축에 근접하였을 것이다.

30° 이내까지. 그러나 아직은 완전히 가깝지는 않다. 10° 이내로 줄이기 위해서는 네 번째 단계로 넘어가야 한다. 우선 연습을 조금해보자.

2 빠른 복습

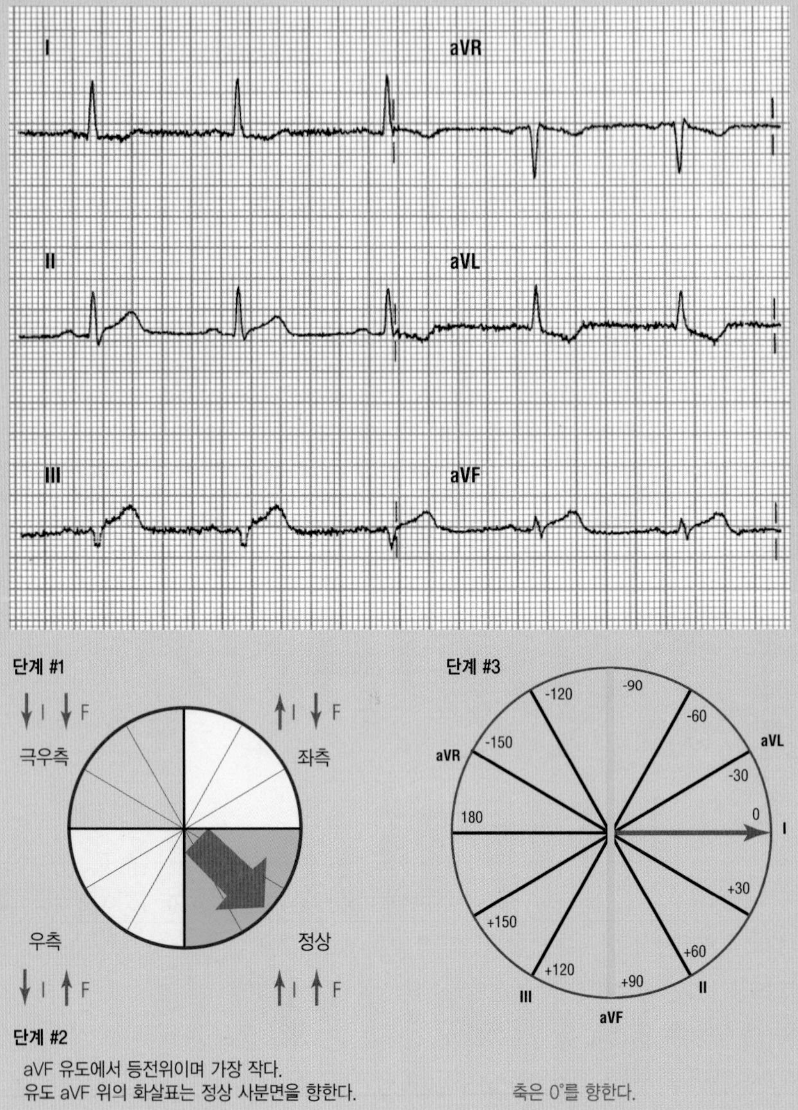

그림 12-11. 예 #1.

그림 12-12. 예 #2.

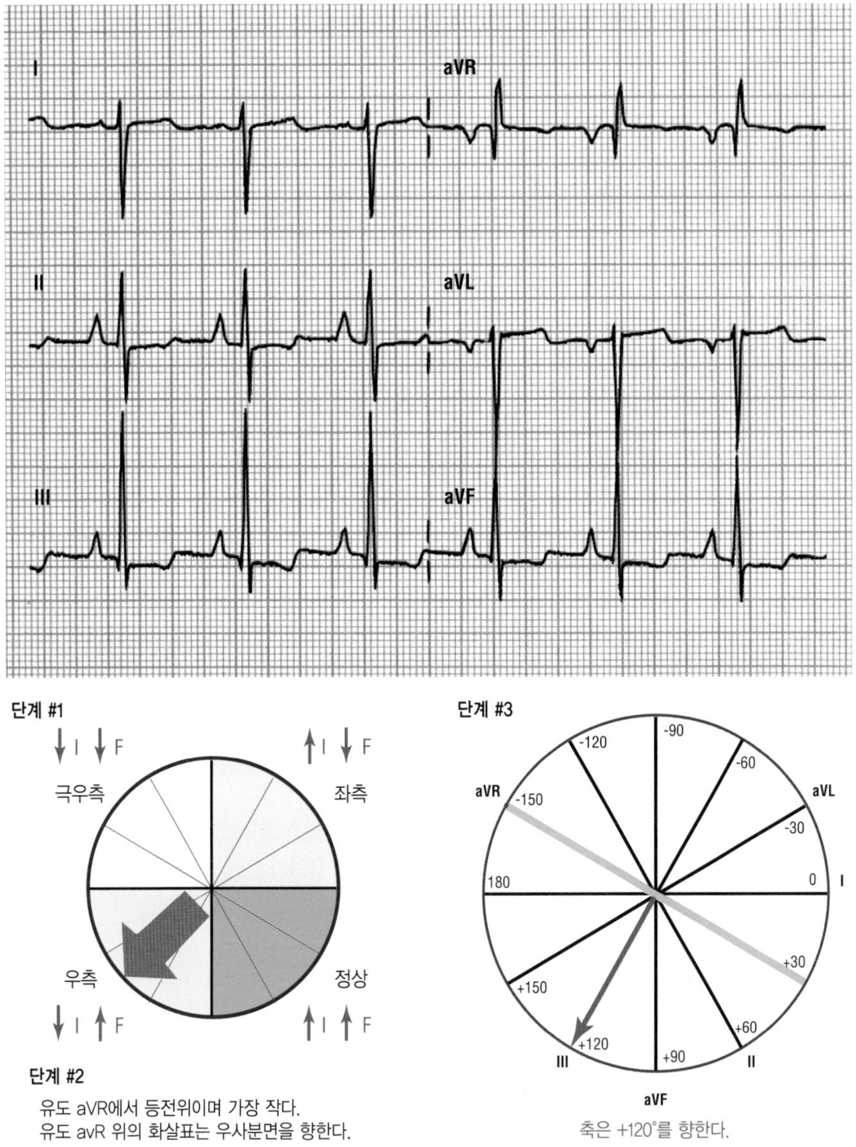

그림 12-13. 예 #3.

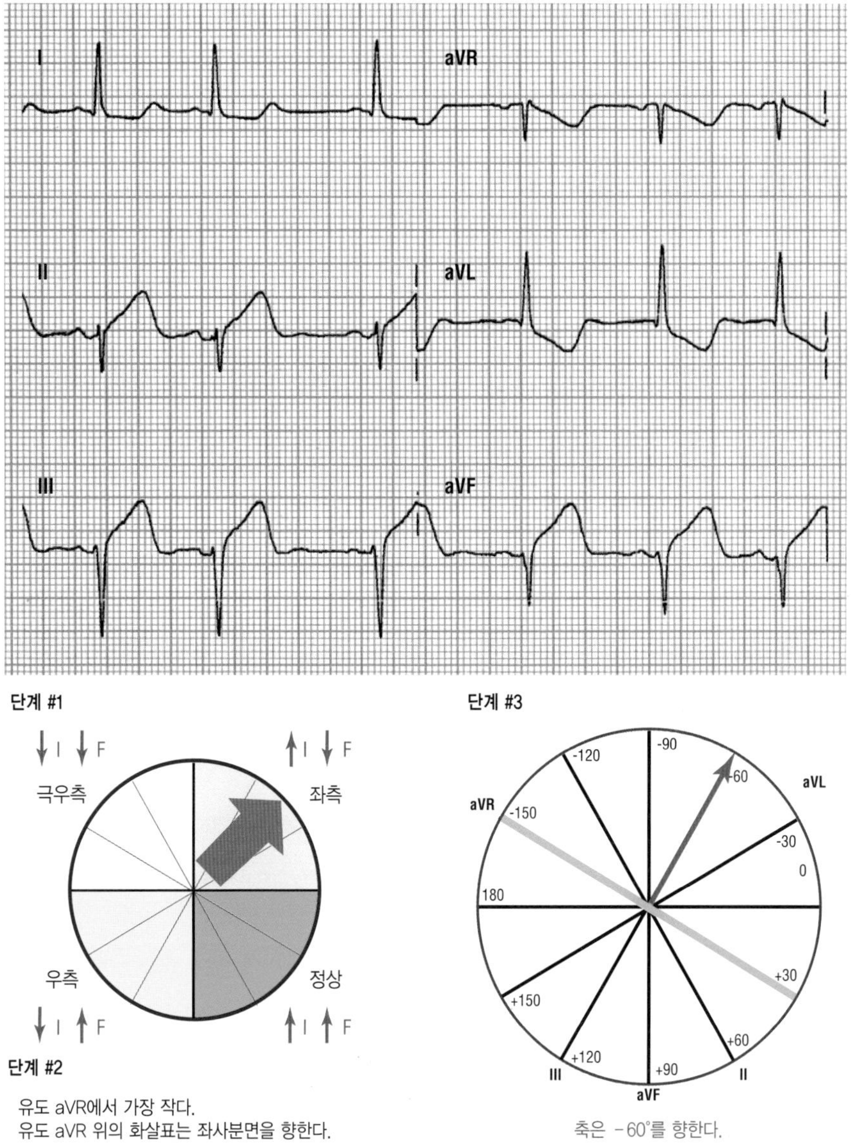

2

4. 벡터분리

이제까지 우리는 전기축의 정확한 방향을 30° 이내로 좁혔다. 왜 겨우 30° 인가? 음, 사지 유도는 30° 간격으로 떨어져 있고, 예를 들어 등전위 유도가 2개의 유도 – 45° 혹은 50° 사이에 위치하는 경우는 어떻게 될까. 다르게 말해서, 등전위 사지 유도와 등전위 선이 같을 필요는 없다. 등전위 사지 유도는 가장 작은 군을 가진다. 그러나 가끔 이것이 등전위 군이 아닌 경우가 있다. 또는 가장 작은 유도가 모두 양성 또는 음성인 경우도 있다. 어떤 경우에는 약간 양성 또는 음성을 보이는 경우도 있다. 실제 등전위 선이 정확한 사지 유도 밖 어디엔가 있는 경우에 발생하게 된다. 사지 유도가 가장 작고, 등전위 부분을 보인다면 이것이 정확한 등전위 유도이다.

유도 여분의 양성 혹은 음성을 수용하여 등전위 선을 약간 조절하면 축의 정확한 방향 혹은 적어도 실제 축의 10° 이내까지 알아낼 수 있다. 등전위 사지 유도의 30° 혹은 40° 이내에 정확한 축이 있다. 만약 그렇지 않다면 근접해 있는 유도중 하나에 대해 등전위를 나타내게 된다. 단순하게 이야기해서, 등전위 유도에 대해 어떤 방향이던지 20°를 본다고 하자. –20° 더 양성이거나 음성이다. 등전위 유도를 구성하는 QRS군을 관찰하여 이것이 양성 방향인지 혹은 음성 방향인지를 결정하게 된다. 만약 양성 QRS군이면, 축은 양성 방향으로 움직이게 된다. 음성 방향이라면 축이 음성방향으로 이동하게 된다. QRS군의 양성, 음성의 양을 가지고 10° 혹은 20° 만큼 변화시킬 것인가를 결정한다. 혼란스러운가? 다음 페이지가 도움이 될 것이다. 지금은 진행 중 가장 힘든 순간이므로 책을 떠나지 말라.

조정을 하기 위한 간단한 절차들이다.

A. *등전위 사지 유도에서 QRS군은 양성인가 혹은 음성인가?*

만약 등전위라면, 더 이상 진행할 필요가 없다. 이것이 당신의 등전위 선이며, 벡터는 등전위 사지 유도에 대한 정확한 측정값이다. 만약 QRS군이 더욱 양성 혹은 음성을 보인다면...

B. *얼마나 양성 또는 음성을 보이는지? 아주 많이 혹은 적게?*

우선, 기준선에서 2개의 거리 중 작은 것의 거리를 측정한다. 만약 군이 양성이면, 음성 부분이 작을 것이다. 만약 군이 음성이라면, 양성 부분이 작을 것이다. 다음으로 측경기를 들고 작은 부분을 재고 –이것을 x라고 하자–큰 부분에 옮겨 보자. 만약 큰부분이 2x 보다 작다면, 군은 10° 정도 더 양성 혹은 음성이 된다. 하지만, 큰 부분이 2x 보다 크다면, 군은 20° 더 양성 혹은 음성이다. 이 개념은 그림 12–14에 정리되어 있다.

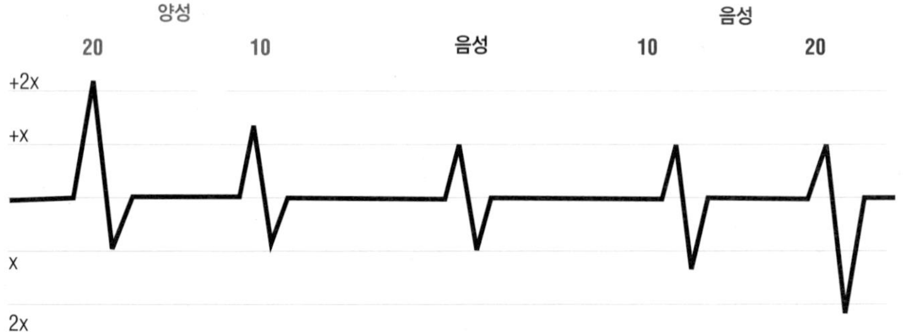

그림 12–14. 벡터들의 양성 그리고 음성의 결정

C. *실제 축 측정을 확인하기 위해 "T" 막대를 조절한다.*

이제 B단계를 마쳤다면, 축이 양성 혹은 음성 방향으로 10° 혹은 20° 인지를 결정하였다. 그런데 무엇에 대해 양성 혹은 음성인가? *축 방향 화살, T의 빨간 화살을, 등전위 사지 유도의 음성 또는 양성 방향으로 10° 또는 20° 옮겨야 한다!* 실제 축을 측정할 수 없다는 것을 명심하라; 우리는 우리가 알고 있는 단 하나의 지식, 등전위 선을 이용하여 축을 계산하는 것이다. 축 방향 화살을 움직임으로 등전위 선을 움직이는 것이다. *등전위 유도에 의해 나타나는 각도에 단지 대수학적으로 숫자를 첨가시키는 실수를 범하지 마라!* 우리는 숫자를 사용하는 것이 아니라 벡터와 등전위 유도를 사용하는 것이다.

예로 등전위 사지 유도 aVL이 20° 더 양성이라면, 그림 12–15에 우리가 금방 언급한 방법이 그려져 있다.

등전위 유도는 aVL이다. aVL의 양성 극에 빨간 원이 그려져 있다. QRS군이 많이 양성(20° 이상)이므로, aVL의 양성 극 방향으로 빨간 화살을 20° 정도 옮겼다. 그러면 실제 심실의 전기축은 40°가 된다.

이 단계를 손에 넣고, 이 단원의 초기에 나왔던 3개의 예제를 풀어보자.

그림 12–15.

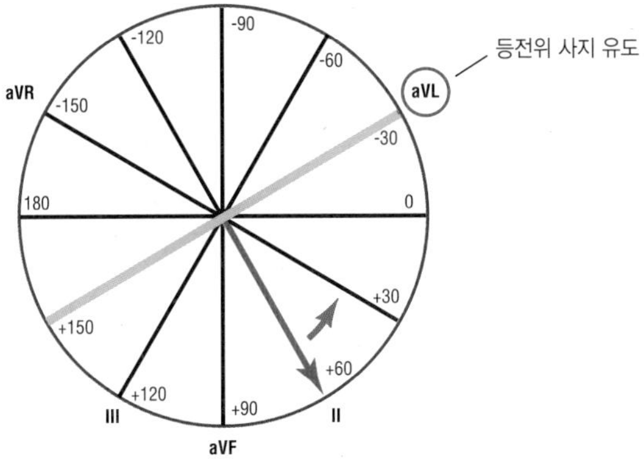

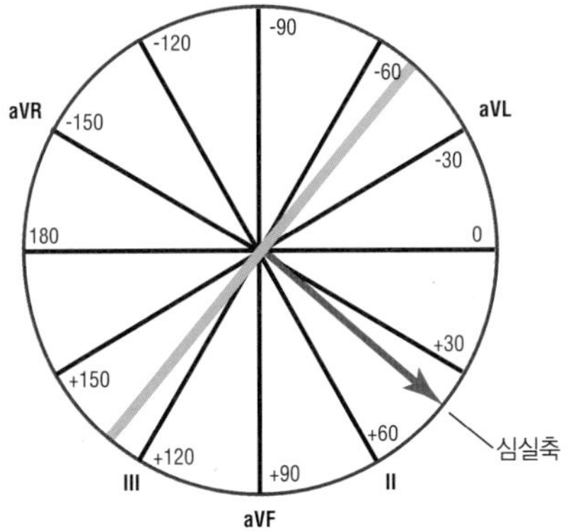

그림 12–16. 예 #1 (계속) (그림 12–11을 보라)

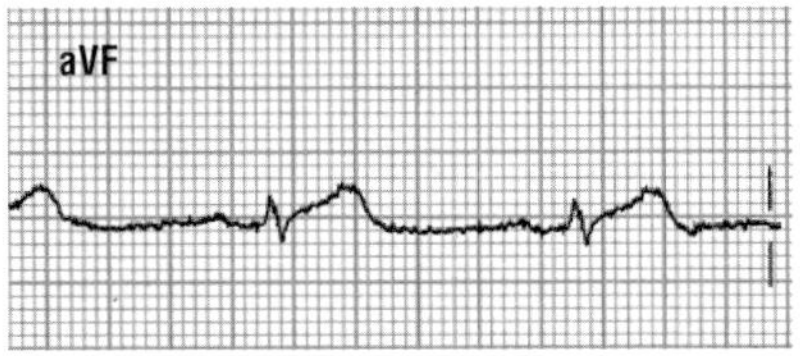

aVF가 등전위 사지 유도이며, 10° 조금 더 양성이다.

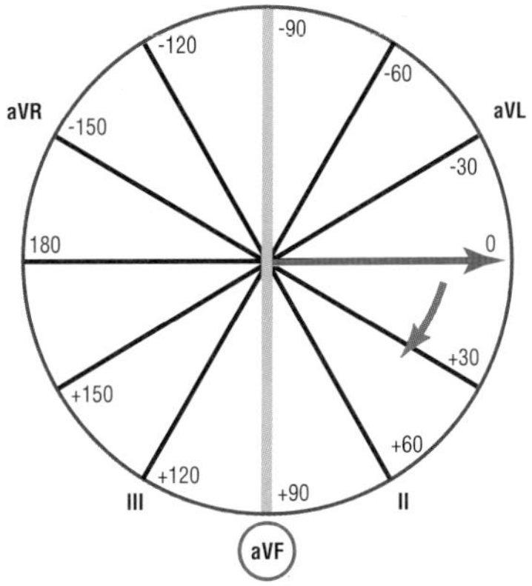

등전위 사지 유도는 aVF이다. 그래서 축의 방향을 aVF의 양성 방향으로 10° 옮긴다.

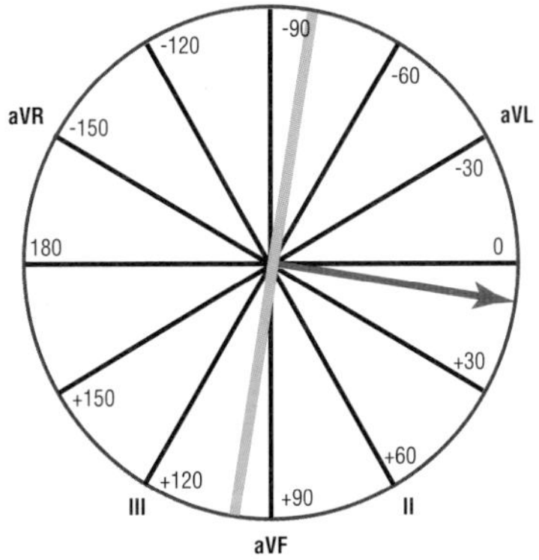

심실축은 +10°이다.

2

그림 12-17. 예#1 (계속) (그림 12-12을 보라)

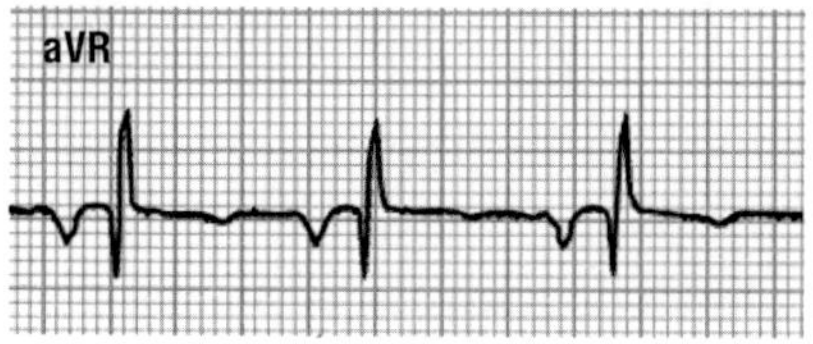

aVR이 등전위 유도이며 10° 더 양성이다.

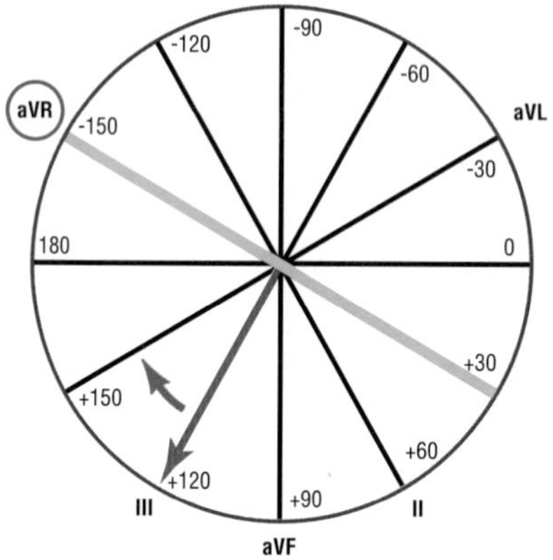

aVR이 등전위 유도이다.
축 화살표의 방향을 aVR의 양극 방향으로 10° 이동시킨다.

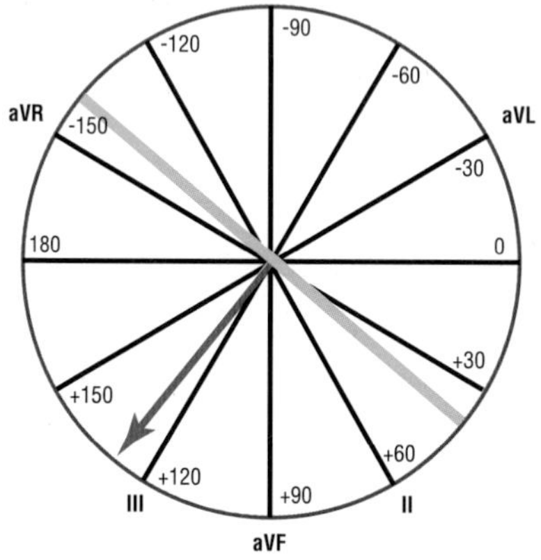

심실축은 +130°이다.

그림 12-18. 예#1 (계속) (그림 12-13을 보라)

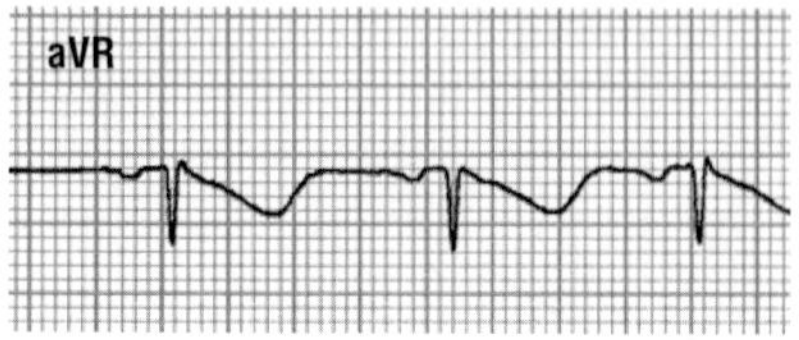

aVR이 등전위 사지 유도이며,
20° 더 많이 음성이다.

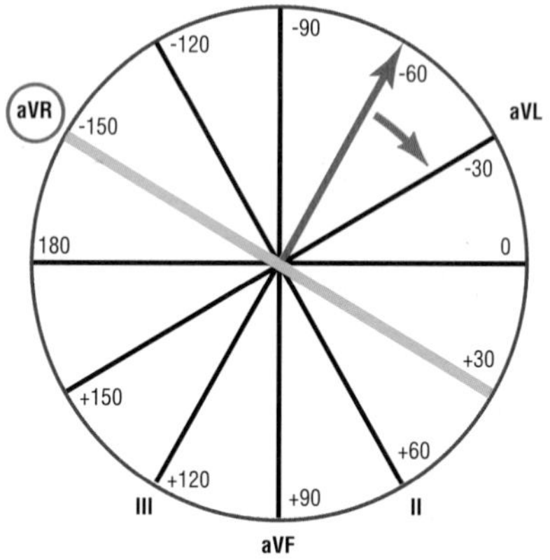

등전위 사지 유도는 aVR이다.
축 화살표의 방향을 aVR의 음극 방향으로 20° 이동시킨다.

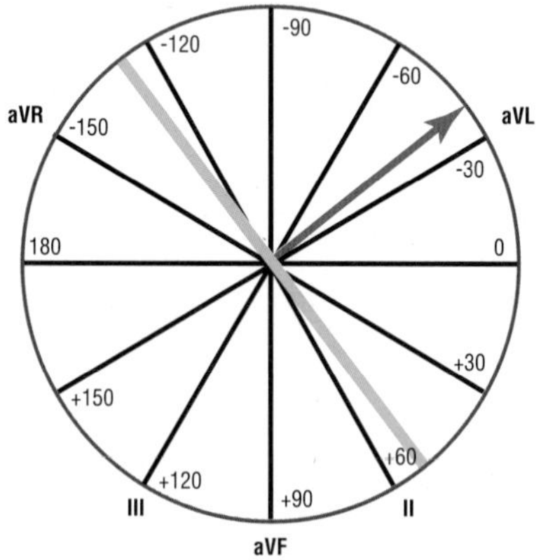

심실축은 -40°이다

5. 결과를 다시 한 번 확인하자.

심실의 축의 정확한 위치에 도달했다면, 이것이 맞는지 다시 한번 확인하는 것이 좋다. 아주 간단하다. 축 방향 화살이 가리키는 방향과 가장 가까운 유도를 확인한다. 그 유도는 모든 사지 유도 중에서 QRS군이 가장 클 것이다.

반대로 축 방향 화살의 방향과 반대인 유도를 확인하여 그 유도는 전체 사지 유도 중에서 가장 깊은 지를 확인한다(그림 12–19).

이 크기 기준은 절대적 의미를 가진다. 아직 완전히 이해가 안 되면, "*개개의 벡터들*"장과 이 장 초기에 있는 2섹션 *등전위 유도를 분리한다.* 를 복습해보라. 이 크기 기준은 유도를 결정하기 힘든 경우에 축을 가깝게 알 수 있는 방법이다. 두 개의 유도가 등전위처럼 보여 이 단원의 방법을 이용하여 축을 찾지 못하는 경우는 아주 드물다.

그림 12–19

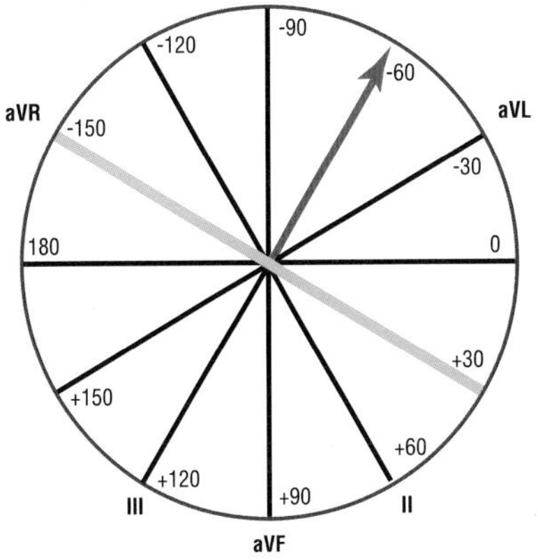

이 예에서 가장 큰 유도는 aVL이어야 하면,
가장 깊은 것은 III 유도여야 한다.

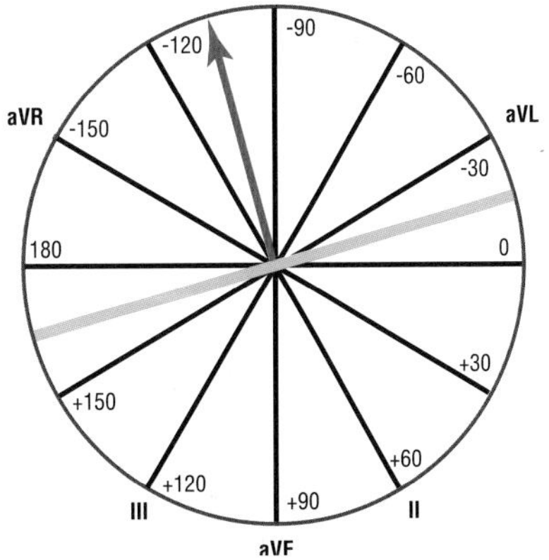

이 예에서 가장 큰 유도는 aVR이어야 하며,
화살 방향이 두 유도의 중앙을 가리키기 때문에
가장 깊은 것은 II 혹은 aVF여야 한다.

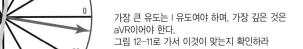

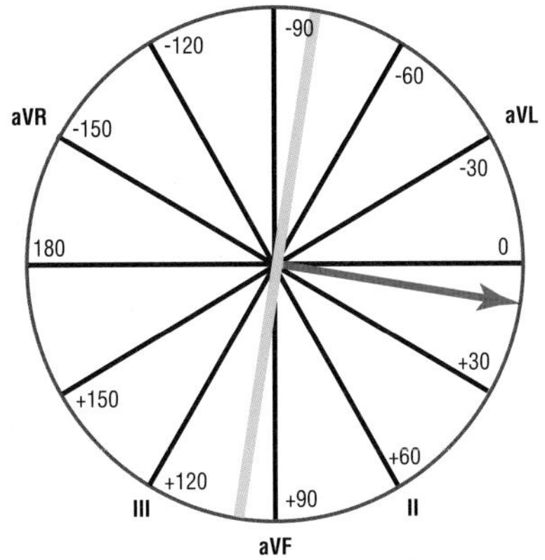

그림 12–20. 예 #1, 재확인

가장 큰 유도는 I 유도여야 하며, 가장 깊은 것은
aVR이어야 한다.
그림 12–11로 가서 이것이 맞는지 확인하라

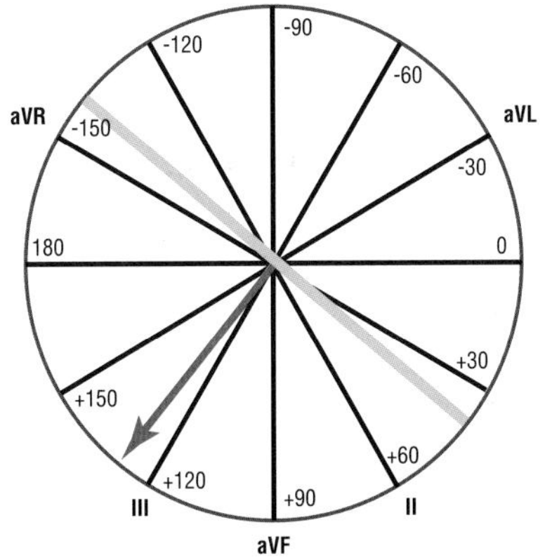

그림 12–21. 예 #2, 재확인

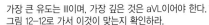

가장 큰 유도는 III이며, 가장 깊은 것은 aVL이어야 한다.
그림 12–12로 가서 이것이 맞는지 확인하라.

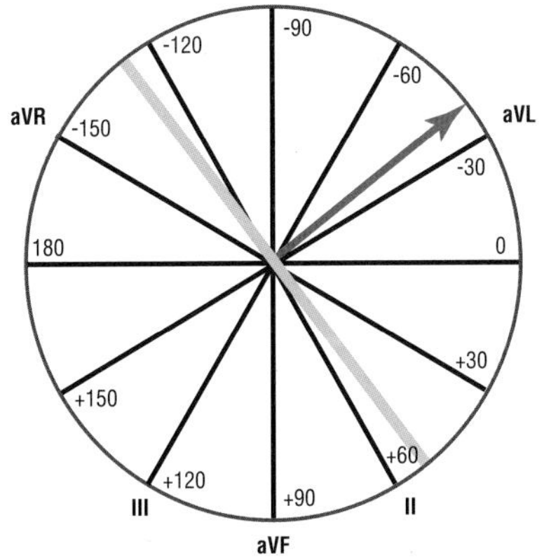

그림 12–22. 예 #3, 재확인

가장 큰 유도는 aVL이며, 가장 깊은 것은 III이어야 한다.
그림 12–13으로 돌아가서 이것이 맞는지 확인하라.

2

축 편위의 원인

우축편위

우축편위의 가장 흔한 원인은 아래와 같다;

1. 젊은 사람과 소아에서는 정상이다.
2. 우심실비대
3. 좌후섬유속차단(left posterior hemiblock)
4. 우심증
5. 이소성 심실박동들 그리고 리듬들(ectopic ventricular beats and rhythms)

좌축편위

좌축편위의 가장 흔한 원인은 다음과 같다.

1. 좌전섬유속차단(left anterior hemiblock (LAH)
2. 이소성 심실박동들 그리고 리듬들 (ectopic ventricular beats and rhythms)

좌축편위의 가장 흔한 원인은 좌전섬유속차단이다. *각차단들과 섬유속차단* 들 장에서 각차단에 대해서 자세히 설명할 것이다. 어떤 사람은 좌각차단이 좌축편위를 초래한다고 이야기하지만, 대개의 좌각차단 환자는 정상 축을 가진다. 사실 좌축편위를 보이는 좌각차단은 좋지 않은 예후를 시사한다.

이 주제 하에서 : 자전섬유석차단을 진단할 수 있는 쉬운 방법이 있는가? (힌트: 6개 축 시스템으로 돌아가라)?

*밑 설명: 유도 Ⅰ에서 QRS군이 양성이고, 유도 aVF에서 음성이면, 좌측 사분면에 위치한다. 유도Ⅱ에서 음성이면, 축이 −30~−90° 사이로 분리되며, 이것은 비정상적인 것이다. 감별 진단을 기억해야한다. 좌축편위의 가장 많은 원인은 좌전섬유속차단이다. 그렇기 때문에 유도 Ⅰ에서 양성, 유도 aVF와 Ⅱ에서 음성을 보이면, 좌전섬유속차단으로 생각해야 한다. 다음에 더 설명하겠다.

3

Z축

이 시점까지 당신의 심전도 지식 발전에 대해 보면, 전기축에 대해 능통해야 하며, 정확히 어떻게 계산하는지 알아야 한다. 과정에 대해 의문이 있다면, 이 단원의 앞부분에 대한 짧은 복습이 많은 도움을 줄 것이다.

Z축이 무엇인가? 수학자는 삼차원을 3가지 축으로 나누어 설명한다. X축은 전통적 수평방향, Y축은 수직방향, 위 두 축을 합치면 평면이 된다. 이제 3차원 원근법을 만들기 위해서는 다른 축과 면을 하나 더 만들어야 하며, 이것은 X−Y 축과 면 각각에 대해서 직각이다 : Z축과 면. 그래서 3차원 공간 내 모든 점들의 위치를 정하기 위해서는 세 가지 수치가 존재해야 된다. 심전도에서 벡터들이 가리키는 것은 3차원 내에 존재하며, 전두면 그리고 횡단면에 연하여 X, Y 그리고 Z축에 기초한 방향을 가지고 있다. 예로 전면부의 전기 축 60°는 앞−뒤(Z)면으로 어디를 향하는지 알 수가 없다. 60° 각도를 가지면서 수직으로 밑으로 향하는지, 조금 앞쪽을 향하는지, 조금 뒤쪽을 향하는지 등등. Z축이 축의 실제적인 3차원적 방향을 알아내는데 도움을 준다.

임상적으로 Z축을 안다는 것은 여러 병적인 상태의 감별 진단을 결정하는데 큰 도움을 준다. 예를 들어 환자가 Z축의 방향이 앞쪽이라고 하면, 이것은 환자가 많은 조직들이 앞쪽으로 향하거나(특히, 우심실비대), 또는 뒤쪽으로 심근 조직의 양이 작음을 의미한다(후벽 심근경색). 다르게 말하면, 환자가 심한 좌심실비대나, 큰 전벽 심근경색이 있는 경우 전기축은 뒤를 향하게 된다. 정상적인 이행대(transition zone)는 흉부 유도 V_3와 V_4 사이에 존재한다. 수학적으로 이것은 Z축이 20~40° 정도 뒤쪽을 향하고 있음을 의미한다. 이렇게 Z축이 뒤쪽으로 약간 치우치는 것은 대부분의 심장 조직이 좌심실에 있기 때문이다. 그렇기 때문에 주축(main axis)은 하후(inferoposterior) 방향을 향하게 된다.

전후면의 기원을 복습하면서 Z축의 분리 과정을 시작해 보자. 전-후면, 또는 Z면은 횡단면을 통하여 심장을 위 아래로 나누는 흉부 유도를 통해서 계산할 수 있다(그림 12-23).

3차원 전기축을 유도하는데 문제는 그것을 실제적으로 볼 수 없다는 점이다. 전두면에서 실제 축의 등전위 유도를 이용하여 축의 방향을 계산하였듯이, 전흉부 유도의 등전위 요소를 이용하여 전기축의 정확한 3차원 방향을 구할 것이다. 어느 흉부 유도에서 QRS군이 음성에서 양성으로 처음 바뀌는지를 먼저 확인해야 한다. 정확하게 등전위를 보이는 흉부 유도가 있다면, 이것이 정답이다. 그러나, 많은 경우에 연결된 유도에서 한 유도는 음성이고, 다른 유도는 양성을 보이는 것을 보게 된다. 이런 경우에 어디에서 이행이 발생했는지 추측해야 한다. 계산을 위해서 V_2를 0°로 표시하고, 각 유도는 정확히 20°씩 각각 떨어져 있다. 예를 들어 유도 V_3가 완전 음성이고 V_4가 완전 양성이라면 이행점은 두 유도의 중간 지점에 위치한다. 이행대가 어디에 위치하는지 알고 나면, 그림 12-24를 보면서 전흉부 유도에 해당되는 선(색깔이 있는 원과 선에 의해서 나타난)을 찾을 수 있을 것이다. 그 선은 실제 축에 대해 직각을 나타낸다 – 우리의 경험에 의하면 V_3와 V_4 중간에 있는 선이다. "T"의 원칙을 따르면 벡터는 30° 앞쪽이나 30° 뒤쪽 2개 중 하나의 각도에 해당된다. 그것은 전두면 전기축이 들어오는 장소이다. 만약 축이 정상 또는 좌측이면 두꺼운 화살표를 사용하고, 축이 우측 방향이면 가는 화살표를 사용한다. 화살표 끝의 숫자가 심장에서 Z축과 면에 따른 전기축의 방향이 된다. 우리의 예제가 정상 사분면에 있다면 Z축은 뒤로 30° 방향을 향한다. 3차원적으로 머릿속에서 합성만 할 수 있다면 어렵지 않다. 좀더 깊이 있게 복습을 한 번 더 하자...

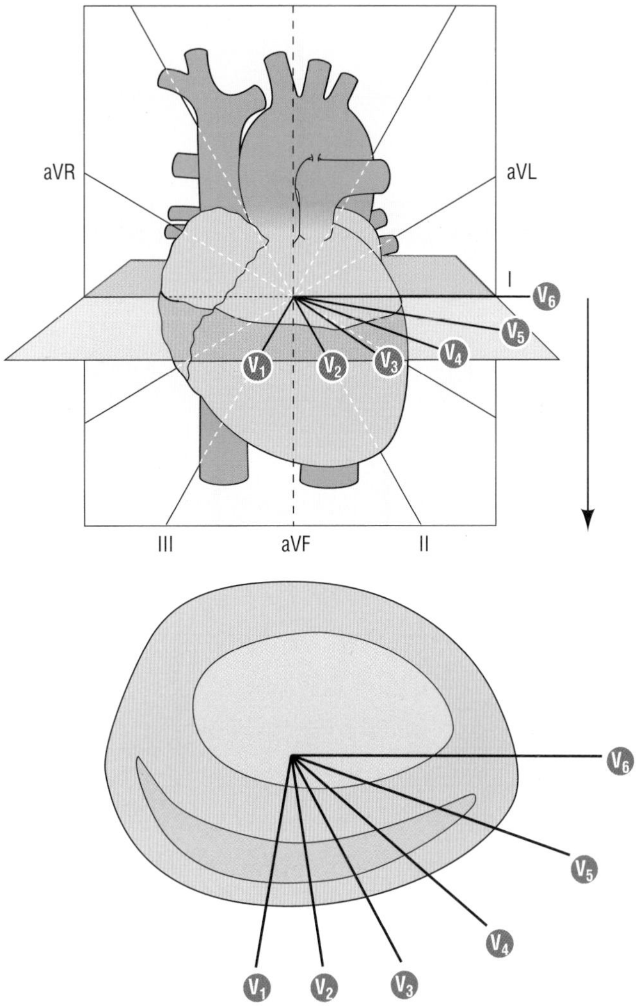

그림 12-23. 관상면(coronal)과 시상면(sagittal)으로 나눈 심장의 3차원적 구조

3

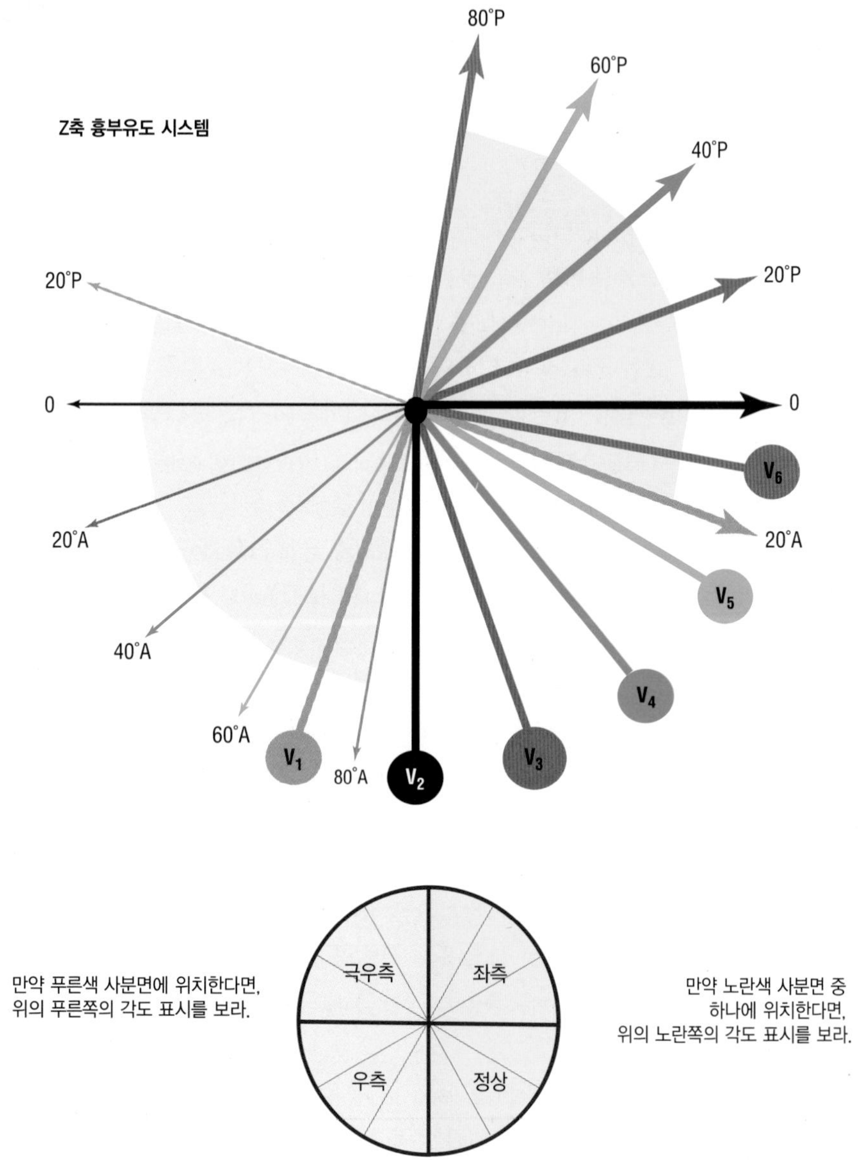

그림 12-24.

Z축 흉부유도시스템

그림 12-24의 복잡한 그림이 심전도에서 z축을 평가하는 빠른 방법이다. 다시 한번, 이것은 그림 12-10에서 보여준 것과 유사한 직각을 이루는 선들이라는 개념과 T바의 개념에 기초하고 있다. 이 경우 직각을 이루는 선은 길지 않고 짧은 선이며 이것은 사지 유도 대신 흉부 유도(V leads)를 따라서 놓인다. 화살표는 여전히 실제 축을 가리킨다.

예를 들어 그림 12-25의 유도 V_2를 보자. 정확한 축을 측정할 수 없기 때문에, 직각 선을 이용해야 한다. Z축에서는 흉부 유도에 대해 직각을 이루는 것이다. V_2 유도에 직각을 이루는 두 방향들은 각각 0°와 180°이다. 하나는 정상과 좌측 사분면에서 나타나고, 다른 하나는 우측 사분면과 극우측 사분면에서 발견되므로 동시에 나타나지는 않는다. 두 벡터에 0°를 이용하자.

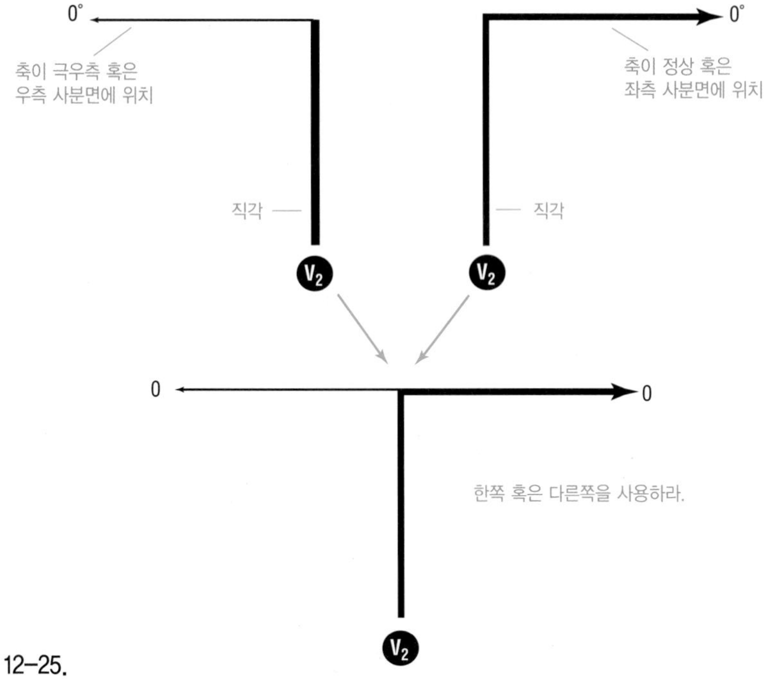

그림 12-25.

이제 직각을 이루는 선을 봐야 하며, 어떤 방향의 벡터를 사용할지 보자. 먼저, 벡터가 여섯 전기축의 어느 사분면에 들어가는지 결정해야 한다. 만약 좌측 또는 정상 사분면에 포함된다면(노란 배경색), 노란색 시스템에 두꺼운 화살표를 사용하라. 만약 벡터가 우측 또는 심한 우측사분면(파란 배경색)에 포함된다면, 파란쪽 시스템의 가는 화살표를 이용하라.

흉부 유도를 볼 때, 정확히 한 유도가 등전위라면, 거기에 해당되는 벡터의 끝에 나타나는 정확한 측정을 이용하면 된다. 하지만, 등전위 부분이 두 유도 사이에 존재한다면, 두 유도 사이 어느 정도에 위치하는지 봐야 한다. 예를 들어 정상 사분면에 축이 있고, V_3는 대부분이 음성이고, V_4는 대부분이 양성인 경우, 등전위 선은 양 유도 사이에 있다. 시스템에서 V_3는 뒤쪽으로 20°, V_4는 뒤로 40° 라고 이야기했다. 우리는 축이 뒤쪽으로 30° 향한다고 말할 수 있다. 이 방법을 사용하면 Z면의 축의 방향을 5° 이내로 계산할 수 있다.

단지 첫 직각을 이루는 선을 이용할 것이다! 이 말은 QRS군이 음성에서 양성으로 처음 바뀌는 유도를 이용하라는 것이다. 만약 유도 V_1이 벌써 양성이라면, Z축은 정할 수 없다. 유도들이 이행대를 가지고 있지 않거나 V_6에서 아직까지 음성이면 Z축을 결정하지 못한다. 조기흥분증후군(WPW 증후군)이나 우각차단 등의 경우들에도 Z축을 계산할 수 없다.

심실의 3차원적인 전기축의 방향을 알기 위해서는 6개 전기축과 Z축을 이용한다. 6개 전기축 방향은 심장의 시상 단면(coronal cut)의 축을 보여주고, Z축은 앞–뒤 방향(횡단면(cross–sectional))을 보여준다. 우리는 존재하는 병적인 상태를 알아내기 위해 벡터를 이용할 것이다. 이 개념을 이해한다면 많은 도움이 될 것이다.

더 많은 예들 : Z축을 첨가한다

이제 모든 순서를 알았다. 몇가지 연습을 하기 위해서 몇 개를 해보자. 그림 12–26에서 12–28까지의 심전도를 사용하여 심전도 아래의 도형과 답을 보기 전에 양쪽 축을 계산할 수 있는지 보자.

그림 12–26. 예 4, 전기축. X–Y 축 = –40°, Z 축 = 5° 후방

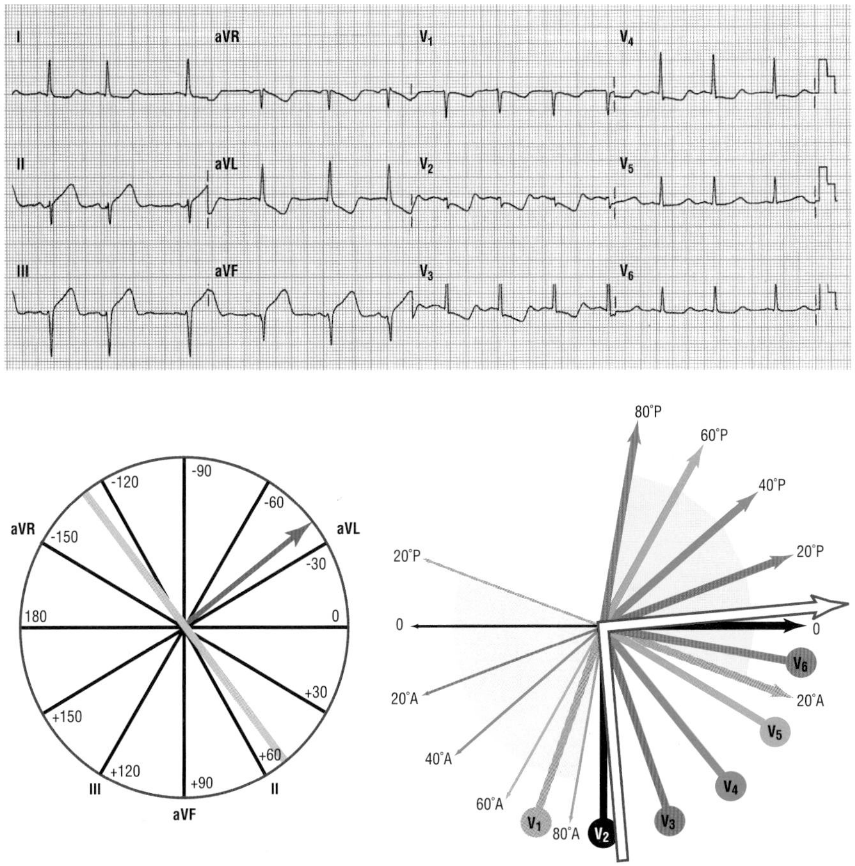

3

그림 12–27. 예 5. 전기축. X–Y 축 = 10°, Z 축 = 50° 후방

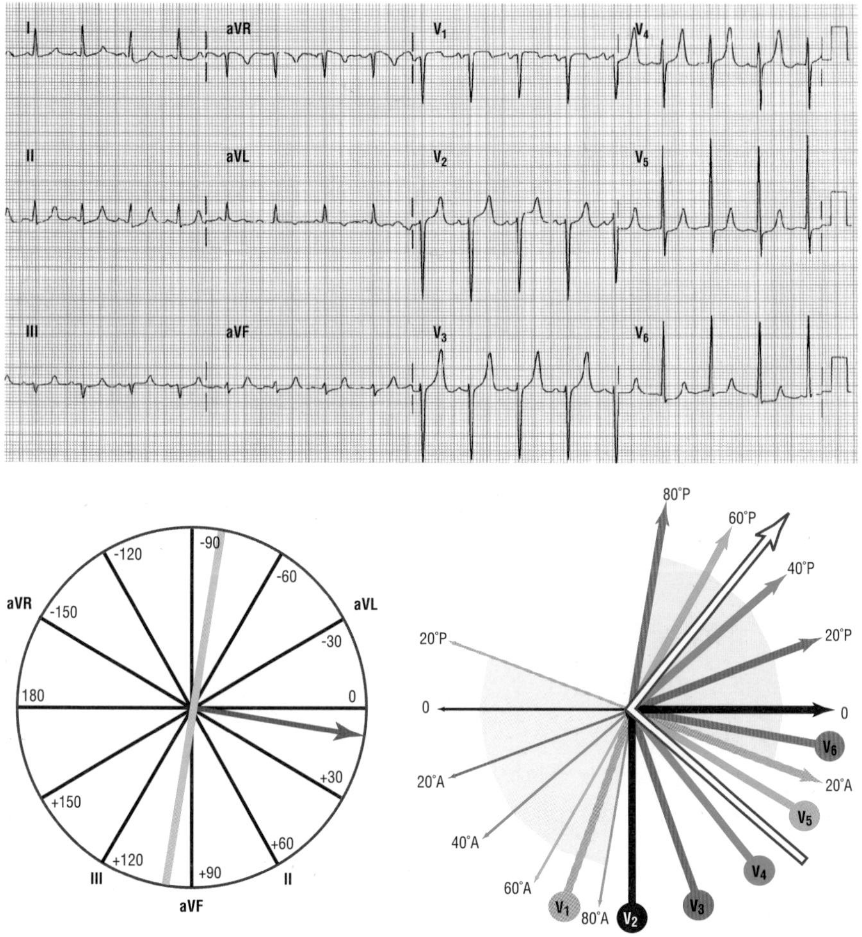

그림 12–28. 예 6. 전기축. X–Y 축 = 0°, Z 축 = 70° 후방.

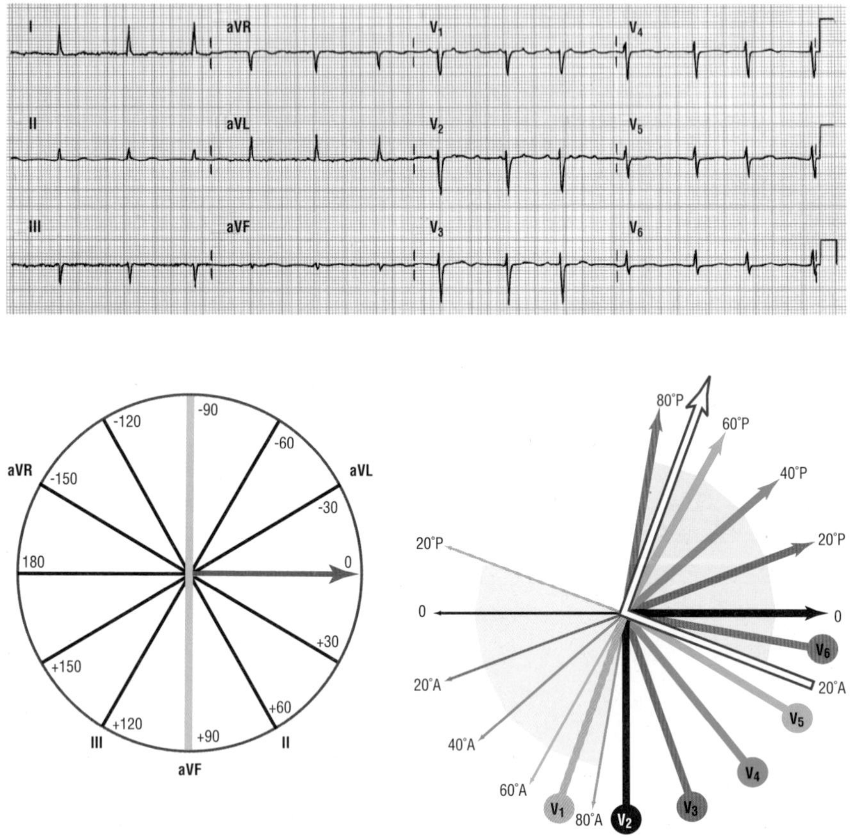

Z축 : 다른 접근 법

Z시스템을 가지고 있지 않고 잘 알 수 없는 심전도를 판독해야 한다고 생각해보자. 그림 12-29를 보면 쉽게 Z축을 알 수 있을 것이다. 이 시스템은 그림 대신에 숫자를 사용하지만 똑같은 결과를 보입니다. 등전위 유도를 찾고 Z축에 해당되는 숫자를 찾으면 된다.

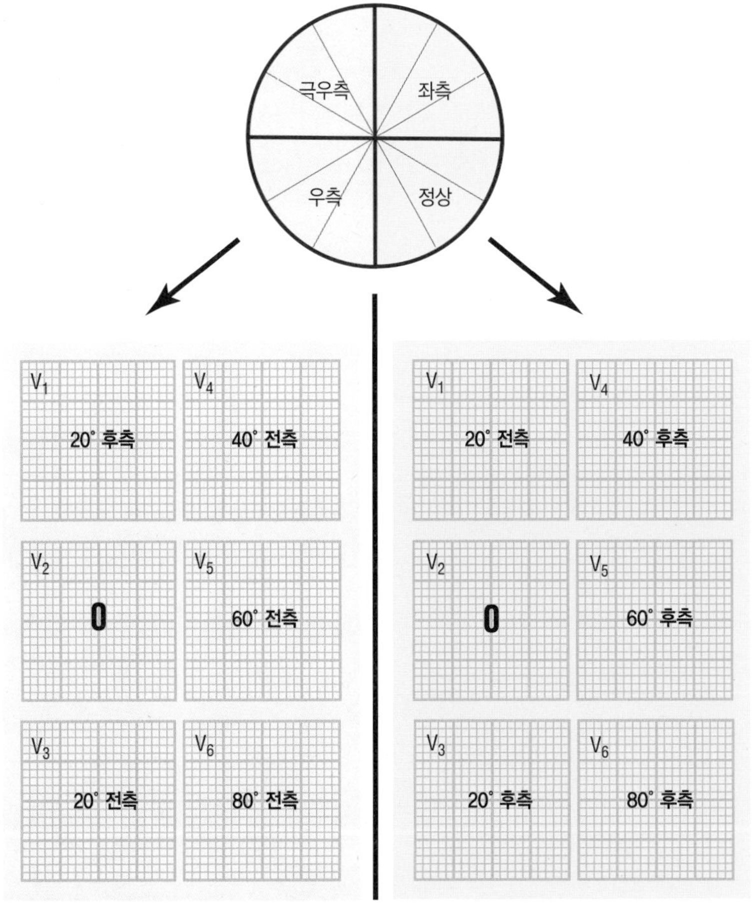

그림 12-29. Z축을 계산하는 다른 방법

Z축을 계산할 때 당신에게 쉬운 방법을 선택하여 사용하라. Z축을 이해하는데 단순히 숫자를 계산하는 것보다 직각을 이루는 선의 개념을 이해하는 것이 중요하다. 이것이 Z시스템을 먼저 보여준 이유이다. JB라는 학생이 내게 V_1이 LA를 생각할 때, 좌측(그리고 정상) 사분면의 앞쪽에 위치하는 것으로 기억한다고 이야기한 적이 있다. 그것이 도시를 상징하는지 아니면 좌측 앞쪽을 이야기하는지는 물어보지 않았다.

노트

빠르게 기억하는 다른 방법

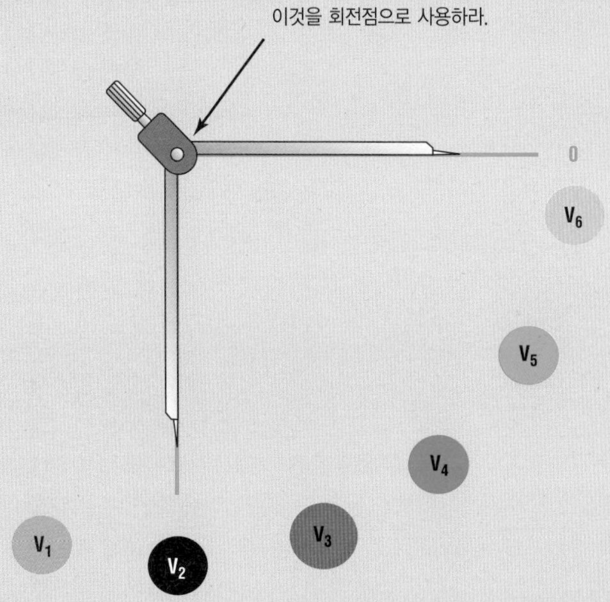

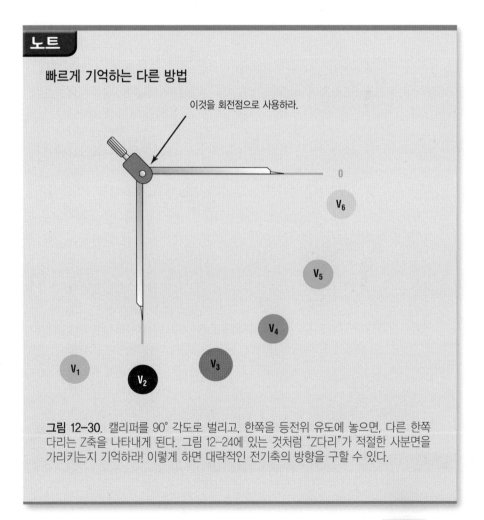

그림 12-30. 캘리퍼를 90° 각도로 벌리고, 한쪽을 등전위 유도에 놓으면, 다른 한쪽 다리는 Z축을 나타내게 된다. 그림 12-24에 있는 것처럼 "Z다리"가 적절한 사분면을 가리키는지 기억하라! 이렇게 하면 대략적인 전기축의 방향을 구할 수 있다.

1 단원 복습

1. 전기축은 모든 심실심근세포들의 활동 전위들에 의해서 만들어진 벡터들의 총합을 이야기하는 것이다. 참 또는 거짓

2. 다음 중 정상 사분면을 이야기할 때 어느 것이 맞는가?
   A. 유도 I 이 양성인 경우
   B. 유도 aVF가 양성인 경우
   C. A와 B 모두 맞다.
   D. 아무것도 해당 안 됨

3. 좌측 사분면은 어디에 해당하는가?
   A. 유도 I 이 음성인 경우
   B. 유도 aVF가 양성인 경우
   C. A와 B 모두 맞다
   D. 아무것도 해당 안 됨

4. 우측 사분면은 어디에 해당하는가?
   A. 유도 I 이 음성인 경우
   B. 유도 aVF가 음성인 경우
   C. A와 B모두 맞다
   D. 아무것도 해당 안 됨

5. 심한 우측 사분면은 어디에 해당하는가?
   A. 유도 I 이 음성인 경우
   B. 유도 aVF가 음성인 경우
   C. A와 B 모두 맞다
   D. 아무것도 해당 안 됨

1. 참 **2.** C **3.** D **4.** A **5.** C

2 단원 복습

6. 다음 중 심장의 전기축을 계산하는 5단계에 틀린 것은 무엇인가?
   A. 사분면을 찾는다.
   B. 등전위 유도를 찾는다.
   C. 가장 근접한 유도를 찾는다.
   D. 벡터를 10° 이내로 찾아낸다.
   E. 다시 한번 더 확인한다.
   F. 모두 다 맞다.

7. 등전위 유도는 QRS 전압이 가장 작은 유도를 말한다. 참 또는 거짓

8. 실제적인 전기축을 계산할 때 등전위 유도에서 나타내는 각도에 대수적으로 숫자를 더하면, 실제 축을 계산할 수 있다. 참 또는 거짓

9. 우측 편위의 원인에 해당되지 않는 것은 무엇인가?
   A. 우심실 비대
   B. 좌전섬유속차단
   C. 우심증
   D. 이소성 심실박동 및 리듬
   E. 젊은 성인과 소아에서는 정상적으로 나타날 수 있다.

10. 좌측 편위의 가장 흔한 원인에 해당되는 것은 무엇인가?
   A. 좌후섬유속차단
   B. 이소성 심실박동 및 리듬
   C. A와 B 모두 맞다.
   D. 아무것도 해당 안 됨

6. F **7.** 참 **8.** 거짓 **9.** B **10.** B

2

이제 전기축에 대해서는 이해를 하였으니, 각차단이라는 병리 영역으로 넘어갈 준비가 되어있다. 그림 13-1에서처럼 좌, 우 두개의 각이 있고, 좌각은 좌전 및 좌후섬유속(left anterior and left posterior fascicles)으로 나누어진다는 것을 기억할 것이다.

심방이나 방실결절에 위치한 심박조율기에서 생성된 전기자극들은 정상적인 각들로 전도되어 심근을 조직화된 형태로 자극하게 된다. 각 차단이 심장에서의 전도와 그 후 축에도 영향을 미친다고 생각할 수 있나? 갑자기 전기 자극이 장벽에 부딪치는 상황의 그림을 생각해 보라. 전기 자극이 막힌 곳 이하에서 정상 전도계를 통해서 내려가지 못하므로, 세포와 세포 사이의 전기전도를 통해서 전도되게 된다. 이것은 심근을 느리고 무질서한 형태로 자극하는 것이며, 심실조기박동 또는 편위전도된 박동과 같이, 넓고 이상한 모양을 보이는 심전도군의 형태를 나타낸다. 각차단(BBB)은 넓고 이상한 군들의 비슷한 특징을 가진다. 그러나 각차단과 심실조기박동은 중요한 한 가지 차이점이 있다. 무엇인지 알 수 있나? 심실조기박동은 시작 그 자체부터 편위전도되는 것이며, 각차단은 차단부위 전까지는 정상 전도된다. 이 첫 부분이 각 차단의 조금의 변동을 동반한, 중요 모양을 나타낸다. 우각차단, 좌각차단 형태.

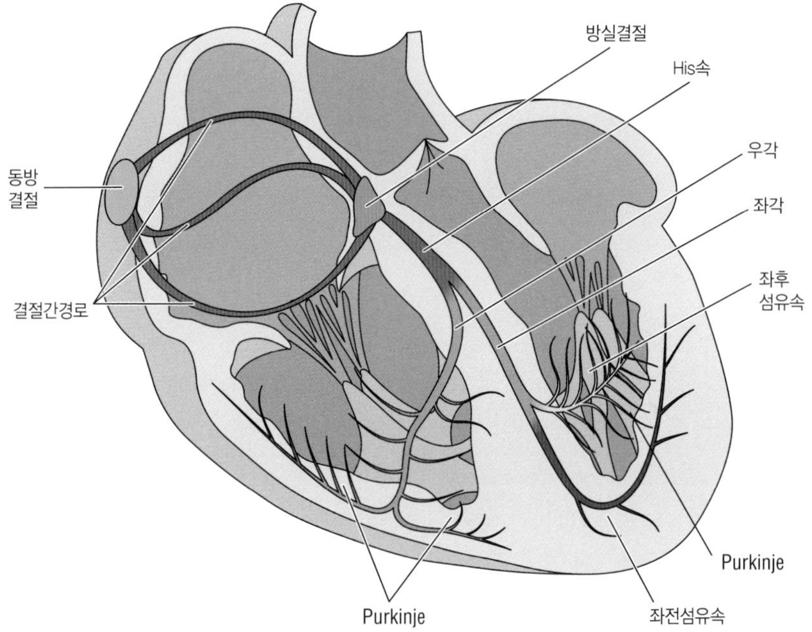

그림 13-1. 심장과 전기전도계

우각차단(Right Bundle Branch Block)

우각에 차단이 있다면, 전기자극은 좌각 및 대부분의 좌심실로는 정상 전도된다. 그러나, 심실중격과 우심실은 각차단으로 인해 세포와 세포사이 전기전도에 의한 탈분극으로 늦게 전도된다(그림 13−2의 동심원들).

2

이 느린 전기자극은 탈분극 시간을 느리게 만들며, 심전도상 0.12초 이상 연장된 QRS 간격을 보이게 된다(이런 QRS 간격의 연장은 모든 종류의 완전 각차단의 특징이다). 이것은 추가 파형 혹은 기존에 존재하는 파형의 편위전도로 나타날 수 있다. 우측 흉부유도 V_1과 V_2에서 RSR'군 양상을 보이게 된다. R'은 심실중격과 우심실을 통과하는 느린 전도에 의해 추가된 벡터의 도형적 표현이다.

우각차단의 주요 기준은

1. QRS 연장 ≥ 0.12초
2. 유도 I 과 흉부유도 V_6에서 늘어진 S파
3. V_1 유도의 RSR' 양상, R'이 R파보다 크다.

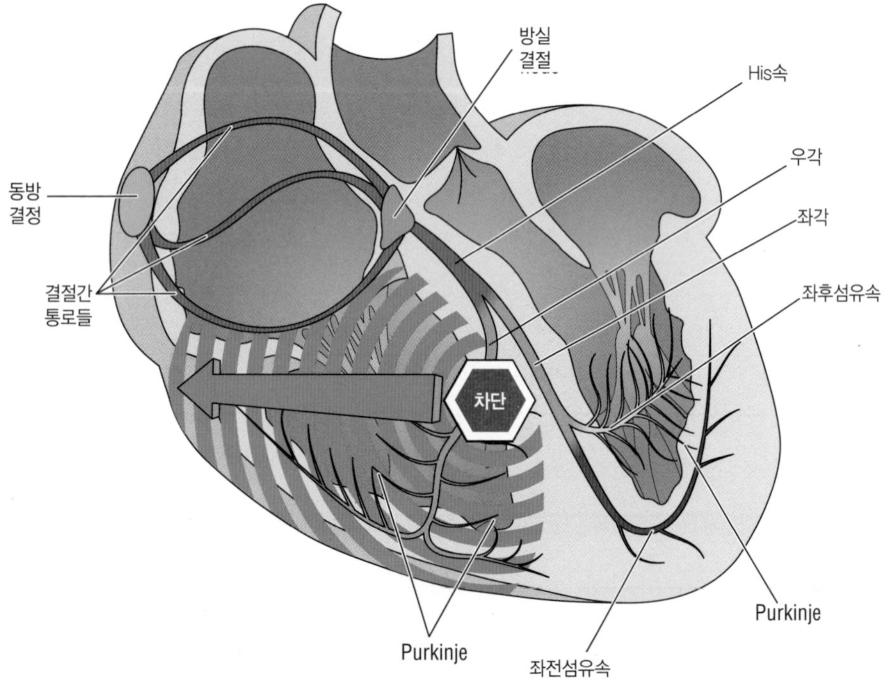

그림 13–2. 우각차단

QRS가 왜 연장되는지는 이미 보았다. 이 목록에 있는 2번과 3번의 내용을 보자. 정상 상태에서는 QRS군 벡터를 좌심실이 담당한다. 우각차단에 의한 심실중격과 우심실에 대한 늦은 신경자극전달에 의해서 좌심실 벡터(그림 13–3. 벡터 1, 2 그리고 3)에 의해서 방해받지 않는 새로운 느린 벡터가 만들어진다(그림 13–3의 벡터 4). 이 새로운 벡터가 정상 심전도 형태의 변화를 유발시킨다. 우흉부유도 V_1, V_2에서 자기 쪽으로 다가오는 새로운 벡타에 의해 R파가 만들어진다. 심장 좌측 해당유도(V_5, V_6과 I)의 깊은 S파를 같이 보이게 된다. S파는 벡터의 느린 전도에 의해서 늘어진 모양을 나타나게 된다. *우리들 생각으로는 I 과 V_6 유도의 늘어진(slurring) S파가 우각차단을 진단하는 가장 중요한 기준이다.* 이제까지 V_1에서 RSR' 모양이 특징적이라고 들었을 것이다. 하지만, QRS군에 대한 수백개의 다른 모양이 존재할 수 있기 때문에, 많은 경우에서 혼란스러울 수 있다.

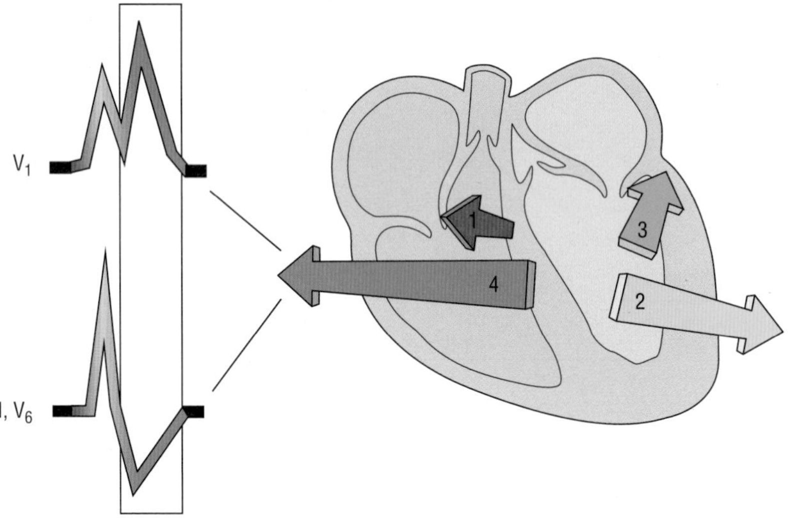

그림 13–3. 심전도에서 우각차단의 영향

우각차단의 심전도 소견

우각차단은 세가지 중요한 심전도 기준이 있다.

1. *QRS ≥ 0.12초*

QRS 간격이 0.12초 이상인 유도를 하나라도 발견하게 된다면 QRS군이 연장된 것이다. *왜냐하면? 모든 간격은 심전도 전체를 통해서 같다!* 이것이 항상 기억해야 할 점이다.

2. *유도 I과 V_6의 늘어진 S파(slurred S wave)*

우각차단을 진단할 때 우리가 찾는 가장 중요한 기준이다. 늘어진 S파는 그림 13-4처럼 여러 모양을 가질 수 있다. 그러나 그것들은 모두 연장되고 느리다.

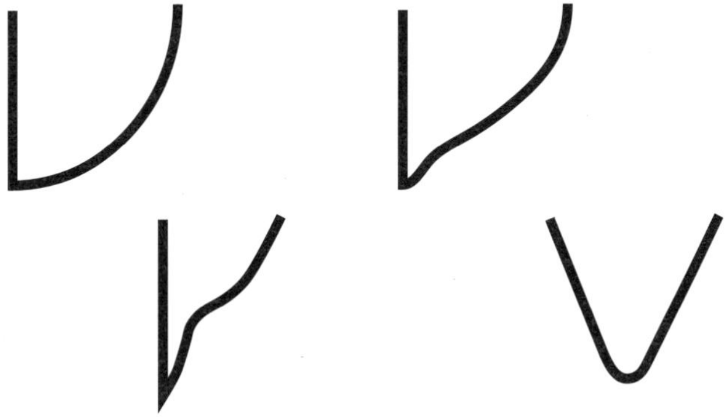

그림 13-4. 여러 모양의 늘어진 S파

3. *V_1의 RSR' 형태* 늘어진 S파들이 있는 것처럼, RSR'군들 역시 많은 표현 양상을 나타낸다. 이 경우, 특히 이전에 전중격부의 심근경색이 있었던 경우 QR'군의 양상을 나타내기 때문에 RSR' 양상을 보이지 않는 경우도 있다. 많은 사람들이 "토끼 귀"(그림 13-5) 이야기를 한다. 이것은 많은 다른 종류의 토끼가 있기 때문에—펄럭이는 귀, 털이 많은, 만화의 모양 등등. *기억해야 할 중요 요점은 이것들은 유도 V_1에서 모두 저명하게 위를 향하고 있다는 것이다.*

심전도에서 넓은 QRS군과, 늘어진 S파, 위를 향하는 QRS군이 V_1에 나타나면(만약 이것인 RSR' 군과 일치하거나 아니면 이것의 가능한 변이이거나), 우각차단으로 진단할 수 있다. 쉽지 않나?

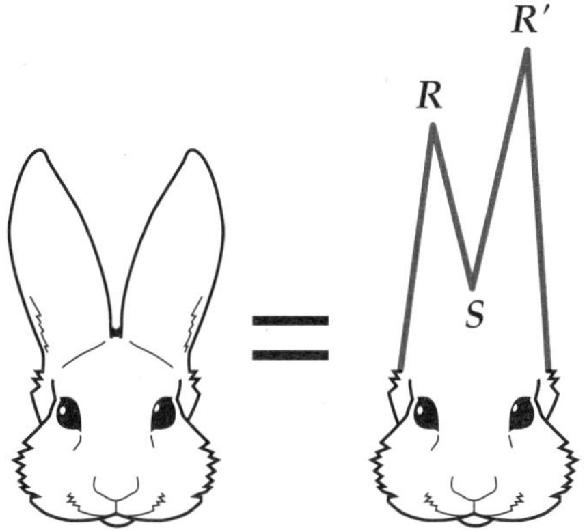

그림 13-5.

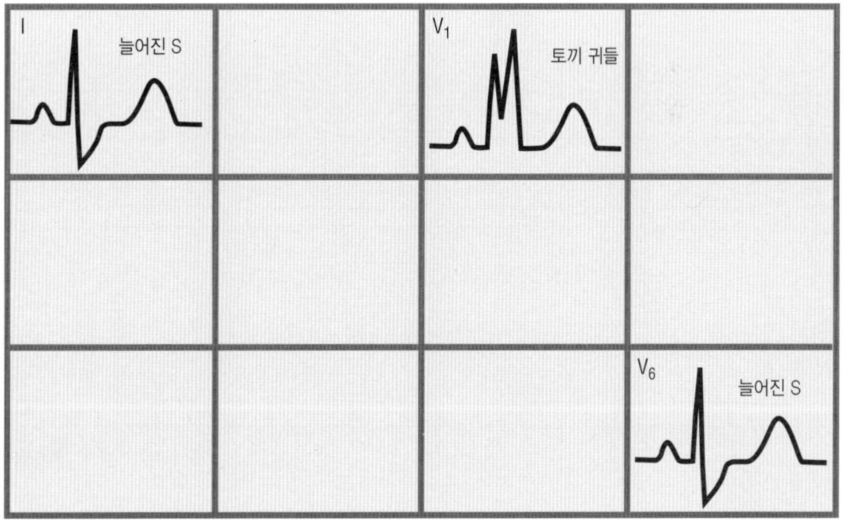

그림 13-6. 심전도와 우각차단

2

QR파'

백만 가지의 토끼 귀의 모양이 있다. 그중 QR' 또는 qR'파는 특별히 언급할 필요가 있다. 이것은 전중격부 심근경색의 특징적 심전도 모양을 보이는 환자에서 나타난다−V_1 유도의 Q파 그리고 우각차단. 이런 환자에서 RSR' 양상의 처음 R파를 Q나 q파가 대치하여 나타난다. 이렇게 생각해볼까요? 토끼의 한쪽 귀가 총에 맞아 더 이상 똑바로 세울 수 없게 되면(그림 13−7), 접혀져서 아래로 처지게 될 것이다. 다른 말로 R파는 처음 위로 향한 귀였지만, 이제 죽어서 아래로 처져 Q파를 형성한 것이다. Q파가 R파를 대신하고, 다음 파는 R'파이기 때문에 QR'파라고 하는 것이다.

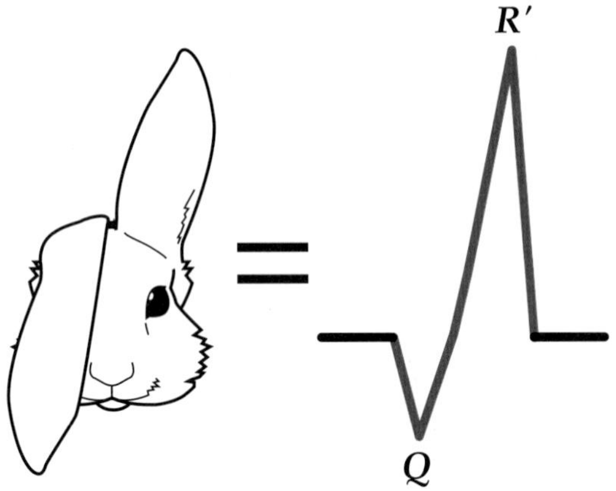

그림 13−7. 우각차단이 있는 경우 V_1 유도에서 Q파를 보게 된다면, 첫 상향파는 R파 대신 R'파라 칭한다.

심전도 증례 연구 **우각차단**

2

심전도 13−1 이것은 전형적인 우각차단의 예이다. V_1과 V_6유도를 보면, 전형적으로 천천히 아래로 내려갔다 올라가는 늘어진 S파가 보인다. 이 늘어진 S파는 심실중격과 우심실 심근의 느린 세포−세포간 전도에 의해 발생하는 벡터에 의해 만들어진다(그림 13−3, 벡터 4). 유도 V_1을 보면 전형적인 토끼 귀 모양의 rSR'을 보인다. 유도 Ⅲ도 같은 벡터에 의해서 만들어져서 조금의 rSr' 양상을 보인다. 이것은 어떠한 각차단이 없더라도 독립된 국소적 심실내전도지연에 의해서 나타날 수 있다. 우각차단에서 흉부유도 V_1과 V_2에서 R:S 비가 증가한다는 것을 기억하라. 이것은 각차단이 우심실 심근을 통한 느린 전도를 유발하기 때문에 발생한다. V_1에서 V_3까지가 우측 흉부유도에 해당하며 여기에서 심한 변화가 나타난다.

우각차단을 진단하는데 유도 Ⅰ과 V_6의 늘어진 S파를 찾는 것부터 시작하는데 익숙해져라. 토끼 귀를 먼저 찾는 치명적이고 바보같은 신참들이 하는 실수를 하지마라. V_1을 먼저 보는 경우에는 자주 바보가 될 수 있다. 만약 QRS파가 0.12초 이상이면 늘어진 S파를 찾아봐라. 그 후 V_1을 봐라. 유도 V_1과 V_2에서 R:S파 비는 증가되어 있고, RSR' 또는 QR'군과 비슷한 모양을 보여준다.

조언

V_1 유도에서 보이는 qR'파는 우각차단 환자에서 이전 또는 새로운 경색의 표시이다.

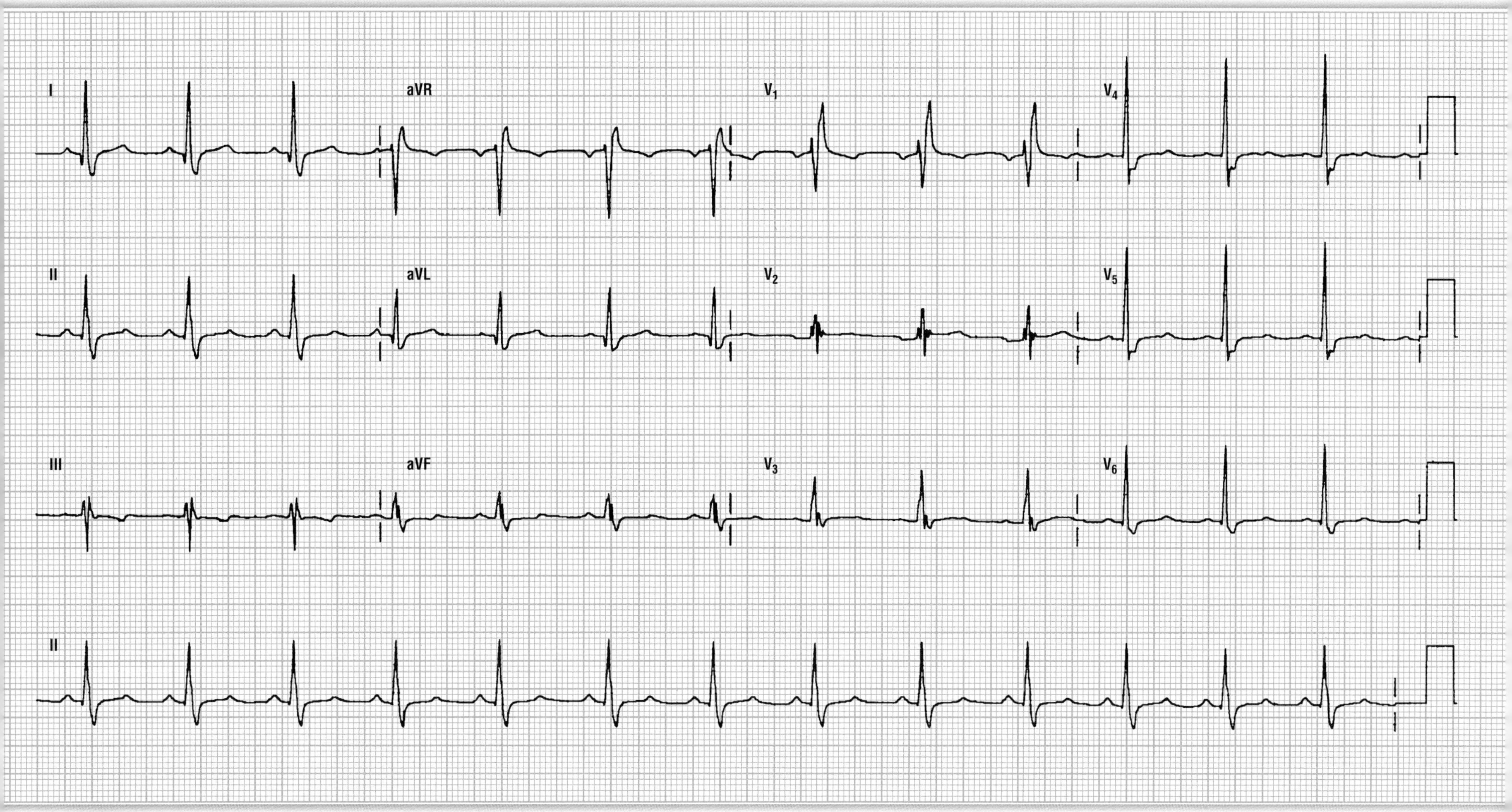

ECG 13-1

심전도 증례 연구 **계속**

2

심전도 13-2 이 심전도에서 아름다운 늘어진 S파를 보라. 이것을 보자마자 우각차단을 진단해야 한다. V_1 유도를 보면, 명확하지 않다. 자세히 보면, rsR'R" 양상을 보인다는 것을 알 수 있다. QRS군의 시작부분에 작은 rs파가 보인다. 너무나 작아서 알아차리기가 어렵다. 그 다음에 R'파가 보이고, 이후 가장 크고 뾰족한 R"파가 보인다(그림 13-8에도 있다). 두 R파 사이에 S파가 없다. 토끼 귀 모양이 있지만, 귀에 심각한 이상이 있는 돌연변이 토끼이다.

그림 13-8. V_1 유도 확대

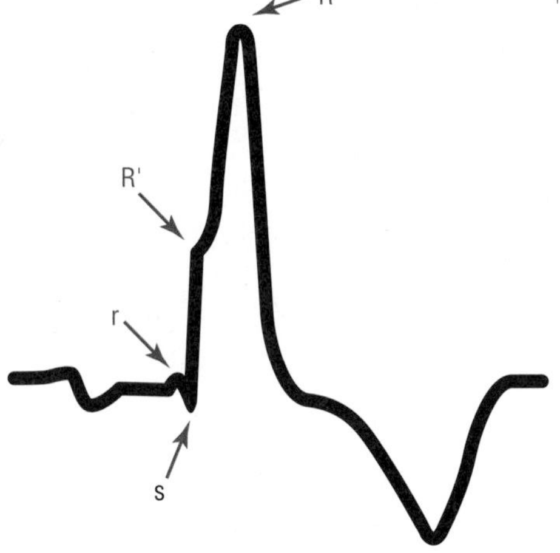

3

심전도 13-2 좌전섬유속차단(LAH)의 양상도 보인다. 그래서 2섬유속차단(bifascicular block)이 된다. 자세한 것은 나중에 이야기하겠다.

2

심전도 13-3 심전도 13-2와 비슷하다. 늘어진 S파가 잘 보이고, V_1 유도에 이상한 모양의 QRS군을 보인다. V_2에서 V_1에 비해 더 명확히 절흔과 RSR' 양상이 있다.

우각차단은 대개 관상동맥 질환과 관련이 있다. 그러나 많은 경우 심근경색 부위에 의한 것이 아니다. 젊은 사람에서 이 소견은 양성 소견이다. 불완전 우각차단을 보이는 사람(V_1 혹은 V_2 유도에서 RSR'군이 있지만 QRS군이 넓어지지는 않은 경우) 중 일부는 나이가 들면서 완전 우각차단으로 진행하는 경우도 있다.

3

심전도 13-3 이 심전도에는 하측벽 허혈 소견을 보인다. 유도 Ⅲ과 aVF에서 QRS파의 마지막 부분과 T파가 동일한 방향(concordance)을 보인다. 측벽 유도에서 보이는 편평한 T파는 허혈과 관련된 소견이다.

대개 정상 우각차단 형태에서 ST분절은 기준선에 위치하여야 한다. 그러나 우측 흉부 유도에서 ST분절의 하강이 흔히 있다. 우각차단이 있는 환자에서 우측 흉부 유도에서 보이는 ST분절 상승은 심근경색에 합당한 소견이라는 것을 기억하라.

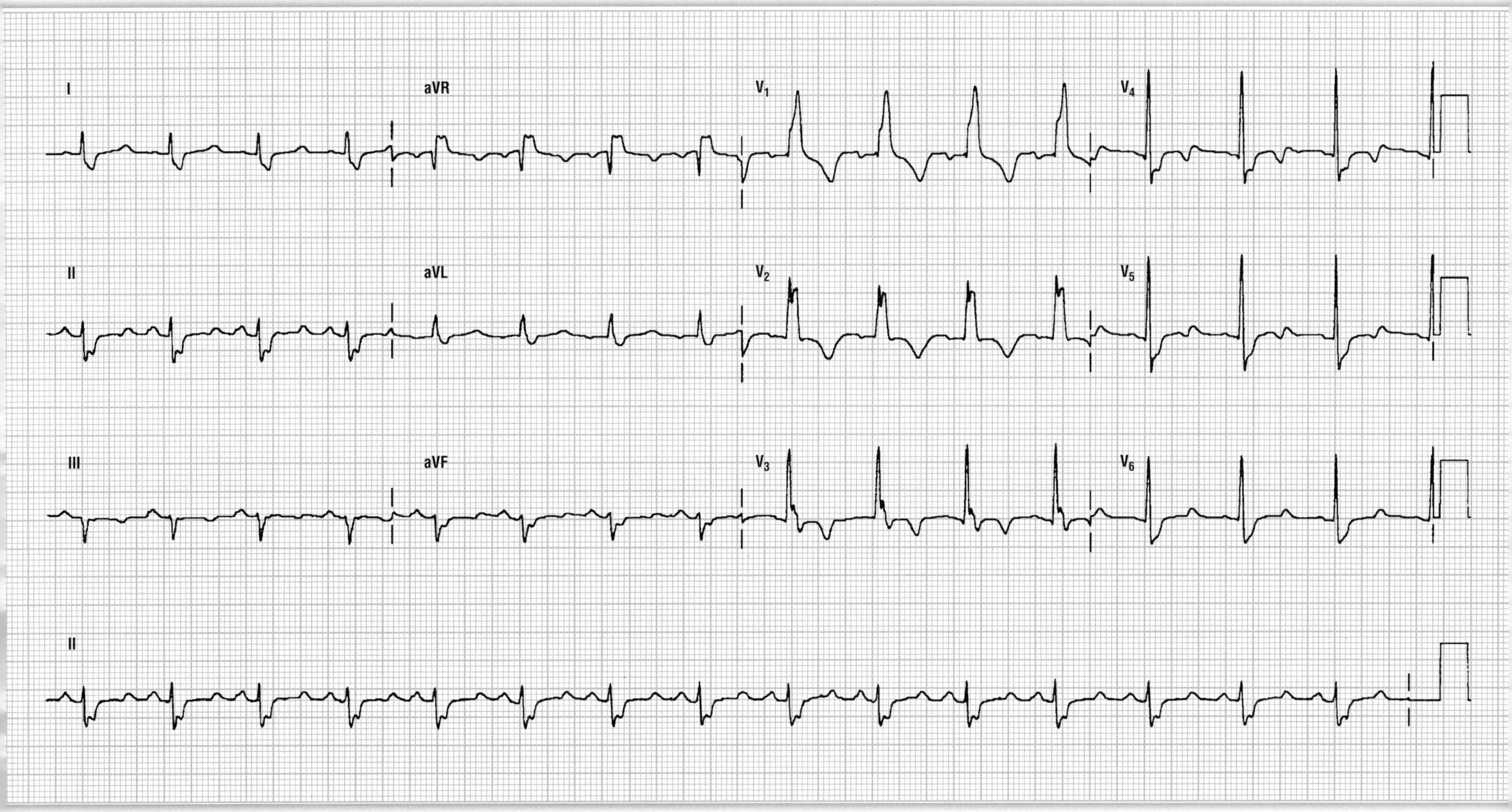

ECG 13-2

심전도 증례 연구 계속

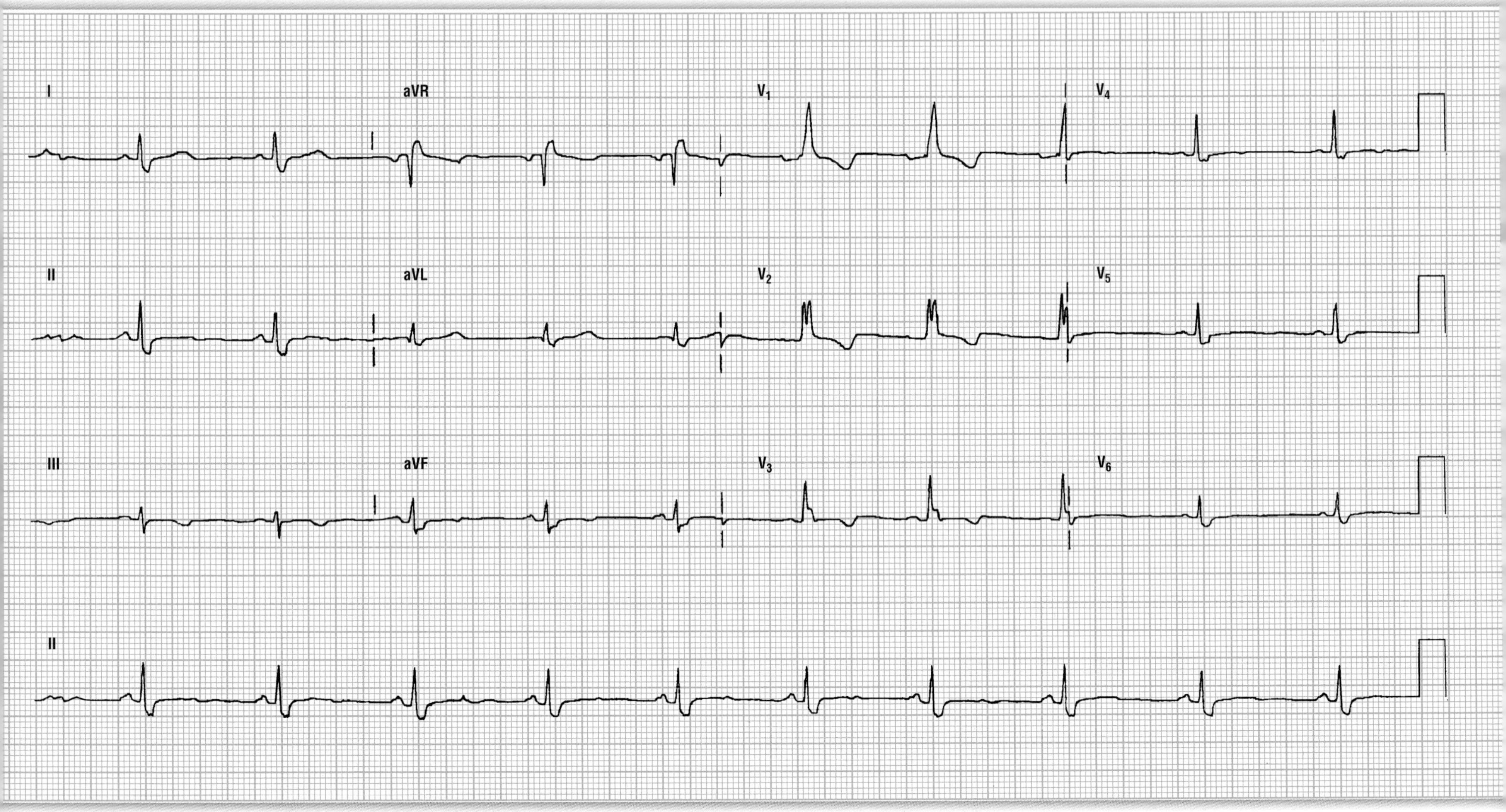

ECG 13-3

2

심전도 13-4 아래 QRS군이 0.12초 이상이라는 것은 쉽게 알 수 있고, 이것이 어떤 각차단의 하나라는 것을 알 수 있다. 우각차단, 좌각차단, 심실내전도지연 중에서 선택할 수 있다. V_1만 관찰하면 어려움에 처하게 된다. 이것은 qRR'모양이다(그림 13-9). 유도 Ⅰ과 V_6의 S파를 보라. 늘어진 양상이며 우각차단에 합당하다.

위에서 언급한 넓은 QRS군의 감별 진단이 전부가 아니다. 심실조기박동 또는 편위전도박동도 있을 수 있다. 대부분의 심실조기박동은 우각차단 또는 좌각차단의 모양을 보인다. 심실빈맥, 심실고유율동, 심실이탈박동과 같은 심실기원의 율동인 경우에도 나타난다. "친구는 같이 다닌다"라는 것을 이용하여 진단을 하여라.

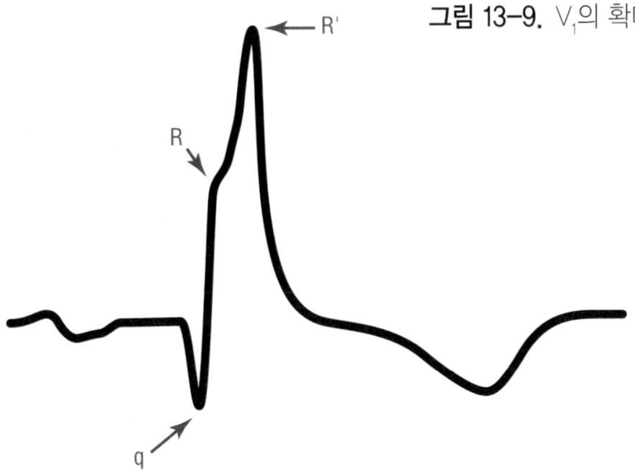

그림 13-9. V_1의 확대

2

심전도 13-5 이 심전도에는 확실한 우각차단 외 뭐가 있는가? 쉽게 우각차단의 모든 기준을 만족한다. 이제 유도 Ⅰ 밑부분의 작은 절흔이 보이는가? 이건 문제가 될 만한 것인가? 아니다. 단지 QRS군의 일부일 뿐이다. 유도 Ⅲ을 보면 Qr군이 있다. r파에 해당하는 작은 절흔이 있다. 직각자를 사용해서 확인하라. 심전도 군들 내에 묻혀있는 중요한 부정맥을 놓치지 않기 위해 이런 작은 절흔도 자세히 봐야 한다. 만약 이상소견이 발견되면, 셜록 홈즈 모자를 쓰고 조사하라. 찾은 것에 의한 수확이 참으로 클 것이다.

3

심전도 13-5 유도Ⅲ에 약간의 ST분절 상승이 있고, 상호적(reciprocal) 그리고 측벽 유도에서 ST분절 하강이 있다. QRS군의 폭은 때때로 착시를 초래할 수 있기 때문에 주의해야 하며 많은 경우에서 직각자나 측경기를 사용해야 한다. 착시에 의해서 실지로 아닌데, ST분절이라고 생각하게 할 수 있다. 이 환자의 경우에는 착시는 없다. 변화가 비록 미미하지만, 상호적 영역들에서 나타나기 때문에 문제가 된다. 이 심전도를 정확히 판독하기 위해서는 약간의 임상소견들과의 강한 연관성이 필요하다.

조언

우각차단 환자에서 V_1은 여러 가지 모양을 보일 수 있다.

심전도 증례 연구 **계속**

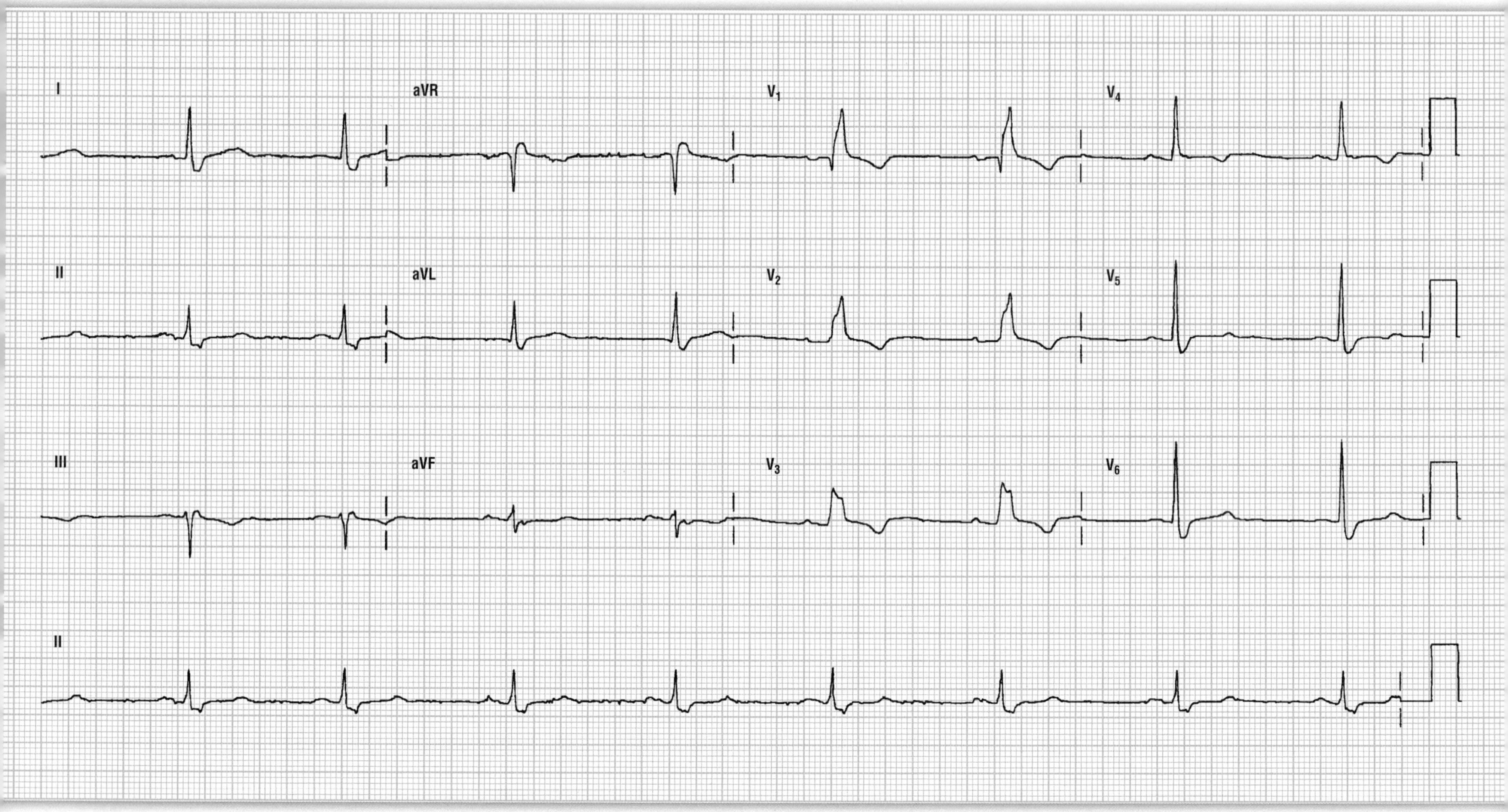

ECG 13-4

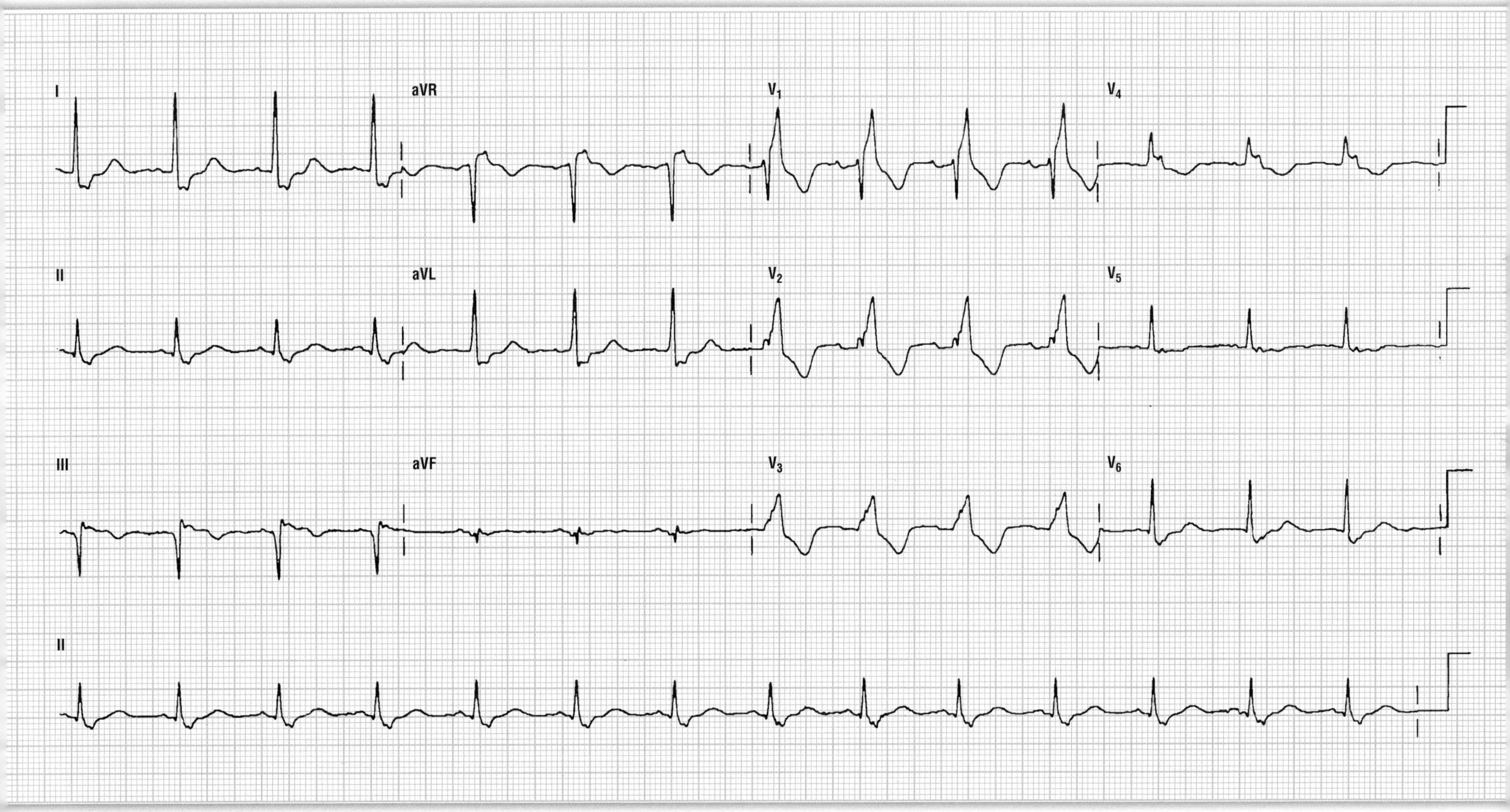

ECG 13-5

심전도 증례 연구 계속

2

심전도 13-6 판독하기가 약간 어렵다. 하지만, 하나씩 분석해 보자. 0.12초보다 넓은가? 그렇다. 유도 I 과 V_6상에서 늘어진 S파를 보이는가? 그렇다. V_1 유도에서 RSR' 양상을 보이나? 그렇다 : 이것은 rSR' 형태이다. 그렇지만 무엇이 문제인가? 이것은 우각차단이다.

이 심전도에서 뭔가 다른 것이 있나? 초보자 수준에서는 좌심실비대가 있다 : 유도 aVL의 R파의 크기가 11mm 이상이다. 우각차단에서 좌심실비대에 대해 이야기할 수 있나? 그렇다. 할 수 있다. *좌각차단인 경우는 좌심실비대에 대해 이야기할 수 없다. 하지만, 우각차단은 이야기할 수 있다.* 이것이 중요한 점이다. 마지막으로 부진한 R–R 진행(poor R–R progression)이 있다.

3

심전도 13-6 우각차단과 좌전섬유속차단이 있는 2섬유속차단의 양상을 보인다. 게다가 좌심실비대를 강력하게 시사하는 소견도 있다. 우각차단인 경우 좌심실비대를 진단하는 데는 문제가 없다. 반대로, 우심실비대를 진단하는 것은 불가능한 것은 아니지만 매우 어렵다(어떤 저자는 V_1 유도에서 R파의 크기가 15mm 이상이면, 우심실비대라고 진단할 수 있다라고 주장한다. 그러나 객관적인 증거가 없기 때문에 사용하면 안된다). 우심방확장은 전통적인 진단기준으로 진단 가능하다. 이것이 우심실비대를 의심할 수 있게 해준다. 우심실비대에 대해 의문이 있으면, 심초음파도가 답을 해줄 것이다.

조언

좌각차단이 있는 경우에 좌심실비대는 언급할 수 없지만, 우각차단의 경우에는 가능하다.

2

심전도 13-7 이 심전도는 우각차단을 보인다. V_1 유도의 QRS군을 보라. QRS군의 꼭대기에 나타난 절흔이 보이는가? 이것이 우각차단에서 흔히 보이는 RR' 형태이다. S파가 보이는가? 안 보인다. S파는 R파 이후에 처음 나타나는 음성편향이 보이는 것을 의미하며, 기준선 이하로 내려가야 한다. 그래서 이 QRS군에서는 S파가 보이지 않는다. 많은 임상의들이 기술적으로 틀린 것이지만, 이것을 여전히 RSR'군이라고 부른다. 이름 자체로는 의미가 있지만, 임상적인 의의는 없다. 중요하게 기억해야 하는 것은 V_1에서 절흔이 있는 양성의 QRS군이다. 좌각차단의 경우에도 동일한 절흔이 있고 양성의 QRS군을 볼 수 있지만, 이것은 유도 V_5, V_6에서도 나타난다. 혼돈하지 마라.

조언

우각차단은 V_1에서 상향의 QRS군을 보이고, 좌각차단은 근본적으로 V_1~V_2에서 하향을 보여야 한다.

3

심전도13-7 이 주제를 계속 논하고 있기 때문에, 첫 R파는 R'파보다 작아야 한다(R'파를 만드는 벡터는 각차단 때문에 대항하는 벡터가 없다). 우각차단에서 좌각으로는 정상전도가 되고, 좌심실을 정상적으로 탈분극시킨다. 이후 우심실로의 전도는 세포–세포 간 전기전도로 느리게 전도된다. 느린 전도가 일어날 때, 좌심실은 벌써 탈분극된 상태이다. 벡터는 대항없는 늘어진 S파와 큰 R'파를 만들게 된다.

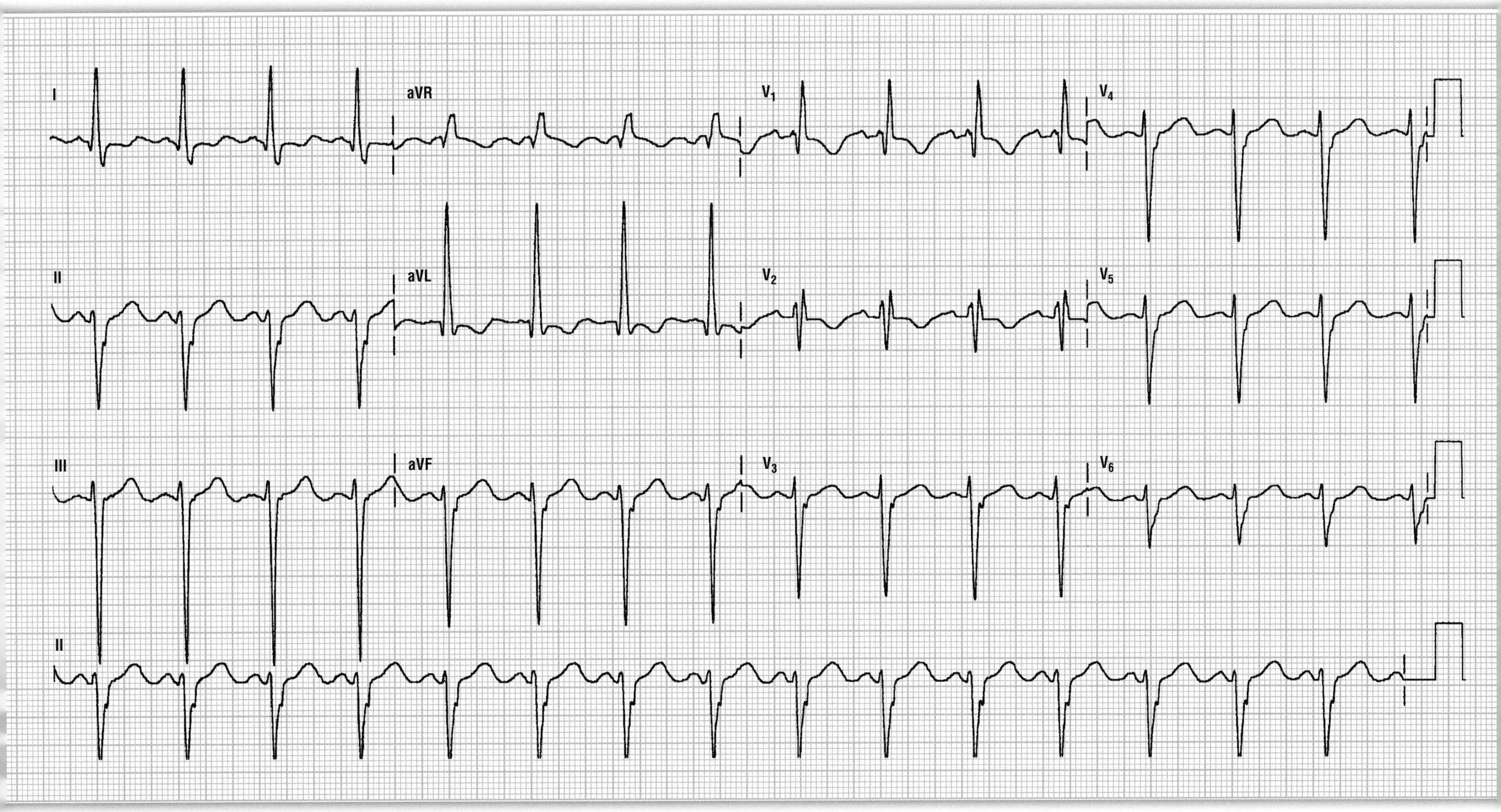

ECG 13-6

심전도 증례 연구 계속

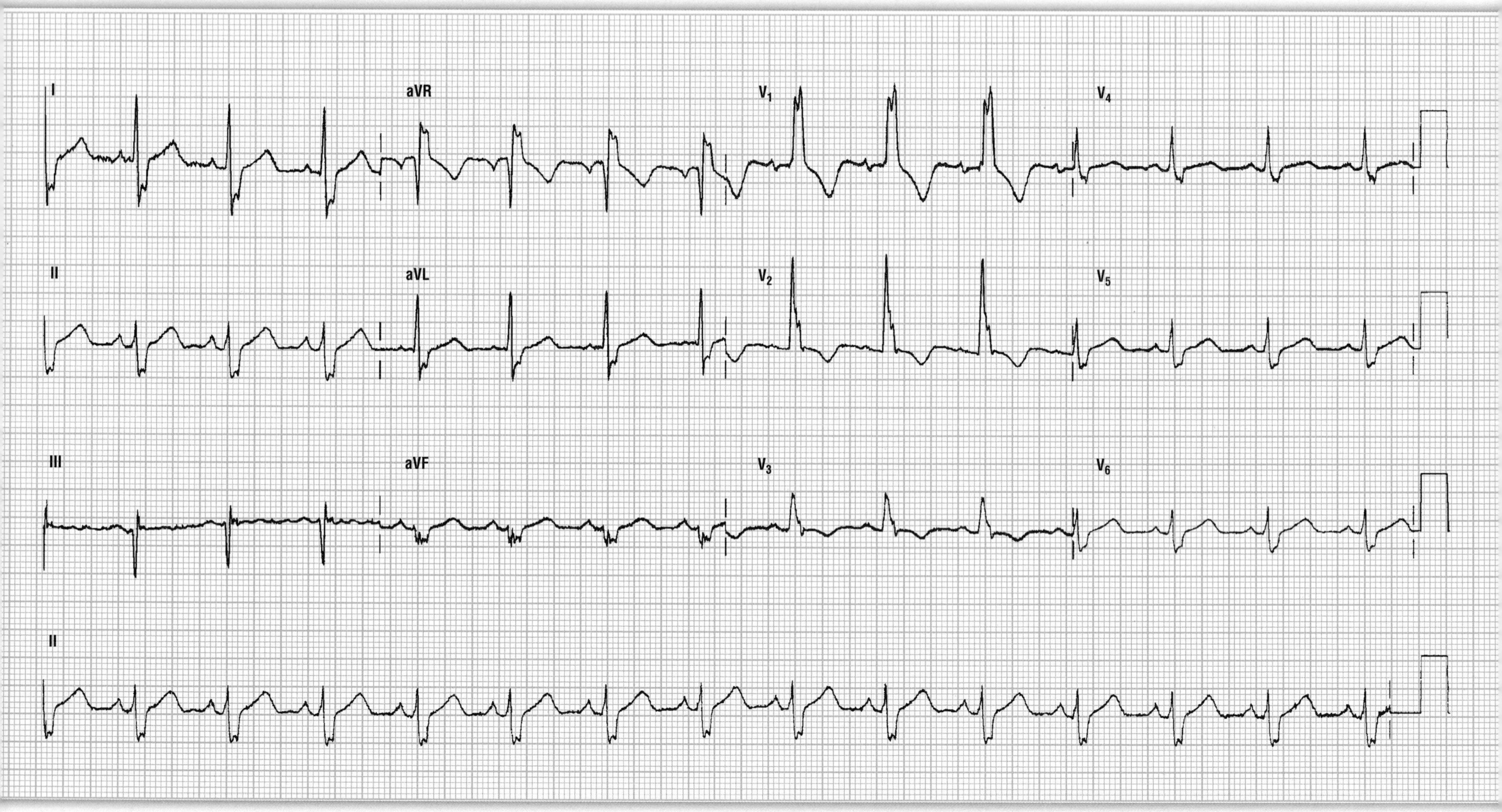

ECG 13-7

2

심전도 13-8 정말 못생긴 심전도다! QRS군이 너무 넓고 작기 때문이다. 율동은 정상 동율동이며, 각각의 QRS군 앞에 P파가 있다. 이것은 매우 안심하게 만든다. *왜냐하면 0.16초 이상 되는 QRS군은 심실의 병소가 박동조율기의 역할을 하는 심실이탈박동 또는 심실빈맥을 의미할 수 있기 때문이다.* 이것은 여러분이 꼭 기억해야 하는 임상의 진주이다.

심전도는 늘어진 S파와 rsR'양상을 보이는 우각차단의 전형적인 소견들을 보여준다.

2

심전도 13-9 이 심전도의 유도 V_1을 보고 우각차단을 진단할 수 있는가? 많은 책에서 V_1 유도의 RSR' 양상이 우각차단을 진단하는 가장 쉬운 방법이라고 이야기하고 있다. 보는 바와 같이 이것이 언제나 맞지는 않다!

유도 I과 V_6에 늘어진 S파가 있어서, 진단하는데 도움을 준다. 유도 V_1에서의 증가된 R:S 비는 진단을 확정짓게 한다.

심전도의 시작부는 상심실성 이난맥(bigeminy)을 보인다. 3단계 자료가 그 이유를 설명한다. 편안한 기분이면 읽어봐라. 매우 어렵지는 않다. U파가 V_2에서 V_6까지 존재한다

3

심전도 13-8 하벽경색을 발견했는가? 이들 Q파는 아주 전형적이고 넓다. 우각차단에 좌후섬유속차단이 동반된 2섬유속차단(bifascicular block)은 아닌가? 아니다. Q파는 좌후섬유속차단(LPH)보다는 하벽심근경색(IWMI)에 합당한 소견이다. 좌후섬유속차단은 제외에 의한 진단이라는 것을 기억하라. 이것은 유도 Ⅲ에서 QR군이 아닌 qR군과 관련이 있다. 이건 확실한 QR군이다. 2섬유속차단이라고 할 수 있는가? 어떤 것이 숨어있다고 생각할 수 있다. 넓고 늘어진 R'군이 V_1 유도에서 나타나는데 이것은 좌후섬유속차단(LPH)의 경우에 자주 나타나는 소견이다. *심전도상으로는 공식적으로 진단할 수 없지만, 임상적으로는 2섬유속차단을 고려할 수 있다.*

3

심전도 13-9 이게 상심실성 이단맥인가 혹은 심실성 이단맥인가? QRS군을 관찰하면, 이것은 편위전도된 파형이다. 그것들은 넓지만 그렇게 심하게 넓지는 않다. 위의 어떤 경우에도 다 가능하다. 이제 편위전도된 파형과 정상 전도된 파형의 첫 0.03초를 보라. 둘은 같다. 이 유사성은 두 QRS군이 동일한 부위에서 기원했다는 것을 의미한다. 이것들은 방실결절 하방으로 전달되며, 이들은 각으로 전도되기 전에 나뉘어진다. 이러한 초기의 동일성으로 인해 편위전도된 파형은 상심실성 병소가 원인이다.

조언

심실에서 기원하는 QRS군은 좌각 또는 우각차단의 모양을 보인다.

심전도 증례 연구 계속

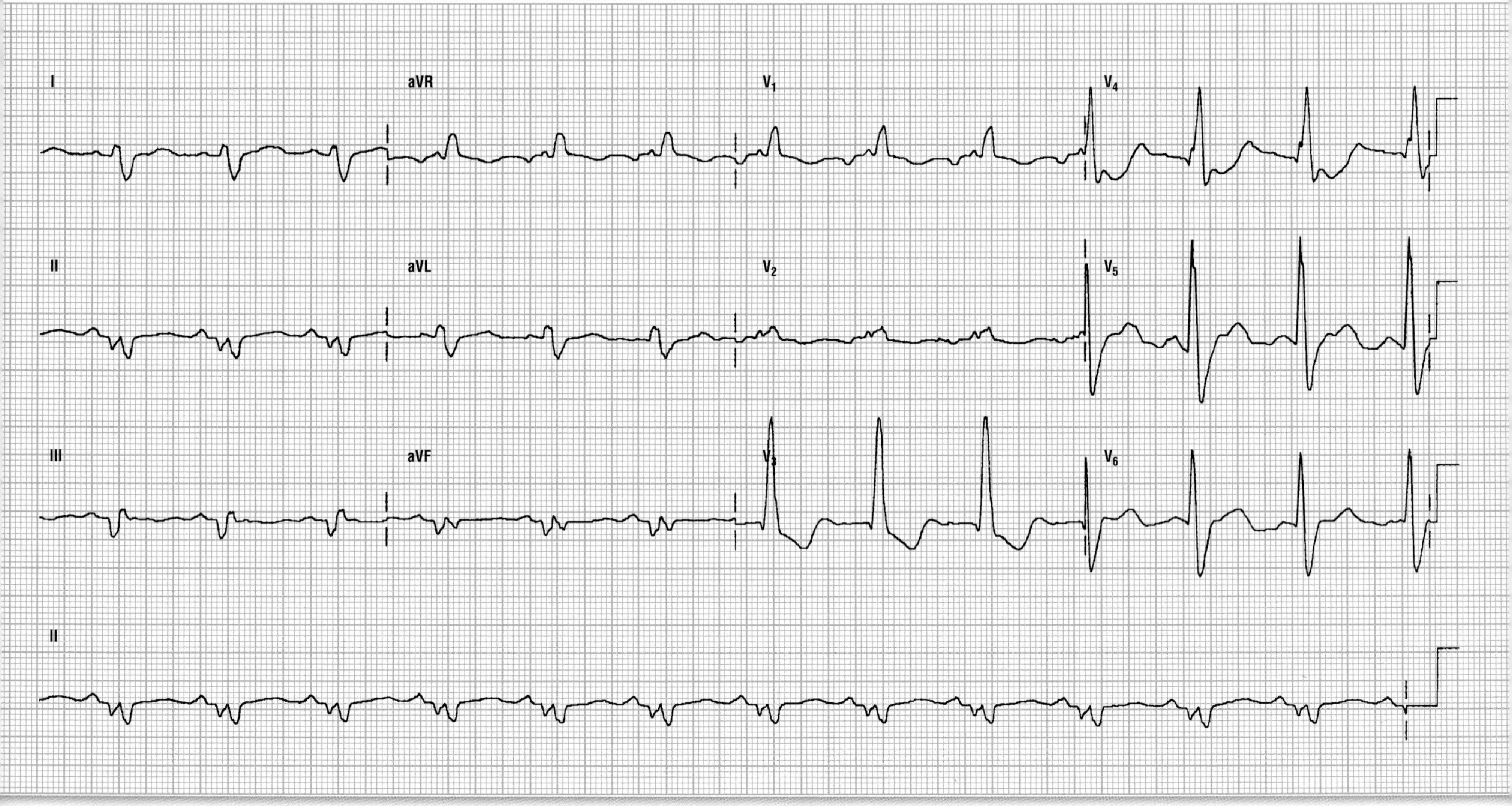

ECG 13-8

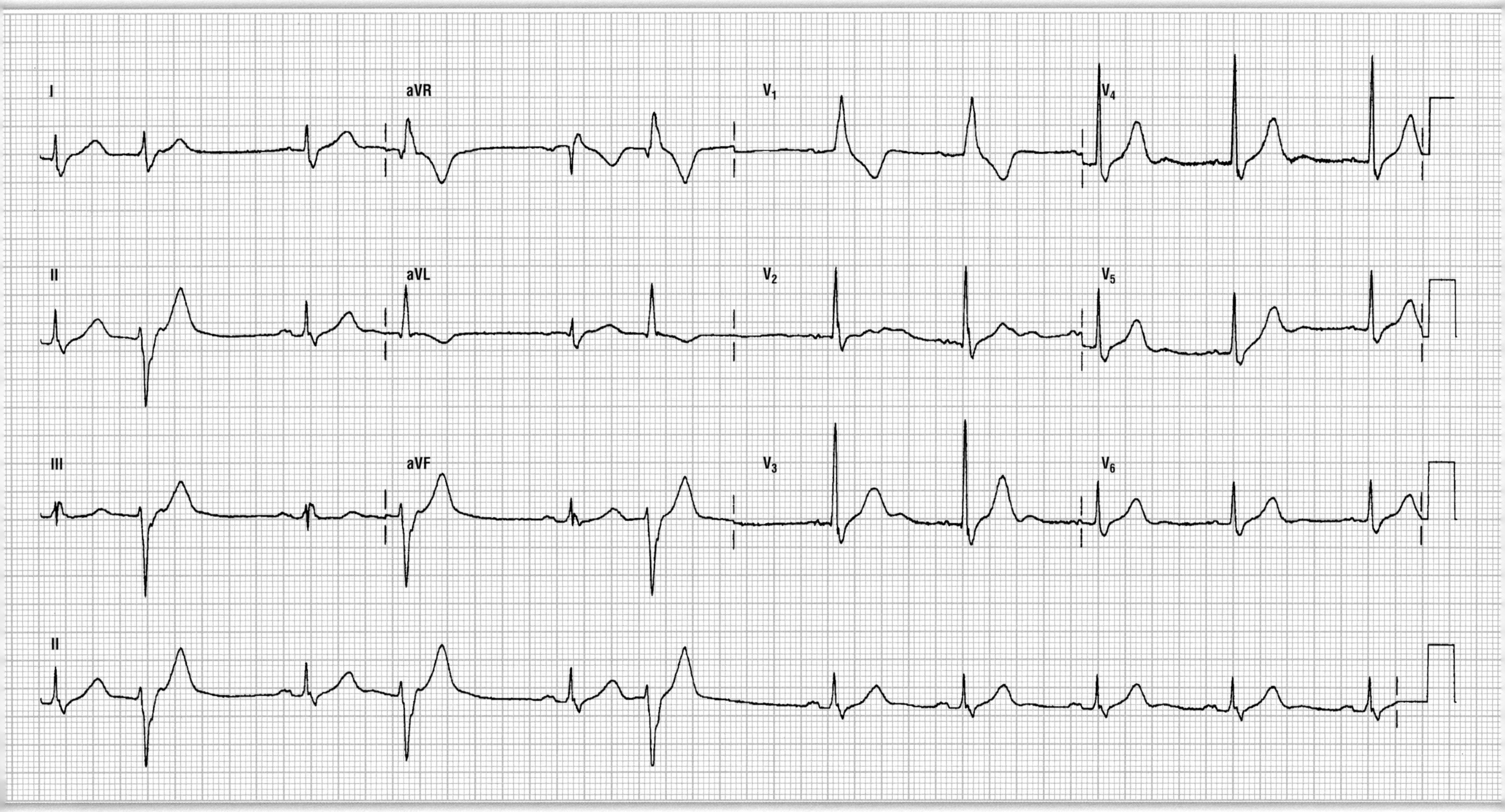

ECG 13-9

심전도 증례 연구 계속

2

심전도 13-10 이것은 우각차단의 다른 예이다. 유도 I 과 V_6에서 늘어진 S파가 보인다. 작지만 여전히 늘어진 파이다. 유도 V_1에는 전형적인 rSR'군 양상이 보인다.

심전도 첫 부분의 율동이 흥미롭다. 심방 조기박동에 의해 발생한다. 율동은 심방조기박동(APCs)에 의해 발생한 상심실성 이단맥의 양상을 보인다. 아래로 가서 리듬 스트립을 보고 어느 것이 정상군들인지, 편위전도된 것들인지 결정하라. 이것은 왜 심전도의 밑부분에 있는 "실시간" 리듬 스트립이 어려운 진단을 하는데 도움을 주는 것에 대한 또 다른 예이다.

3

심전도 13-10 이것이 상심실성 이단맥인가, 심실성 이단맥인가? 심전도 13-9에서 사용한 것과 같은 논리를 사용할 수 있을 것이다. 이것에 더하여, 조기 P파들이 QRS를 만들게 하는 것을 보게 된다. 이것 역시 상심실성 이단맥이다.

동일성의 문제를 알아차렸나? 유도 Ⅰ, aVL, aVR, V_2를 제외하고는 모든 QRS는 일치하는 양상(concordance, QRS군의 마지막 파의 방향과 T파의 방향이 같은 것)을 보인다. 이것이 이상한가? 그렇다! 이것은 허혈, 중추신경계의 이상소견, 다른 원인에 의한 미만성 T파의 이상과 관련이 있다.

임상의 진주

우각차단은 대개 안정된 형태이다. 하지만, *새로운* 우각차단이 아니라는 것을 확인해야 한다. 이전 의무기록 또는 심전도를 찾아서 자세히 검토해야 한다. 우각차단이 새로운 것인지 아니면 옛날부터 있는 것인지 알아보기 위해 온갖 수단을 다하여 평가하여야 한다. 새로 발생한 우각차단은 심근경색 또는 다른 임박한 문제가 발생하는 전조일 수 있다.

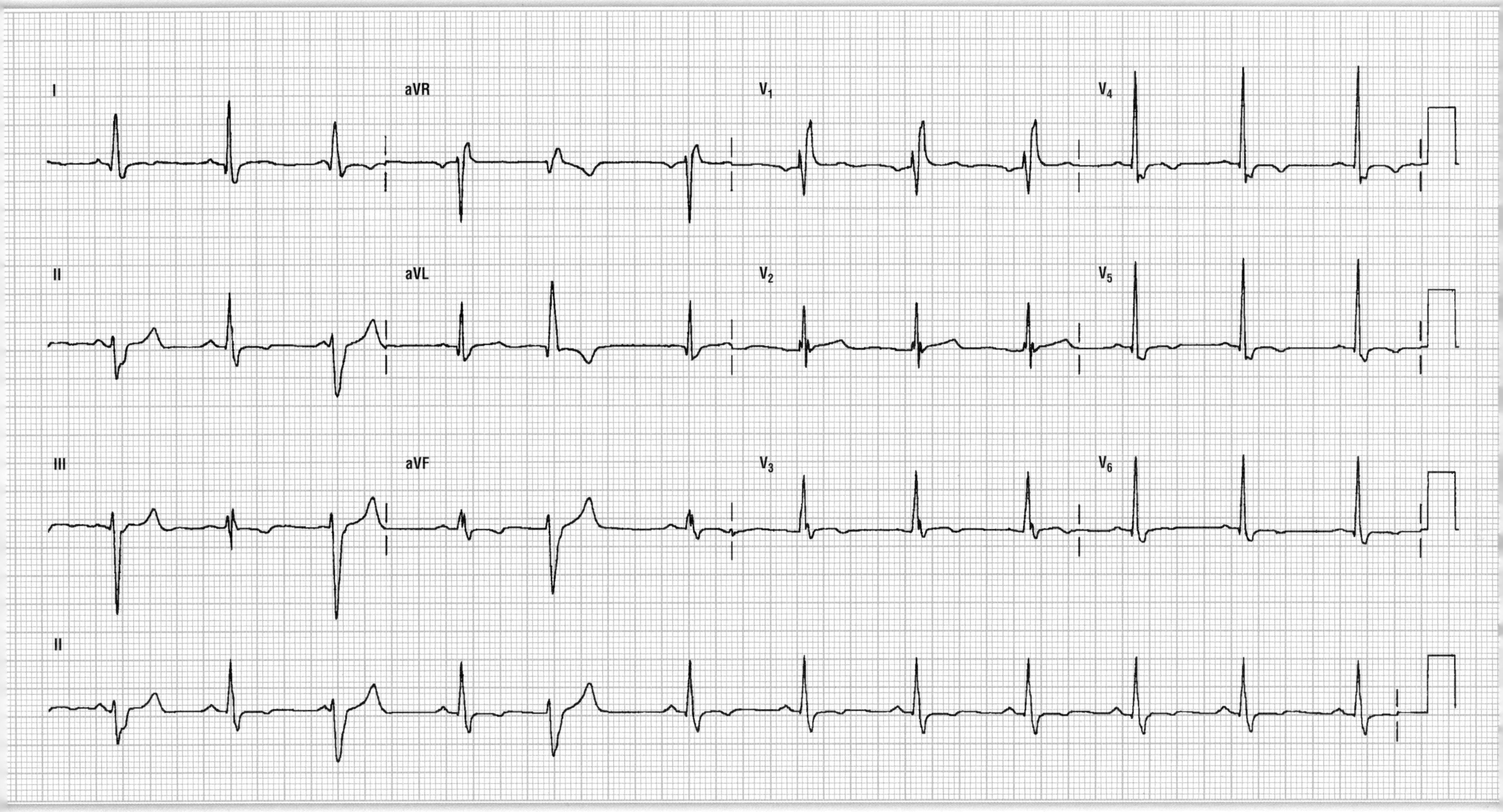

ECG 13-10

2

좌각차단

이 지혜의 말을 기억하라 : 심전도를 보면서 규칙적 율동을 보이며, "깜짝이야, 정말 못생긴 심전도다" 라는 이야기를 하게 되면, 아마도 좌각차단을 보고 있는 것이다. 좌각차단은 항상 0.12초 이상이다. 그러면 무엇이 심전도를 그렇게 이상하게 만드는가? 이것들은 주로 단일 모양의 군들(monomorphic complexes, 모두 양성 또는 모두 음성)로 이루어져 있고 ST분절 상승 또는 하강과 넓은 T파들로 이루어져 있다. 각차단에서는 ST분절과 T파가 반드시 불일치(discordant)한다는 것에 주목하라. 이것은 QRS군의 마지막 부분과 ST분절, T파는 정상적으로는 반대 방향을 향한다는 것을 의미한다. 만약 QRS군의 마지막 부분이 위를 향한다면 ST분절과 T파는 아래를 향한다는 것을 의미한다. 만약 이것들이 모두 같은 방향을 향한다면 우리는 이것을 일치(concordant)한다고 말한다 : 이것은 병적인 상태가 존재할 수 있음을 시사한다.

좌각차단을 일으키는 병변은 좌각의 차단이나, 좌각의 양섬유속이 차단되어 좌각차단을 초래한다. 이 차단에 의해 전기전도가 우각으로 먼저 된다. 심실의 탈분극은 세포-세포 전도에 의해 오른쪽에서 왼쪽으로 발생한다(그림 13-10). 좌심실이 너무나 크고, 전도가 지연되기 때문에 0.12초 이상이 기준이며, 우각차단처럼 처음 파형이 날카롭지 않다. 이런 느린 전도와 예리하지 않은 벡터에 의해서 좌각차단에서 전형적으로 나타나는 넓고, 단형의 QRS군을 만든다. 벡터가 우측에서 좌측으로 진행하므로 유도 V_1, V_2에서 QRS군은 하향을 보이고 I, V_5, V_6에서는 상향을 보인다. V_1과 V_6를 보게 되면 군들이 각각 모두 양성 혹은 모두 음성인 것을 확인하게 될 것이다(그림 13-10)(노트 : V_1과 V_2는 처음 벡터는 우각을 통해서 전달될 수 있기 때문에 작은 r파를 가질 수 있다).

노트

좌각차단의 양상은 공중으로 돌을 던지는 것과 같다. 모두 올라가거나, 모두 내려간다.

우각에서 생기는 벡터는 작고, 좌심실의 큰 벡터에 의해서 가려지기 때문에 QRS군의 모양은 일반적으로 개개인의 사람들과 비슷하다. 그래서 우각차단보다는 좌각차단을 쉽게 인식할 수 있게 해준다.

V_1과 V_6의 모양을 기억하라. QRS군이 넓고, 단형이며, 전부가 상향 혹은 하향인 경우, 좌각차단을 확인한 것이다!

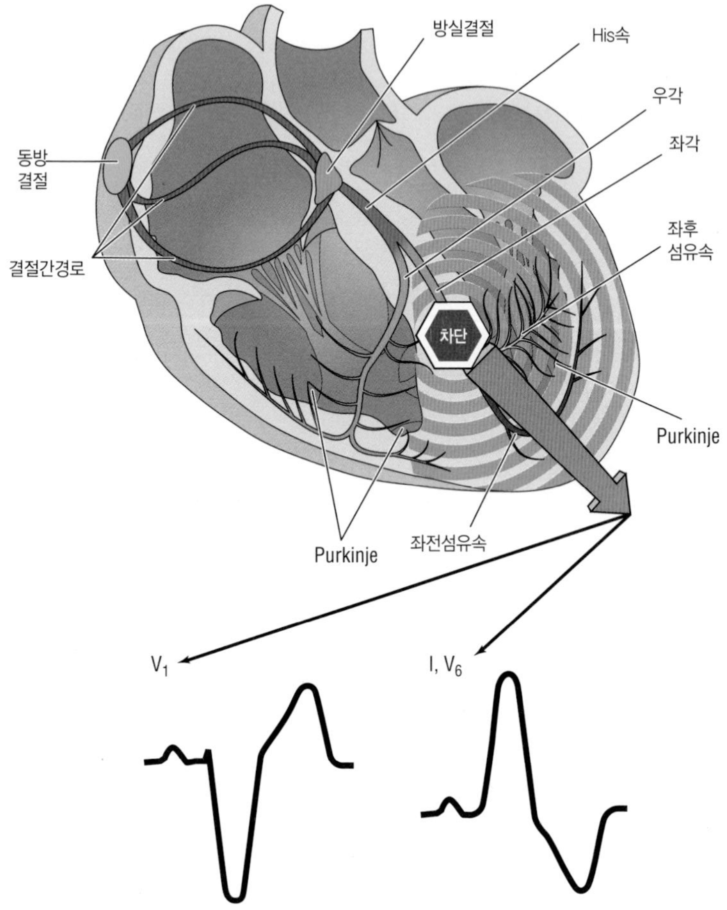

그림 13-10. 좌각차단

좌각차단 진단기준

우각차단과 같이 좌각차단의 진단기준에 중요한 세가지가 있다(그림 13–10).

1. 기간 ≥ 0.12초
2. 유도 Ⅰ과 V_6에서 Q파가 없는 단형의 넓은 R파
3. V_1 유도의 단형의 넓은 S파; 작은 r파가 있을 수 있음

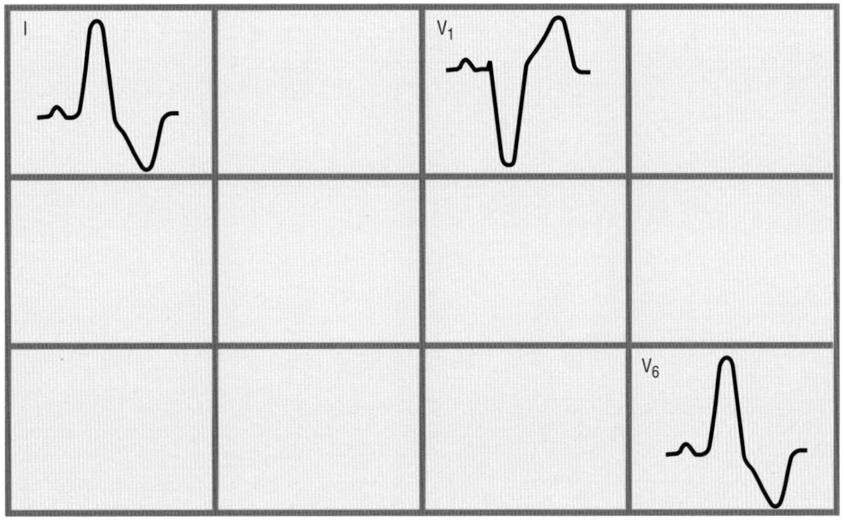

그림 13–11. 심전도의 완전 좌각차단

인생에서 확실한 것은 없듯이, QRS군들에 확실한 모양은 없다. 대개 앞에서 언급했듯이 모든 좌각차단들은 서로 비슷하며, 다른 어떤 QRS군의 모양보다 더욱 비슷하다. 그러나 어떤 QRS군은 작은 변이를 가질 수 있다. 예로 V_6에서 R파가 절흔을 보일 수도 있다(그림 13–12). 이것을 RSR' 양상으로 간혹 생각할 수도 있지만 이것은 RSR'이 아니다. 토끼 귀는 우각차단과 관련이 있으며 V_1 유도에서 발견되지 V_6 유도가 아니다.

V_1 유도의 R파의 크기가 다양할 수 있다. 예로 R파가 0.03초 이내로 좁을 수도 있다(그림 13–12). 나중에 이야기하겠지만, 넓은 R파는 이전의 후벽경색의 징후일 수 있다.

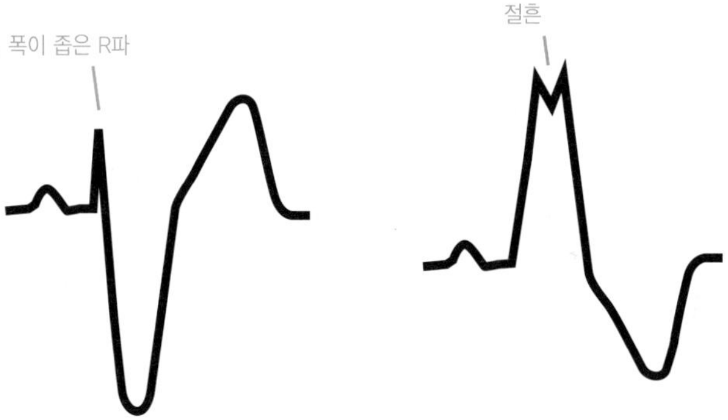

그림 13–12. 여기 정상에서 나타나는 조금의 변이가 있다. 변이는 이 2개에 국한되지 않는다.

심전도 증례 연구 계속 좌각차단

2

심전도 13-11 좌각차단의 전형적인 심전도 예입니다. V_6에서 전부 올라가 있고 V_1에서 전부 내려가 있다. 0.12초보다 넓은 것을 보라. 이들 유도에서 크고, 넓고, 단형의 모양을 보이는 것이 전형적인 소견이다. 유도 I은 유도 V_6와 같지 않다면, 전통적으로 거의 비슷한 모양을 보인다. 앞에서 유도 I과 V_6의 유사성에 대해 이야기했지만, 다시 복습을 해야 한다. 유도 I은 신체의 좌측면에 위치하고, 중간 액와선의 5번째 늑간에 위치한다. 유도 V_6의 전극도 거의 동일한 위치에 존재한다. 전두면과 Z면의 정확한 교차점에 위치하기 때문에, 두 개의 유도들은 3차원적으로 동일한 위치에 위치하게 된다. 그러므로 유도 I과 V_6의 심전도는 동일하여야 하나, 유도의 부착이 정확한 과학이 되지 못하기 때문에 QRS 모양에 약간의 차이가 있을 수 있다.

전체-상승-혹은-하강 기준을 기억하라. 진단하는데 많은 도움을 줄 것이다.

이 심전도는 좌측편위를 보인다. 좌각차단은 대개 정상 범위 또는 좌측축을 보인다. 드물게 좌각차단에 우심실비대가 동반된 경우 우측축을 보이기도 한다. 흉부 유도에서 전형적인 좌각차단을 보이고, 전두면에서는 오른쪽으로 편위되어 있는 경우는 매우 드물다. 이것이 발생할 수 있다는 것을 생각하고 있어라.

심전도 13-12 좌각차단의 다른 예이다. QRS군의 간격을 시작으로 다른 모든 진단 기준을 만족한다.

I, aVL, V_5, V_6와 같은 측벽 유도에서 절흔이 있는 것은 언급할 필요가 있다. 심전도 13-11과 비교해서 절흔은 RR' 파형을 만들었다. 중요한 점은 우각차단 형태가 나타나는 V_1이 아니라 V_5, V_6에 절흔이 있다는 것이다. 이게 매우 결정적 소견이다. 토끼 귀 모양이라고 우각차단을 진단하는 것이 아니라, 위치와 늘어진 S파 등의 상관관계를 봐야 한다.

이 심전도에 있는 다른 재미있는 소견들을 보는 것을 잊지 말라. 뒤로 돌아가서 지금까지 있었던 모든 것을 복습하도록 하라. 예를 들어 P파를 보라. 이상한 점이 없나? 있다. 승모판성 P파와 유도 V_1에서 이상성(biphasic) P파의 마지막 1/2이 큰 하향부분을 보이기 때문에 좌심방비대의 기준을 만족한다. 진단기준이 기억나는가? 기억나지 않는다면 *ST분절과 T파들* 장으로 돌아가라.

좌심실비대 소견이 있는가? 아무도 모른다! 좌각차단이 있는 경우 QRS군의 크기는 좌심실을 탈분극시키는 이상하면서, 방해받지 않는 벡터에 의해 발생하기 때문에 좌심실비대를 진단할 수 없다. 그러므로 QRS군의 "진짜" 높이에 대해서 어떤 언급도 하지 못한다.

임상의 진주

심전도가 넓고, 불규칙하고 이상한 모양을 보이면, 좌각차단이나, 칼륨 수치의 증가에 동반된 심실내전도장애일 수 있다.

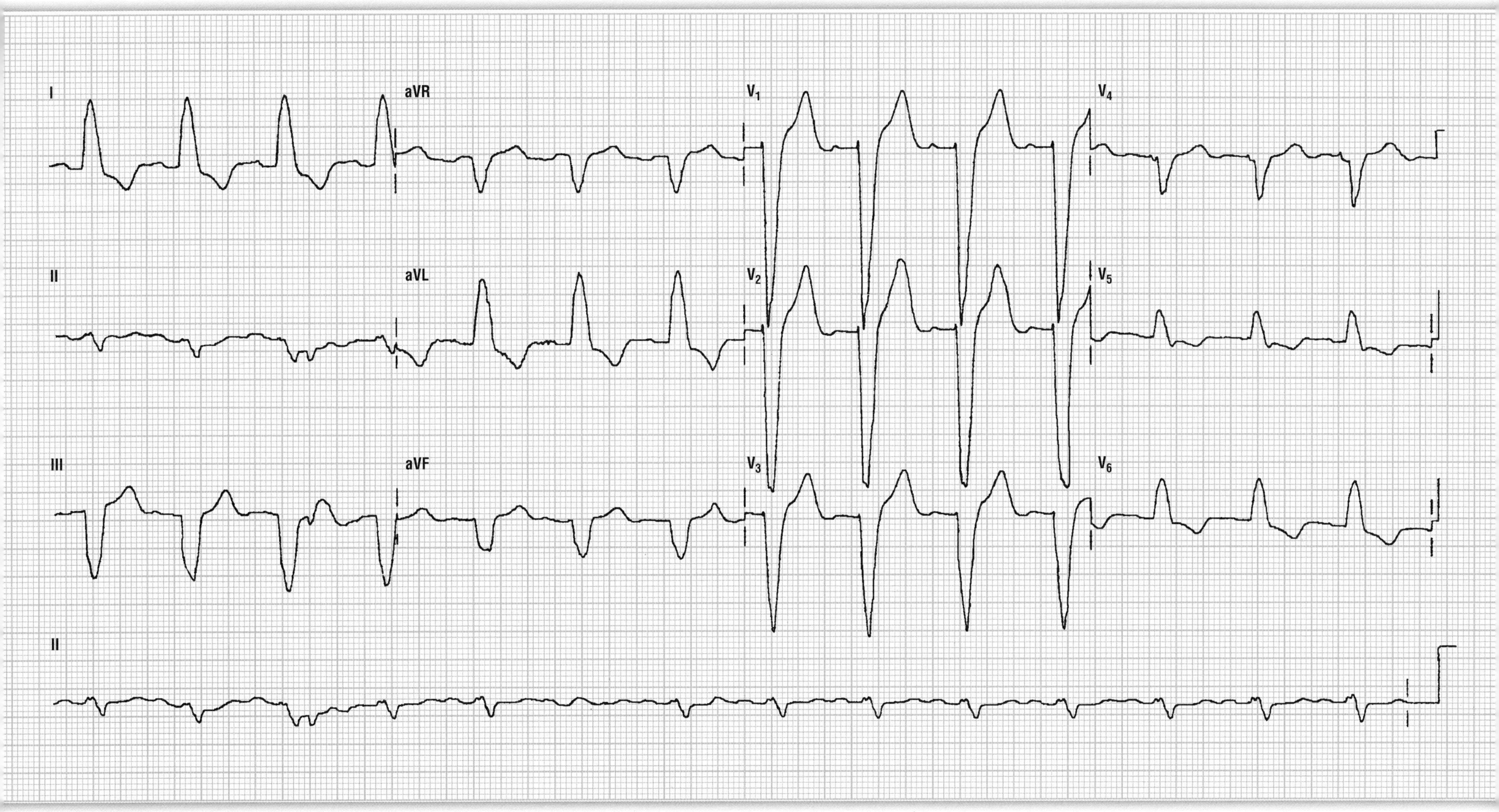

ECG 13-11

심전도 증례 연구 계속

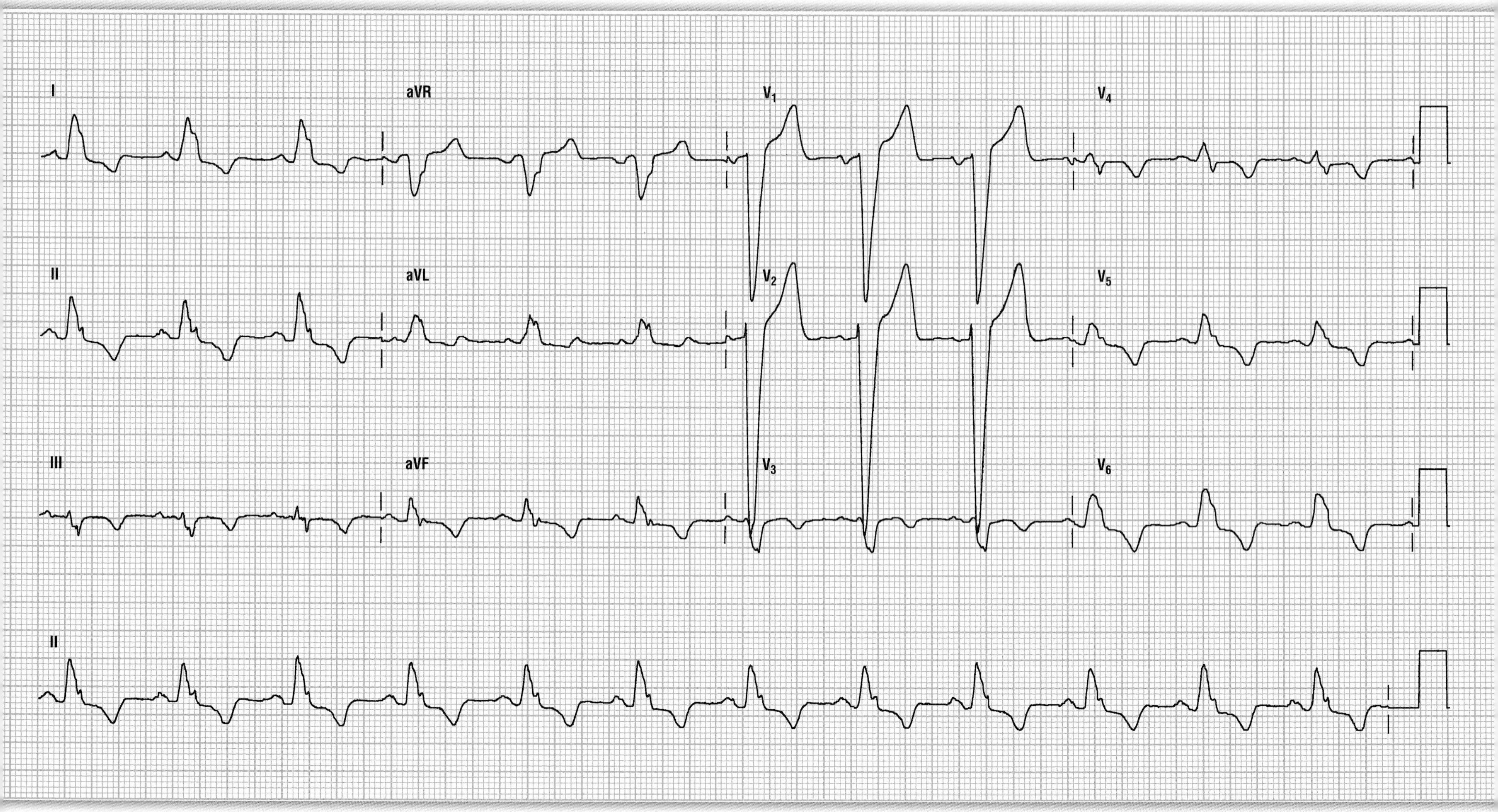

ECG 13-12

2

심전도 13-13 이 좌각차단의 예는 심전도 13-12보다 넓지 않다. 그렇지만 0.12초 이상이다. 그리고 좌각차단에서 흔한 유도 V_1에서 rS군과 전체 상향-혹은-하향 기준을 만족한다. 그리고 단형의 R파가 V_6에 나타난다. 유도 I과 V_5와 V_6에 절흔이 있다.

V_6의 QRS군을 자세히 보라. 델타파가 아닌가? 아니다. 왜냐하면 다른 유도에서는 델타파가 보이지 않기 때문이다. 이것은 좌각차단과 좌심실비대에서 흔한 늦은 내재성 편향(late intrinsicoid defection)의 한 예이다.

좌각차단에 덧붙여 전두축(frontal axis)은 좌사분면에 위치하며 좌심방비대의 소견이 있다.

심전도 13-14 아래의 심전도를 오랫동안 자세히 보라. 이제, *QRS군* 장으로 돌아가 좌심실비대로 보이는 심전도를 보라. 무엇이 비슷하고 무엇이 다른가? 흉부 유도 V_1에서 V_5를 보면 좌심실비대로 쉽게 잘못 진단할 수 있다. 좌심실비대는 QRS폭이 0.12초 이상 되지 않는다. 이 심전도는 좌각차단의 특징적인 넓은 QRS군을 보이며, V_6에 절흔을 보인다. 사지 유도는 좌심실비대보다 좌각차단의 전형적인 모습을 보이며, 넓은 QRS군을 쉽게 확인할 수 있다. 모든 유도에서 간격의 폭은 같다는 것을 기억하라. 만약 한 유도에서 QRS군이 0.12초 이상 넓을 경우, 다른 유도들도 0.12초 이상 넓다. 힐끗 보고 결론짓지 말고, 모든 심전도를 자세히 보라.

2 빠른 복습

1. 좌각차단이 있는 경우 좌심실비대를 쉽게 진단할 수 있다. 좌각차단이 없는 심전도와 동일한 기준을 적용한다. 참 또는 거짓

2. 좌각차단은 때때로 유도 V_5 와 V_6에 QRS군의 절흔을 보인다 참 또는 거짓

3. 좌각차단은 정상, 좌, 우 전두축을 보인다. 참 또는 거짓

1. 거짓 **2.** 참 **3.** 참

2 빠른 복습

1. 좌심실 비대는 특징적으로 너비가 0.12초 ( ) 이다.

2. 좌각차단은 V_1유도에서 ( ) 의 S파 혹은 작은 r파를 가지는 깊은 S파를 가진다.

3. 좌각차단은 전체 ( ) 혹은 전체 ( )의 모양을 보인다.

4. 좌심방확장은 좌각차단에서 진단할 수 (있다/없다)

1. 이상. **2.** 단형(monomorphic) **3.** 상승 하강 **4.** 있다.

심전도 증례 연구 계속

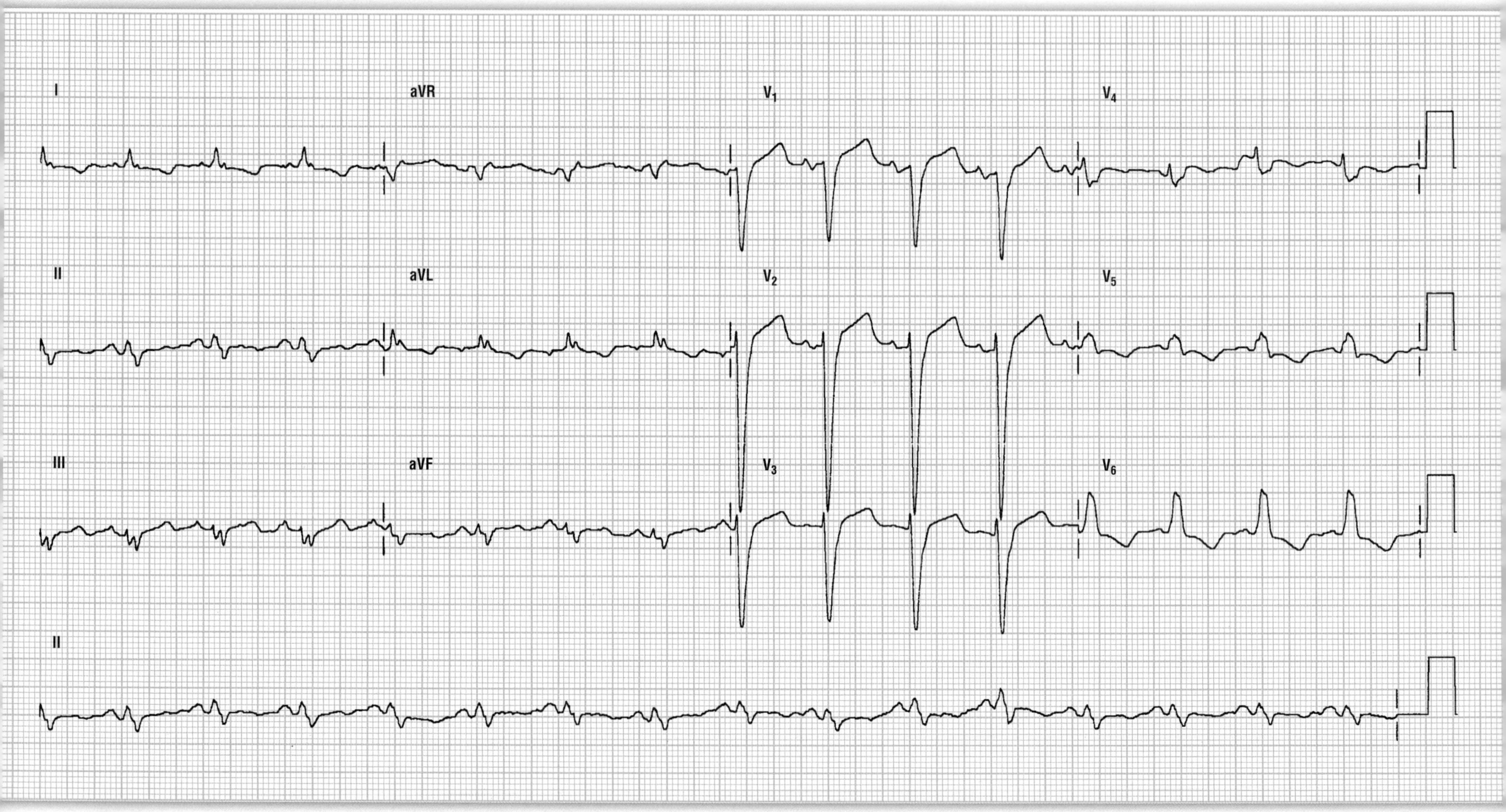

ECG 13-13

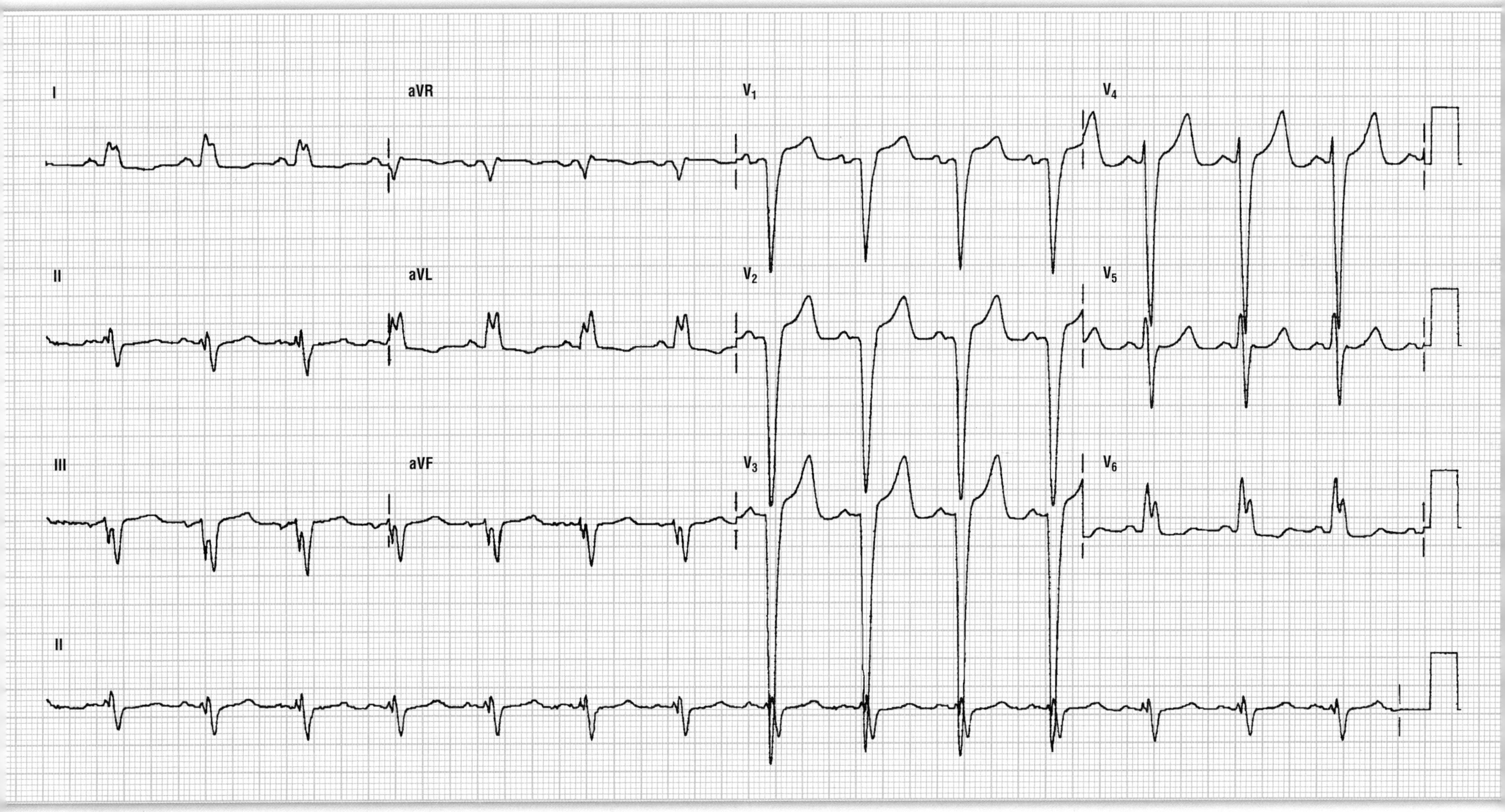

ECG 13-14

심전도 증례 연구 계속

2

심전도 13-15 이것도 좌각차단의 다른 예이다. 우리는 좌각차단의 여러 예를 보여줄 예정이며 당신들은 이것에 대한 여러 가지 다른 모양을 관찰하게 될 것이다. 그러나 여러분들이 보듯이 이것들은 서로서로 닮았다.

이 심전도에서 좌각차단 이외에 색다른 것은 무엇인가? 이 심전도는 유도 II에서 폐성-P 소견을 보여주고 있다. 그리고 V_1에 좌심방확장 소견이 있어서, 양심방확장이 있음을 알 수 있다.

끝에서 네 번째 파는 무엇인가? 접합부조기박동인가, 심실조기박동인가 아니면, 심방조기박동에 편위전도가 생긴 것인가? 진단하기 어렵다! 접합부 율동에 편위전도가 동반된 것 같아 보인다. 그러나 전기축은 정상 박동과 다르고, 마지막 부분도 다르다. 이것이 접합부박동이라고 하기는 가능성이 낮다. 가장 논리적 답은 이 박동은 통상적인 탈분극 경로에 있지 않은 위치에 있는 심실조율기에서 만들어지는 박동이다. 정상적으로 우각을 통해서 탈분극된 전기신호가 전달된 후 좌심실에서 세포-세포 간 전달에 의해서 전파된다. 탈분극파의 경로가 QRS파의 모양을 결정한다. 심실로 전달되는 탈분극파를 만드는 장소의 다른 방향에 의해서 다른 형태가 나타난다. 이것은 도시를 여러 방향에서 접근할 때 도시의 여러 모양과 같다– 남쪽, 북쪽, 물, 하늘 등등

조언

이 시점에서 당신의 발전을 위해서는 새롭게 접하는 각각의 심전도들에서 지금까지 논의한 모든 사항들을 검토하여야 한다는 것이다. 군들과 간격들의 차이를 관찰하고 자신에게 물어봐라, "왜 차이가 있는가?" 좋은 습관을 빨리 만들어라.

2

심전도 13-16 모든 기준을 만족하는 좌각차단 소견이다 : 넓은 QRS, V_1의 rS양상, V_6 유도 단상의 R파, 전두축은 좌사분면에 위치한다. V_1에서 좌심방확장의 소견이 있다. 마지막으로 율동은 빈맥성이다.

모든 군들에서 QT 간격의 연장이 있는 것을 알아차렸나? 각차단, 특히 좌각차단에서 흔히 일어나는 소견이며, 이것은 직접적인 세포-세포 전달에 의해서 탈분극과 재분극이 일어나게 되는데 많은 시간이 소요되기 때문이다. 연장된 시간은 QT 간격의 연장이 일어나게 한다. 이 QT 간격의 연장은 임상적 의미를 가지지 않는데, 그러나 각차단이 없는 경우에는 의미가 있다.

3

심전도 13-16 좌각차단의 흔한 원인은 무엇인가? 감별 진단은

1. 고혈압
2. 관상동맥 질환
3. 확장성 심근병증
4. 류마티스성 심질환
5. 심장의 침윤성(infiltrative) 질환
6. 양성 혹은 특발성 원인

가장 많은 것은 고혈압과 관상동맥 혹은 두 질환이 같이 있는 경우이다.

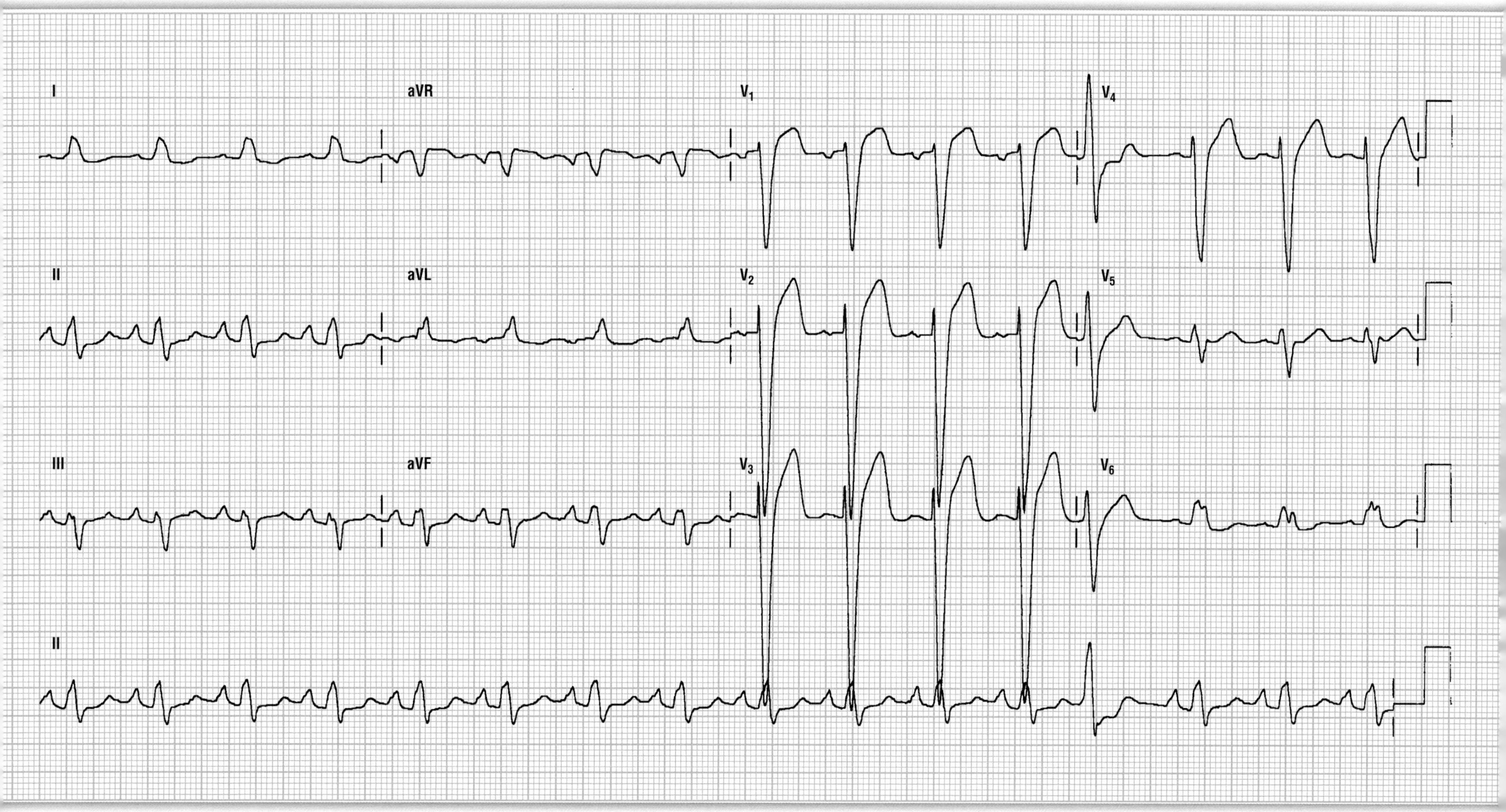

ECG 13-15

심전도 증례 연구 **계속**

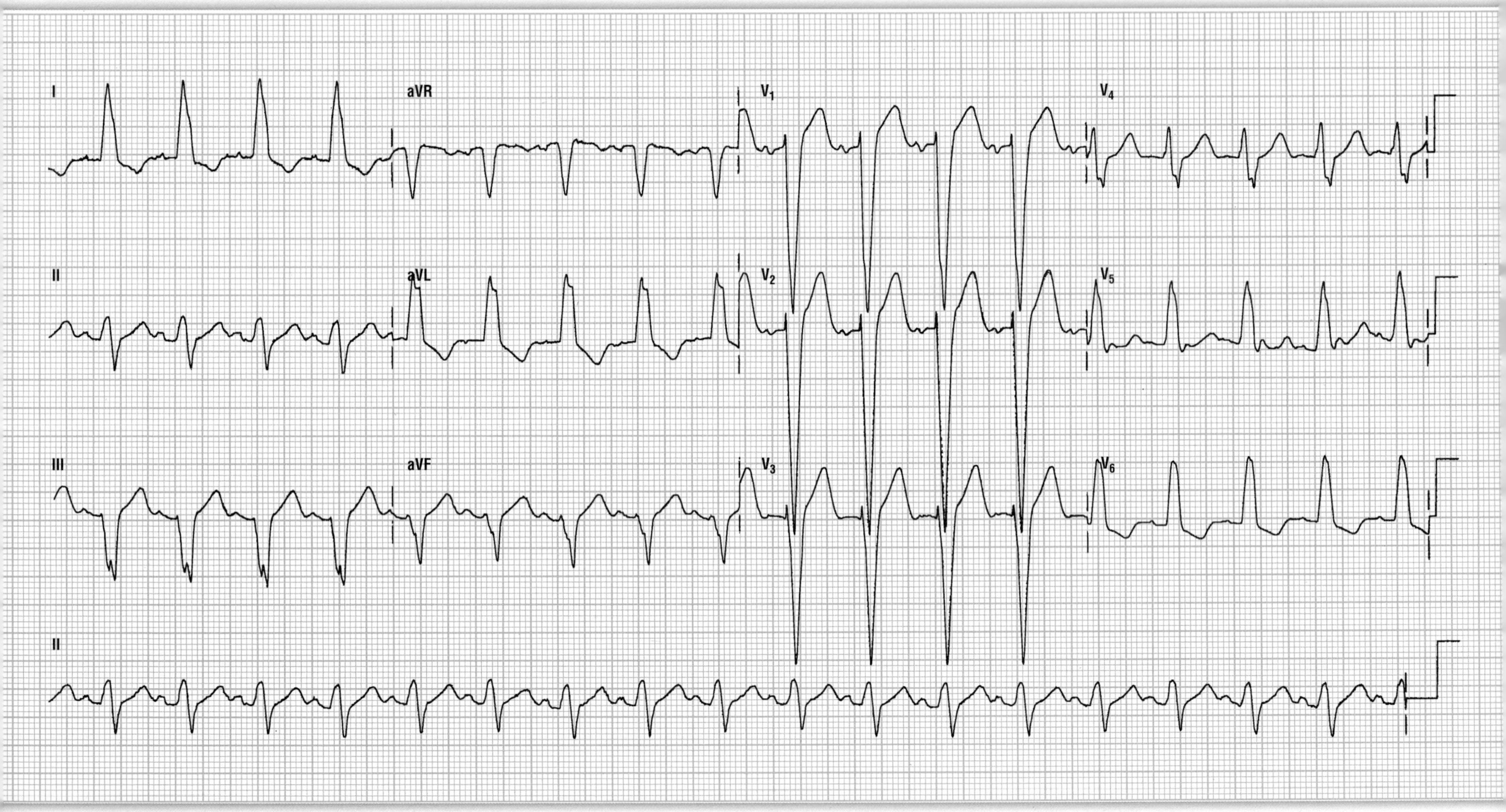

ECG 13-16

2

심전도 13-17 이것도 좌각차단의 예이다. 이제 진단하는 요령을 터득했기를 바란다. 어떤 종류의 각차단 진단은 QRS파가 0.12초 이상 넓어진 것부터 시작한다는 것을 명심하라. 이 점을 정확히 이해하지 못한다면, 정확한 진단을 하지 못할 것이다. 이것은 순수하고 단순한 사실이다. 넓은 QRS군을 다루고 있다는 것을 알게 되면, 각차단이 발생한 장소에 집중할 수 있을 것이다.

심전도 13-18 이것 또한 명백한 좌각차단이다. 심전도에서 이상한 것은 사지 유도와 V_5의 QRS군의 형태이다. 사지 유도에 여러개의 절흔이 있다. 이유는 명확하지 않다. V_5에서도 같은 모양을 나타내며 P파 바로 직후에 작은 봉우리 모양이 있다. 간격을 측정한다면, 모든 이상한 문제들은 QRS군 내에서 발생한 것이라는 것을 알게 된다.

3 빠른 복습

1. 많은 좌각차단 환자에서 비정상적 Q파가 가끔 하부유도에서 관찰된다. 참 또는 거짓

1. 참. 좌각차단 단독에 의해 하부 유도에서 비정상적인 Q파가 발견될 수 있다. 그러나, 오래된 하벽심근경색의 가능성에 대해 고려해야 한다. 그것을 차단 때문이라고 단순 가정하지 마라. 측벽이나 상측벽 유도의 Q파는 병적이며, 과거의 심근경색을 나타낸다.

2 빠른 복습

선긋기 게임(답은 한번 이상 사용될 수 있다)

1. 늘어진 S파	A. 좌각차단
2. 0.12초보다 넓다	B. 우각차단
3. rS군이 V_1 유도에서 나타난다.	C. 둘다
4. R:S 비가 V_1 유도에서 증가	D. Tom Garcia
5. 전두축이 우사분면	E. Neil Holtz
6. 전두축이 좌사분면	F. 없음
7. 한번 뛰어서 고층빌딩들을 넘을 수 있다.	

1. B **2.** C **3.** A **4.** B **5.** C **6.** C **7.** F

심전도 증례 연구 계속

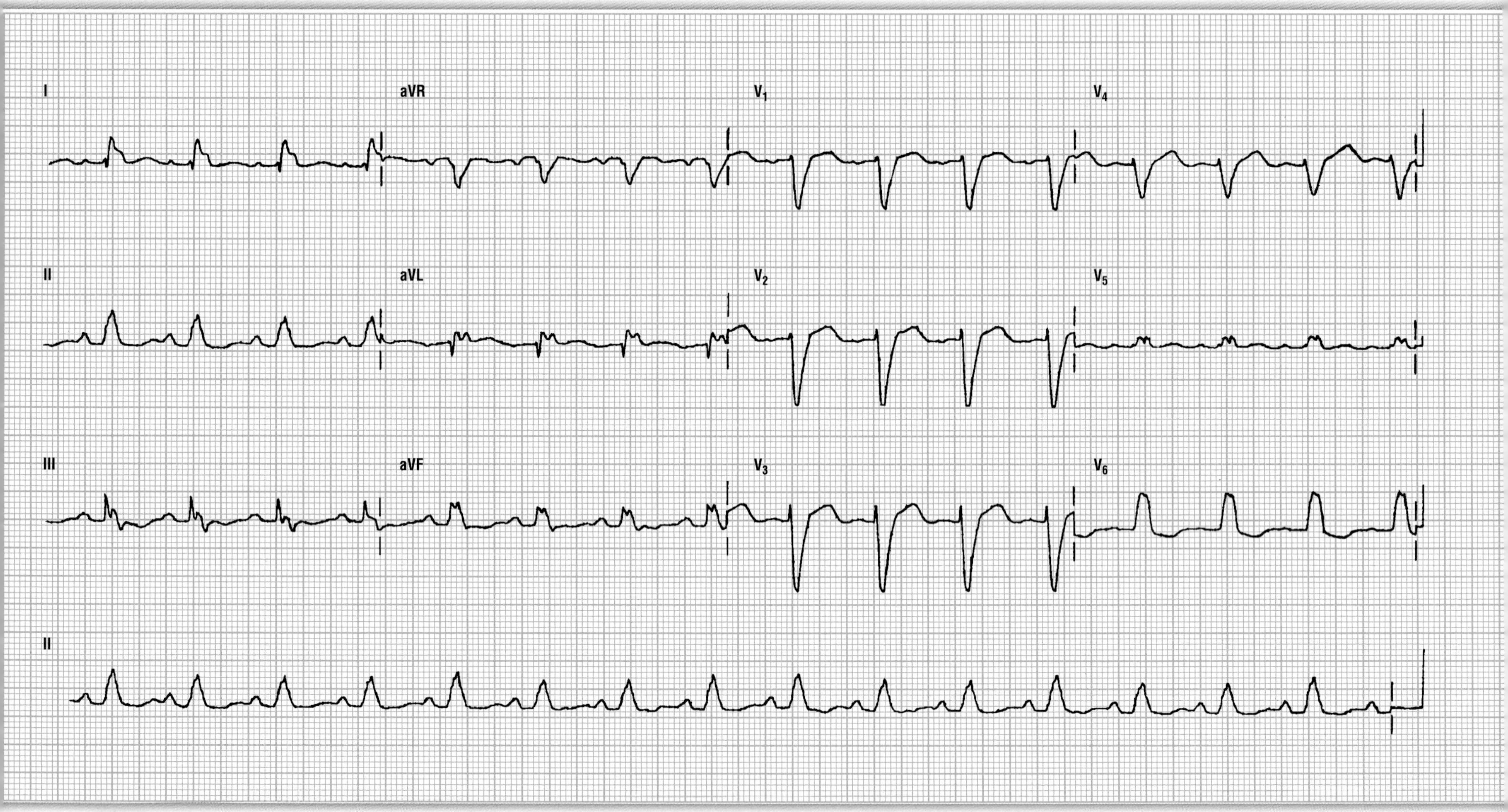

ECG 13-17

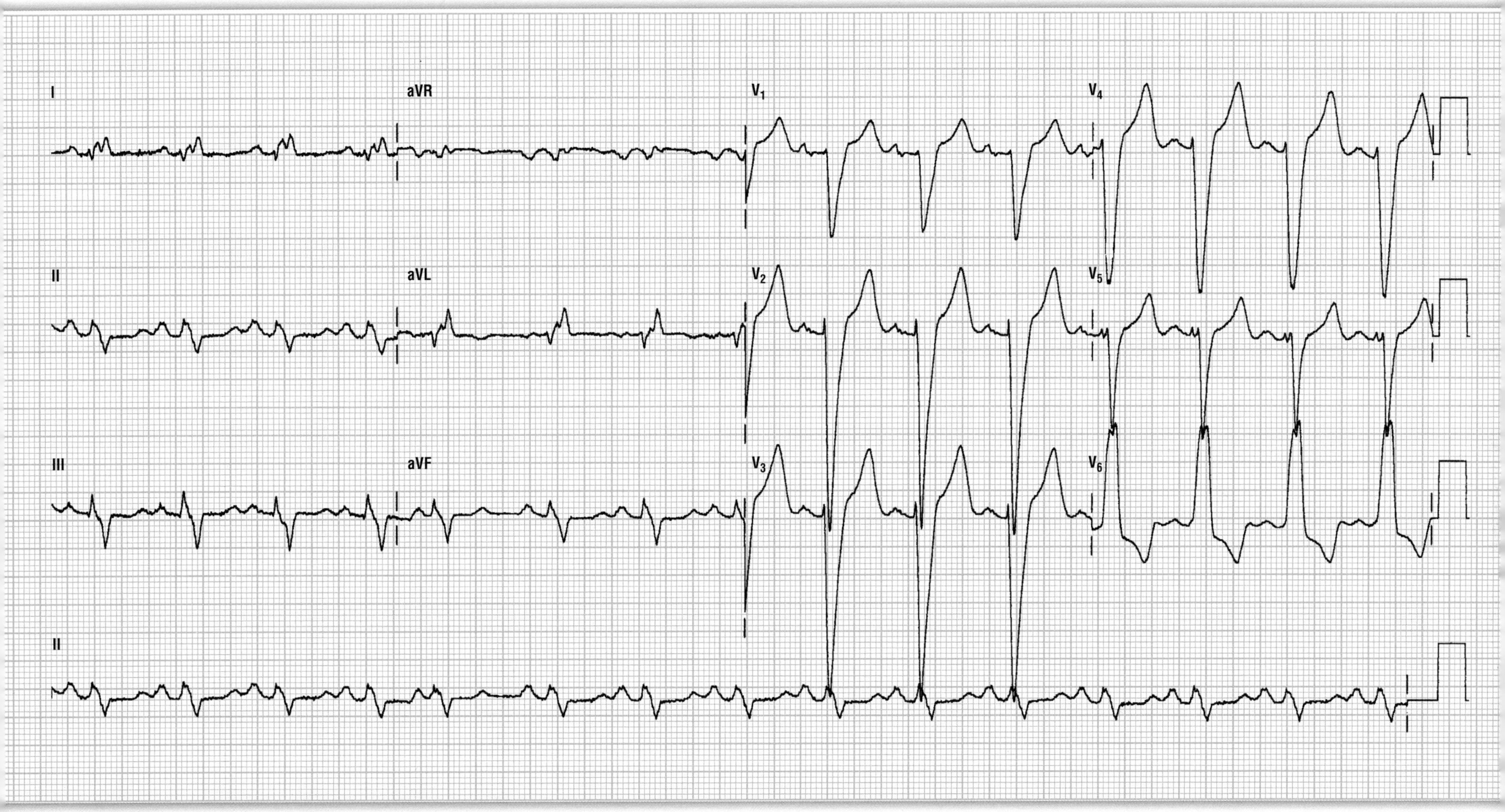
I
aVR
V1
V4
II
aVL
V2
V5
III
aVF
V3
V6
II

ECG 13-18

심전도 증례 연구 계속

2

심전도 13-19 이 부분은 좌각차단에 대한 것이므로, QRS군부터 보자(하지만 율동, 심박동수 등부터 시작해야 한다는 것을 기억하라) QRS 폭이 0.12초 이상인가? 그렇다. 그럼 유도 Ⅰ과 V_6에서 늘어진 S파가 있는가? 아니다. 유도 I, V_1, V_6에 전체 상향 혹은 전체 하향의 단상의 QRS군이 있나? 그렇다. 이것은 좌각차단이다.

P파가 보이는가? ? V_1에서 V_3 사이에 작은 것이 있다. 그러나 그것은 너무나 작고 넓어서 거의 감지할 수 없다. 유도 Ⅲ를 보라. 1도 방실차단을 동반한 P파인가? 아니다.

파를 측정해보면 혹(hump)은 이상성(biphasic) T파의 일부분이다.

3

심전도 13-19 이 심전도의 전두축 역시 좌사분면에 위치한다. 이것은 많은 좌각차단의 환자의 흔한 소견이다. 좌각차단이 전두축의 변화를 유발하는 능력에 대한 이견이 많다. 그러나 최근에는 좌각차단, 그 자체에 의해서 발생한다고 생각되고 있다. 답의 일부는 초기탈분극 힘의 어느 곳이 심실로 미치는가 하는 것이다. 만약 심실이 후벽부터 탈분극이 시작된다면, 좌전섬유속 차단과 비슷하게 되어 좌측의 전두축을 가지게 된다. 전벽이나 양쪽 벽에서 동시에 탈분극되면, 정상 혹은 우측 축을 가지게 된다.

2

심전도 13-20 좋다. 이제는 우리를 미워할 것이다. 이것이 마지막이다. 이런 반복은 당신에게 보상을 해줄 것이다. 더 많이 보면 볼수록 더 많이 기억하게 될 것이다. 이것이 우리가 진단기준을 반복하는 이유이다. 좌각차단의 진단기준이 무엇인가? QRS $\geq$ 0.12초 넓이, 유도 V_1의 단상형의 S파나 rS파, 유도 Ⅰ과 V_6의 단상형의 R파 등이다.

이 모든 이상한 박동들에서 무엇이 진행되고 있나? P파는 문제가 없다. PR 간격도 대부분의 박동에서 문제가 없다. – 모양이 같은 것들에서는 유사하다. 다른 박동들 좌측에서 2, 4, 5번째 박동은 편위전도가 되었다(원래의 QRS군과 비교해서). 이것들은 심실조기박동 또는 편위전도를 동반한 접합부박동처럼 보인다. 다섯 번째 박동은 다른 장소에서 발생한 것으로 보인다.

3

심전도 13-20 왜 이것이 심실빈맥이 아닌가? 심실빈맥의 진단에 필수적인 방실해리가 없다. 편위전도 박동이 심실기원일 수 있는가? 그렇다 가능하다. 적어도 2개의 심실병소가 이상 박동을 유발하는 경우에는 가능하다. 왜 보상성 휴지를 유발시키는 대개의 심실조기수축과 달리, 여기의 심실조기수축은 동방결절을 다시 시작하게 하지 못하나? 가장 논리적인 설명은 방실결절이 병들어 있어(1도 방실차단이 있다) 방실결절을 통한 역행성 전도가 되지 않아 심방과 방실결절이 영향을 받지 않기 때문이다.

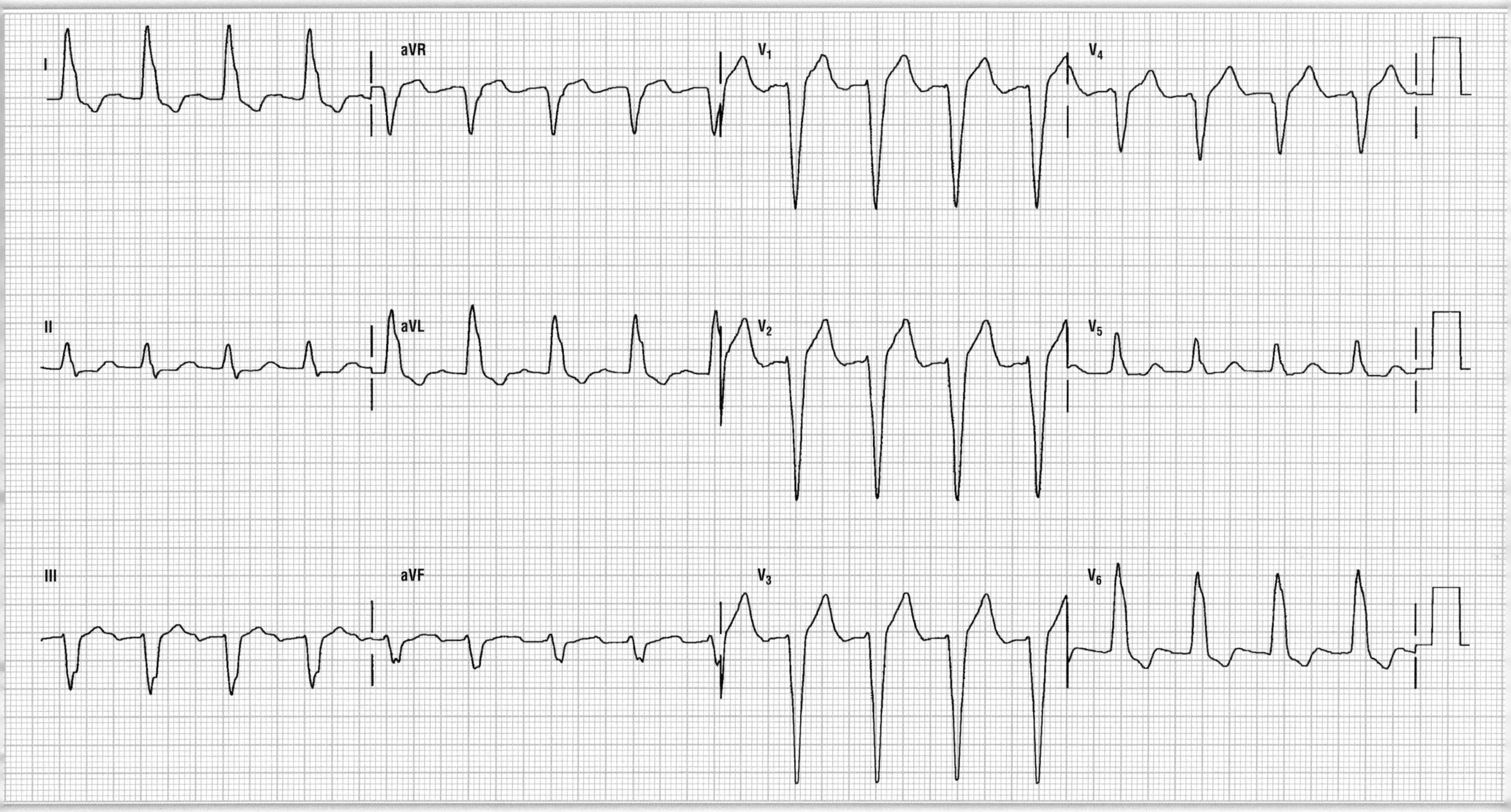

ECG 13-19

심전도 증례 연구 계속

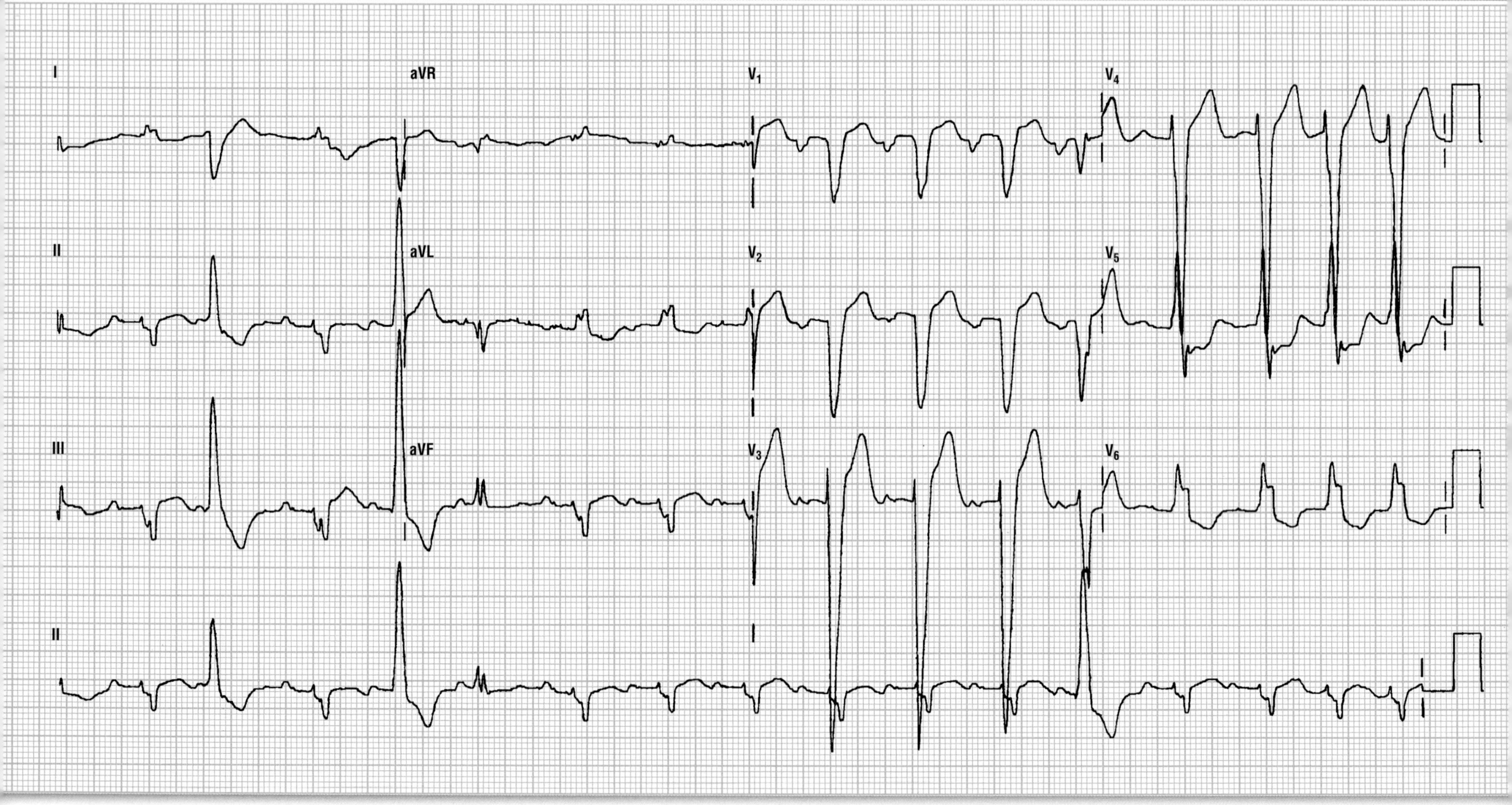

ECG 13-20

심실내전도지연(Intraventricular conduction delay [IVCD])

심실내전도지연은 한 유도 혹은 전 유도에 걸쳐 일어날 수 있다. 먼저 한 유도에 국한되는 경우를 보자. 국소적인 심실내전도장애의 경우 매우 빈번하게 일어나고, RSR' 같은 다수의 봉우리 형태를 가지는 QRS군처럼 보이나 정상박동의 너비를 넘지 않는다. 요점은 *국소적인 심실내전도장애의 경우 0.12초 이상 되지 않는다*는 것이다. 그리고 유도 Ⅲ에서 매우 자주 나타난다. 심전도의 전 유도에 걸쳐 심실내전도장애가 있는 경우는 QRS가 0.12초와 같거나 그 이상이지만 좌각차단 혹은 우각차단에 해당하지 않는 경우이다. 전형적인 예로 V_1에서는 QRS군이 좌각차단이나, V_6에서는 우각차단의 형태를 취한다. 광범위한 심실내전도지연을 볼 때는 언제나 제일 먼저 전해질 이상 특히 고칼륨혈증을 생각하라. 고칼륨혈증은 심실내전도장애 중 치명적인 것이며 반드시 발견되는 즉시 교정해야 한다.

임상의 진주

Wide QRS군들에 관한 생각

QRS 너비가 0.12초 이상일 때 다음 네가지 가능성을 생각하라.

1. 좌각차단
2. 우각차단
3. 심실내전도지연
4. 편위전도 혹은 심실박동들

그다음 생각할 것은

A. 만일 심전도가 심실내전도지연(IVCD)이면, 고칼륨혈증과 그것의 치료에 초점을 맞추어라.

B. 만일 심전도가 심실빈맥이라면 즉시 치료를 시작하라.

각차단에 대한 요약된 설명

좌각차단에 있어 좌실실비대 혹은 우심실비대를 진단하는 것은 불가능하다. 이것은 그 박동이 대부분의 경우 편위전도가 되기 때문이다. 각차단이 없을 때의 군들의 실제 크기를 계산해내는 것은 불가능하다. 대부분 좌각차단은 정상축을 가진다. 좌측편위도 흔하다. 경색도 진단가능하다. 이것은 *급성심근경색(acute myocardial infarcdtion [AMI])* 장에서 간단하게 다룰 것이다. 병리를 평가하기 위해서는 일치(concordance)에 내한 개념을 기억하라. 심방확장도 일반적인 기준으로 진단할 수 있다.

반대로 우각차단은 정상적으로 기원하며 단지 군들의 끝에서만 지연되므로 좌심실비대를 정상기준으로 진단할 수 있다. 그러나 우심실비대는 진단할 수 없다. 경색의 진단은 각차단이 없는 경우와 같은 일반적인 기준에 의해 진단이 가능하다. 허혈을 진단하기 위해서는 일치(concordance)의 개념을 기억하라. 심방확장도 일반적인 기준에 의하여 진단 가능하다.

잠시 시간을 두고 고급심장생명유지(advanced cardiac life support [A-CLS]) 책에서 심박동기 삽입의 기준을 복습하자. 대부분의 적응증은 각차단이나 2섬유속차단과 관계한다.

차단을 가지고 있는 심전도에 마주쳤을 때 너무 당황하지마라. 다시 이것을 분해하라. 어떤 종류의 각차단이 있는 것인지 확인하라. *정상 좌각차단과 우각차단의 형태를 기억하는 것이 매우 도움이 된다.* "정상" 각차단을 봤을 때 어떤 유도에서 ST 상승과 하강이 발생하는지 확인하고, Ts파와 QRS군은 어떤 모양을 하는지, 어떤 축을 가지는지, 그리고 QRS군의 규칙성은 어떠한지 등에 대해 주목하라. 정상적인 차단의 모양을 아는 것이 차단 자체에 의하지 않은 다른 이상을 마주쳤을 때 아픈 엄지손가락 같이 두드러지게 나타난다. 이것이 각차단을 편안하게 느끼게 해주는 유일한 방법이다.

심전도 증례 연구 계속 심실내전도지연(IVCD)

2

심전도 13-21 이 심전도의 QRS군은 0.12초 보다 넓다. 이것은 어떤 종류의 차단을 나타낸다. 유도 I이나 V_6에서 늘어진(slurred) S파를 보는가? 그렇다. V_1에서 R/S의 비가 증가되어 있는가? 아니다. V_1에서 우각차단의 증거가 없다. 그러면 무엇인가? 심실내전도지연이다. 심실내전도지연에 있어서 가장 중요한 원인은 무엇인가? 고칼륨혈증! *전해질과 약물효과들* 장에서 보겠지만 환자가 심실내전도지연이 있을 때는 치료를 할 수 있는 시간이 몇 분 밖에 남지 않았다. 이 환자는 심전도 검사를 실시한 후 5분 이내로 심장마비가 왔다. 믿기 어렵겠지만 사실이다.

3

심전도 13-21 이 심전도에서는 고칼륨혈증의 다른 소견이 있다. PR 간격의 연장을 주목하라. 덧붙여 크고 넓은 T파를 볼 수 있다. 이것은 칼륨의 영향에 의해서 전체군들이 연장되어 발생한다. QRS도 역시 늘어나 있다.

전해질과 약물효과들 장에서 역시 보게 되겠지만 고칼륨혈증을 가진 많은 환자들이(이 증례를 포함하여) 저칼슘혈증으로 QT 간격의 연장이 있다. 고칼륨혈증과 저칼슘혈증은 투석 중인 말기 신부전증 환자에서 매우 흔하다. 사인파(*전해질과 약물효과들* 장을 보라)나 무수축이 나타나기 전에 빨리 치료하는 것이 중요하다.

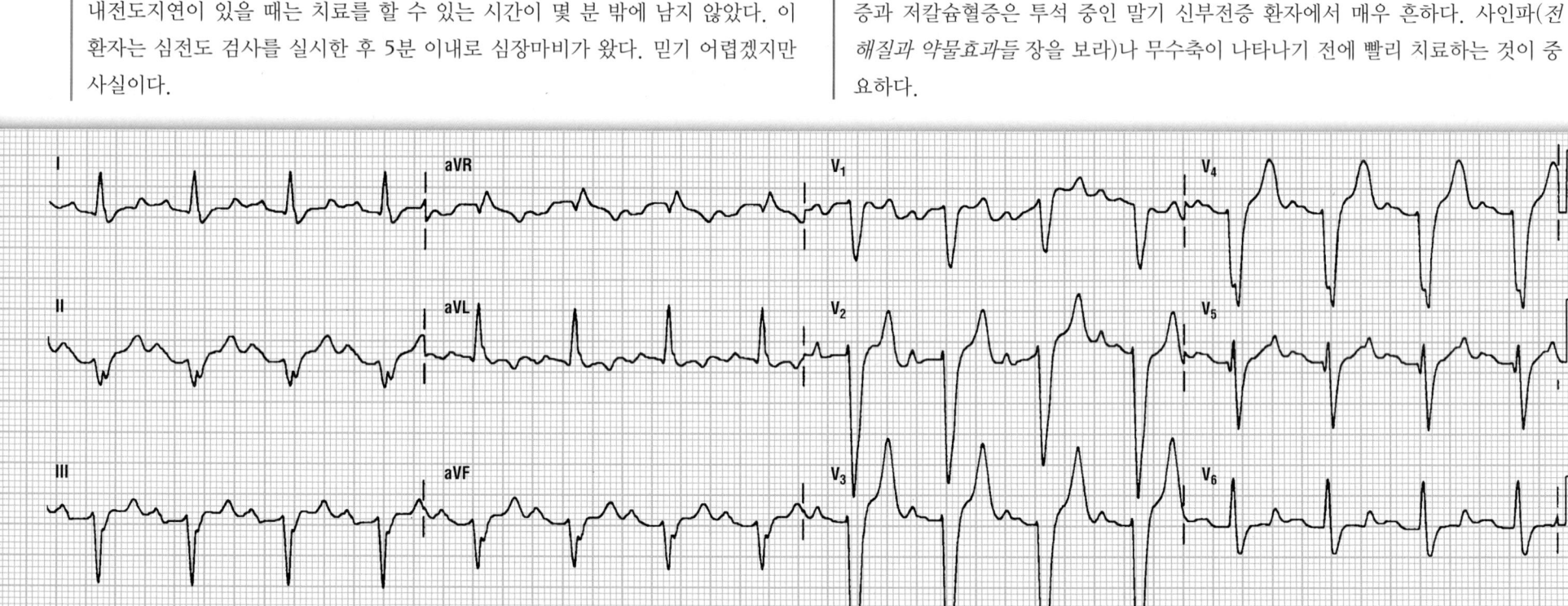

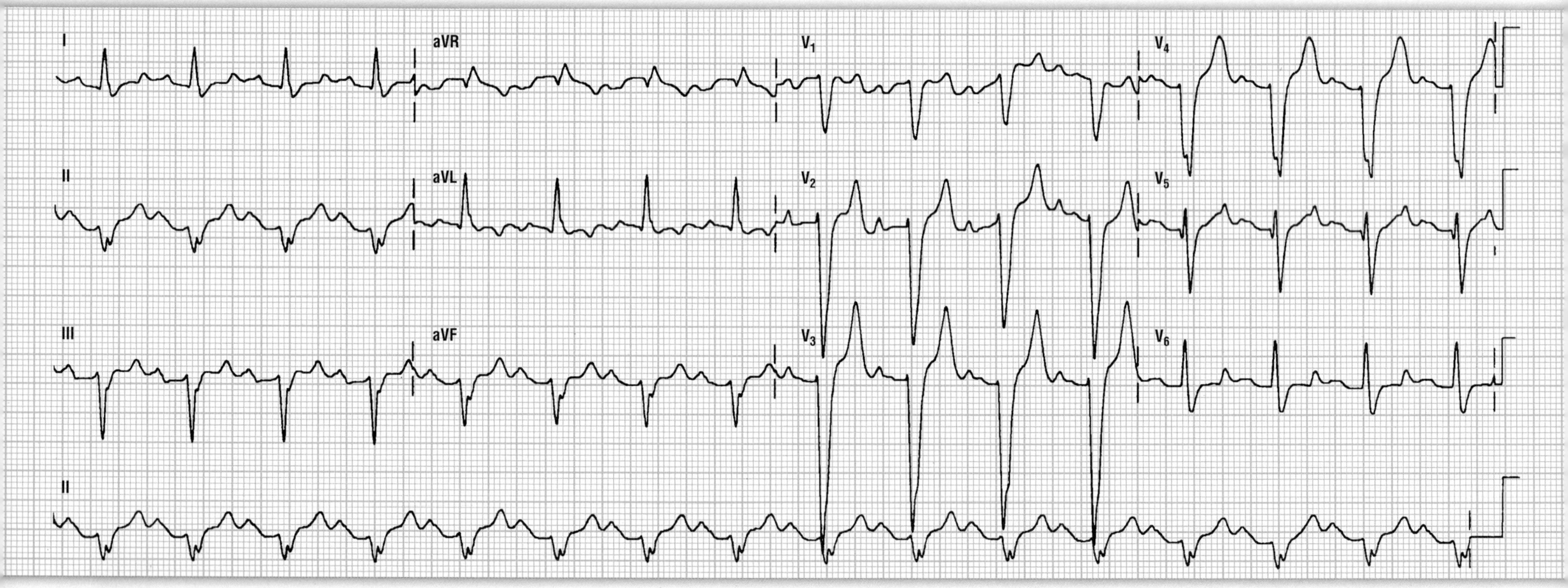

ECG 13-21

2

심전도 13-22 이 심전도는 정말 걱정이 되는 심전도이다. 먼저 어떤 박동에도 선행하는 P파가 없다. 어떤 부분에서는 당신이 P파라고 생각할 기저선의 흔들림을 볼 것이다. 그러나 같은 유도 내에서 조차 일치하지 않는다. 이것은 단순히 기저선의 약간의 허상(artifact)이다. 심전도에서 완전한 직선은 전극이 떨어지지 않는 한 얻기 어렵다(389쪽, 심전도 14-43 B가 예이다). 넓은 QRS는 0.12초 보다 넓고 우각차단 혹은 좌각차단에 해당되지 않는다. 이것은 심실내전도지연에 해당한다. 제일 먼저 무엇이 생각이 나는가? 고칼륨혈증이다. 만일 그것을 생각할 수 없다면 진단할 수 없다!

3

심전도 13-22 이 심전도는 심실내전도지연을 보여준다. 덧붙여 QRS 간격은 매우 넓고 관련되는 P파가 없다. 이것은 매우 심한 고칼륨혈증의 예이다. 거의 사인파에 근접한다. 다행히 환자는 치료되었고 심전도 소견은 되돌아 왔다. QT 간격이 늘어나지 않는 것에 주목하라. 이 정도 칼륨수치에서는 독특한 소견이다. 대부분 QT 간격의 연장이 나타난다.

감별 진단은 다양한 원인으로 인한 가속성심실고유리듬(accelerated idioventircular rhythm)을 포함해야 한다. 그러나 이 경우들에도 당신은 QT 간격 연장을 예측할 수 있다.

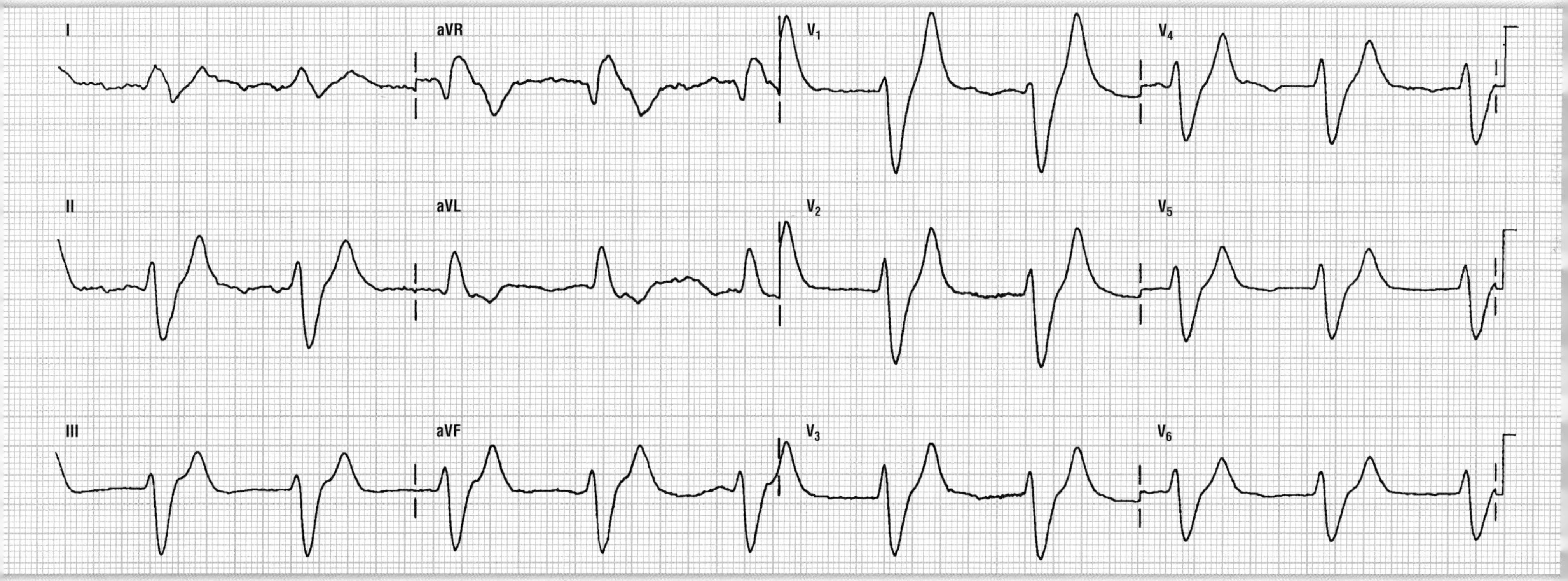

ECG 13-22

심전도 증례 연구 **계속**

2

심전도 13-23 이 못생긴 심전도는 실질적으로 매우 간단한다. 매 QRS파 앞에 작은 선들이 보이는가? 그것들은 심박동기로부터 나온 스파이크들이다. 이 심전도는 심실조율리듬인 환자의 것이다. 심박동기의 끝은 심실중격에 닿아 있으며 조율을 만드는 장소로 작용한다. 이것은 심실 내 어떤 세포들이 조율을 하는 이소성심실병소(ectopic ventriclar focus)와 매우 유사하다. 최초 조율 스파이크는 탈분극파를 만들고 이것은 세포와 세포 사이의 접촉으로 전달되는 넓고 이상한 파를 만든다. 이것들은 좌각차단, 우각차단, 심실내전도지연의 형태로 나타난다.

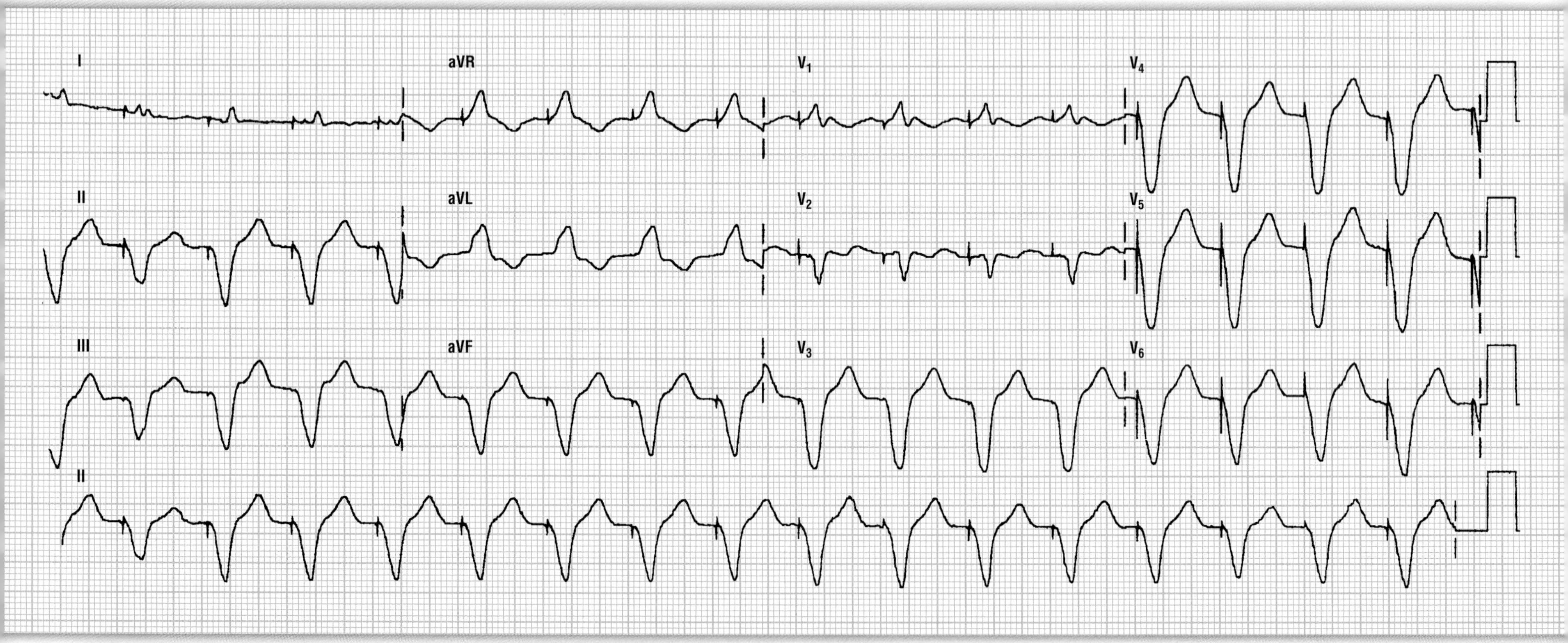

ECG 13-23

반차단들(Hemiblocks)

"반차단"은 좌각이 좌전섬유속과 좌후섬유속으로 나누어진 후 둘 중의 하나가 차단되는 것을 의미한다(이러한 분류는 사실 정확하지 않다. 왜냐하면 침범하는 구조의 해부학적 이름과 일치하지 않기 때문이다. 실제로 좌각의 반이 차단된 것이 아니라 하나의 섬유속 전체가 차단되었기 때문이다. 그러나 이 관습적인 분류는 모든 이가 사용하는 것이다). 좌전섬유속이 차단되어 있는 것은 *좌전섬유속차단*이라 하고 좌후섬유속이 차단되어 있을 때는 *좌후섬유속차단*이라고 한다.

좌전섬유속은 좌각으로부터 시작하여 좌심실의 전벽과 외벽을 지배하는 purkinje 섬유들의 근원이 되는 가는 섬유다발이다(그림 13-14). 좌후섬유속 역시 좌각에서 기원한다. 그러나 이 섬유속은 단단한 섬유속으로 구성되지 않고 성기게 분산되어 사라진다. 좌후섬유속은 좌심실의 하벽과 후벽을 지배한다. 이것은 해부학장에서 복습할 수 있다.

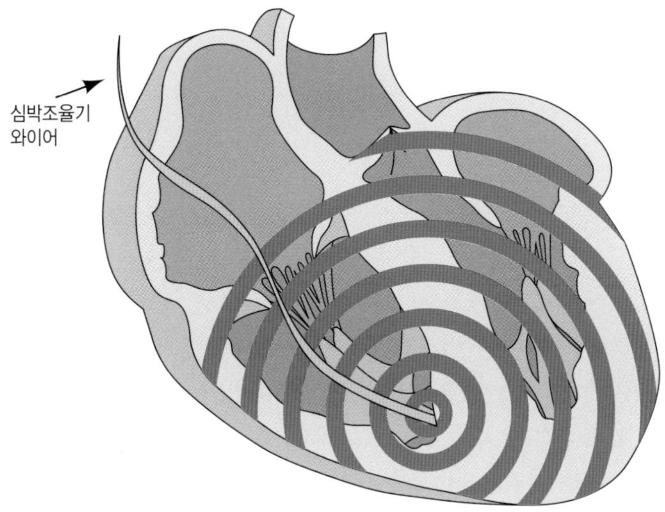

그림 13-13. 심박조율기 와이어가 있는 심장

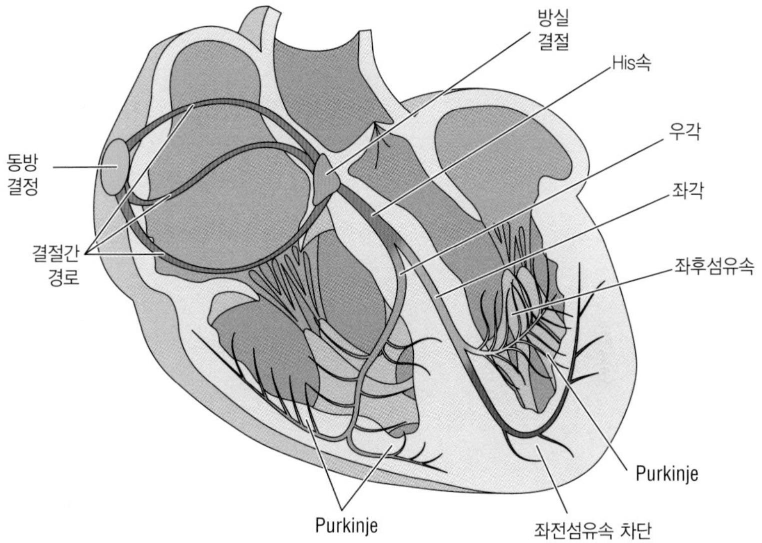

그림 13-14. 심장과 전기전도계

반차단은 심실이 전기적으로 비동시화(asynchronously) 되게 하고 편위전도를 유발한다. 그러므로 좌심실에서 만들어지는 백터를 변화시킨다. 다른 벡터는 심전도 모양을 바꾸고 우리는 곧 이것에 대하여 논의할 것이다.

좌전섬유속차단(left anterior hemiblock)

좌전섬유속이 차단되었을 때 좌심실의 탈분극은 심실간중격, 하벽, 그리고 후벽에서부터 시작되어 전벽 그리고 좌벽으로 진행한다. 방향이 좌상방을 향하는 방해받지 않는 벡터를 형성한다(그림 13−15). 이것은 전체 좌심실 벡터의 축을 왼쪽으로 향하게 하여 좌축편위(left axis deviation)를 하게 한다. 심실의 전기적인 축은 여섯 개 축 체제(hexaaxial system)의 좌사분면에 위치하며 특히 −30 ~ −90° 사이에 위치한다.

좌전섬유속차단에 나타나는 다른 변화는 유도 Ⅰ에서 qR파 혹은 큰 R파 그리고 유도 Ⅲ에서 rS파가 있다. 작은 q와 r파는 방해받지 않는 심실간 탈분극 벡터에 의해서 만들어진다.

좌전섬유속차단을 진단하기 위한 기준

1. −30 ~ −90° 사이의 좌축편위
2. 유도 Ⅰ에서 qR 혹은 R파
3. 유도 Ⅲ rS파, 그리고 대개는 Ⅱ와 aVF도 같음

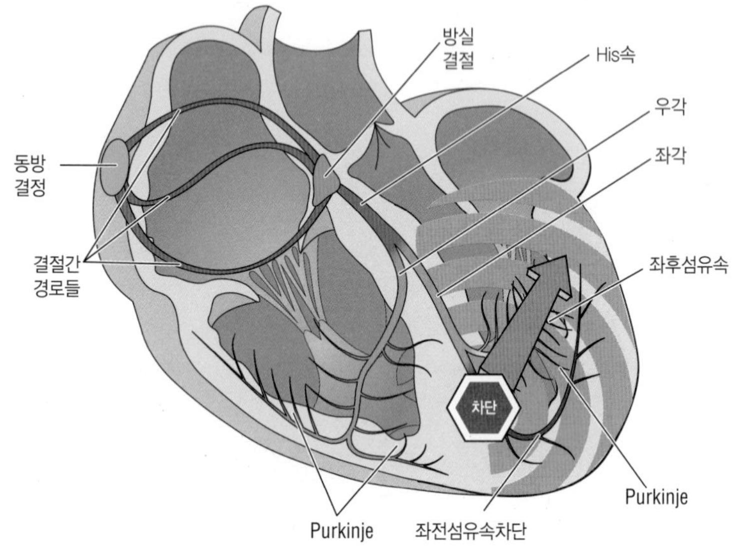

그림 13−15. 좌전섬유속차단

좌전섬유속차단의 진단을 위한 지름길

좌전섬유속차단을 진단하는 주된 기준은 −30 ~ −90° 사이의 비정상적인 좌축 편위이다. 여섯 개 축 체제에 근거하여 좌전섬유속차단을 진단하는 쉬운 방법이 있다. 우리가 힌트를 주었을 때 이해할 수 있는지 보라. 4분할 할 때 유도 Ⅰ과 유도 aVF을 사용하는 것을 기억하라. −30 ~ −90° 사이에 있는 영역을 구분하기 위해서 어떤 유도를 사용할 것인가? 유도 Ⅰ, aVF, Ⅱ를 사용할 수 있을 것이다. 당신은 QRS가 유도 Ⅰ에서 상향으로, 유도 aVF에서 하향으로, 유도 Ⅱ에서 하향으로 나오기를 원할 것이다(그림 13-16). 쉽지 않은가? 심전도에서 유도 Ⅰ과 aVF를 보라; 만약 그것들이 각각 상향 그리고 하향이면 좌사분면 위치이다. 이제는 유도 Ⅱ를 보라. 만약 하향이면 좌전섬유속차단이다. 이러한 방법을 사용하여 당신은 2초 내로 좌전섬유속차단을 진단할 수 있을것이다. 이런 모습은 당신의 친구들에게 매우 감명을 줄 것이다.

많은 사람들은 하벽 심근경색이 있는 경우 좌전섬유속차단을 진단할 수 없다고 한다. 유도 Ⅱ, Ⅲ, 그리고 aVF에서 Q파가 벡터의 *초기* 편향을 유발하나 좌전섬유속차단의 경우 벡터가 *말기에* 편향이 되기 때문이다. 다음은 그런 주장을 하는 사람들에 대한 논증이다. 우리에게 좌전섬유속차단이 존재하지 않는다는 것을 증명하라. −30 ~ −90° 비정상적 좌축편위는 병변이 있다는 것을 시사한다. 그 심전도는 정상이 아니다. 유도 Ⅱ, Ⅲ, 그리고 aVF에서 작은 r파는 만일 존재한다면 좌전섬유속차단을 더욱 시사하는 소견이다, 그러나 주 진단기준은 여전히 −30 ~ −90° 사이의 좌축편위이다. 급성심근경색으로 인한 의미있는 Q파는 작은 r파를 숨길 수 있다. 당신이 2섬유속차단을 공부할 때 급성심근경색 환자에서 2섬유속차단이 존재할 경우 3도 방실차단의 가능성이 있다는 것을 알게 될 것이다. 좌전섬유속차단을 조금 더 진단하는 실수를 하는 것이 차라리 이것을 놓치는 것보다는 낫다. 만일 진단을 놓치게 된다면 그 환자는 죽을 수도 있다. 만일 그것을 지나치게 많이 진단하여도 심전도는 계속 이상이 있는 것이며, 당신은 그 누구에게도 해를 끼치지 않는다. 순수한 사람들의 입장을 이해하고 너무 엄격해지지마라.

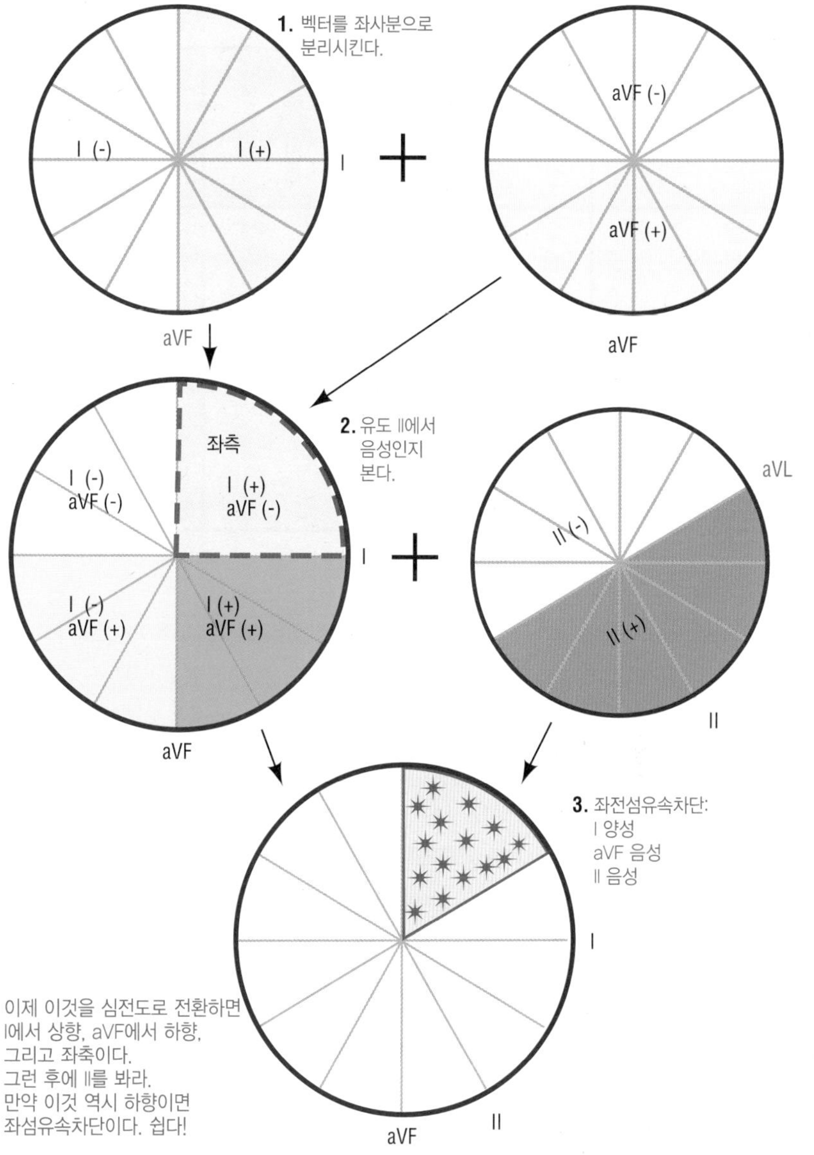
1. 벡터를 좌사분으로 분리시킨다.
I (-)
I (+)
I
aVF (-)
aVF (+)
aVF
aVF
2. 유도 II에서 음성인지 본다.
좌축
I (-)
aVF (-)
I (+)
aVF (-)
I (-)
aVF (+)
I (+)
aVF (+)
I
aVF
aVL
II (-)
II (+)
II
3. 좌전섬유속차단:
I 양성
aVF 음성
II 음성
I
이제 이것을 심전도로 전환하면
I에서 상향, aVF에서 하향,
그리고 좌축이다.
그런 후에 II를 봐라.
만약 이것 역시 하향이면
좌섬유속차단이다. 쉽다!
aVF
II

그림 13-16. −30 ~ −90° 의 축을 분리해 내는 방법

심전도 증례 연구 계속 좌전섬유속차단

2

심전도 13-24 심장의 전두축은 사분면의 어디를 차지하는가? 유도 I 에서는 상향이고 aVF에서는 하향이다. 이것으로 축은 좌사분면에 위치한다. 정확하게 이야기해서 좌사분면은 90 ~ 0°에서 −90°로 구성된다. 우리는 이것이 0 ~ −29° 사이의 정상 범위 편위인지 혹은 좌섬유속차단에 의한 비정상 편위인지 알 필요가 있다. 이 두 가능성 간의 차이를 빠르게 알아내기 위해서 우리는 단지 유도 Ⅱ 만 보면 된다. 만일 유도 Ⅱ에서 상향이라면 축은 반드시 0 ~ −29° 사이에 놓여 있다. 왜냐하면 −30° 이상이면 모두 유도 Ⅱ에서 하향이기 때문이다. 만일 유도 Ⅱ에서 하향이라면 축은 −30 ~ −90° 사이에 놓이게 된다. 이 심전도에서 유도 Ⅱ가 하향이다. 위의 논리를 이용하여 축은 −30 ~ −90° 좌사분면에 존재함을 알 수 있다. 그것은 유도 I 양성, 유도 aVF 음성, 유도 Ⅱ 음성인 세 조건을 만족하는 전두면의 유일한 부분이다.

좌전섬유속차단에 대한 부가적 진단기준으로 유도 I 의 qR혹은 R파 그리고 유도 Ⅲ에서 rS파 또한 존재한다. Ⅲ에 QRS의 시작에 작은 r파가 있다. 만일 믿지 못하겠거든 돋보기를 사용해보라. 비웃는 것이 아니라 심전도 해석에 도움이 되는 새로운 방법을 제시하는 것이다. 때로는 매우 작은 파형이지만, 그렇지만 존재하는 것이다.

조언

좌전섬유속차단에 대한 진단적 가능성을 확인할 때 단축방법을 사용하라.

심전도 13-25 이 심전도 역시 좌전섬유속차단의 모든 증거를 보여주고 있다. 먼저 축을 보자. 왼쪽 사분면에 있는가? 그렇다. 유도 I 상향이고 유도 aVF 하향이다. 유도 Ⅱ에서 상향인가 하향인가? 하향이다. 이것은 좌전섬유속차단의 첫 번째 기준에 해당된다(그림 13−17). 다음은 qR파가 유도 I 에 나타난다. 끝으로, 특징적인 rS 형태가 유도 Ⅲ에 있는 것을 확인할 수 있다. 이 심전도에서는 좀 더 쉽게 r파를 볼 수 있다. 그렇지 않은가? 기억하라. 그 파가 얼마나 큰지는 상관없고 있는지 없는지가 중요하다.

심전도는 좌심방확대를 보여준다. 이행대는 전흉부 어디인가? V_5과 V_6 사이이다! 하향군에서 상향군으로 바뀌는 이행장소를 찾는 것을 명심하라. V_2에서 V_5까지는 여전히 하향이다. 측경기를 사용하라.

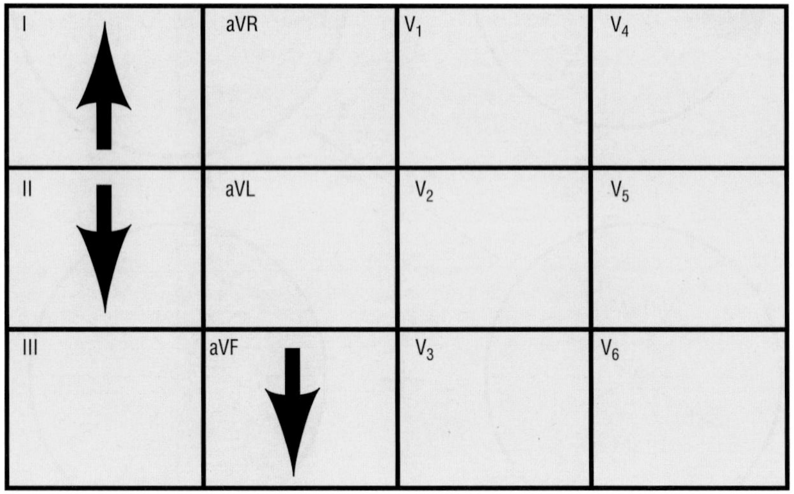

그림 13−17. 좌전섬유속차단 기준

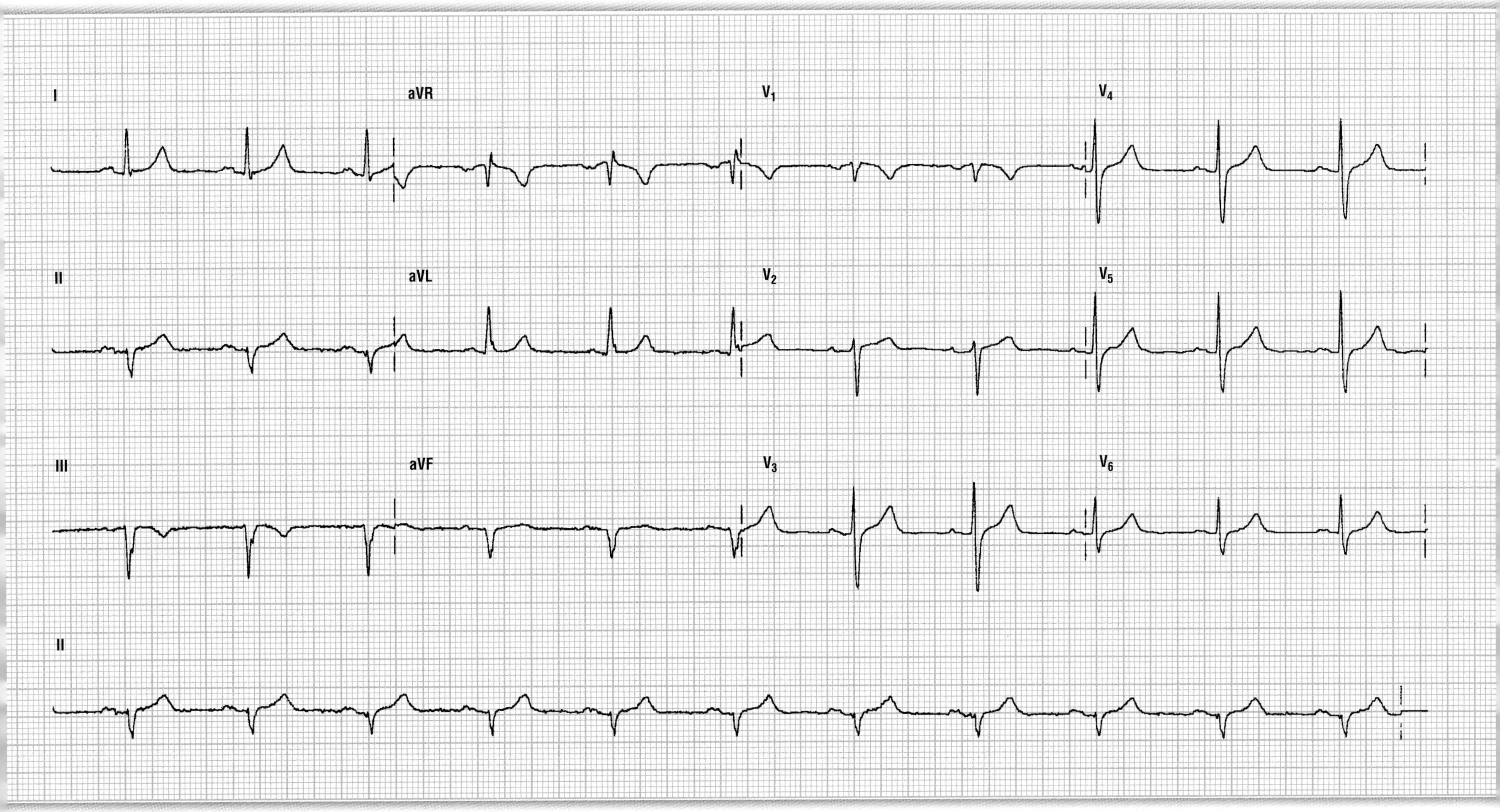

ECG 13-24

심전도 증례 연구 **계속**

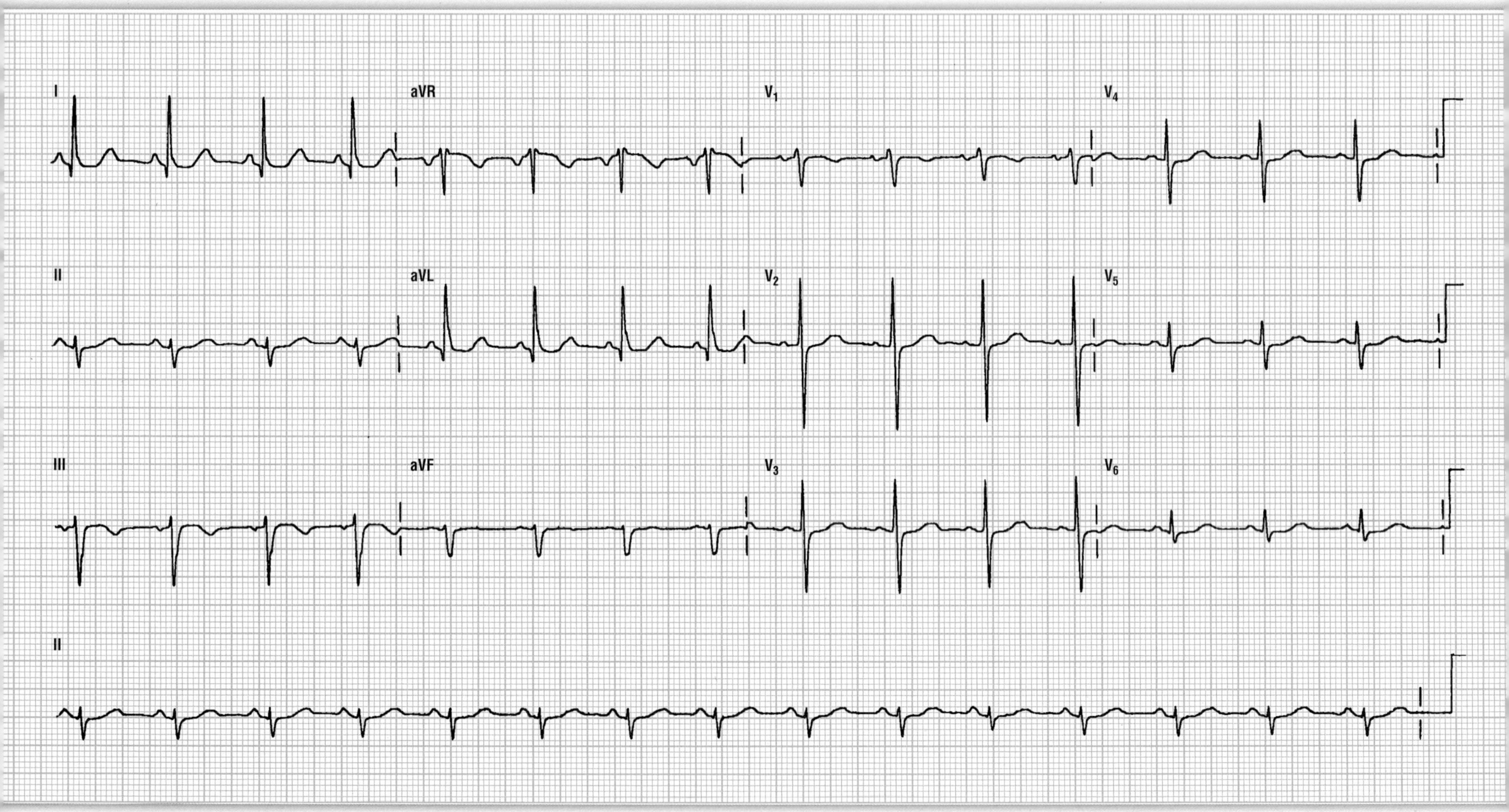

ECG 13-25

2

심전도 13-26 이것은 다른 좌전섬유속차단의 예이다. 모든 진단기준을 만족한다. 진단기준은 무엇인가? 만일 잊었다면 되돌아가서 복습하라. 이 심전도는 매우 낮은 전위를 보인다. 사실 몇 밀리미터 차이로 심낭삼출의 진단기준에 해당되지 않는다. 유도 Ⅱ의 어떤 박동은 5mm이나, 다른 것들은 6mm이다. 왜 이런 차이가 생겼을까? QRS 장에서 다루었던 호흡에 의한 변이를 기억하라. 환자가 숨쉴 때 축은 약간 변하고 군들의 높이나 깊이를 변화시킨다. 이 심전도는 비만인 환자의 심전도일 것이다. 이런 환자들은 전형적으로 작은 크기의 QRS를 가지고 심장이 좀 더 수평으로 놓여있기 때문에 호흡에 의한 변이가 더 현저하게 나타난다.

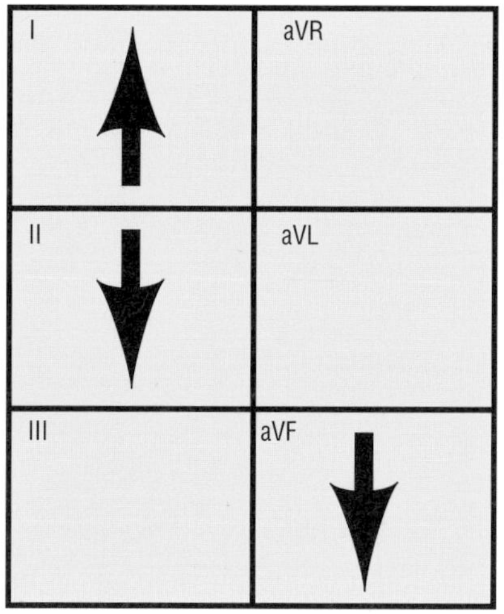

"수초 밖에
소요되지 않는다"

노트 : 좌전섬유속차단은 너무나 흔해서, 여기에서 많은 예제를 제공하지는 않는다. 주위를 둘러보라. 책 전반에서 이것을 보게 될 것이다.

그림 13-18. 좌전섬유속차단, 요약 버전

심전도 증례 연구 계속

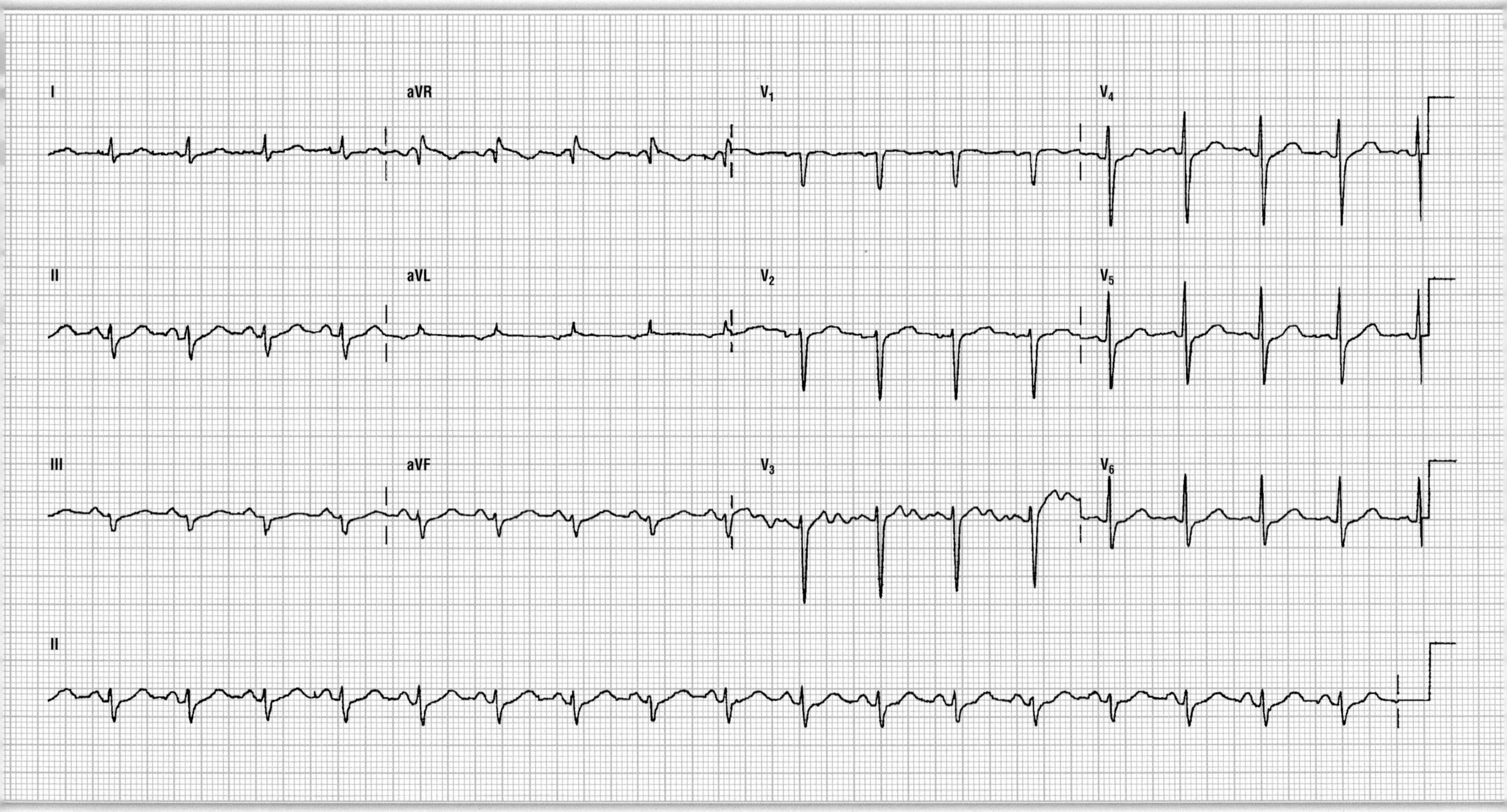

ECG 13-26

좌후섬유속차단(left posterior hemiblock)

좌후섬유속차단은 신경섬유들이 하나의 분리된 섬유속으로 조직화되어 존재하지 않기 때문에 차단이 발생하기 어렵다. 대신에 좌심실의 후, 하방에 흩어져서 분포한다. 이러한 분포로 인해 이러한 형태의 섬유속차단을 발생시키기 위해서는 매우 넓은 영역의 병변이 발생하여야 하며 그렇기 때문에 드물다. 그것은 진단하기 역시 어렵다. 2,000개 내지 3,000개 정도의 심전도를 판독하면 운 좋게 하나를 발견할 것이다. 이러한 이유로 더 많은 좌후섬유속차단의 예를 보여줄 것이다. 반면에 좌전섬유속차단은 매우 흔하며 진단하기 쉽다. 좌후섬유속차단이 생기면 좌심실의 후, 하방의 탈분극이 지연된다. 결과적으로 방해를 받지 않는 벡터는 그림 13-19에서와 같이 오른쪽 아래로 향하게 된다. 벡터의 최종 결과는 심실축의 편위가 오른쪽으로 가는 것는 우측사분면- 우축편위이다. 심실중격과 심실 상-전벽을 탈분극하는 원래 벡터는 방해받지 않는다. 그래서 유도 Ⅰ에서 작은 r파와 aVF에서 작은 q파를 만든다.

좌후섬유속차단의 진단기준

1. 90 ~ 180° 축(우사분면)
2. 유도 Ⅰ에서 s파 그리고 Ⅲ에서 q
3. 우심방확장 그리고/혹은 우심실비대는 제외해야 한다.

좌후섬유속차단 진단의 어려움은 우측편위를 가지는 다른 원인들을 제거해야 하는 점이다. 당신은 우심방확장과 폐성 P의 진단기준을 확실히 알아야한다. 또한 우심실비대(*QRS군* 장)와 *ST분절과 T파들* 장에서 언급될 긴장 형태를 동반한 우심실비대의 진단기준을 이해해야 한다. *우측 측의 가장 흔한 원인은 우심실비대인것을 기억하라.* 그러므로 좌후섬유속차단 진단을 위해서는 우심실비대를 제외시켜야 한다. 우심방비대의 가장 흔한 원인은 우심실비대이므로 이것도 역시 제외시켜야 한다. 좌후섬유속차단을 효과적으로 확인할 수 있는 진단기준은 없다는 것을 알게 될 것이다. 대신 좌후섬유속차단은 제외의 진단이다. 일단 우축이 일어날 수 있는 다른 것들을 제외시키고 위의 진단을 적용한다면 좌후섬유속차단이라고 이야기 할 수 있을 것이다.

좌후섬유속차단의 진단에 있어 중요한 것은 그것을 생각하는 것이다. 심전도를 읽고 축이 우측사분면에 있음을 알았을 때 - 예를 들어 유도 Ⅰ에서 하향이고 유도 aVF에서 상향일 때 - 다음 생각은 *이것이 좌후섬유속차단인가?* 이어야 한다. 만일 유도 Ⅰ에서 *s*파가 있고 Ⅲ에서 *q*파가 있고 우심방확장과 우심실비대가 없다면 당신은 좌후섬유속차단을 진단할 것이다. 만일 당신이 그것을 생각하고 있지 않다면 놓치게 될 것이다!

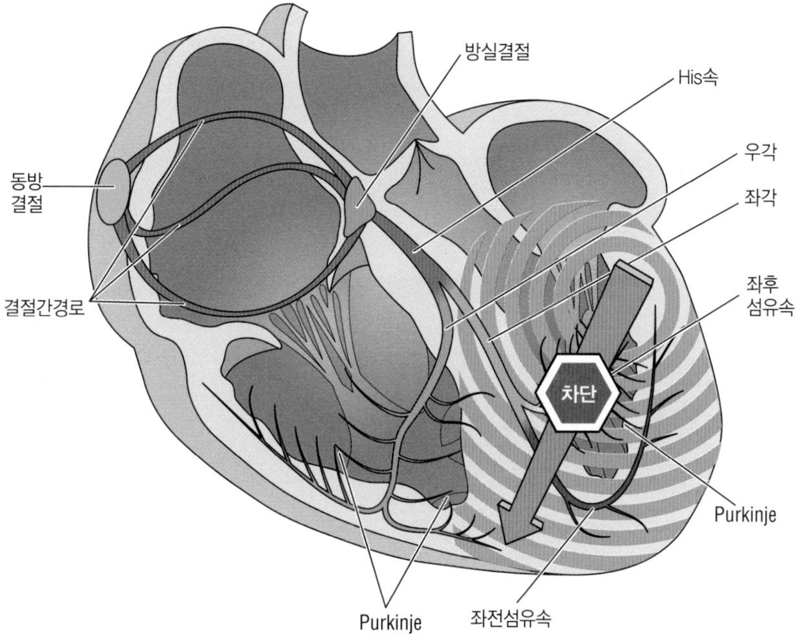

그림 13-19. 좌후섬유속차단

조언

만일 당신이 우축편위를 보았다면 스스로에게 *이것이 좌후섬유속차단인가?* 물어보라

심전도 증례 연구 계속 좌후섬유속차단

2

심전도 13-27 이심전도는 좌후섬유속차단의 전형적인 심전도이다. 축은 우사분면에 있다. *극단적인 우축편위는 아니다.* 보통의 오래된 우사분면이다. 유도 I에서 S파가 있고 유도 Ⅲ에서 작은 Q파가 있다. 우심실비대나 우심방확장의 소견은 없다. 광범위한 측벽 심근경색 역시 측벽의 모든 심근세포의 괴사로 비정상적인 오른쪽 축을 만들 수 있다. 이것이 우측편위의 벡터의 변화를 유발하게 된다. 그러므로 모든 기준은 만족되므로 좌후섬유속차단이라 할 수 있다.

좌후섬유속차단을 $S_1Q_3T_3$ 형태와 구분하는데 어려움이 있다. $S_1Q_3T_3$ 형태는 유도 I 에는 S파, 유도 Ⅲ에는 Q 혹은 q파 유도, 유도 Ⅲ의 T파의 역위를 포함한다. 당신은 폐색전증에서 $S_1Q_3T_3$ 형태를 나타낸다고 알고 있을 것이다. 이때 환자의 15 ~ 30% 정도에서 나타난다. 이것은 급성 우심실 긴장에 의해 유발된다. 많은 경우에 있어서 좌후섬유속차단과 이 형태를 정확히 감별하는 방법은 없다. 이 둘을 구분하기 위해서는 환자의 병력을 얻는 것이 중요하다. 우리는 이전에 그러한 것을 이야기했었고 다시 이야기할 것이다. 아무것도 모르는 상태에서 심전도를 확실히 읽는 것은 불가능하다. 이때 과거력과 진찰소견이 필요하다. 아래 심전도가 있는 환자는 폐색전증의 증거가 없었으며 과거력도 일치하지 않았다. 그래서 당신은 확신을 가지고 좌후섬유차단을 말할 수 있다. $S_1Q_3T_3$는 *ST분절과 T파들* 장에서 다시 논의할 것이다.

2

심전도 13-28 이 심전도는 전면축의 방향이 우측사분면인 90~ 180° 사이에 있다. 유도 I 의 S파와 유도 Ⅲ의 작은 q파가 있다. 그러나 이번 경우는 역위된 T파가 없어 급성 우심실 긴장형태인 $S_1Q_3T_3$ 형태를 완성하지 못한다. 그러나 매우 빠른 빈맥이 있다. 이 빈맥은 폐색전증에 의할 수도 있고 다른 원인이 있을 수도 있다. 당신은 환자의 병력과 연관시켜 심전도를 진단해야 한다. 우심방확장은 없고 우심실비대의 유일한 진단기준은 우측편위이다. V_1에서 R:S의 비가 증가하거나 우심방비대 등 다른 우심실비대의 기준은 없다.

3

심전도 13-28 이 심전도는 몇 가지 문제점이 있다. 먼저 좌후섬유속속차단이 있으며 이것의 가장 흔한 원인은 관상동맥질환이다. 다음은 뚜렷한 QT 간격의 연장이다. 마지막으로 많은 유도에서 볼 수 있는 크고 거의 대칭의 T파이다. 많은 경우들에서 이러한 심전도가 나타난다. 심근허혈, 출혈성 쇼크와 대량 수혈로 인한 저칼슘혈증, 폐색전증, 신부전(end stage renal disease, [ESRD]) 환자에서 발생한 심부전증(congestive heart failure) 등등. 진단하기 위해서는 임상적인 연관이 필요하다. 그들 모두 생명을 위협하는 것들로 즉시 치료가 필요하다.

조언

만약 전기 축이 극우측사분면(extreme right quadrant)에 위치하거나 다른 제외 기준에 해당되는 것이 있으면 좌후섬유속차단이라고 할 수 없다.

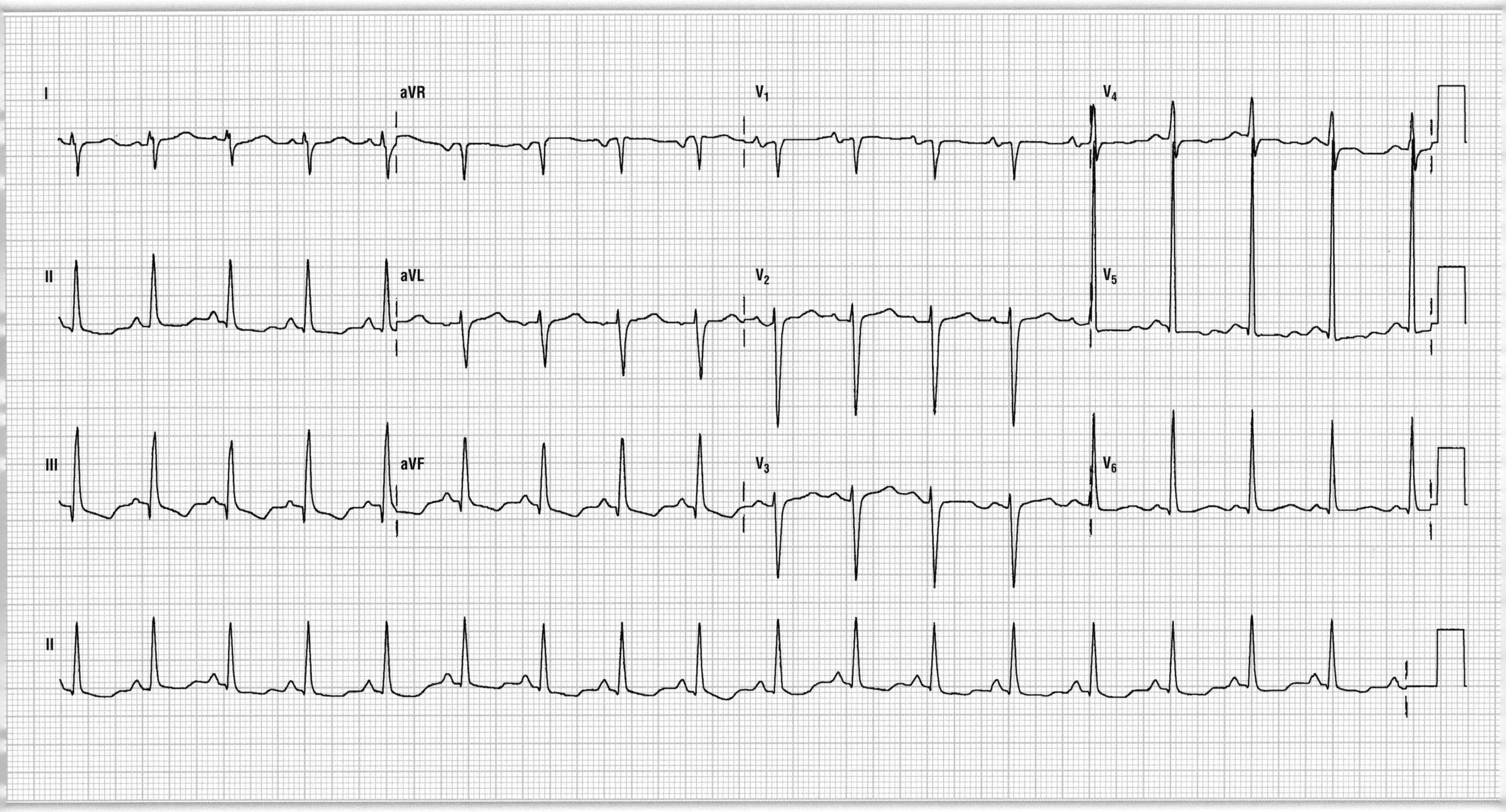

ECG 13-27

심전도 증례 연구 계속

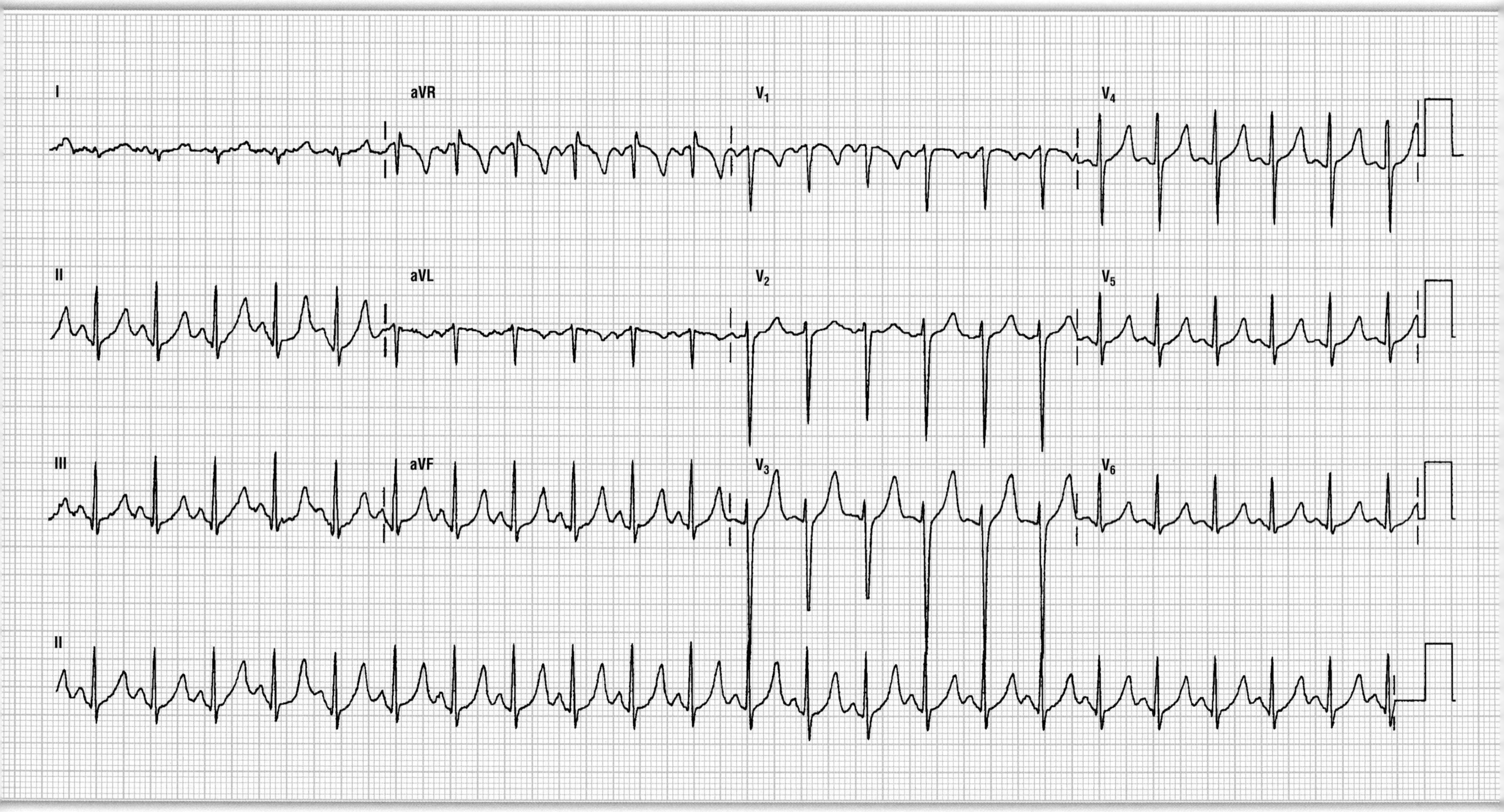

ECG 13-28

2

심전도 13-29 이 심전도는 어떤가? 좌후섬유속차단의 기준을 찾았는가? 아니면 좌후섬유속차단의 진단을 못하게 하는 어떤 것이 있는가? 실제로 진단을 배제시킬 어떤 것도 없다. 큰 P파가 있으나 폐성 P파의 진단기준인 높이 2.5mm 이상이 되지 않는다. 늦은 시계방향 이행(late clockwise trnasition)이 있지만, 과거의 측벽 경색을 나타내는 Q파들도 없다. 우심실비대의 증거도 없다. $S_1Q_3T_3$ 형태가 있으나 임상적 상황을 고려가 필요하다. 그러나 폐경색 시 볼 수 있는 빈맥은 없다. 좌후섬유속차단의 기준 유도 I S파, Ⅲ의 작은 q파 그리고 전두축의 우사분면 편위 등이 있다.

노트

$S_1Q_3T_3$ 형태는 폐색전증의 질병 특유의(pathognomic) 소견은 아니다! 단지 이것을 시사하는 한 가지 소견일 뿐이다. 다른 사람이 그렇게 이야기하지 않게 하라.

심전도 13-30 이것은 좌후섬유속차단의 형태인가? 유도 I 에서 S파가 있으며 유도 Ⅲ에서 q파가 있다. 전면축은 우사분면에 있다. 이것은 좌후섬유속차단의 기준을 모두 만족한다. 그렀는가? 좌후섬유속차단은 제외의 진단임을 잊어버리지 마라! 당신이 그것을 진단하기 위해서는 비정상 우축을 만드는 다른 원인들을 제외시켜야 한다. 우심방확장이 있는가? 확실히 있다. 유도 Ⅱ에서 P파는 2.5mm가 넘는다. 이것은 폐성 P의 기준을 만족한다. 그래서 좌후섬유속차단의 가능성을 제거시킨다. 덧붙여 V_1에서 R:S의 비가 의미있게 증가되어 있으면서 매우 이른 반시계방향의 전이대가 나타난다. 이것은 우심실비대에 해당하는 소견이다. 또한 이것은 좌후섬유속차단을 제외하게 한다. 그러므로 $S_1Q_3T_3$ 형태는 이 환자에 있어 우심실비대에 의해서 나타나며 좌후섬유속차단이 원인은 아니다.

2 빠른 복습

짝짓기 게임

1. 축이 −30°와 −90° 사이
2. 축이 90°와 180° 사이
3. V_1 유도의 R:S 비가 증가되는 것은 제외의 기준이 아니다.
4. *q*파가 유도 I 에 있음
5. *q*파가 유도 Ⅲ에 있음
6. 제외의 진단

A. 좌후섬유속차단
B. 좌전섬유속차단
C. 아무것도 없음
D. 둘다

1. B 2. A 3. B 4. B 5. A 6. A

심전도 증례 연구 계속

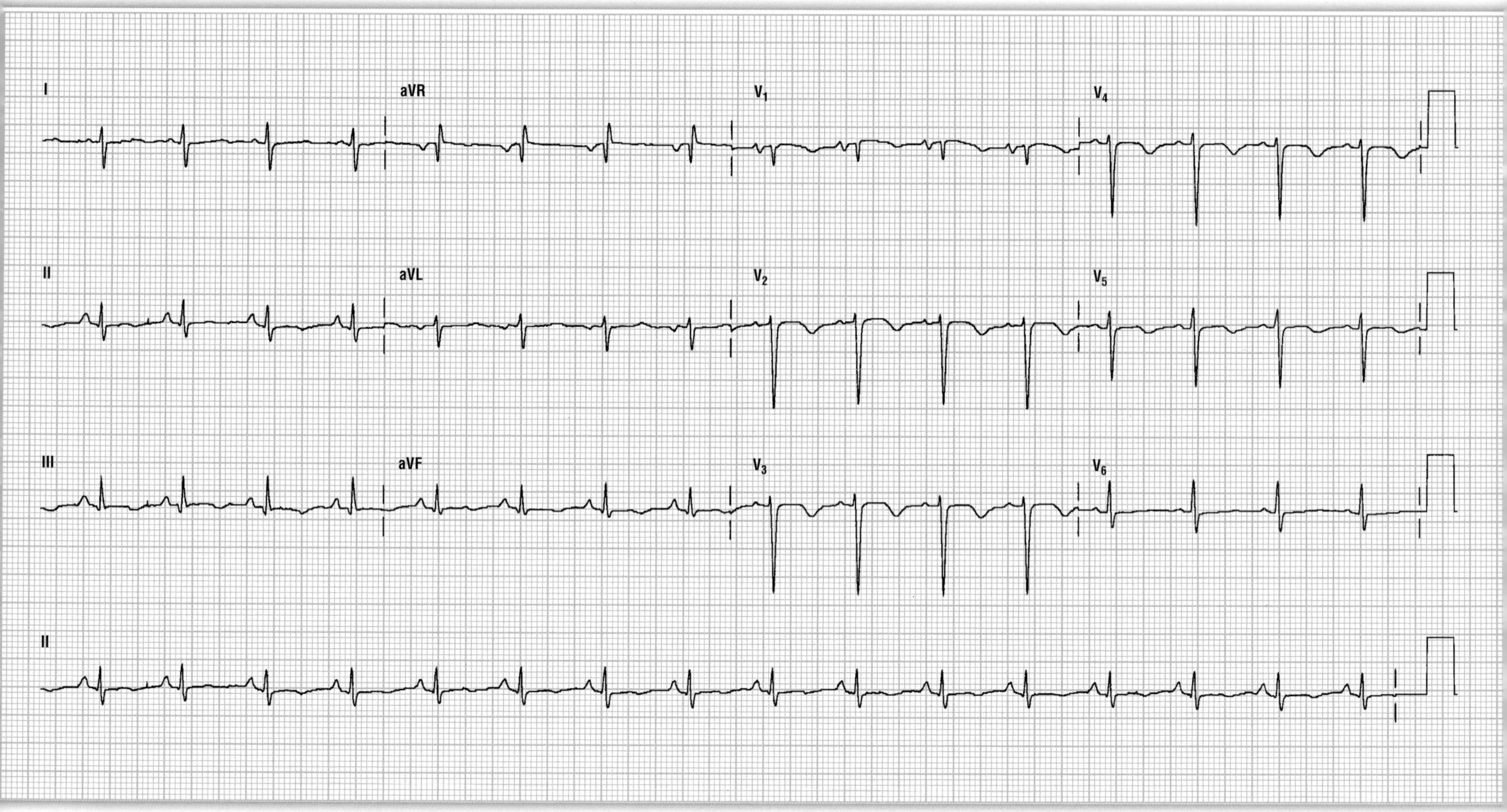

ECG 13-29

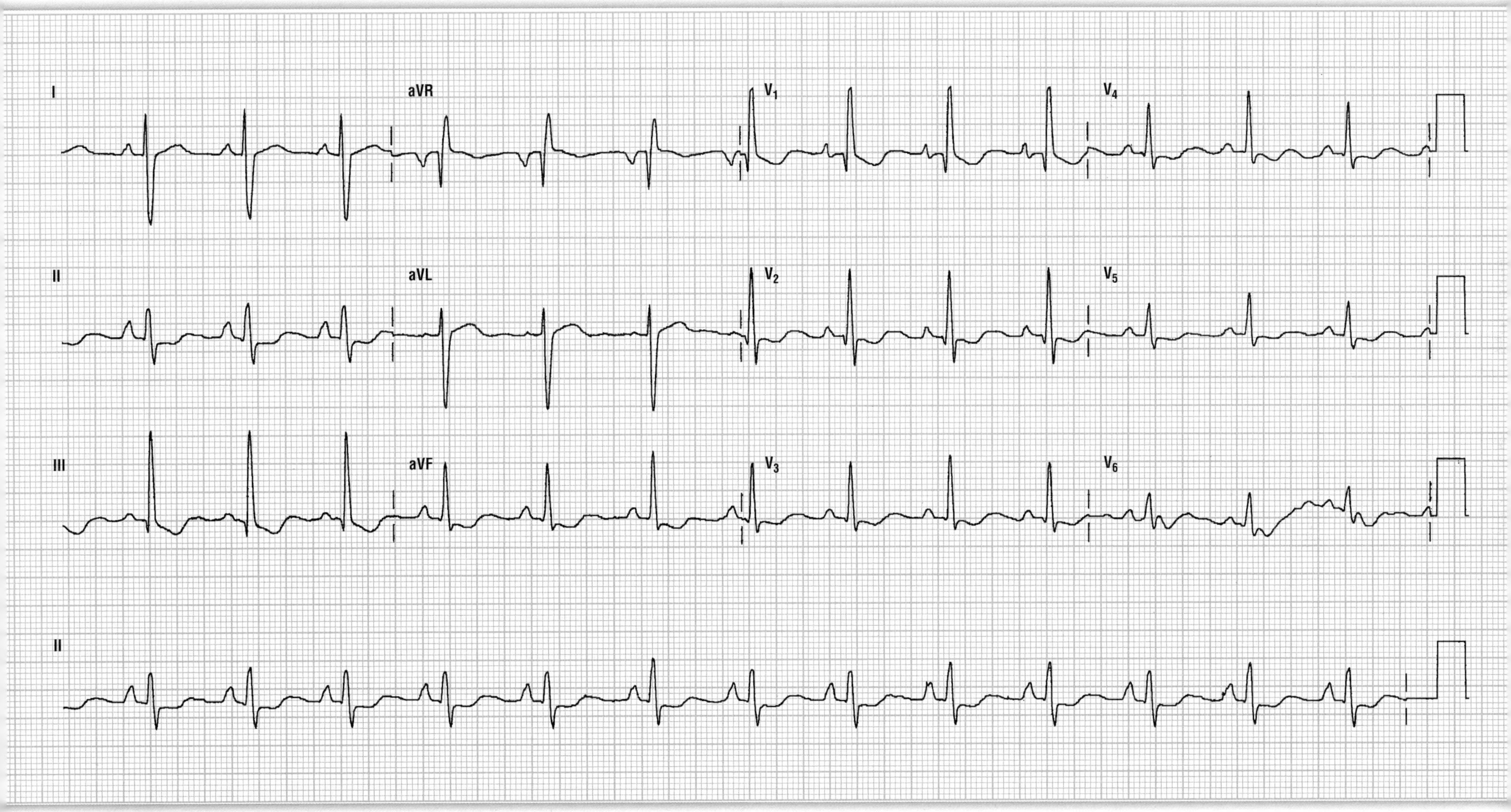
I
aVR
V1
V4
II
aVL
V2
V5
III
aVF
V3
V6
II

ECG 13-30

심전도 증례 연구 계속

2

심전도 13-31 이것은 좌후섬유속차단의 다른 예이다. 그리고 면밀히 검토하여도 좌후섬유속차단을 제외시킬 만한 어떤 것도 없다.

언급한대로 좌후섬유속차단은 그 자체로는 매우 드물다. 그것이 너무 드물기 때문에, 숙련된 의사라 하여도 항상 놓친다. 만일 염두에 두지 않는다면 당신은 진단할 수 없다. 90 ~ 180° 사이의 우측 축을 볼 때는 이것이 좌후섬유속차단인가? 라고 본인에게 질문해봐야 한다. 우리도 이것을 계속하여 반복하는 것을 알지만 우리의 경험상 이것은 숙련된 의사에게서 되풀이되는 문제이다.

3

심전도 13-31 이 심전도는 좌후섬유속차단의 매우 가능성이 있는 원인 하나를 보여준다. 하벽경색이다. 하벽 유도들에서 ST분절의 상승이 있고 상외측 유도에서 상대적 변화가 있다. 또한 외측흉부 유도에서 약간의 상승이 보이나 확실히 상승이 있다고 하기는 어렵다. 그러나 "친구는 같이 다닌다"는 것을 알면, 당신은 이런 변화들이 병적이라고 생각하게 된다(혹은 10분을 더 소요하게 된다!).

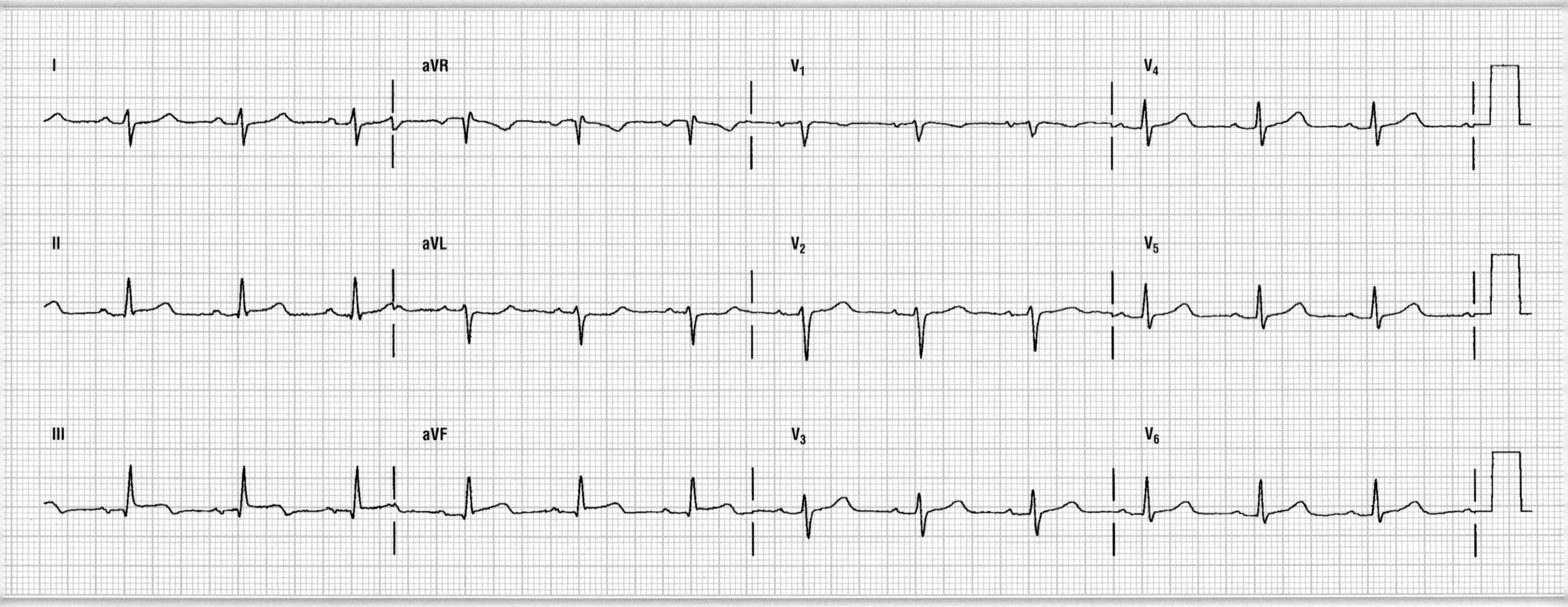

ECG 13-31

양섬유속차단(bifiscicular block)

여기까지 당신은 정말로 각차단들과 섬유속차단들을 집어내는데 능숙해야 한다. 이제 좀 더 흥미로운 것을 시작하기 위해 그것을 결합하는 작업을 할 것이다. 심실의 전도에 있어서 세 가닥의 섬유속이 있다. 우각, 좌전섬유속, 좌후섬유속, 우리가 양섬유속차단(bifascicular block)을 논의할 때 우각차단과 동반된 좌전섬유속차단 혹은 좌후섬유속차단에 대하여 이야기할 것이다. 어떤 저자는 좌각차단이 좌전섬유속차단과 좌후섬유속차단이 동시에 있는 양섬유속차단과 다르다고 한다. 이 결합은 필수적으로 좌각차단과 같은 양상으로 나타나므로, 이것은 무시하기로 한다.

우각차단과 좌전섬유속차단은 많은 심전도에서 흔하게 나타난다. 이것은 심근허혈에 의해 새로 나타난 경우가 아니면 안정적인 상태이다. 전형적으로 유도 I과 V_6에서 불명확하고 늘어진(slurred) S파, V_1에서 토끼 귀 모양의 우각차단이 나타나며, QRS의 모양은 0.12초 이상이며, 좌축편위와 좌전섬유속차단 시 나타는 rS파가 유도 Ⅲ에서 나타난다.

우각차단과 좌후섬유속차단의 결합은 좌후섬유속차단 단독보다 흔하다(좌후섬유속은 부채꼴로 흩어져 있기 때문에 좌후섬유속차단을 유발시키기 위해 손상되어야 하는 조직이 더 광범위하다). 그 정도로 광범위한 조직의 손상은 심실의 다른 전기다발의 손상, 특히 우각차단과 관계있다. 좌후섬유속차단이 동반된 우각차단은 그다지 안정적인 상태가 아니다. 그것은 많은 경우, 특히 급성심근경색에서 완전방실차단으로 진행하게 되면 작은 부가적인 손상도 좌전섬유속에 손상을 줄 수 있기 때문이다. 심전도는 우각차단형이며 우축편위와 유도 Ⅲ의 q파가 있다.

그림 13-20은 두가지 흔한 양섬유속차단의 형태를 보여준다. 우각차단(검은색)이 좌전섬유속차단(파란색) 혹은 좌후섬유속차단(녹색)과 결합되어있다. 이 형태들을 공부하고 아래의 심전도들을 보도록 하라.

조언

양섬유속차단을 논의할 때는 기저 우각차단과 좌전섬유속차단 혹은 우각차단과 좌후섬유속차단을 이야기하는 것이다.

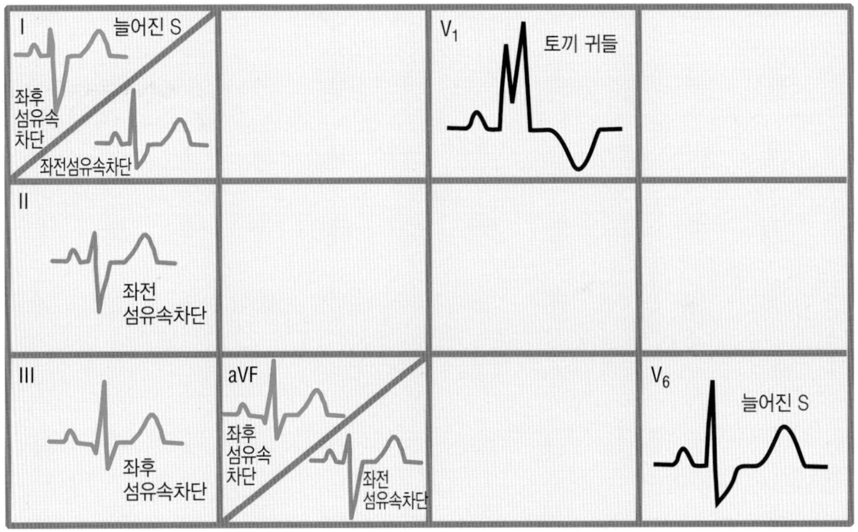

그림 13-20. 양섬유속차단

심전도 증례 연구 계속 양섬유속차단

2

심전도 13-32 아래 심전도와 같은 양섬유속차단이 있는 심전도를 접근하기 위해 단순한 몇 가지 질문에 대한 답을 필요로 한다. QRS군의 폭이 0.12초 이상이 되는? 그렇다. 유도 Ⅰ과 V_6에서 늘어진 S파가 있는가? 그렇다. V_1에서 R:S가 증가 되어 있거나 V_1 혹은 V_2에서 RSR' 형태가 있는가? 그렇다. 당신은 이제 우각차단을 다루고 있는 것을 알게 된다.

다음은 전면축을 사분법을 사용하여 분리하며, –유도 Ⅰ에서 상향 aVF에서 하향이므로– 좌사분면 내의 축을 다루고 있다는 것을 알게 될 것이다. 유도 Ⅱ가 하향으로 축이 –30 ~ –90° 사이에 있다. 당신은 이제 좌전섬유속차단이 있음을 알게 된다.

좌전섬유속차단–우각차단으로 구성된 양섬유속차단은 매우 안정하다. 그리고 완전방실차단으로 잘 진행하지 않는다. 급성심근경색이 진행 중인 경우는 예외이다. 이것은 남아있는 좌후섬유속에 손상을 가하거나 조직의 괴사를 유발하여 완전방실차단을 유발한다. 이것은 특히 급성심근경색으로 인하여 심혈관상태가 좋지 않기 시작한 환자의 경우에는 재앙이다. 급성심근경색으로 인한 양섬유속차단, 우각차단–좌전섬유속차단은 응급 심박동기 시술의 적응증에 해당된다. 박동기의 삽입은 환자의 상태가 나빠지기 *전*, 그리고 시술을 시행하기 더 어렵기 *전*, 시행하는 것이 중요하다.

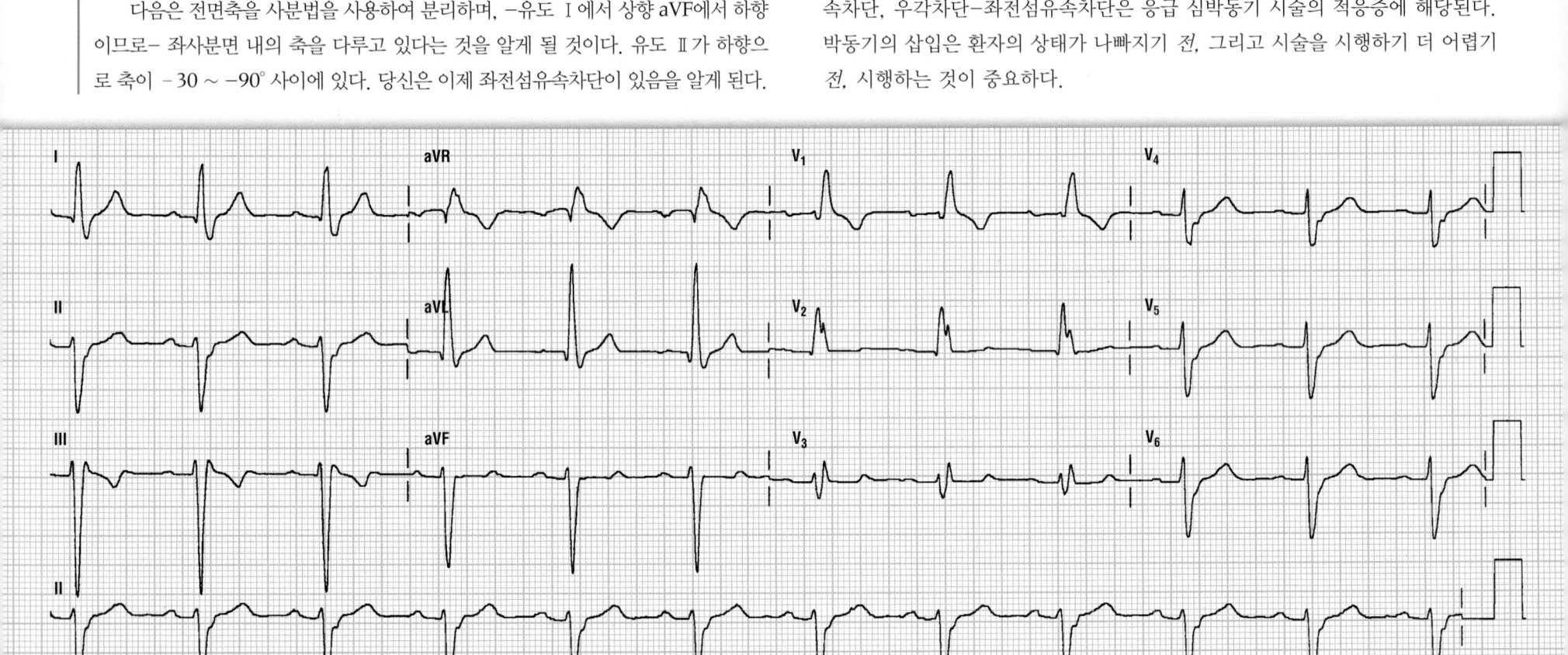

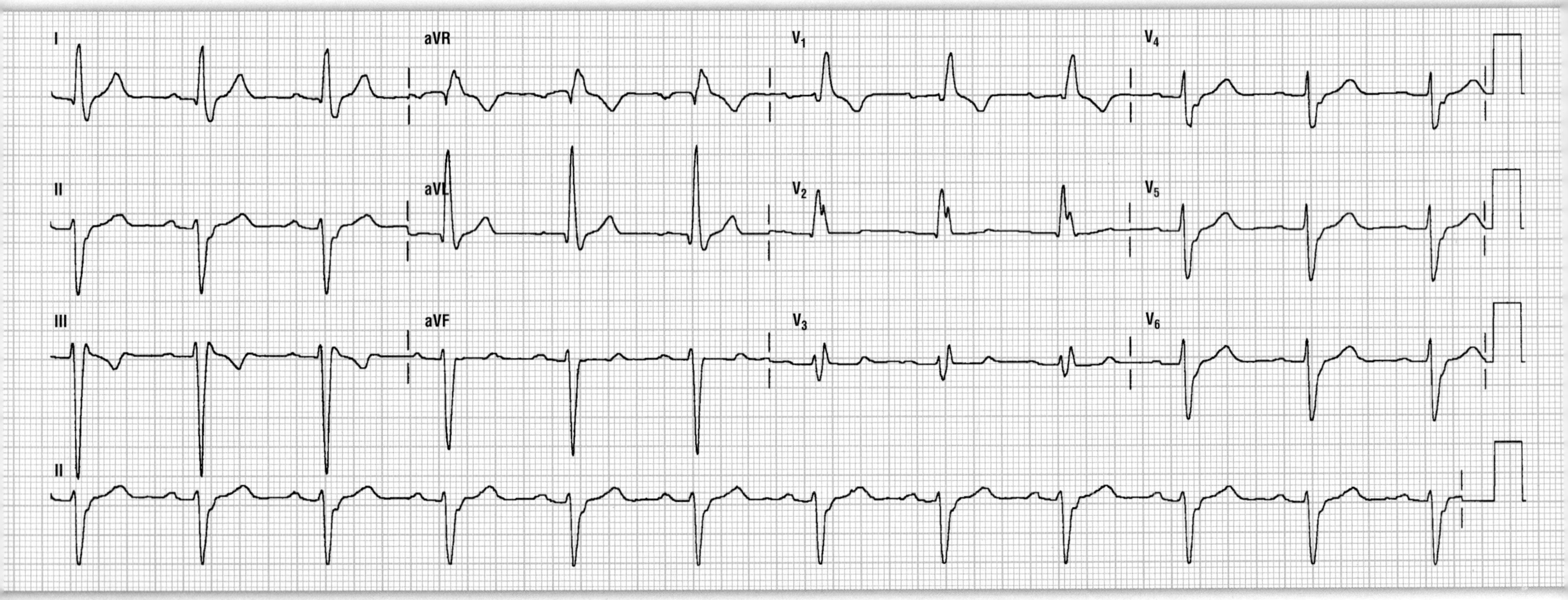

ECG 13-32

2

심전도 13-33 이 심전도는 역시 양섬유속차단의 모양을 보여준다. 우각차단-좌전섬유속차단 형태를 보여주는 증후들이 있다. 심전도 13-32에서와 같은 절차를 시행하자. QRS군 폭이 0.12초 이상인가? 그렇다. 유도 Ⅰ과 V_6에서 늘어진 S파가 있는가? 그렇다. V_1에서 R:S가 증가되어 있거나 V_1 혹은 V_2에서 RSR' 형태가 있는가? 그렇다. 당신은 이제 우각차단을 다루고 있는 것을 알게 된다.

다음은 전면축을 사분법을 사용하여 분리해보자. 유도 Ⅰ은 상향이고 aVF는 하향으로 축은 좌사분면에 위치, 유도 Ⅱ에서 하향으로 −30~ − 90° 사이에 있다. 이것은 좌전섬유속차단이다.

임상의 진주

만약 QRS가 유도 Ⅰ에서 양성이고, 늘어진 S파를 가지고 있다면, 2가지 가능성 중 하나이다.

1. 정상축을 가지는 우각차단
2. 우각차단-좌전섬유속차단을 가지는 양섬유속차단.

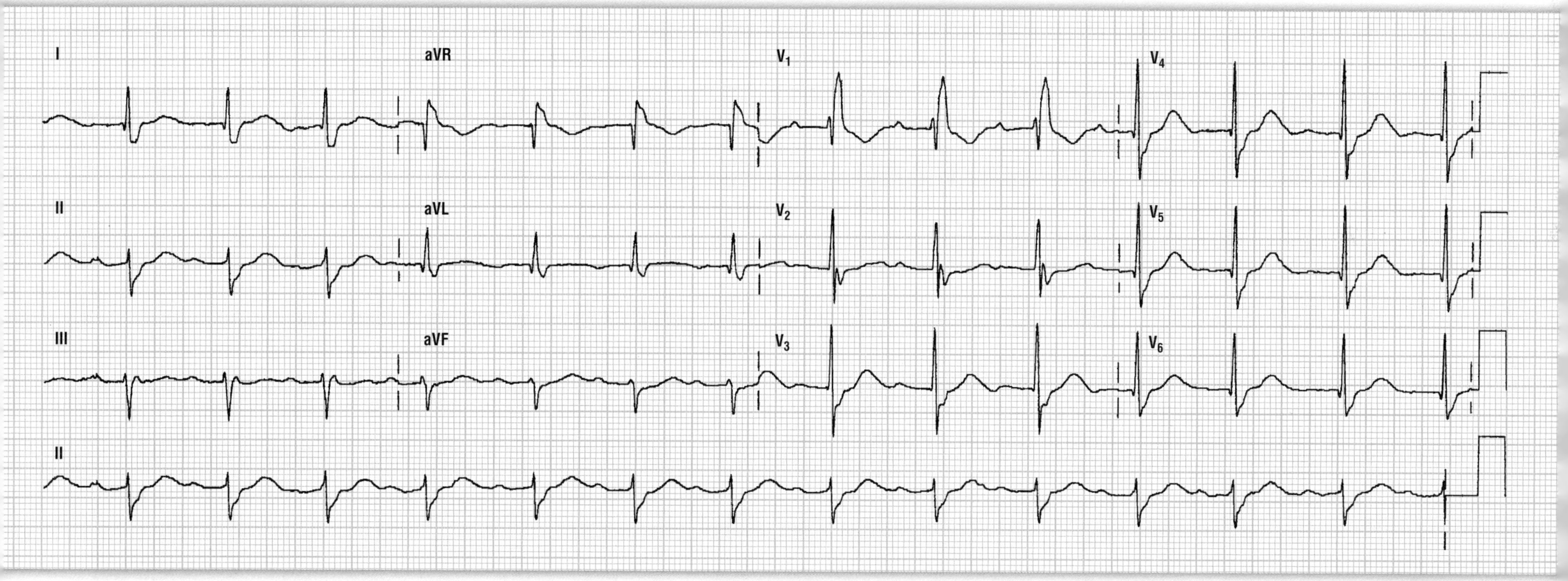

ECG 13-33

심전도 증례 연구 계속

2

심전도 13-34 여기 우각차단-좌전섬유속차단의 다른 예가 있다. 그러나 다른 어려움이 있다. 그것은 부정맥이다. P파가 없는 불규칙하게 불규칙한 리듬이다. 이것은 심방세동이다. 양섬유속차단을 평가할 때 다르게 해석하면 안 된다. 그래서 환자가 부정맥이나, 오래된 혹은 새로운 심근경색, 좌심실비대, 심방이상 등의 경우에도 평가해야 한다. 경이롭지 않는가? 앞에서도 말했듯이 그러한 차단은 매우 안정적으로 급성심근허혈만 없다면 다른 문제를 일으키지 않는다.

이것은 각차단과 방실차단을 비교할 수 있는 좋은 기회이다. 현재 우리는 기본적으로 심장의 다른 전도계에 대해 이야기하고 있다. 방실차단은 병들거나 기능을 잘하지 못하는 방실결절에 의해서 발생한다. 이러한 기능부전은 방실결절의 전도 속도를 늦게하여 1도, 2도, 혹은 3도 방실차단을 일으킨다. 반면에 각차단은 섬유속이나 각의 전도차단으로 인한다. 그들은 완전히 다른 것들로 같은 사람에 동시에 존재할 수 있다. 당신은 1도 방실차단과 동반된 양섬유속차단 또는 2도 혹은 3도 방실차단과 동반된 좌각차단을 볼 수 있다. '차단'이라는 단어가 혼란을 가지고 온다. 그래서 당신은 2가지가 어떤 것을 수반하는지, 그리고 동반된 병리현상이 어떤 것이 있는지 알아야 한다. 당신이 필요할 때까지 그것을 수없이 복습하라.

심전도 13-35 아래 심전도를 보고 이제까지 배운 모든 것을 가지고 심전도를 판독하라. 이것은 분당 80회의 정상 동조율이다. 각각의 간격을 측정하라. QRS 폭을 측정하면 0.12초 이상이다. 곧바로 당신의 면도날 같이 날카로운 머리는 질문을 던질 것이다. 내가 지금 다루고 있는 차단은 어떤 종류인가? 당신은 유도 Ⅰ과 V_6에서 늘어진 S파를 찾고 우각차단임을 추정할 것이다. 다음 V_1을 보고 rSR' 형태를 취하는 것으로 우각차단을 확인할 것이다.

다음할 것은 전면 축을 평가한다. 사분법을 이용하여 유도 Ⅰ 상향 유도 aVF 하향을 나타내어 이것이 축이 좌사분면에 위치한다. 축을 더욱 분리하고 병리를 알기 위해 유도 Ⅱ를 본다. 거기에서 QRS는 하향으로 축이 $-30 \sim -90°$ 사이에 있는 것을 확인할 것이다. 유도 Ⅰ에서 Rs형태를 유도 Ⅲ에서 rS형태를 관찰하여 좌전섬유속차단을 확진한다. 그러므로 당신은 지금 우각차단-좌전섬유속차단의 양섬유속차단을 다루고 있다.

전흉부 유도는 우각차단 때문에 반시계 방향의 이행대를 보인다. aVL 〉 11mm로 전압이 커져 있어서 좌심실비대를 만족시킨다. aVF는 S파가 19mm로 좌심실비대 진단기준에는 미치지 못한다.

2 **빠른 복습**

1. 방실차단과 각차단은 동시에 일어날 수 있나?

예, 이 두 가능성은 다른 병태생리 기전을 가지고 있기 때문에 동시에 일어날 수 있다.

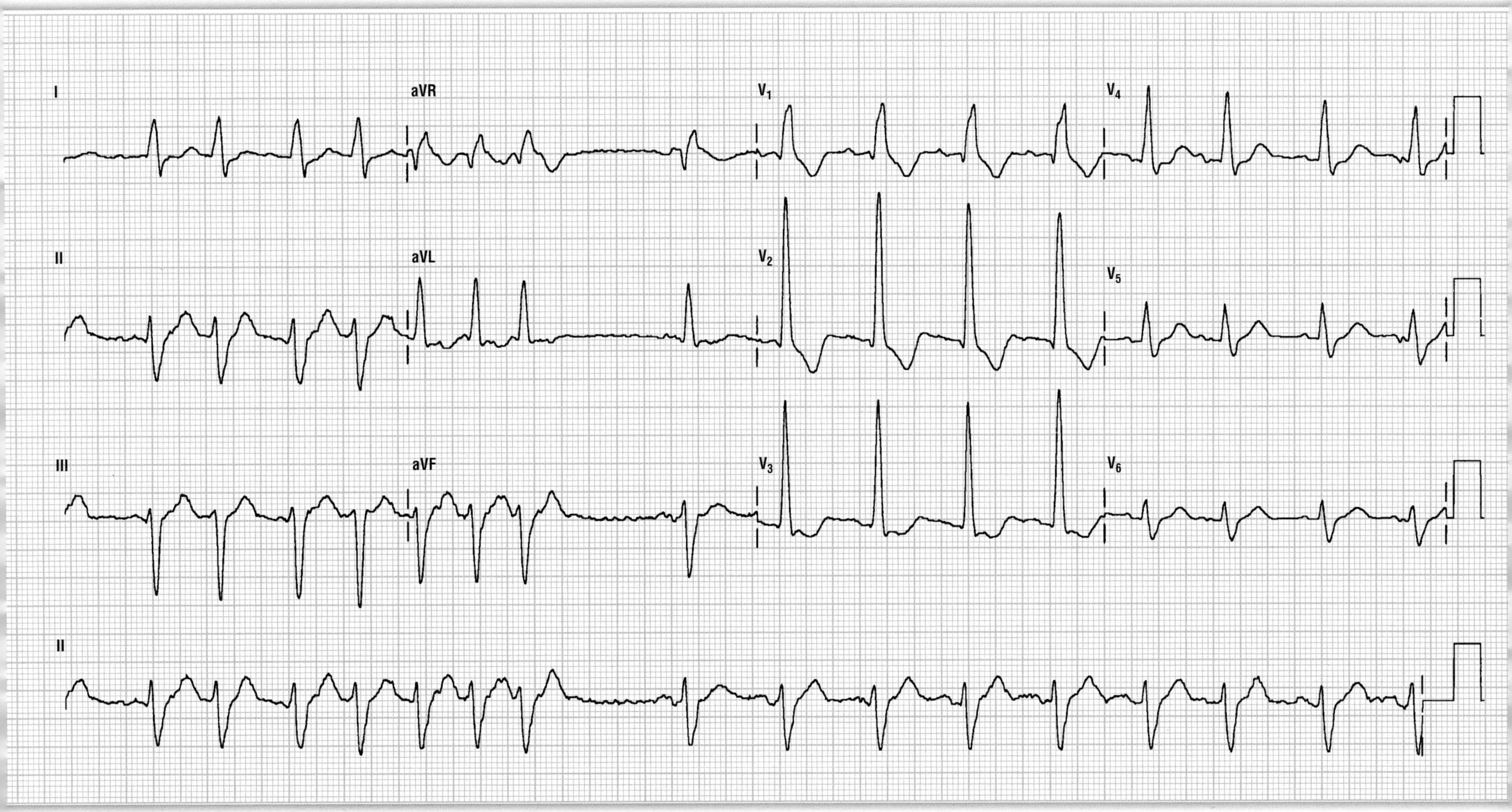

ECG 13-34

심전도 증례 연구 **계속**

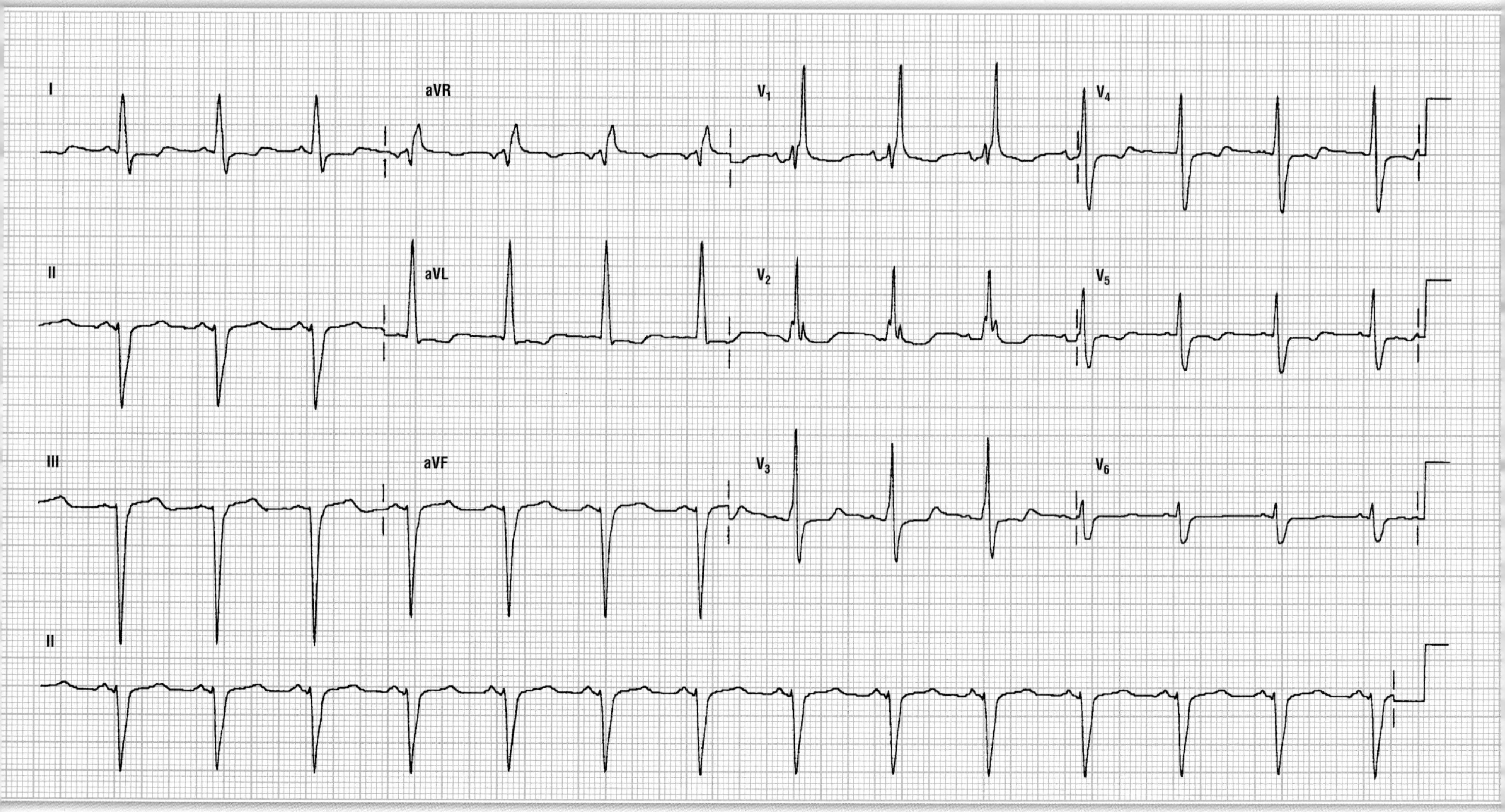

ECG 13-35

2

심전도 13-36 심전도 13-35와 같은 과정을 사용한다. 똑같은 해석을 하게 될 것이다. 13-35 심전도와 중요한 다른 차이점은 빈맥이다. 덧붙여 R파의 진행이 여기서는 정상이고(이 심전도의 R파의 진행도 이상이 있습니다) 심전도 13-35에서는 비정상적이다.

심전도 해석 과정에 있어서 즉시 떠올라야 할 의문점이 있다는 것을 기억하라. QRS가 넓어진 때는 각차단이 있는가? 전면축이 좌축편위일 때는 좌전섬유속차단이 있는가? 우리는 이제까지 당신에게 그런 의문점에 대한 많은 예를 주었고, 더 보게 될 것이다. 그에 대해서 답하고 기록한다면 정확한 답에 이를 수 있다.

2 빠른 복습

짝짓기 게임(답이 한번 이상 사용될 수 있음)

1.	우심실비대	A. 모두 상향 혹은 모두 하향인가?
2.	좌심실비대	B. V_1 유도의 R:S 비가 증가된 것을 확인했다. 왜?
3.	좌각차단	C. PR 하강을 보았다. 왜?
4.	우각차단	D. aVF의 S파 ≥20mm인 것을 확인했다. 왜?
5.	심외막염	

1. B 2. D 3. A 4. B 5. C

심전도 13-37 아래 심전도를 보고 해석하라. 그리고 되돌아와서 맞는지 틀리는지를 확인하라. 이것이 이 책 밖에서 모든 심전도를 다룰 때 사용하게 되는 방법이다.

먼저 볼 것은 속도와 리듬이다. 분당 약 75회의 정상 동조율이다. 이제 간격을 측정하면 QRS 폭이 0.12초 이상 될 것이다. 유도 Ⅰ에서 늘어진 S파가 있으나 V_6에는 없다. 정상적인 우각차단인가? 아니다. 그러나 때로는 이 심전도와 같이 V_2에서 V_6까지 같은 변화가 보이지는 않는 수도 있다. 이유는 환자의 흉부 유도가 잘못된 위치에 있기 때문이다. 흉벽에 흉부 유도를 매우 가까이 붙였고, 적절한 위치에 놓지 않은 경우 아래와 같은 심전도를 보게 된다. 모든 흉부 유도가 너무 가까이 붙어 있어 V_6에 변이가 없다. 만약 전극의 위치를 적절히 한다면 늘어진 S파를 반드시 갖게 될 것이다. V_1에서 R:S의 비가 증가된 qR'가 있어서 우각차단이다.

전면축은 우사분면에 있다. 좌후섬유속차단인가? 아니다. 왜냐하면 유도 Ⅱ에 폐성 P가 있기 때문이다. 이것은 좌후섬유속차단의 제외기준에 들어간다. 우리는 당신이 방심하지 않게하기 위해서 가끔 이런 ECG를 보여줄 것이다.

심전도 증례 연구 계속

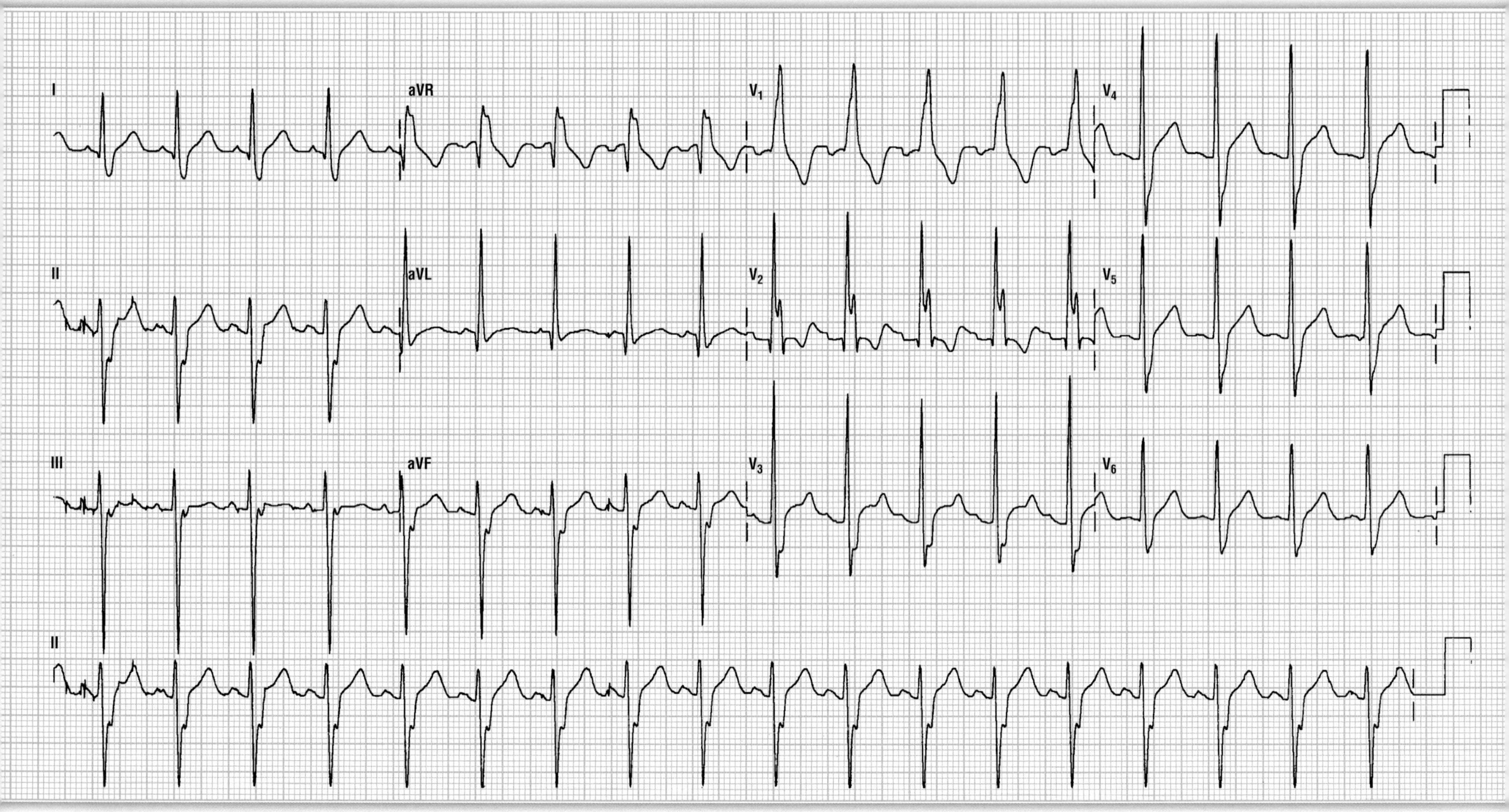

ECG 13-36

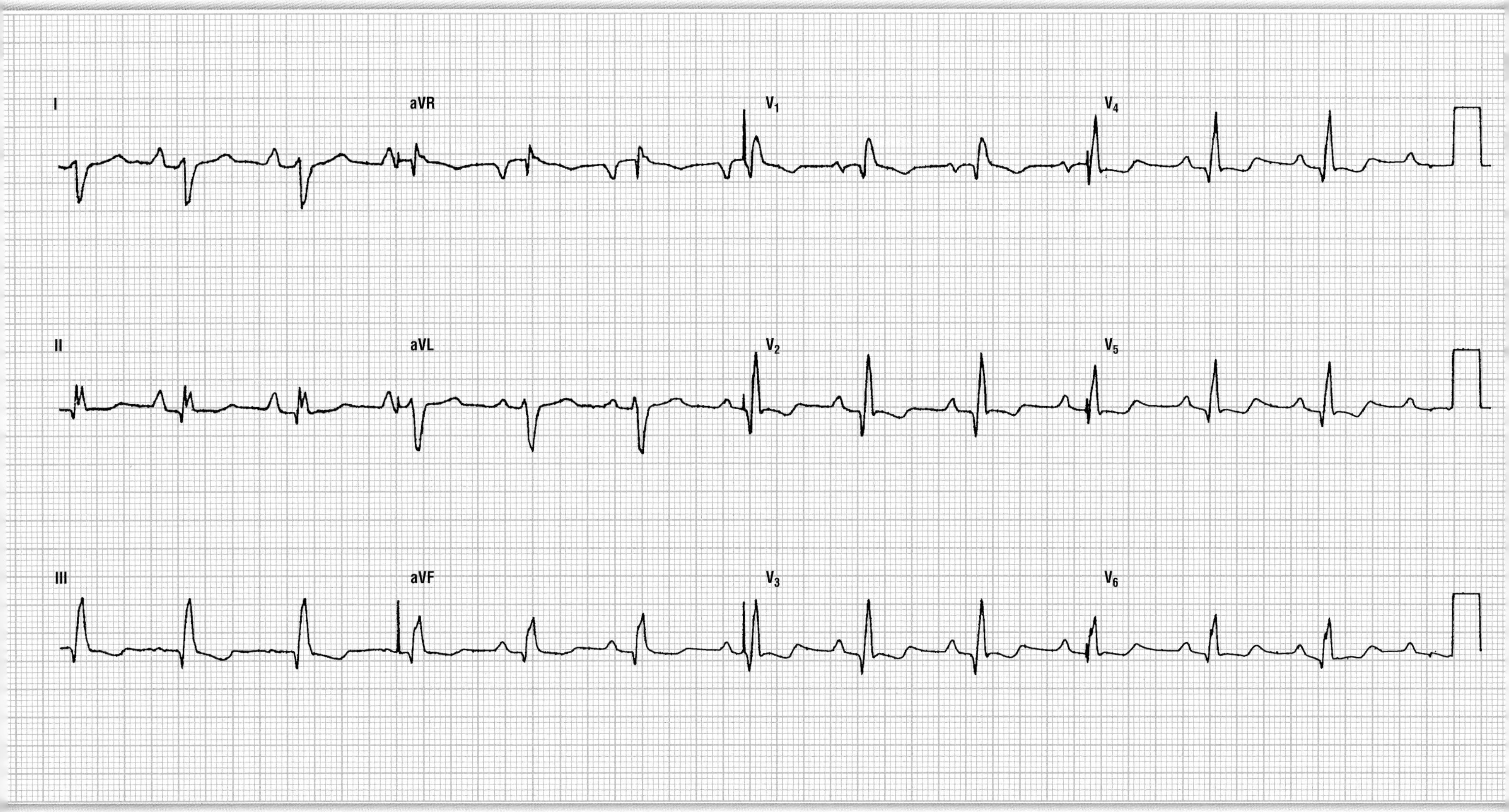

ECG 13-37

심전도 증례 연구 계속

2

심전도 13-38 아래 심전도는 우각차단과 좌후섬유속차단의 기준을 보여준다. 유도 Ⅰ과 V_6에서 늘어진 S파가 있고 V_1에서 RR'군이 있어 우각차단 소견을 보인다. 전면축은 우사분면에 해당하고 유도 Ⅰ에서 S파, 유도 Ⅲ에서 qR파가 있어 좌후섬유속차단과 일치한다. 그리고 제외 진단기준이 없다. 마지막으로 1도 방실차단이 있다.

우각차단과 좌후섬유속차단이 동반된 양섬유속차단은 앞에서 언급한 대로 좌후섬유속차단 단독보다 흔하다. 왜? 좌후섬유속속차단을 일으킬 정도의 광범위한 손상은 다른 섬유속까지 차단하기 때문이다. 두 개 섬유속들의 차단을 일으키거나 우각차단과 동반된 좌후섬유속차단을 일으킨다.

우각차단-좌후섬유속차단이 우각차단-좌전섬유속차단보다 더 불안정한가? 그렇다. 해부학적으로 생각한다면 우각차단과 동반되어 있는 좌후섬유속차단이 더 불안정하다. 좌전섬유속은 얇은 끈과 같은 구조라고 언급한 것을 기억하라. 어떤 작은 경색이나 침습질환도 좌전섬유속차단을 일으킬 수 있다. 다르게 말하면 넓은 부채살 모양으로 퍼져있는 좌후섬유속을 차단시키기는 어렵다는 것이다. 좌후섬유속차단의 가장 흔한 원인은 관상동맥 질환이거나 허혈이기 때문에 조금 더 심근에 손상을 주는 것만으로도 우각이나 좌전섬유속, 혹은 두 개 모두를 차단하여 양섬유속차단을 일으킬 수 있다. 우각차단-좌후섬유속차단은 특히 심근경색의 경우 더 불안정하다.

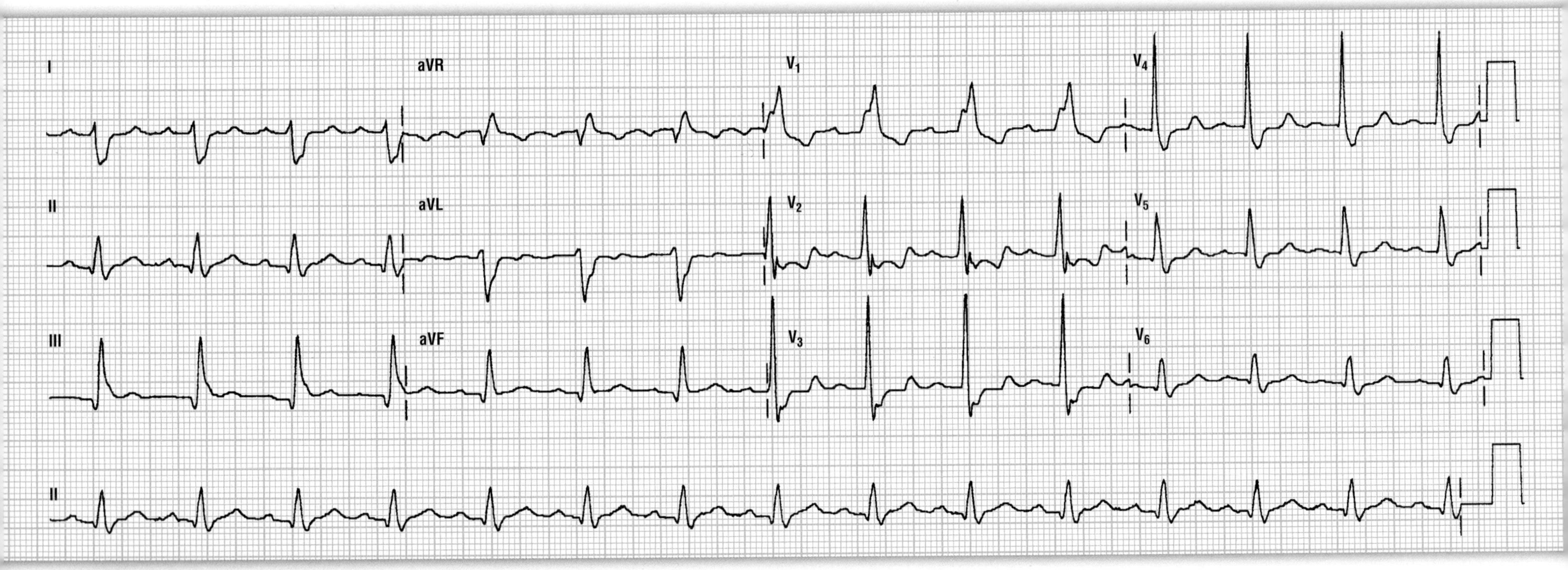

ECG 13-38

2

심전도 13-39 이 심전도는 역시 우각차단과 좌후섬유속차단 모두 있다. 유도 I 과 V_6에서 늘어진 S파가 있고 V_1에서 rsR'(r은 작지만 분명히 있다)을 보여 우각차단과 일치한다. 전면축은 우사분면에 있고 유도 I 에서 S파가 있고 유도 Ⅲ에서 qR파가 있는 좌후섬유속차단과 일치한다. 다른 배제의 기준은 없다.

이제 이 장의 마지막 심전도이다. 이제 여러분들에게 조금은 친절한 충고를 해 줄 것이다. 이 장과, ST분절과 T파들 장의 개념을 확실히 이해하라. 이 두 장들이 혼란스럽고 잘못 해석하게 하는 것들을 다루고 있다. 이것이 많은 실제 심전도를 보여주려는 이유이고 이 단원들이 그렇게 긴 이유이다. *ST분절과 T파들* 장을 끝내면, 돌아가서 복습을 하고 *각차단과 반차단들* 장들을 심근경색으로 들어가기 전 여러 번 복습하라. 흥미로운 증례를 원한다는 것을 이해하지만, 이 두 단원을 확실히 이해하지 못하면 실수하기 쉽다. 급성심근경색의 오진은 생명을 위협하는 것이다. 당신은 급성심근경색이 무엇인지, 무엇이 양성인지, 널 생명을 위협하는 다른 원인은 무엇인지 확실히 알아야 한다. 이것을 감별하는 방법은 많은 함정으로 차 있다. 이러한 함정을 피해가는 능력이야말로 중간 정도의 의사와 숙련된 의사를 구별하는 것이다.

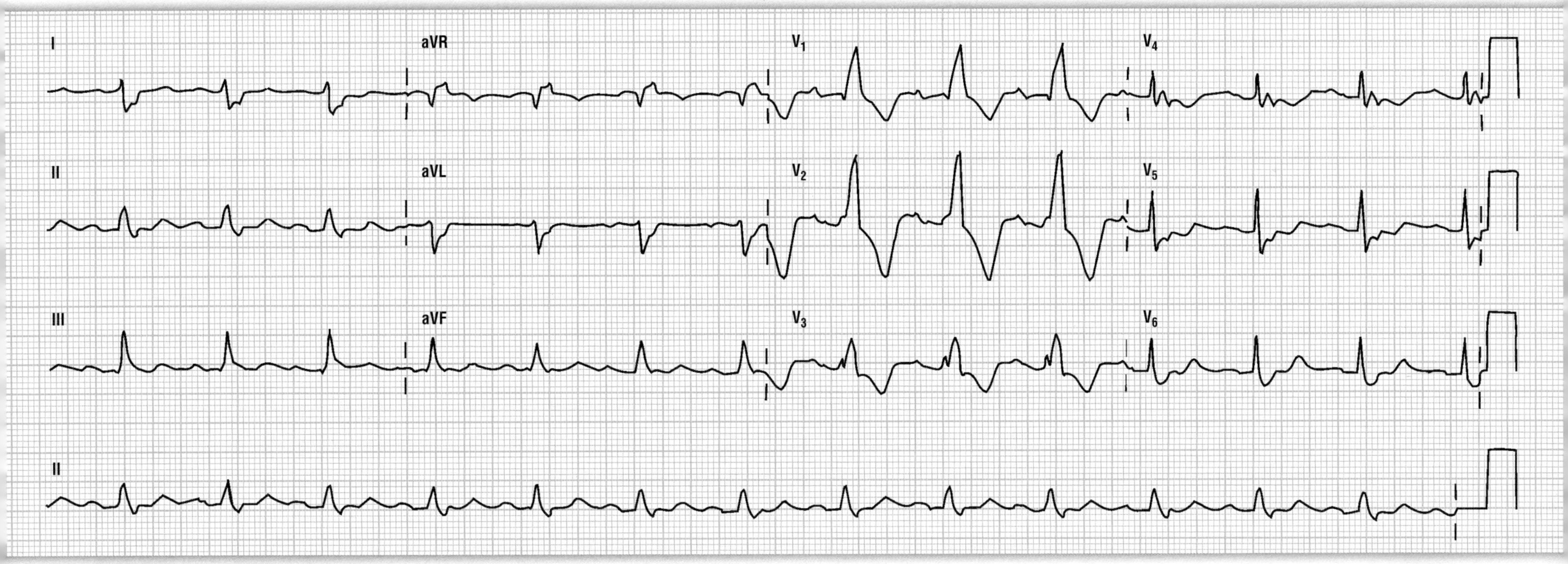

ECG 13-39

심전도 증례 연구 **계속**

2 단원 복습

1. 모든 RSR' 형태는 형태상 유사하므로, 우각차단을 진단하기 위해서는 V_1에서 이것의 존재유무를 확인하는 것이다. 참 또는 거짓

2. 우각차단을 진단하는 세가지 주요 기준은
- **A.** QRS ≥ 0.12초
- **B.** 유도 I과 V_6에서 늘어진 S파
- **C.** 유도 V_1에서 RSR' 형태
- **D.** 위 모두
- **E.** 해당 사항 없음

3. V_1에서 토끼 귀는 항상 R파로 시작한다. 참 또는 거짓

4. 좌각차단에서 당신은 좌심실비대를 진단할 수 없으나, 우각차단에서는 진단할 수 있다. 참 또는 거짓

5. 우각차단은 V_1, V_2에서 하향의 QRS가 있다. 참 또는 거짓

6. 좌각차단을 진단하는 기준은
- **A.** QRS ≥ 0.12초
- **B.** 유도 I과 V_6에서 넓고 단상성 S파
- **C.** V_1에서 넓고 단상성의 R파
- **D.** 위 모두
- **E.** 해당 사항 없음

7. 좌각차단은 V_5과 V_6에서 QRS의 조금의 절흔이 있을 수 있다. 참 또는 거짓

8. 심실내전도지연의 가장 많은 원인은 고칼륨혈증이다. 참 또는 거짓

9. 좌전섬유속차단의 기준은
- **A.** −30 ~ −90°의 좌축편위
- **B.** 유도 I에서 qR군 혹은 R파
- **C.** 유도 III의 rS군, 그리고 유도 II, aVF도 대개 같음
- **D.** 위 모두
- **E.** 해당사항 없음

10. 좌후섬유속차단의 진단 기준은
- **A.** 우사분면에 존재하는 축
- **B.** 유도 I에서 S파 그리고 유도 III의 q파
- **C.** 우심방확장과 우심실비대 제외
- **D.** 위 모두
- **E.** 해당 사항 없음

11. 좌후섬유속차단에서 극단적인 우축편위가 있다. 참 또는 거짓

12. 양섬유속차단이 만성적으로 존재할 때 어느 것이 안정적인가?
- **A.** 우각차단과 좌전섬유속차단
- **B.** 우각차단과 좌후섬유속차단
- **C.** A와 B 모두
- **D.** 해당 사항 없음

13. 급성으로 생길 경우 다음 중 어떤 양섬유속차단이 안정적인가?
- **A.** 우각차단과 좌전섬유속차단
- **B.** 우각차단과 좌후섬유속차단
- **C.** A 혹은 B
- **D.** 해당 사항 없음

14. 단상형의 rS파가 V_1에 있고 V_6와 유도 I에서 늘어진 S파가 있으면 다음 중 어떤 각차단 혹은 양섬유속차단인가?
- **A.** 우각차단
- **B.** 좌각차단
- **C.** 심실내전도지연
- **D.** 우각차단과 좌전섬유속차단
- **E.** 우각차단과 좌후섬유속차단

15. 심실조기수축은 항상 다음과 같다.
- **A.** 우각차단
- **B.** 좌각차단
- **C.** A 혹은 B 중 하나.
- **D.** 해당사항 없음

1. 거짓 **2.** D **3.** 거짓 **4.** 참 **5.** 거짓 **6.** A **7.** 참
8. 참 **9.** D **10.** D **11.** 거짓 **12.** A **13.** D **14.** C **15.** C

14 장

ST분절과 T파들

1 기본

ST분절과 T파를 따로 떼어 논의하기는 매우 어렵다. 우리는 이 장에서 토픽에 따라 2가지를 각각 설명할 것이고 경우에 따라서는 같이 묶어서 이야기할 것이다. *급성심근경색* 장에서 경색과 심근손상에 연관된 것을 다룰 것이지만 이 장에서부터 소개해 들어갈 것이다.

전기적으로, ST분절은 심실의 전기적 탈분극과 재분극 사이의 군의 구역을 의미한다. 이 분절은 QRS군과 ST분절이 만나는 *J점(point)*에서 측정을 시작하여 T파의 시작까지 측정한다(그림 14–1). 대부분의 경우 J점이 뚜렷하지 못하거나 T파의 시작점이 명확히 잘 안보이기 때문에 대략적으로 측정된다. J점은 날카롭고 명확하게 인지할 수 있는 경우가 있는가 하면 미만성으로 명확하지 않을 수도 있다(그림 14–2).

ST분절이나 T파가 경색이나 심근손상을 반영하기 때문에 심전도에서 가장 중요한 부분 중 하나이며, 이것들을 같이 묶어 평가하는 것이 심전도를 마스터하는데 중요한 부분이다. *보통 ST분절 하강과 T파가 정상과 반대 방향에 있을 때 허혈 소견이며, T파의 변화나 변화 없이 ST분절이 상승하였다면 심근손상의 소견이다.*

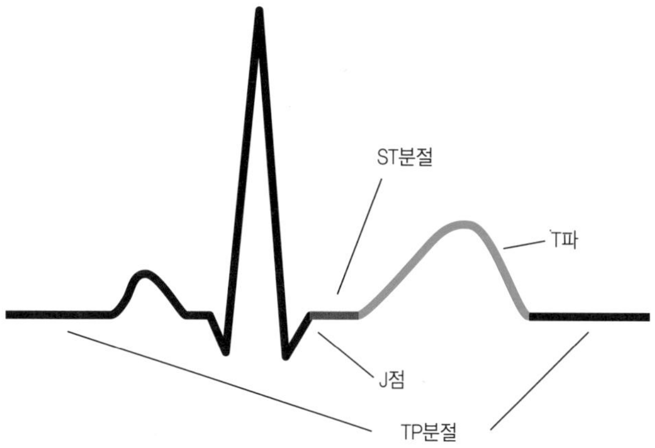

그림 14–1. ST분절

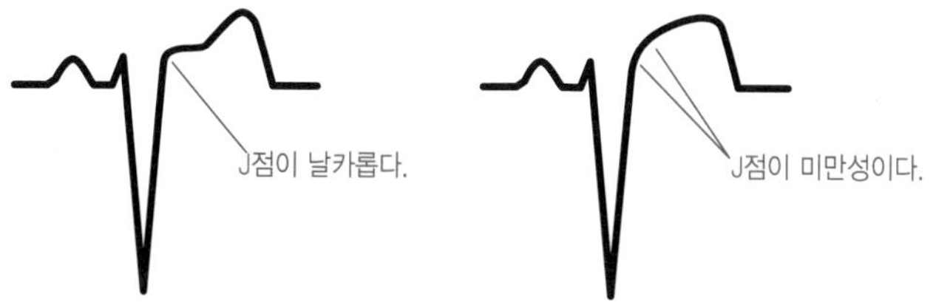

그림 14–2. 또렷하고 미만성의 J점들

노트

T파들은 대개 유도 I, II, 그리고 V_3에서 V_6까지 양성이며, aVR에서 음성이다. 다른 유도들에서 형태가 변화할 수 있다(그러나 이 규칙은 좌각차단 혹은 우각차단은 해당되지 않는다).

J점은 어디에 있는가?

그림 14-3에서 명확하게 J점을 찾을 수 있다. QRS군과 ST분절 사이의 이행이 일어나는 명확한 점을 찾을 수 있고, 대다수의 심전도에서 J점을 확인할 수 있다.

그림 14-4는 어려운 례를 보여준다. 정확한 J점이 어디일까? 보다시피 측경기 다리가 한점을 찍고 그것이 결정적인 J점이라고 말하기 매우 어렵다. 왜냐면 그것은 완만한 곡선의 분절이라 단지 J점이 있을 것으로 생각되는 구역만을 분리할 수 있기 때문이다. 우리는 그 구역을 빨간 사각형으로 표시하였다. 그것을 축소하여서 근접하게 하는 어림짐작을 해야 한다.

미란성의 J점은 조기재분극, 좌심실비대와 긴장양상(LVH with strain), 그리고 심낭염 등과 관련이 있다. 그리고 급성심근경색은 경우에 따라서 불명확한 J점을 가진다. 특히 비석모양일 때 그렇다. 이 경우에 대해 짧게 토의할 것이다.

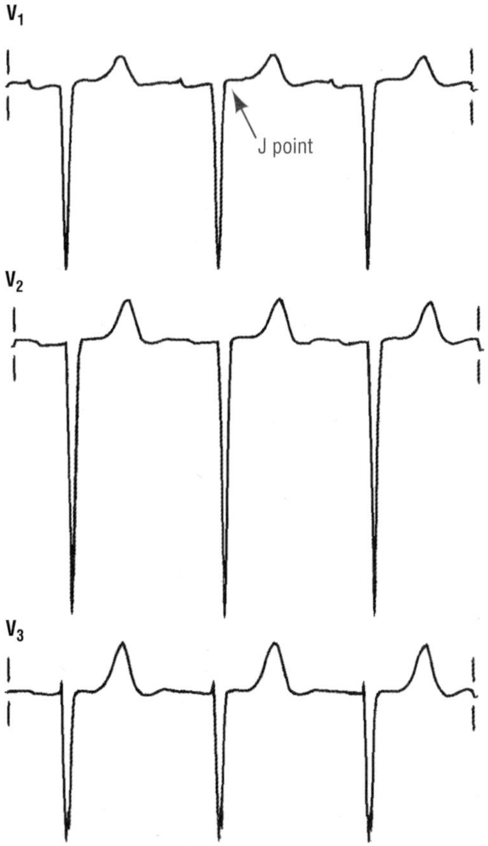

그림 14-3. 날카로운 J점

ST절 상승과 하강

ST분절을 조사할 때 중요한 열쇠는 기준선과의 관계를 확인하는 것이다. 이것이 *ST상승 혹은 하강*을 결정할 것이다. 그림 14-5에 례가 있다. 기준선이 TP분절

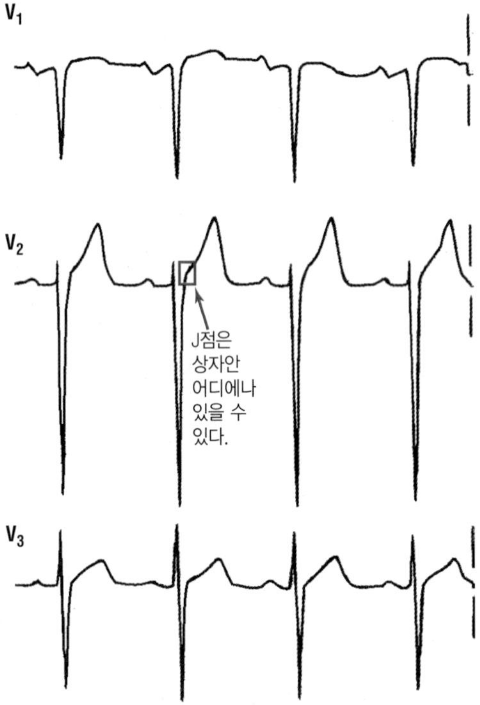

그림 14-4. 미란성 J점

과 TP분절 사이에 있다는 것을 기억한다면, 기준선을 결정하는 것은 매우 중요하다. 매우 가는 선이 있는 투명한 자를 사용하면 기저선을 확인하는데 아주 유용하다. 특정한 경우에, 특히 빈맥일 경우 TP분절은 T파와 P파가 겹쳐지기 때문에 구별하기 어렵다. 이 경우 기선을 결정하기 위해서는 당신의 최상의 판단과 PR 간격을 이용하는 것이 좋다.

사지유도에서 1mm 미만의 ST 상승은 정상으로 간주한다. 40세 이상의 남자에서 V_2~V_3의 J점의 정상 상한치는 2mm이다. 40세 이전의 남자의 경우, 2.5mm는 정상 상한치이다. 성인 여성의 경우, J점에서 정상 상항치는 1.5mm이다. 이 기준들은 항상 환자의 임상력, ST–T파 모양, 상호성 변화의 유도 등과 같이 판독하여야 한다는 것을 마음에 간직하고 있어야 한다[*급성심근경색* 장에서 다룰 것이다]. 부가적으로 이전 심전도에서 없었거나 과거력에 허혈이 있다는 소견이면, 어떤 상승이라도 의미가 있다. "친구는 같이 다닌다."는 말을 항상 기억하자. 허혈에 대한 다른 소견이 있다면 어떠한 상승이라도 병적일 수 있다.

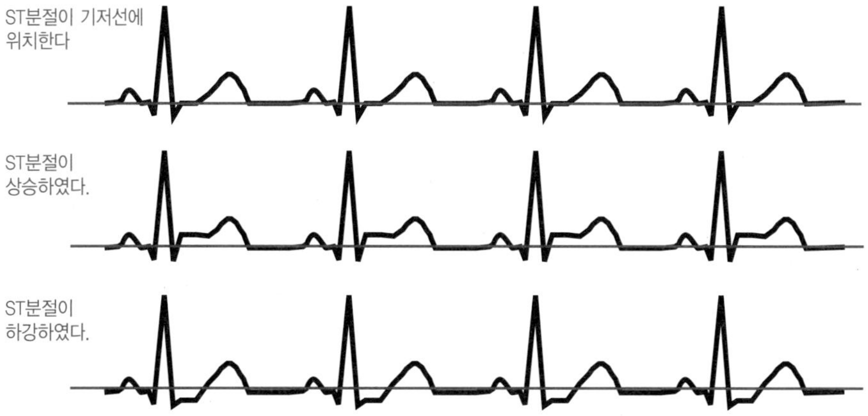

그림 14–5. ST분절의 기저선, 상승, 하강의 예들

ST분절의 모양

ST분절의 모양은 다양하다. 하지만 어떤 특정 모양은 다른 것에 비해 더욱 자주 볼 수 있다. 이것 중 어떤 모양은 특정한 상태에서 나타나기 때문에 이것을 발견하는 것은 진단을 하는데 도움이 된다. 다른 모양은 단지 "정상" 모양의 다른 형태일 수 있다. 그림 14–6에서 몇 가지 도식과 그 아래에 가능한 원인들을 보여준다. 각각은 상향 혹은 하향 QRS군의 모두에서 가능하다. 용어의 의미를 잘 모른다고 걱정할 필요는 없다. 이 단원의 2단계를 끝나면 다 알 수 있다.

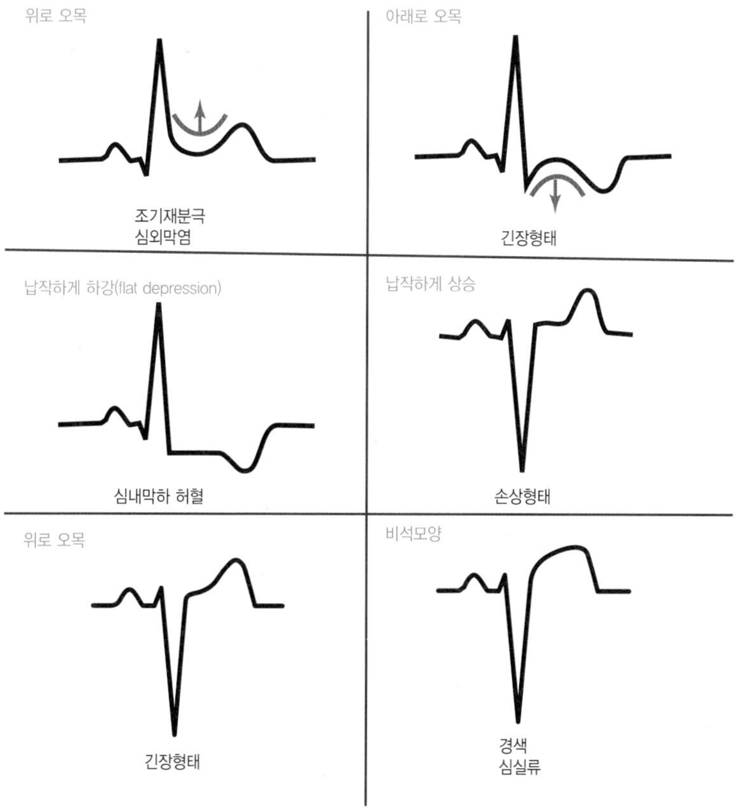

그림 14–6. ST분절 모양과 가능한 원인의 예들

T파

기본 박동 장(T파, 46 페이지)에서 이미 기본적인 T파에 대해 다루었고 – 차단과 관련해서–*각차단과 반차단* 장에서(272 페이지를 보라)에서 다루었다. 그 2 페이지를 몇 분간 복습하자. 이 단원에서는, T파의 여러 다른 모양들에 대해 조사해 보겠다. 높이가 높을 수도 있고 작을 수도 있으며 넓거나 좁을 수도 있다. 좌우 대칭일 수도 있고 비대칭일 수도 있다. 또는 상향파일 수도 있고 하향파나 이상성(biphasic) 파형일 수도 있다. 여기에 3가지 집중할 요건이 있다 : 모양과 극성(polarity), 그리고 높이(height) 혹은 깊이(depth)이다.

T파 모양 *비대칭은 정상적인 T파의 모양이다.* 대칭성 T파는 허혈, 전해질 이상, 중추신경계 이상과 같은 병적인 경우에 볼 수 있다. 그림 14–7에 비대칭성과 대칭성 T파의 예가 있다. T파는 일부의 사람에서 정상적으로 대칭적으로 보일 수 있지만 이것은 증명되기까지 병적인 것으로 간주하여야 한다. "친구는 같이 다닌다." 이것은 이제부터 당신의 표어이다. 대칭적인 T파가 정상이라 판정하기 전에 위에 나온 조건들을 제외시켜야 한다. 믿기 어렵겠지만, 대칭형의 T파만 정확히 찾아내어 많은 급성심근경색을 조기에 발견하였다. 높고 좁은 T파는 고칼륨혈증에서 흔하다. 매우 폭이 넓은 T파는 특히 두개 내 출혈 같은 뇌신경계 이상에서 발견된다.

대칭성을 결정하기 위해서는 그림 14–8과 같이 가는 눈금자를 수직으로 세워 눈금을 T파의 꼭대기에 위치한다. 만일 눈금에 의해 나누어진 양쪽이 거울상이면 T파는 대칭형인 것이다. 아니라면 비대칭형이다.

많은 경우 ST분절은 대칭성을 평가하는데 있어서 어려움을 가져온다. 이럴 경우 그림 14–8에서 직선을 기저선까지 내리는 것과 같이 T파의 두 다리를 기저선 밑으로 그대로 연장해보자. 이 간단한 기술이 대칭성을 쉽게 평가하게 해준다.

여기, 몇 개의 추가적인 예시이다.

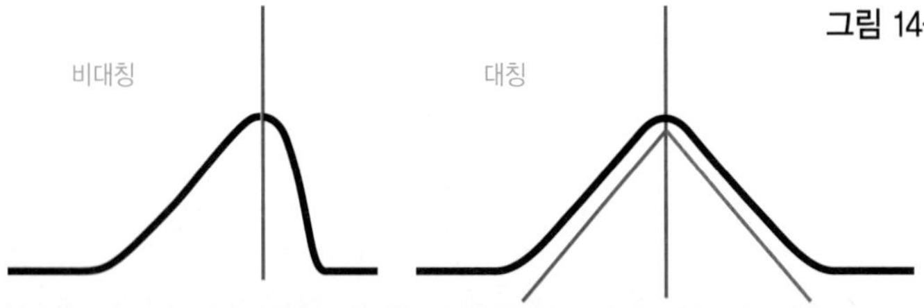

그림 14–7. T파 모양

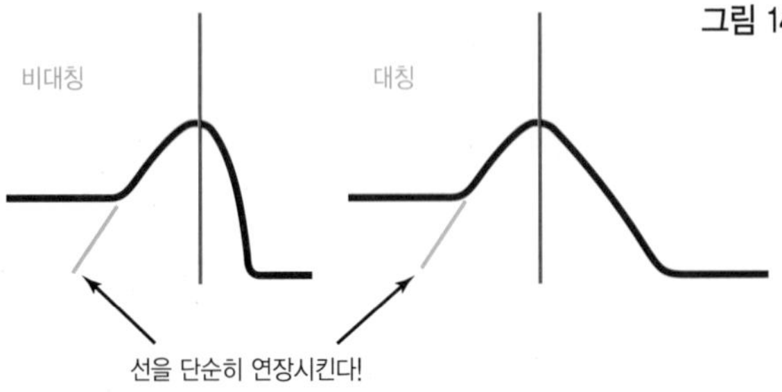

그림 14–8.

그림 14–9. T파 모양의 부가적 예

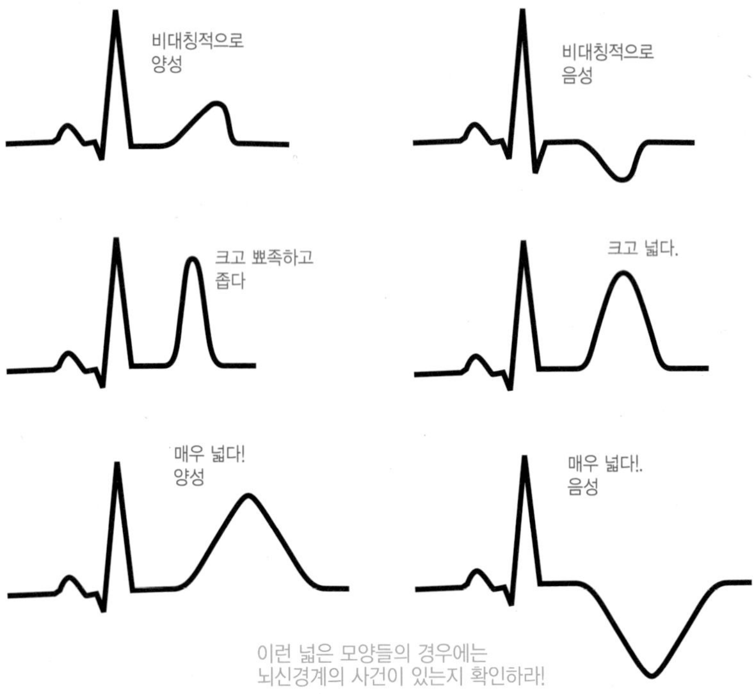

이상성 T파(biphasic T waves) 이상성 T파는 어느 유도에서나 가능하나 T파의 상향파와 하향파 사이의 이행대에서 주로 볼 수 있다. 만일 T파의 첫 부분이 하향파이면 병적인 것에 가깝다. 그림 14–10을 보면, 상향과 하향에 걸친 스펙트럼이 있다는 것을 기억하라.

T파의 극성 재분극은 고유의 벡터를 가지기 때문에 T파는 상향파, 하향파 혹은 이들 중의 중간 어디가 될 수 있다. 이런 벡터의 3차원적인 공간에서의 방향에 따라 각각의 유도에서 T파의 모양을 결정한다. T파는 보통 유도 Ⅰ, Ⅱ, V_3에서 V_6까지 상향이고 aVR에서 하향이다. 나머지 유도에서 T파는 다양하다. 나중에 이런 규칙에 대한 몇 개의 예외에 대해 볼 것이다. –예를 들어 각차단 같은 경우.

만일 T파가 유도 Ⅱ에서처럼 항상 상향인 곳에서 하향이라면 그것을 '역위되었다(flipped)'라고 표현한다. T파 역위는 종종 허혈의 표시자이다. 또한 심한 심실비대에서도 볼 수 있다. *기억할 것은 각차단에서는 모든 가설이 틀리다는 것이다!*

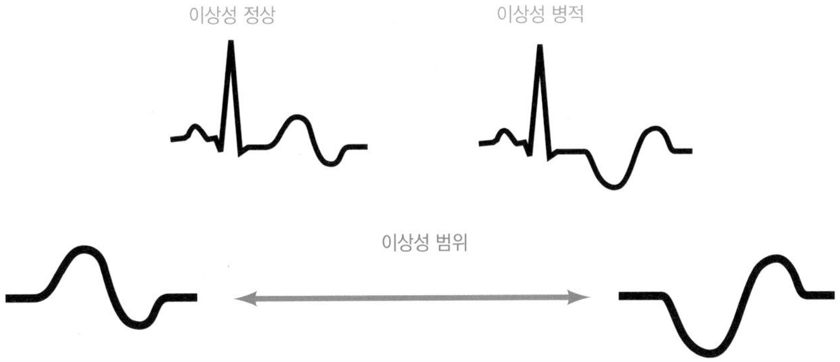

그림 14–10. 이상성 T파들

T파의 높이 혹은 깊이 T파는 일반적으로 사지 유도 6mm, 흉부 유도 12mm를 넘지 않는다. *쉽게 기억하는 방법은 R파 높이 2/3보다 크면 그것은 명백한 비정상이다.* 큰 T파는 허혈과 경색, CNS 이상, 높은 혈중칼륨농도에서 동반된다.

T파에 대한 마지막 몇마디 T파는 진공상태에서 사는 것이 아니라는 것을 기억하자. T파의 모양은 앞서 나오는 ST분절에 따라 달리 바뀔 수 있다. T파를 대하였을 때 "*간격은 항상 모든 유도에서 같다*" 라는 격언을 기억하자. T파의 시작과 끝이 분명한 유도에서 간격을 측정하여 이 거리를 T파가 이상하게 나타나는 유도에 이동시켜 보자. T파를 분리하는데 유용할 것이다.

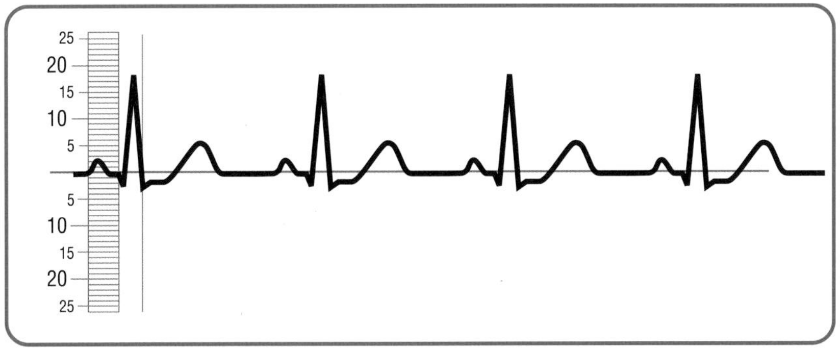

그림 14–11. 심전도자와 심전도 스트립

심전도 증례 연구 ST분절과 T파들

2

심전도 14-1 이미 말했듯이 대부분의 경우에 ST분절과 T파를 분리하는 것은 매우 어렵다. 그래서 우리는 이 장에서는 대부분의 심전도들에서 둘을 같이 논의하기로 한다.

이 장의 포맷은 심전도에 집중적이다. 왜냐하면 ST분절(가끔 T파)은 대부분의 학생들이 매우 헷갈리는 부분이기 때문이다. 많은 예에서 정상과 비정상의 차이는 사소하다. 이것은 잘 훈련된 눈이 필요하다. 우리는 자리를 잡고 앉아 어떻게 전문가들이 그 병리(pathology)에 대한 "눈"을 발전시켰는가에 대해 알아내려고 하였다. 우리는 간단한 결론에 도달했는데, 전문가들은 이상이 있다고 생각되는 심전도를 수천 장 보았기 때문이다. 우리는 당신에게 다양한 이상소견이 있는 많은 심전도를 보여줌으로서 그 길에 첫발을 내딛게 할 것이다. 이 장을 끝내고 난 다음에 이런 관점에서 이 책의 모든 심전도를 복습하면 많은 도움이 될 것이다.

이 심전도는 푹 파인(scooped) 모양의 ST분절과 높고 비대칭형의 T파를 볼 수 있다. T파는 높지만 병적으로 그렇지는 않다. 병적이라고 말하려고 하면 R파 높이의 2/3보다 커야한다. 그러나 T파가 이 정도 높이이고 *대칭형*이라면 그것은 비정상일 것이다. 많은 례에서 고칼륨혈증, 허혈, 중추신경계 이상이 이런 형태의 대칭형 T파를 동반하다. 심전도와 환자를 항상 연관하여 보는 것이 중요하다.

심전도14-2 이 심전도 또한 푹 파진 ST분절과 비대칭형 T파를 보인다. 주지해 보면, 심전도 14-1보다 T파가 높지 않다. T파는 대칭형에 가깝다. – 옛 속담에 이르길 말 편자와 수류탄을 셀 때만 비슷하다(close only counts in horseshoes and hand grenades; 근접하지만 정확하게 맞는 것은 아니다). 이것은 어떤 진단 기준으로도 병적인 T파가 아니다. 유도 Ⅰ, Ⅱ 그리고 V_3에서 V_6까지 상향이며 aVR에서 하향으로 정상적인 T파의 벡터를 가진다.

ST분절은 푹 파진 모양이면서 약간 상승해 있고 대부분의 례에서 위로 오목한 모양이다. V_1의 ST분절은 평평하고 아래로 오목한 것이 문제가 있다. 이것은 정상이 아니다. 하지만 주위의 유도들을 본다면 더 이상 병적인 과정의 연속은 없다. 일반적으로 뚜렷한 병리를 가지고 있는 *하나의* 고립된 유도는 임상적으로 유의하지 않다. 한번 더 "친구는 같이 다닌다"는 원칙을 인용해야 한다. 환자를 살펴보고 환자의 주 증상에 대해 평가해보자. 만일 그녀가 젊고 손가락 골절로 내원하였다면 더 이상 진행할 필요가 없다. 심전도는 아마도 이 장의 끝부분에 논의할 조기재분극의 예제일 수 있다. 만일 그녀가 흉통으로 내원하였다면 더 조사를 해야한다. 한 번 더 관찰한다면, 약간의 PR 하강과 QRS군 마지막에 약간의 절흔이 있다. 이 심전도는 초기 심낭염과 일치한다. 병력과 이학적 소견은 확진에 있어서 중요하다.

조언

가능한 많은 심전도를 보고 분석하라. ST와 T파 논쟁에 있어서 경험이 최고의 선생이다.

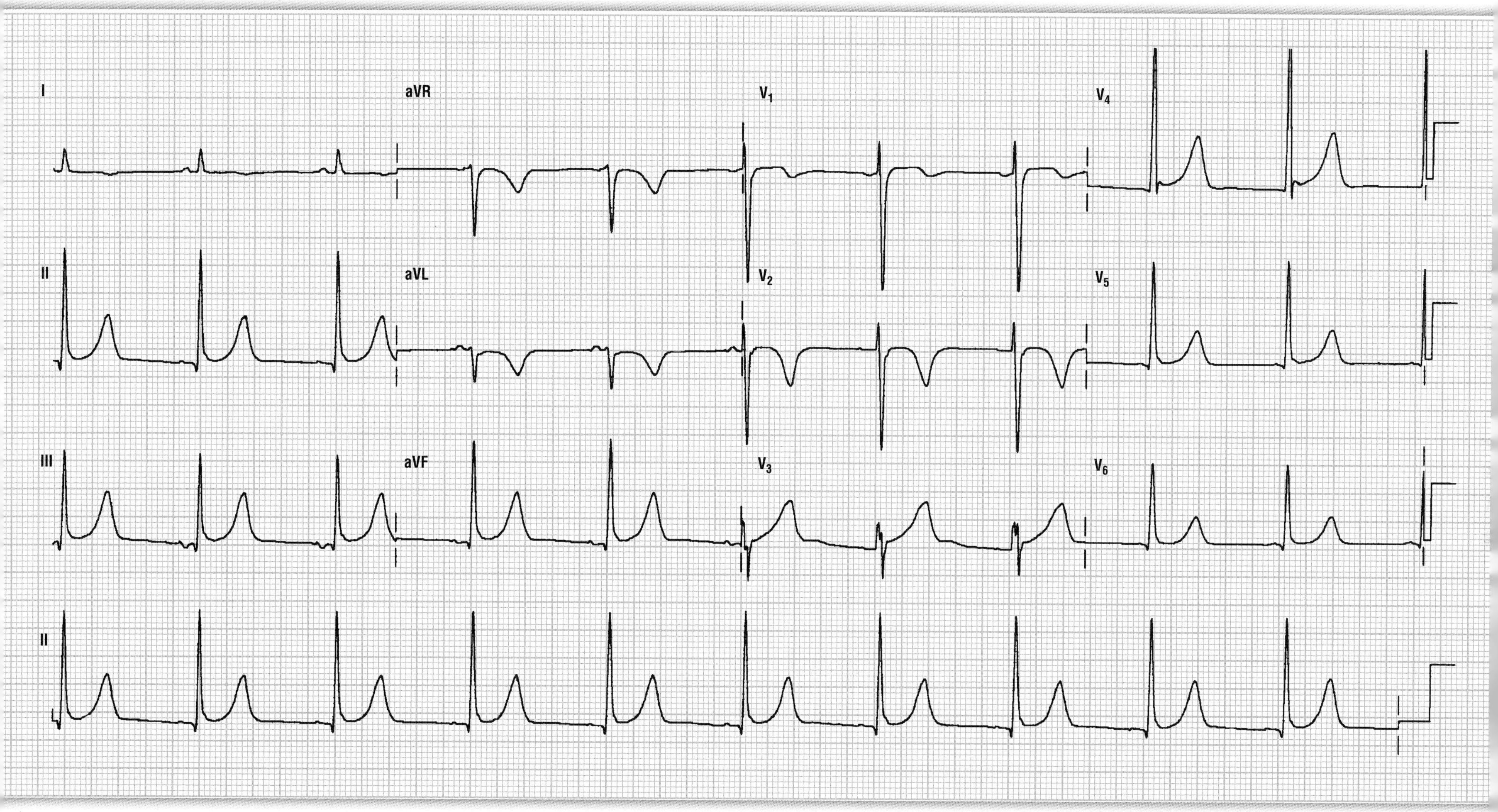

ECG 14-1

심전도 증례 연구 계속

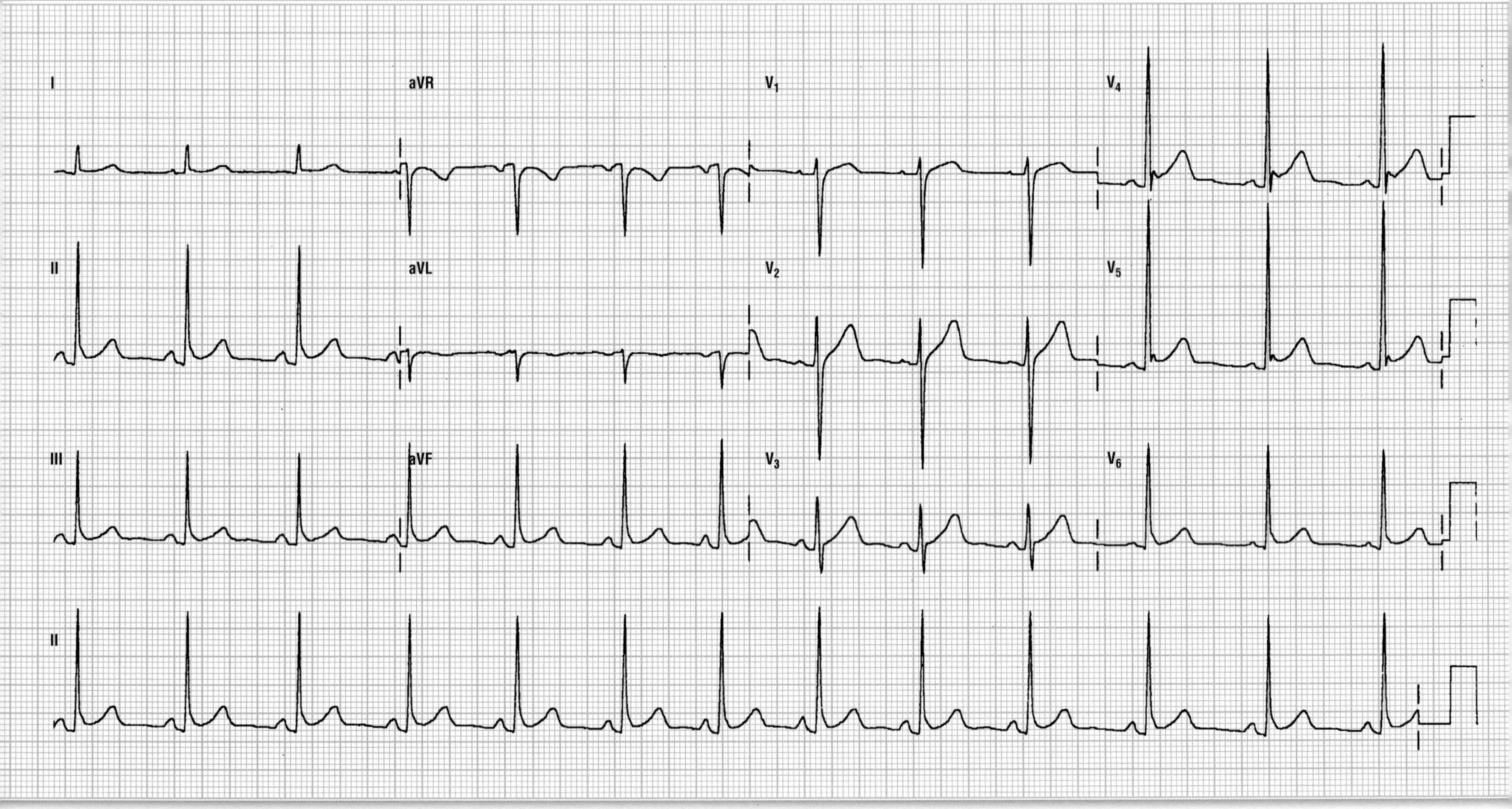

ECG 14-2

2

심전도 14-3 아래 심전도의 T파에 주목해보자. 이상한 점이 보이는가? 유도 I 그리고 II에서 상향이며 이것은 정상이다. 맞는가? 하지만 V_3에서 V_6는 어떤가? 그림 14-12의 확대에서 보다시피 역위이고 대칭형이다. 이것이 허혈을 시사하는 비정상 T파의 예이다.

V_2에서 V_4를 살펴보면 T파가 대칭형인 것으로 보기 힘든데 그 이유는 약간의 ST분절 상승으로 T파가 일그러졌기 때문이다. T의 대칭성을 평가하기 위해 T파의 한쪽 끝을 연장하여야한다는 것을 기억하자.

덧붙여 사지 유도에서의 T파는 평평한 점에 유의하자. 이것도 역시 병적이다. 이 이상 소견을 비특이적 ST-T파 변화(nonspecific ST-T wave change, NSSTTW△, 약어)

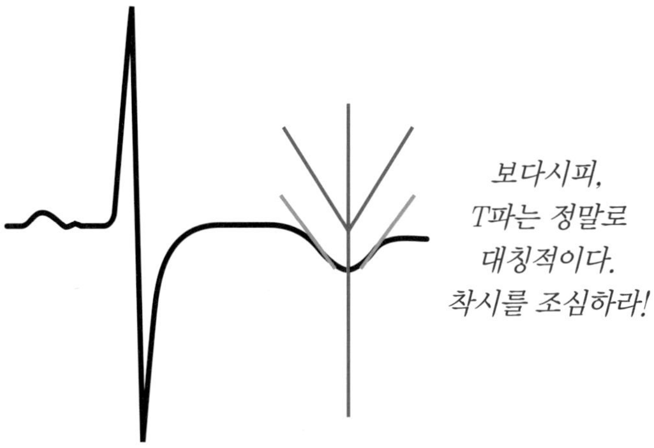
보다시피,
T파는 정말로
대칭적이다.
착시를 조심하라!

그림 14-12. 유도 V_5의 확대

심전도 14-4 이 심전도의 흉부 유도에서 *못생긴* T파를 발견하기 위해서 전문가일 필요가 없다. 그림 14-13 확대에서 보다시피 이것은 역위되어 있고 관련된 R 혹은 S파의 2/3보다 크다. 덧붙여 분명히 대칭적이다. 대칭성을 평가하기 위해 투명한 직선자를 사용하는데 익숙해져 보자.

T파는 사지 유도 I과 aVL에서 이상소견을 보이는데 이것도 역시 역위이고 대칭적이다.

율동에서 특이한 점이 보이는가? 무엇인지 알 수 있겠는가? 이것은 다양한 P파와 PR 간격을 가진 불규칙하게 불규칙한 율동이다. 그렇다 이것은 유주심방조율(wandering atrial pacemaker)이다. 이 경우 어떠한 명백한 만성폐쇄성폐질환(COPD)병리와 동반되어 있지는 않지만, T파의 역위와 대칭성으로 보아 허혈로 인한 것으로 생각된다.

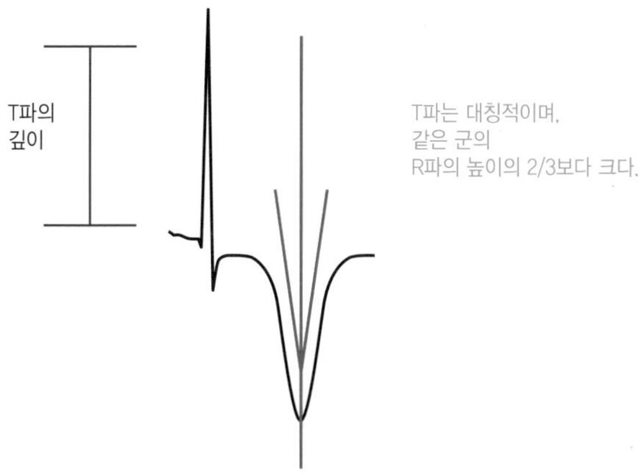
T파의
깊이
T파는 대칭적이며,
같은 군의
R파의 높이의 2/3보다 크다.

그림 14-13.

심전도 증례 연구 **계속**

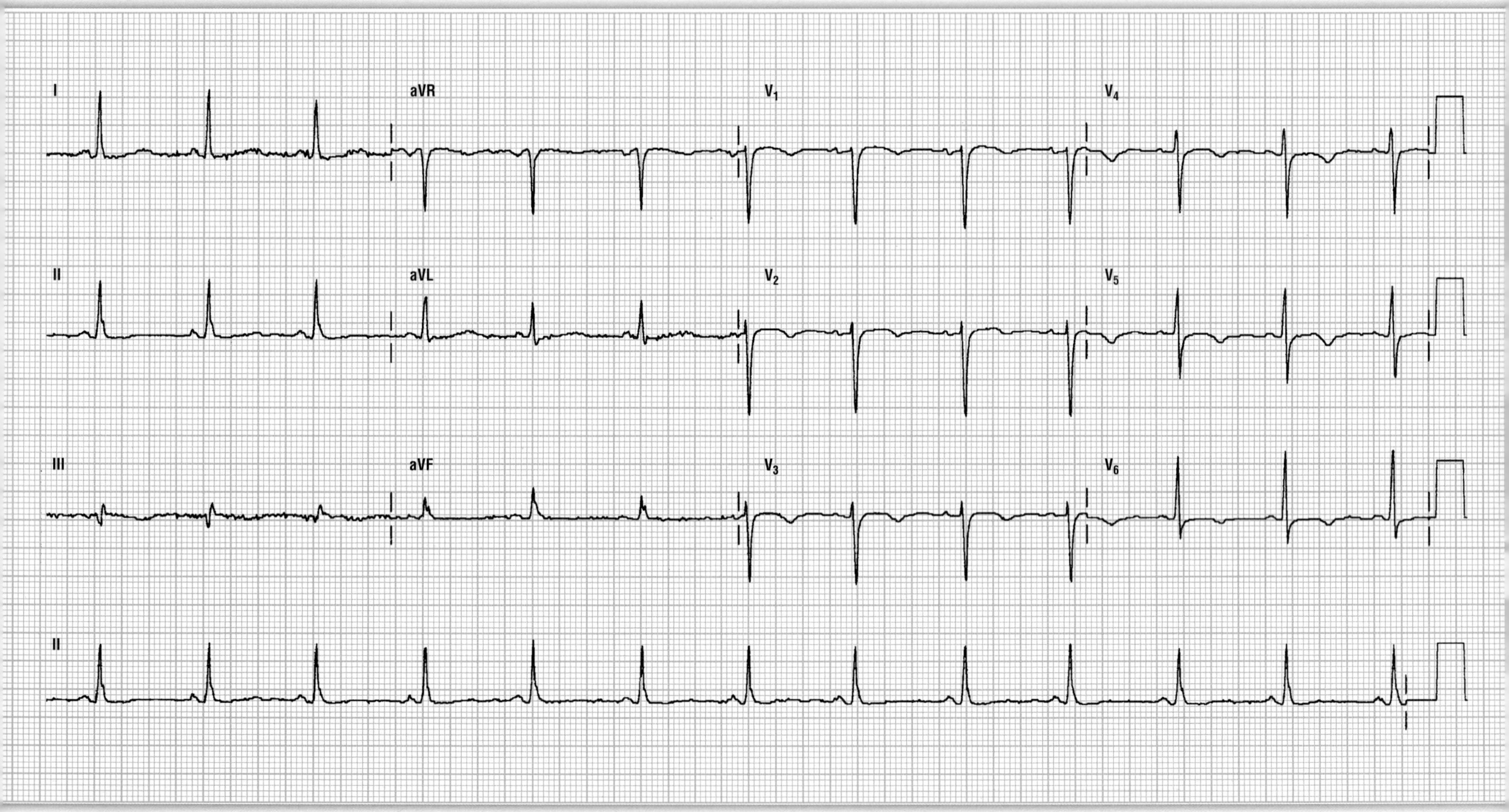

ECG 14-3

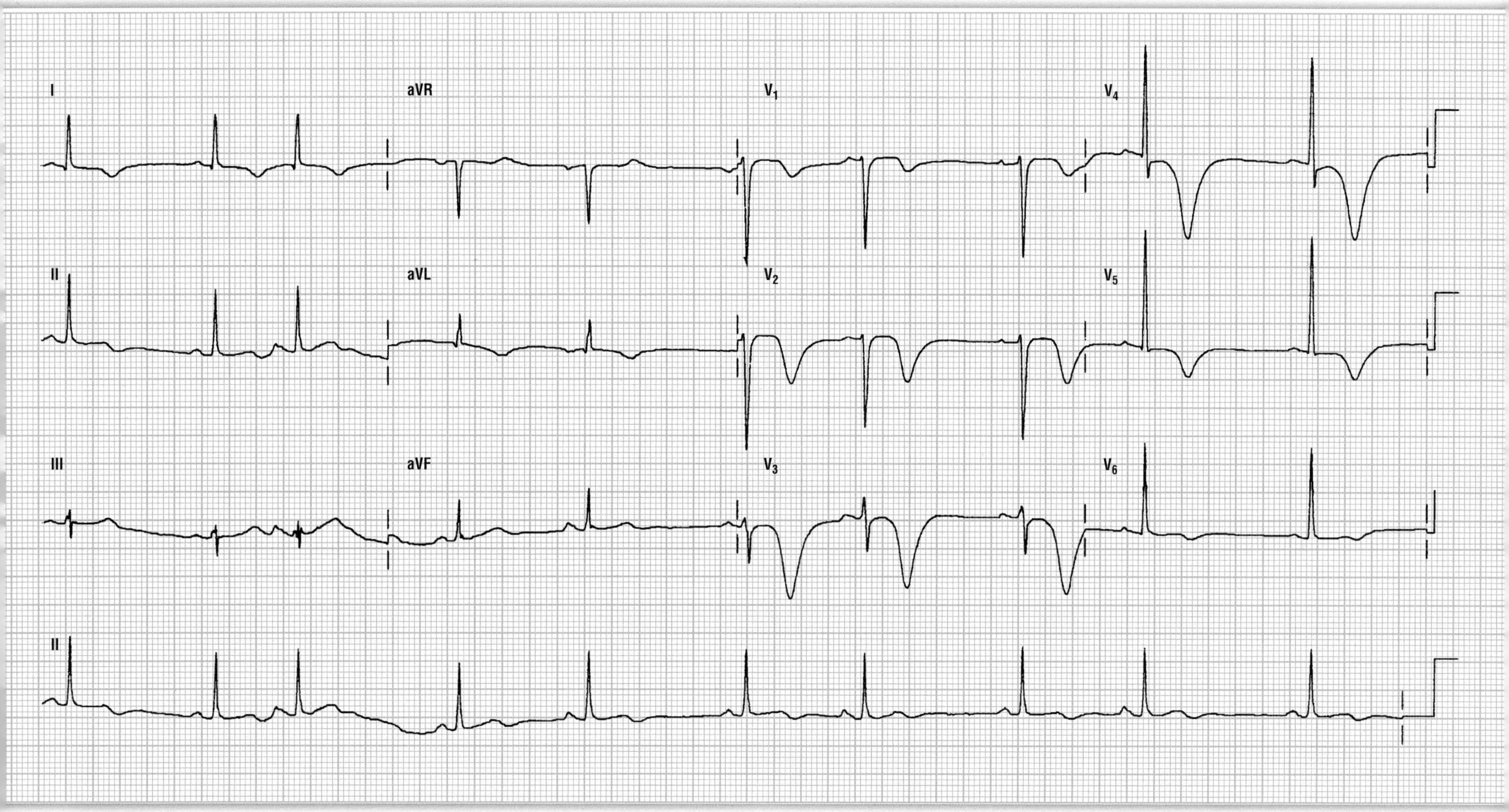

ECG 14-4

심전도 증례 연구 계속

2

심전도 14–5 이 심전도는 T파의 이상 소견이 보다 전반적으로 있는 것을 제외하고는 심전도 14–4와 비슷하다. 유도 Ⅱ와 aVF에 이상이 있다(T파가 aVF에서 매우 평평하다).

또 어떤 이상 소견이 있는가? V_1유도에 좌심심방확장 소견이 있다. 더하여 유도 Ⅱ, Ⅲ와 aVF에서 보이는 Q파가 병적이다. 이 Q파는 0.03초 보다 넓고 R파의 높이의 1/3보다 큰 2가지 진단조건을 만족한다.

3

심전도 14–5 이 환자에서는 오래된 하벽심근경색(IWMI)의 뚜렷한 소견이 보인다. 역위된, 대칭형의 T파가 전반적으로 보이는 것은 허혈, 중추신경계 이상, 전해질 이상과 회복기의 심낭염(특히 오래된 하벽경색의 존재로 인한 경색 후 심낭염)을 감별 진단 하여야 한다. 이 심전도를 완전히 해석하기 위해서는 임상적 연관성을 확인해야 한다.

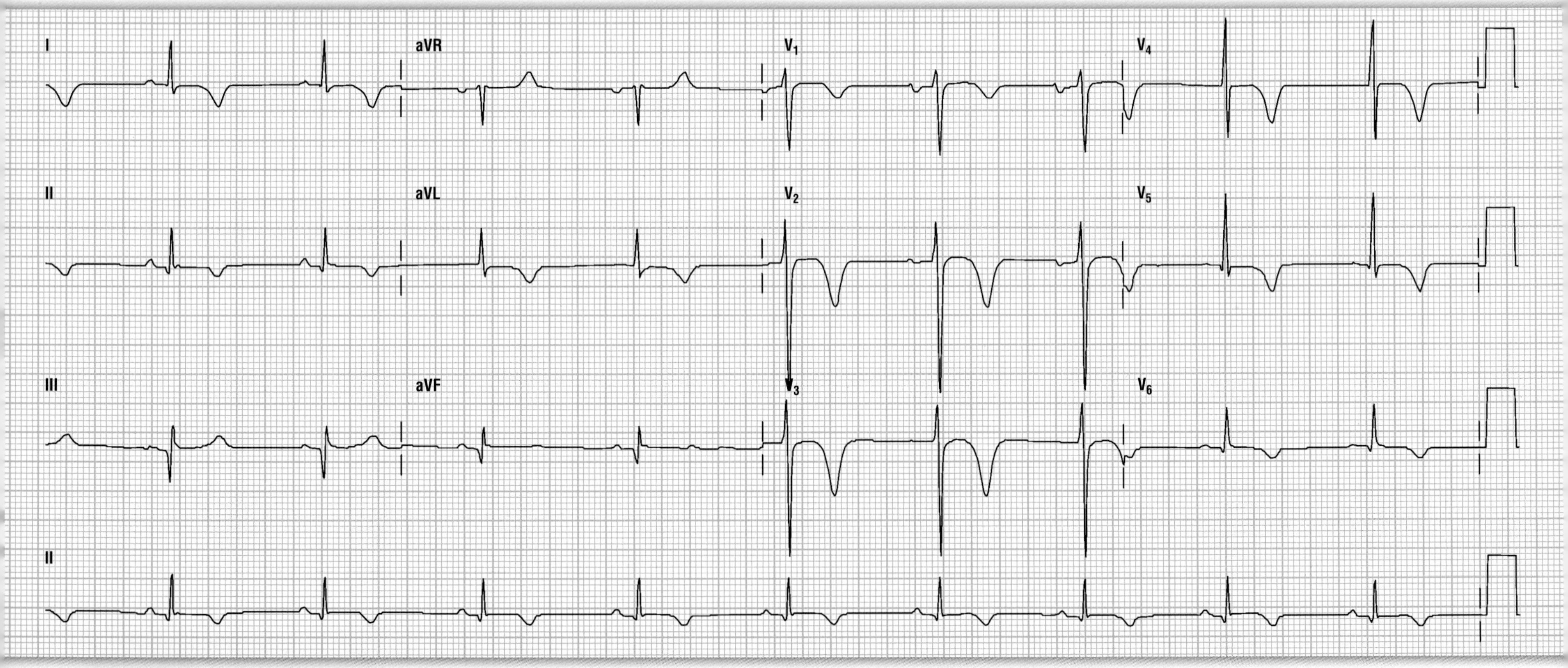

ECG 14-5

2

심전도 14-6 이 심전도의 T파는 정상인가? 당연히 아니다. 유도 I, II 와 V_3에서 V_6까지 역위되어 있다. 사실 상향파는 단지 aVL과 aVR에만 있다(aVR에서는 항상 역위인 것을 기억하라). T파는 대칭형이다. 마지막으로 많은 유도에서 연관된 R파 높이의 2/3보다 크다.

V_2에서 비정상적인 R:S 비율을 가지며 이것은 흉부 유도의 조기 시계반대방향 이행을 의미한다. 이것이 큰 우심실에 의한 것인가? 가능하다. T파의 이상이 우심실비대와 동반되는가? 아니다. T파들은 너무 광범위하고 대칭형이다. 우심실비대는, 이 장의 나중에 나올 내용이지만, 비대칭형 T파와 연관되어 있다. 심방내전도지연(IACD intraatrial conduction delay)의 소견이 보이고 있는데 우심방확장 소견에 합당하지는 않다.

마지막으로 명확한 QT 연장 소견이 있다. R-R 간격의 1/2보다 QT 간격이 길다.

이 심전도의 임상적인 시나리오는 어떤 것이 있는가? 전해질 이상도 가능성이 있겠다. 광범위한 허혈과 중추신경계 이상이 또한 감별 진단 항목의 가장 우선순위에 위치한다. 가능하다면 이전의 심전도를 구해서 이런 것들을 제외시켜서 (혹은 포함하도록 하여) 마지막 결론이 나오도록 한다. 항상 심전도와 환자를 동시에 생각해야 한다는 것을 기억해두자.

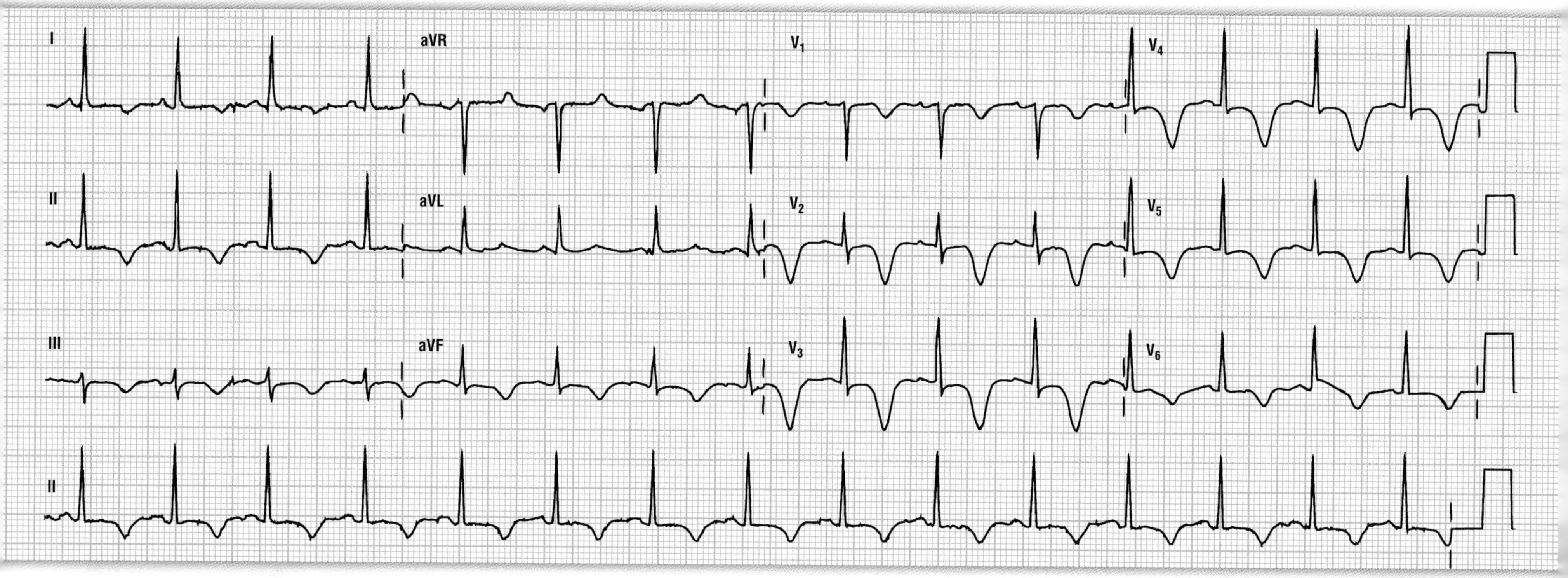

ECG 14-6

심전도 증례 연구 **계속**

2

심전도 14-7 이제 깊은 T파에서 큰 T파로 가보자. 흉부 유도 중간의 T파를 살펴보자. 키가 크고 대칭형이다. *전해질과 약물 효과들* 장에서 이 주제에 대해 보다 많은 시간을 할애할 예정이지만 고칼륨혈증을 소개할 좋은 시점이다. 만일 키가 크고 대칭형의 T파를, 특히 중간–흉부 유도들에서 본다면 항상 고칼륨혈증을 생각하여야 한다. 이 관련성을 판단하는 것은 매우 중대한 문제인데 왜냐하면 많은 경우에 있어서 부정맥 같은 합병증이 시작하기 전에 치료를 시작할 시간이 많지 않기 때문이다. 때때로 그 시간이 단지 몇 분이 될 수도 있고 어떤 경우에는 수 시간이 될 수도 있다. 단지 어떤 환자가 충분한 시간을 당신에게 줄지 알지 못한다.

조언

크고, 뾰족하고, 대칭의 T파들 = 고칼륨혈증!

이 증례가 고칼륨혈증이 최종 진단인가? 아니다. 예를 들어 허혈과 같은 몇몇 다른 가능성들이 있다. 빈틈없는 심전도 전문가인 당신은 여기에 있는 몇몇 점들 때문에 그것이 의심스러울 것이다. 예를 들어 사지 유도에서 크기가 5mm 보다 작은 사지 유도들이 없지만, 사지 유도에서 작은 심전도군들은 소량의 심낭 삼출액을 의미할 수 있다. 신부전 환자들에서 심낭삼출을 볼 수 있는가? 그렇다. QT 간격 연장은 저칼슘혈증을 시사할 수 있다. 이것 역시 빈번하게 신부전 환자에서 볼 수 있다. 이제 전문가들이 여러 가지 소견들을 어떻게 종합하는지 알겠는가?

심전도 14-8 심전도 14-7을 논의 후에 당신의 다음 질문은 무엇이어야 하는가? 포타슘 농도는 얼마인가? 이 T파들은 매우 크고, 좁으며 뾰족해서 전통적인 고칼륨혈증 소견에 매우 합당하다(그림 14-4)

QRS군이 0.12초 보다 넓은가? 그렇다. 이것이 우각차단이나 좌각차단의 진단기준에 합당한가? 둘다 아니다. 그래서, 이것은 심실내전도지연(IVCD)이다. 가장 흔한 심실내전도지연의 원인은 고칼륨혈증이다.

그림 14-14. 날카로운 T파

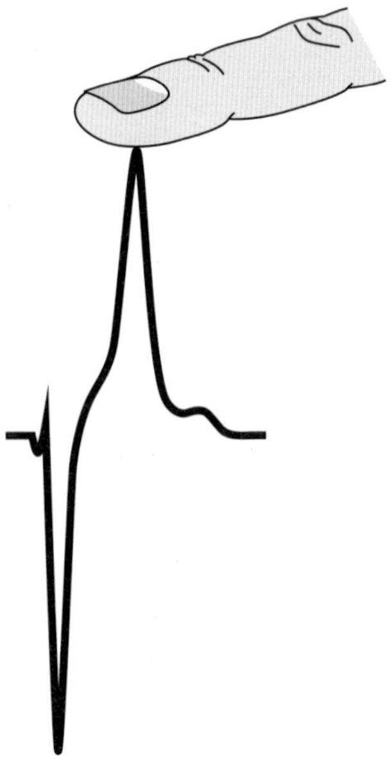

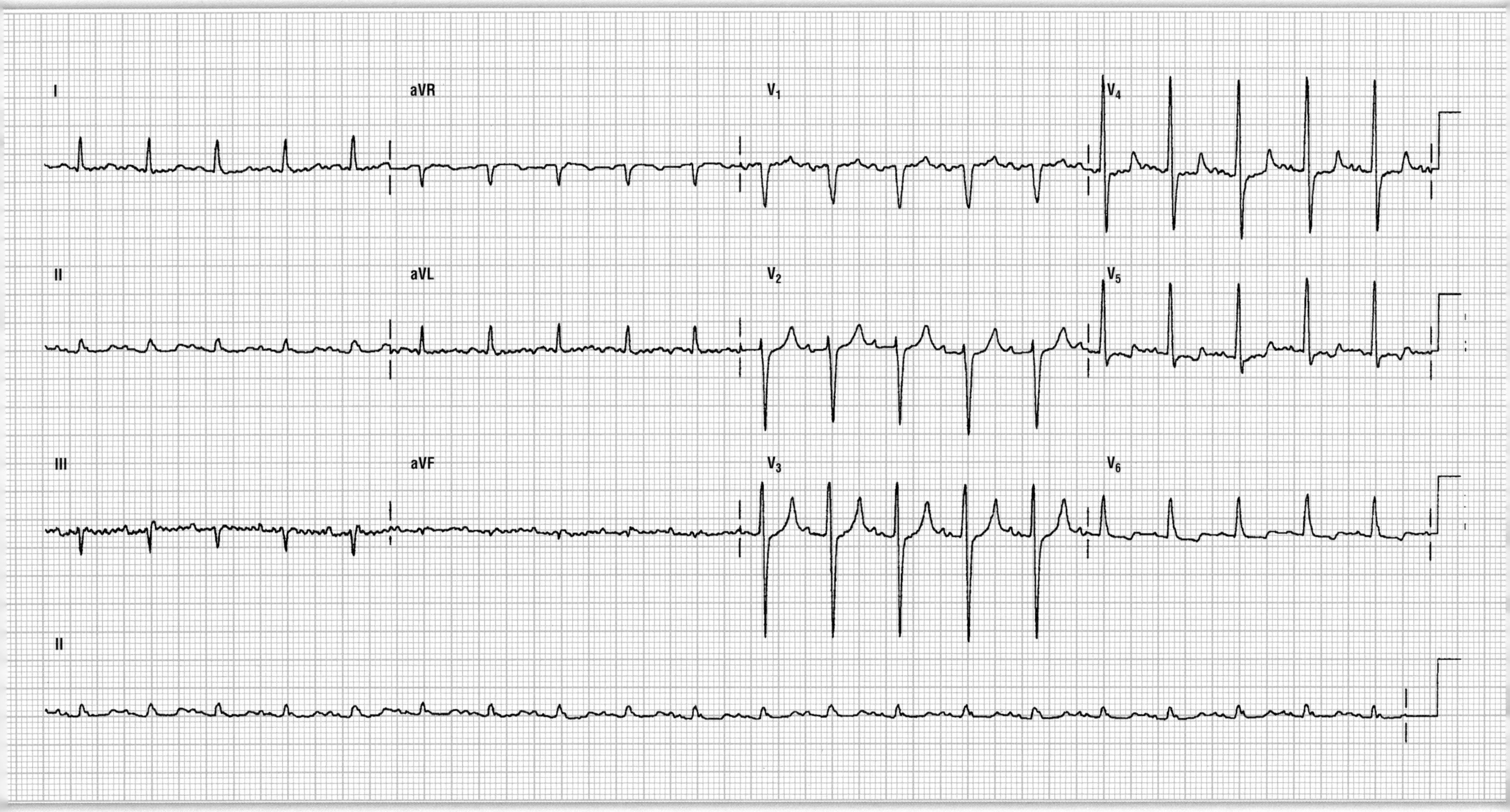

ECG 14-7

심전도 증례 연구 계속

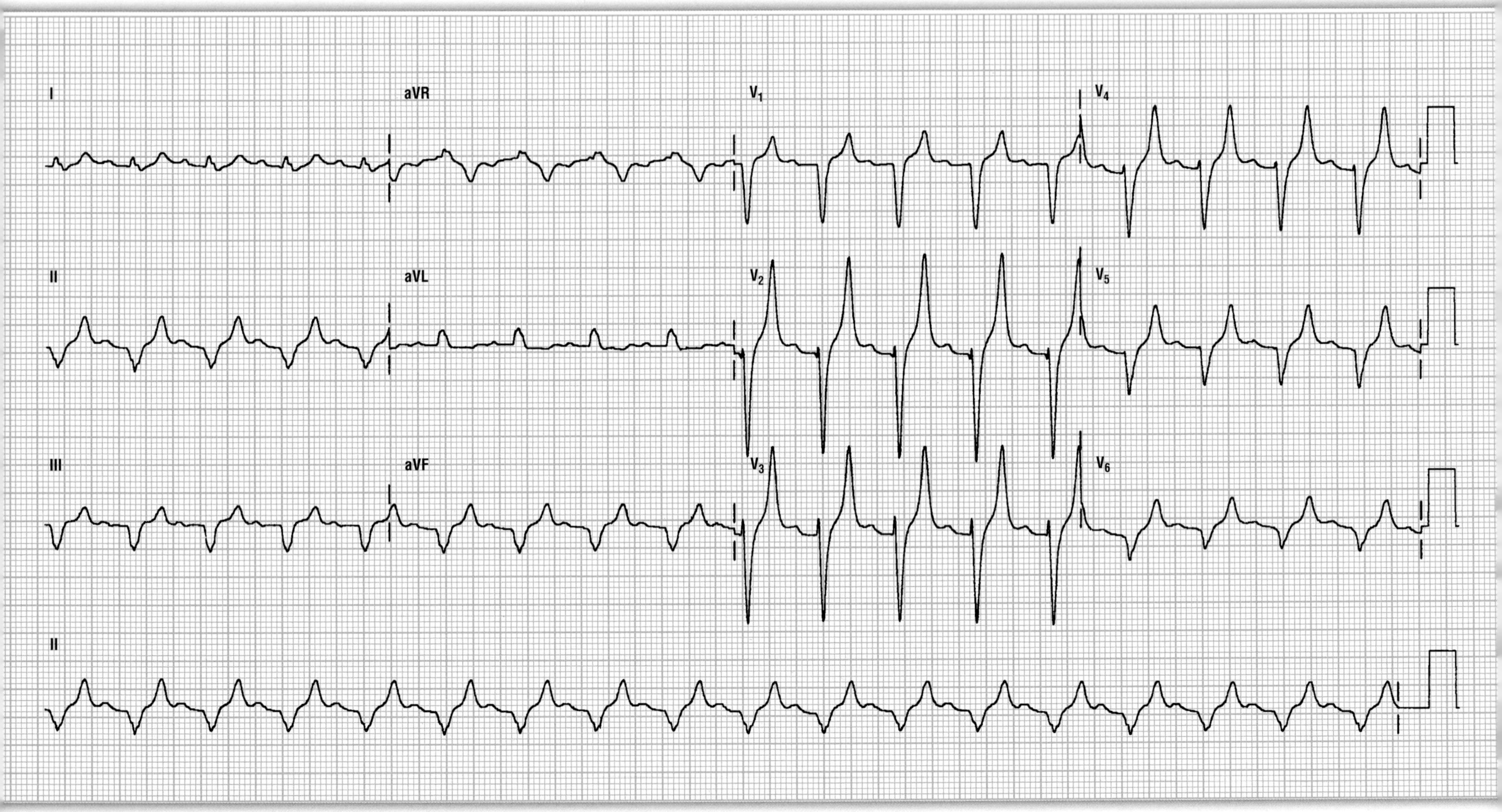

ECG 14-8

2

심전도 14-9 이 심전도의 T파 역시 뾰족하고 대칭적이다. 또한 넓은 모양이고 끝에서 조금의 편위전도(aberrancy)를 보인다. T파가 내려오기 시작하면서 다음 군으로 펼쳐지는 모양이다. 이것은 보기 힘든 비정상적인 패턴이다. 이것은 아마도 심전도의 주된 병변인 율동 이상 때문일 것이다. 이 심전도는 분석하기에 매우 어렵지만 한번 해보자. 빠른가 느린가? 빠르다. 이것은 빈맥이다. QRS군이 0.12초보다 넓은가? 그렇다. 그래서 이것은 넓은 QRS 빈맥이다. P파가 있는가? 있다. P파가 QRS군과 연동하고 있는가? 그렇지 않다. 특히 유도 Ⅱ와 V_1를 살펴보자. 유도 II에서 P파가 QRS군 쪽으로 움직이다가, 정말로 QRS군 속으로 사라지는 것을 봤는가?

이것은 방실해리(AV dissociation)의 한 예이다. P파가 QRS군보다 많이 빠르지 않기 때문에 3도 방실차단이 아니다. 달리 말하면 P파와 QRS군의 비율이 1:1 이라는 것이다. 이제 종합하여 보면, 이것은 넓은 QRS 빈맥(wide complex tachycardia)이면서 방실해리가 있다. 정의에 따르면 심실빈맥이다! 만일 이러한 소견을 찾아내는데 어려움이 있다면, 걱정하지 마라. 다른 사람들도 같다. 전문가들도 아주 집중적인 노력으로만 알 수 있다. 이것은 정말로 어려운 심전도이다. 이것은 어떻게 문제들을 다룰 수 있을만한 여러 조각들로 나누는 것에 대한 훌륭한 예이다.

심전도 14-10 좋다. 여기서 포타슘 농도는 얼마인가? 한 번 더 모양이 병적으로 키가 크고 어느 정도 폭이 넓은 T파와 마주쳤다. 첫 번째로 떠오르는 것은 고칼륨혈증이다. 나머지 감별 진단은 앞서 이야기한 것과 같다 : 뇌신경계 사건, 허혈, 기타 전해질 이상. 허혈은 매우 전반적으로 나타나기 때문에 생각하기 어렵다. 가장 가능성이 높은 답은 뇌신경계 사건들과 전해질 이상들이다.

심전도의 나머지 소견은 QRS군이 V_2 보다 조금 빨리 하향파에서 상향파로 변화하는 조기 시계반대방향 이행을 보인다. 축은 정상 사분면내에 있다. 심방확장의 증거는 없다.

2 빠른 복습

1. 한 개의 유도에서 단독으로 발생하는 ST와 T파 이상들은 의미있는 병변의 표시이다. 참 혹은 거짓

2. 미란성 J점들의 상승은 대개의 경우 양성 경과와 관련이 있다. 참 혹은 거짓

3. T파들은 정상적으로 aVR에서 위를 향한다. 참 혹은 거짓

1. 거짓 **2.** 참 **3.** 거짓

심전도 증례 연구 계속

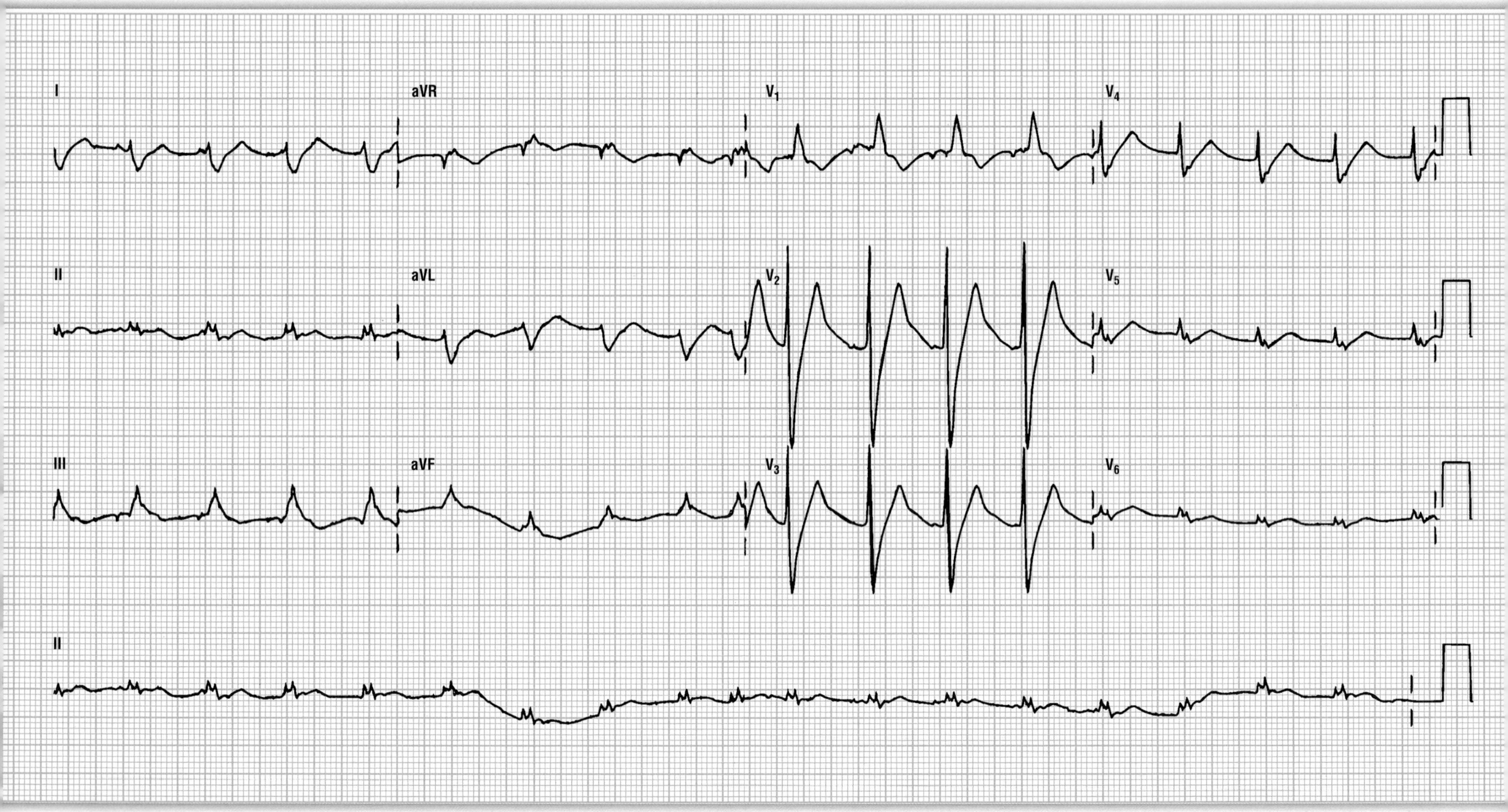

ECG 14-9

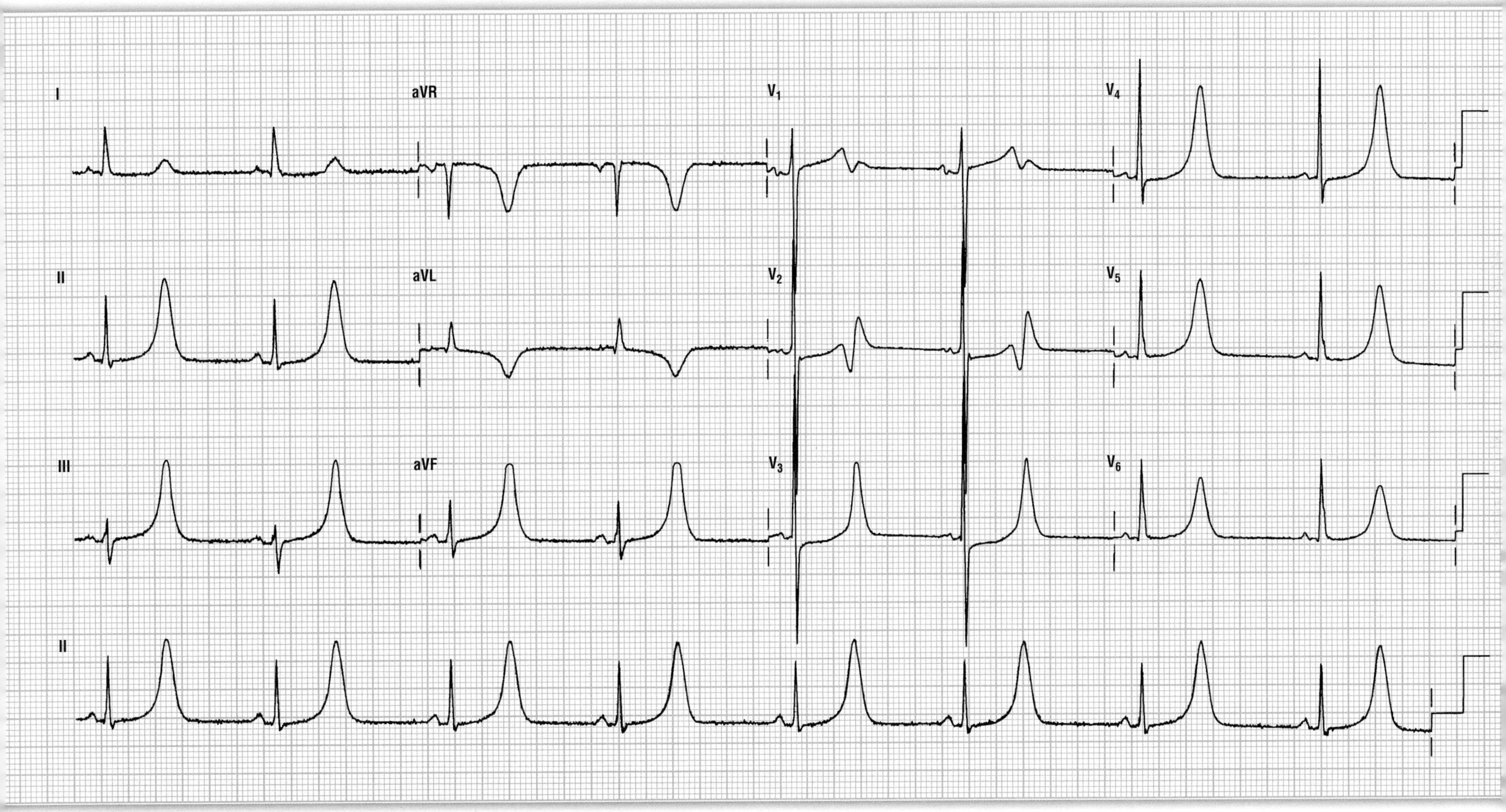

ECG 14-10

심전도 증례 연구 계속

2

심전도 14-11 와, 이 심전도는 정말 병적인 소견들로 꽉 차있다! T파는 극단적으로 키가 크다. 포타슘 이상을 생각할 수 있겠는가? 첫 번째 그리고 항상! 어떤 심전도라도 우선적으로 평가해야 하는 심박동수를 살펴보자. 심방 박동수는 심방빈맥에 합당할 만큼 빠르다. 그러나 QRS군 박동수는 매우 느려서 분당 40회 정도된다. 심방박동수가 심실박동수보다 월등히 빠르기 때문에 P파는 QRS군과 연관되어 있지 않다, 이것은 3도 방실차단을 시사한다.

이제 QRS군에 관심을 돌려보자. QRS군은 넓고 이상하게 생겼다. V_1이 단형의 S파 형태이며 유도 I과 V_6의 단형의 R파의 형태는 좌각차단의 기준에 일치한다. 이 환자는 아마도 기존에 좌각차단을 가지고 있거나, QRS군이 너무나 이상하게 생긴 것으로 볼 때 심실의 어딘가에 있는 편위전도성 심박조율기(aberrant pacemaker)에서 심전도군이 나오기 때문일 수 있다(우심실이 맞다. 왜냐면 좌각차단 형태이기 때문이다). 2번째 의견이 더 유력하다. 이 심전도는 3도 방실차단과 심방빈맥이 동반된 심실이탈율동을 보여주고 있다.

매우 이상한 심전도에 직면하였을 때 당황하지 마라! 대신 조직적 방식으로 구성 성분들을 하나하나 분리하여라. 이것이 어떠한 병리가 개입하였는지를 밝히기가 더 쉬워질 것이다.

2

심전도 14-12 이 심전도의 T파는 특히 전흉부 유도에서 상당히 인상적이다. ST 그리고 T파의 이상은 초급성기의 급성심근경색을 시사한다(아주 최근에 발생한). 이런 심전도를 포착하는 것은 매우 드문 일인데 대부분 흉통을 가진 환자들이 응급실에 초급성기가 지나서 오기 때문이다. 어느 유도에서 ST분절이 상승하였나? 당신이 대부분의 사람들과 같다면, 전흉부 유도라는 것을 금방 알아차렸을 것이다. 그러나 동시에 유도 II, III와 aVF에 명확하게 상승해 있다. 또한 유도 I과 aVL에 ST 하강이 있다. *급성심근경색증(Acute myocardial infarction [AMI])* 장에서 언급할 것인데 이것은 하벽심근경색을 시사한다.

3

심전도 14-12 이것은 교과서적인 초급성경색의 예이다. 전벽과 하벽 중 어느 부위의 경색인가? 대부분 전벽의 경색이라고 생각할 것이다. 그러나 이 심전도는 하벽의 전형적인 소견과 초급성 우심실경색이 동반 상태를 보여준다. 다음과 같은 진단기준을 포함한다. (1) 하벽경색 (2) 유도 Ⅲ의 ST 상승이 Ⅱ보다 더 크다 : (3) V_1에서 ST분절 상승(경우에 따라 V_6까지 연장될 수 있음) 심초음파에서 전벽이 기능을 하는 것을 보여주지만 하벽 운동장애와 우심실경색에 일치하는 변화를 보여준다.

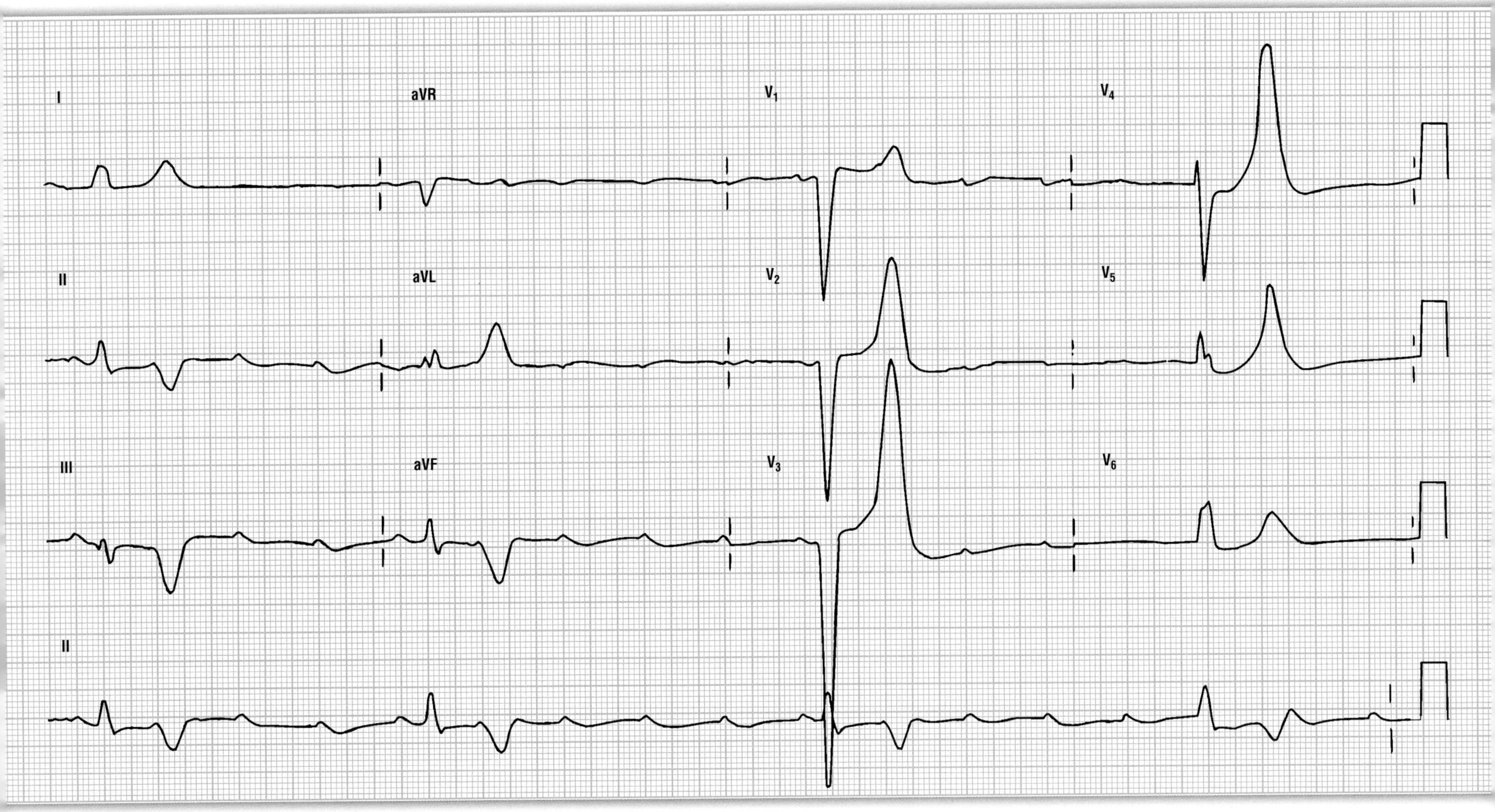

ECG 14-11

심전도 증례 연구 계속

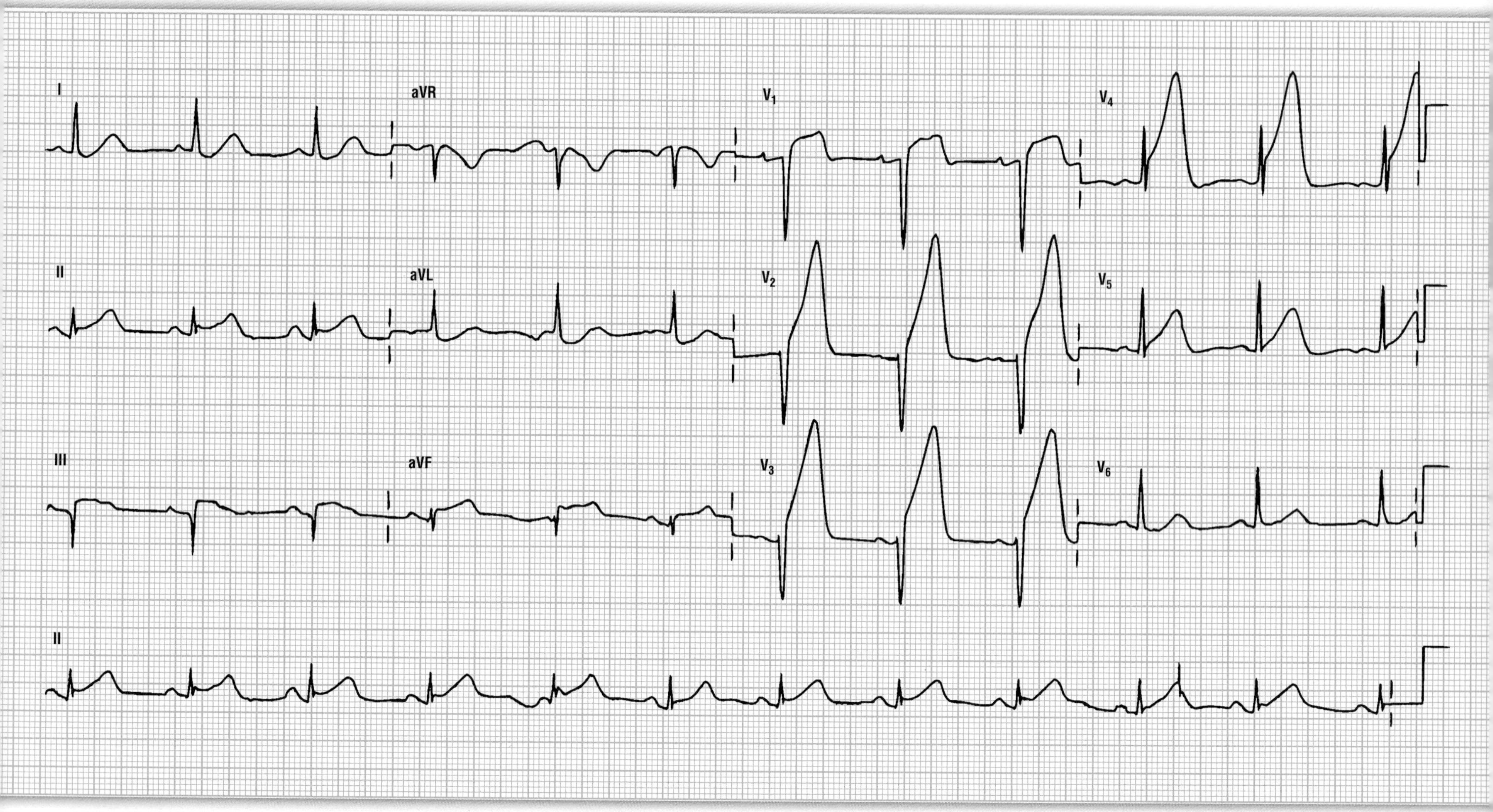

ECG 14-12

2

심전도 14-13 이제 키가 큰 T파들에서 폭이 넓은 T파들로 나아가 보자. 이 환자의 ST분절은 퍼져있고 애매모호하다. V_1의 T파는 약간 비대칭형이지만 다른 유도에서는 대칭형이거나 평평하다. 이것들은 정상 T파가 아니다. 주의를 가지고 접근하여야 한다. 옛 심전도가 있으면 매우 도움이 되겠지만, 없다면 우리는 가장 나쁜 경우를 가정해야 한다. 최악의 시나리오는 허혈과 전해질 이상이 동반된 중추신경계 사건 – 몇 개의 유도들 특히 V_2, V_3의 매우 작은 U파가 있기 때문에 가능성이 떨어진다.

2 빠른 복습

1. 역위된 T들은 항상 병변의 표식이다. 참 혹은 거짓

2. 만약 각차단이 있다면, T파들은 역위될 수 있으며, 여전히 정상일 수 있다. 참 혹은 거짓

3. 상승되었거나 저하되었던 ST분절이 평평하면 항상 양성 원인에 의한 2차적 변화이다. 참 혹은 거짓

1. 거짓: 진단기준을 복습하라. aVR에서는 역위가 정상이다: III, aVL, aVF, 그리고 V_1에서 V_2까지는 역위가 정상일 수 있지만, 그러나 항상 조심하라.
2. 참 **3.** 거짓.

임상의 진주

항상 심전도 판독을 환자와 비교하라. 진단을 확립하기 위한 작업에서 심전도 도움을 받아라.

심전도 14-14 또 하나의 난해한 심전도다. 언뜻 보기에 꽤나 정상으로 보이지만 조직화한 형태로 보기 시작하면 이상 소견이 보일 것이다. P파가 조금이라도 보이는가? 그렇다. QRS군들과 연관되어 있는가? 아니다. 리듬 스트립을 보면 어떤 P파들은 네 번째 별표로 표시한 것처럼 쉽게 집어 낼 수 있다. 이것 이외에 다른 몇 개의 P파들은 QRS군, ST분절, T파에 묻혀 있기 때문에 덜 명확하다. 측경기(caliper)로 P파들의 위치를 표시해 보면 조금 빠르거나 느리지만, 거의 항상 같은 간격으로 떨어져 있다는 것을 알 수 있다. 이것은 방실해리와 일치하는 소견이다. 이것은 정상 동율동이면서 방실해리이고 접합부이탈박동들(junctional escape beats)이다.

그러나, 이 장은 T파들과 ST분절들에 관한 장이다. 우측 흉부 유도 V_1에서 V_3까지 약간의 ST분절 상승소견이 보인다. 이것들은 분절이 조금 위쪽으로 오목하면서 국자로 위에서 파낸 모양을 하고 있는데 꽤 정상적으로 보인다. T파는 넓고 약간 비대칭형이다. 파형의 대칭성을 평가하기 위해 투명자 사용법을 기억해 보자. 비대칭성은 넓은 T파에 대한 당신의 경계심을 완화시킨다. 방실해리가 있기 때문에 심전도 소견과 환자를 계속 연관시켜야 한다. – 항상 그렇지만 – 분절의 완전한 양성(benign)특성을 확실할 때까지 말이다.

심전도 증례 연구 계속

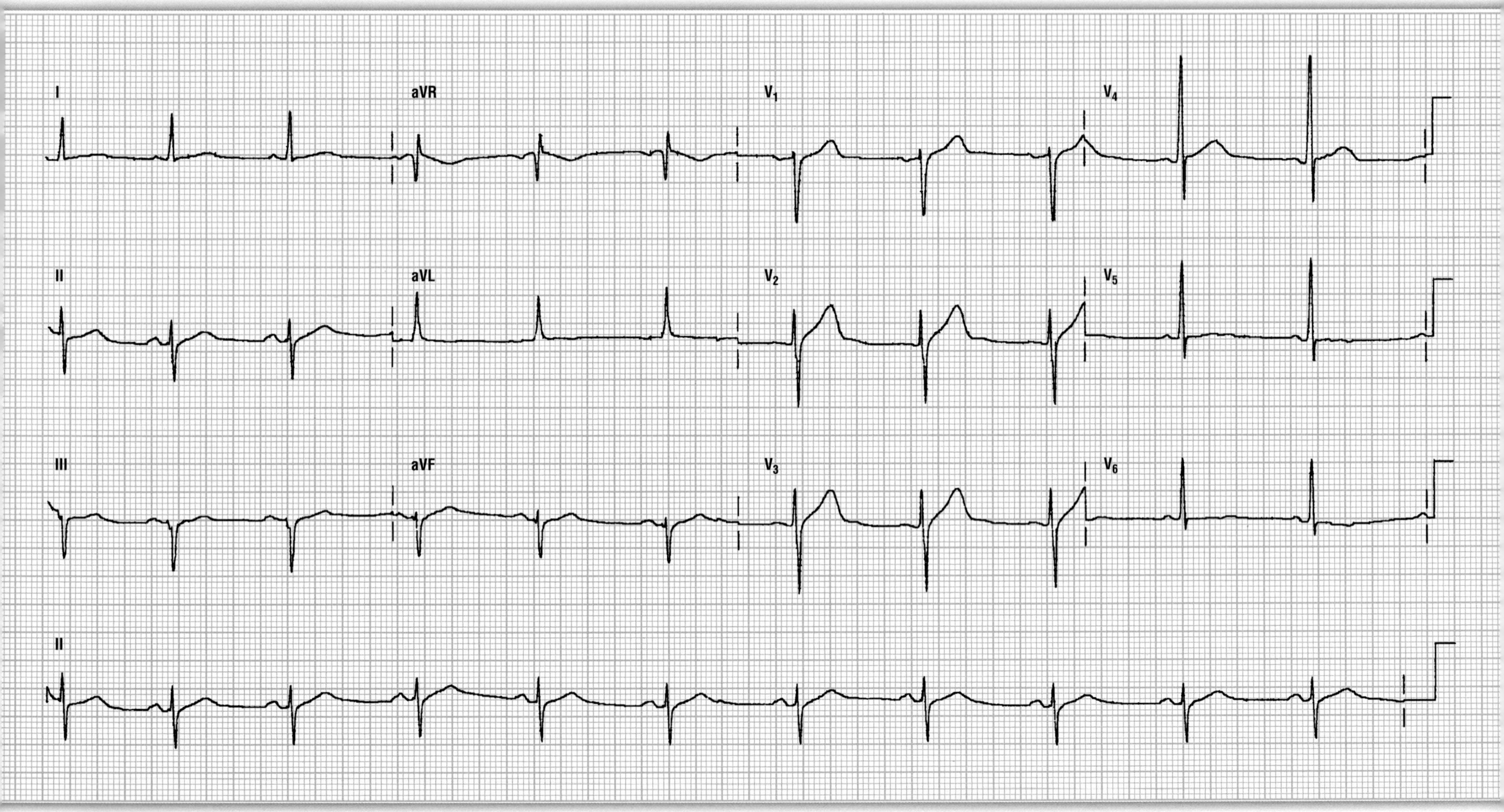

ECG 14-13

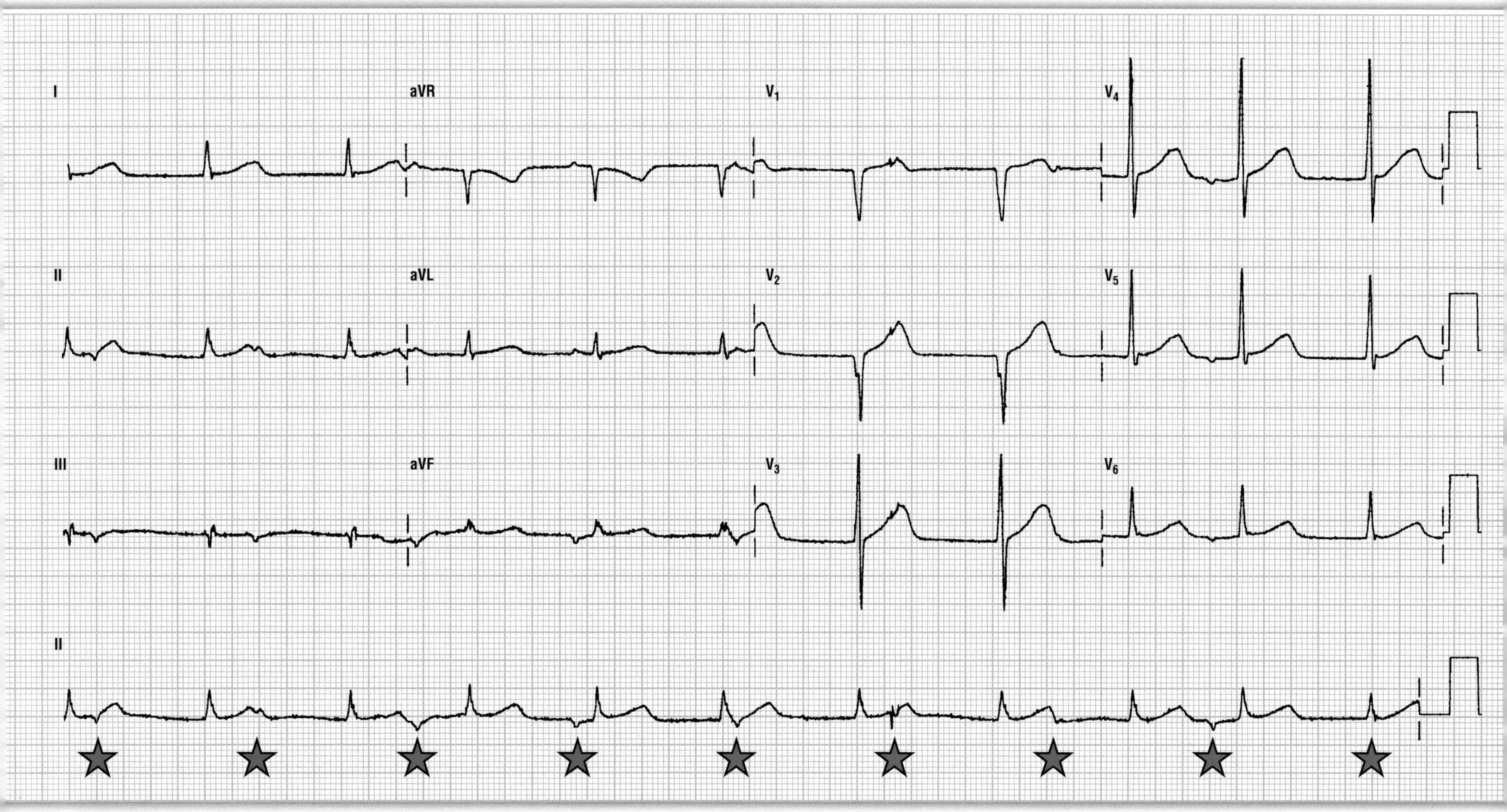

ECG 14-14

심전도 증례 연구 계속

2

심전도 14-15 이 심전도에서는 꽤나 넓은 ST분절과 폭이 넓은 T파로 눈에 띄게 비정상이다. 이 환자는 두개 내 출혈과 매우 높은 뇌압을 보이고 있다. 이것은 이 질환에 있어 전형적이지만 매우 드물게 볼 수 있는 심전도 소견이다. 이것을 기억할 필요가 있는데 이런 심전도를 가진 환자는 아마도 혼수 상태일 것이고 병력에 대해 정보를 줄 수 없기 때문이다. 유도 Ⅰ, Ⅲ와 aVL의 작은 스파이크 모양은 무엇일까? 심박조율기일까? 아니다. 심박조율기는 절대로 저런 빠르기로 작동하지 않는다. 심박동수는 분당 300회가 넘어간다. 이것은 어떤 전기 장치의 간섭으로 인한 허상(artifact)이다. 걱정하지 말자.

> **조언**
>
> 매우 넓고, 대칭적 T파들은 중증 두개 내 출혈 혹은 뇌졸중에 전형적으로 나타난다.

심전도 14-16 이 심전도는 역시나 너무나 비정상인 매우 넓은 ST분절과 폭이 넓은 T파를 가진다. 이것은 또 다른 두개 내 출혈 환자의 예이다. 이번에는 T파가 그리 인상적이지는 않지만 그래도 확실히 넓다.

V_1에서 V_3까지 처음 T파 뒤에 2번째 봉우리(hump)가 있음을 보자. 이것이 U파를 시사하는 것인가? 글쎄, 간격은 같은 심전도에서 항상 같다는 것을 기억하자. V_5와 V_6의 QT 간격과 비교해 보면 두번째 봉우리가 QT 간격 안에 있어서 U파가 아니다. 1도 방실차단으로 인해 T파에 묻혀버린 P파일까? 가능성이 있다. 이것은 아마도 P파일 것이다. P파는 보통 V_1과 V_2에서 가장 잘 보인다.

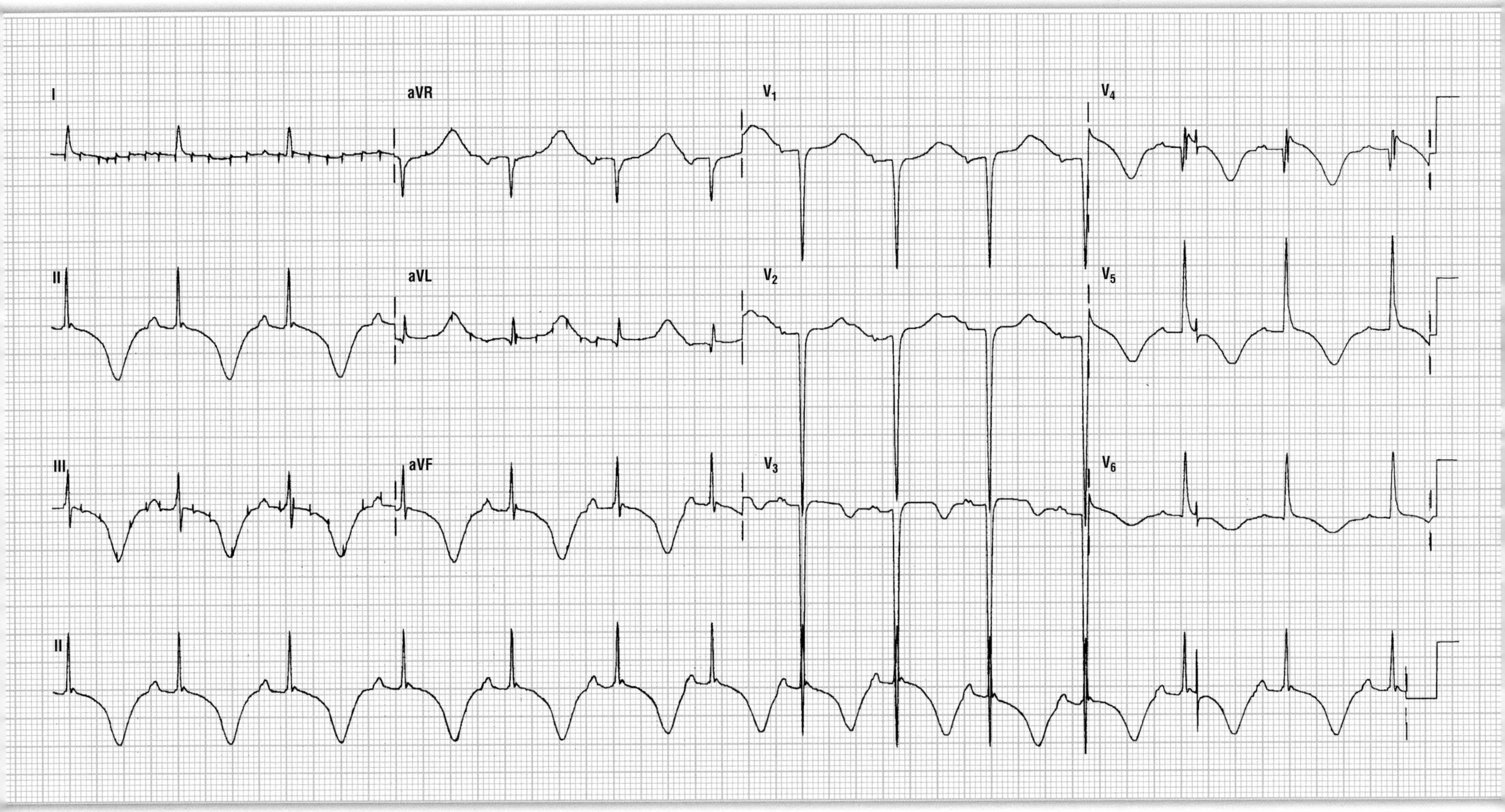

ECG 14-15

심전도 증례 연구 계속

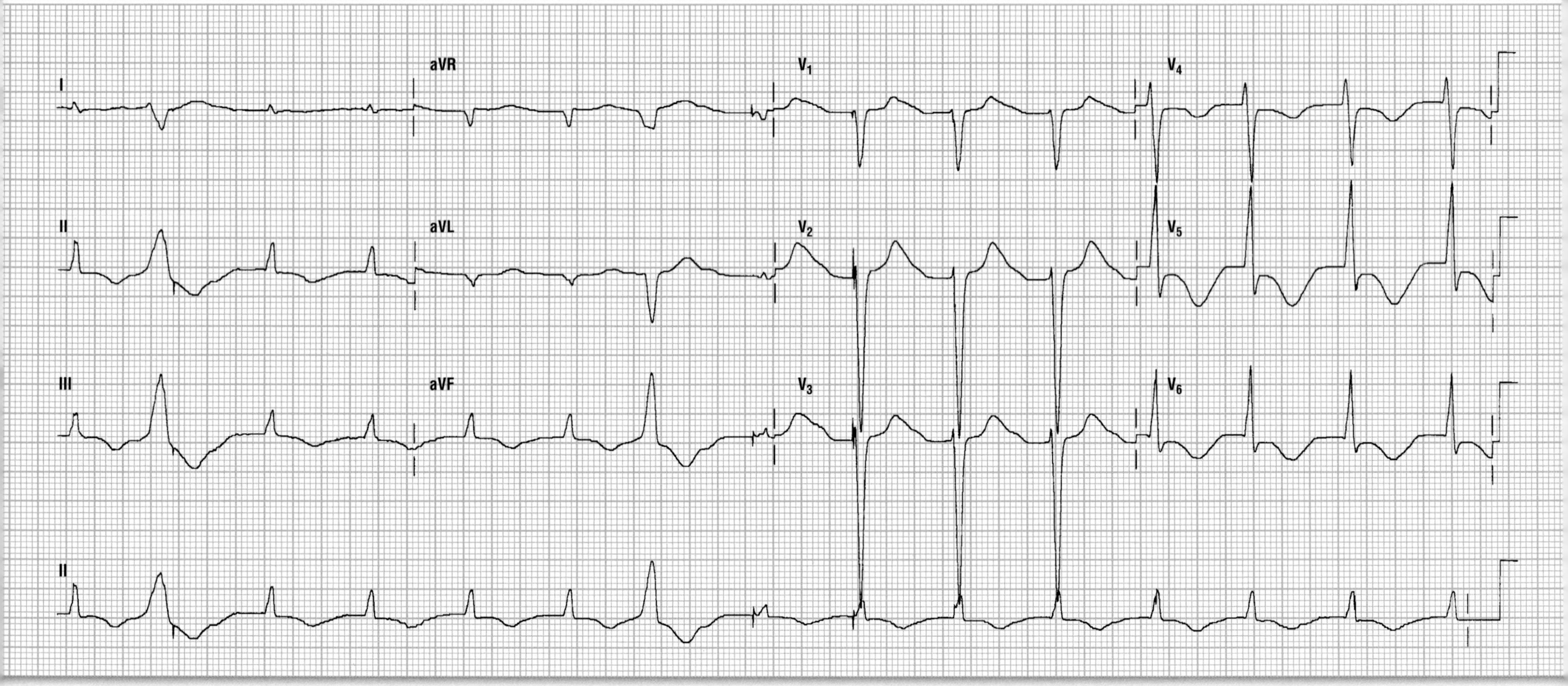

ECG 14-16

2

심전도 14-17 이 환자의 전흉부 유도에서 ST분절이 저명하게 상승해 있다. T파는 유도 I, aVL과 V_2에서 V_6까지 역위되어 있고 대칭적이다. 이런 종류의 ST분절을 무엇이라고 부르는지 생각할 수 있겠는가, 그리고 이유를 상상할 수 있겠는가? 만일 의문스럽다면 그림 14-15을 보라. 이것은 전형적인 비석모양이다. 이것은 광범위한 심근경색을 의미한다. 확실한 진단을 내리기전에 종종 과거의 심전도와 비교해 보라고 권유했었는데, 만일 이런 모양을 보았다면 이미 정확한 진단을 가지고 있다. 다른 추가적인 정보는 필요 없다. 이 심전도와 동반해서 전혀 흉통이 없거나 약간만 있는 경우가 있을 수 있는가? 그렇다. 신경손상이나 신경병증에 의해 이차적으로 통증감각에 변화가 있으면 무통성 심근경색이 나타날 수 있다. 가끔 정상인에서도 나타난다.

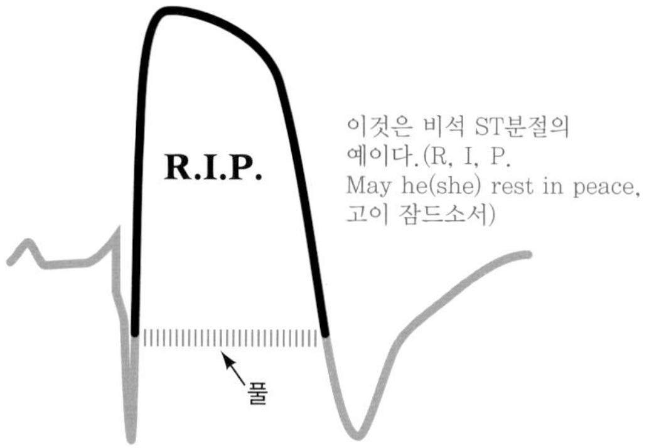
R.I.P.
이것은 비석 ST분절의
예이다.(R. I. P.
May he(she) rest in peace.
고이 잠드소서)
풀

그림 14-15. 비석분절(tombstone segment)

심전도 14-18 이것은 병적인 이상성(biphasic) T파의 예이다. V_2를 보면 T파가 하향에서 상향으로 바뀐다. 정상적으로 T파는 역위된 경우 처음에 상향이다가 하향으로 된다. – 이 증례의 반대이다.

약간 상승한 ST분절과 동반된 T파가 측벽 흉부유도에서 일부 QRS군의 절흔(notching)과 같이 나타난다. 이 절흔(notching)이 있으면 대개 어느 정도의 확신을 가지고 ST분절 상승이 양성이라고 말할 수 있다. 이 경우에서는 병적인 T파로 인해 조심스러워질 필요가 있다. 확진을 위해선 이전 심전도와 환자의 상태와의 연관성이 필요하다.

노트

T파를 롤러코스터라고 가정하자. 먼저 산봉우리로 올라가고 그 후 떨어지면서 스피드를 얻게 된다. 이것은 정상이고 좋은 것이다. 산을 오르는 스피드를 얻기 위해서 밑으로 내려가면서 시작할 수는 없다. 이것은 놀이동산의 법칙에 반하는 것이다. 이것은 나쁜 것이다.

심전도 증례 연구 **계속**

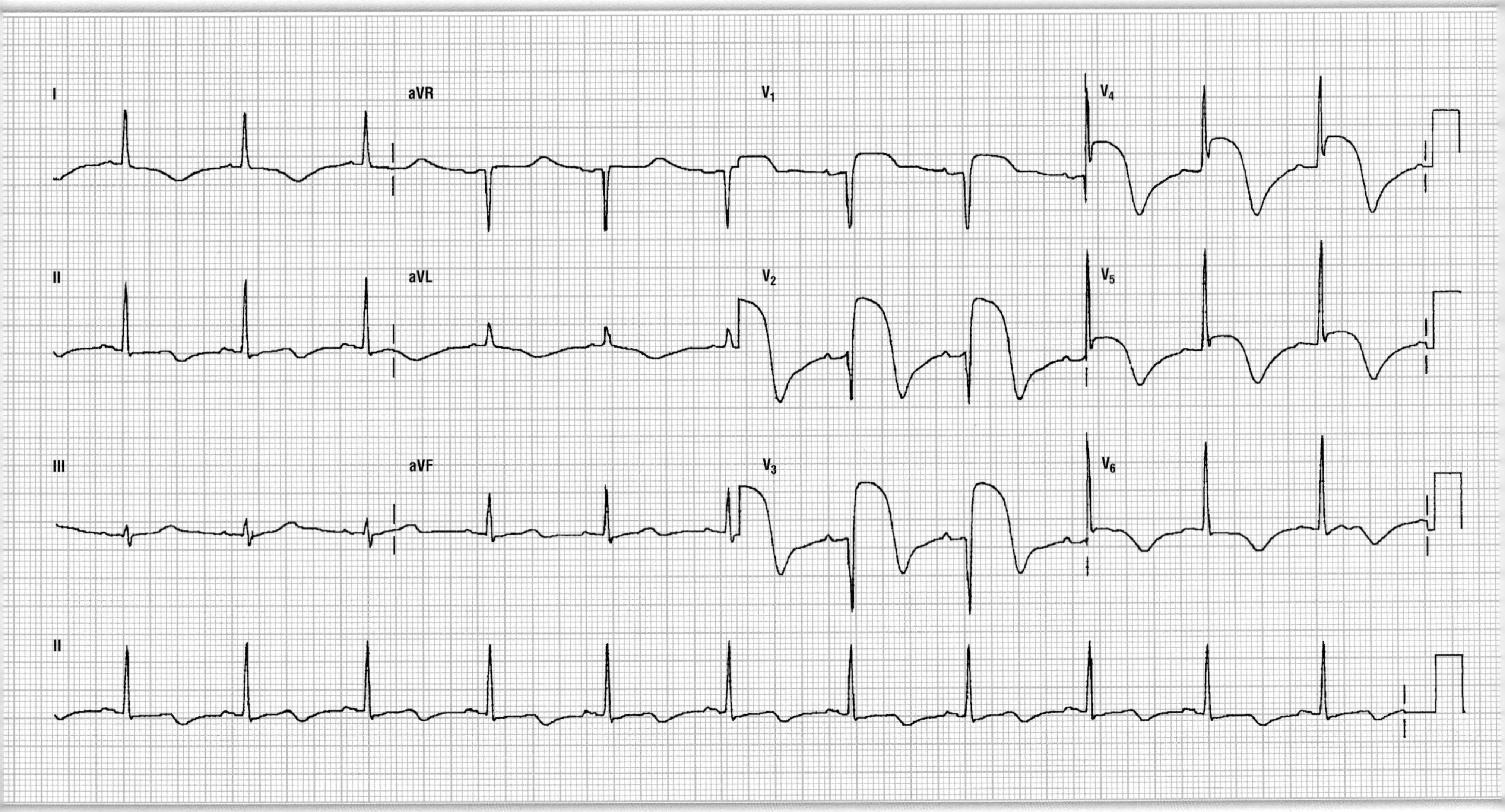

ECG 14-17

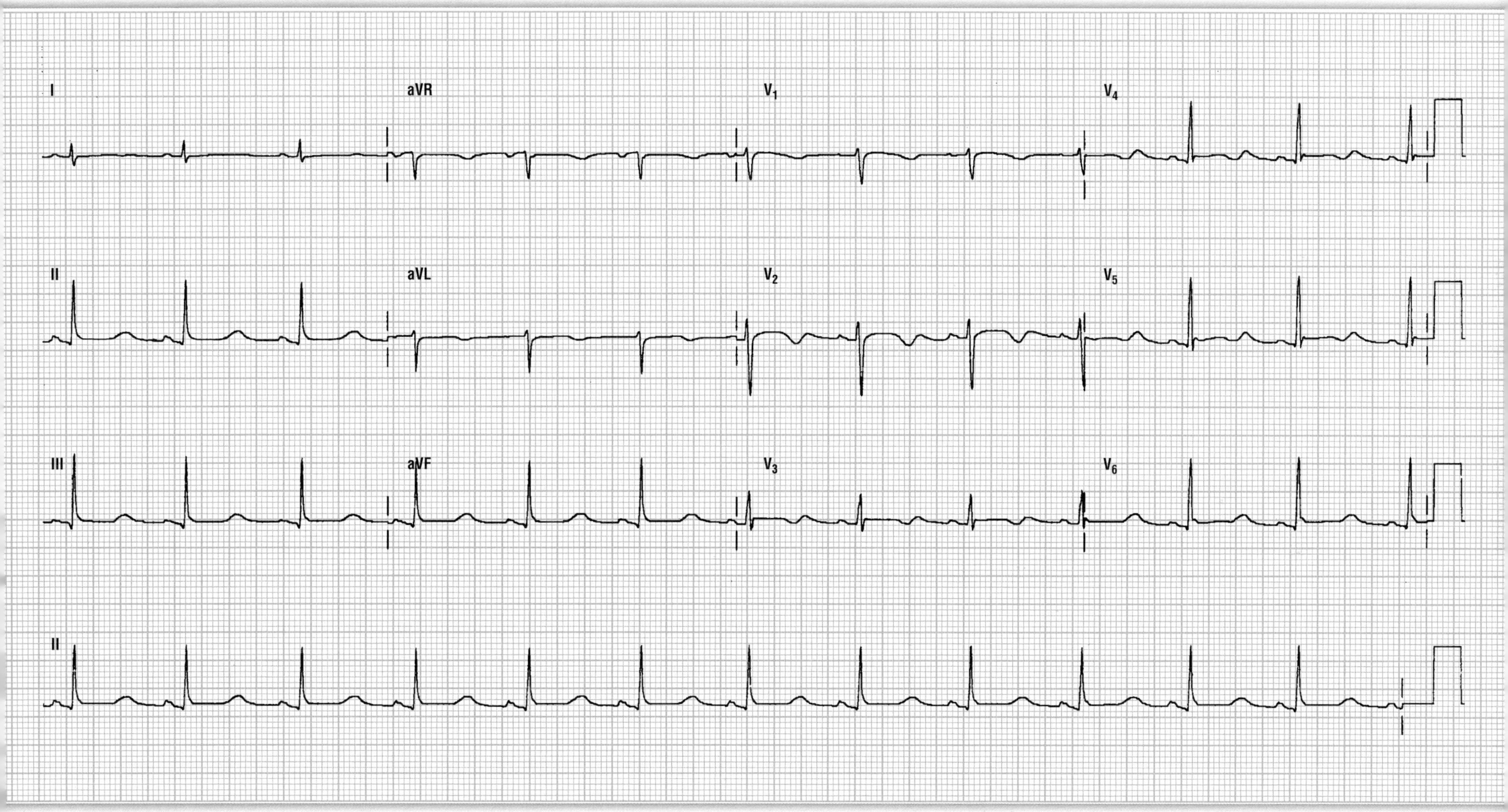

ECG 14-18

2

허혈과 손상

ST분절과 T파로 할 수 있는 가장 중요한 진단은 허혈과 손상이다. 이것에 대해 *급성심근경색증* 장에서 더 자세히 살펴볼 것이다. 그렇지만, 이 문제를 제기하지 전에는 이 장을 마칠 수 없다.

허혈성 심전도를 만들기 위해 단지 ST 상승이나 하강만 있으면 되는 것이 아니다. 다양한 소견들이 또 있어야 한다. ST분절이 평평하거나 또는 아래쪽 경사가 있어야 한다(그림 14–16). T파가 대칭형이거나 혹은 이상성(biphasic)이라면 하향파로 시작해야 한다(그림14–16). 덧붙여서 침범한 유도의 ST분절의 상승이나 하강의 지역적인 분포를 봐야 한다. 벡터에 관해 공부할 때 국소 심전도 구역에 대한 개념을 언급한 것을 기억하는가?(*개개의 벡터들* 장. 장소를 국한시킨다 : 하벽) 짧게 복습해보면 심전도는 중격, 하벽, 전벽, 측벽, 후벽에 상응하는 다양한 구역으로 나누어진다. *급성심근경색* 장에서 더 자세히 배우도록 하자. 이제 심전도의 변화들은 지역적 분포는 가진다는 것을 기억하자.

ST 하강은 허혈이나 비 Q파 경색을 시사한다(경색이 전층에 걸치지 않기 때문에 Q파가 동반되지 않는다). 손상을 의미하는 ST 상승은 보통 경색에서 볼 수 있다(그림 14–7). *급성심근경색* 장에서 자세히 살펴보기로 하자.

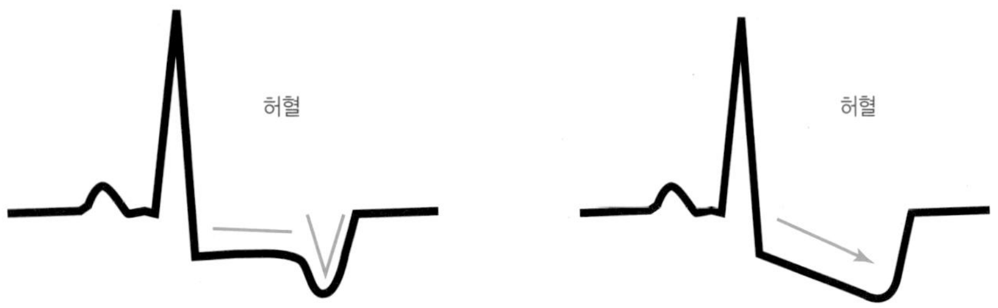

그림. 14–16. 허혈

그림. 14–17. 손상 그리고/혹은 경색

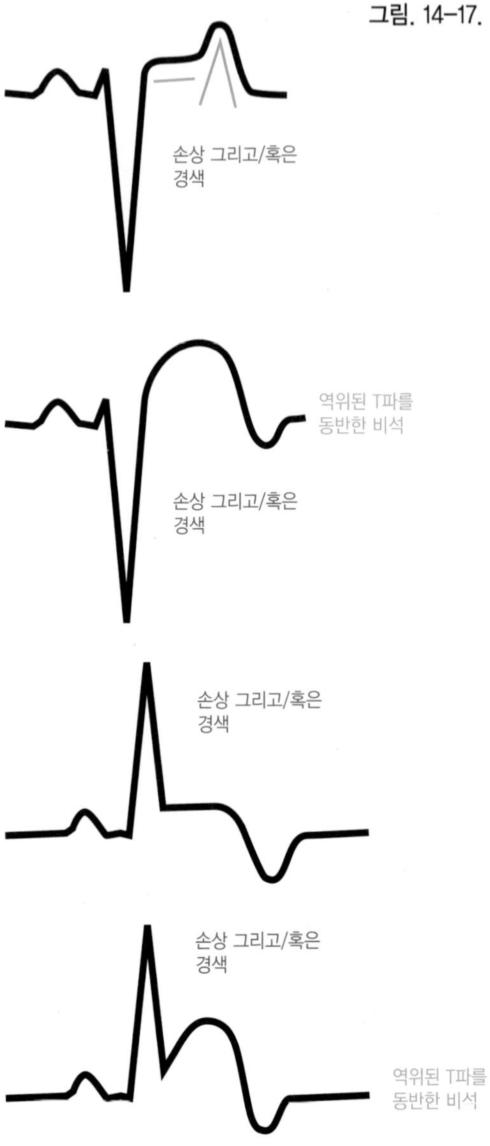

2

심전도 14-19 아래 심전도의 ST분절을 살펴보면 상당수의 유도들에서 ST 하강을 볼 수 있다. 하강은 뚜렷하게 평평하여 허혈을 시사한다. 이제 위치를 밝혀보자(*급성심근경색* 장에서 아주 자세히 다룰 것인데; 여기서 단순히 예행연습이다). 사지유도는 Ⅱ, Ⅲ, 그리고 aVF에 ST 하강이 있다. 기억한다면 이 유도들은 하벽을 향한다. 전흉부 유도들에서 ST 하강이 V_2에서 V_6까지 볼 수 있다. V_5와 V_6는 측벽을 의미하고 역시 허혈이 있다. V_2부터 V_4까지는 부가적인 영역으로 허혈이 확장한 것이다. 그렇다면, 이 환자에 있어서는 심한 하측벽의 허혈이 심장의 많은 부분을 포함하고 있음을 알 수 있다.

aVR의 ST 상승은 어떻게 된 것일까? 사지 유도에서 전면 6개 유도시스템을 보면 aVR은 언제나 나머지 유도들의 반대방향이다. 그래서 만일 다른 유도에서 ST 하강이 있으면 일반적인 관행을 따르지 않는 aVR에서는 ST 상승이 보일 것이다. aVR을 당신의 아이들이나 아기 형제로 생각해보자. 이들은 앙심을 품고 항상 반대로 행동한다!

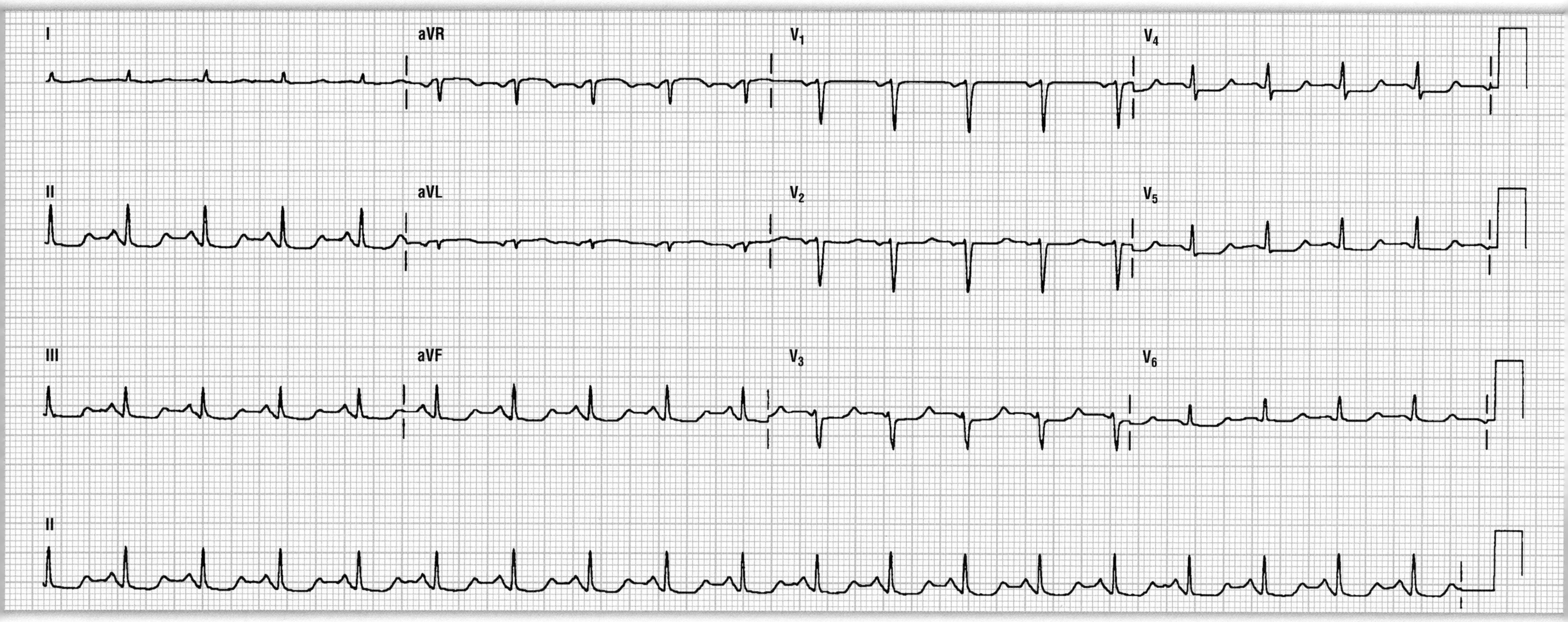

ECG 14-19

심전도 증례 연구 **계속**

2

심전도 14–20 급성심근경색의 전형적인 심전도이다. 유도 Ⅱ, Ⅲ, 그리고 aVF에 ST분절의 상승이 있는 것을 보라. 그것들은 편평하고, 상승되어 있으며, 그리고 역위된 T파들과 같이 있다. QRS군들을 보라, Ⅱ 그리고 aVF의 Q파들을 보라. 이런 변화들은 모두 하벽 급성심근경색과 일치한다.

Ⅰ, aVL, 그리고 V_2에서 V_6까지(그리고 V_1의 경한 하강 또한) ST 하강이 있으며 이것은 허혈과 일치하는 소견이다.

심전도는 의미있는 좌심실비대와 1도 방실차단이 있다.

3

심전도 14–20 다시 한번 보면, 하벽경색과 우심실 침범의 증거가 있다.

좌심실비대의 여러 진단 기준을 만족한다. 하지만 측벽 유도의 ST 하강은 좌심실비대와 긴장에 합당한 소견이 아니다. 이것은 경색과 연관된 연속적인 측벽의 허혈이다. 1도 방실차단은 실제로 하벽경색으로 인한 부교감신경항진으로 인하거나, 혹은 이전에 알 수 없는 시간동안 존재했을 가능성이 있다.

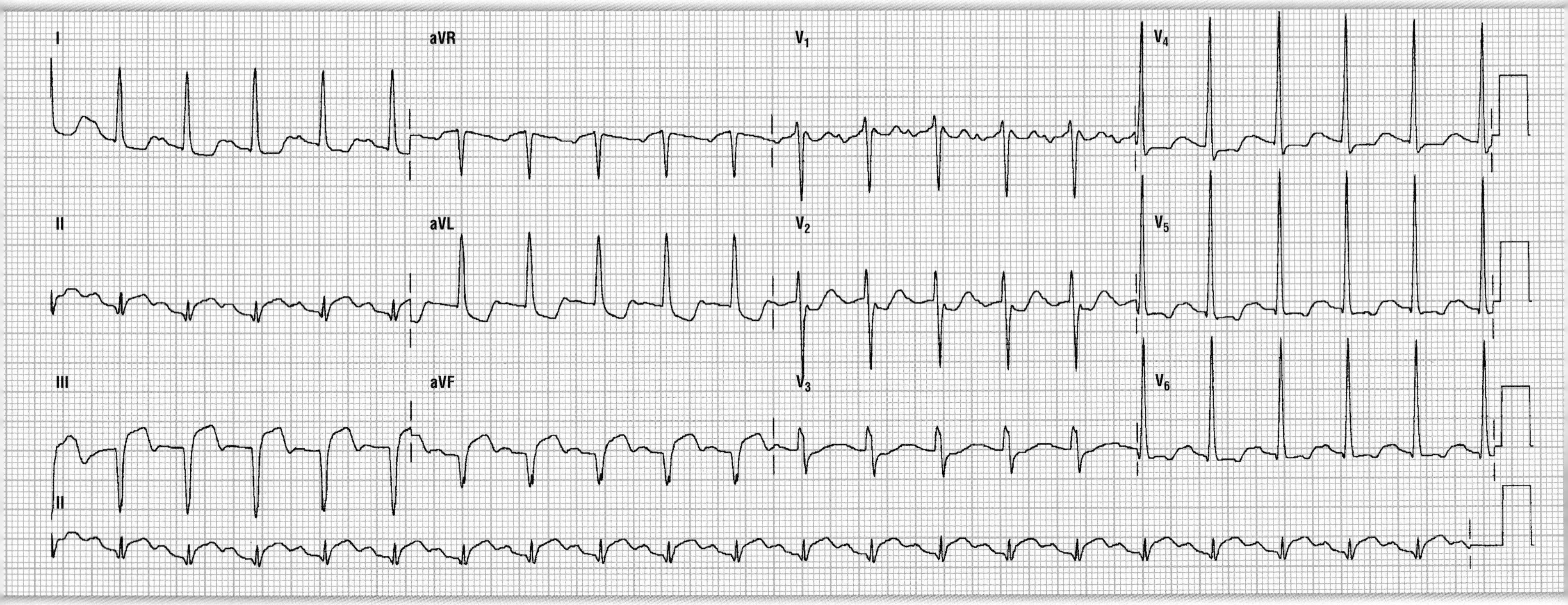

ECG 14-20

2

심전도 14-21 이 심전도는 정말 다양한 ST분절 변화를 보여준다. 흉부 유도 전체와 유도 Ⅱ, Ⅲ, aVF에서 뚜렷한 ST분절 상승을 보여준다. V_1부터 V_4까지의 ST들은 명확히 비석 모양이다.

유도 Ⅱ, Ⅲ, 그리고 aVF의 Q파는 꽤 병적이다. 또한 V_1에서 QS파가 있다. 유도 V_2에서 V_5까지 작은 r파가 QRS군 시작점에서 보이는데 그래서 이것은 완벽한 QS파가 아니다. 추가로 여기에는 늦은 시계방향 이행대가 있는데 이것은 전벽의 많은 심근의 소실로 인한 결과일 수 있다.

3

심전도 14-21 이것은 임상적 관계정보없이 접근하기 너무나 꺼려지는 심전도이다. 불확실한 기원의 병적인 Q파들 – 하벽 급성심근경색을 시사하는 소견이 있다. – 하벽 유도에 ST 상승이 조금 보이지만 유도 Ⅰ과 aVL의 상대변화가 보이지 않는다. V_1에서 V_6까지의 ST분절은 명확히 상승해 있으며, 이것은 급성심근경색이나 심실류를 시사한다(심실류에 의한 변화는 V_5에서 V_6까지 진행하지 않기 때문에 가능성이 떨어진다). 환자는 당시 급성통증을 호소하고 있었다. 좌우 관상동맥의 동시성 급성 심근경색을 가져올 수 있는 유일한 가능성은 대동맥류이다. 특히 이 환자에서 공격적으로 배제해야 하는 진단이다.

2

심전도 14-22 이 심전도는 V_1에서 V_4까지 역위된 T파와 비석모양의 변화를 보인다. 전흉부 유도 모두와 유도 Ⅰ, aVL에서 모든 T파는 대칭형이다. 그러나 하벽 유도 Ⅱ, Ⅲ, 그리고 aVF에서는 비대칭형이다.

이것은 환자가 이전의 전중격부의 급성심근경색이 심실류를 만들기에 충분한 조직이 죽었을 때 발생하는 심전도 형태의 한 예이다. 심전도적으로 이것을 급성심근경색과 구별하는 것은 불가능하다. 유일한 구별방법은 운 좋게도 같은 소견을 가진 옛날 심전도를 찾아내거나, 자연스럽게 환자에게 말을 걸어 현재의 고통을 알아내는 것이다. 감별 진단에 도움이 되는 몇가지 이학적 검사 소견들이 있다; 이학적 진단 교과서에서 찾아볼 수 있다. 우리의 개인적인 경험으로는 심실류에서 발견되는 비석모양이 미미하다는 것이고, 이 경우에서와 같이 QS파가 적어도 V_1에서 V_3까지 있다는 것이다. QT 간격 또한 정상이거나 약간 감소해 있다. 우리는 어떤 마법 규칙이 있어 당신에게 알려 주고 싶지만 불행히도 우리가 아는 지식의 한도 내에서는 없다. 이런 형태를 보았을 때는 증명될 때까지 가장 심각한 경우를 생각하고 있어라. 만일 환자가 무증상이면 옛 심전도를 찾아서 바로 심장전문의와 상의하자. *절대로 무증상의 환자에게 심장전문의에게 허락받기 전에는 혈전용해제를 투여하지 말자.*

임상의 진주

상급 임상가들 : 환자의 호소들과 심전도 결과를 항상 비교하라. 심실류 패턴에 혈전용해제를 투여하는 것이 드문 시나리오가 아니다.

심전도 증례 연구 계속

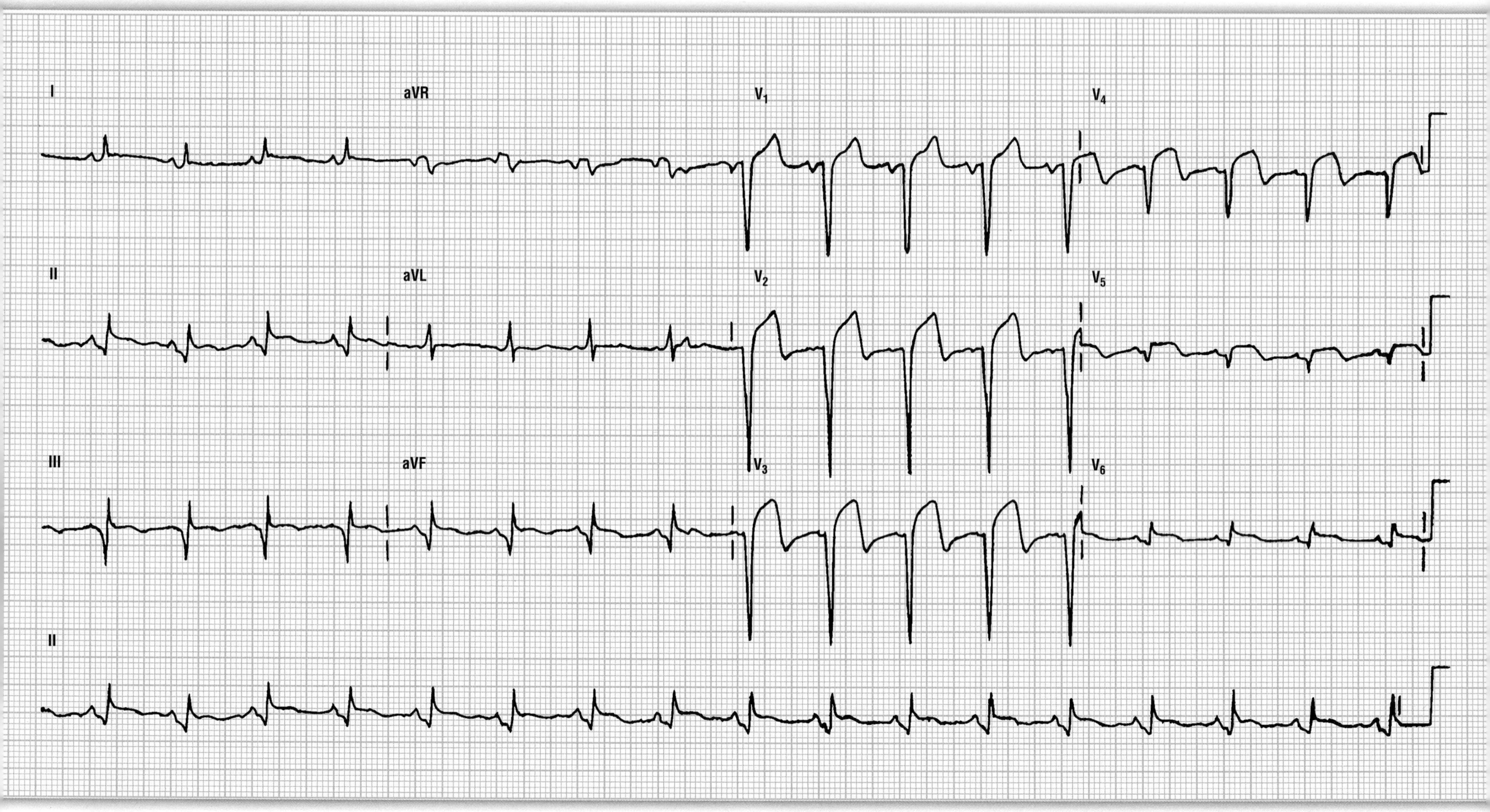

ECG 14-21

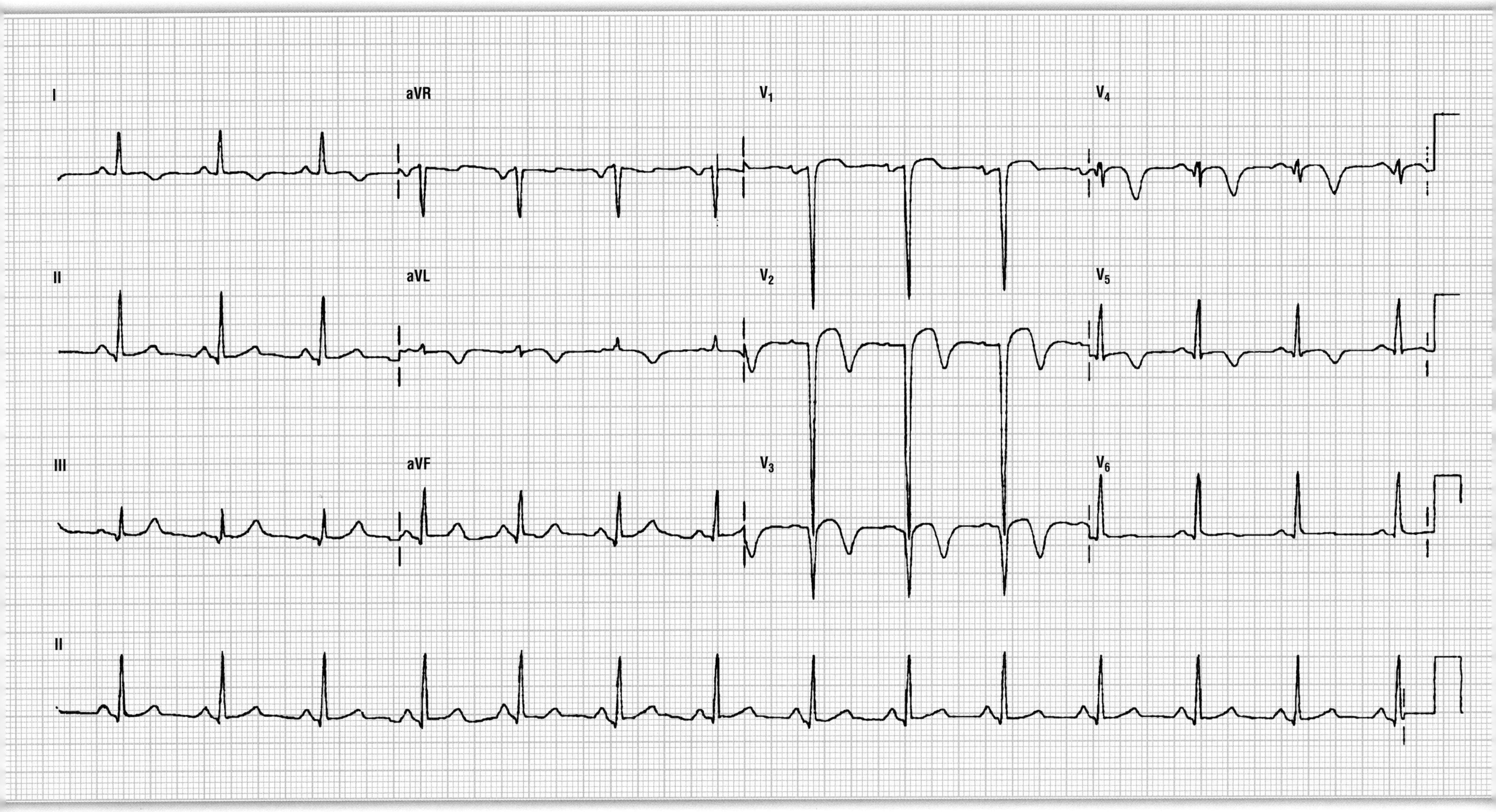

ECG 14-22

2

긴장양상

*긴장양상*은 우심실비대나 좌심실비대에서 발견되는 재분극 이상에 의한 이차성 ST와 T파의 형태를 의미한다. 이 단어의 흔한 임상적 이용에 대한 인식과 단순화를 위하여, 이제부터 *긴장* 단어를 계속 사용할 것이다. 그러나 선호하는 이름은 비대와 동반된 2차성 ST-T 변화들을 단순히 지칭하는 것이란 것을 생각하고 있어야 한다.

우심실 긴장양상

우심실비대의 벡터는 앞쪽과 오른쪽이다. 이것은 *전기축* 장에서 본 축 예들처럼 오른쪽 흉부 유도들인 V_1과 V_2의 R파의 증가를 뜻한다. 우심실비대 단독으로도 R:S 비가 증가한다. 그러나 "긴장(strain)"의 특징을 가지는 몇 가지를 추가하면 긴장양상이 된다. 아래쪽으로 오목한(concave downward) ST분절 하강과 역위되고(flipped) 비대칭성인 T파를 그림 14-18에서처럼 볼 수 있다.

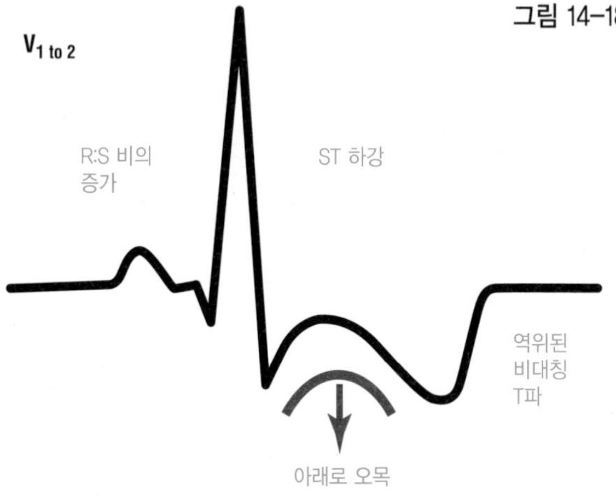

그림 14-18. 유도 V_1에서 V_2

만일 T파가 역위된 대신 이상성(biphasic)을 가진다면, 우심실비대에서 첫 번째 부분은 보통 하향이며 두 번째 부분은 상향이다(그리고 앞으로 나오겠지만, 후벽경색에서 볼 수 있다). 만일 이상성 T파의 첫 번째 부분이 상향이면, 병적 상태를 의미하지는 않는다.

폐색전증 등에서 발생하는 급성 우심실긴장은 심장과 축의 회전을 유발할 수 있다. 이것은 잘 알려진 $S_1Q_3T_3$ 양상의 특징적 모양을 가진다. 유도 I의 S파, III의 Q 또는 q 그리고 III의 역위된 T파를 의미한다. 그러나 이것은 폐색전증의 특징적인 것은 아니며 다른 상태에서도 일어날 수 있다. $S_1Q_3T_3$ 양상이 존재할 때 만약 당신이 폐색전증을 의심하고 있다면 진단을 내리기 위해 다른 추가적인 증거들이 있어야 한다.

이제까지 공부했던 우심실비대의 진단기준에 대해 재빨리 복습해보자. 진단을 위해서 모든 진단기준이 필요한 것은 아니지만, 1개 보다는 많아야 한다.

1. 폐성 P파(P-pulmonale [우심방확장[RAE])
2. 우측 편위
3. V_1과 V_2에서 R:S 비 증가
4. 우심실비대 긴장양상
5. $S_1Q_3T_3$ 양상

이 진단기준에서 가장 중요한 것은 R:S 비의 증가이다. 많은 사실들로 부담을 주기보다는, 개념에 대해 논의하는 것이 좋다. 시간이 지나면, 더 많은 정보와 진단기준에 대해 기억할 수 있을 것이다. 멀지 않은 미래에 당신이 상급진료의사로서 이 책을 다시 복습할 때, 당신은 이런 중요하지 않은 진단기준을 기억할 것이다. 지금 조금 더 언급하자면, 이것에는 불완전 우각차단 양상, V_1에서 R파가 7mm 이상, V_6에서 S파가 2mm 이상, 그리고 V_1에서 qR 양상이다.

당신은 책의 이 부분에서 Level 3 단락이 더 작다는 것을 눈치챘는가? 당신은 중급과 고급 심전도 판독자를 나누는 가느다란 선에 보다 근접해 있다. 자축해도 좋다. 당신은 칭찬받을 만하다.

2

심전도 14-23 이 심전도는 우리가 이때까지 봤던 것들 중 가장 완벽한 우심실비대 심전도이다. 마치 컴퓨터로 그려낸 것처럼 보이지만, 폐동맥 고혈압이 있는 젊은 여자환자의 실제 심전도이다. 이 심전도에서는 진단기준 5가지가 모두 포함되어 있다 : 폐성 P파(우심방확장), 우축편위, V_1에서 V_2까지 R:S 비의 증가, 우심실비대 긴장양상, $S_1Q_3T_3$ 양상.

V_1 또는 V_2에서 R:S 비가 증가된 소견에 대한 감별 진단을 기억하는 것은 매우 중요하다. 이것은 심전도 진단에 매우 큰 도움이 될 것이다. 이것들을 기억할 때까지 암기장을 들고 다녀라.

1. 우심실비대
2. 우각차단
3. 후벽경색
4. WPW type A
5. 어린아이나 청소년

V_1이나 V_2에서 증가된 R:S 비를 보면 이 목록을 떠올리고 가장 적합한 것을 찾아라.

심전도 14-24 간단한 질문을 하나 해보자. 이 심전도는 우심실비대 긴장양상인가? 대답하기 전에 자세히 들여다보아라.

정답은 아니다. 심전도는 우축편위와 우각차단을 보이고 있다. 만약 V_4에서 V_6까지 QRS군을 측정한다면, 0.12초이거나 이것을 약간 넘는 것을 알 수 있다. 이것은 어떤 종류의 차단이 있다는 것을 시사한다. 또한 유도 I과 V_6에서 늘어지고 분명하지 않은(slurred) S파가 있다. 왜 R:S 비가 증가하였는가? 심전도 14-23와 같이 제공된 감별 진단을 훑어봐라. 한 가지 범주에 맞아 떨어지는 것을 보게 될 것이다 : 우각차단. 이것은 어려운 심전도이다.

3

심전도 14-24 이 심전도는 완전한 RSR' 대신에 하나의 R파를 가진 우각차단을 보여준다. 그리고 우각차단이기 때문에 하부 유도와 흉부 유도에서 T파는 비정상적이다. 이것들은 같은 모양을 보이며, 이것은 허혈을 시사할 수 있다. 이전의 심전도를 비교해 보는 것이 매우 도움이 될 것이며 심전도를 완전히 이해하기 위해 임상과의 연관이 필요하다.

2

심전도 14-25 이 심전도는 우축편위, 폐성 P파, $S_1Q_3T_3$ 양상을 가지고 있지만 V_1에서 V_2의 R:S 비의 증가는 없다. 여전히 긴장을 동반한 우심실비대 양상의 하나이다. V_1~V_2까지 증가된 R파가 없는 것은 상당히 심한 좌심실비대가 있기 때문이다. 게다가 좌심방확장의 강력한 증거도 있다. 이것들을 종합해보면, 4개의 심장의 방(4 chambers)이 모두 커졌다는 것을 알 수 있다. 이것은 심근병증을 의미할 수 있다.

2번째 박동은 심실조기박동이다. 경계선 상의 1도 방실차단이 또한 있다.

2 **빠른 복습**

1. 우각차단이 있는 경우에는 우심실비대를 정확하게 진단할 수 없다. 참 혹은 거짓
2. 우심실비대가 있는 상태에서 좌심실비대를 진단할 수 있다. 참 혹은 거짓
3. $S_1Q_3T_3$ 형태는 오른쪽 긴장을 시사한다. 참 혹은 거짓

1. 참 2. 참 3. 참

심전도 증례 연구 계속

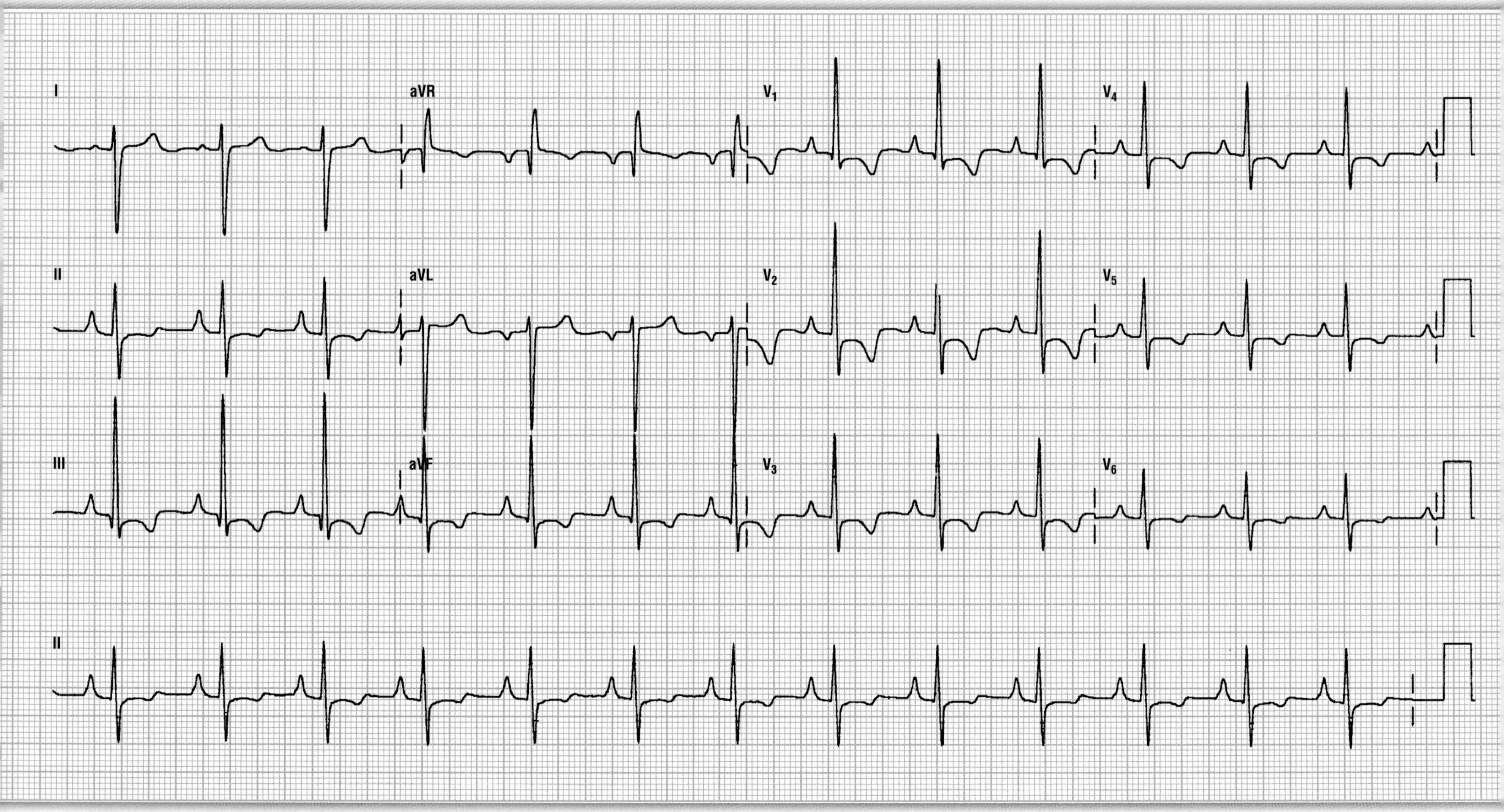

ECG 14-23

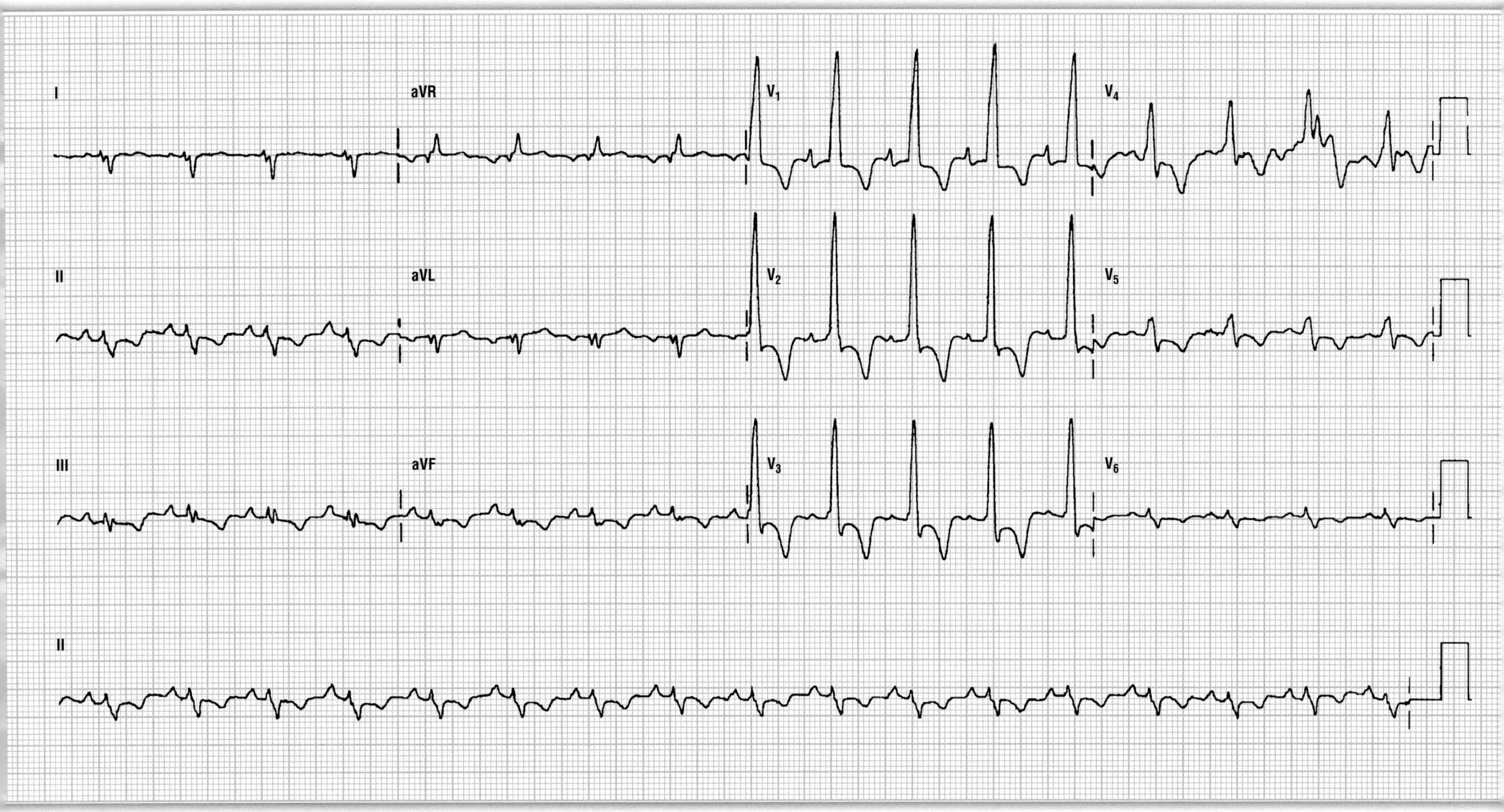

ECG 14-24

심전도 증례 연구 계속

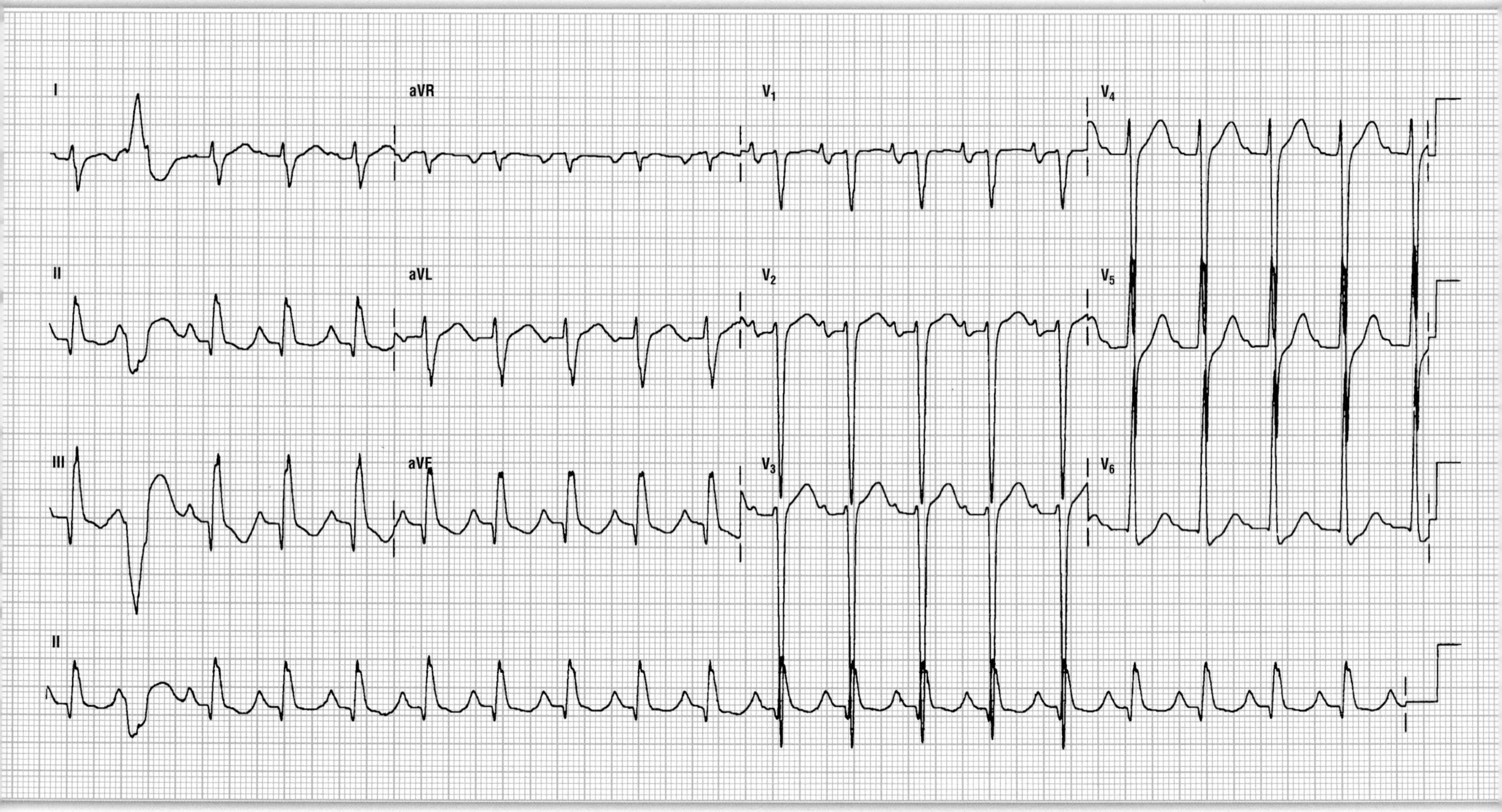

ECG 14-25

좌심실 긴장양상

좌심실 역시 의미있는 비대가 있다면 긴장양상으로 발전할 수 있다. 다시 말하면, 긴장양상은 비대된 심실의 재분극 이상이 원인이다. 그러나 그 양상은 당신이 예상하듯이 우심실 비대의 소견과는 다른다. 긴장이 동반된 좌심실비대는 아래로 오목한 ST 하강과 역위되고 비대칭성의 T파가 V_4에서 V_6의 좌측 흉부유도들에 나타난다(그림 14-19). 우측 흉부유도에서는, 좌심실 양상의 상대변화(reciprocal change)가 나타난다 즉 : 위쪽으로 오목한 ST 상승과 위로 향한 비대칭성의 T파(그림 14-20). V_2에서 V_3까지 1~3mm의 ST 상승이 나타날 수 있으며, 몇몇 증례에서는 그 이상 발생할 수도 있다.

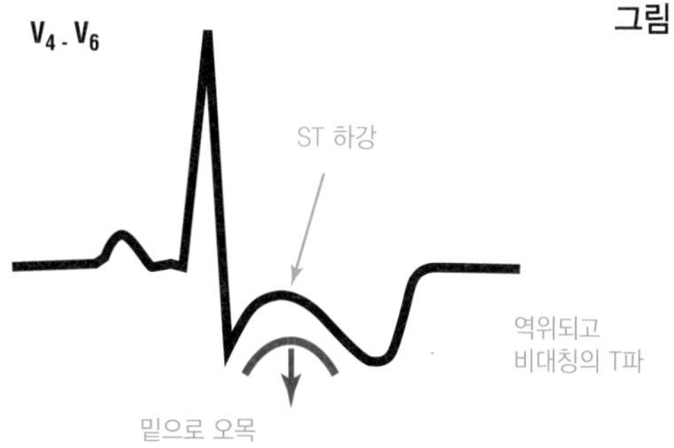

그림 14-19. 유도 V_4에서 V_6

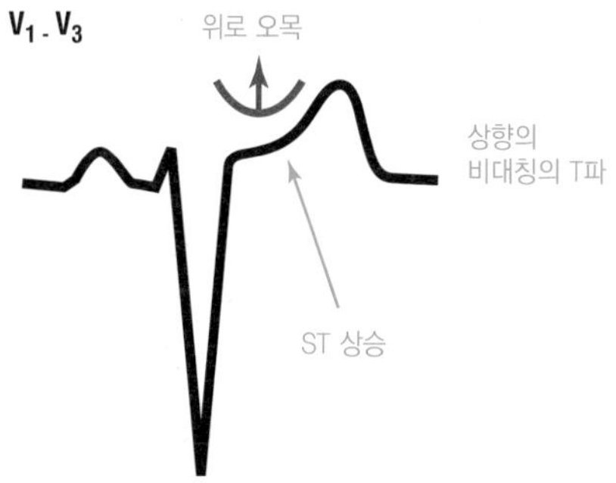

그림 14-20. 유도 V_1에서 V_3

기억해야 할 핵심점은 : *긴장양상은 크고 깊은 QRS 패턴을 가진 유도에서 가장 크다는 것이다.* 바꾸어 말하면, 만약 V_2에서 S파가 15mm이고 V_3에서 S파가 20mm이라면, V_3에서 ST 상승이 가장 높을 것이라고 예상할 수 있다(그림 14-21). 반대로, 만약 V_5에서 R파의 높이가 20mm이고 V_6에서 R파가 15mm라면, V_5에서 가장 하강될 것이다. 이런 식으로 생각해보라 : 파가 더 크거나 깊을수록 긴장은 더 크다.

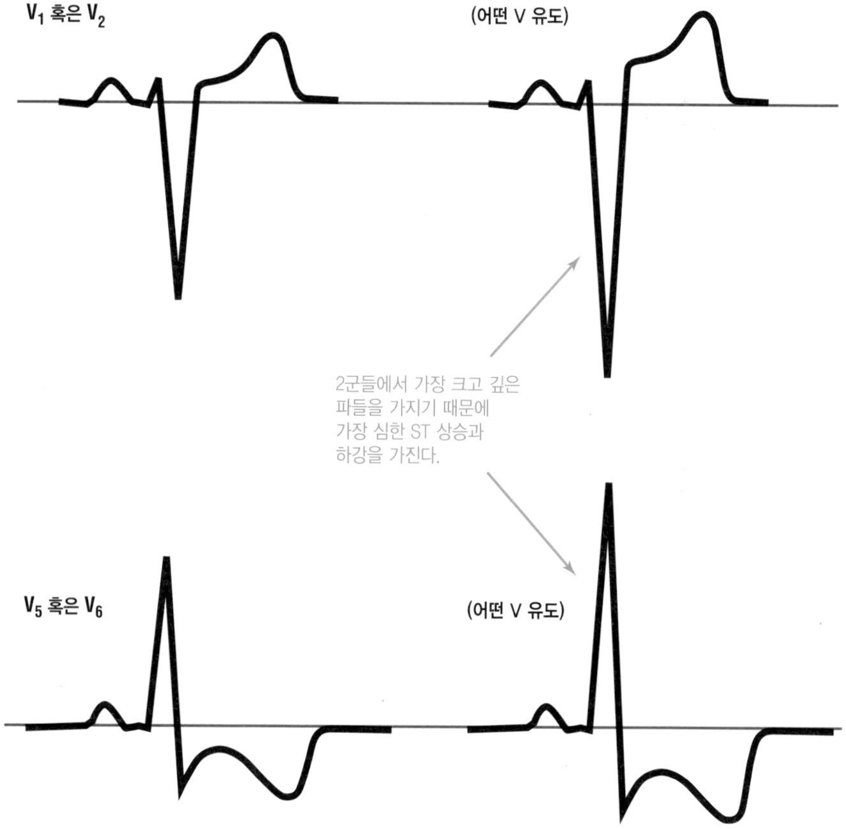

그림 14-21. ST 상승과 하강.

2

긴장을 동반한 좌심실비대의 추가사항

좌심실 긴장양상은 심전도의 판독 중 가장 문제가 되는 것들 중 하나이다. 이것은 생명을 위협하는 상황인 허혈과 경색은 반드시 구별해야 한다. 허혈 편에서 보았듯이, 사실상 허혈에서의 *ST 상승과 하강은 오목하기 보다는 편평하고, T파는 비대칭성이 아니라 대칭성이라는 것이다*(그림 14–22)! 이런 해석은 몇몇 심전도에서는 쉽지만, 다른 것들에서는 그리 쉽지 않다.

날카로운 J점은 허혈이나 경색을 더 시사하는 지표이다. 좌심실비대 긴장양상에서는 보통 우측 흉부 유도인 V_1에서 V_3까지 보다 완만한 J점을 가진다.

V_5에서 V_6의 긴장양상은 편평하거나 아래쪽으로 하강되어 있다. 핵심점은 V_4에서 V_5 어딘가에 여러분들이 예상하는 아래쪽으로 오목한 ST와 비대칭성의 T파가 있다는 것이다(그림 14–23) 기억하라, 대칭성의 T파는 나쁘다!

아주 중요한 것, "친구는 같이 다닌다(company in keeps)"를 기억하라. 만약 환자가 발가락을 다쳐서 당신을 찾아왔다면, 긴장양상에 더 가깝다. 만약 그가 식은땀을 흘리며 흉통을 호소하고 혈압이 60에서 만져지고 죽을 것처럼 보인다면, 좌심실비대 긴장양상일 수 있지만, 있을지도 모르는 급성심근경색으로 치료하는 것이 좋을 것이다. 만약 당신의 결정에 확신이 없다면, 심장전문의에게 문의하여라. 도움을 요청하는데 나쁠 것은 없다. 나의 견해로는, 의사의 자만 때문에 누군가 죽도록 내버려두는 것보다 나쁜 것은 없다.

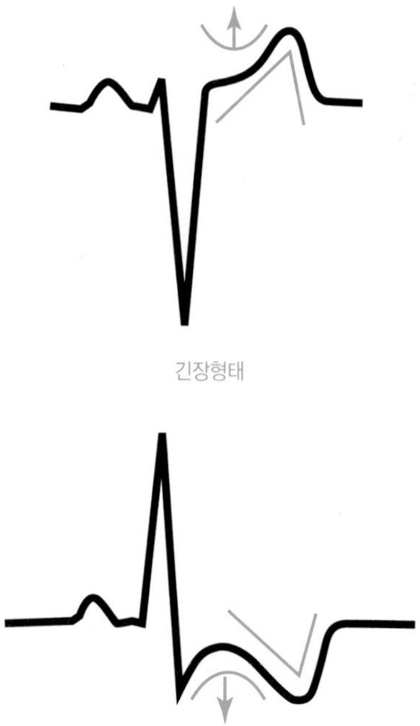

그림 14–22.

그림 14–23.

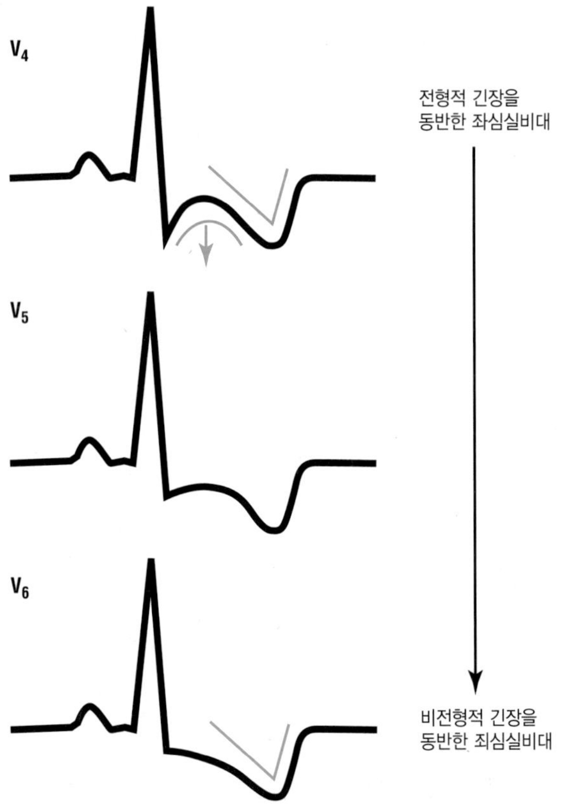

좌심실비대 긴장 패턴

2

심전도 14-26 이 심전도는 전형적인 좌심실비대 긴장 패턴이다. V_1에서 V_2의 S와 V_5에서 V_6의 R을 더한 값이 35mm 보다 크고, aVL의 R이 11mm 보다 크거나, 유도 I의 R이 12mm 보다 큰 경우 등의 여러 가지 진단기준에서 좌심실비대를 진단할 수 있다. 이 심전도를 처음 보았을 때, 당신은 많은 ST분절과 T파 이상을 발견할 것이다. V_5에서 V_6까지 역위되고 있고 비대칭성의 T파를 동반한 아래쪽으로 오목한 ST분절 하강은 긴장을 동반한 좌심실비대에 해당한다. 가장 높은 R파의 유도에서 가장 깊은 ST 하강이 있음을 주목하라. 게다가, V_1에서 V_2의 ST 상승은 위쪽으로 움푹하다. 다시 말하지만, 가장 깊은 S파가 있는 유도에서 가장 높은 ST분절 상승이 일어난다. 긴장양상을 동반한 좌심실비대는 높은 측면 유도인 I과 aVL에서도 일어난다. 흔히 발생하는 좌심방확장의 증거도 있다.

ST 하강은 항상 병적상태의 신호이다. 중요 문제는 어떤 병적 상태가 연관되어 있는가를 결정하는 것이다. 허혈인가? 긴장양상인가? 각차단? 조기흥분증후군(WPW)? 호전되고 있는 심낭염인가? 중추신경계 문제인가? 당신이 이상소견을 발견했을 때는, 명확한 해답을 찾기 시작하여야 한다. 때때로 심전도나 이전 심전도에서 다른 단서를 찾기도 한다. 때때로 환자로부터 단서를 찾을 때도 있다. 셜록 홈즈의 모자를 쓰고 찾으러 가라.

노트

매우 유명한 법률가가 이야기했다.
"만약 이것이 편평하면, 그것을 치료해야 한다!"

심전도 14-27 그러면 이 심전도에서 ST분절과 T파 변화의 원인은 무엇이라고 생각하는가? 좌심실비대의 많은 진단기준이 맞아 떨어지며, 또한 긴장양상을 진단하기에도 충분한 변화를 보인다. 우리는 V_6, Ⅰ, aVL에서 ST분절이 편평한 것을 당신이 알아챘으면 한다. 이것은 심전도에서 보이는 다른 동반 소견들 때문에 허혈을 뜻하지는 않는다. 이것들의 바로 직전 유도들은, 아래쪽으로 오목하고 편평한 부분들은 단지 그것을 위한 과정의 연속을 나타내는 것뿐이다. 또한 T파는 대칭성인가 비대칭성인가? 비대칭성이며, 허혈의 양상은 아니다. 앞으로 돌아가 허혈이 있는 심전도를 보면 뭔가 다르다는 것을 알 수 있다. 단원의 뒤에서 보다 많은 시간을 소비하게 될 것이다.

기억해야 할 좋은 한 가지는 가장 큰 ST분절의 편위는 항상 가장 높거나 깊은 군의 유도에서 발견된다는 것이다. 당신은 좌심실비대-긴장양상에서 허혈성 병변을 인지할 수 있겠는가? 확실하게 말이다. 우리가 보여주는 이들 심전도들에서, ST분절은 오목한 패턴을 통해 이행을 하지 않는다. V_1에서 V_3까지 위쪽으로 오목한 ST분절 상승과 Ⅰ, aVL, 그리고 V_4에서 V_6까지 아래쪽으로 오목한 ST분절 하강은 긴장양상을 동반한 좌심실비대라는 것을 상기하라. 당신은 가끔 V_5~V_6에서 작은 Q파와 위로 오목한 ST분절의 좌심실비대를 볼 것이다. 곧 예제가 나올 것이다.

심전도 증례 연구 **계속**

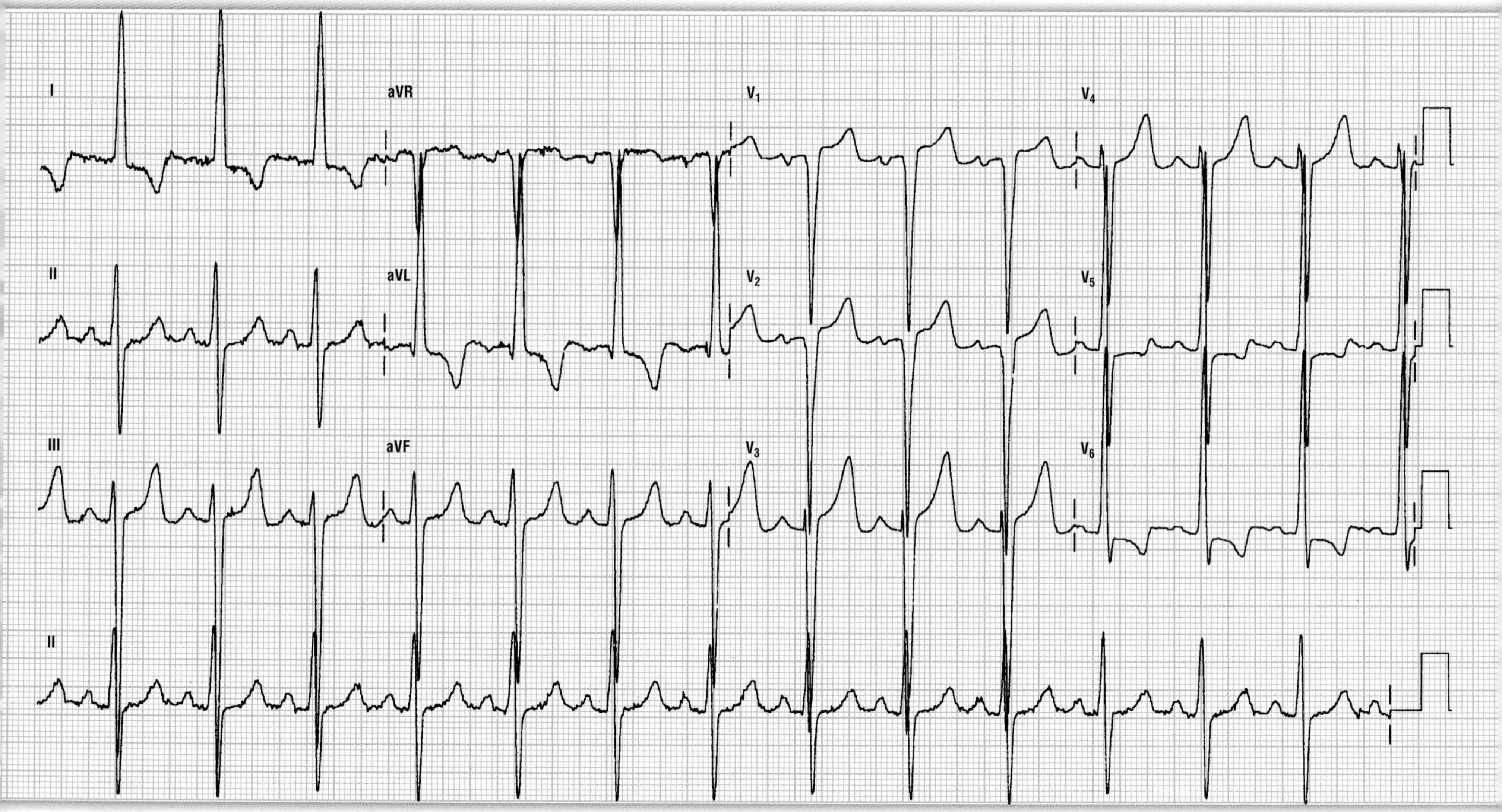

ECG 14-26

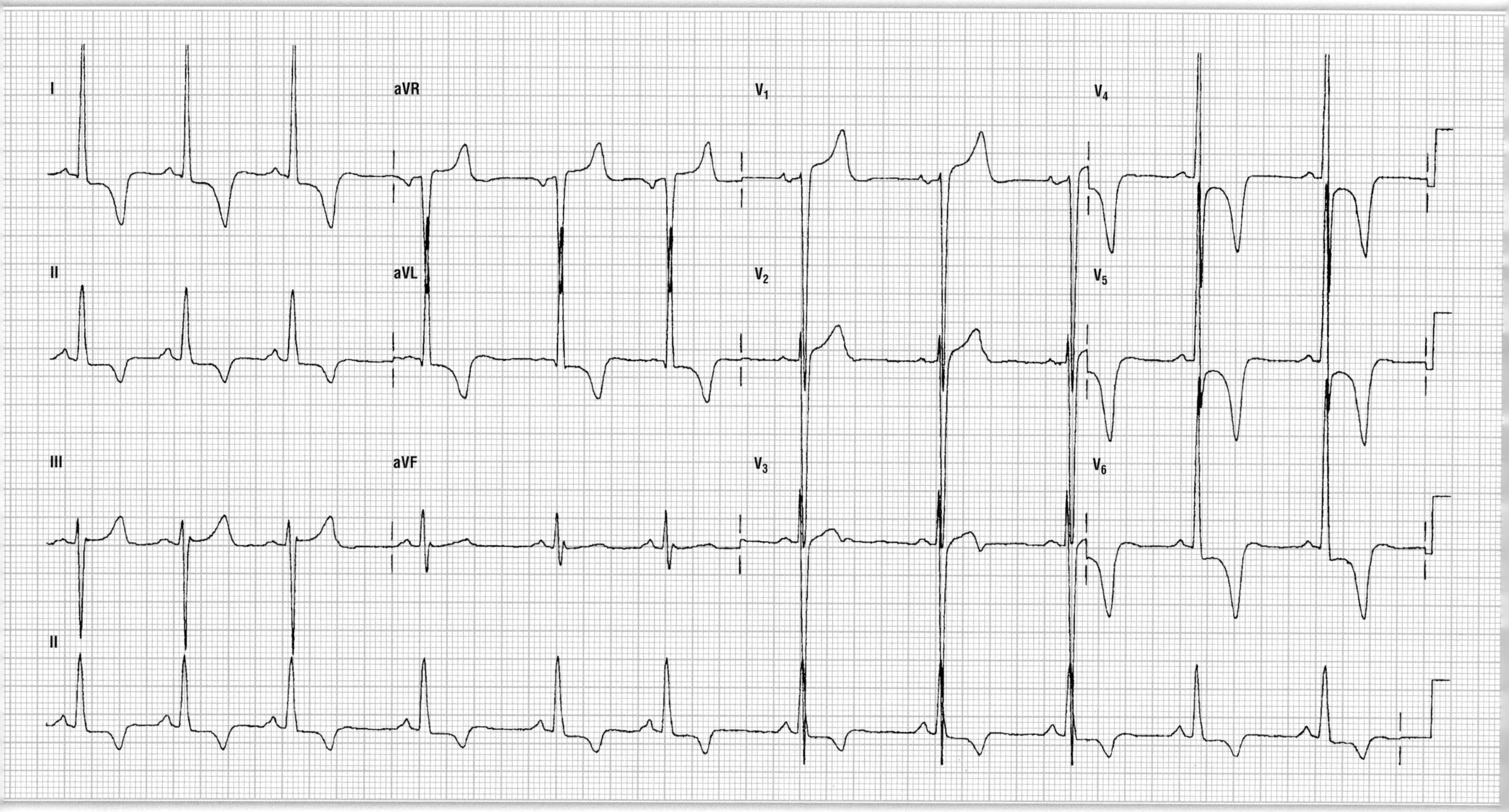

ECG 14-27

심전도 증례 연구 계속

2

심전도 14-28 이제 우리는 측벽 유도에서 어떻게 ST분절이 아래로 오목한 형에서 편평하게 진행하는지 몇 가지 예들을 볼 것이다. 이 심전도 V_1에서 V_6을 보라. 우리는 ST분절이 위쪽으로 오목한 것에서 V_3에서는 편평하게, V_4에서 V_5까지는 아래쪽으로 오목하게, 그리고 마지막으로 V_6는 아래쪽으로 경사지게 하강하며 편평하게 바뀌는 것을 볼 수 있다. 그림 14-24는 이런 변화를 간단히 묘사한 것이다. 이것은 확실한 좌심실비대 환자에서 양성의 이행을 나타낸다. 마지막 어구를 주시해라 : *확실한 좌심실비대 환자에서.* 만약 환자가 확실한 좌심실비대 소견을 가지고 있지 않다면, 모든 가능성을 배제하고 이것은 허혈을 나타낼 수 있다. 이것이 핵심점이다. 긴장양상은 단지 확실한 좌심실 비대에서만 나타난다. *만일 좌심실비대를 진단할 수 없다면, 긴장양상도 진단할 수 없다.*

그림 14-24. 심전도 14-28의 ST분절들과 T파들의 이행.

심전도 14-29 이것은 좌심실비대 긴장양상의 또 다른 예이다. 심전도 14-28에서와 같이, ST분절은 V_6로 갈수록 편평해진다. 하부유도는 역위되고 비대칭성의 T파는 좌심실비대에 의해 발생한다. 다시 한번, T파는 비대칭성이며 ST분절은 약간 아래로 오목하다는 것을 주시하라. 당신은 아직도 빈맥이나 관상동맥 질환에 의한 이차성 허혈과 같은 다른 가능성들을 고려하여야 한다.

나머지 심전도는 동성빈맥과 좌심방확장을 주목할 만하다. QT 간격은 연장되어 있다.

2 빠른 복습

1. 긴장을 동반한 좌심실비대 환자에서 많은 양의 심낭삼출이 있으면, 전압기준은 명확하지 않을 수 있다.
2. 좌심실비대에서 급성 심근경색증을 진단할 수 없다. 참 혹은 거짓
3. 좌각차단에서 좌심실비대를 진단할 수 없다. 참 혹은 거짓

1. 참 **2.** 거짓 **3.** 참

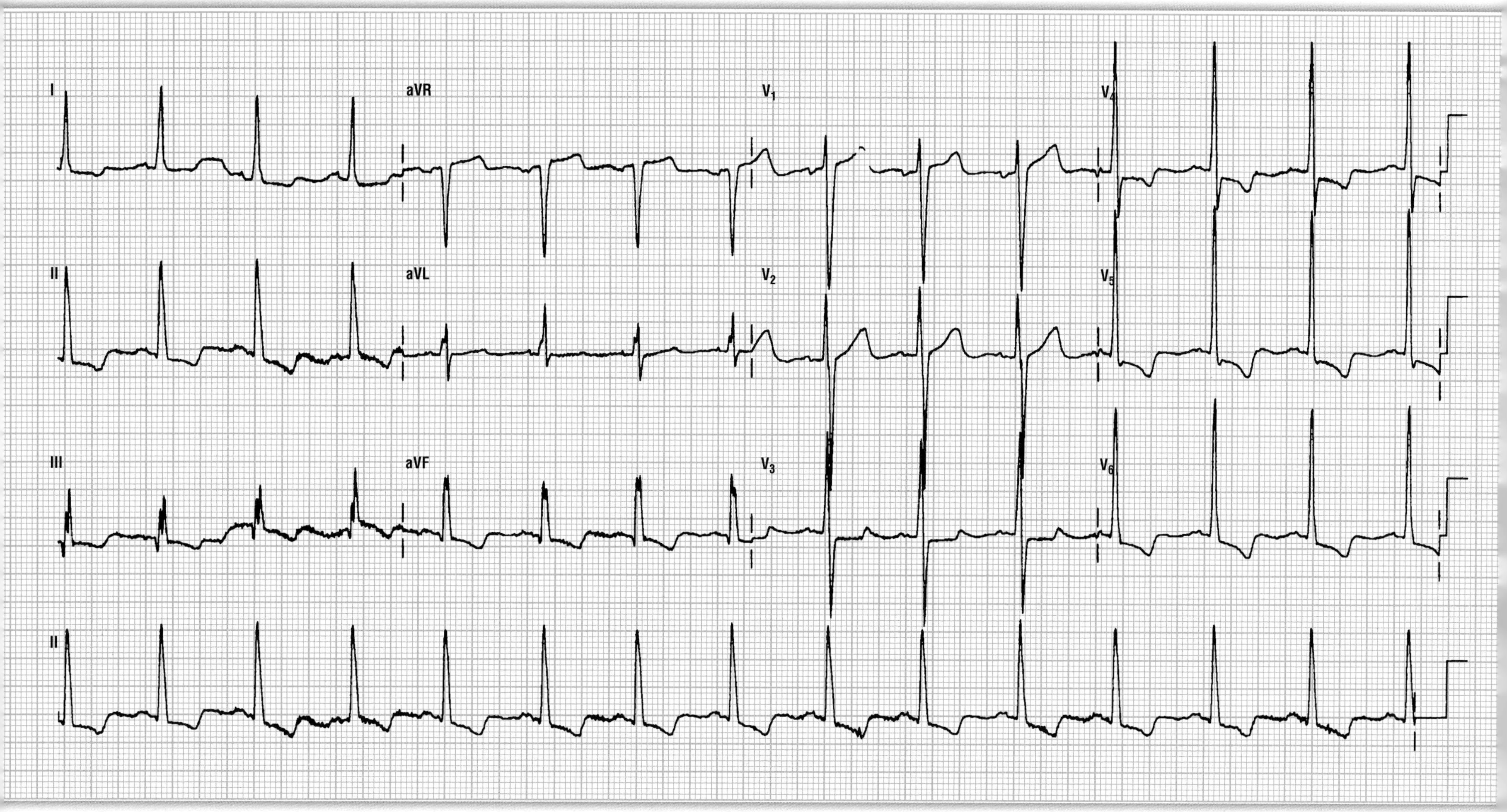

ECG 14-28

심전도 증례 연구 계속

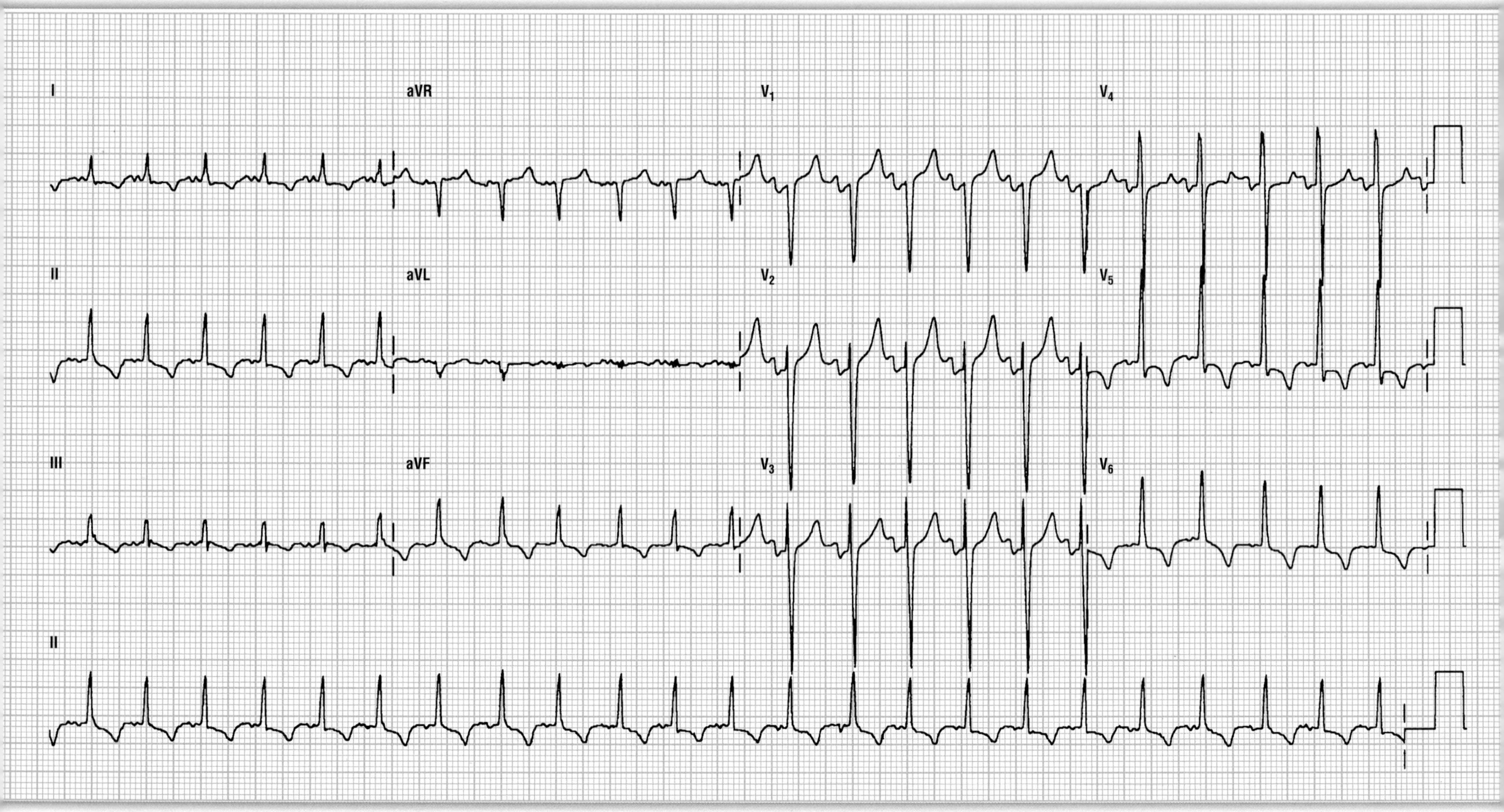

ECG 14-29

2

심전도 14-30 이것은 긴장을 동반한 좌심실비대의 다른 예이다. 이번에는 심방세동과 심실조기박동이 섞여있어 당신에게 다른 몇 가지 맛있는 것들을 알려줄 것이다. 이것은 뚜렷한 P파가 없는 불규칙하게 불규칙한 율동 때문에 심방세동이다. V_1에서 물결치는 듯한 기저선은 거친 심방세동 양상이다. 파동이 분명하기 때문에 이것은 보기에 거칠다(그림 14-25 위). 심전도 시작과 끝에 있는 매우 미세하며 좁은 스파이크들을 가지고 있는 허상(artifact)과 비교해보라(그림 14-25 아래). 심전도에서 허상과 실제의 병적상태를 구분하는 것은 중요하다. 이것이 이 책에 있는 심전도에서 허상을 제거하지 않는 이유이다.

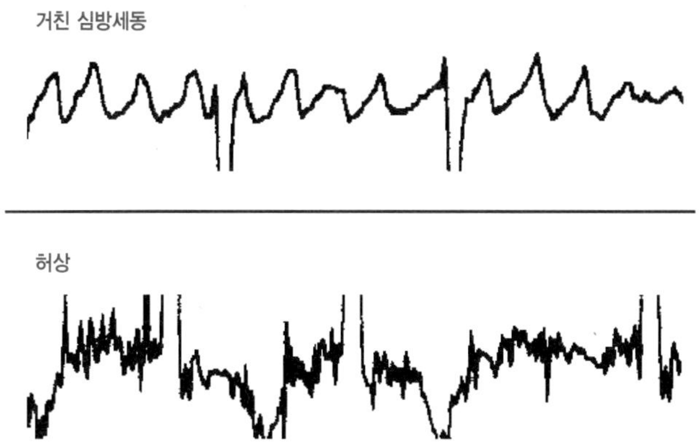

그림 14-25.

2

심전도 14-31 몇 개의 심전도 전에, V_6에서 오목하고 위쪽으로 파여 있는 ST분절과 작은 q파를 가진 좌심실비대에 대해 언급한 적이 있다. 이것이 그러한 증례이다. 이 증례에서 좌심실비대는 확실하지만, 전형적인 긴장양상은 보이지 않는다. 이것이 크고 확장된 좌심실을 가진 환자들에서의 긴장양상이다. 이 양상은 후부하 압력문제가 아닌 용적문제에 의해 일어난다(대동맥판 역류, 심한 승모판 역류 등). 이것은 상급의 개념이며, 단지 여기서는 당신이 후에 이런 환자를 봤을 때 충격 받지 않도록 언급하는 것뿐이다.

3

심전도 14-31 J. Willis Hurst 박사는 2가지 유형의 좌심실 비대를 기술하였다. 첫 번째는 수축기 고혈압이나 대동맥판 유출로 문제에 의해 발생되는 수축기 압력과부하이다. 이런 유형은 언급했듯이 오목하고, 아래쪽으로 향하는 ST분절 하강과 역위된 T파가 발생한다. 두 번째 유형은 많은 용적(volume)이 동반된 심실비대에서 확장기 압력 과부하 문제(심한 승모판 또는 대동맥판 역류)로 발생한다고 하였다. 이런 유형은 작은 q파와 오목하고 위쪽으로 경사진 ST분절을 가진 아래의 심전도와 비슷하다(더 많은 정보를 보기위해 부가적 독서 편을 보라).

심전도 증례 연구 계속

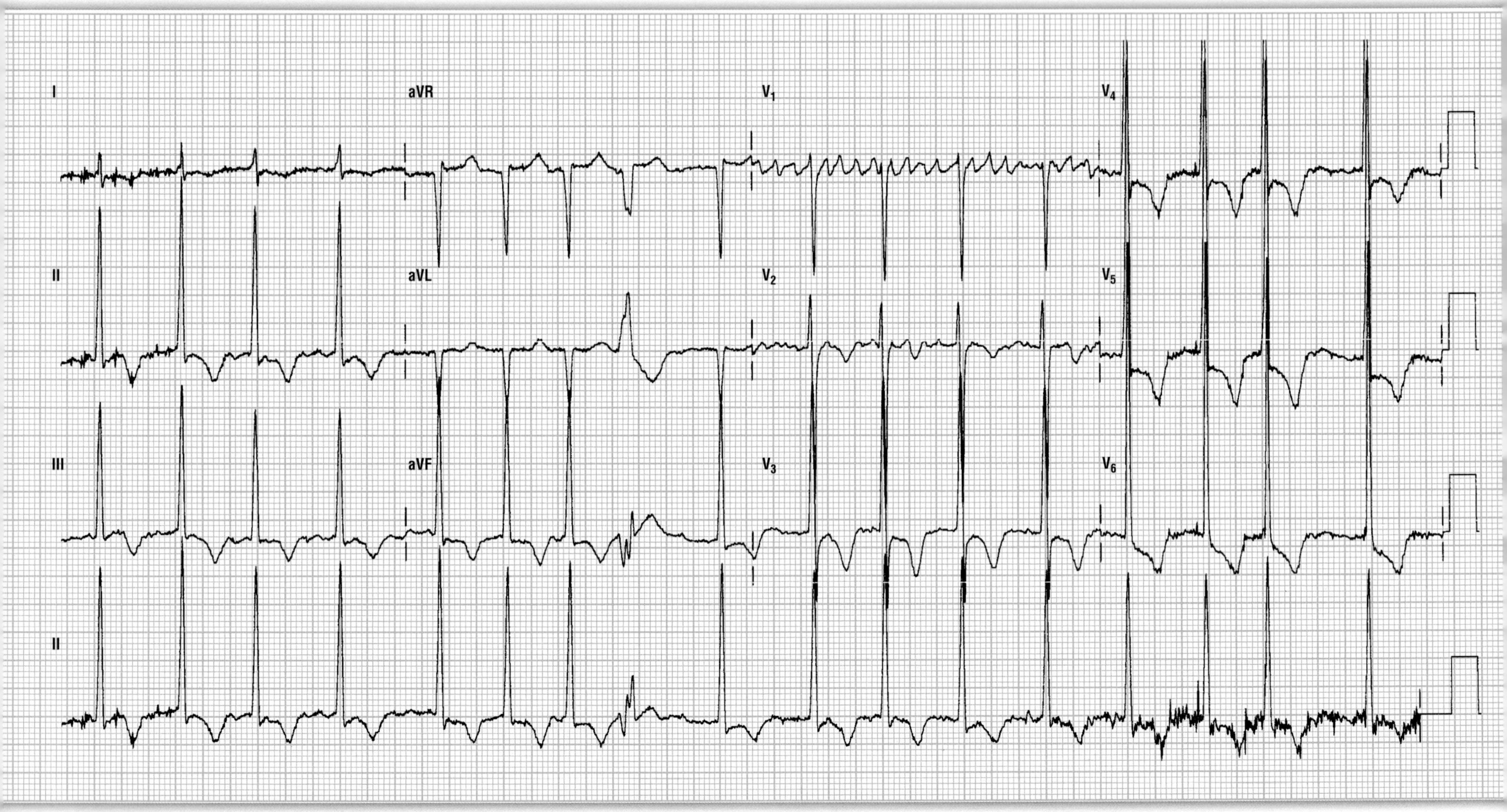

ECG 14-30

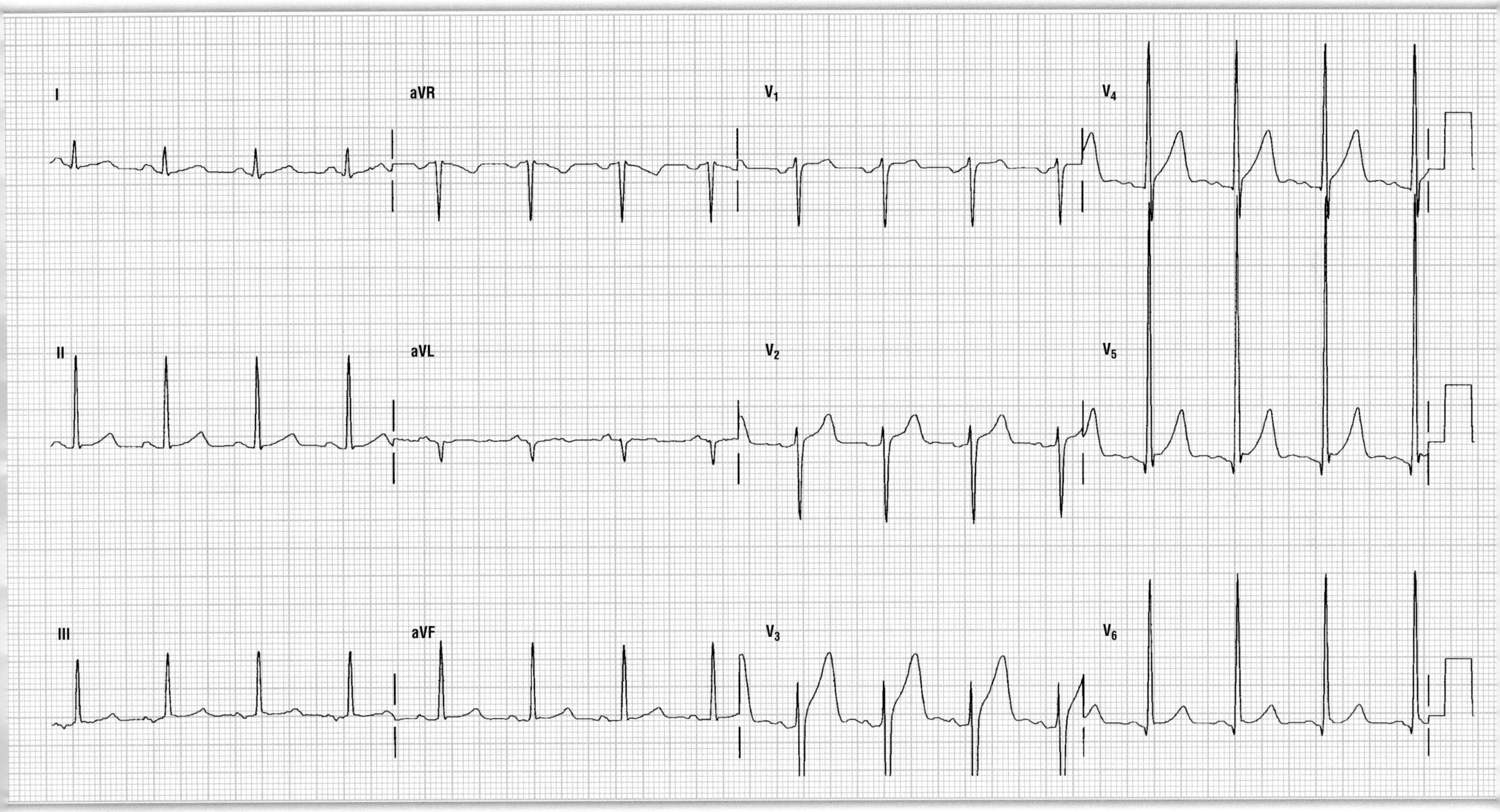
I
aVR
V1
V4
II
aVL
V2
V5
III
aVF
V3
V6

ECG 14-31

심전도 비교들 양성변화들 대 경색

2

어떤 중급의 학생에게 가장 곤란한 것이 ST와 T파 변화가 경색을 나타내는지 아니면 병적상태의 더 양성 형태인지를 결정하는 것이다. 앞으로 20가지의 예제를 나란히 두어서 비교할 것이다. "좋음"이라고 하는 것은 정상을 의미하는 것이 아니라, 경색과 비교하여 2개의 악마 중에서 조금은 낫다는 것이라는 것을 명심하라. 출발해보자.

좋음: 심전도 14-32A 이런 ST분절은 전형적인 좌심실비대 긴장양상이다. 처음부터 끝까지 비대칭성의 T파가 있는 것을 주시하라.

나쁨: 심전도 14-32B 비교해보면, 이런 ST분절은 편평하고 상승되거나 하강되어 있다. 하벽 유도인 II, III, 그리고 aVF에서 상승되어 있으며 상대영역인 I 그리고 aVL은 하강되어있음을 주시하라. 우리는 *급성심근경색* 장에서 상대변화에 대해 자세히 알아볼 것이다. 지금은 만약 급성심근경색이라면, I과 aVL은 II, III, 그리고 aVF의 반대의 변화를 보인다고 이해하라. 유도 III에서 병적 Q파가 시작함을 주목하라.

임상의 진주

다른 모든 의학 검사들과 같이 심전도는 아무것도 없는 진공상태에서 판독을 하지 못한다는 것을 항상 기억하라. 진단을 위해서 판독을 할 때에는 모든 사용 가능한 정보를 다 사용하여야 한다는 것이다. "친구는 같이 다닌다"는 우리의 좌우명이다. 만약 심전도가 병적인데 환자는 이상이 없다면 진단에 의문을 가져라. 이것이 심실류가 아닌가? 실수로 다른 사람의 심전도를 준 것이 아닌가? 무증상 허혈인가? 전해질 이상인가? 항상 당신이 알고 있는 환자와 심전도를 같이 생각해야 한다. 만약 맞지 않는 것이 있다면, 항상 이유가 있다.

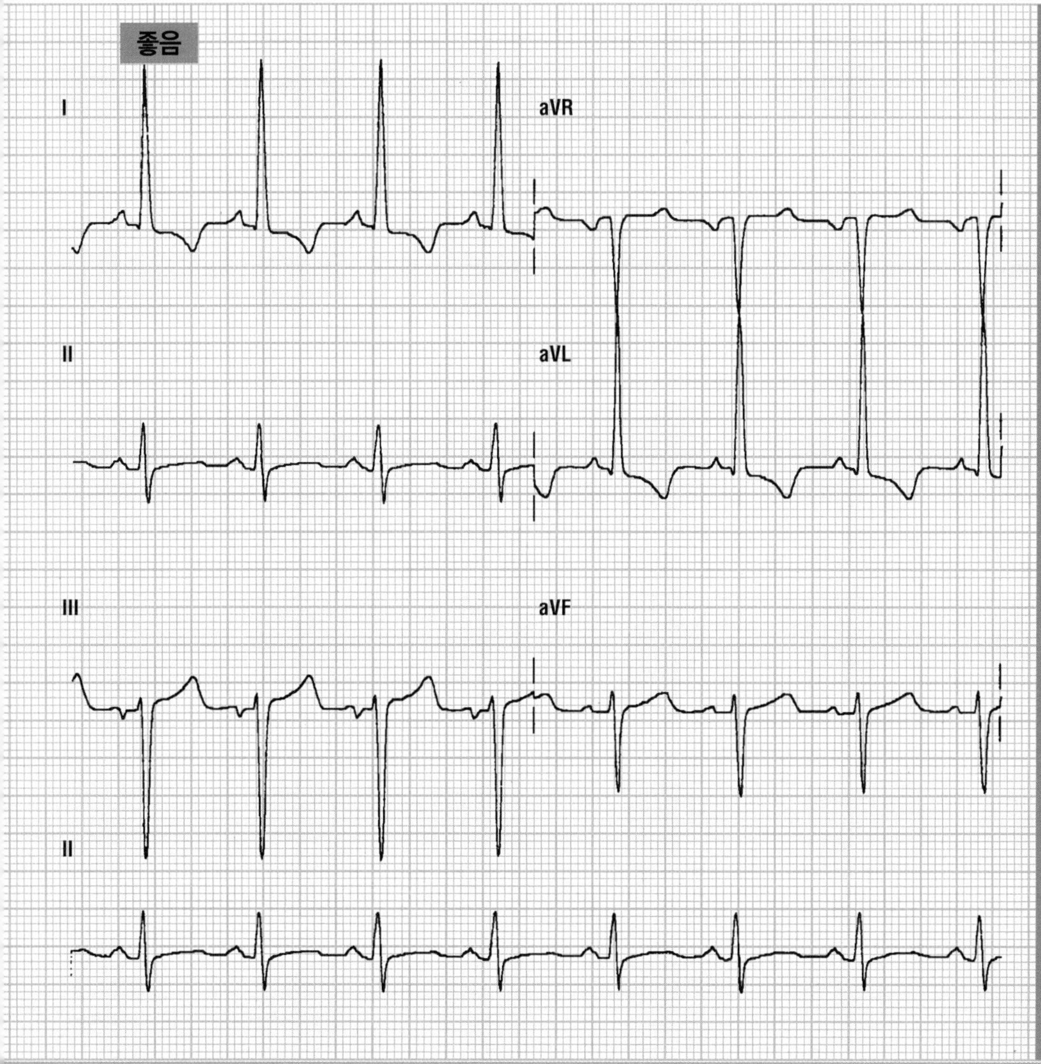

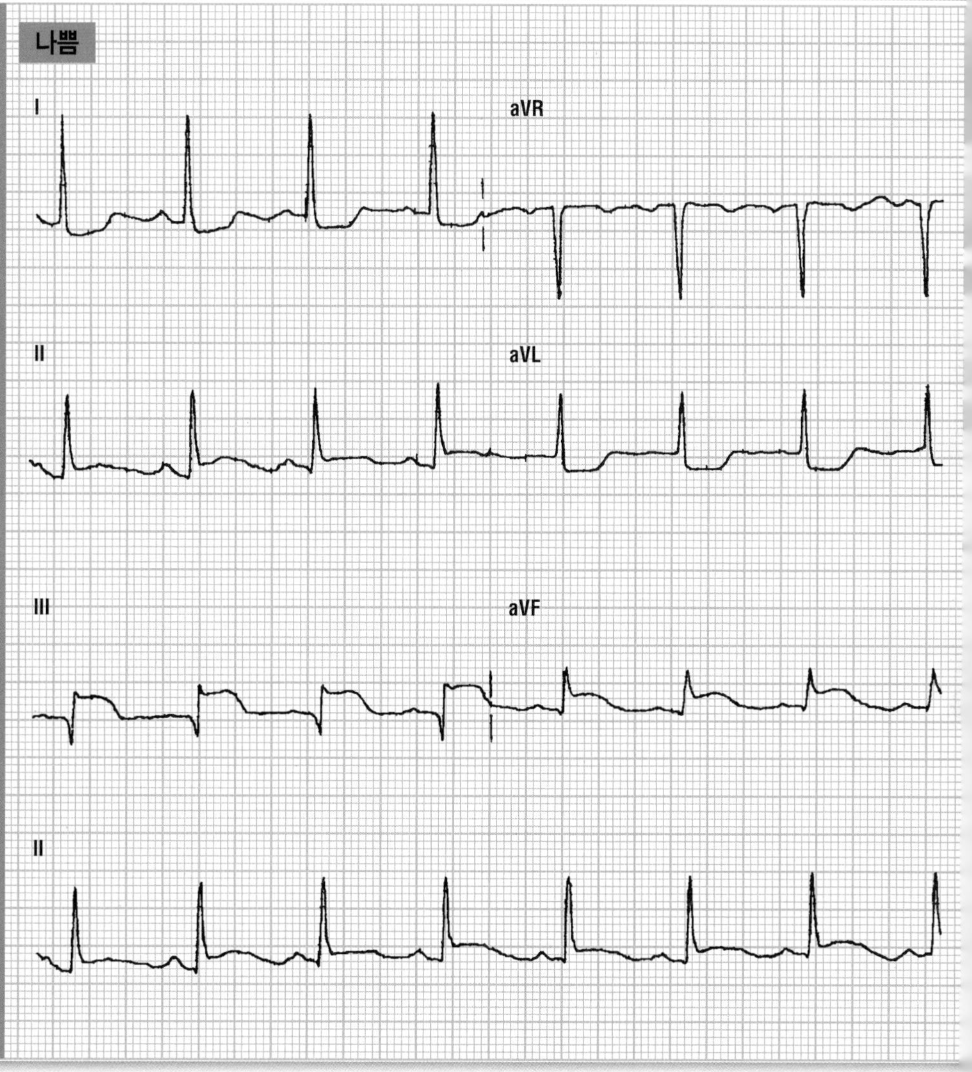

ECG 14-32A: 좋음

ECG 14-32B: 나쁨

심전도 비교들 계속

2

좋음: 심전도 14-33A 이것은 좌심실비대 긴장양상의 또 다른 예제이다. 예제 B에 나와 있는 "나쁨"과 비교하여 A에서 긴장 변화의 특성을 주시하여라. 역위된 T파는 I, aVL, 그리고 II와 aVF에서 비대칭이며 병리를 나타낼 수 있다.

바라건데 당신은 이 장에서 우리가 하고자 하는 것을 얻기를 바란다. 우리는 당신이 생명을 위협하는 ST변화에 대한 느낌을 갖기를 원한다. 이것이 당신의 발전에 중요한 단계이며, 당신은 그 차이에 대해 분명히 알아야 한다.

나쁨: 심전도 14-33B 다시 한 번 말하지만, ST분절이 상대 유도들에서 편평하다. 경사에 오목함은 없다, 혹은 매우 조금, 또한 점진적으로 편평하게 이행되는 것도 없다. 시작할 때부터 바로 편평하다. T파들의 특성이 대칭성임을 주시하라 : 이것들은 거의 ST분절과 섞여 있다. 이 심전도는 하벽심근경색이다.

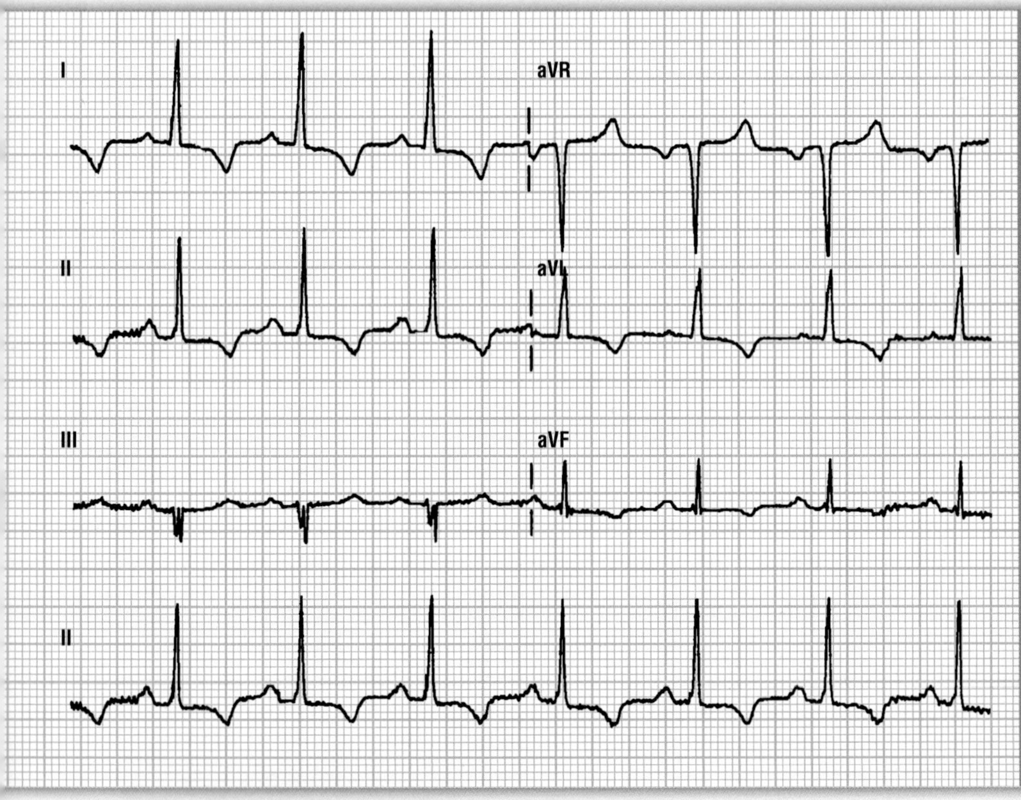

ECG 14-33A: 좋음

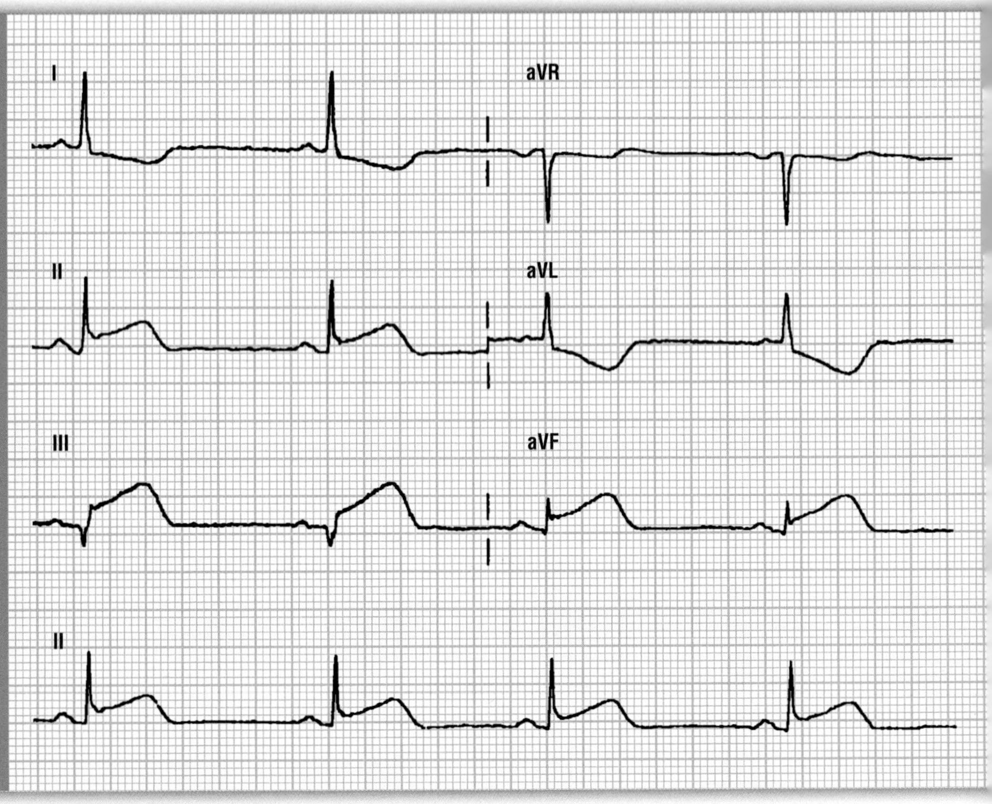

ECG 14-33B: 나쁨

2

좋음: 심전도 14-34A 이것은 우심실비대 긴장양상이다. ST분절은 확실히 오목하다. T파 역시 비대칭성이고 ST분절로부터 부드럽게 이행한다.

나쁨: 심전도 14-34B 이것은 후벽심근경색의 예이다 ST분절 하강이 분명하고 경사는 하향이다. ST분절이 어떠한 오목한 단계없이 수평과 편평함으로 이행하는지 주목하라. 마지막으로 리듬 스트립 유도 Ⅱ를 보아라. ST 상승은 하벽경색을 나타낸다. 지금은 경색범위를 걱정하지 마라; 단지 서로 모양이 다르다는 것에 집중하라.

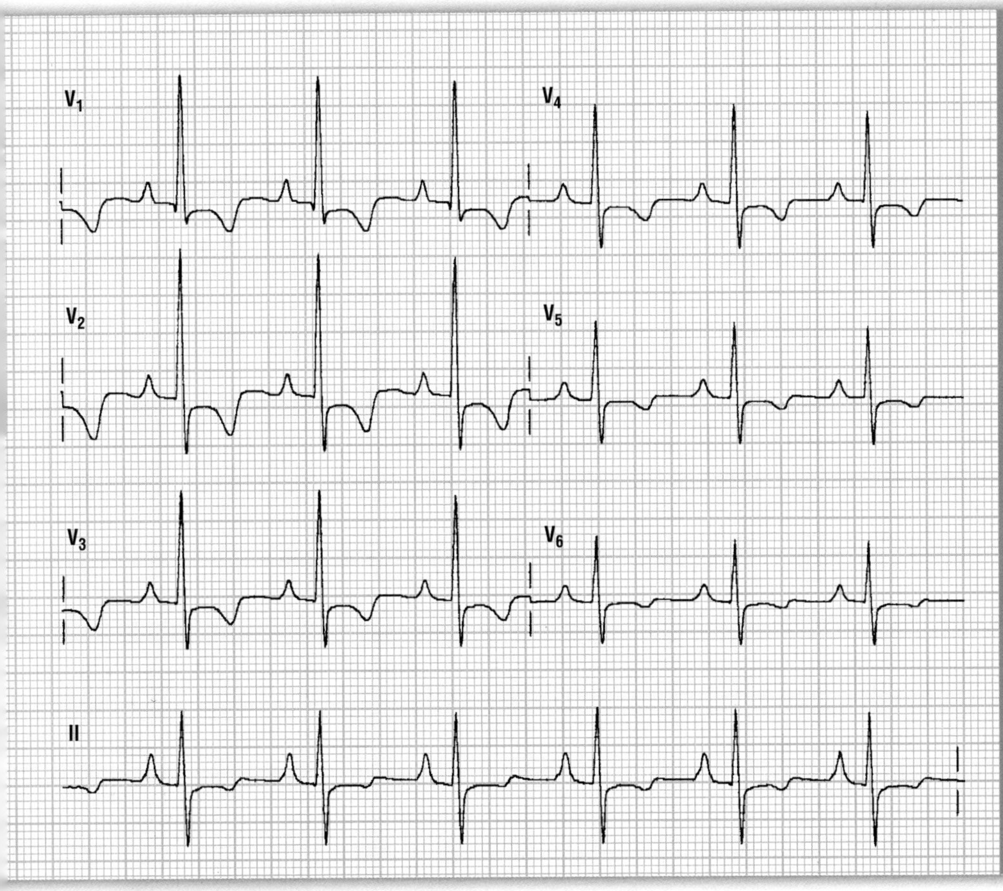

ECG 14-34A: 좋음

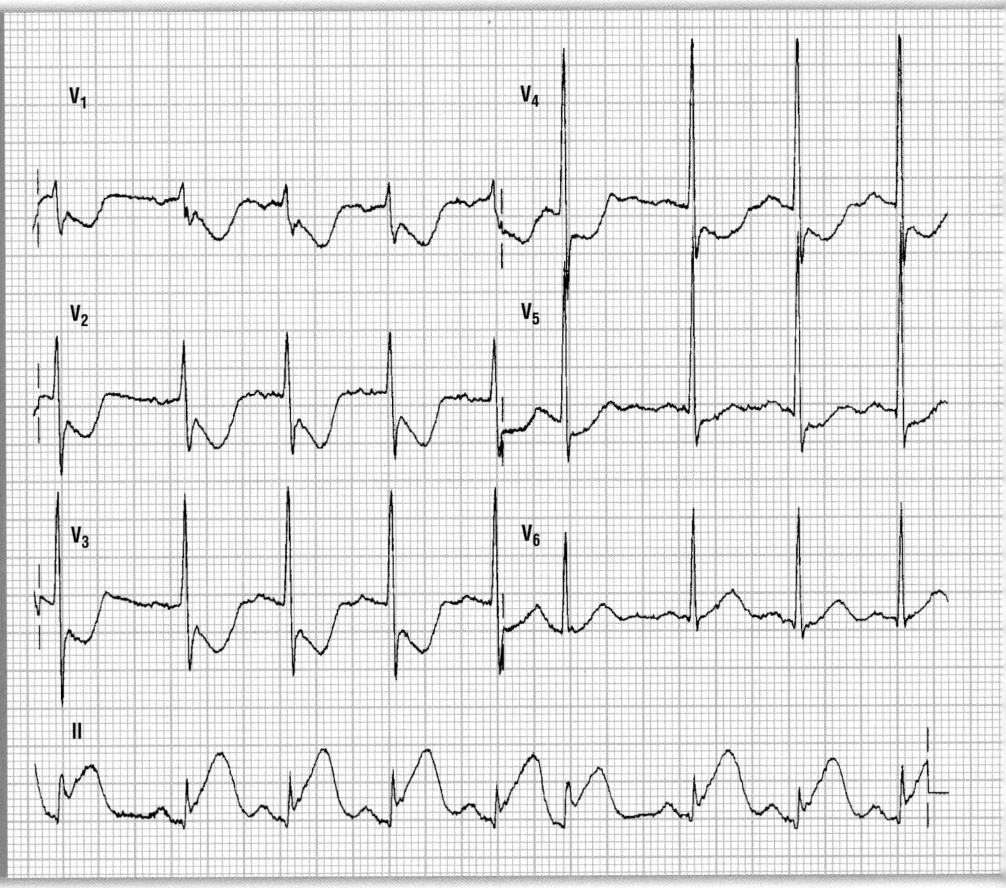

ECG 14-34B: 나쁨

심전도 비교들 계속

2

좋음: 심전도 14-35A 이 심전도를 기억하는가? V_1에서 RSR' 파를 가지지 않은 이상한 우각차단이다. 미만성의 ST분절 변화들 모두 오목하다. V_1에서 V_2의 R파의 넓이에 주목하라. 우각차단 때문에 매우 넓다; 이것이 RSR' 양상이다.

나쁨: 심전도 14-35B 이 심전도 또한 0.03초보다 넓은 R파를 가지고 있다. V_2에서 R:S 비가 증가되어 있지만 1:1에 가깝지는 않다. 이번에는 V_1에서 R:S 비가 증가하지 않았고 V_6에 늘어진 S파도 없기 때문에 우각차단으로 인한 것은 아니다. V_2~V_6의 ST하강은 병적상태를 나타낸다. V_1이나 V_2에서 R:S 비가 증가했을 때 어떤 감별 진단들이 있는가? 진단기준을 복습한다면, 이것은 후벽 급성심근경색의 다른 예이다.

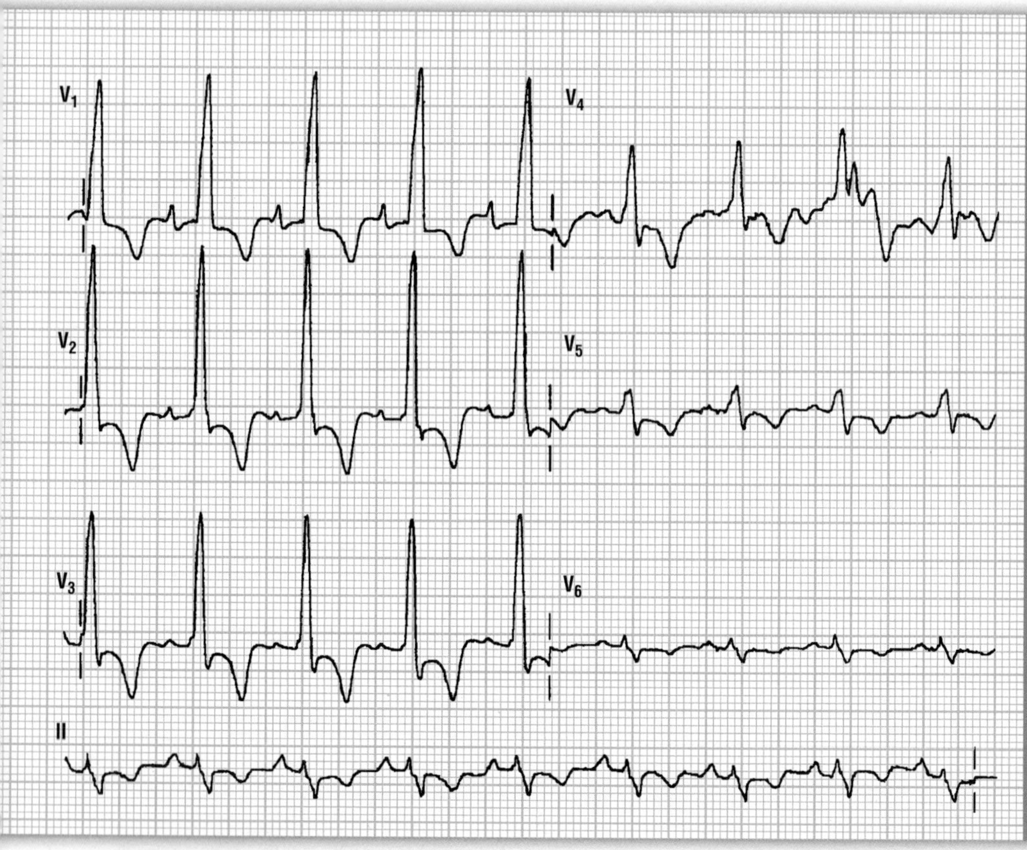

ECG 14-35A: 좋음

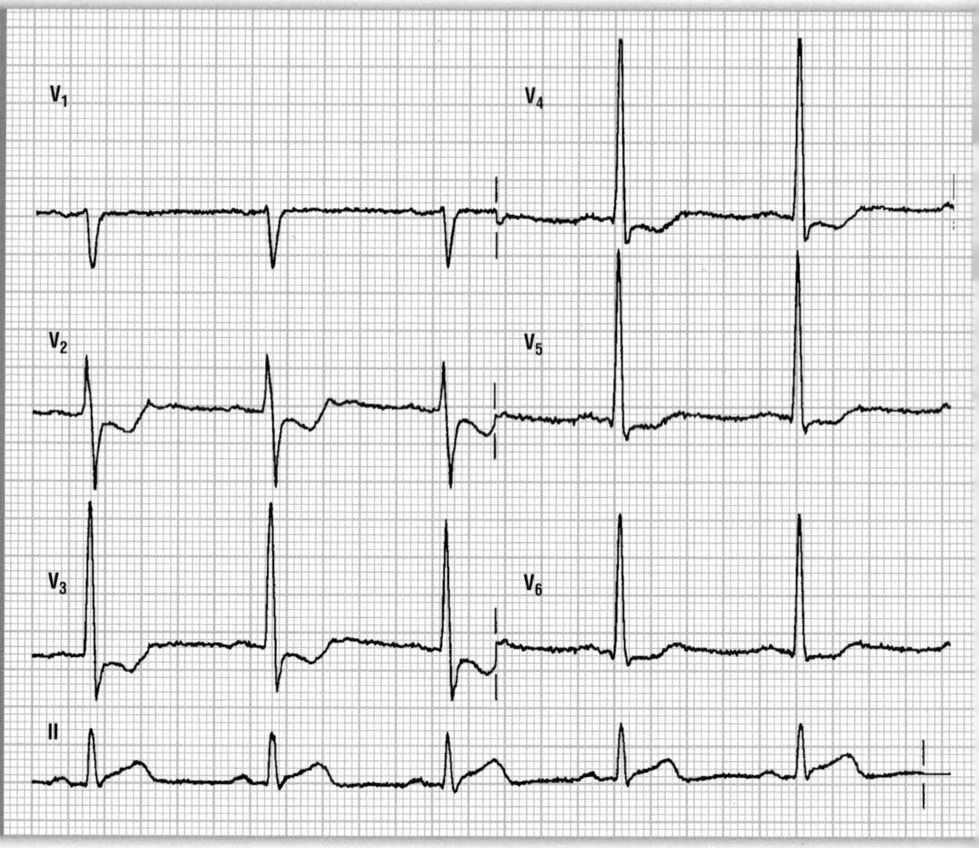

ECG 14-35B: 나쁨

2

좋음: 심전도 14-36A 이것은 경미한 심낭염이거나 조기재분극이라고 하는 정상적인 변이일 수 있다. 파들의 모양이 어떻게 정상으로 생겼는지 보라. QRS군들은 측벽유도에서 절흔이 있다. 따라서 ST분절 상승은 양성 경과와 관련이 있다. 경미한 PR 하강이 있지만 정상범위이다. V_1을 제외한 모든 ST분절이 위쪽으로 오목하다. 가장 높은 R파의 유도에서 ST 상승이 가장 심하다는 것을 주목하라.

나쁨: 심전도 14-36B 이 심전도는 ST 하강에서 ST 상승으로 이행하지만, ST분절은 언제나 편평하다. T파는 대칭성이며 폭이 넓다. V_2에서 R:S 비가 증가한 것을 주목하라. 감별 진단을 해보자. 어떤 것이 가장 맞아 떨어지는가? 후벽 급성심근경색이다. ST 상승이 외측벽 유도를 따라 존재하는 것은 측벽 경색소견이다. 측벽경색은 후벽경색과 연관이 있다. 지금 정확한 진단을 위해 걱정하지마라 : 단지 경색이라는 것만 명심하라.

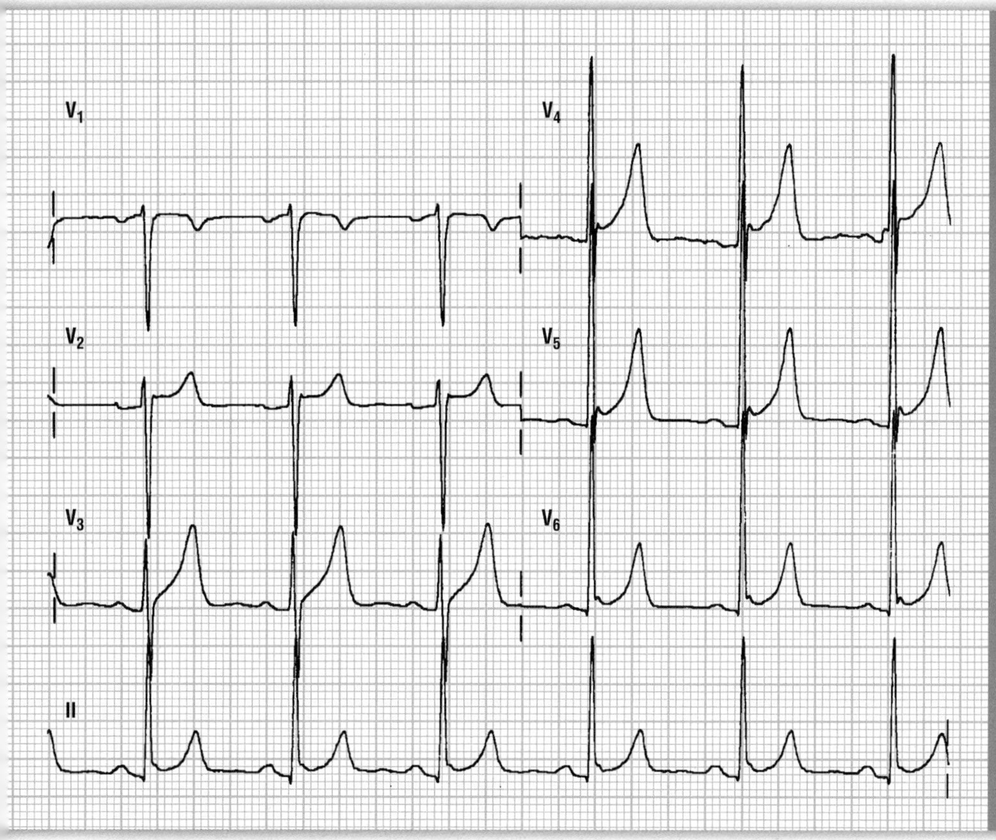

ECG 14-36A: 좋음

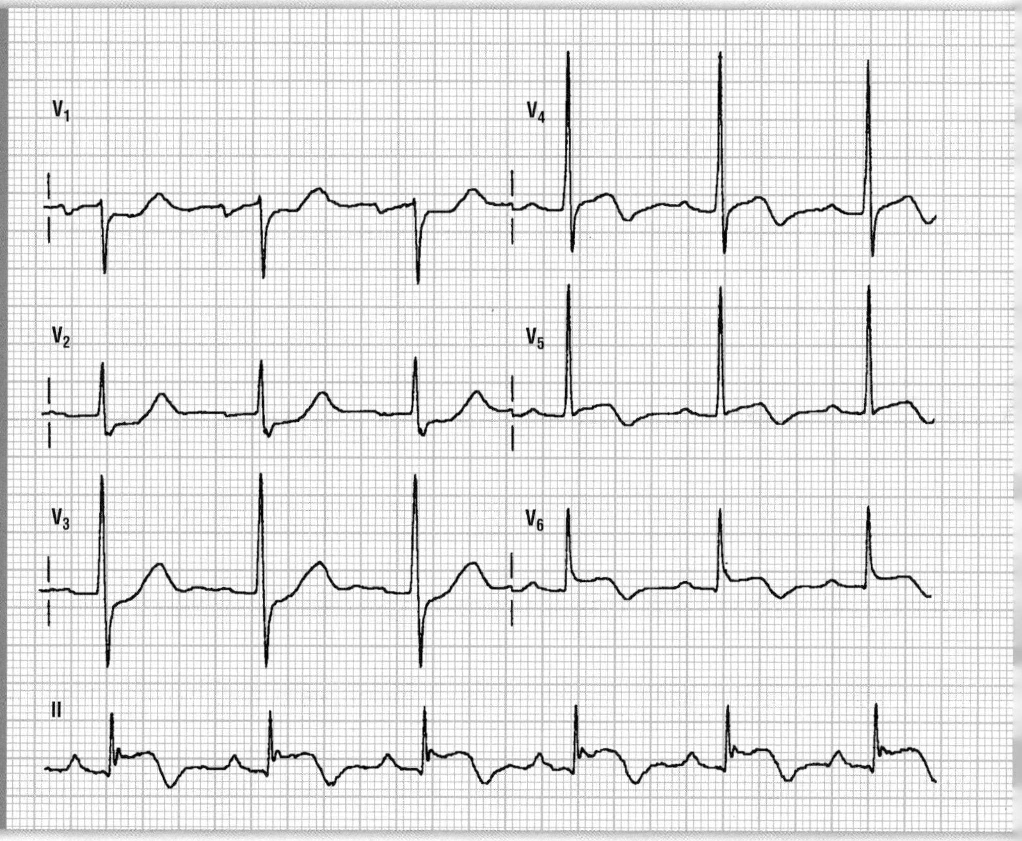

ECG 14-36B: 나쁨

심전도 비교들 계속

2

좋음: 14-37A 이것은 심전도 14-36 A와 비슷하고, 같은 2가지 이유 중 1가지 때문이다. 절흔이 더 분명하고 ST 상승이 좀 더 두드러져 보인다.

나쁨: 14-37B 이 심전도에서 ST 상승은 편평하게 시작하여 V_4에서 위쪽으로 경사가 있다. 이 징후는 손상이나 경색 양상이다. 만약 측벽 유도에서 나타난다면 측벽 경색이다. 기저부의 리듬 스트립을 보았는가? Ⅱ의 ST 상승은 하벽이 연관되었음을 나타낸다. 이 두 심전도를 보고 측벽유도에서 ST분절 간의 차이점을 확실히 알아두어라. 극적이다.

조언

절흔은 대개 정상이다. 그러나 심낭염 그리고 저체온증에서 일어날 수 있다. 다시 한 번, 모토를 기억하라. "친구는 같이 다닌다" 만약 환자가 흉통을 가지고 누워 있을 때 더 심해지고 앉을 때 좋아진다면, 이것은 아마도 심낭염이다. 만약 환자가 증상이 없고 젊다면, 이것은 아마도 조기 재분극이다. 만약 환자가 차갑고, 의식 변화가 있으며, 밖의 기온이 영하 20° 이면, 아마도 저체온증일 것이다.

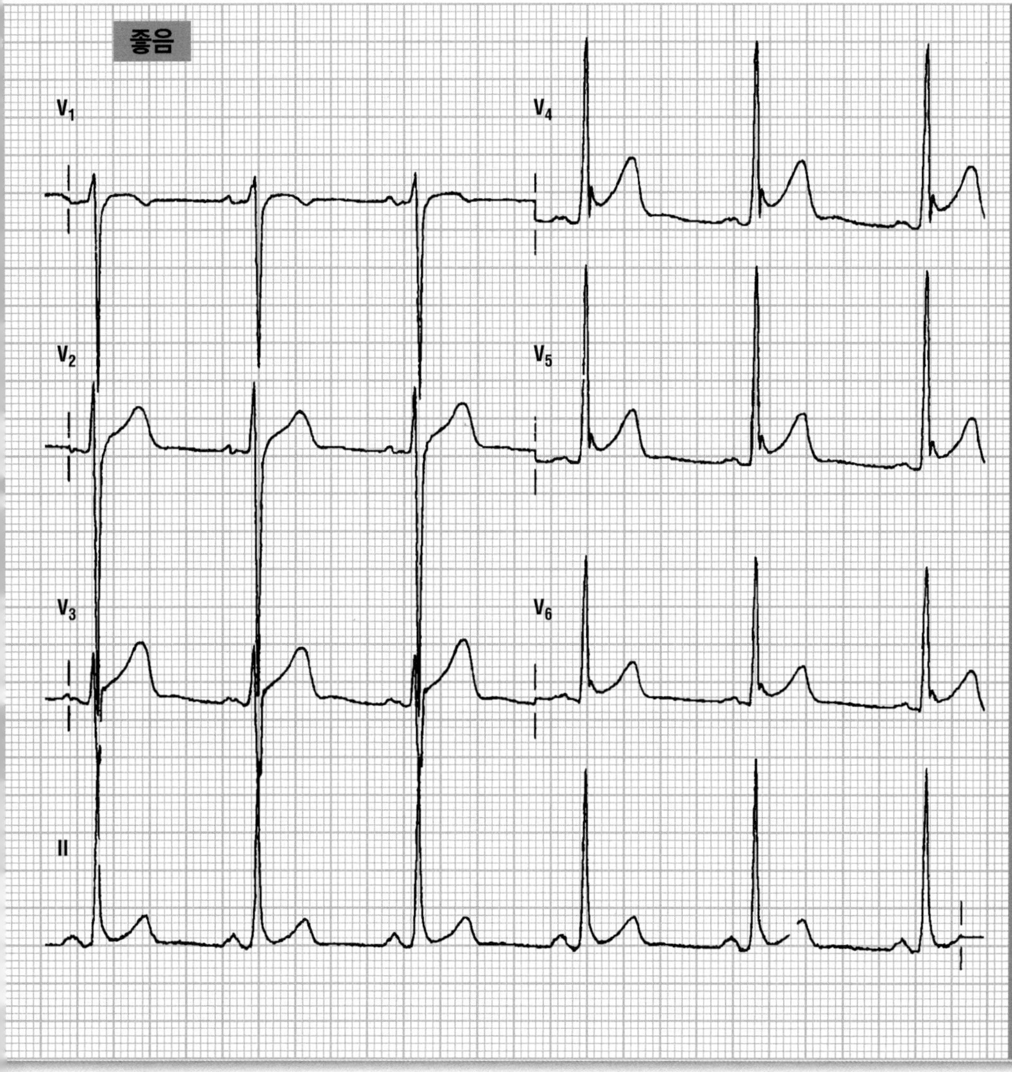

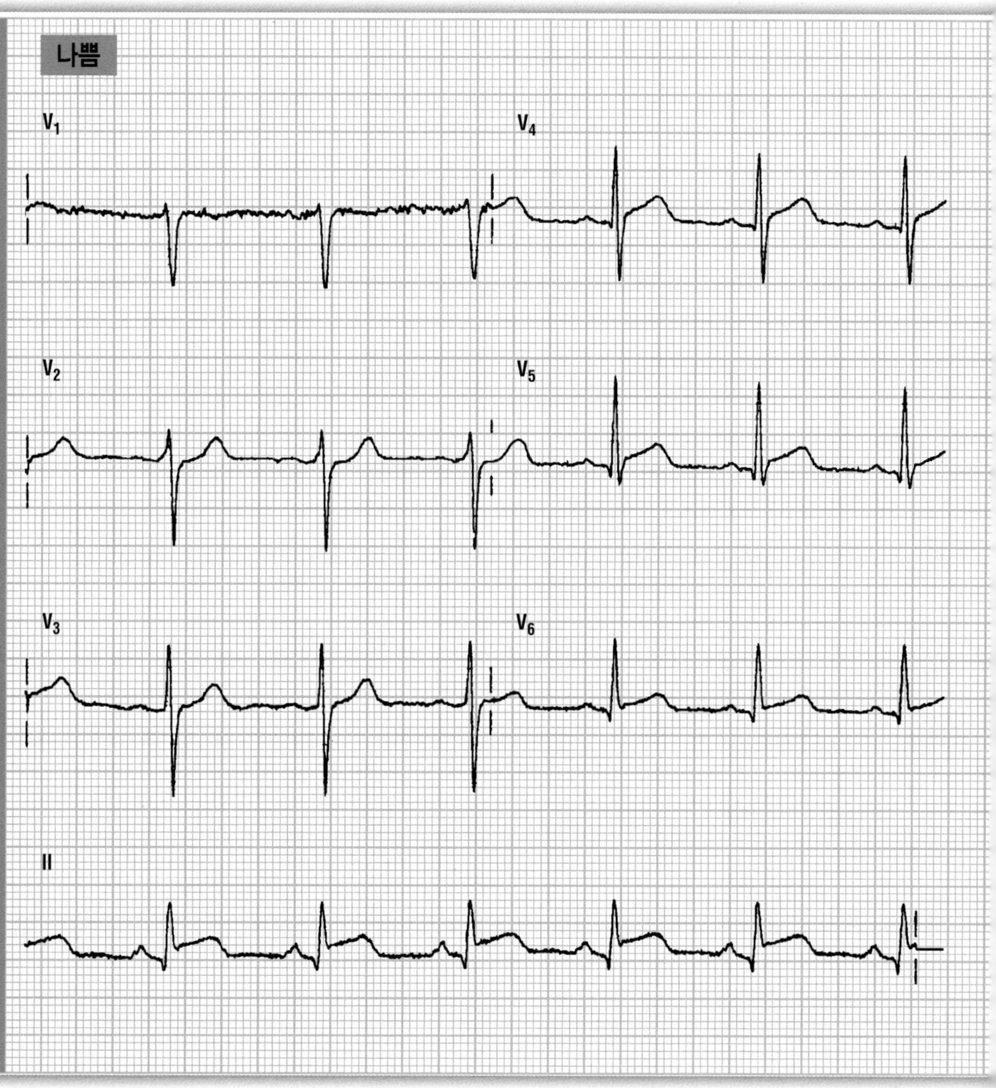

ECG 14-37A: 좋음

ECG 14-37B: 나쁨

심전도 비교들 계속

2

좋음: 심전도 14-38A 측벽 유도들은 좌심실비대와 긴장양상의 전형적인 모양을 보여준다. 전벽 유도들 또한 긴장양상과 일치하지만, 우리의 경험에는 이 심전도는 약간 편평하다. 환자가 증상이 없고 이전의 심전도에도 같은 양상이라는 것을 제외하고, 이 형태에 대해서 계속 염려하고 있다. ST분절이 아직 조금 오목하고 V_1에서 가장 큰 ST분절과 가장 깊은 S파를 가지고 있다. 이런 소견들을 종합해 보면, 이 심전도는 좌심실비대 긴장양상이라 말할 수 있다.

나쁨: 심전도 14-38B 이 심전도의 핵심 부분은 측벽 유도이다. ST분절이 어떻게 깊고 편평해지는지 보았는가? 긴장을 동반한 좌심실비대가 아니고 확실한 측벽 허혈이다. 좌심실비대가 있기는 하지만, 하강이 긴장 양상을 나타내지는 않는다. V_1이 문제가 있기는 하지만, 단 하나의 유도에서만 나타나므로 강력히 경색을 의미하는 것은 아니다.

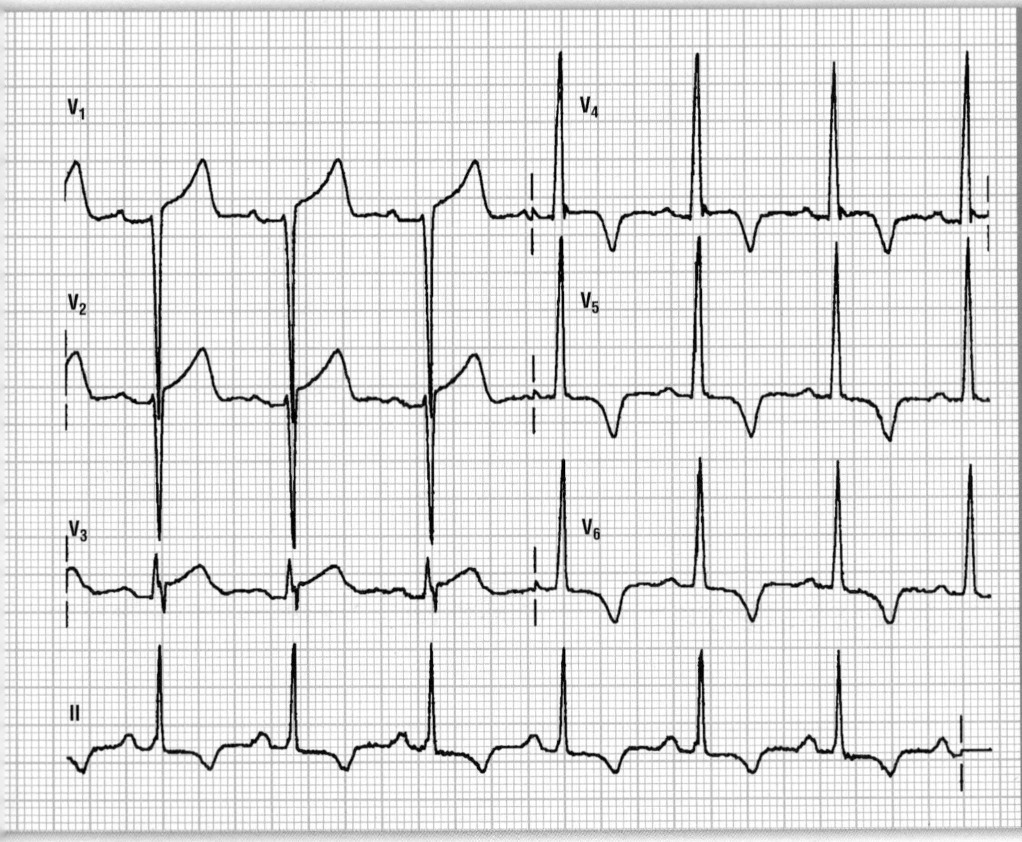

ECG 14-38A: 좋음

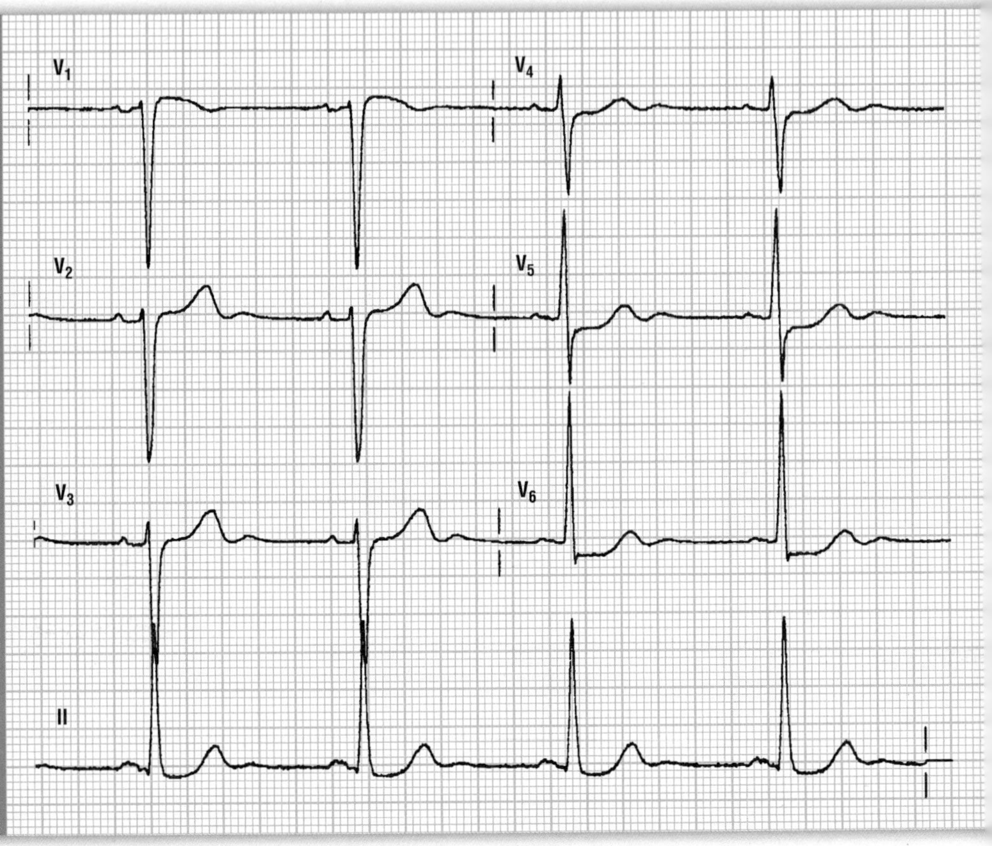

ECG 14-38B: 나쁨

2

좋음: 심전도 14-39A 이것은 긴장양상이나 조기재분극의 또 다른 예이다. V_2의 S파와 V_6의 R파를 더하면 좌심실비대의 진단기준에 맞다. 한 번 더, 오목한 ST분절과 가장 깊은 S파를 가진 유도에서 가장 높은 ST분절을 가진다. J점은 V_2에서 상당히 퍼져있으며, 심지어 V_1에서도 퍼져 있다.

나쁨: 심전도 14-39B 나쁘다, 어디를 봐도 나쁘다..... ST분절은 모든 흉부 유도들에서 상승되어 있다. QT 간격은 짧기 때문에 QRS군들이 기괴한 모양을 가진다. 측벽 유도에서 Q파는 병적이지 않다.

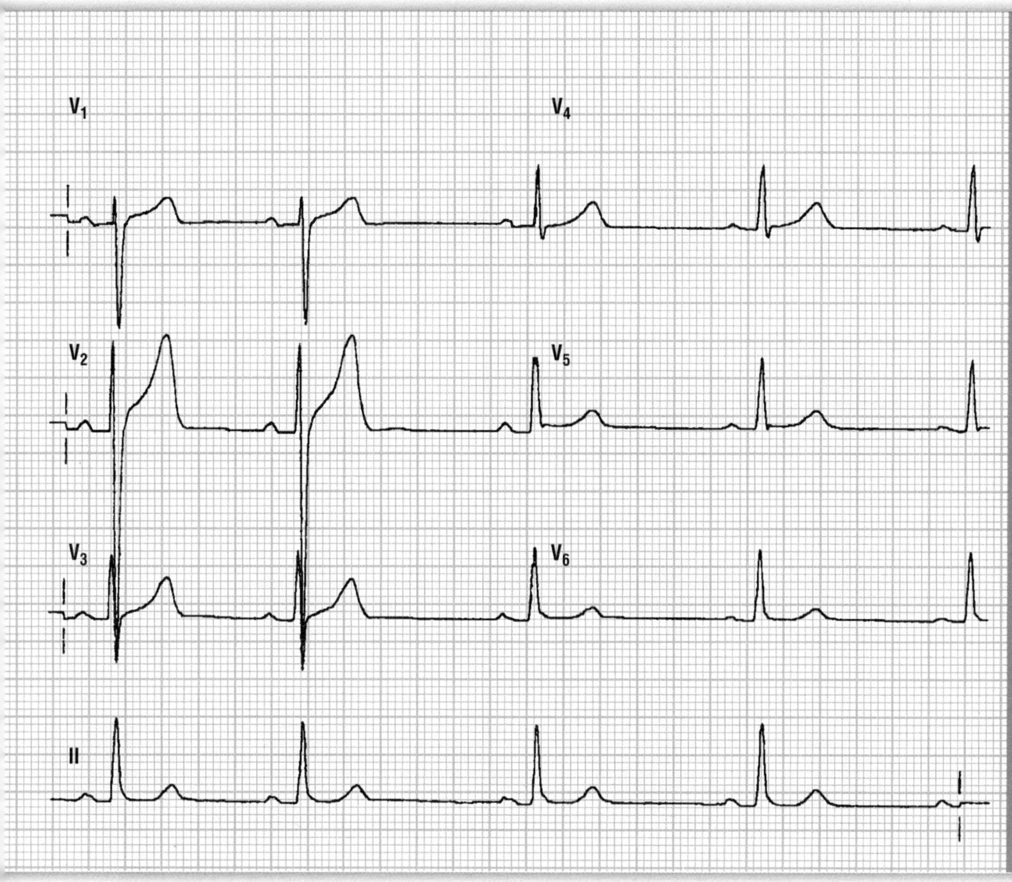

ECG 14-39A: 좋음

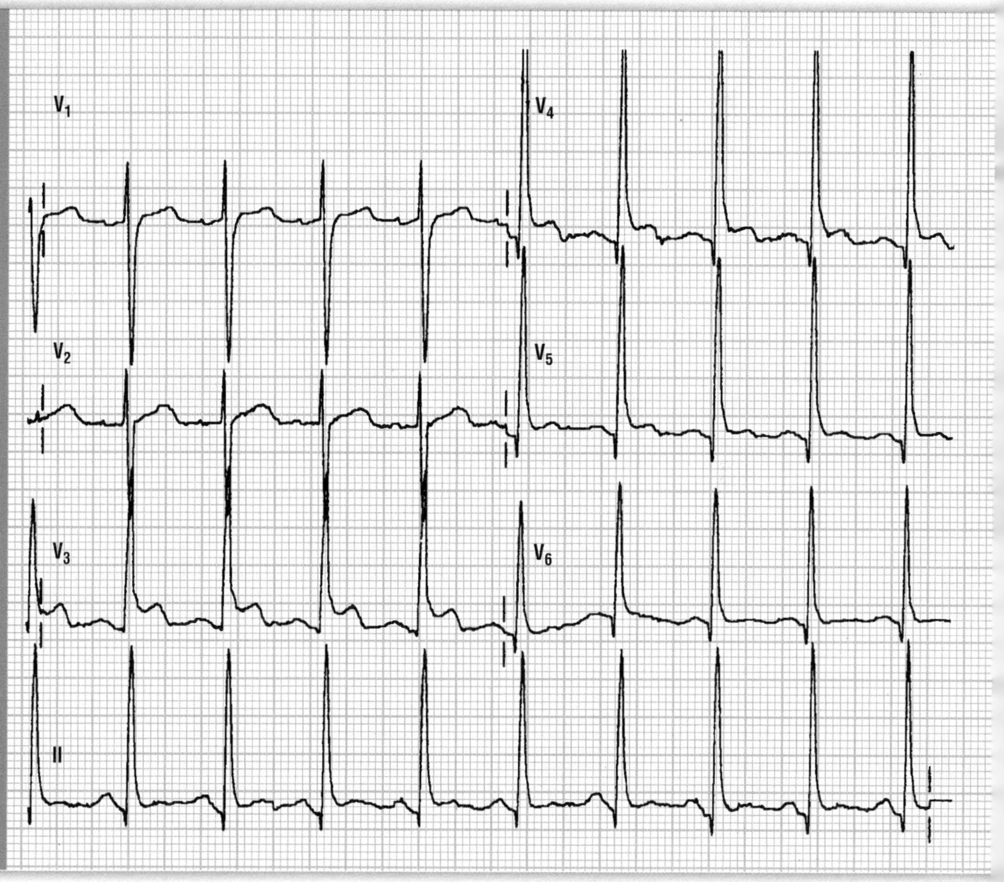

ECG 14-39B: 나쁨

심전도 비교들 계속

2

좋음: 심전도 14-40A 이 심전도는 좌심실비대 긴장양상의 여러 진단기준을 만족한다. 좌심방확장 또한 존재한다. 자꾸 반복하여 당신을 따분하게 하기를 원하는 것은 아니지만, 반복학습이야말로 좋음과 나쁨 사이의 차이점을 이해하는 유일한 방법이다. 이런 변화를 보이는 심전도를 수백 개 판독한 후에야 좋음과 나쁨을 결정할 때 마음이 편할 것이다.

나쁨: 심전도 14-40B ST분절의 변화는 역시 허혈을 의미한다. R:S 비가 증가되어있고, ST분절이 편평하며, T파의 마지막 부분이 양성 편향되어있기 때문에 이 심전도는 후벽 급성심근경색을 암시한다. 그러나 이번에는 하벽경색과는 연관이 없다. 유도 Ⅱ에 보이는 ST 하강 역시 허혈을 시사한다. 이런 전반적인 ST 하강은 종종 전심내막하층 허혈에서 보이기도 한다(심실에 접한 심근의 허혈).

2 빠른 복습

서로 연결해 보시오 :

A. 좌각차단
B. 좌심실비대

_______ **1.** QRS ≥ 0.12초
_______ **2.** aVL의 R파 ≥ 11mm
_______ **3.** V_1의 단형(monomorphic)의 S파
_______ **4.** I과 V_6의 단형의 R파
_______ **5.** 아무 흉부유도라도 ≥ 45mm
_______ **6.** I의 R파 ≥ 12mm
_______ **7.** aVF의 R파 ≥ 20mm
_______ **8.** 일치되지 않은(non-concordant) T파들
_______ **9.** (V_1또는 V_2의 S파) + (V_5 또는 V_6의 R파) ≥ 35mm

1. A **2.** B **3.** A **4.** A **5.** B **6.** B **7.** B **8.** A **9.** B

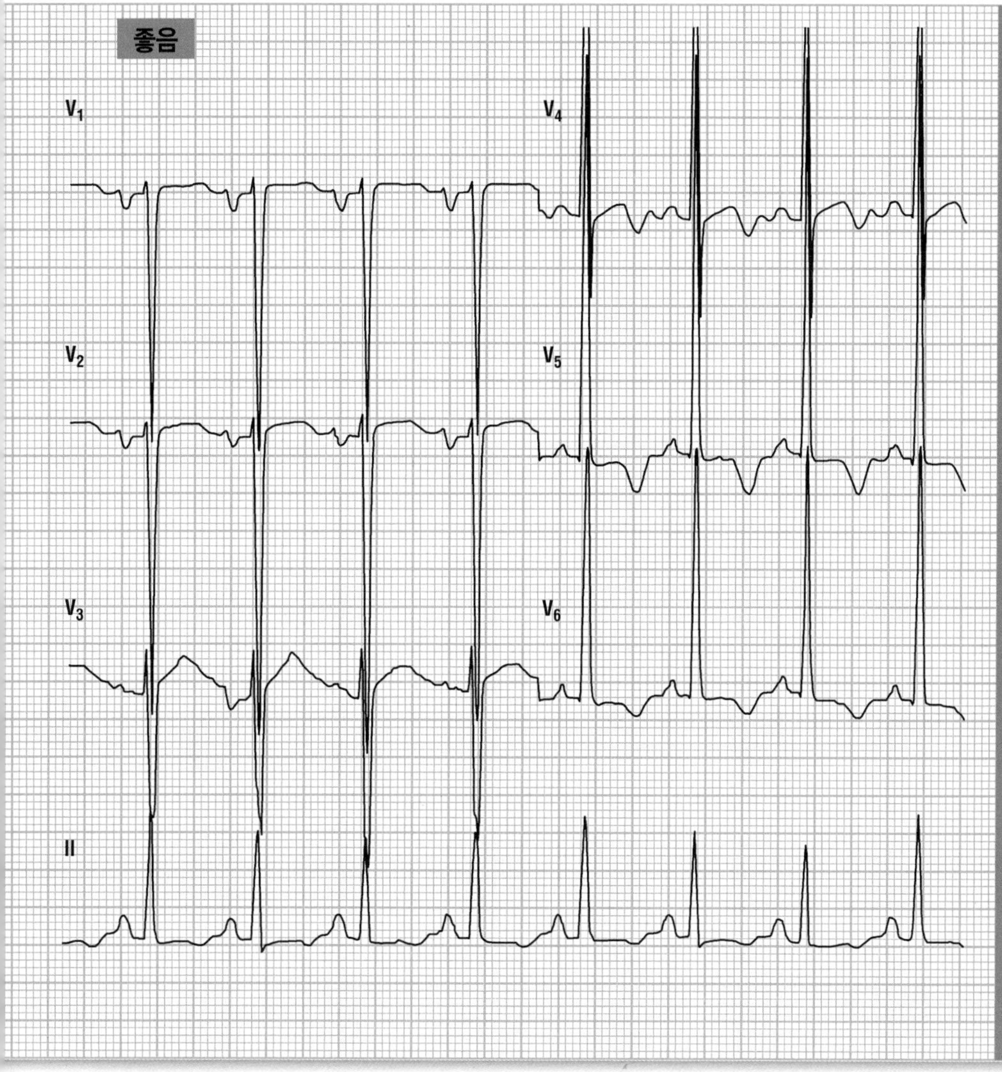

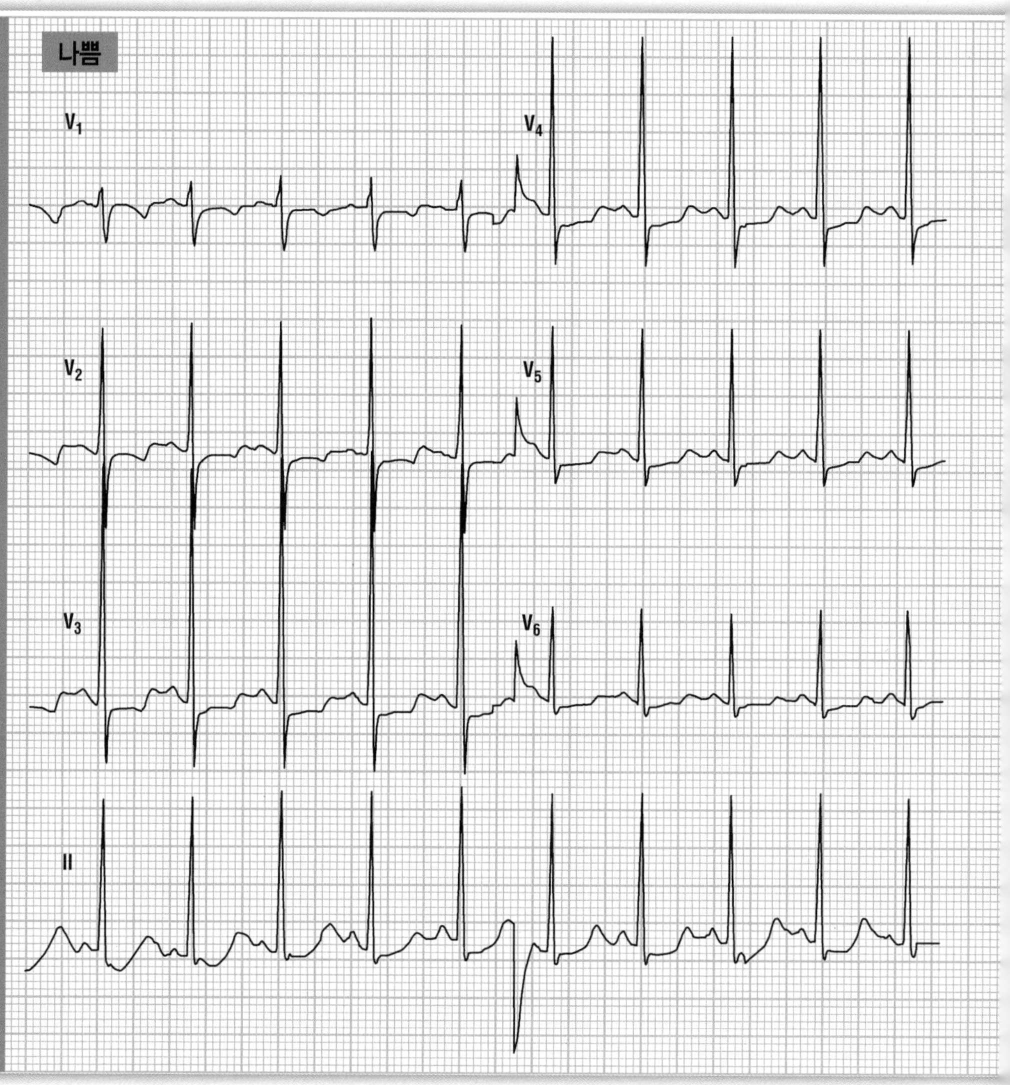

ECG 14-40A: 좋음

ECG 14-40B: 나쁨

심전도 비교들 계속

2

좋음: 심전도 14-41A 이것은 좌심실비대 긴장양상의 아름답고 깨끗한 예제이다. 당신은 이제 이런 양상에 익숙할 것이다. 그 차이에 편안하다고 느끼기 시작했는가? 느끼기 시작할 것이지만 다음의 심전도와 같이 나쁜 소견을 가지지 않은 심전도가 옆에 있으면, 차이점을 기억해야 하며 이것은 좀 어렵다.

나쁨: 심전도 14-41B 이 심전도는 심하게 증가한 혈압과 미만성 심내막하 허혈이 있는 환자의 것이며 심전도 14-40B와 비슷하다. 그러나 얼마나 확연한 차이가 있는지 비교해 보아라. V_1의 ST 상승 또한 손상이나 허혈을 의미한다.

조언

V_1과 V_2의 ST 하강은 어른에서는 항상 병적인 상태이다. 우심실비대, 우각차단, 후벽 심근경색, 조기흥분증후군(WPW)로 인해 생길 수 있다. 감별 진단에 대해 생각하고 당신의 환자와 심전도에 가장 들어맞는 것을 결정하라.

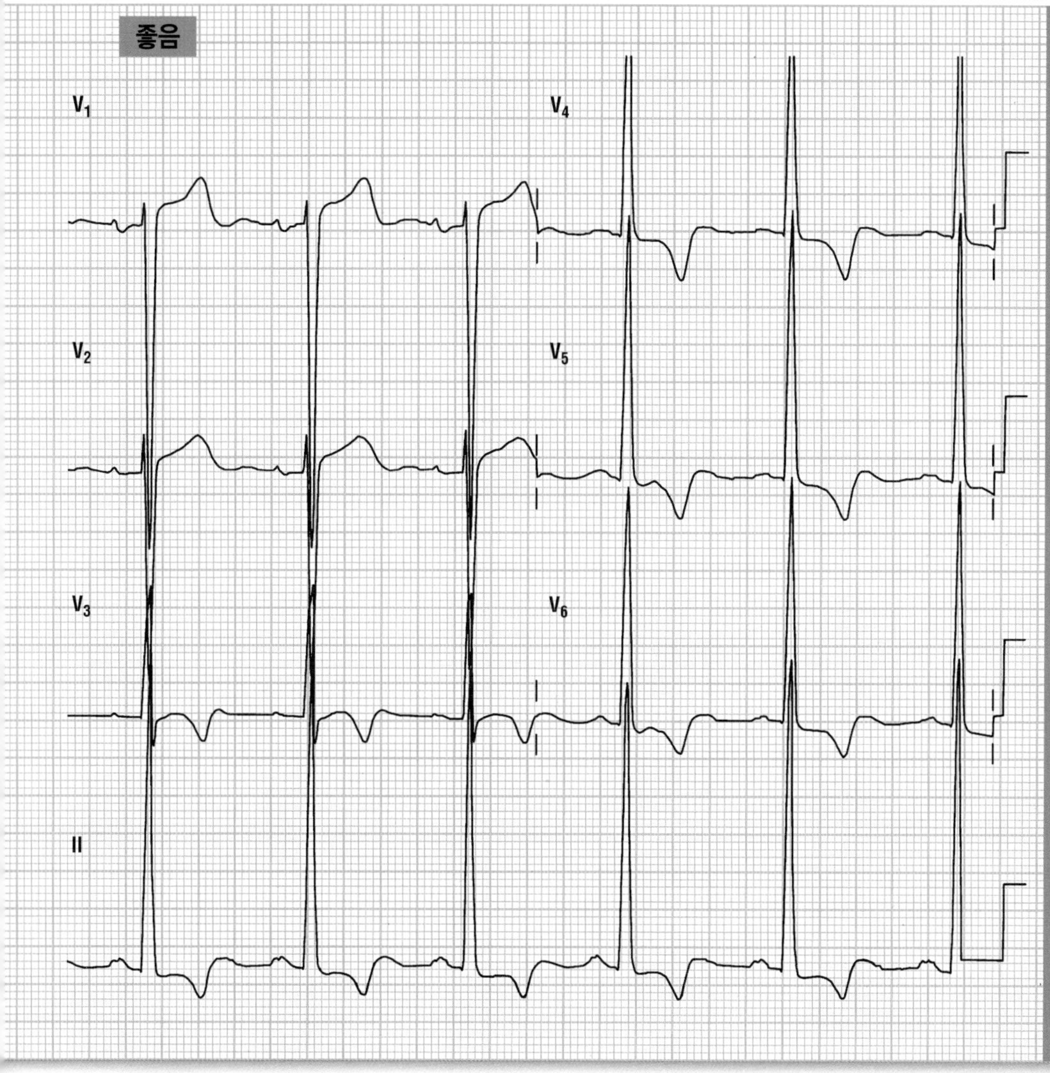

ECG 14-41A: 좋음

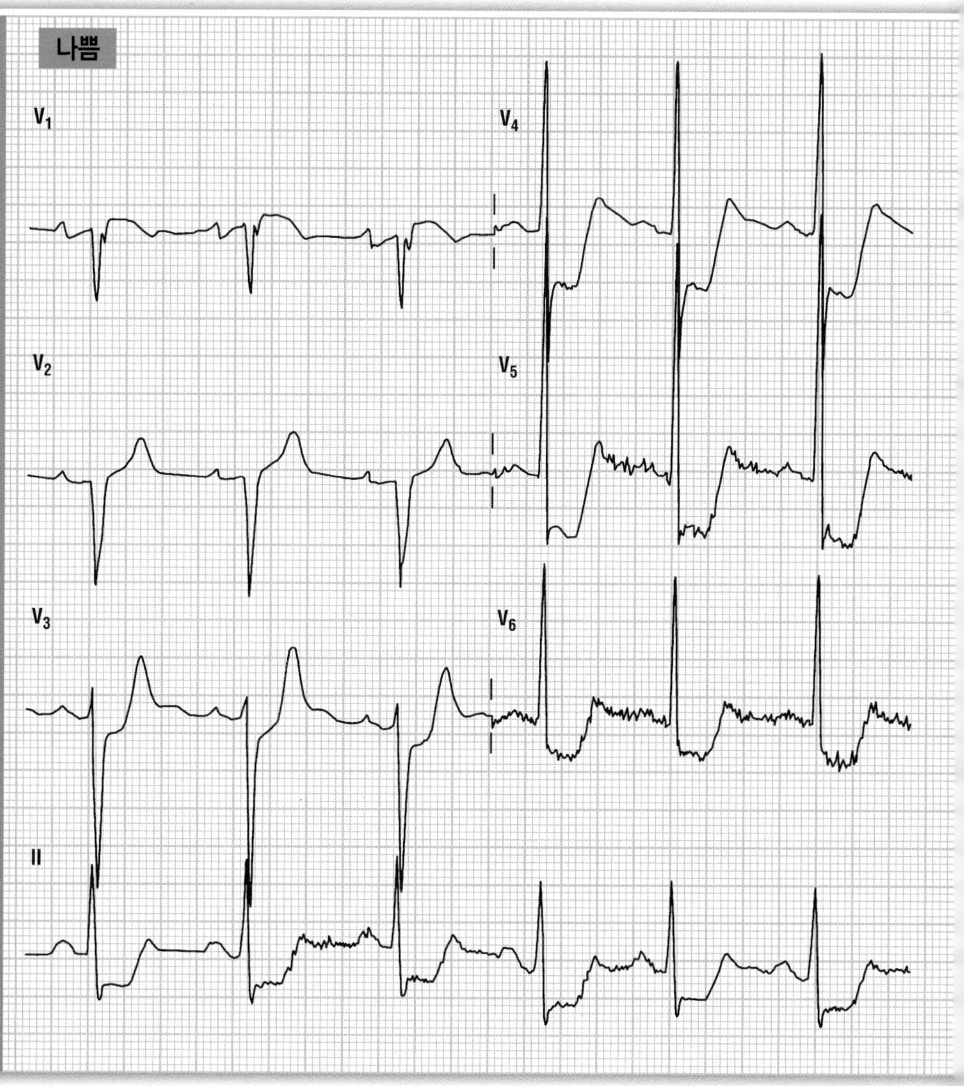

ECG 14-41B: 나쁨

심전도 비교들 계속

2

좋음: 심전도 14-42A 이 심전도는 좌각차단 양상인가? 측경기를 사용하여 QRS군을 측정해보자. 확실하게 0.12초가 안되기 때문에 실제로는 폭이 넓은 좌심실비대 긴장양상이다. QRS의 폭이 45mm로 진단 기준보다 큰 것이 인상적이다.

나쁨: 심전도 14-42B 이 심전도는 분명한 ST 변형이 있는 허혈이다. 다시 한 번, 편평하고 아래로 경사진(downward–sloping) ST분절을 주시하라.

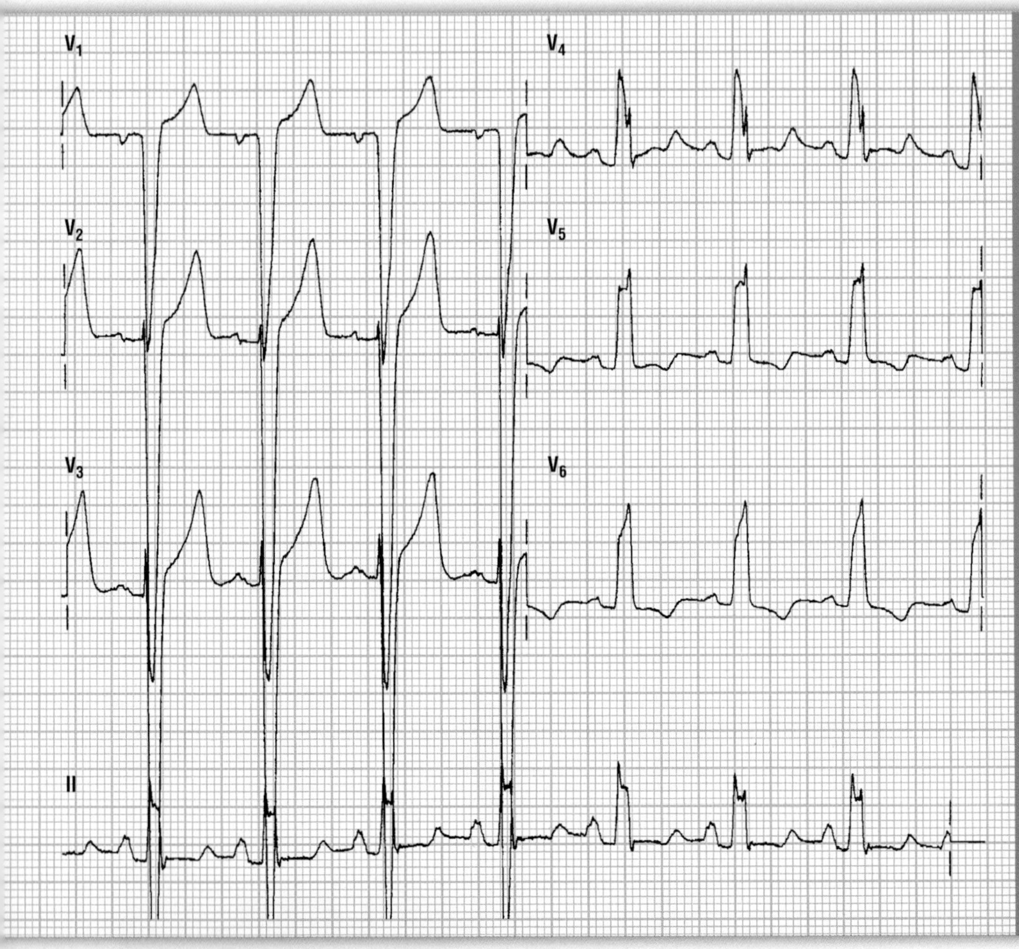

ECG 14-42A: 좋음

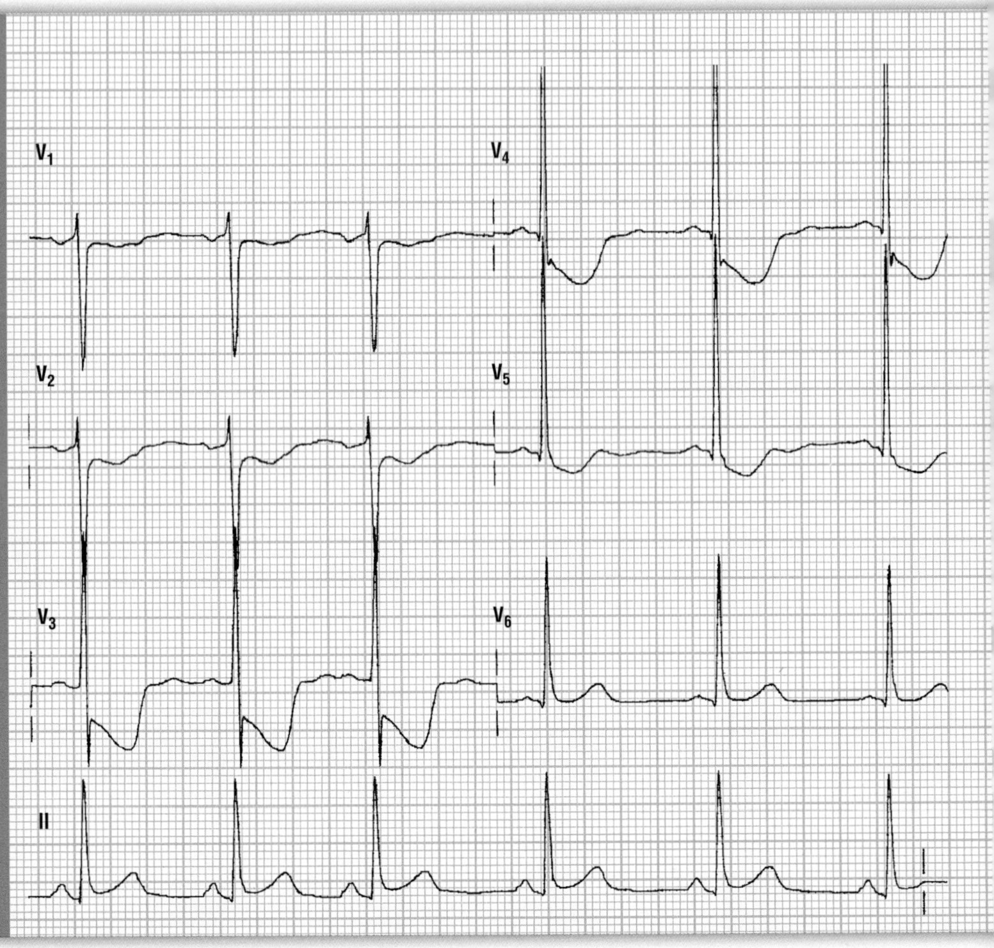

ECG 14-42B: 나쁨

2

좋음: 심전도 14–43A 이 심전도는 분명히 좌심실비대 긴장양상이기는 하지만, V_1에서 V_3까지 오른쪽의 B심전도와 비슷하다는 것을 명심하라. 위쪽으로 오목한 것은 대단한 정보이지만, 현혹시킬 수 있다. 이 두 심전도의 차이를 구분하는데 무엇이 도움이 되겠는가? "그가 사귀는 친구를 보면 알 수 있다(the company it keeps)".를 기억하라. A에서 측면 유도는 전형적인 좌심실비대 긴장양상을 보여주지만, B에서는 그런 양상이 없다. 많은 증례에서, 좌측 유도는 당신이 우측 흉부 유도를 해결하는데 도움을 줄 것이다.

나쁨: 심전도 14–43B 이 심전도는 전중격 급성심근경색 환자의 것이다. J점은 넓게 퍼져(diffuse)있지만, 특히 V_1과 V_2의 편평한(flat) ST분절을 주시하라. 오목하게 보이는 것은 실제로 대칭적이고 넓은 T파가 ST분절에서 시작하는 것이다. V_2의 T파에 2개의 선을 기저선까지 그려서 우리가 의미하는 것을 보아라. V_4의 ST 상승 역시 매우 편평하다(V_6를 보았나? 이것은 유도가 몸에서 떨어졌을 때 찍은 것이다).

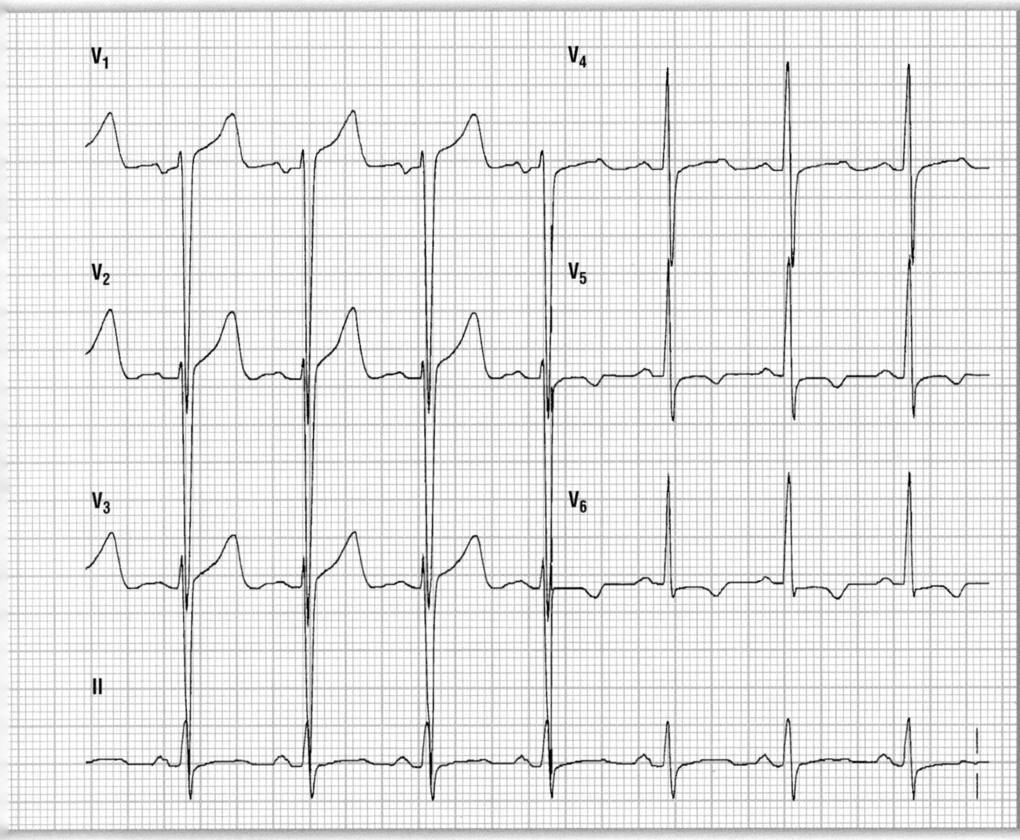

ECG 14-43A: 좋음

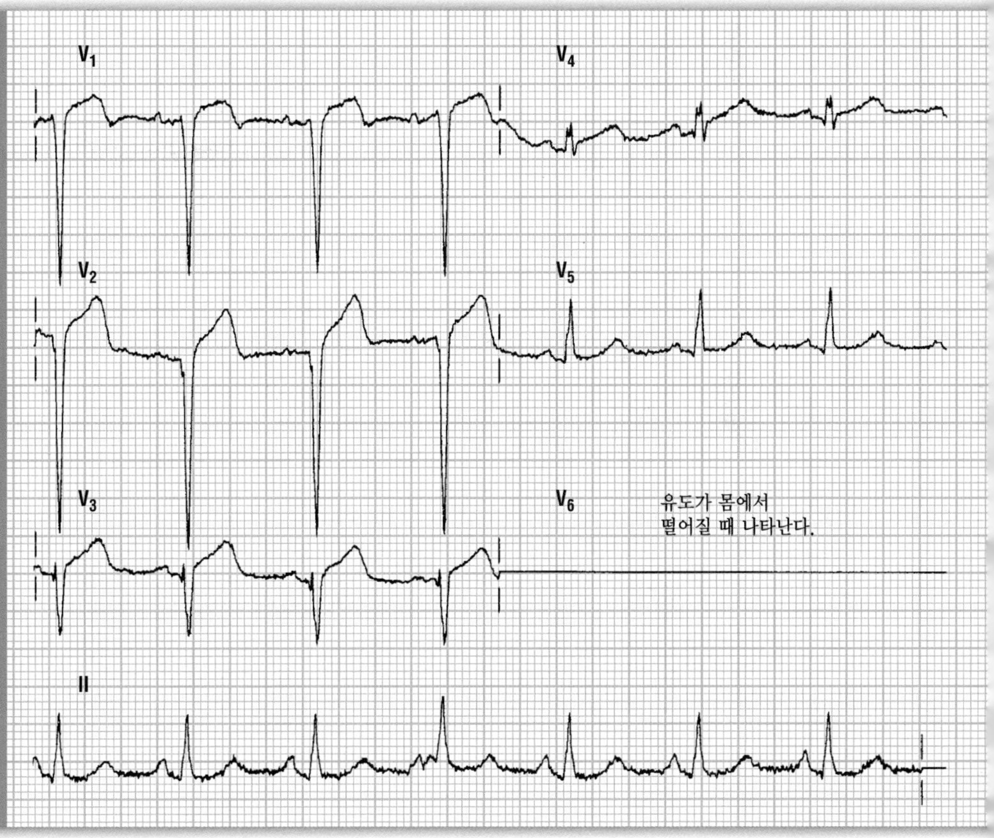

ECG 14-43B: 나쁨

심전도 비교들 계속

2

좋음: 심전도 14-44A ST분절 변화는 좌심실비대 긴장양상으로 인해 발생하였나? 아마도, 이번에는 긴장양상이 분명하지 않다. 약간의 조기재분극를 가지는 젊은 사람의 심전도인가? 그렇다. J점은 퍼져있고 이것은 조기재분극 패턴과 일치한다. V_4~V_6의 절흔과 T파의 확실한 비대칭성을 볼 때 양성의 ST 상승이라고 말할 수 있다. 그러나 임상적 상호관계가 필요하다.

나쁨: 심전도 14-44B 만약 당신이 V_1과 V_2만 보았다면 어떤 좌심실비대 긴장양상은 이렇게 나타날 수 있기 때문에 판독하기 어렵다. 그러나 V_3로 내려가 본다면, 정답은 분명하다. 나쁨. 이 심전도는 측벽까지 확장된 전중격 급성심근경색이다.

이 심전도와 A의 심전도를 비교하면 V_6가 비슷하다. 놀랍게도 그렇지 않은가? 언제나 환자에서 같이 동반되는 것들(company it keeps; 그가 사귀는 친구를 보면 알 수 있다) 그리고 환자를 살펴보라.

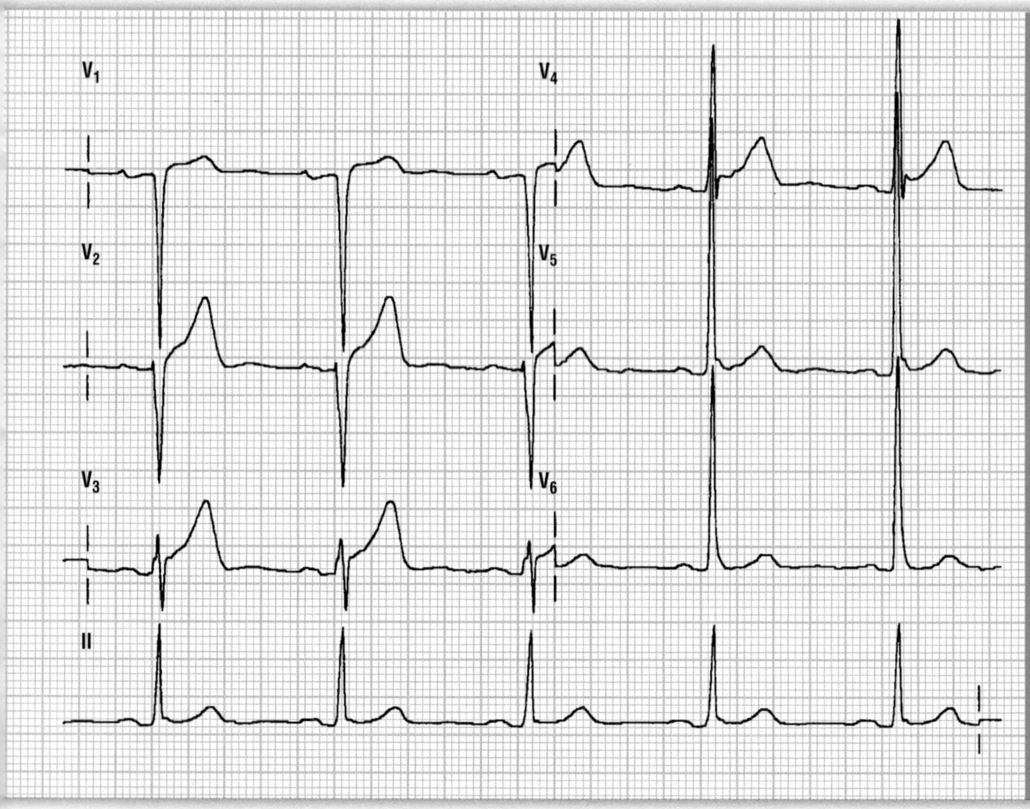

ECG 14-44A: 좋음

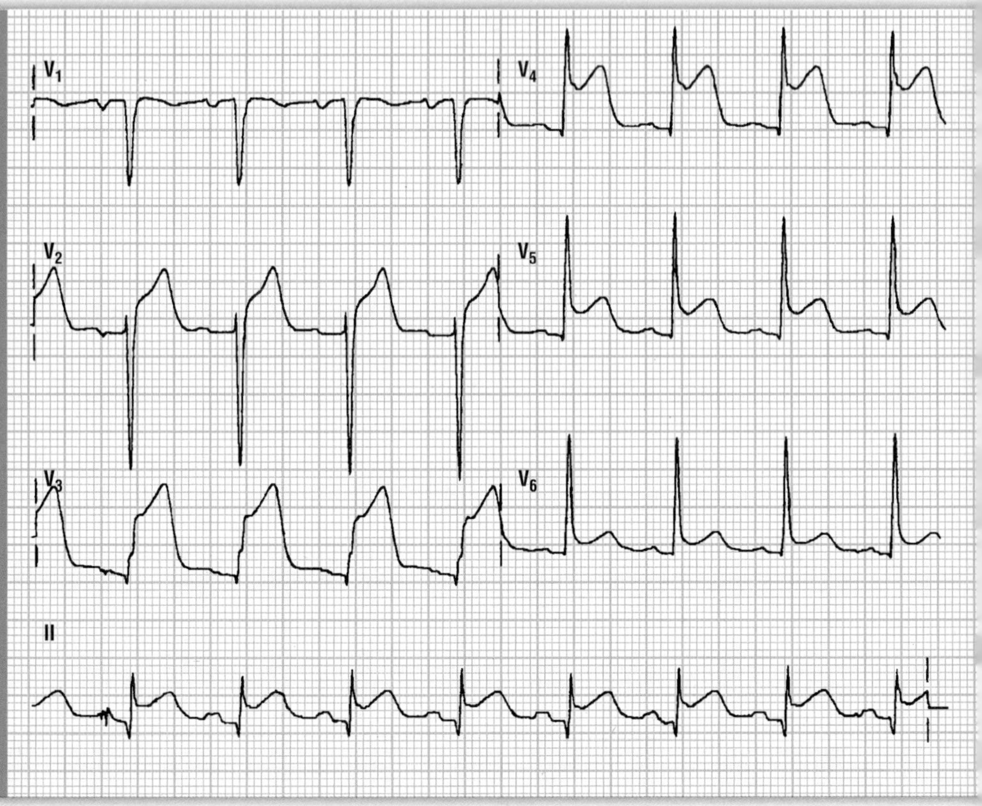

ECG 14-44B: 나쁨

2

좋음 : 심전도 14-45A 다시 한 번 우리는 좌각차단이 아닌 폭넓은 좌심실비대 긴장 양상을 보고 있다. 더딘 내인성 편향(intrinsicoid deflection)이 있다(워, 한동안 토론하지 않은 어떤 것이 있다. 45페이지로 돌아가 복습하고 당신의 기억을 새롭게 하라). 거의 모든 유도에서 T파의 뒤에 작고 예쁜 U파가 있다. 이것은 양성 소견이다.

나쁨: 심전도 14-45B 이것은 끔찍한 $V_1 \sim V_6$으로 측벽까지 확장된 전중격경색이다. ST 상승은 매우 저명하고 T파는 대칭성이다.

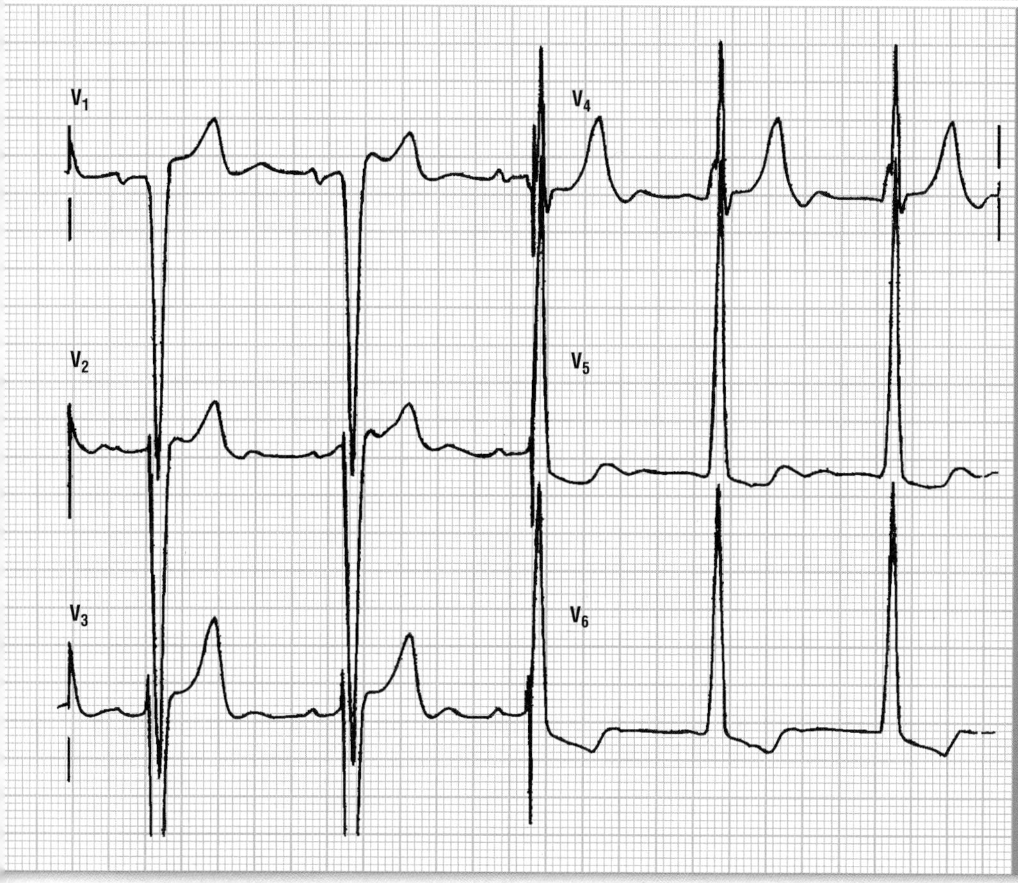

ECG 14-45A: 좋음

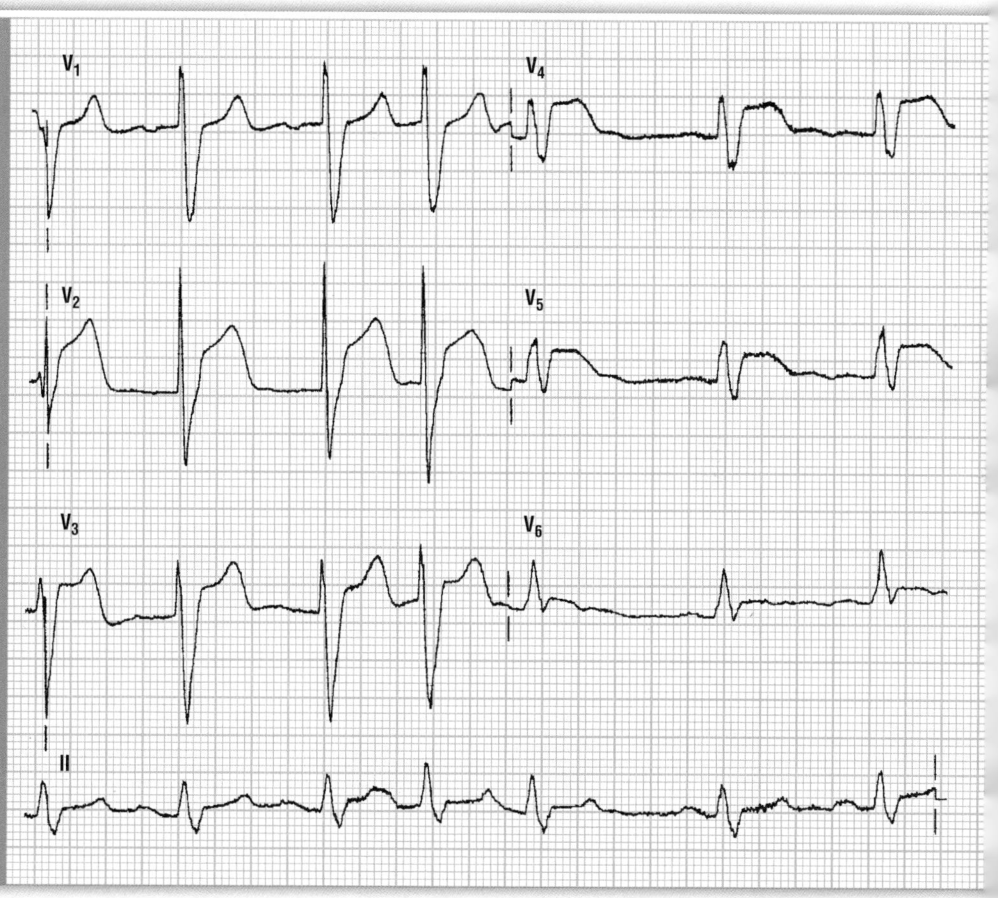

ECG 14-45B: 나쁨

심전도 비교들 계속

2

나쁨: 심전도 14-46A 이 심전도는 상당히 괜찮아 보이지만 말썽의 소지가 있다. 알아맞힐 수 있겠는가? 자, 초급자들을 위해 설명하자면, V_1에서 V_2까지 ST분절 상승이 편평하다. 다음으로 전흉부 유도 전반에서 T파가 대칭적이다. 명백한 좌심실비대가 있지만 전형적인 긴장양상은 아니다. 이런 심전도를 조심하라! 만약 당신이 이전의 심전도를 가지지 못하거나 환자의 증상과 주의 깊게 연관시키지 않는다면 큰 문제를 일으킬 것이다.

더 나쁨: 심전도 14-46B V_4까지 QS파가 있다는 것을 주의하라. 이 QS파는 묘비석(tombstoning) ST분절과 관련이 있다. 이것은 일정기간 지속되어 왔던 전중격 경색이며 이미 Q파를 형성하였다. 그건 그렇고, PR 간격을 보고 있는가? 상당히 넓다.

2 빠른 복습

1. 당신은 항상 긴장양상을 동반한 좌심실비대와 급성심근경색 또는 허혈의 차이점을 열거할 수 있다. 참 또는 거짓

2. 좌심실비대 긴장양상에서 ST분절은 항상 상승한다. 참 또는 거짓

3. 우심실비대 긴장양상에서 ST분절은 항상 V_1과 V_2에서 상승한다. 참 또는 거짓

4. 당신은 항상 좌심실비대 긴장 또는 급성심근경색과 심낭염의 ST 상승을 구분할 수 있다. 참 또는 거짓

5. 유명한 Lawyer가 이전에 말하기를 : 만약에 편평하다면.....

- **a.** 괜찮다!
- **b.** 치료해야 한다!
- **c.** 혈전용해제를 투여해야 한다!
- **d.** 무시할 수 있다!
- **e.** 누가 그것에 대해 주의를 하겠나!

1. 거짓! 당신이 항상 기억해야 할 한 가지가 있다면, 많은 경우에서 좌심실비대 긴장양상과 급성경색의 차이를 말할 수 없다는 것이다. 당신은 항상 심전도와 환자의 임상양상을 연관시킬 필요가 있다. 또한 가능한 새 심전도와 이전의 심전도를 비교하여야 한다. 나는 증상이 없는 좌심실비대 긴장양상 환자에게 혈전용해제를 투여한 불운한 의사들 (그들은 많은 운 나쁜 환자들을 가지고 있다!)을 많이 보았다. 급성심근경색을 긴장양상을 동반한 좌심실비대로 생각하고 혈전용해제를 투여하지 않는 더 많은 의사들을 보았다. 그들도 수년간 경험을 쌓은 노련한 의사이다. 심전도는 언제나 명확한 것은 아니다. 항상 심전도를 판독하는데 있어서 "친구는 같이 다닌다(the compnay that it keeps)"를 기억하라. **2.** 거짓. 일반적으로 좌측벽 유도인 V_4~V_6에서 ST분절이 하강한다. **3.** 거짓. 긴장양상을 동반한 우심실비대 환자에서는 일반적으로 유도 V_1~V_2에서 ST분절이 하강한다. **4.** 거짓! 이것은 굉장히 잘못된 생각이다. 그러나 많은 경우 급성심근경색이 급성으로 혹은 몇주후에 심낭염으로 발전할 수 있다 (Dressler 증후군). 항상 심전도는 동반되는 소견과 같이 판독하라. 당신이 잘 모르겠다면 도움을 청하라. 결코 당신이 옳다고 생각하지 마라. 어떤 환자든 치료를 시작하기 전에 항상 진단을 확인하라. **5.** B

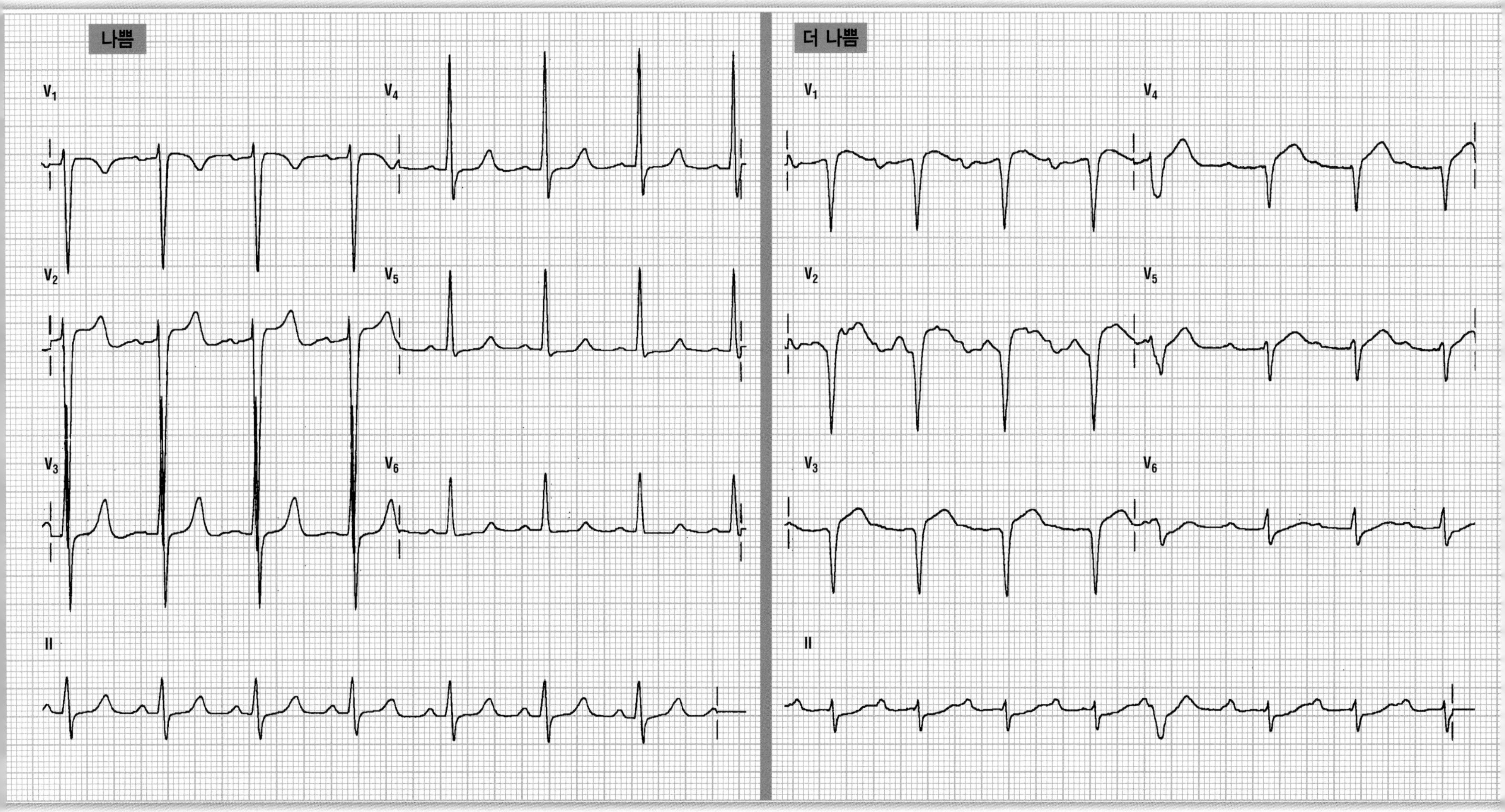

ECG 14-46A: 나쁨

ECG 14-46B: 더 나쁨

심전도 비교들 계속

2

좋음: 심전도 14-47A 자, 우리는 다시 양성(benign) 형태로 돌아가자. 심전도 14-46은 당신에게 경각심을 주기 위해 제시한 것이다. 이 심전도는 조기재분극 양상이거나 우측 흉부 유도에서 약간의 긴장양상이 있는 좌심실비대이다.

나쁨: 심전도 14-47B 이런 ST분절은 편평(flat)한 분절과 상향의 경사를 동반하고 있어서 명백히 병적이다. 측벽 유도에서 T파는 뒤집혀있고 대칭적이다. 이것은 측벽으로의 연장이 있는 전중격 급성심근경색이다.

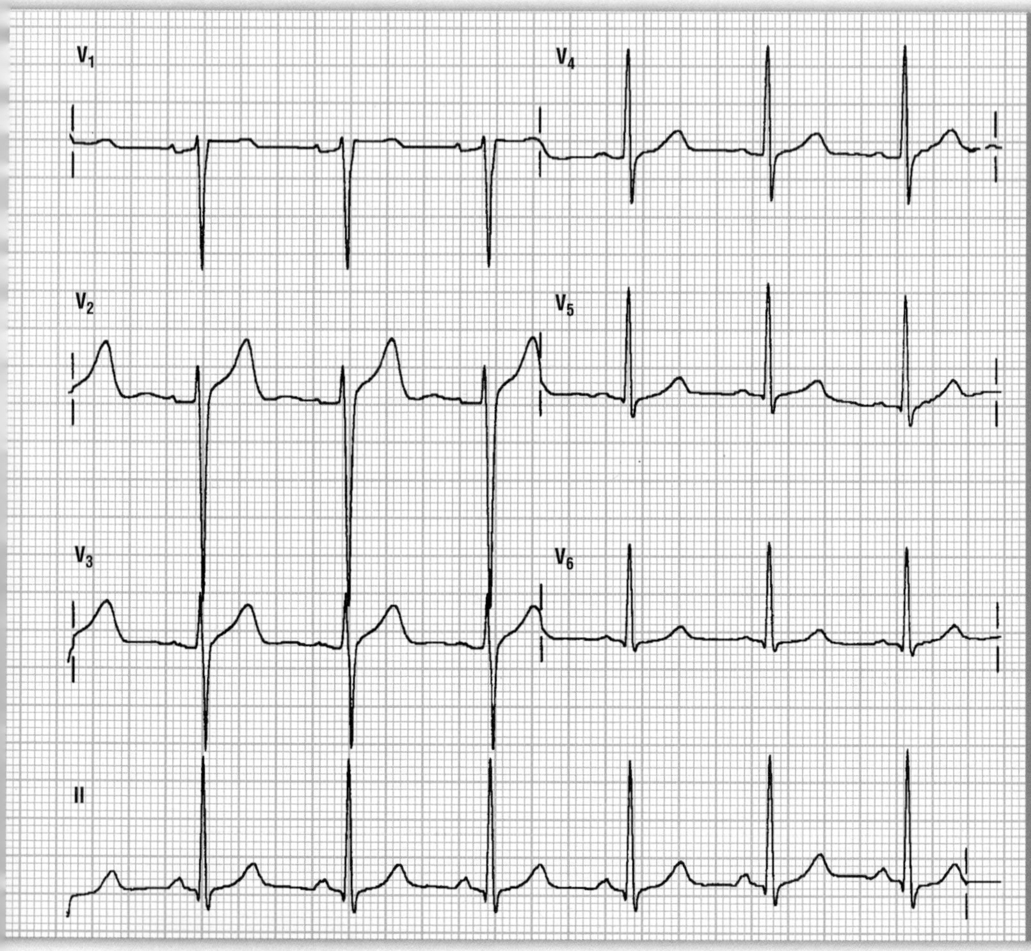

ECG 14-47A: 좋음

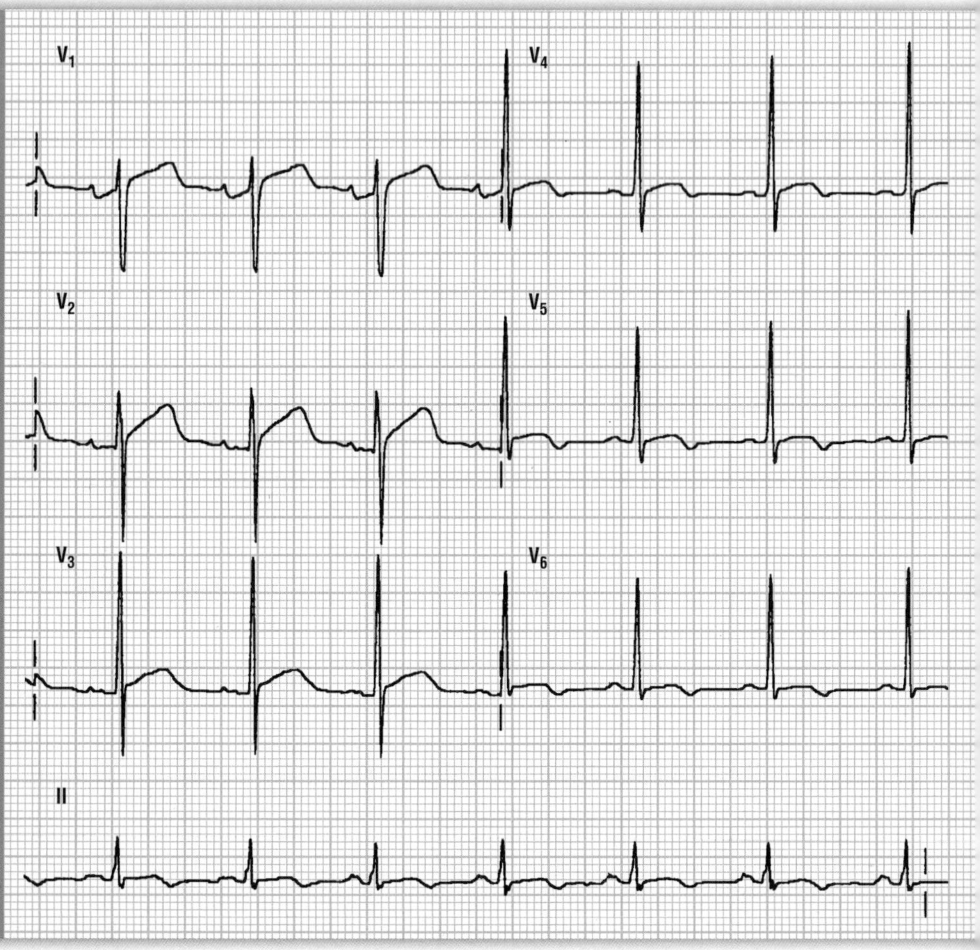

ECG 14-47B: 나쁨

2

좋음: 심전도 14-48B 이 심전도는 좌심실비대이거나 조기재분극 양상의 양성 ST 분절 상승이다. 왜 V_1~V_2에서 이상하게 보이는가? 왜냐하면 rSr 패턴의 불완전 우각차단이 있기 때문이다.

나쁨: 심전도 14-48B QS파들과 동반된 편평하고 못생긴 ST 상승 그리고 느린 이행대, 이것들은 기간을 알 수 없지만 아마도 새로운 것은 아닌 전중격 급성심근경색의 표시이다. 이것은 최소한 몇 시간은 지난 것이다. 심장의 전벽(anterior wall)을 죽일 수 있는 충분한 시간이다.

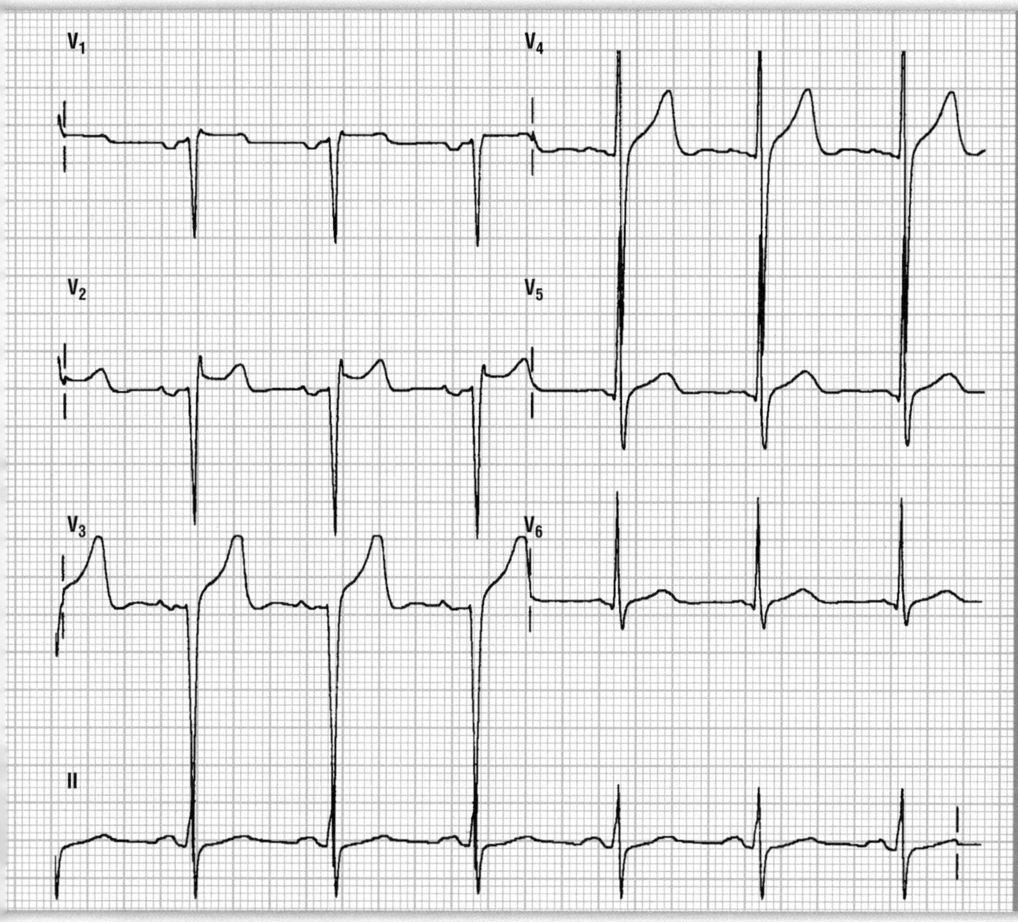

ECG 14-48A: 좋음

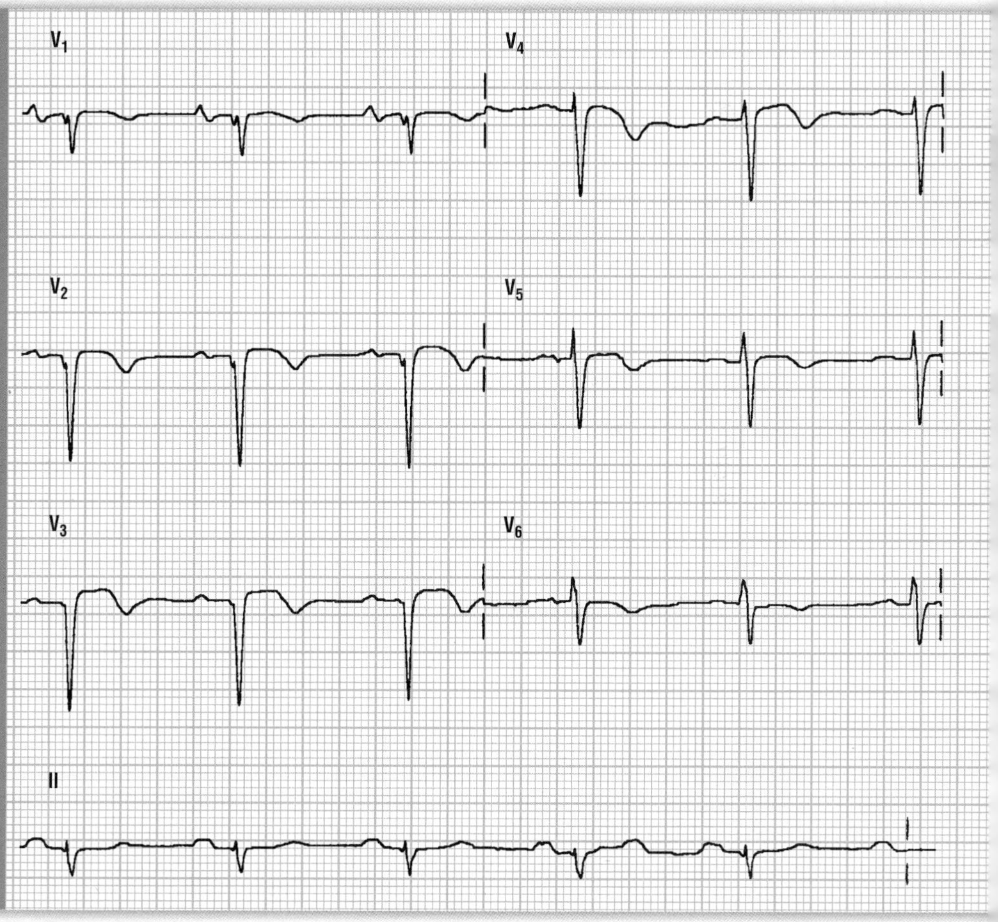

ECG 14-48B: 나쁨

심전도 비교들 계속

2

좋음: 심전도 14-49A 끝이 다가오니, 조금만 버텨보자. 이것은 대부분의 학생들에게 주어진 큰 문제이므로 많은 시간을 투자하는 것이니 우리를 믿어라.
이것은 전형적인 특징을 가진 넓은 긴장양상을 동반한 좌심실비대이다.

나쁨: 심전도 14-49B 이 심전도에는 V_1~V_2에 중격벽의 손상이나 허혈을 뜻하는 의미있는 상승이 있다.

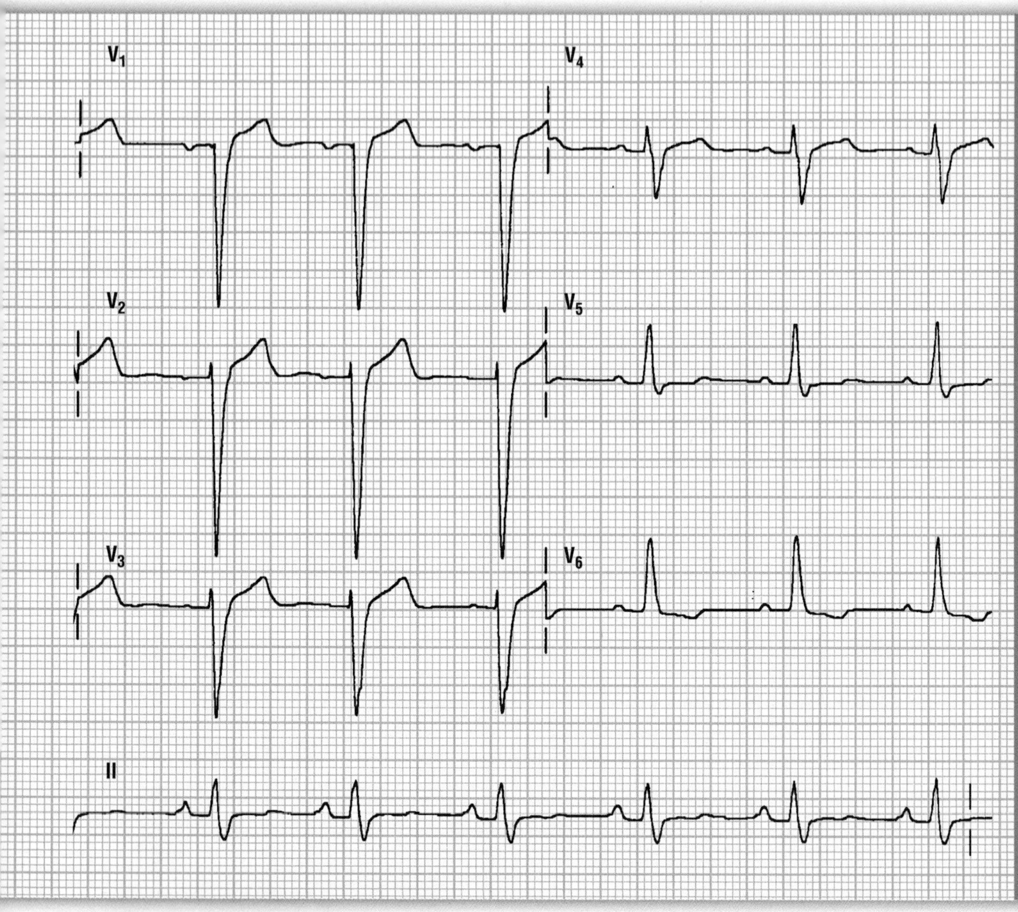

ECG 14-49A: 좋음

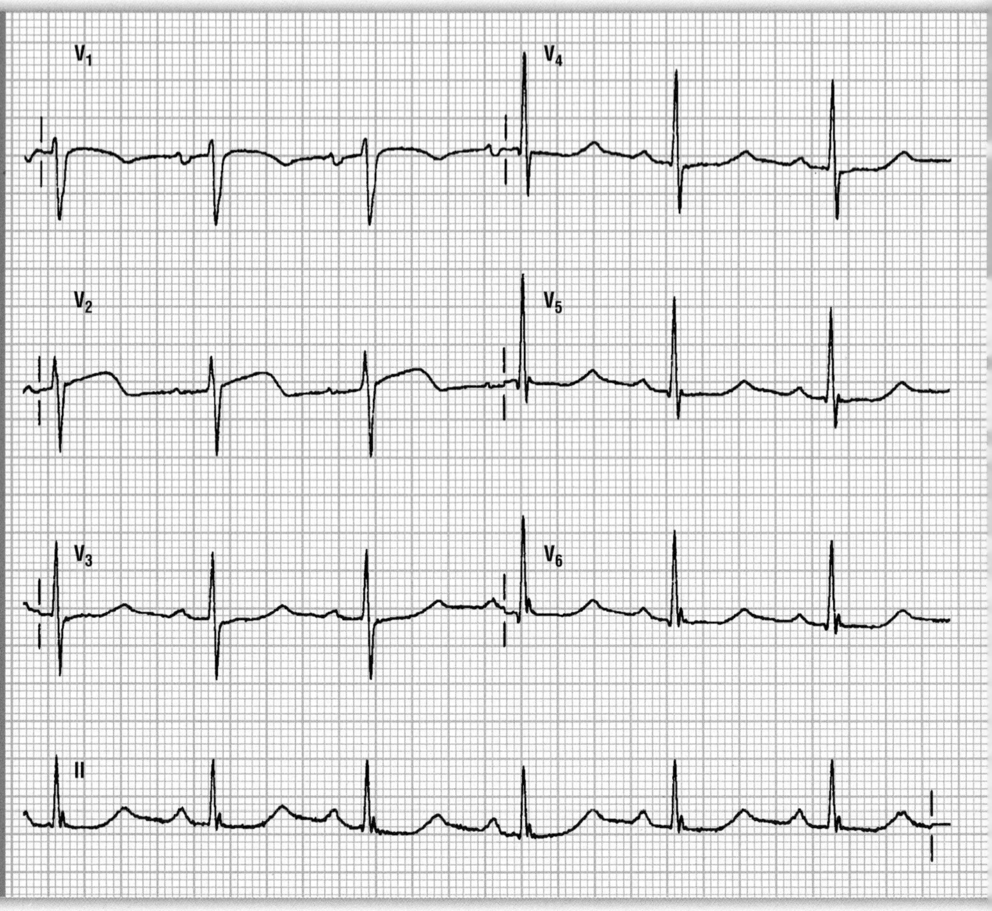

ECG 14-49B: 나쁨

2

좋음: 심전도 14-50A 이 심전도는 V_6까지 완전하게 역위되지 않은 T파들을 가진 명백한 좌심실비대 양상이다. V_5에서 가장 잘 보이는 늦은 내인성 편향(intrinsicoid deflection)이 있다.

나쁨: 심전도 14-50B 우리는 QS파들과 관련된 V_1~V_4의 상승을 볼 수 있다. 이것은 심실류나, 나이가 불확실한 급성심근경색의 특징일 수 있다. 정확한 판독을 위해서는 임상적 연관이 필요하다.

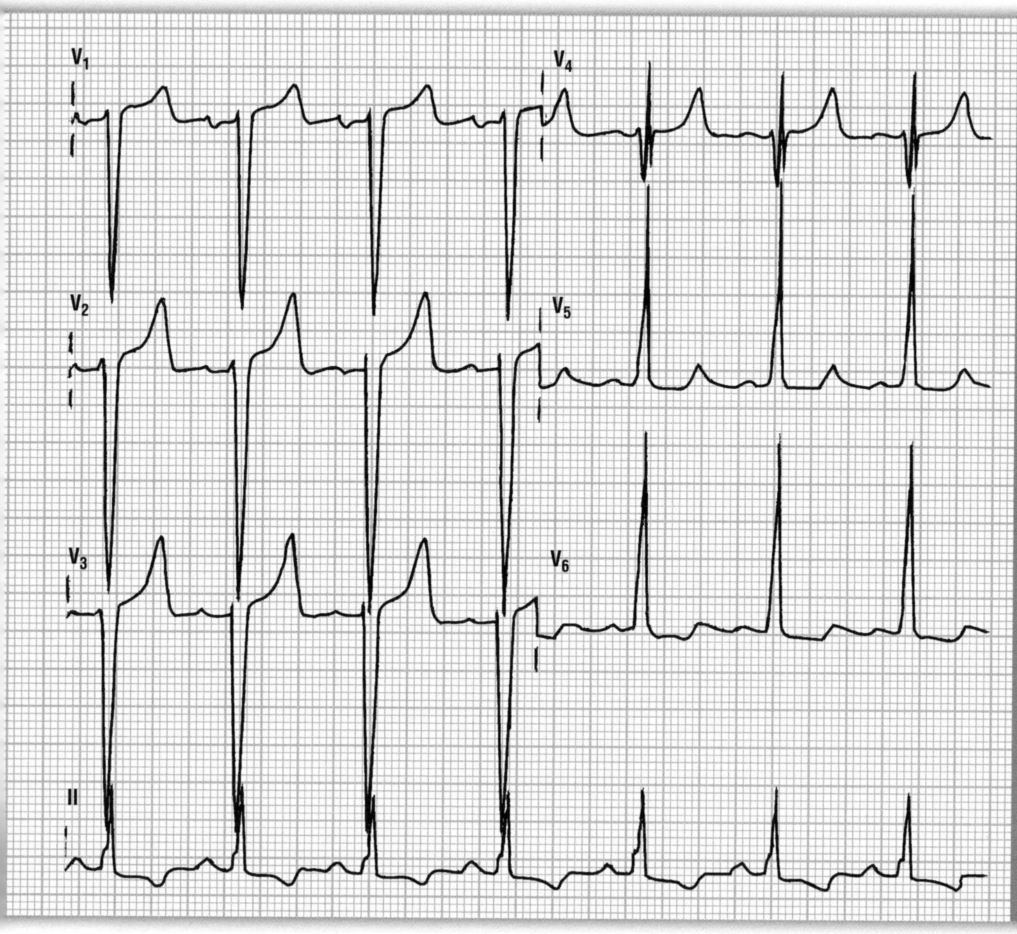

ECG 14-50A: 좋음

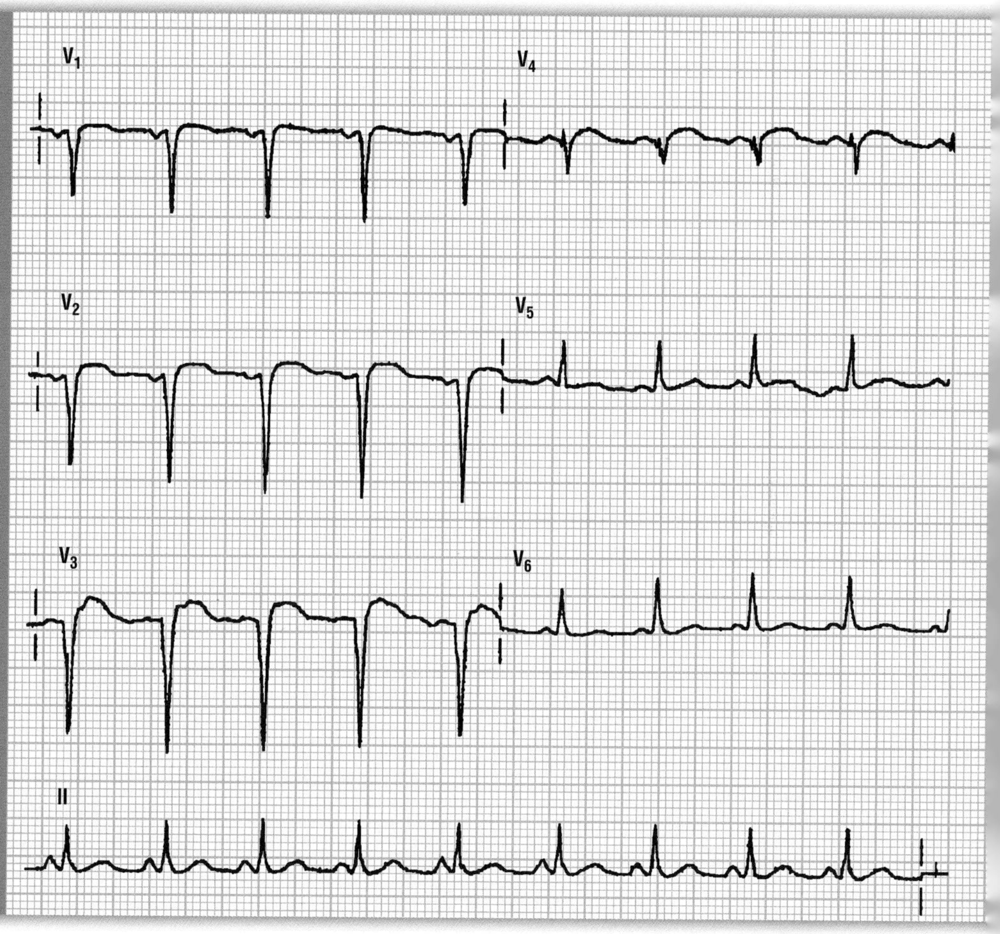

ECG 14-50B: 나쁨

심전도 비교들 계속

2

좋음: 심전도 14-51A 이것은 좌각차단의 완벽한 예이다. 차단의 심전도적 진단 기준들이 모두 나타나있다: 넓은 QRS, V_1에서 단형(monomorphic)의 S파, V_6에서 단형 R파이다. B에 나타나 있는 ST분절, T파와 비교해보라. 이 심전도의 T파와 ST분절을 기억하라. 이것은 당신이 다른 차단인지 혹은 급성심근경색인지 병적인 범위를 결정하는데 극적인 도움을 줄 것이다.

나쁨: 심전도 14-51B 이 심전도는 V_1~V_5의 넓게 퍼진 ST 상승과 역위된 T파를 보여준다. 게다가, 이들 유도에서 QS파가 있다. 그러므로 이행은 시계방향이고 매우 늦다. 비대칭적인 T파를 주시하라.

이 심전도는 외측벽 확장이 동반되어, 발생한 시간을 알 수 없는 전중격 급성심근경색이거나, 심실류, 또는 둘 다 있는 경우이다. 심실류의 경우는 급성심근경색이 항상 심실류에 선행한다(급성심근경색의 흉터조직은 정상적인 생명력이 있는 조직과 비교하여 약하고 비수축성이기 때문에 심실류를 유발한다. 심실의 힘은 흉터조직이 밖으로 튀어나가 심실류의 주머니(aneurysmal outpouching)을 만들게 한다). 이런 경우에는 예전의 심전도, 임상적 연관성이 심실류와 나이를 알 수 없는 급성심근경색을 구분하는데 필수적이다.

조언

좌각차단 환자는 대체로, 항상은 아니지만 유도 V_1에서 QRS군의 시작에 작은 r파를 가지고 있다. 좌심실비대 환자는 작은 r파가 있을 수도 없을 수도 있다; QS파는 V_1과 V_2에서 QRS군 시작에 작은 r파가 없는데(어떤 저자는 V_3까지 확장해야 한다고 말한다), 이것은 나이를 알 수 없는 (age-indeterminate) 전벽 심근경색의 징후이다. V_1에 r파가 없는 좌각차단 환자는 진단하기 쉽다. 왜냐하면 넓은 QRS군과 심전도의 전반에 좌각차단의 진단기준이 존재하기 때문이다.

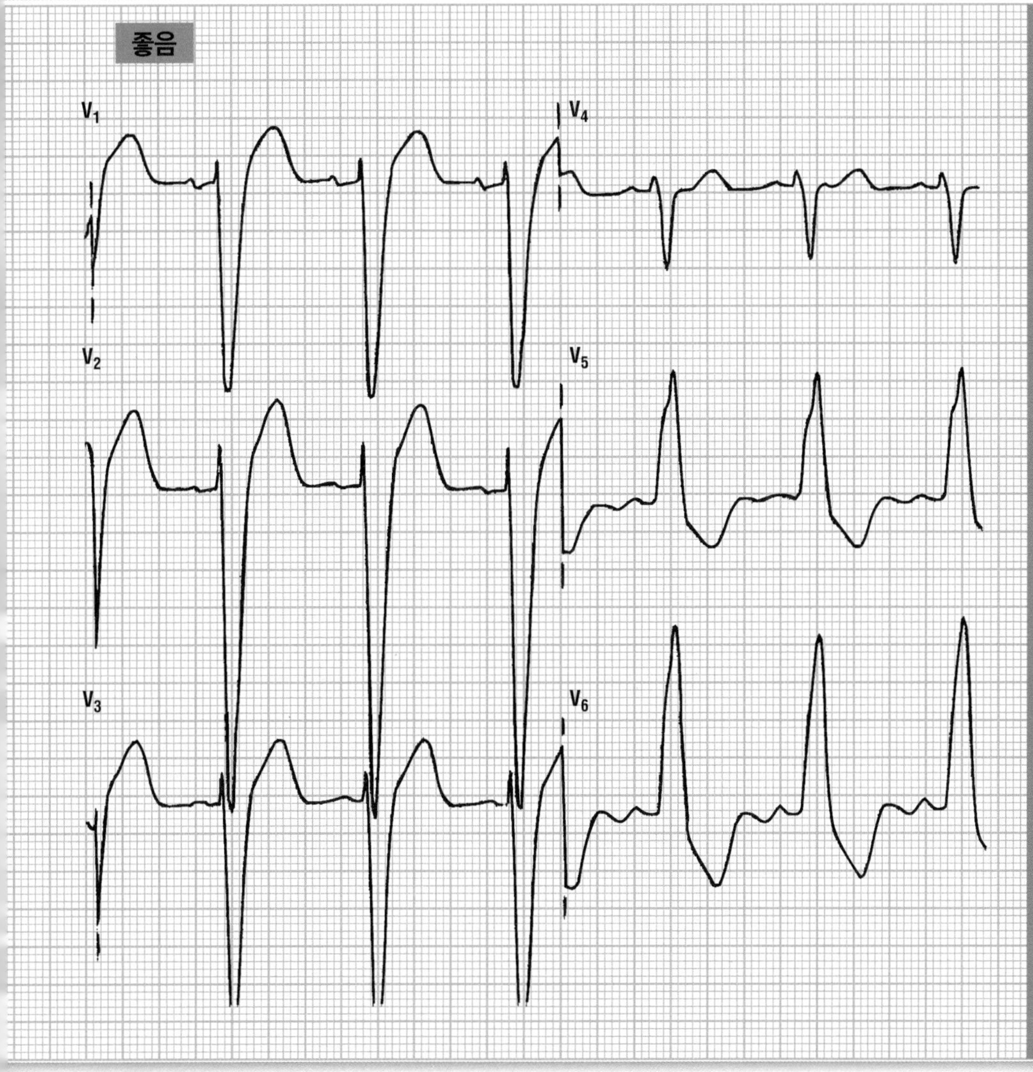

ECG 14-51A: 좋음

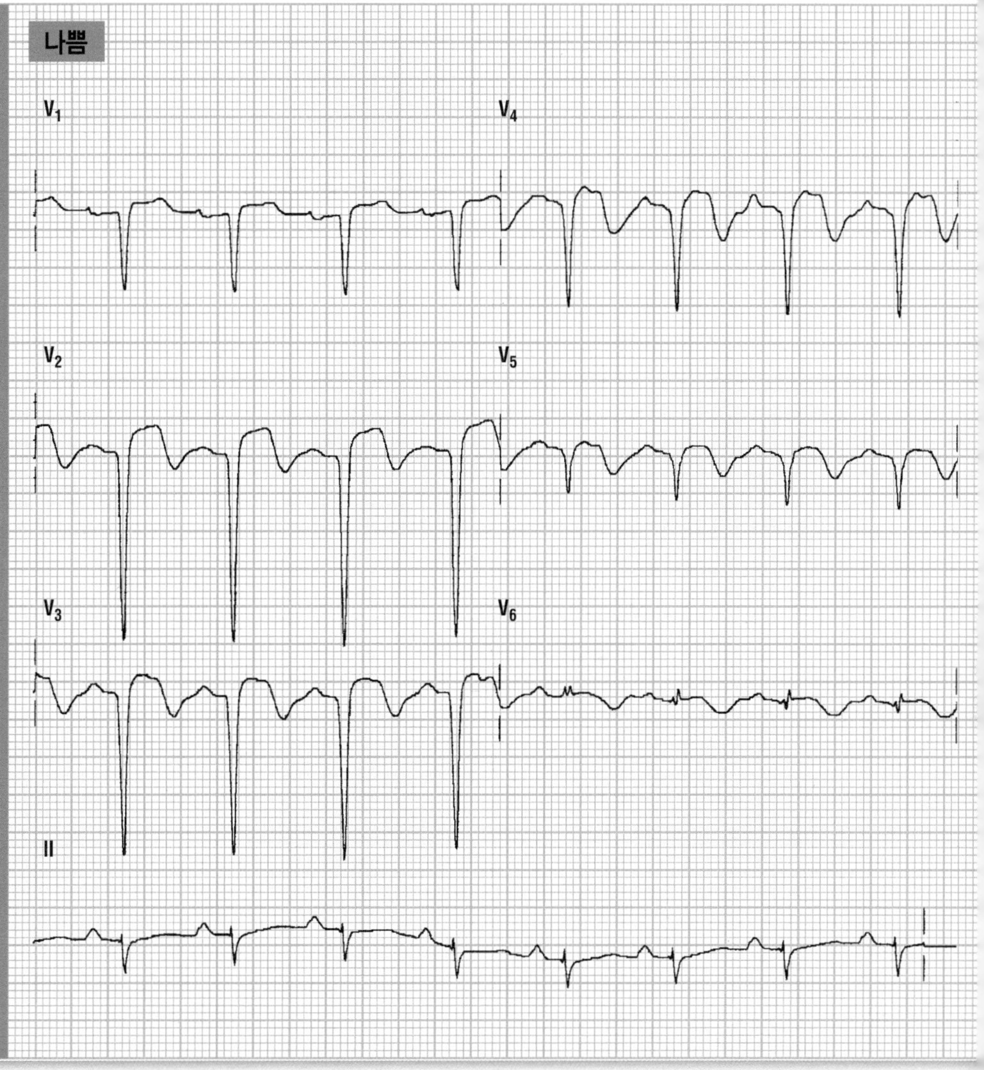

ECG 14-51B: 나쁨

심전도 비교들 **계속**

2

나쁨: 심전도 14-52A 이 심전도는 환자가 처음 응급실에 도착했을 때 찍은 것이고, 낮이나 잠에서 깨어날 때의 다양한 시간에 나타나는 흉골하 흉통을 호소하고 있었다. 심전도를 찍을 당시에는 호소하는 흉통이 없었다. V_1~V_2의 QS파와 늦은 시계방향 이행을 주시하라. V_5~V_6에서 ST분절은 약간 하강되어 있으며, T파는 편평하다. 환자는 불안정 협심증으로 입원하였다.

정말 나쁨: 심전도 14-52B 20분 뒤, 환자는 갑자기 흉통을 호소하여 심전도 B를 찍었다. 측벽 유도들(그리고 하벽 – 리듬 스트립을 보아라)에서 ST분절과 T파가 어떻게 아래로 경사지는지, 이전보다 얼마나 하강하였는지 주시하라. T파는 이제 뚜렷해졌으며 역위되어 있다. 이 심전도와 형제(A)는 불안정 협심증에서 일어나는 전형적인 변화이다. 이 변화는 심실의 심내막하조직의 허혈 때문에 발생한다.

조언

심전도 소견들은 정적이지 않다. 심전도에서 존재하는 변화는 어느 특정한 시간 동안 심장에서 일어나는 12초 영상 조각일 뿐이다. 병적인 과정은 질병의 연속체이고 당신은 그것을 정적인 것으로 생각하면 안 된다. 임상적 병력이 병적인 과정을 강력히 의심하게 되더라도 심전도가 특이적이지 않거나, 작은 이상소견만 있다면, 몇 분 이내에 심전도를 반복해서 찍는 것을 주저하지 말라. 우리는 겨우 3분 내에 양성(benign) 심전도에서 초급성심근경색 양상으로 변한 환자가 있었다. 우리가 처음으로 찍은 심전도를 가지고 있었다면, 우리는 거짓 안도감으로 이끌었을 것이다. 병력이나 증세의 변화가 있거나 모니터에서 리듬의 변화가 있으면 심전도를 찍어라.

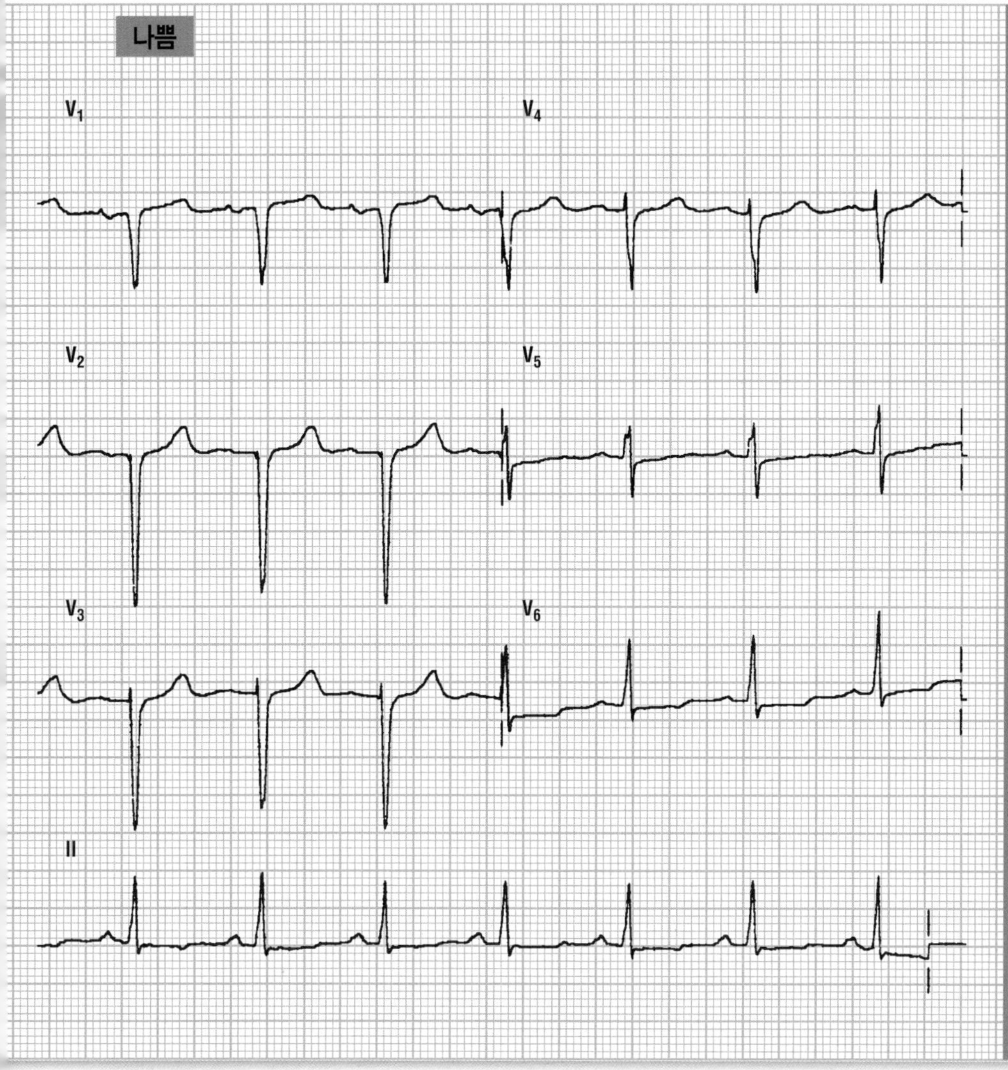

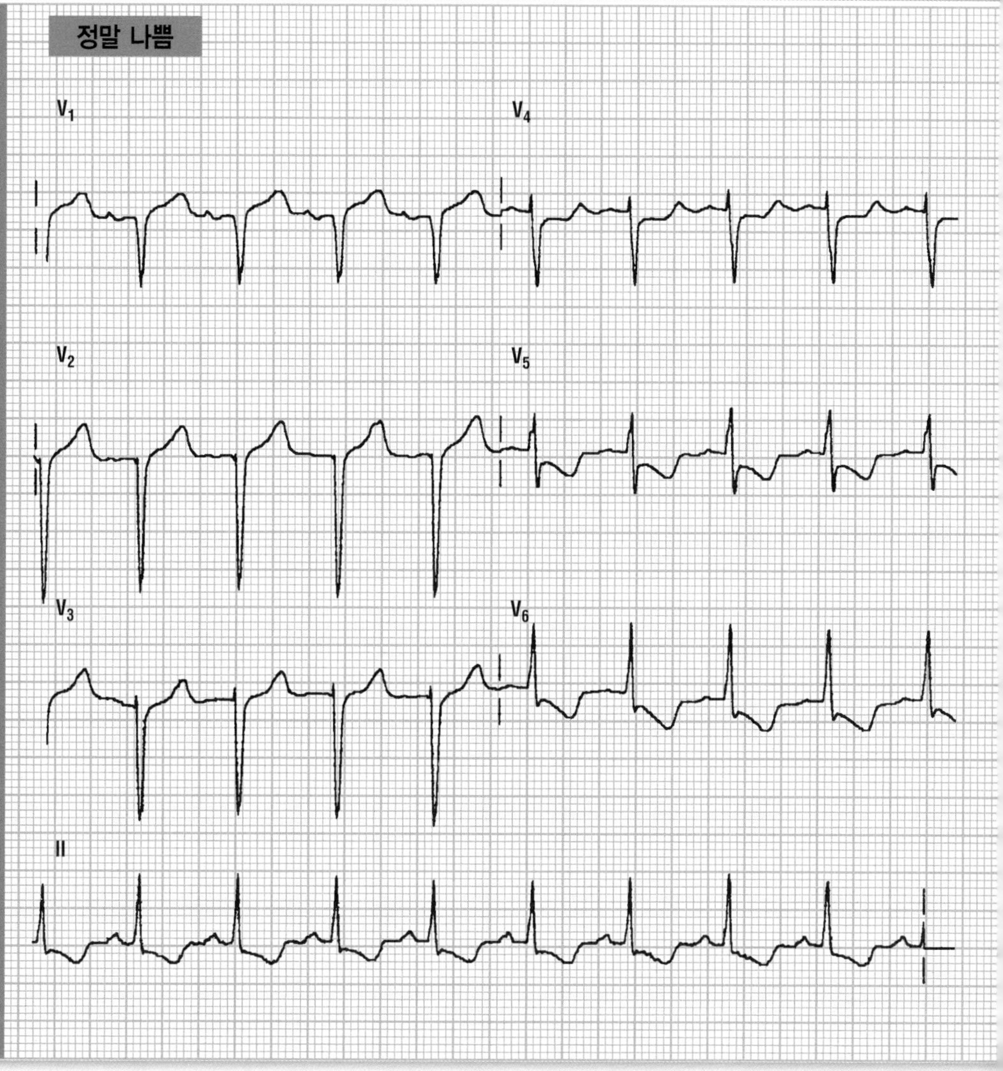

ECG 14-52A: 나쁨

ECG 14-52B: 정말 나쁨

2

심낭염 재방문

우리는 *PR분절* 장에서 논의할 때 언급하였던 심낭염의 개념에 대해 소개하고자 한다. 당신이 기억하고 있다면, 심낭염에서 PR분절은 하강한다. 진단기준은 다음과 같다.

1. PR 하강.
2. 미만성(diffuse) ST 상승
3. 국자 모양의 (scooping), 위쪽으로 오목한(upward concave) ST분절.
4. QRS 말단의 절흔(notchig)

우리는 위의 1부터 4까지를 언급하였다. ST분절의 문제점에 대해서 알아보자. 심낭염에서, ST분절은 기준선에서 확실하게 상승한다. 상승의 정도는 다양하고, 4~5mm까지 꽤나 높이 올라갈 수도 있다. ST분절은 QRS 절흔(notching) 끝에서부터 시작할 수 있으며, 국자로 퍼낸 것 같이 위쪽으로 오목한 양상이다. 빈맥이 종종 이런 소견들과 연관이 있다. ST분절이 왜 특정 유도보다 전반적인 유도 전체에서 상승할까? 대개 전체 심낭이 자극을 받기 때문이다. 자극은 그림 14–26에 묘사된 바와 같이, 심외막이나 심장의 바깥면이 최종적으로 양성(net positivity)을 띄게 한다. 이런 최종적인 양성이 ST 상승으로 표현된다.

당신이 이 심전도를 처음 봤을 때, 유도 Ⅰ과 Ⅱ에서 ST분절 상승을 알 수 있다면(특히 분절이 국자모양으로 퍼져있고 위쪽으로 오목하다면), 심낭염으로 진단할 가능성이 높다. 다음으로, 그림 14–27에 보이는 것처럼 이 유도와 다른 유도들에서도 PR 하강과 절흔을 관찰하라. *이런 진단기준은 모든 유도에서 발견될 필요는 없으며, 단지 많은 유도에서 발견되면 된다.* 당신이 이 모든 진단 기준을 찾아낸다면 당신은 진단의 80% 정도를 한 것이다. 그러나, 당신은 결정적인 한 가지가 더 필요하다 : 심낭염과 일치하는 병력과 진찰 소견이다. 그것들이 심전도 소견과 일치한다면 당신은 진단을 내릴 수 있다. 우리는 심낭염의 소견을 복습할 수 있는 임상 의학책을 보라고 제안한다.

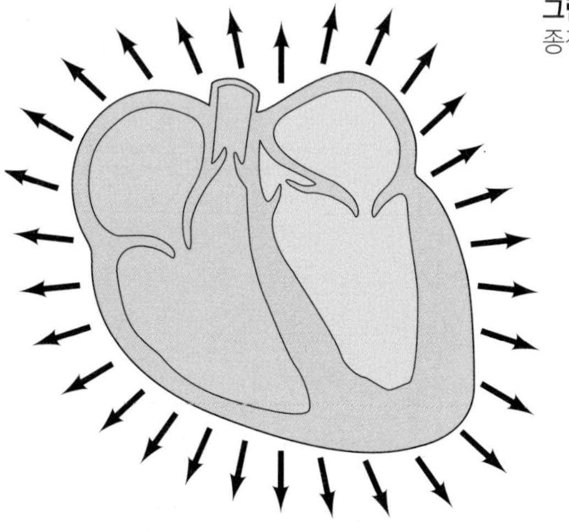

그림 14–26. 심낭의 자극이 심낭염에서의 최종적 양성을 유발시킨다.

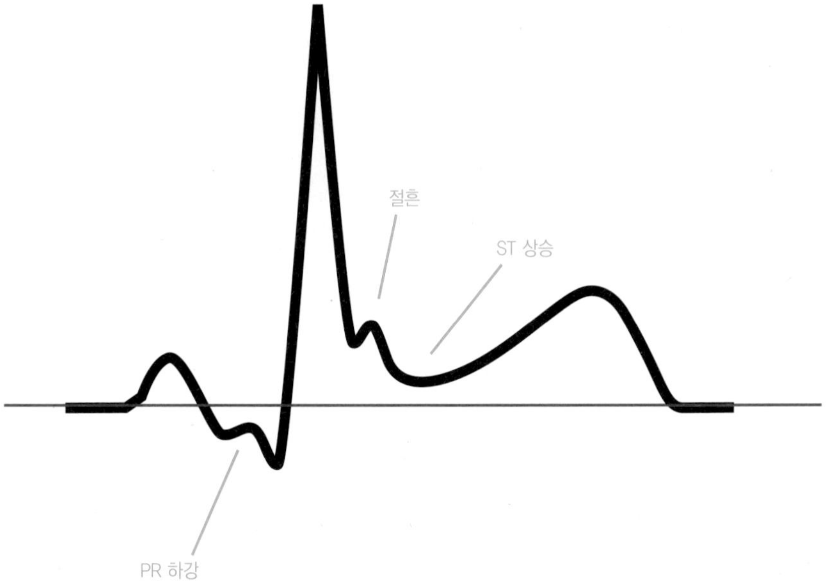

그림 14–27. 다음의 심전도들을 공부하기 전에, 심전도 10–1을 복습하라.

2

심전도 14-53 이것은 심낭염의 예이다. PR 하강이 이 심전도에서 그리 인상적이지 않다. 우리는 당신이 이제까지 제시된 다른 심낭염 심전도를 복습하기 바란다. 유도 I, II, aVF, 그리고 V_1~V_6에서 ST분절 상승이 있다. QRS군은 ST 상승이 양성(benign)임을 나타내는 절흔(notching)을 가지고 있다. 심박수는 기술적으론 빈맥이 아니지만 분당 90회의 범위에 있다. 환자의 병력은 심낭염과 일치하고, 이 심전도가 진단을 하게 하였다.

이제 환자의 병력이 전형적인 심낭염 소견이 아니라, 예를 들면 무릎 손상으로 내원하였다고 가정하여 보자. 이러한 변화들이 다르게 보이는가? 그렇다. PR 간격이 0.8mm 보다 하강되어 있지 않다면(단지 작은 블록 하나 깊이보다 작은), 이것은 조기재분극과 연관된 것일 수 있다. 조기재분극은 양성(benign) ST분절 상승이며, 보통 작고 위쪽으로 오목한 데 주로 젊은이들에서 나타난다. 때때로 중년에서도 발견될 수 있지만, 조기재분극이라고 결론 내리기 전에 이전의 심전도에서 이전부터 존재하고 있었음을 확인해야한다. 어떤 PR 하강이 0.8mm 보다 깊은 것은 병적이다. 심낭염과 조기재분극을 진단할 때 동반되는 소견을 관찰해야 한다는 것을 기억해야 한다. 당신은 아무것도 없는 상태에서 진단을 내려서는 안될 뿐 아니라, 병력을 청취하고 감별 진단을 주의 깊게 고려한 후 진단을 내려야 한다.

심전도 14-54 이것은 심낭염의 다른 예이다. 이유를 말할 수 있겠는가? 자, 유도 Ⅰ, Ⅱ, Ⅲ, aVF, 그리고 V_1~V_6에서 위쪽으로 오목하고 국자모양으로 파낸 것과 같은 양상의 미만성(diffuse) ST 상승이 있다. 측면 유도에서는 약간의 절흔(notching)도 있다. 환자의 박동수도 빠르지 않다. 그러면, 왜 조기재분극이 아니라 심낭염일까? 초보자에게는 환자의 병력이 진단과 일치하여야 한다. 이것은 심전도를 판독하는데 있어서 굉장히 중요하다. 두 번째, 유도 Ⅱ에서 PR 하강의 깊이가 1mm이다. 이것은 병적인 PR 하강이다. 왜냐하면, 나머지 심전도와 병력이 진단을 만족시키고 있다. 답을 찾았다.

2 빠른 복습

1. PR 하강은 0.8mm 보다 작아야만 한다. 참 또는 거짓.
2. 심낭염 환자는 누우면 심해지고, 앉으면 경감되는 흉통을 호소한다. 참 또는 거짓.
3. 심낭염 환자는 때때로 삼킬 때 통증을 호소한다. 참 또는 거짓.

1. 참 **2.** 참 **3.** 참

심전도 증례 연구 **계속**

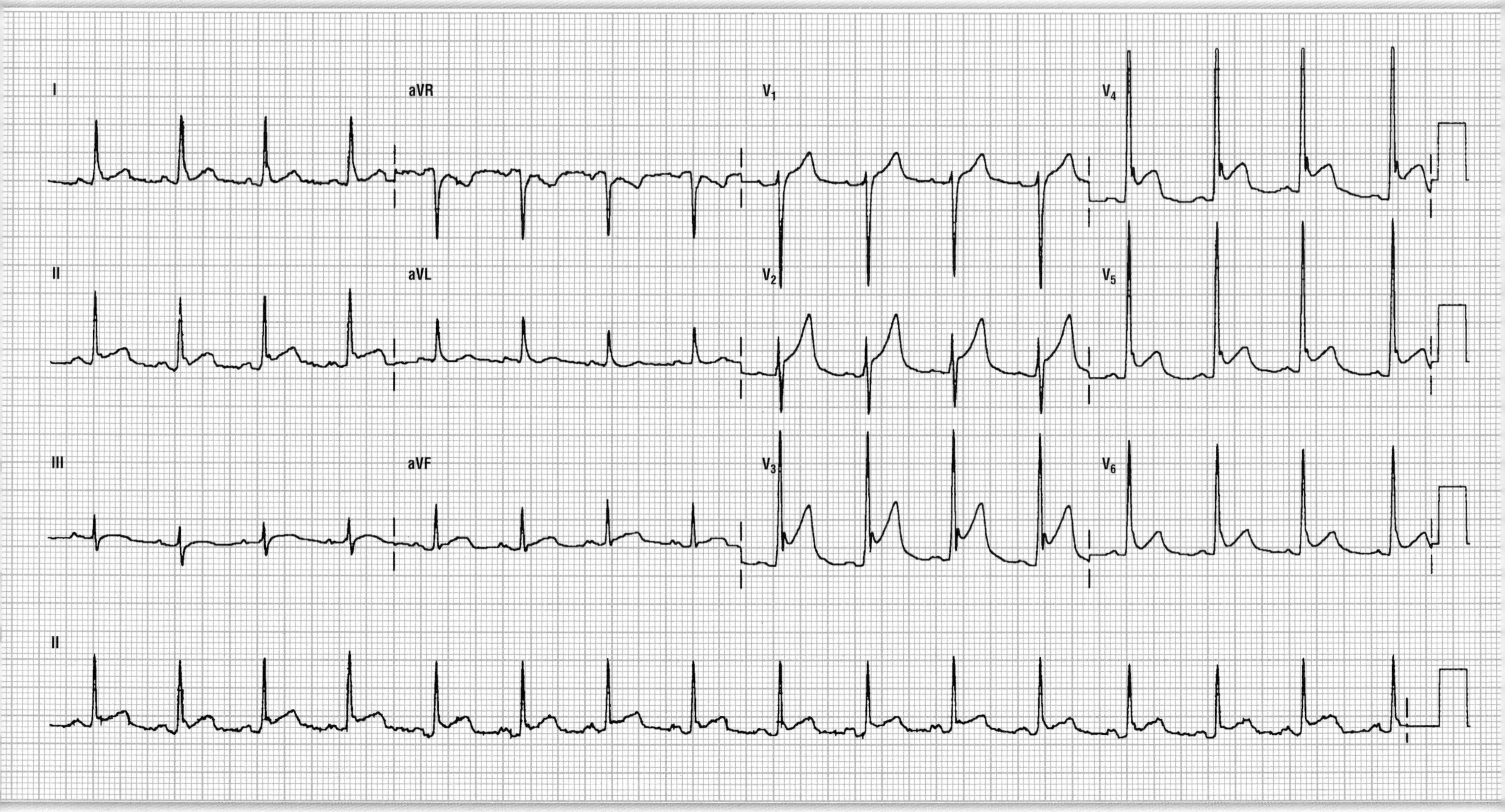

ECG 14-53

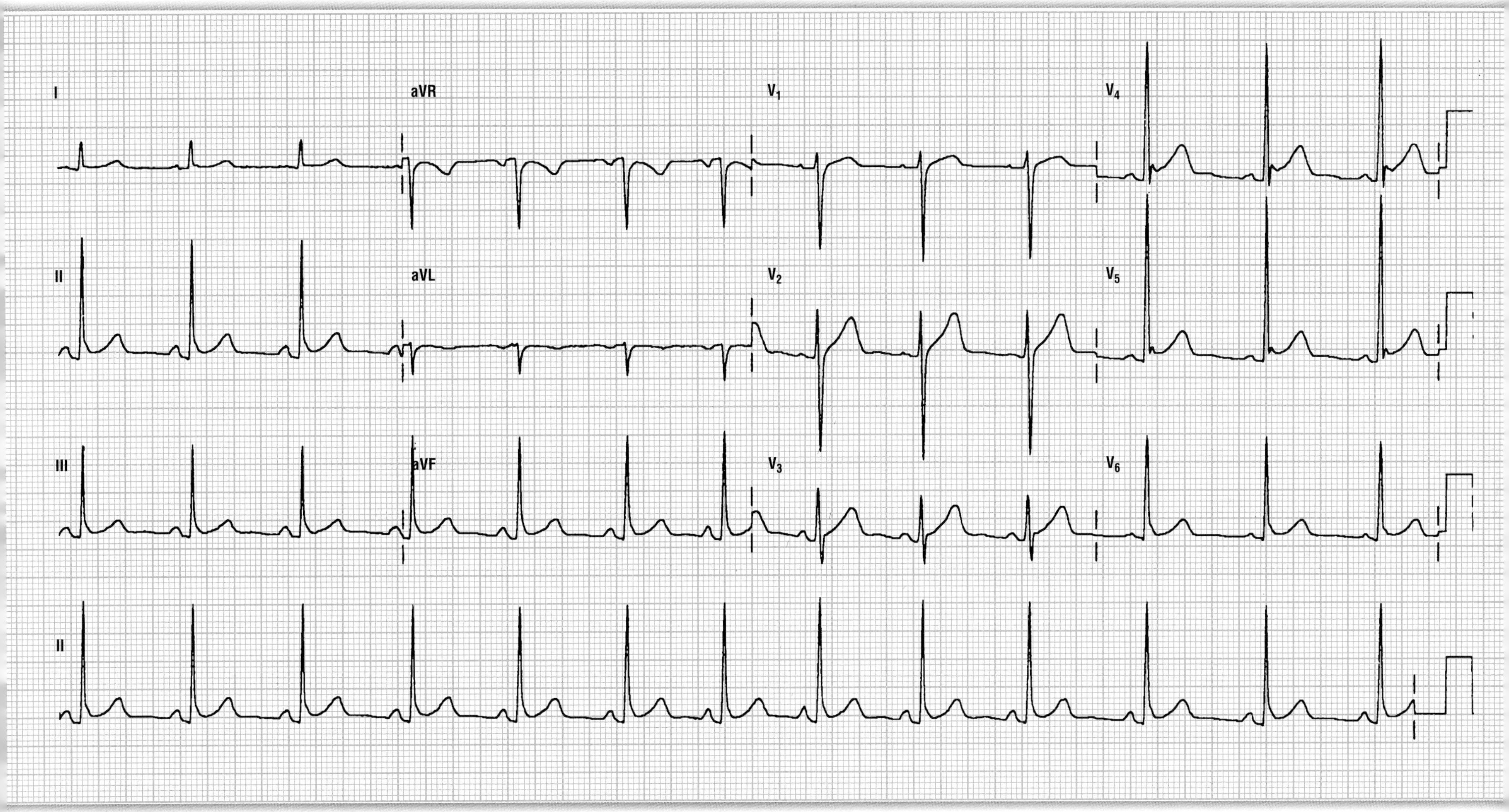

ECG 14-54

심전도 증례 연구 **계속**

2

심전도14-55 이 심전도는 24세 남자 환자가 심질환이 아닌 다른 문제로 내원하여 검사한 것이다. 당신은 어떻게 생각하는가 : 이것이 조기재분극(속어로 early repol)인가 아니면 심낭염인가? 이것은 조기재분극이다. 이 환자는 심장과 관련된 증상이 없으며, 그리고 심전도는 조기재분극 양상이다.

2 빠른 복습

1. 젊은 환자들에서 모든 ST 상승은 조기재분극 양상에 의한 것이며, 그리고 이것은 병적인 소견이 아니다. 참 또는 거짓.
2. 심낭염 환자의 이전 심전도에서 조기재분극 양상이 있을 수 있다. 참 또는 거짓.
3. 조기재분극의 ST 상승은 편평하다. 참 또는 거짓.

1. 거짓 **2.** 참 **3.** 거짓

임상의 진주

모든 ST 상승은 반드시 병적인 유발요인을 철저히 조사해야 한다는 것을 기억하라. 코카인으로 인한 동맥의 경련으로 급성심근경색이 발생한 젊은 남자는 조기재분극으로 오진될 수 있다.

심전도 14-56 이 심전도는 역시 젊은 환자의 것이지만, 이 경우는 증상이 있는 경우이다. 변화는 조기재분극과 일치한다. 환자는 코카인 복용을 하고 있었고 흉통을 호소하였다. 나이가 젊고, 비교할 만한 이전의 심전도가 없었다. 이 환자를 어떻게 할 것인가? 집으로 보낼 것인가? 외래로 추적 관찰할 것인가?

정답은 마약을 하는 모든 흉통을 가진 환자는 매우 심각하게 생각해야 한다는 것이다. 그들을 퇴원시키기 전에 심근경색을 배제해야만 한다. 왜 그런가? 당신이 속을 수도 있기 때문이다. 약제와 관련된 많은 경색은 동맥경화증(죽상경화판(plaque) 생성)이 아닌 경련으로 생길 수 있다. 게다가, 만성적인 약물남용 환자들은 심한 죽상경화증과 심장질환이 발생할 수 있다.

2 빠른 복습

1. 흉통을 호소하는 코카인이나 약물남용 환자에서 보이는 ST 상승은 어떠한 것이라도 양성(benign)이다. 참 또는 거짓.
2. 흉통을 호소하는 약물남용 환자에서 보이는 ST 상승은 반드시 심각하게 받아들여져야 한다. 참 또는 거짓.
3. 절흔(notching)은 항상 조기재분극을 나타내는 소견이다. 참 또는 거짓

1. 거짓. **2.** 참 **3.** 거짓

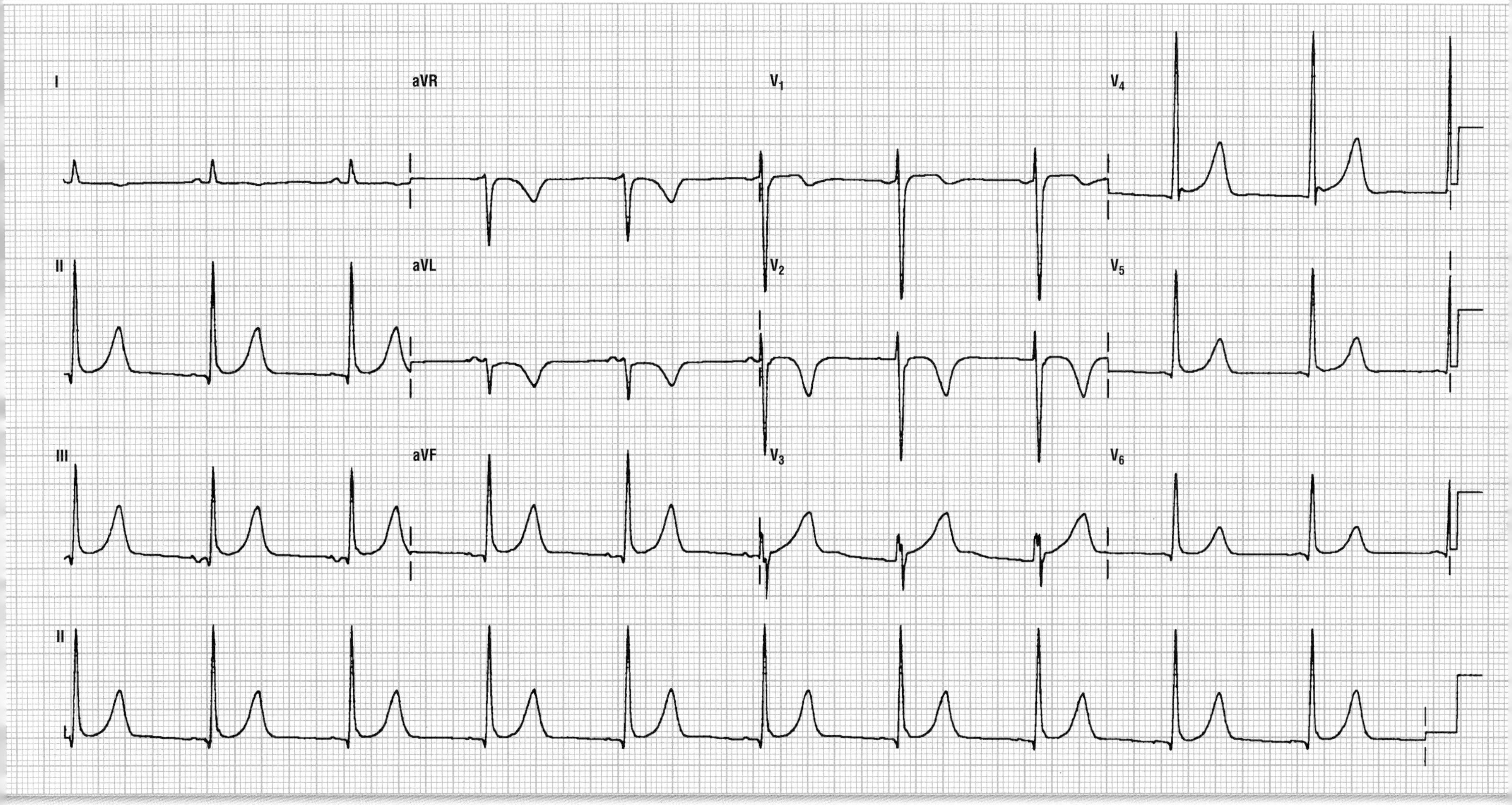
I
aVR
V1
V4
II
aVL
V2
V5
III
aVF
V3
V6
II

ECG 14-55

심전도 증례 연구 계속

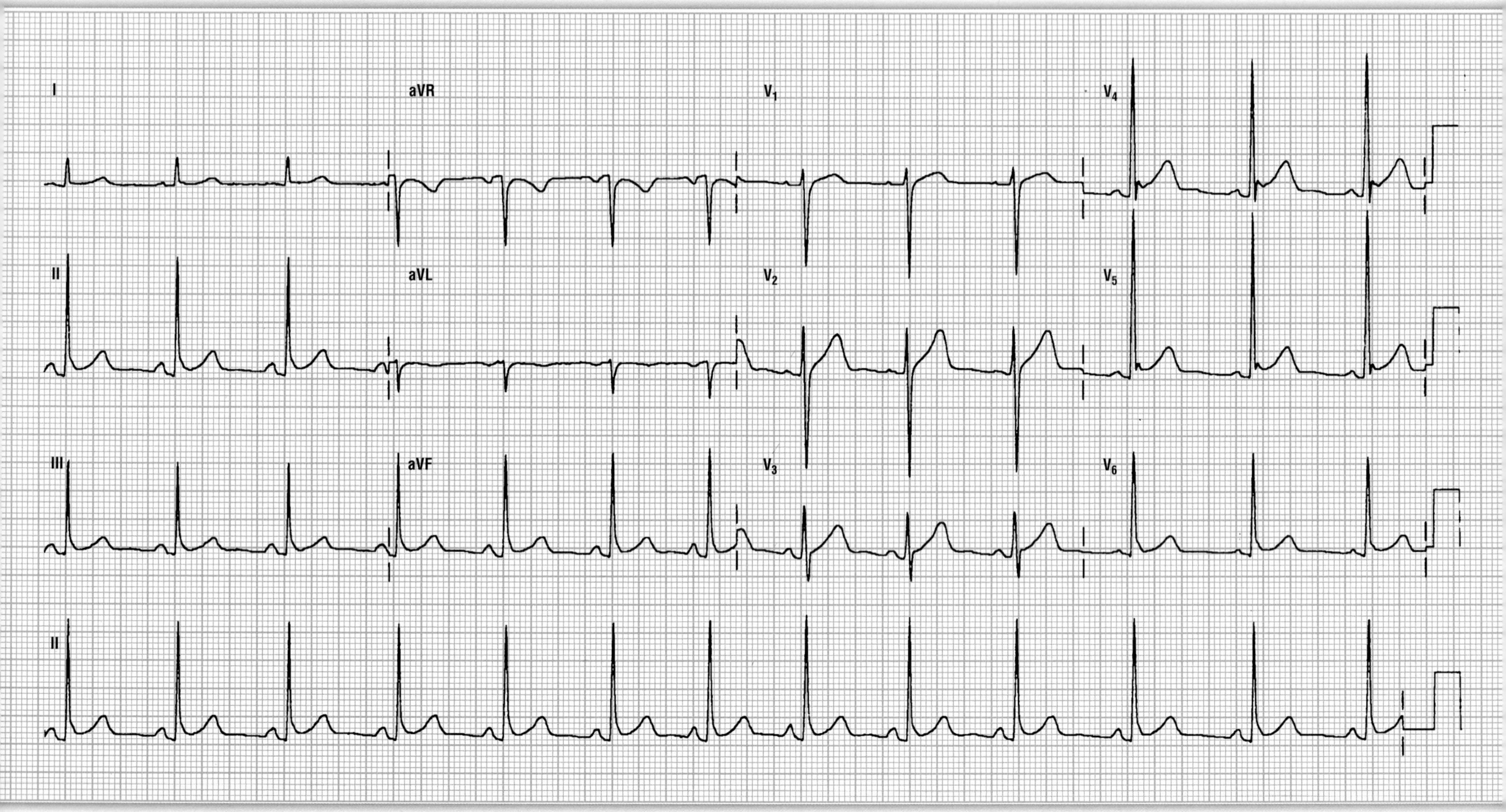

ECG 14-56

각차단에서 ST들과 T파들

좌각차단 또는 우각차단 패턴을 봤을 때, 그 형태의 복잡성에 놀라게 된다. 복잡함에 대해 어떤 감각을 가지기 위해서는 정상 심장이 어떻게 탈분극과 재분극을 하는지, 각차단(혹은 어떤 다른 편위전도)이 있는 심장은 어떻게 같은 일을 행하는지 등에 대해서 봐야 한다. *기본 박동(T파)* 장에서 이것에 대한 조금 언급했었다. 그래서 돌아가서 복습을 하라.

정상적으로 심장은 심내막에서부터 심외막으로 탈분극된다(노란 화살, 그림 14–28). 이론적으로 처음 탈분극한 세포에서 첫 재분극파가 발생할 것으로 생각할 수 있다. 그러나 그것은 사실을 너무 쉽게 만든다. 실제로 어떻게 일어나는가 하면 심외막에서 먼저 재분극이 발생한다. 재분극파가 심내막을 향해 퍼져 나간다(파란 화살, 그림 14–28). 이것은 심실벽의 안쪽 부분의 압력이 바깥쪽의 압력보다 크기 때문이다.

탈분극은 그림 14–28에서 전극을 향해오는 양성(positive) 파형이다. 이때 QRS군의 상향 편향이 생기게 한다. 재분극 파형은 심외막과 전극에서 멀어진다. 이 음성의 파형이 전극에서 멀어지는 것이 전기적으로 양성의 파형이 전극 쪽으로 오는 것과 같기 때문에 상향의 T파가 만들어진다(그림 14–28).

각차단 또는 심실조기수축의 상황은 세포에서 세포로 활동전위가 전달되는 병적인 전달 상태이다(*대각선 화살*로 표시됨). 이것은 세포의 탈분극과 재분극이 천천히 일어나게 한다. 다시 말해, 심장의 압력 차이가 더 이상 재분극 파형의 진행을 변화시키지 못한다는 것을 의미한다.

그림 14–28.

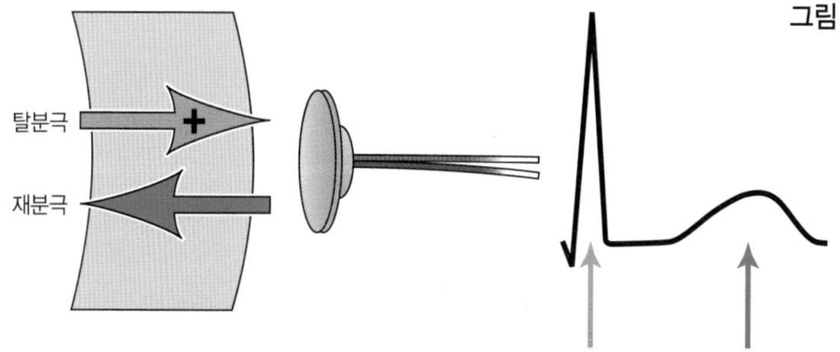

이 상황에서는 재분극 파형은 원래 여러분이 초기에 예상했던 탈분극 파를 따른다. 그 결과 탈분극(양성 QRS)과 함께 양성파가 전극을 향하는 것을 볼 수 있다. 그리고 재분극(음성 T파 : 그림 14–29 참조) 동안 음성의 파형이 전극을 향해 접근하는 것을 볼 수 있다.

그림 14–29.

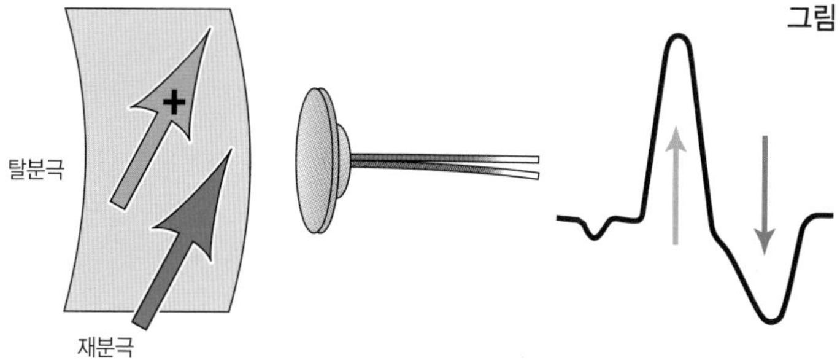

마지막 문자는 이것이다. *각차단에서 T파는 항상 QRS군의 마지막 부분의 반대 방향이다.* 이것을 불일치(discordant)라고 한다. 만약 T파가 QRS군의 마지막 부분과 같은 방향으로 간다면, 이것은 *일치(concordance)*라고 한다(그림 14–30). 일치는 만약 이전 심전도에서 만성적으로 존재하지 않는다면, 각차단에서 허혈의 증후로 좋지 않은 것이다. 만성적인 경우 이것은 비정상적인 재분극을 나타낸다.

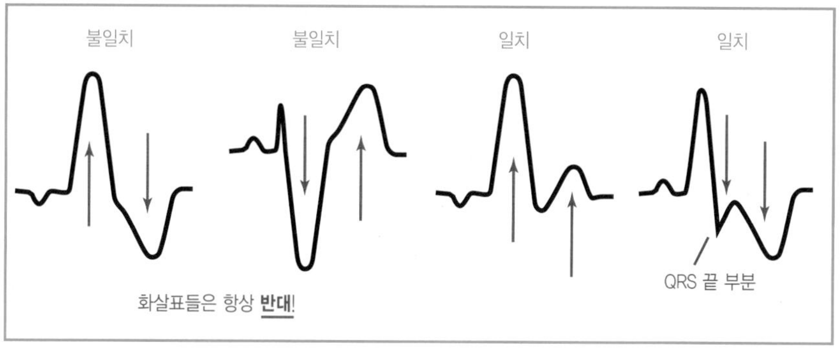

그림 14–30. 불일치와 일치파들

심전도 증례 연구 차단에서 ST들과 T파들

2

심전도 14-57 가장 먼저 결정해야 할 것은 이것이 각차단인가 하는 것이다. 이것이 0.12초보다 더 넓은가? 그것이 좌각차단이나 우각차단 형태와 맞는가? 그렇다. 그것은 V_6를 제외하고는 좌각차단 형태와 일치한다. 당신이 그것을 심실내전도지연(IVCD)으로 명명하기 전에 이것에 대해서 몇 분간 생각해보라. 기억하라. 우리는 당신에게 유도 Ⅰ과 V_6이 동일하게 보이거나 거의 유사하게 보여야 한다고 말했다. 왜냐하면 그 둘은 심장의 동일한 영역을 나타내기 때문이다. – 그 두 영역이 주시하는 장소(카메라 유추(analogy)를 기억하라). 그러면, 왜 그 둘은 이 심전도에서 그렇게 다르게 나타나는가? 흉부 유도 전극을 흉부에 놓은 누군가가 그것을 올바른 위치에 제대로 두지 않았을 것이다. V_6 전극이 너무 높거나 앞쪽으로 붙여 놓았다. 그 결과는 V_6에서 보여야할 각도와는 너무나 다른 모습을 보이게 했다. 흉부 유도를 올바른 지점에 붙이는 것은 너무도 중요한 것이다.

지금 V_6이 유도 I과 비슷하다고 상상해보라. 그것은 좌각차단의 조건을 충족하는가? 답은 '그렇다'이다. 만약에 당신이 V_3에서 V_6을 본다면, 당신은 T파가 마치 QRS군의 마지막 부분(이 경우에는 S파이다)과 동일한 방향으로 보일 것이다. 그것이 이전의 심전도에 나타나지 않았다면, 이 현상은 T파와 S파가 일치하는 허혈성 병변의 소견이다. 다른 유도들에서 T파가 QRS군의 마지막 부분과 반대방향(불일치)이 되는 것을 관찰하라. 이것은 각차단의 정상소견이다.

심전도 14-58 이 심전도는 우각차단 형태를 보여주고 있다; 사실, 이 심전도에는 양섬유속차단이 있다. 이것은 사지 유도들의 명백한 좌전섬유속차단(LAH)에 기인한다. 어느 유도가 일치(concordant)하고 어느 유도가 불일치(discordnat)한가? 일치 유도는 Ⅲ, aVF, 그리고 V_2~V_3이다. 나머지는 전부 불일치이다.

2 **빠른 복습**

1. 일치(concordance)를 기억하는 쉬운 방법은 접두사 con–이 with를 의미한다는 것을 기억하는 것이다. 그러므로, 일치는 T파가 QRS군의 마지막 부분과 같은 방향(with)을 가진다는 것을 의미한다. – 참 또는 거짓
2. 불일치(discordnat)를 기억하는 쉬운 방법은 접두사 dis–가 의미하는 것이 *Against(반대)*인 것을 기억하면 된다. 그러므로, 불일치는 T파의 방향이 QRS군의 마지막 부분과 *반대방향이* 되는 것을 의미한다. – 참 또는 거짓

1. 참 **2.** 참

심전도 14-59 한 번 더, 이것은 좌각차단 형태이다. 어느 것이 일치하는 유도인가? 유도 V_3에서 V_5까지, 그리고 유도 Ⅱ는 정확히 일치한다. 유도 Ⅲ와 aVF는 둘 다 하향 방향으로 시작해서 상향 방향으로 끝나는 T파를 가지고 있다. 하향으로의 시작은 그들을 모두 불일치하게 만든다. Ⅱ, Ⅲ, 그리고 aVF에서는 추가적인 ST 하강이 있음을 주목하라. ST 하강은 좌각차단에서는 정상이다. 그러나, 그 외의 다른 곳에서는 발견되지 않기 때문에, 그것은 허혈을 강하게 의심하게 하는 소견인 것이다. 위에서 언급한 유도들의 일치(concordnace)와 하벽 유도의 ST 하강이 함께 하측벽 허혈을 매우 강하게 의심하게 한다.

노트

매우 긴 장이였다. 그리고, 다음 장도 매우 길 것이다. 그 이유는 반복할 가치가 있기 때문이다. 심전도에 대한 대부분의 혼란은 ST분절들, T파들, 그리고, 경색의 기준과 관련이 있다. 그러므로, 우리는 이러한 것들에 집중해야 한다. 우리는 이것이 당신에게 보상을 해주었을 것이며, 여러 질문을 명확하게 하였을 것으로 기대한다. 당신이 이 장들에서 정확하게 그 개념들을 깊이 이해하는 것이 중요하다. 지금 조금 더 노력하는 것이 미래에 당신과 당신의 환자들에게 보답이 돌아갈 것이다.

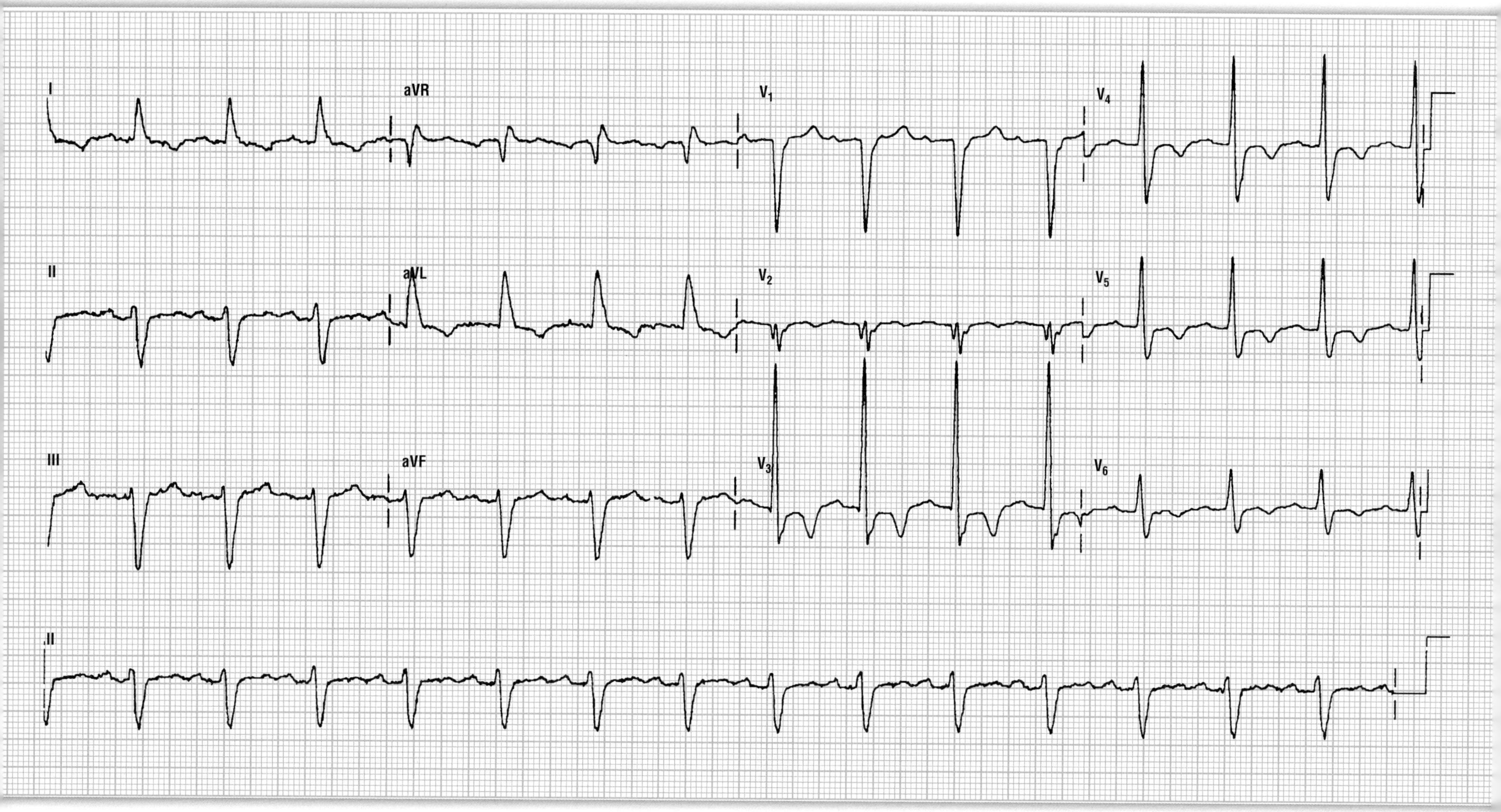

ECG 14-57

심전도 증례 연구 계속

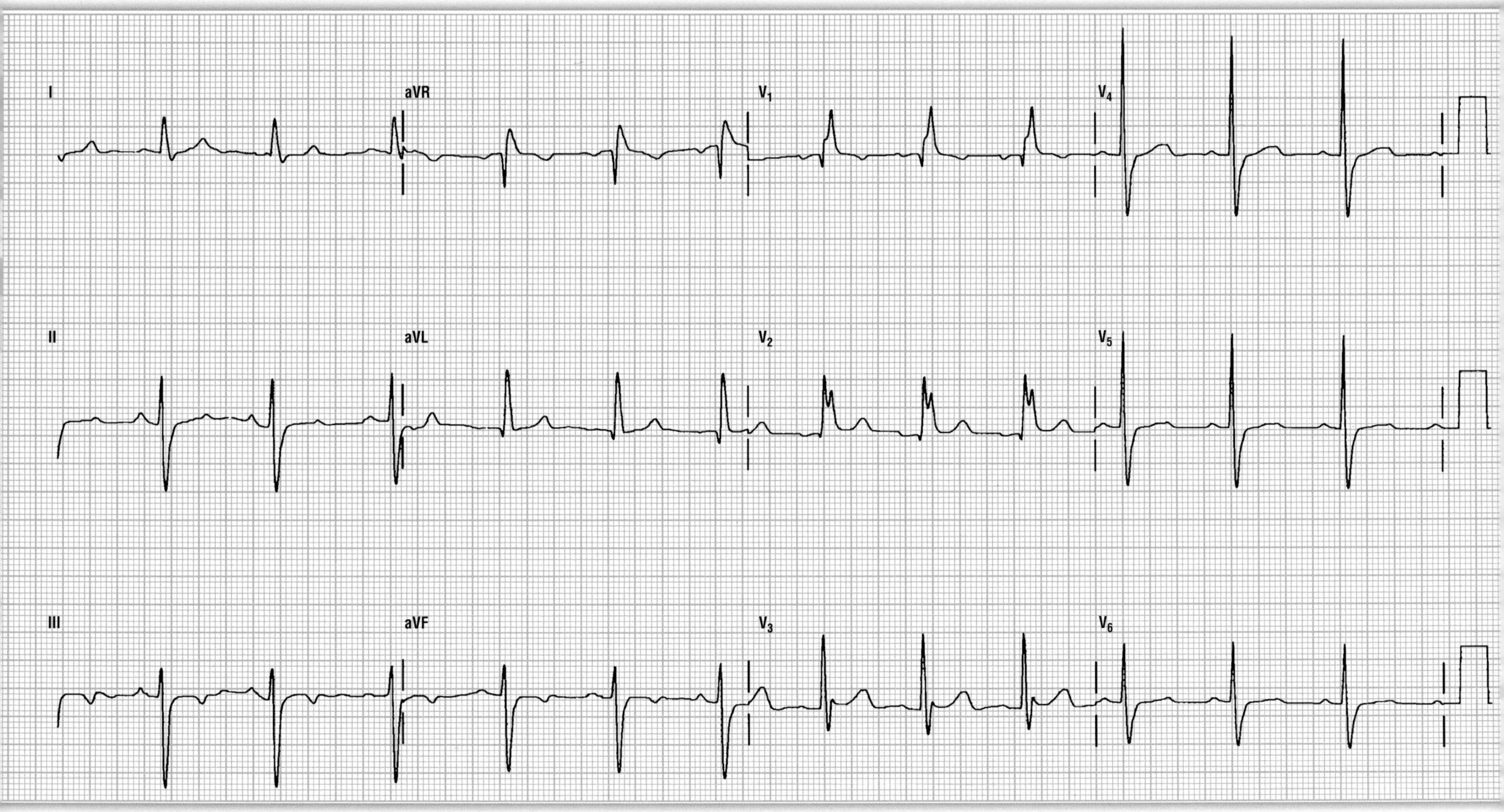

ECG 14-58

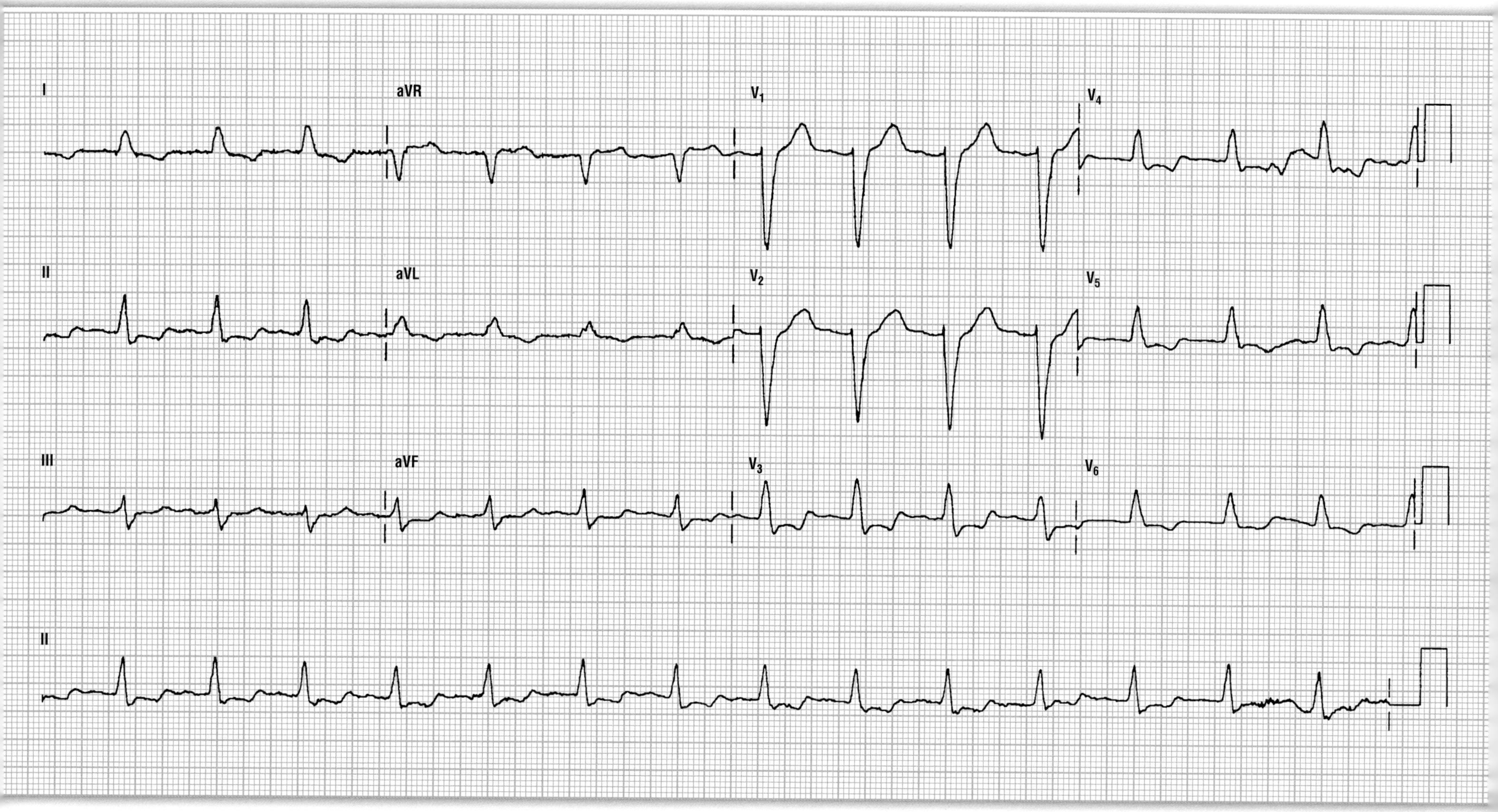

ECG 14-59

1 단원 복습

1. QRS군과 ST분절이 만나는 곳이 J점이다. 참 또는 거짓
2. T파는 보통 무슨 유도에서 양성인가?
   - A. Ⅰ
   - B. Ⅱ
   - C. V_3에서 V_6까지
   - D. 모두 맞다.
   - E. 위에 맞는 답이 없다.
3. TP분절에서 인접한 심전도군들의 TP분절 사이를 연결하는 직선이 기준선이다. 어떤 ST분절의 상승도 병적이기 때문에 철저히 평가해야 한다. 참 또는 거짓
4. T파는 정상적으로 대칭적이다. 참 또는 거짓
5. T파가 R파의 높이보다 ___________ 이상이면 비정상이다.
   - A. 1/4
   - B. 1/3
   - C. 1/2
   - D. 2/3
   - E. 3/4

1. 참 **2.** D **3.** 참 **4.** 거짓 **5.** D

2 단원 복습

6. 키가 크고 뾰족하고 대칭인 T파는 보통 _____에서 발견된다.
   - A. 심근경색 D. 고칼륨증
   - B. 허혈 E. 중추신경계 사건들
   - C. 저칼륨증
7. 매우 넓고 대칭적인 T파는 전형적으로 ______에서 나타난다.
   - A. 심근경색 D. 고칼륨증
   - B. 허혈 E. 중추신경계 사건들
   - C. 저칼륨증
8. ST분절 하강은 전형적으로 ____에서 발견된다.
   - A. Q파 급성심근경색 D. A와 B
   - B. 허혈 E. B와 C
   - C. 비 Q파 급성심근경색
9. 다음 중 어떤 것이 우심실비대의 진단 기준이 아닌 것은?
   - A. 폐성심 또는 우심방확장 D. 긴장 패턴을 동반한 우심실비대
   - B. 우축편위 E. V_1과 V_2에서 ST분절 상승
   - C. V_1과 V_2의 R:S 비 증가
10. V_1과 V_2의 R:S 비가 증가할 때 감별할 진단들 중에서 답이 틀린 것은?
    - A. 우심실비대 D. WPW A형
    - B. 좌후섬유속차단(LPH) E. 어린이와 청소년
    - C. 후벽 급성심근경색
11. 긴장양상은 가장 크거나 가장 깊은 QRS군을 보이는 유도에서 저명하다. 참 혹은 거짓
12. ST분절의 상승이나 하강이 허혈의 성질일 경우에는 평편하며, 대칭적인 T파와 연관이 있다. 참 또는 거짓
13. 좌심실비대의 진단기준에 맞진 않지만 긴장이 있는 좌심실비대와 같은 ST분절 상승을 볼 수 있다. 참 또는 거짓
14. 좌심방확장은 긴장이 있는 좌심실비대 환자에서 언제나 발견된다. 참 또는 거짓
15. 각차단에서 T파는 언제나 QRS군 끝 부분과 반대편 방향으로 편향된다. 참 또는 거짓

6. D **7.** E **8.** E **9.** E **10.** B **11.** 참 **12.** 참 **13.** 거짓 **14.** 거짓 **15.** 참

15장 급성심근경색(Acute Myocardial Infarction [AMI])

이 장은 당신이 그토록 기다리던 급성심근경색에 관한 장이다. 급성심근경색을 진단하고 환자의 생명 혹은 최소한 생활양식을 구할 치료를 시작하는 것은 매우 스릴 있는 일이다. 심근경색은 매우 광범위하여 심장의 여러 부분–전벽, 하벽, 후벽, 우심실, 심첨–을 이야기하고 있으므로 흥분된 마음을 다소 가라 앉혀야 한다. 또한, 하측벽, 전측벽, 하후벽 등과 같은 복합적인 심근경색이 나타날 수도 있다. 여기에 추가로 각차단과 비전형적인 심근경색을 논의할 것이고, 그리고 이야기해야 할 몇 가지 중요한 사항이 있다. 이 테마에 대하여 충분히 논의하려면 별도의 한 권의 책이 필요할 수도 있다. 이 장은 광범위한 개요를 제시한다. 심근경색으로 일어나는 병태생리적 변화와 심전도의 변화 형태를 논의할 것이다.

서론

심근세포를 포함한 모든 세포는 생존하기 위해서 산소를 필요로 한다. 산소가 없어지면, 기능이 변화하기 시작한다. 무산소(anaerobic)대사를 시작한다. 생존하기 위해서 – 산소 없이도 에너지를 생산한다. 이것은 산혈증(acidosis)를 유발시키며, 대개 이것은 세포가 생존하기 위한 매우 비효율적인 방법이다. 결과적으로 세포는 나쁜 대사 산물의 축적에 의해서 손상을 받기 시작하며 정상 순환과 산소가 공급되지 않는다면 이것은 세포가 죽어가게 된다. 그림 15–1에서 보듯이, 과정은 점진적으로, 연속적으로 발생한다. 비슷한 것으로, 물에 빠진 사람을 생각할 수 있다. 물에 들어갔을 때 바로 사망하지는 않는다. 먼저 그는 비축해 놓은 것을 사용한다. 그리고 나서 어지러움을 느끼고 공황상태가 되고 의식을 잃게 되고 죽음에 이른다. 우리는 당신이 허혈, 손상, 경색을 하나의 연속된 과정으로 바라보기를 바란다(공황상태는 부정맥이나 혈역동학적인 변화로 나타난다). 심전도는 우리가 앞으로 잠시 후 이야기 할 잘 정의된 상황과 평행하게 진행된다.

명명법에 대하여 잠깐 언급한다. 허혈과 손상은 가역적이다. 허혈과 손상의 증상들은 흉통으로 나타난다. 허혈이나 흉통은 어떤 이유이든지 간에 일시적으로 심근의 요구가 과도하거나 혈류 공급이 충분하지 못할 때 일어난다. *요구가 많아지든지 공급이 감소할 경우 허혈과 손상을 일으킬 수 있다는 것을 주의하라.* 불행히도 경색(세포 사망)은 비가역적이다.

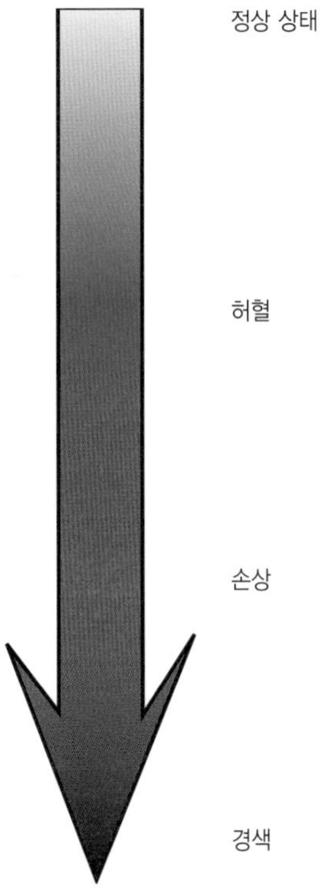

그림 15–1.

경색의 양상과 그것의 심전도적 표현에 대해서 이해하기 위해서는 심근 전반에 혈류가 어떻게 순환하는지 알 필요가 있다. 심근의 혈류 공급을 기본적인 나뭇가지 형태로 생각하자. 주 줄기에서 주 가지들이 나온다. 주 가지에서 큰 가지들이 나오고 그리고 중간 가지들 그리고 계속 분지되어 잔 가지들과 잎들이 된다. 주 관상동맥은 심외막을 따라 주행하여 그림 15–2에서 보듯이 여러 군데에서 심근을 통과한다. 그러한 동맥이 심내막에 도달할 때까지 더 작고 작은 가지를 내어 심근의 모세혈관계(capillary bed)을 형성할 때까지 가지를 만든다. 그림 15–3에서와 같이 특별히 큰 가지 하나만 볼 때 그것이 동맥의 기시부에서 멀어지는 조직의 쐐기 모양 영역에 혈류를 보내며, 혈관의 기시부로부터 멀어져 원위부로 갈수록 넓어지는 것을 볼 수 있다.

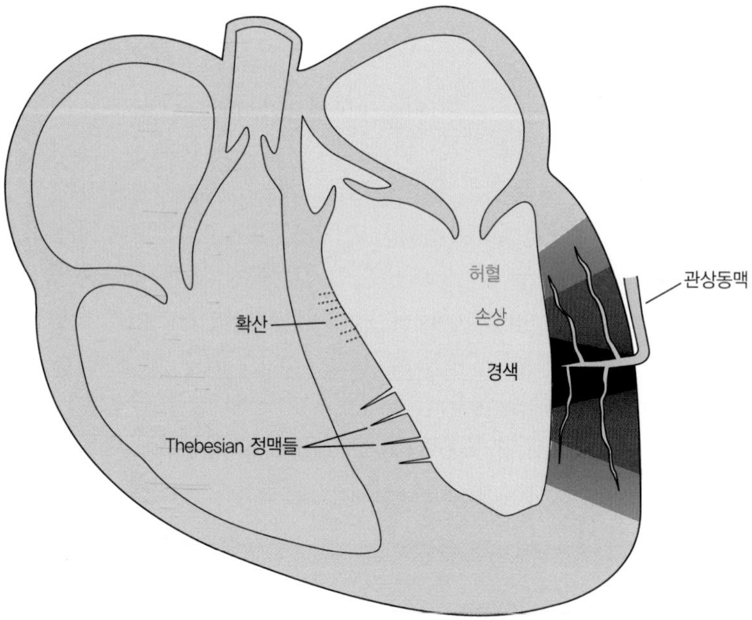

그림 15–2

이제 위에서 언급한 허혈의 종류를 기억하겠는가? 허혈은 진행하여 손상과 마지막으로 경색이 된다. 세포가 죽을 때는 심근에 혈류를 보내는 가지들이 분포하는 양상을 따라 죽는다. 그래서 심내막쪽으로 갈수록 더 넓은 쐐기모양의 경색이 되는 것이다.

그러면 왜 허혈과 손상은 심내막으로 갈수록 얇아지는 쐐기 모양을 할까? 이를 이해하기 위해서 심장의 3가지 보호 기전에 대하여 알아볼 필요가 있다.

1. *측부 순환(collateral)*이라고 다른 동맥들이 심내막을 따라서 혈류를 공급해주는 중복되는 영역이 있어서 심내막의 어떤 장소는 다른 2개의 분지에 의해서 혈류를 공급받게 된다(그림 15–3).
2. 산소는 심실로부터 직접 혹은 *확산(diffusion)*에 의하여 주변조직으로 갈 수 있다.
3. *Thebesian 정맥*이라 하는 심실에서 바로 나오는 작은 혈관이 있다.

이런 기전들이 심내막 가까이 있는 세포에 여분의 산소를 공급하여 조직이 손상이나 허혈에 좀 더 잘 견딜 수 있게 한다. 그러므로 심외막의 세포가 허혈이나 손상이 더 많다.

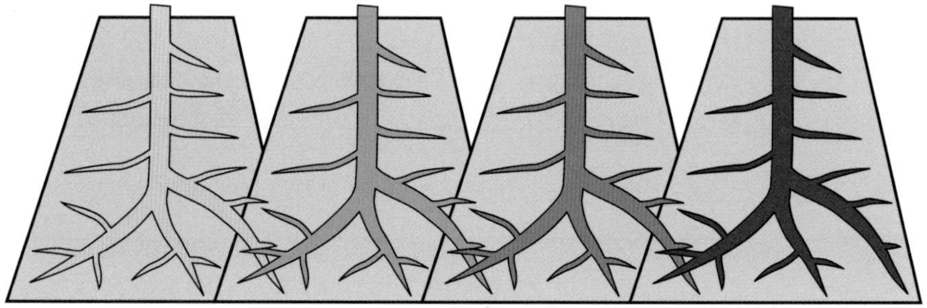

그림 15–3. 관상동맥들에 의한 중복되는 쐐기 모양의 관류.

허혈, 손상 그리고 경색의 영역

*허혈*은 심장의 쐐기모양의 단면에 영향을 준다. 이 쐐기는 그림 15-4와 같이 심내막에서 더 얇고 심외막에서 더 넓다. 허혈지역은 주변의 정상 조직보다 더 음성(陰性)이라서 ST분절의 하강을 일으킨다. 허혈은 재분극이 비정상적인 경로를 따라 일어나기 때문에 T파의 역위가 발생한다.

*손상*은 그림 15-5와 같이 허혈에서 보이는 것처럼 조직의 쐐기모양 단면에 영향을 미친다. 그러나 손상된 지역은 완전히 재분극되지 않는다. 그래서 주변의 조직보다 더 양성(陽性)으로 남게 되고 이는 ST분절의 상승으로 이어진다. 손상과 허혈 심근부위를 따른 비정상 재분극 경로에 의해 T파는 여전히 역위되어 있다.

*경색*은 죽은 조직이다. 어떠한 활동전압도 만들지 않는다. 그래서 그것은 전기적으로 중성이다. 이 괴사된 조직은 심근 벽에 일종의 전기적 *"창"*으로 작용한다. 그 창을 통하여 전극은 반대쪽 벽을 보는 것이다. 다른 벽으로 향하는 방해받지 않는 양의 벡터는 전극으로부터 멀어지게 되고 그림 15-6에서와 같이 Q파가 만들어진다. QRS군의 나머지 모양은 손상이나 경색 주변지역들에 의해서 만들어진다.

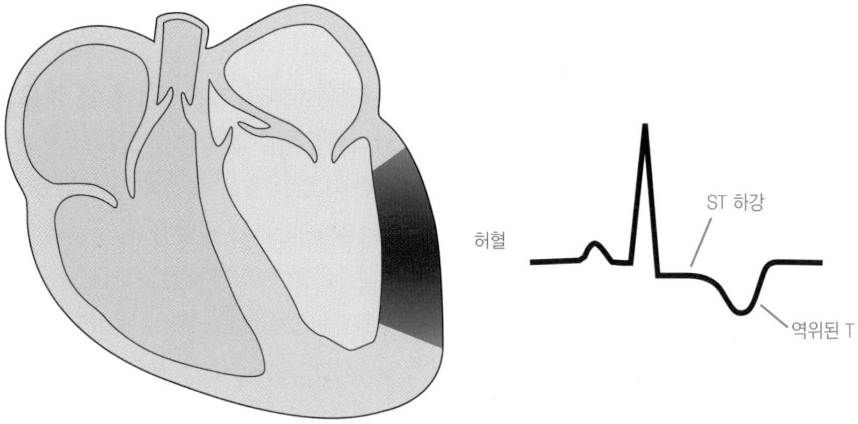

그림 15-4. 허혈

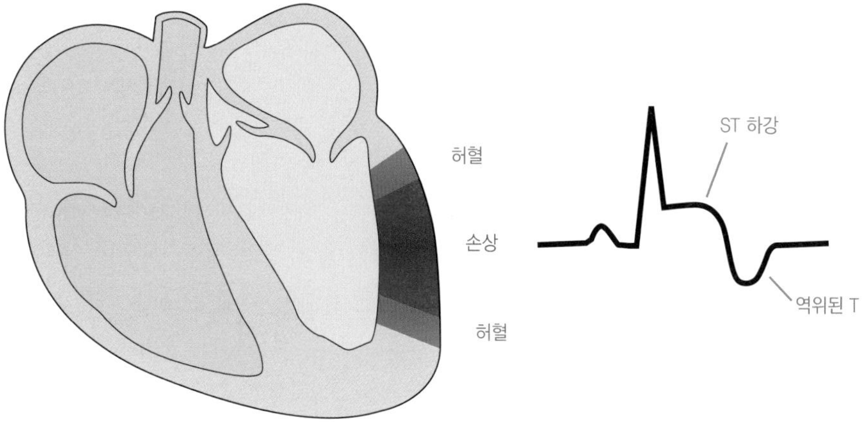

그림 15-5. 허혈과 손상

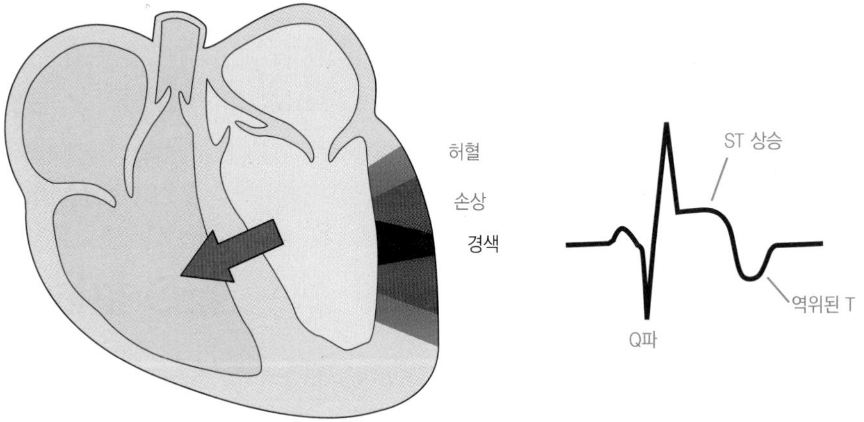

그림 15-6. 허혈, 손상, 그리고 경색

급성 관동맥 증후군(Acute Coronary Syndrome)

급성 관동맥 증후군은 심근의 허혈에 의해 유발된 일련의 심장의 문제를 포함한다. 급성 관동맥 증후군에는 세 가지 주된 종류들이 있다 : 불안정 협심증(UA), ST분절 비상승 심근경색(NSTEMI), ST분절 상승 심근경색(STEMI). 각각에 대하여 차근차근 살펴보도록 하자.

불안정 협심증은 활발히 일어나고 있는 허혈과 관련이 있는, 휴식 시 혹은 점점 심해지는 양상의 흉통이 일어나는 허혈 증후군을 말한다. 새로 발생하는, 휴식 시 발생하는, 그리고 점점 심해지는 등 3가지 분류로 불안정 협심증을 나눈다. 불안정 협심증은 전형적으로 흉통과 그와 관련된 증상과 표시들(호흡곤란, 발한, 두근거림, 메스꺼움 및 구토)이 나타나며, 정상적인 심전도 혹은 ST분절의 하강 혹은 T파 역위가 나타난다. CK–MB, troponin 등 심근손상의 표지자들의 상승은 없다. 불안정 협심증은 심각한 허혈 상태를 나타내지만, 영구적인 세포 손상이 일어나지는 않은 상태이다.

ST분절 비상승 심근경색은 심근경색에서 나타나는 일반적 증상과 표시들이 나타내는 심각한 허혈 상태를 말하지만, 심전도에서는 ST분절 하강이나 T파 역위를 나타낸다. 가까운 사촌인, 불안정 협심증과의 가장 주된 차이는 혈액검사 상 심근세포의 손상이 있는 것을 확인하는 것이다.

ST분절 상승 심근경색은 전형적인 지역적 분포들을 가지는 ST분절의 상승과 관련 있는 허혈 증후군이며 이 장에서 더 깊게 논의할 것이다. 이 증후군은 전형적으로 관상동맥의 폐색과 관련이 있으며, 이것이 발생한 환자들은 가능한 많은 심근조직을 구조하기 위하여 응급 재관류를 필요로 한다. 이러한 환자의 ST분절 상승은 심근 전층의 허혈/경색에 의해 유발된다.

현재의 ST분절 상승 심근경색에 대한 심전도 기준은 2개 이상의 연속적인 유도에서 ST분절의 상승이 존재하는 것이다. ST분절의 상승은 V_1, V_2, 그리고 V_3에서 2mm 보다 크고 그 외 유도들에서는 1mm 보다 크다. V_1, V_2, 그리고 V_3 유도에서 2mm 보다 크다로 제한하는 것은 젊은 환자들과 남자들에서 발견되는 J점 상승의 정상적 증가를 반영한 것이다. *연속적인 유도*들이라는 단어는 해부학적으로 서로서로 인접해 있는 유도들을 말한다. 우리는 이 장에서 심장의 다른 구역이 심전도 군들로 얼마나 다르게 보여지는지 보여 줄 것이다.

경색과 Q파

Q파 경색

최근에 의사들은 급성 심근경색을 ST분절 상승 심근경색과 ST분절 비상승 심근경색 두가지를 모두 생각하며, ST분절 상승 심근경색을 두 가지 중 더 즉각적이며 위험한 것으로 생각한다. 그러나 이전에는 급성심근경색을 Q파 경색이냐 비 Q파 경색이냐로 분류하였다. 이것은 어떻게 Q파가 만들어지는지, 상호 유도들에 대한 개념을 생각하는데 도움을 주기 때문에 아직도 유효하다. 우리의 목적으로는 비 Q파 경색과 ST분절 비상승 심근경색의 실질적 차이는 존재하지 않는다. 이러한 경색의 종류에 따른 예후에 대한 우리의 이해는 여전히 임상적으로 매우 적절하다.

우리는 Q파 경색을 전체 심근을 침범하는 전층의 경색에 의한 것으로 언급하였다. 전벽에 걸쳐 죽은 조직 때문에 그림 15–7에서와 같이 *"창문"* 효과와 Q파를 볼 수 있다.

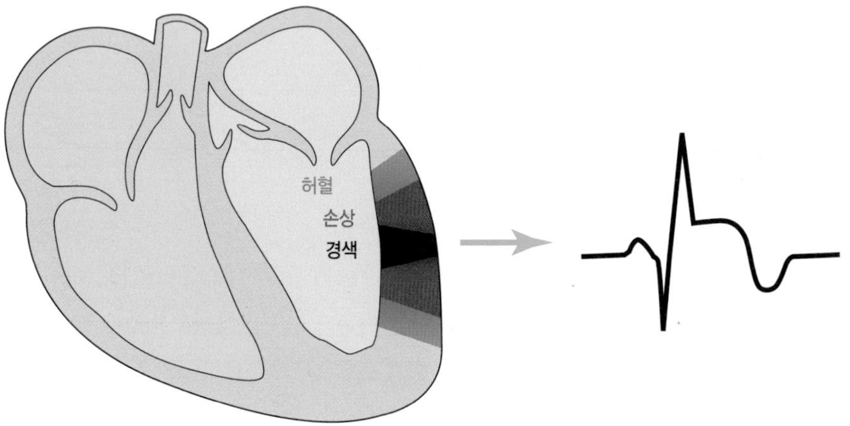

그림 15–7. Q파 경색

그러한 전통적인 생각은 부검연구에서 비전층 경색의 경우도 Q파들이 생길 수 있음을 보여줌으로 끝나게 되었다. 어떻게 비전층 경색이 이렇게 되는지 이해하기 위해서는, 벡터라는 단어를 생각해 볼 필요가 있다. 예를 들어(이것이 설명 가능한 유일한 예만은 아니다) 심근의 근위 1/3의 심실벽만 괴사가 있다고 가정하자. 괴사된 영역은 Purkinje 섬유망의 영역을 포함할 수도 있다. Purkinje 섬유는 심근에 전기전도를 매우 빠르게 하기 때문에 만일, 경색된 지역에서 Purkinje 섬유가 작동되지 않을 경우 경색부위 위에 놓인 손상 심근은 그림 15-9와 같이 느린 세포-세포 간 전도에 의해 탈분극될 수 있다. 이러한 지연은 반대편 벡터가 방해를 받지 않는 짧은 기간을 만들게 된다. 경색부위 위의 전극에서 빠르고, 방해받지 않는 반대편 벽의 벡터가 Q파로 나타나고- 그 후 느린, 손상 부위의 벡터가 나타나기 시작한다.

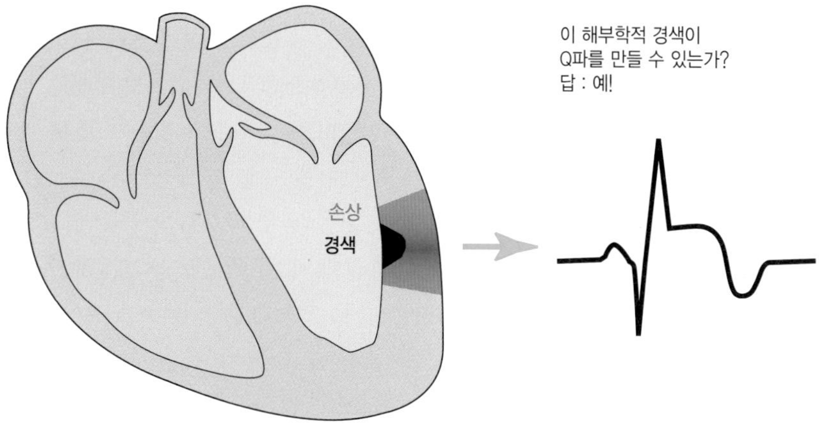
손상
경색
이 해부학적 경색이
Q파를 만들 수 있는가?
답 : 예!

그림 15-8.

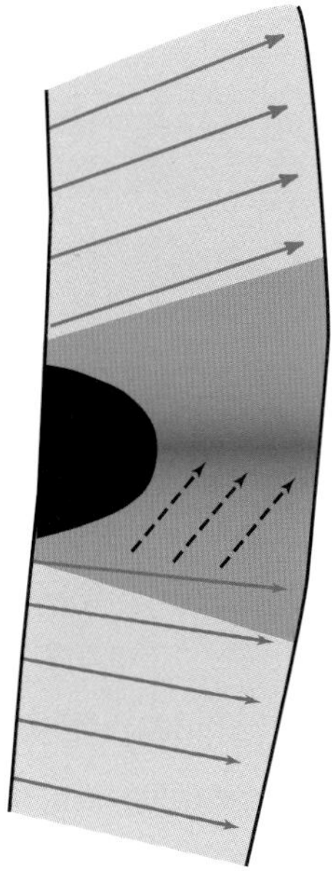

정상 심근에서의 전도는 purkinje계를 따라서 발생하여 심내막에서 심외막으로 전달된다. 경색이 있는 경우 Purkinje계는 괴사되고 기능을 하지 못하게 된다. 경색 부위 위의 영역은 직접적인 세포-세포 연결에 의해서 전도가 일어나게 된다. 이런 속도의 감소는 경색부위의 위에 있는 조직에 순간 전기적인 중성(neutral)의 상태를 유발하게 된다. 이것이 일시적인 창문과 같은 역할을 해서 반대쪽의 벡터가 짧은 기간 동안 방해를 받지 않게 되며 이때 Q파를 만들게 된다. 이 Q파는 전층 경색이 발생한 경우에 비해서 작다.

그림 15-9.

비 Q파 경색(Non-Q wave infarct)

이제 그림 15-10과 같이 경색이 작아서 Q파를 만들 수 없으나 ST하강이나 비정상적인 T파를 만들 수 있을 정도인 경우를 가정하자. 이 심전도는 급성심근경색처럼 보이지 않을 수 있다; 초기에는 허혈 혹은 손상으로 생각할 수 있다. 그러나 우리는 급성심근경색증의 진단에 사용되는 생화학적 표지자가 상승되어 있음을 이용하여 심근경색을 진단할 수 있다. 이런 종류의 경색은 이후에 Q파를 남기지 않기 때문에, 비 Q파 경색이라 한다.

이러한 형태의 경색을 이야기하기 위해 사용된 의학적 신화는 항상 심내막과 같이 왔으나 이것은 잘못이다. 이러한 작은 경색은 심내막 뿐만 아니라 심근의 어느 부위에서도 생길 수 있다. 이것은 심근의 인접하지 않는 영역의 경색에 의할 수 있다. 어떤 이유에서 Q파를 만들지 못한 작은 전층 경색일 수도 있다. 덧붙여 혈전용해 치료와 재관류술의 세대에서 당신은 경색을 일으키는 과정-혈전을 되돌림으로 전층 경색을 비전층 경색으로 매우 빠르게 되돌릴 수 있다. 확실히 말해서 Q파의 존재유무로 전층 경색과 비전층 경색을 구분할 수 없다. 그래서 이 잘못된 관점을 매장하여야 한다(fallacy to rest).

그리고 왜 시작부터 Q파와 비Q파로 괴롭히는가? 구분 짓는 주요한 목적은 환자의 예후에 중요한 영향을 끼치기 때문이다.

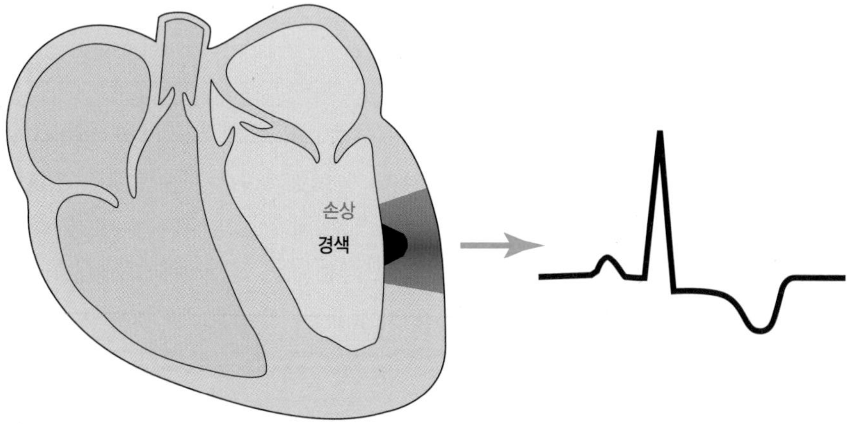

그림 15-10. 비 Q파 경색

Q파 경색은 높은 급성 사망률, 조직 손상의 증가 그리고 울혈성 심부전의 발생과 관계있다. 비 Q파 경색은 만일 적극적인 치료가 이루어지지 않았을 경우 장기적 사망률의 증가와 관계한다. 왜? 그림 15-11을 보자. 동맥의 #1부위에 최초 경색이 있다고 가정하자. 이것은 별 가치 없는 작은 심근의 괴사인가? 맞는가? 아니다. 모든 심근경색은 약 40%의 높은 가능성으로 심장돌연사를 유발시키는 부정맥을 유발시킬 수 있다. 공격적인 치료는 경색의 영역이 그림 15-11에서의 #2, #3, 그리고 #4로 진행하는 것을 막아준다. 누적되는 효과는 더 많은 심근 소실을 초래한다. 그러나 더 큰 위험은 각각의 사건들에서 돌연사의 가능성이 40%인 점이다.

통계적으로 동전을 허공에 던졌을 때 앞면 혹은 뒷면이 나올 확률이 정확히 50%이다. 40%는 50%에 가깝다. 앞면 4번 연속 콜(call) 할 만큼 행운이 있다고 생각하는가?

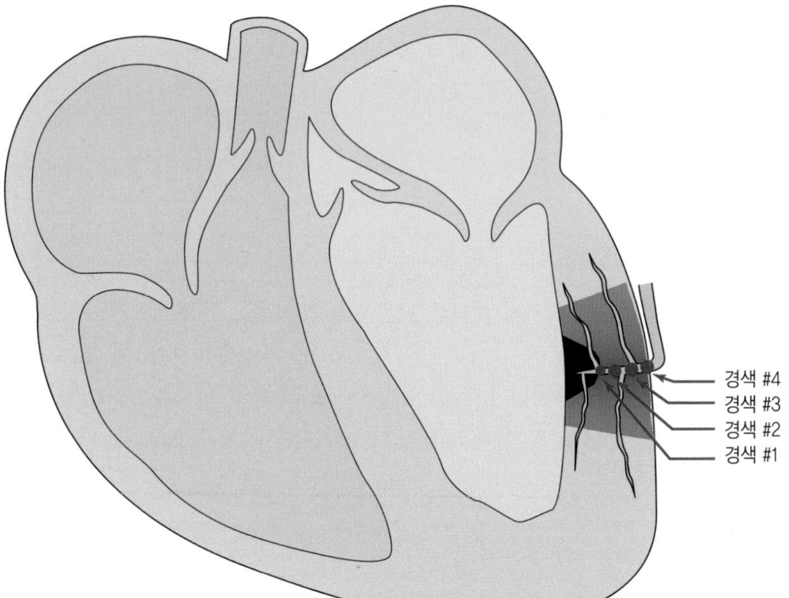

그림 15-11.

경색에서 심전도의 진행

급성심근경색에서 심전도의 형태는 고정되어 있지 않고 정상 상태에서부터 완전히 경색될 때까지 하나의 연속선상에 있다. 이 진행은 그림 15-12에서 보여 주고 있다. 보다시피 허혈시 전형적으로 처음 일어나는 일은 ST분절의 상승이며, T파의 역위되거나 뒤집어짐도 같이 시작한다. 이런 초기 ST-분절 상승은 이후 보겠지만, 많은 경우들에서 매우 인상적이다. ST분절은 특징적으로 밑으로 오목, 편평, 혹은 비석 모양을 이 시기에 가진다. 이 시기에 T파는 짧은 기간동안 사라질 수 있다. 경색이 진행하면서, q 혹은 Q파들이 만들어진다.

일단 급성경색이 끝나면, 오래된 심근경색의 만성적인 형태가 나타나기 시작한다. 가장 먼저 사라지는 것은 ST분절의 하강으로 기저선으로 돌아온다. T파는 다시 위로 되돌아 간다. Q파는 경색의 흉터 때문에 영구적으로 남게 된다. 경색이 이 정도 수준까지 해소되는 데는 몇 주일 정도 소요될 수 있다.

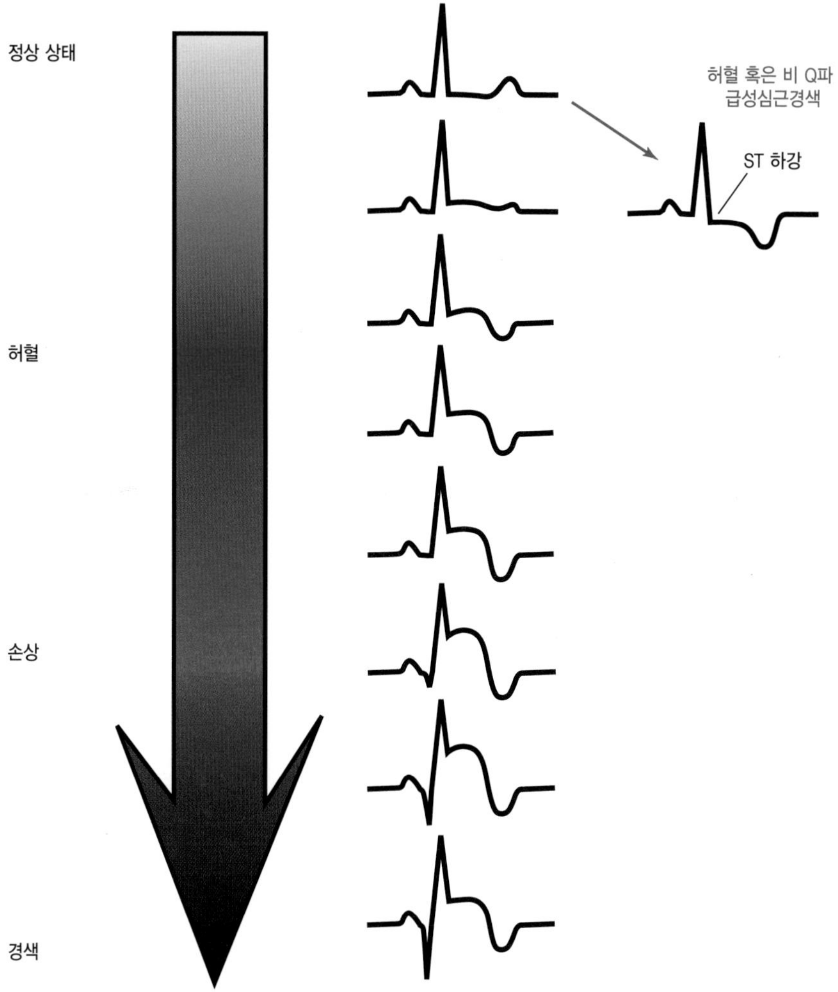

그림 15-12. 경색에서 심전도의 진행

1 단원 복습

1. 수요가 증가하던가 혹은 공급이 감소할 경우 허혈이나 괴사가 발생할 수 있다. 참 또는 거짓.

2. 심근세포의 괴사는 가역적이다. 참 또는 거짓

3. 경색은 심내막과 접하는 면이 넓은 면인 쐐기 모양이다. 참 또는 거짓.

4. 측부순환은 경색의 가능성을 증가시킨다. 참 또는 거짓.

5. 허혈과 손상은 가역적이다. 참 또는 거짓.

1. 참 **2.** 거짓 **3.** 참 **4.** 거짓 **5.** 참

상호 변화들(Reciprocal changes)

*상호적 변화들(reciprocal change)*는 심전도 판독자를 정기적으로 괴롭히는 용어이다. 급성심근경색을 서로 반대쪽 두 전극에서 볼 때 일어나는 것을 *"거울상(mirror image)"*이라고 한다. 예를 들어 그림 15-13에서와 같이 A, B 두 전극을 보라. 두 전극은 같은 사건을 정확하게 같은 시간에 보고 있다. 그러나 서로 매우 다른 모양을 기록하게 된다. 왜 그런지 알겠는가?

유도 A에서 보는 것으로 시작해보자. 유도가 전기적으로 완전히 중성인 경색된 조직을 통하여 보기 때문에 A 유도는 오직 방해받지 않는 경색 부위에서 멀어지는 벡터만 기록한다. 이것이 전극으로부터 멀어지므로 Q파를 만들게 된다. 다음 다른 QRS군을 구성하는 벡터를 기록한다. 그리고 좀 더 전기적으로 양성(positive)인 손상 영역은 ST분절의 상승을 초래한다. T파는 역위되어 있는데, 이것은 허혈과 손상부위의 재분극의 장애에 의한다.

이것과 다르게 전극 B는 기본적으로 방해받지 않고 자기쪽으로 오는 벡터를 보게 되며, 이것에 의해서 큰 R파를 만들게 된다. 그리고 손상과 허혈의 부위를 각각 ST분절의 하강과 T파의 상향으로 기록한다. 필수적으로 전극 A에서 보이는 것과 "거울상"을 보게 된다. *심근경색과* ***정반대의 심장벽에 위치하는 전극***의 *기록에는 그러한 심근경색의 상호변화가 기록 된다.*

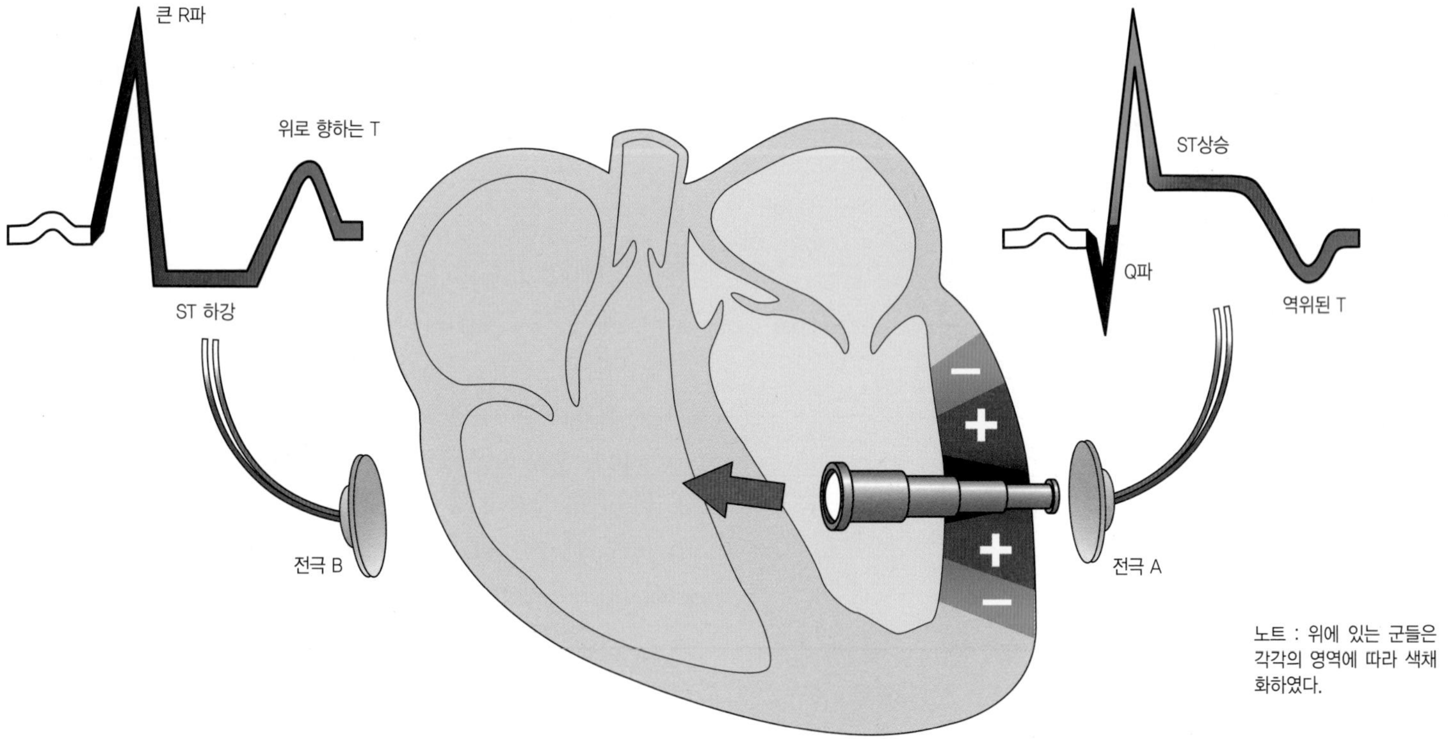

그림 15-13.

각개의 벽을 나타내는 심전도의 위치는 어디인가? 어느 전극이 정말로 상호 전극인가? 그림 15-14는 이것에 대한 그래픽 답을 준다.

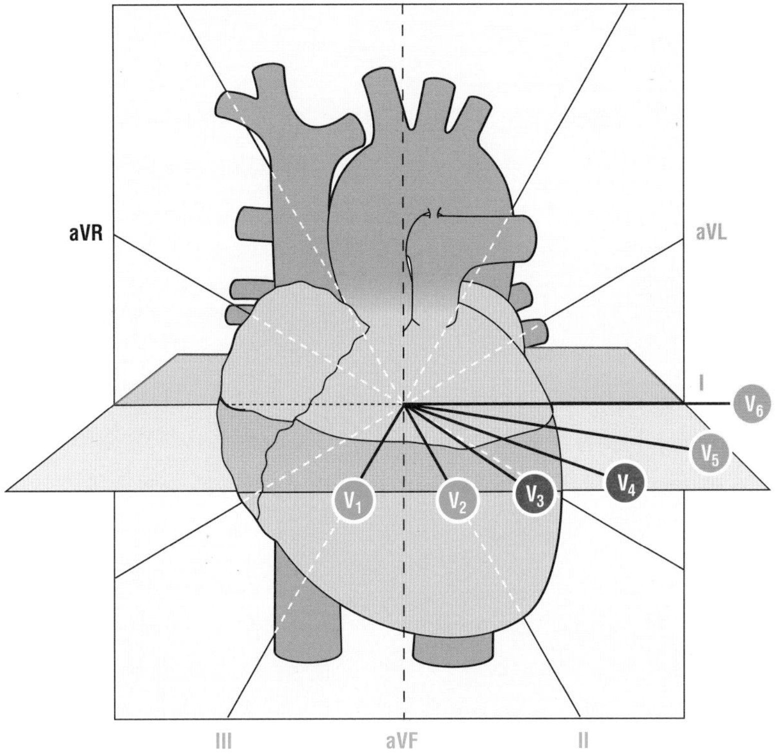

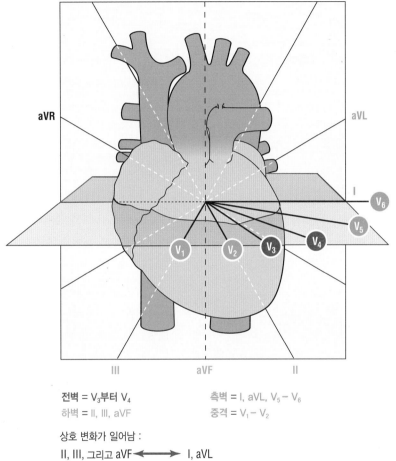

전벽 = V_3부터 V_4 | 측벽 = I, aVL, $V_5 - V_6$

하벽 = II, III, aVF | 중격 = $V_1 - V_2$

상호 변화가 일어남 :

II, III, 그리고 aVF ⟷ I, aVL

V_1, V_2 ⟷ V_7, V_8, V_9

후벽 = 상호 변화들이 V_1에서 V_2에 발견된다.

노트 : V_7에서 V_9 까지는 이 장의 마지막에서 논의할 후벽 유도들이다.

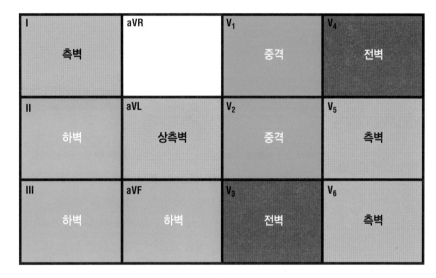

그림 15-14.

심전도에서 경색의 영역

그림 15-15에서 특정 색으로 표시된 지역은 심전도에서 볼 수 있는 경색 영역을 나타낸다. 이 영역들이 그림 15-14에서 Z축과 여섯 개의 축을 이용한 지역과 심전도상 같다. 진정한 변화가 있는지 확실히 하기 위해서 급성심근경색이나 허혈시 변화의 지역적인 분표를 살펴볼 필요가 있다.

I 측벽	aVR	V_1 중격	V_4 전벽
II 하벽	aVL 상측벽	V_2 중격	V_5 측벽
III 하벽	aVF 하벽	V_3 전벽	V_6 측벽

그림 15-15.

2

결합해서 나타나는 경색의 부위

우리는 이전 단락에서 심근경색이 일어날 수 있는 다양한 영역을 이야기했다. 우리는 경색이 침범한 한정된 영역들과 그것과 관련된 유도들을 언급했다. 그러나 실제 상황은 그렇게 간단하지 않다. 실제 경색은 하나 이상의 영역에 관계하는 동맥의 막힘으로 발생하고, 그러므로 심전도에도 그렇게 나타난다(관상동맥 구조에 관한 완벽한 논의를 위해서는 해부학 책을 참고하라).

경색 영역의 크기는 막힌 동맥의 크기와 위치에 의하고 그 동맥이 관류하는 영역의 크기에 의한다. 부검에서 급성심근경색을 보면, 실제적으로 경색된 조직의 양과 관여하는 동맥을 볼 수 있을 것이다. 불행하게도 심전도로는 그렇게 정확하지는 않다. 우리는 손상된 영역을 알아낼 수 있고 그 영역을 관류하는 동맥을 공부한 것에 기초하여 추측할 수 있다. 그러나 손상된 조직의 범위가 어느 정도인지 확실히 말하기는 어렵다.

이것은 심전도에 영향을 줄 수 있는 다른 형태 – 변화를 초래하는 이상소견 때문이다. 심전도는 심장의 벡터가 표현된 것이다. 좌심실비대, 우심실비대, 전도장애 등을 표현하는 벡터는 급성심근경색 시 심전도 모양을 변하게 할 수 있다. 덧붙여 동맥이 심근을 지나가는 방법에는 여러 가능한 변이가 있다. 그러므로 관류하는 영역은 개인마다 차이가 있을 수 있다. 이것 역시 심전도상 관련 영역을 변화시킨다. 우리는 당신에게 가장 확립된 심전도를 제공하는 것으로 시작할 것이다. 그러나 기저병리나 우세한 동맥계나 측부 순환 같은 것들로 인한 차이가 항상 있다는 것을 명심하라.

큰 동맥은 보통 하나 이상의 영역을 지배한다. 덧붙여 경색이 작을 지라도 손상구역이나 위험에 노출된 심근의 양은 많을 수 있다. 그러므로 *급성* 경색은 하나 이상의 영역이 관계하는 경향이 있다. 하후벽, 측부로 확장된 전중격, 후외벽 등, 하벽과 전벽을 동시에 침범하는 경색이 있는 것도 사실이다. 이러한 것들은 각각 우관상동맥 혹은 좌관상동맥 중 하나의 폐색이 일어나기 때문이다. Q파로 대변되는 *오래된 혹은 나이를 알 수 없는* 심근경색은 종종 하벽이나 전벽 단독에서 발견된다. 어떤 급성심근경색은 오로지 한쪽 벽만 침범하는 경우도 있다. 이러한 것들에는 상–측벽(high–lateral)이나, 순수 후벽이나, 독립된 우심경색이 있다. 이 장의 뒤에 각각의 해당 부분에서 예를 보여 줄 것이다. 여기서는 일차적으로 급성경색에만 집중할 것이다. 고급 독자로 다른 장의 심전도를 보게 될 때 오래된 경색의 많은 예를 보게 될 것이다.

그것을 상기하면서 주요 동맥과 그것이 관류하는 영역을 보라.

(RCA = 우관상동맥, LAD = 좌전하행동맥, LCx = 좌회선지)

하벽	우관상동맥, 좌회선지
하–우심실	우관상동맥 근위부
하후벽	우관상동맥, 좌회선지
우심실 단독	좌회선지
후벽 단독	우관상동맥, 좌회선지
전벽	좌전하행지
전중격	좌전하행지
전중격–측벽	좌전하행지 근위부
전측벽, 하측벽, 후측벽	좌회선지.

전벽(anterioir) 급성심근경색

전벽경색 단독은 드물게 나타난다. 사실 단독 전벽경색의 증례 하나를 제공할 수 없었다. 보통 중격이나 측벽 혹은 둘 다와 동반된다. 전벽을 나타내는 유도는 그림 15-16 그리고 17에서 보는 바와 같이 V_3 그리고 V_4이다. 전벽과 중격이 동시에 침범되면(전중격 급성심근경색), 경색변화는 유도 V_1에서 V_4까지 나타난다.

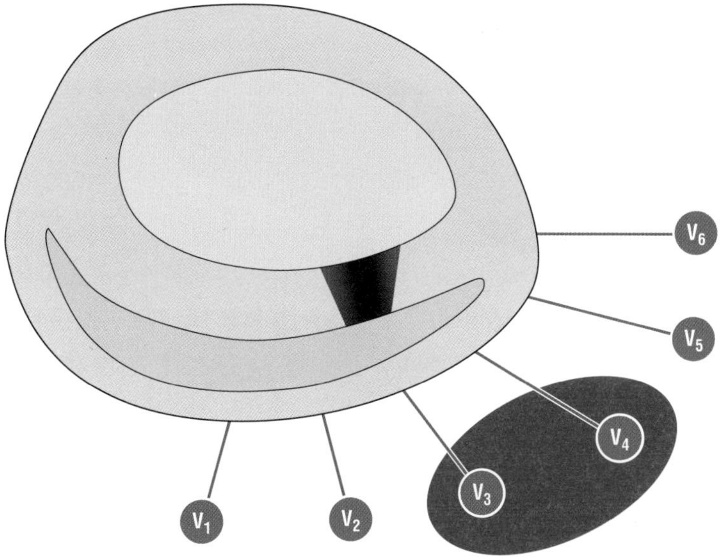

그림 15-16. 전벽 급성심근경색 = V_3~V_4

경색이 전벽과 측벽에 있을 경우(전측벽 급성심근경색), 유도의 변화는 V_3~V_6에서 나타나고 유도 I과 aVL에서도 있을 수 있다. 전벽과 중격 그리고 측벽이 전부 침범된 경우 이 경색은 측벽 연장이 있는 전중격 급성심근경색이다. 이것은 V_2에서 V_5, 그리고 보통 V_1~V_6, I 그리고 aVL에 나타난다.

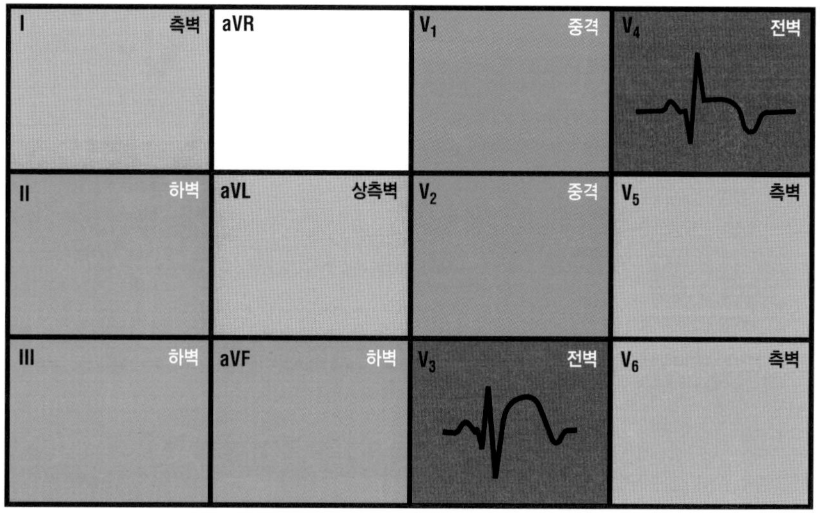

그림 15-17.

조언

대부분의 경색은 하나의 단독 영역보다 많은 곳에서 일어난다. 경색이 발견되면 관계 영역이 있는지 찾아보라.

2

전중격(Anteroseptal) 경색

그림 15-18과 19에서와 같은 전중격 경색은 흔한 형태이며, 다른 전벽경색과 마찬가지로 종종 혈역동학적인 손상과 심인성 쇼크와 관련이 있다. 이러한 형태의 경색은 다른 단면인, 사지 유도에 상호변화가 없다는 것을 이해하는 것이 중요하다. 만일 사지 유도에서 변화를 본다면, 이것은 상측벽 경색과 같은 곳의 부가적인 경색이 있기 때문이다.

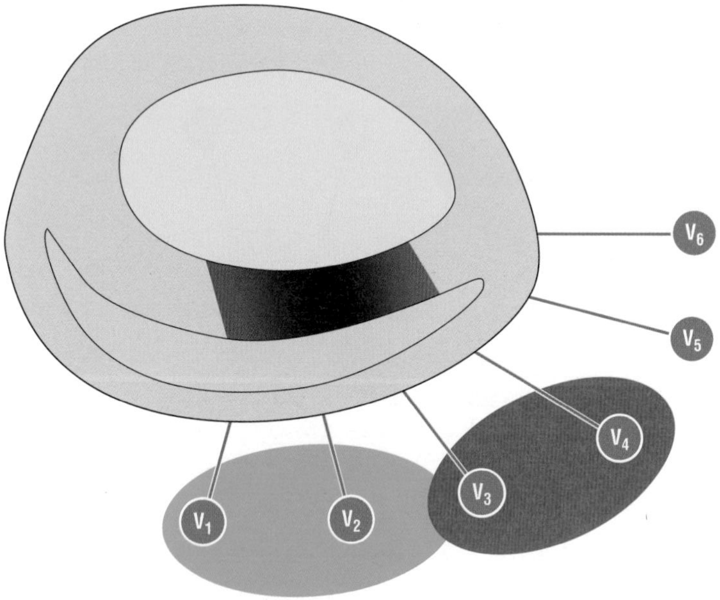

그림 15-18. 전벽 급성심근경색 = V_3~V_4; 중격벽 급성심근경색 = V_1~V_2

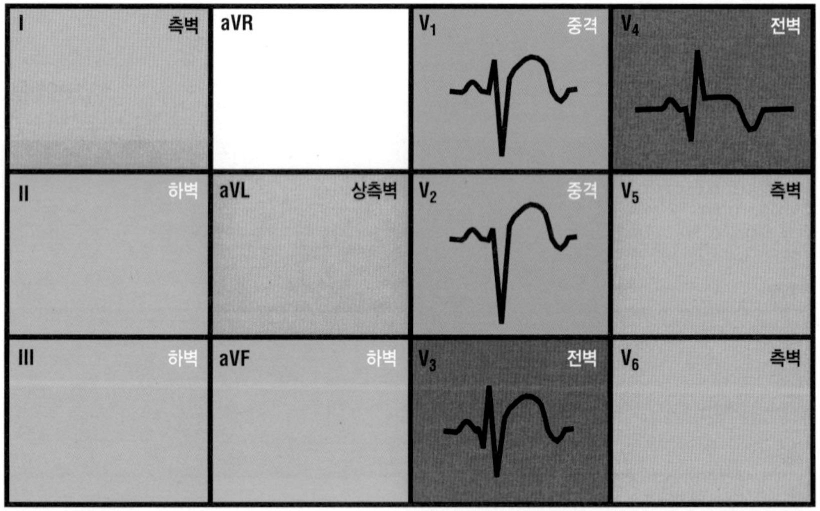

그림 15-19.

임상의 진주

만일 II, III, 그리고 aVF에서 상호변화인 ST분절 하강을 본다면, 경색은 측벽과 상측벽까지 포함하는 침범하는 경색일 것이다.

2

심전도 15-1 이 심전도는 전중격급성심근경색의 전형적인 모양이다. 이런 경색 형태의 특징적인 소견인 큰 ST 상승과 편평한 ST분절이 V_1~V_4까지 있는 것을 확인할 수 있다.

aVL에 ST분절의 상승이 약간 있어 상측벽 경색의 가능성이 조금 있다. 이런 ST분절의 상승은 Ⅱ, Ⅲ, 그리고 aVF에서 상호 ST분절 하강을 초래한다. 보통 상호변화가 심전도의 처음 변화로 나타난다(이 환자가 이후에 측벽의 경색을 의미하는 Ⅰ, aVL의 ST분절의 상승을 선명하게 보여준다). 결국에는 유도 Ⅰ과 V_6에 약간의 ST분절 하강이 나타나며 이것은 이 영역의 허혈 때문일 것이다. 이 두 유도는 전중격 경색의 상호변화가 일어나는 곳이 아니다. 상호변화가 있는 유도는 문제의 유도에서 180° 떨어져 있다. 전중격 경색의 경우 상호 유도는 우후벽(right posterior)에 위치하며 이곳은 일반적으로 유도를 위치시키는 곳이 아니다.

상호 유도들 개념은 꼭 이해해둬야 할 중요한 것이다. 주의 깊게 숙지하라. 다시 이야기하지만 상호 유도는 반드시 의문을 가지는 유도와 *같은 단면*에 위치하며 180° 떨어져 있어야 한다. 사지 유도와 흉부 유도는 서로 90° 각을 두고 위치하므로 절대 상호적 관계가 될 수 없다. 허혈이나 이차성 허혈이 없는 영역은, 다른 혹은 관련이 없는 심전도 영역의 ST분절 하강의 원인이 된다.

심전도 15-2 이 심전도의 V_1~V_3의 ST분절의 상승은 전중격경색을 나타낸다. 유도 V_2~V_3에서 Q파가 만들어지기 시작하고 V_2~V_4에는 T파가 심하게 역위되어 있다. 이 경색은 환자가 응급실에 도착하기 몇 시간 전부터 지속되고 있었다.

이 환자에서 T파의 모양과 이 장의 다른 심전도를 주시하라. 전부는 아니지만 대부분의 침범 부위의 T파는 대칭적인 것을 알 수 있을 것이다. 대칭적인 T파는 앞 장들에서도 언급했다시피 매우 나쁜 것이다. 만일 그것을 보았다면 환자가 겪고 있는 임상경과에 어떤 병리가 있는지 생각하여야 한다. 그러나 어떤 T파는 원래 대칭적일 수 있다. 과거 심전도가 이것을 감별하는데 도움을 줄 것이다. 우리가 요구하는 것은 대칭적인 T파에 접근할 때는 항상 매우 의심하는 마음을 가져야 한다는 것이다.

이것은 ST분절에 대하여 복습할 좋은 시기이다. 경색 시 ST분절은 대개 편평한 형태이거나 위로 경사져 있거나, 위로 볼록하다. 이 개념이 확실하지 않다면 더 진행하기 전에 *ST분절과 T파들* 장으로 돌아가서 복습하라. 당신이 급성심근경색의 가능성이 있는 심전도를 진단할 때 이 점들을 분명히 해야 한다.

심전도 15-3 이 심전도는 전중격 급성심근경색을 보여준다. V_1~V_4까지 ST분절 상승과 Q파가 V_2~V_4까지 나타난다. 역위되어 있고 V_5~V_6의 대칭적인 T파들은 급성경색에 의한 허혈이 지속되고 있는 것이다. 부진한 R–R 진행(poor R–R progression)이 전흉부 유도들 전반에 있는 것은 경색과 관련되어 앞쪽으로 향하는 벡터의 힘이 약화되었기 때문이다.

하부 경색이 있는가? 아니다. 하부 유도에서 QRS군 시작지점에 매우 작은 R이 있는 것을 보아라. 그러므로 QRS군의 하향 모양은 나이를 알 수 없는 하부 경색으로 인한 것이라기 보다는 좌전섬유속차단에 의한 것이다. V_1에서 불완전 우각차단과 일치하는 변화가 있다. 이외에 좌심방확대와 하벽과 측벽의 편평화를 동반한 비특이적인 ST 변화가 있다.

조언

대칭적인 T파들은 나쁘다!

심전도 증례 연구 계속

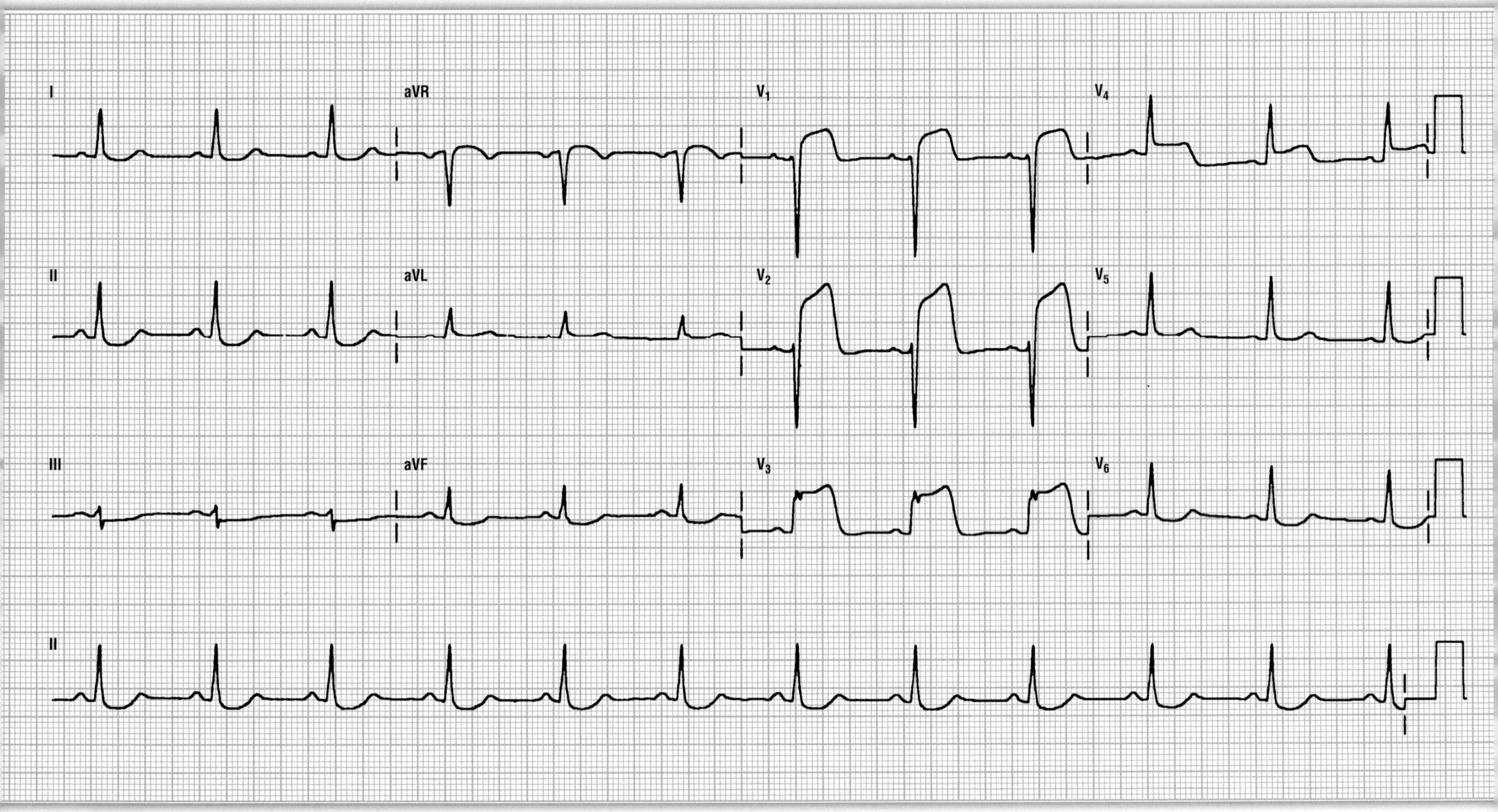

ECG 15-1

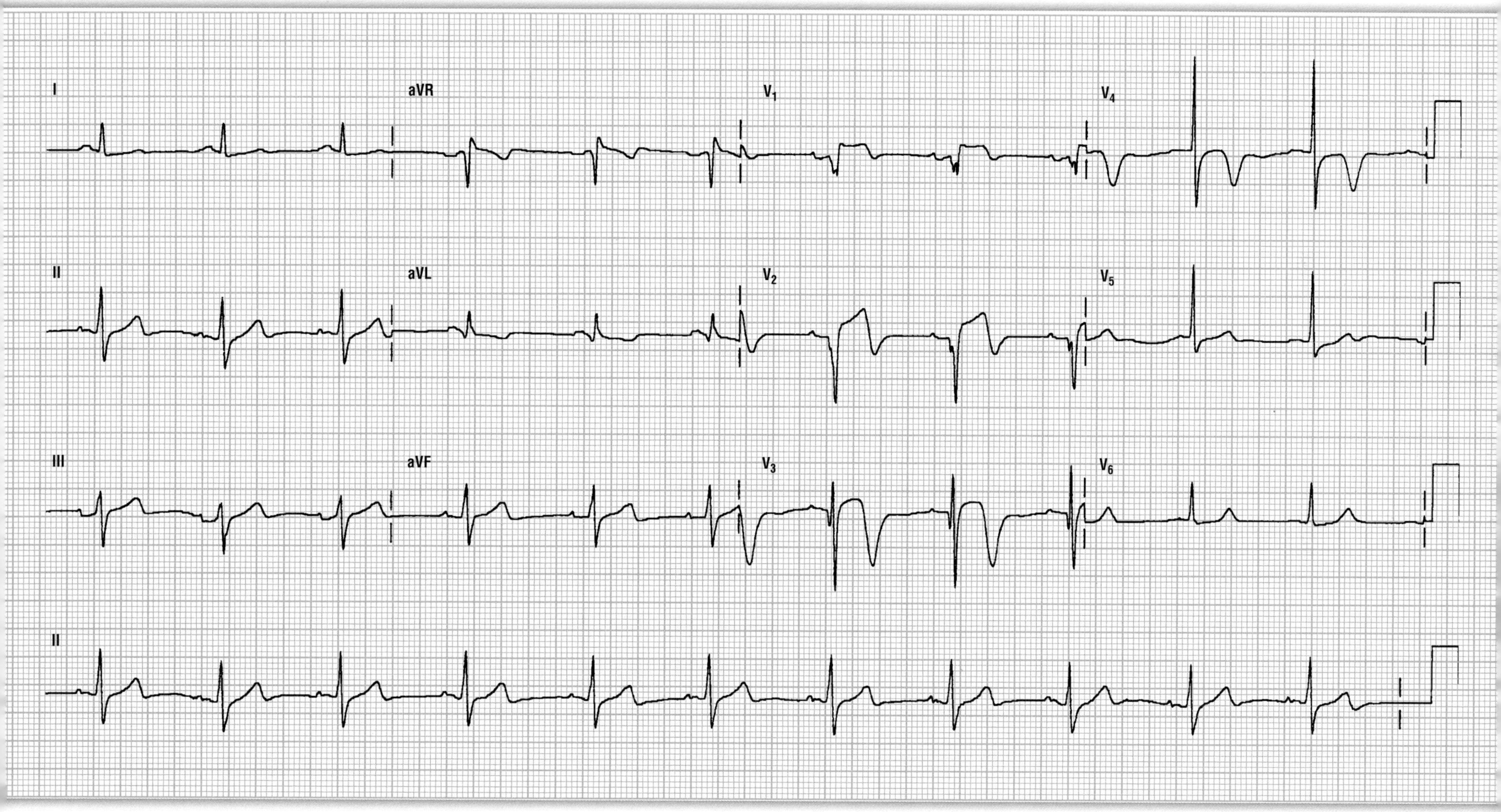

ECG 15-2

심전도 증례 연구 계속

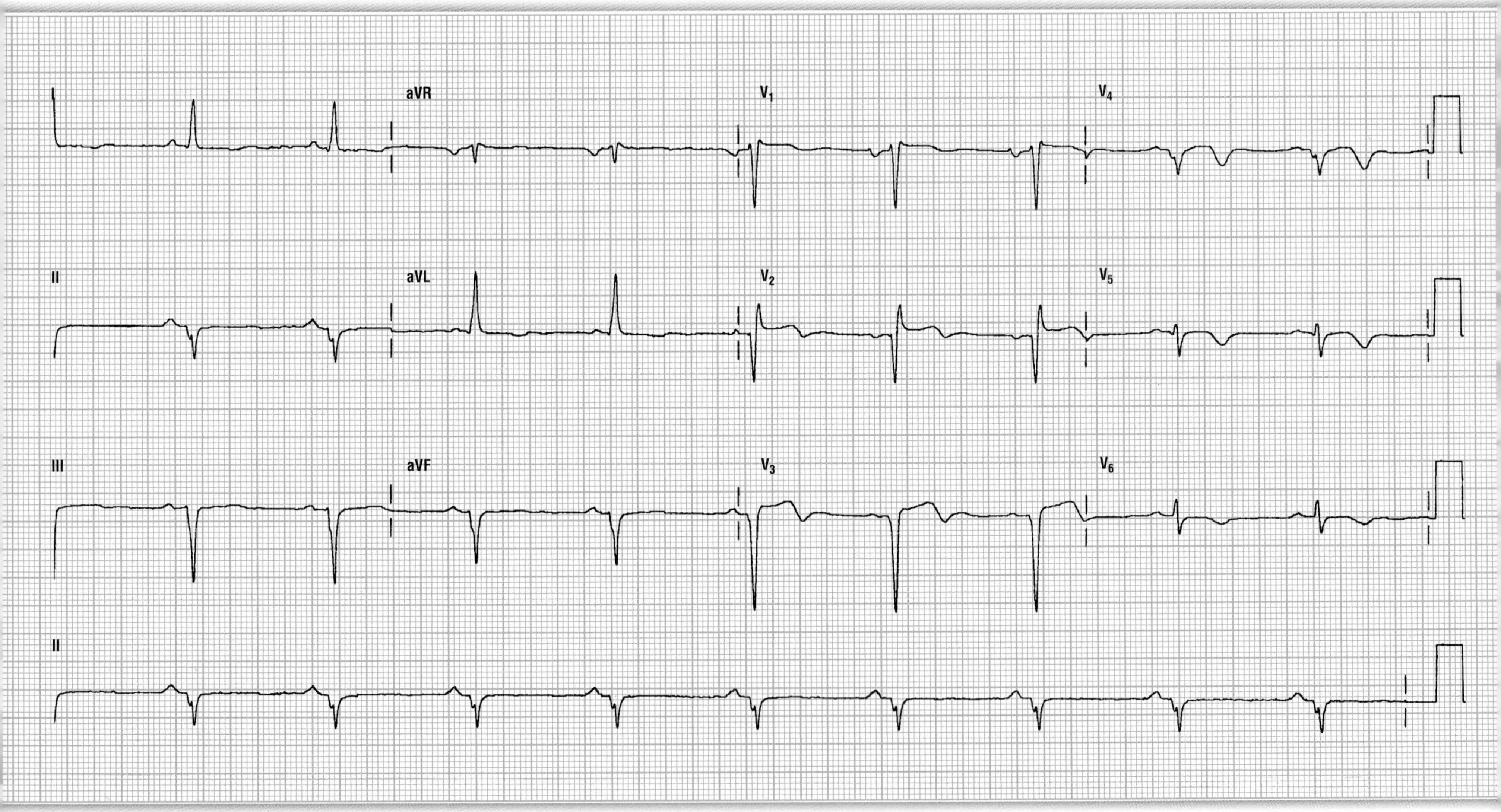

ECG 15-3

측벽 확장을 동반한 전중격 급성심근경색

측벽 확장 전중격 경색은 $V_5 \sim V_6$, Ⅰ, 그리고 aVL까지 경색이 확장될 때 발생한다. 이것은 급성심근경색에서 자주 일어나는 형태이고, 경색이 심근의 많은 부분을 손상시킨 것이다. 상호변화는 Ⅱ, Ⅲ, 그리고 aVF에서 흔히 볼 수 있다.

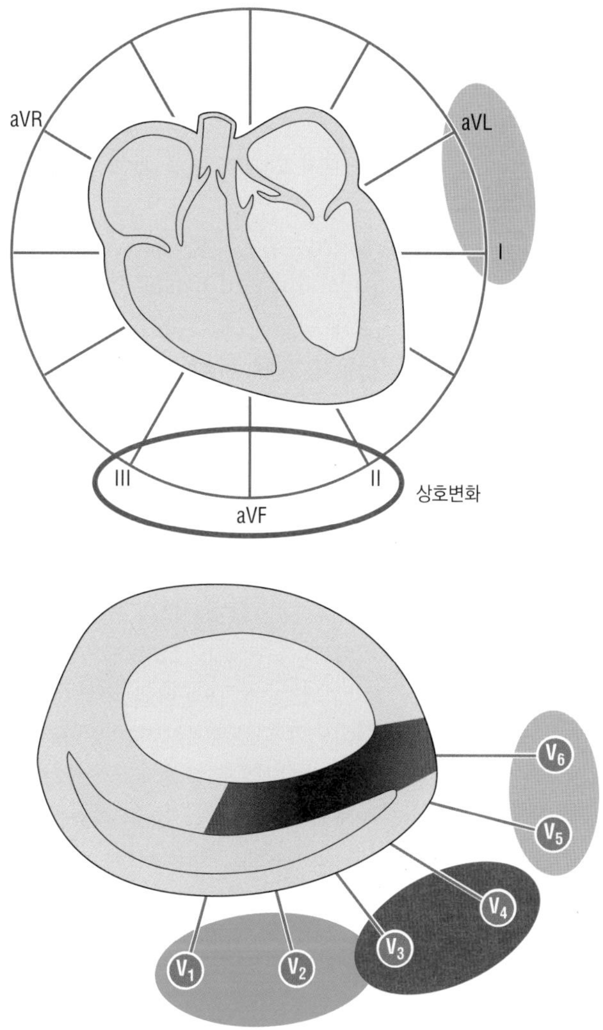

그림 15-20. 전벽 급성심근경색 = $V_3 \sim V_4$, 중격벽 급성심근경색 = $V_1 \sim V_2$
측벽 급성심근경색 = $V_5 \sim V_6$ (I, aVL)

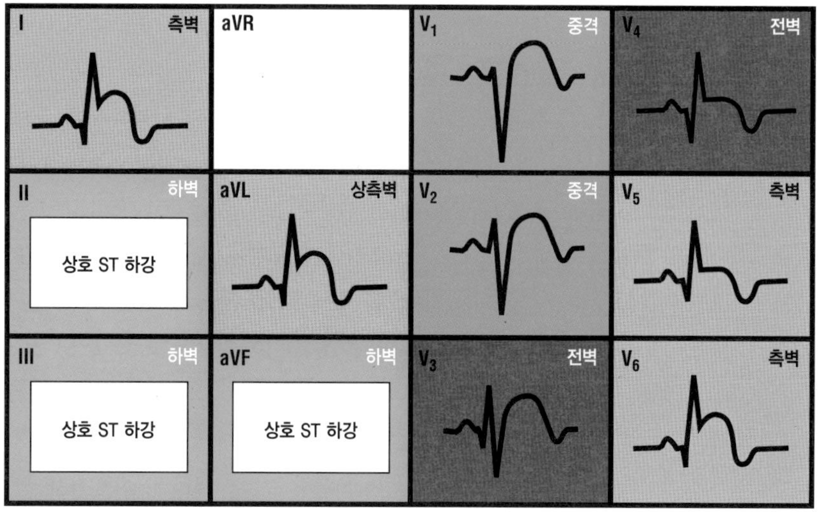

그림 15-21.

심전도 증례 연구 측벽 확장을 동반한 전중격 급성심근경색

2

심전도 15-4 이 심전도를 급성심근경색 이외의 다른 것과 혼동하는 것도 어렵지만 심히 기이한 급성심근경색이다. 전중격 급성심근경색의 측벽 확장은 불행히도 흔한 형태이다. 대부분 측벽 급성심근경색은 V_2의 약간의 ST변화를 동반하여 진정한 전중격 급성심근경색의 측벽 확장이 된다. 어떤 저자는 이러한 심전도를 "광범위한 전벽(extensive anteriors)"으로 이야기하기도 하나 우리는 간단히 전중격 급성심근경색의 측벽 확장으로 부른다.

이 심전도는 V_2~V_6까지 ST 상승이 있고 유도 Ⅰ, aVL 확장되어 있다. Ⅲ 그리고 aVF에는 상호변화가 있다. 덧붙여서 V_3~V_6 그리고 Ⅰ, aVL에 Q파가 만들어지기 시작한다.

ST분절과 T파의 크기를 보라. 매우 상승되어 있어 급성심근경색의 초기에 발생하는 *초급성기(hyperacute change)변화*와 일치한다. 이런 변화는 급성 심근경색 발생 첫 15~30분에 걸쳐 일어난다. 이러한 변화는 흔히 볼 수 없다. 왜냐하면 환자는 대부분 흉통이 발생한 뒤 2~3시간이 될 때까지 내원을 하지 못하기 때문 – 초급성기를 지나버려서 놓치게 된다. 초급성기의 환자들은 대부분 회생시킬 수 있는 심근을 가지고 있기 때문에 초기 재관류시킬 경우 가장 이득을 많이 얻게 된다. 기절 심근(stunned myocardium)도 허혈 기간이 비교적 짧기 때문에 빨리 회복된다. 이런 심전도를 보면 매우 적극적으로 치료해야 한다.

심전도 15-5 이 심전도 역시 측벽으로 연장된 전중격 급성심근경색의 전형적인 모습을 보여준다. ST분절의 상승이 V_1~V_5, 그리고 Ⅰ, aVL에 있다. V_2의 변화는 심전도 15-4에서 보았듯이 초급성기 변화를 나타낸다. 그러나 V_2에서만 초급성의 ST분절의 상승이 보이기 때문에 이러한 양상은 좀 더 안정적인 급성심근경색 형태인 묘비석(tombstoning) 모양 형태로 변하게 된다. 상호변화는 예상하듯이 Ⅱ, Ⅲ, 그리고 aVF에 있다.

노트

전중격 급성심근경색의 측벽으로의 확장은 좌주간지(Left main) 동맥의 근위부 혹은 좌전하행지(LAD) 동맥의 근위부의 폐쇄에 의해서 발생한다.

심전도 15-6 이것은 측부로 연장된 전중격 급성심근경색의 다른 예이다. 급성심근경색의 전형적인 변화는 V_1~V_6 그리고 유도 Ⅰ, aVL에서 나타난다. QS파가 V_2, V_3에 있다. V_4~V_6, Ⅰ, 그리고 aVL에 Q파가 있고 Ⅱ, Ⅲ, aVF에 상호변화가 있다.

왜 V_1에서 QS파를 가지고 있다고 하지 않는가? 아니기 때문이다. S파 앞에 작은 r파(우리는 이것을 ditzel(작은 것) of an r라 하겠다)가 있는 것을 확인하라. 이것으로 QS가 아니라 rS라 하기 충분하다.

노트

흉부 유도에서 부진한 RR 진행(poor R–R progression)은 종종 오래되고, 큰 전벽 급성심근경색에 의한 앞으로의 힘(벡터)의 감소를 반영하는 것이다.

심전도 15-7 우리는 당신이 *매우* 상승된 ST분절을 알아차리기를 바란다! 침범된 유도들은 측벽으로 연장된 전중격 급성심근경색을 가리킨다; V_1~V_5, Ⅰ, 그리고 aVL. 하벽 유도에 상호변화들이 있다.

그들이 이해할 수 없는 어려운 심전도에 맞닥뜨릴 때는 어떤 사람들은 해석을 포기하거나, 이상한 점을 무시해 버린다. 우리는 당신이 정확히 반대로 행동하기를 요구한다. 어려운 심전도를 만나면 충분히 시간을 들여 각각의 부분으로 나눠서 분석하고, 각각의 박동을 하나씩 확인하고, 당신이 사용할 수 있는 도구 – 자, 측경기 등의 도구를 사용하라.

이 심전도의 또 다른 포인트는 QT 연장과 좌심실비대이다.

조언

얼마나 인상적인가에 상관없이, 처음 심전도를 봤을 때, 보이는 것에 현혹되지 말라. 판독을 확정하기 전에 전체를 쪼개서 분해하라.

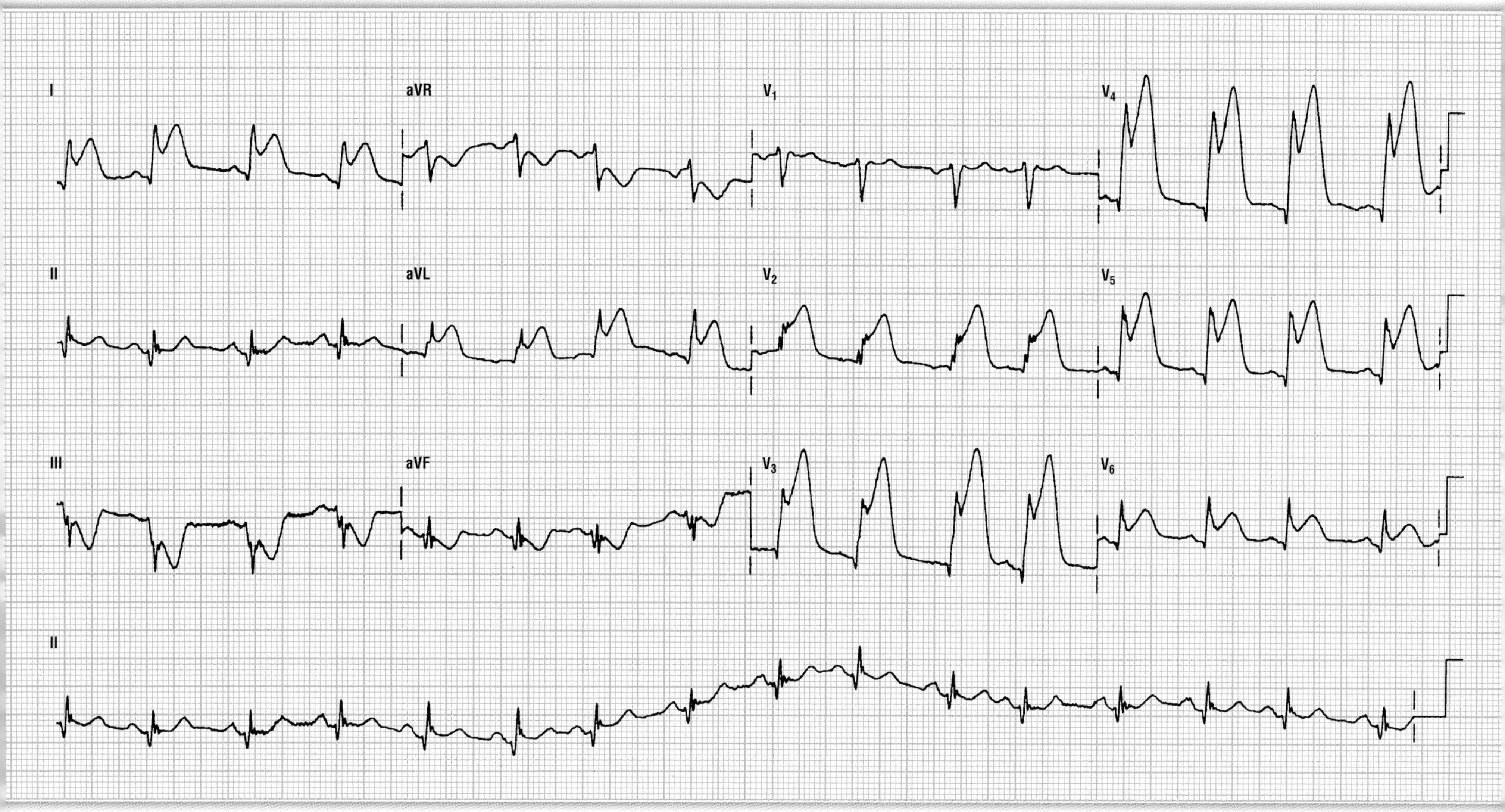

ECG 15-4

심전도 증례 연구 계속

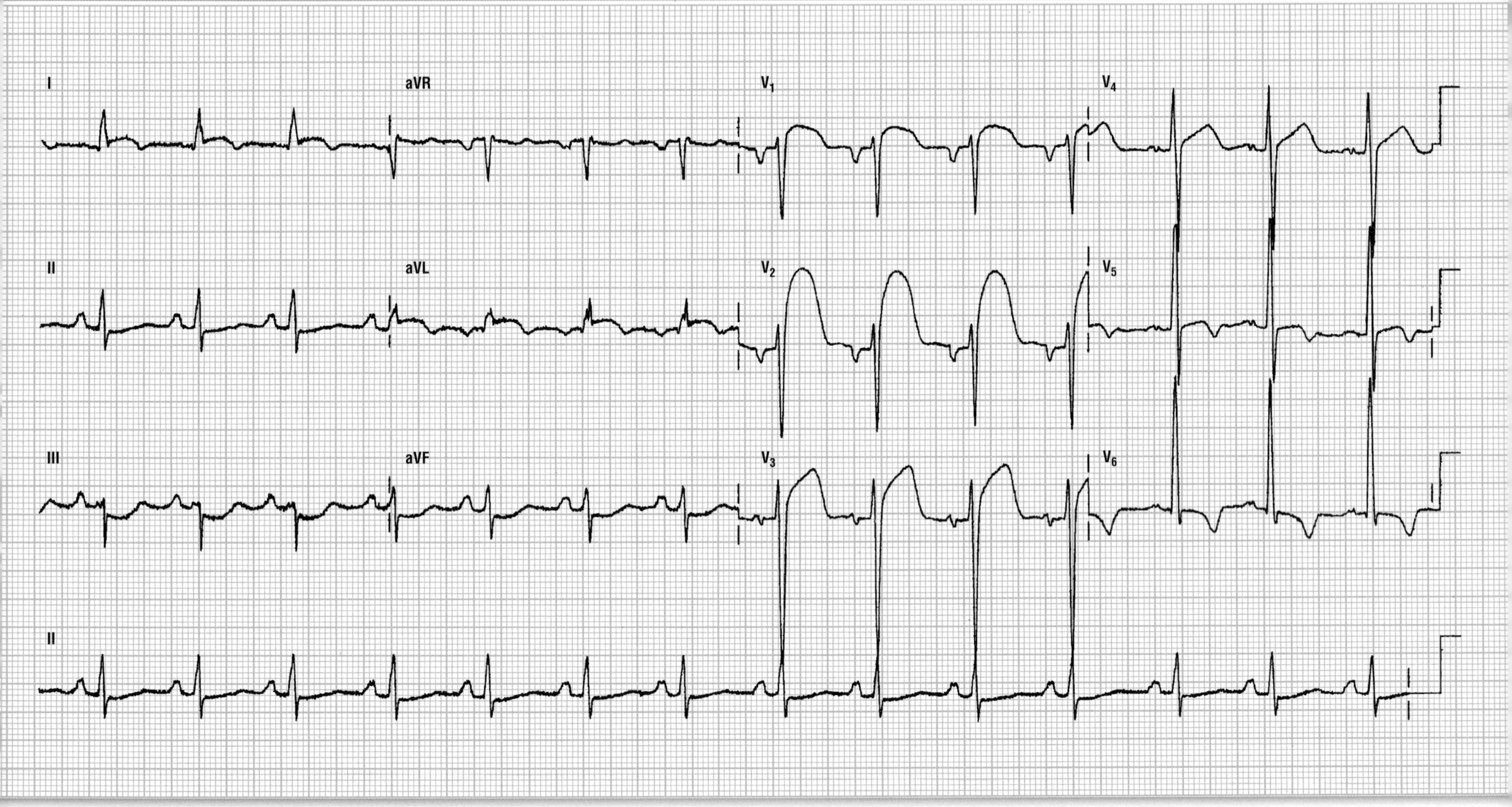

ECG 15-5

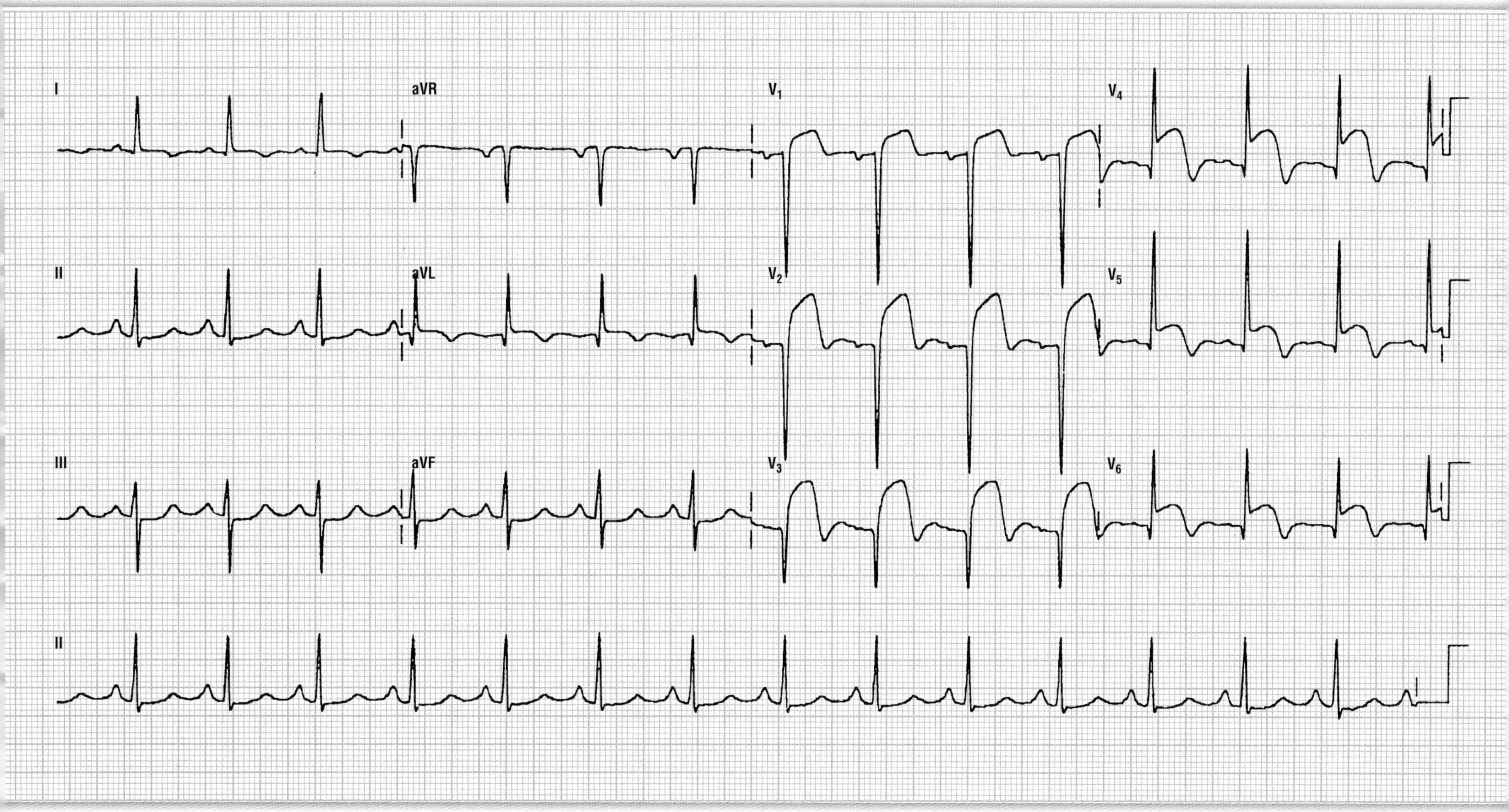

ECG 15-6

심전도 증례 연구 계속

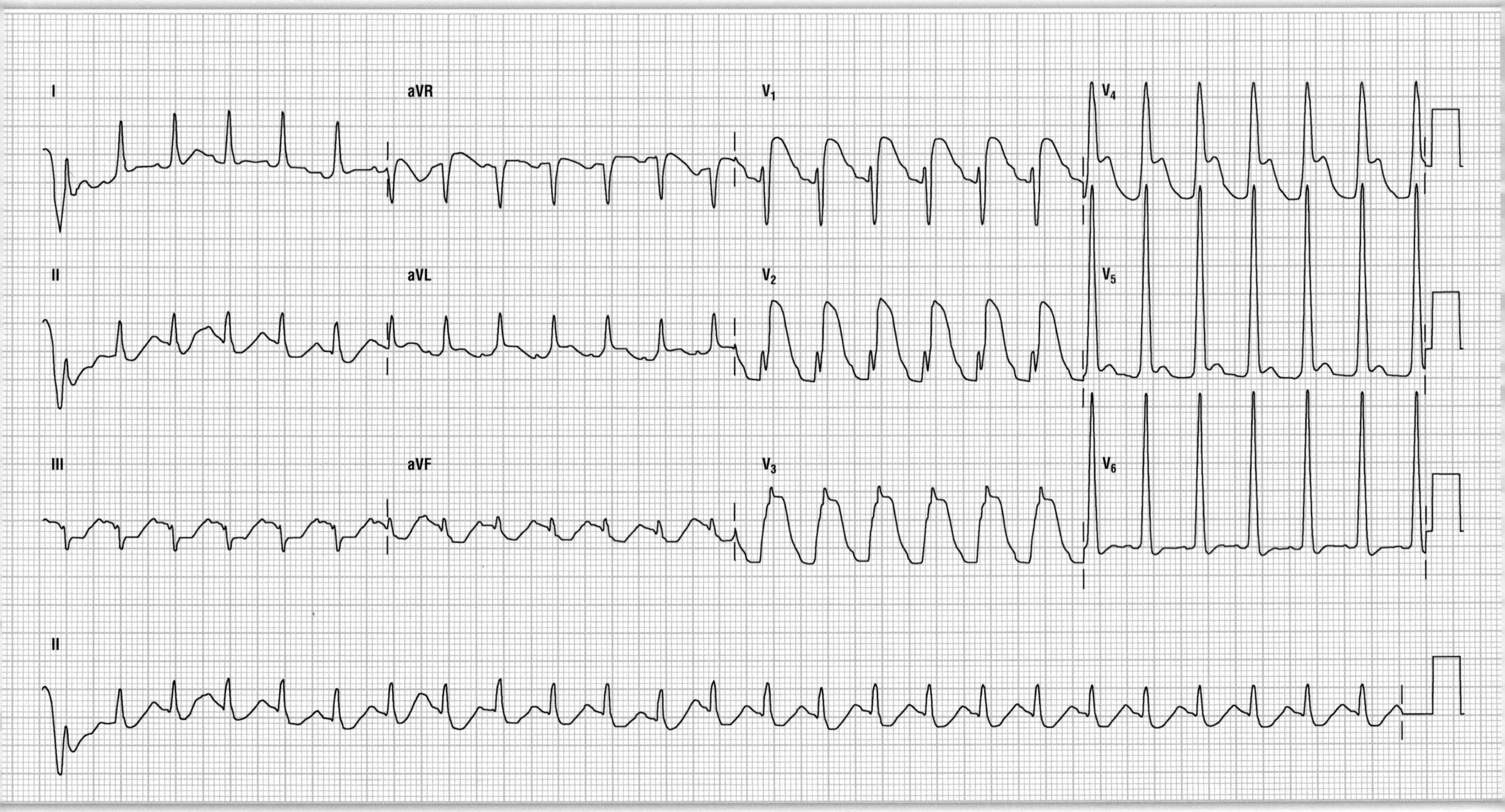

ECG 15-7

2

심전도 15-8 이 심전도의 ST분절의 상승은 전형적인 측벽으로의 확장을 하는 전중격벽 급성심근경색이다. 다른 비정상적인 것을 찾았는가? 심전도 15-7에서 우리는 당신의 해석을 극대화하기 위해서 심전도의 모든 부분을 검토하는 것이 중요하다고 언급하였다. 이 심전도를 볼 때 중요한 것은, 확실하게 보이는 심근경색 이외에 P파이다. Ⅱ, Ⅲ, 그리고 aVF에서 뒤집어진 P파는 정상이 아니다(좀 더 명확하게 하기 위해 리듬 스트립을 보아라). 일반적으로 방실결절(nodal) 혹은 방실결절하부(infranodal)에서 P파가 역으로 전도될 때 생기거나, 또는 하부 심방에서 이소성 조율박동기가 있을 때 생긴다. QRS파가 좁고 정상적 모양과 동일하므로 방실결절에서 기원한 것이다. 이것으로 접합부 율동이거나, 하부 심방의 조율박동기로 생각할 수 있다. 짧은 PR 간격과 급성심근경색이 같이 있는 것을 볼 때 접합부 율동이 올바른 진단이다.

조언

어떤 종류의 급성심근경색이든 율동과 전도 장애가 있는지 찾아보라.

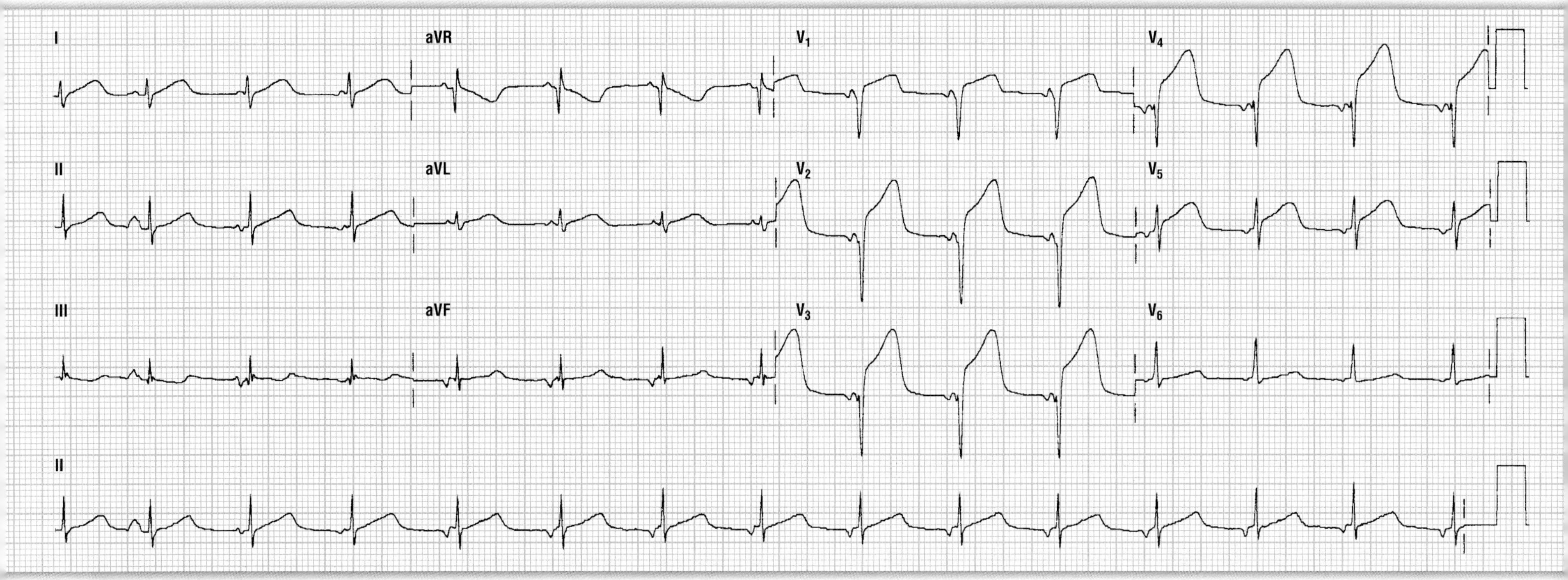

ECG 15-8

심전도 증례 연구 계속

2

심전도 15-9 이 심전도는 V_1~V_5까지 Q파가 있고 ST분절의 상승이 V_1~V_5, I, 그리고 aVL을 따라 있다. 하벽 유도에서 상호변화인 ST분절 하강도 있다. 이것은 측벽으로의 확장이 있는 전중격 급성심근경색이다.

PR 간격의 연장은 인상적이다. PR 간격이 늘어난 것을 볼 때는 항상 뚜렷한 두 개의 P파들 중간 지점에 심전도군에 묻혀있는 다른 P파가 있는지 주의하라. 만일 유도 Ⅲ에서 뚜렷한 P파들의 간격을 재면 대략 22mm 정도가 될 것이다. 그것의 절반은 11mm로 당신의 측경기를 11mm 되는 곳에 두어라. 그리고 다른 곳에서 p파가 묻혀있는지 찾아보라. 이 심전도에서는 없다.

임상의 진주

매우 긴 PR 간격을 보았을 때는 보이는 2개의 P파들 중앙에 다른 P파가 있는지 찾아보라.

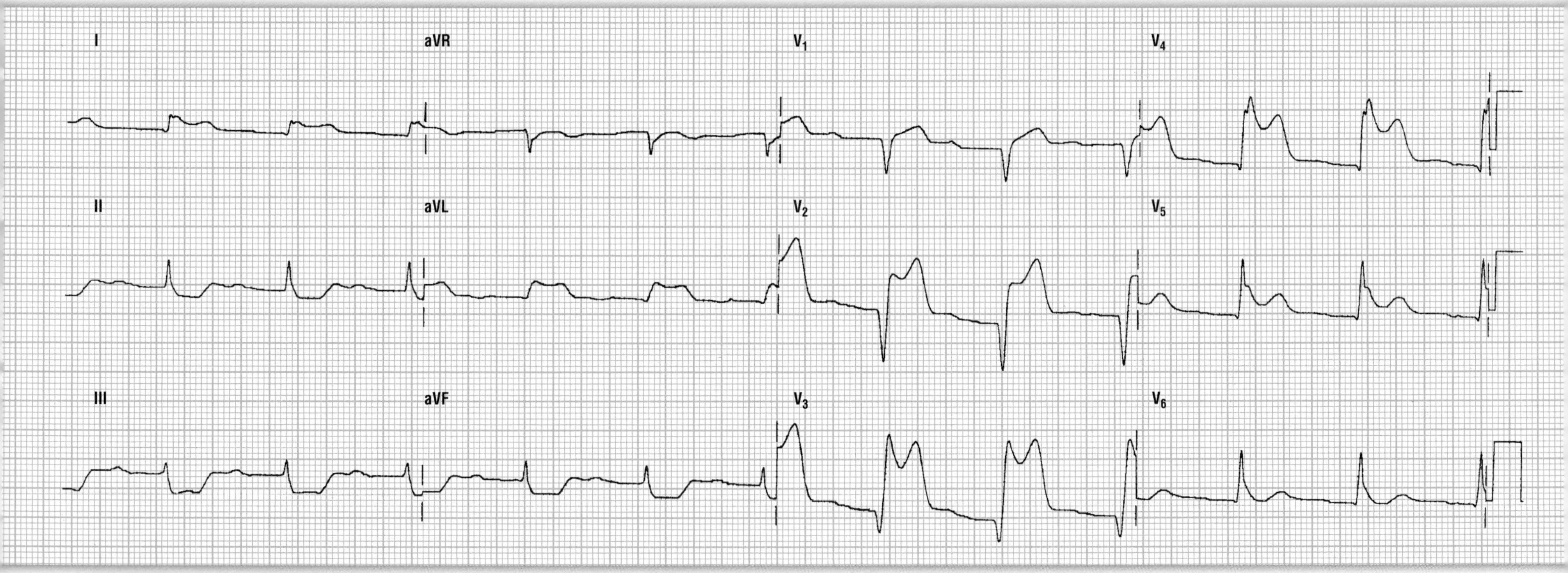

ECG 15-9

2

심전도 15-10 그렇다. 이것은 측벽으로의 확장이 동반된 전중격벽 급성심근경색의 다른 심전도이다. 이제 이러한 심전도에 익숙해졌기를 바란다. 우리는 같은 병리를 가지는 다른 모양의 심전도들을 당신에게 보여주고 있다. 단 하나의 병리 현상의 예제를 가지고 다른 모든 심전도들에 그 지식을 적용하다는 것은 매우 어려운 일이다. 상이한 양상의 5~10개 정도의 심전도 – 어떤 것은 빠르고, 어떤 것은 느리고, 어떤 것은 차단이 있고, 어떤 것은 없고, 등등–를 보고 나면 이것이 더 수월해지는 것을 느낄 것이다. *최대한 많은 심전도를 보도록 노력하라. 연습은 완벽을 만들어 준다.*

이 심전도를 387 페이지의 14–41A와 같은 긴장이 있는 좌심실비대 심전도와 비교해 보자. ST분절은 더 편평하고 T파는 더 대칭적이다. 동시에 존재하는 병리적 현상을 확실하게 말해주는 것은 유도 Ⅰ과 aVL에서 ST분절의 상승과 하벽 유도의 상호변화이다. 이것은 급성심근경색에서만 나타난다.

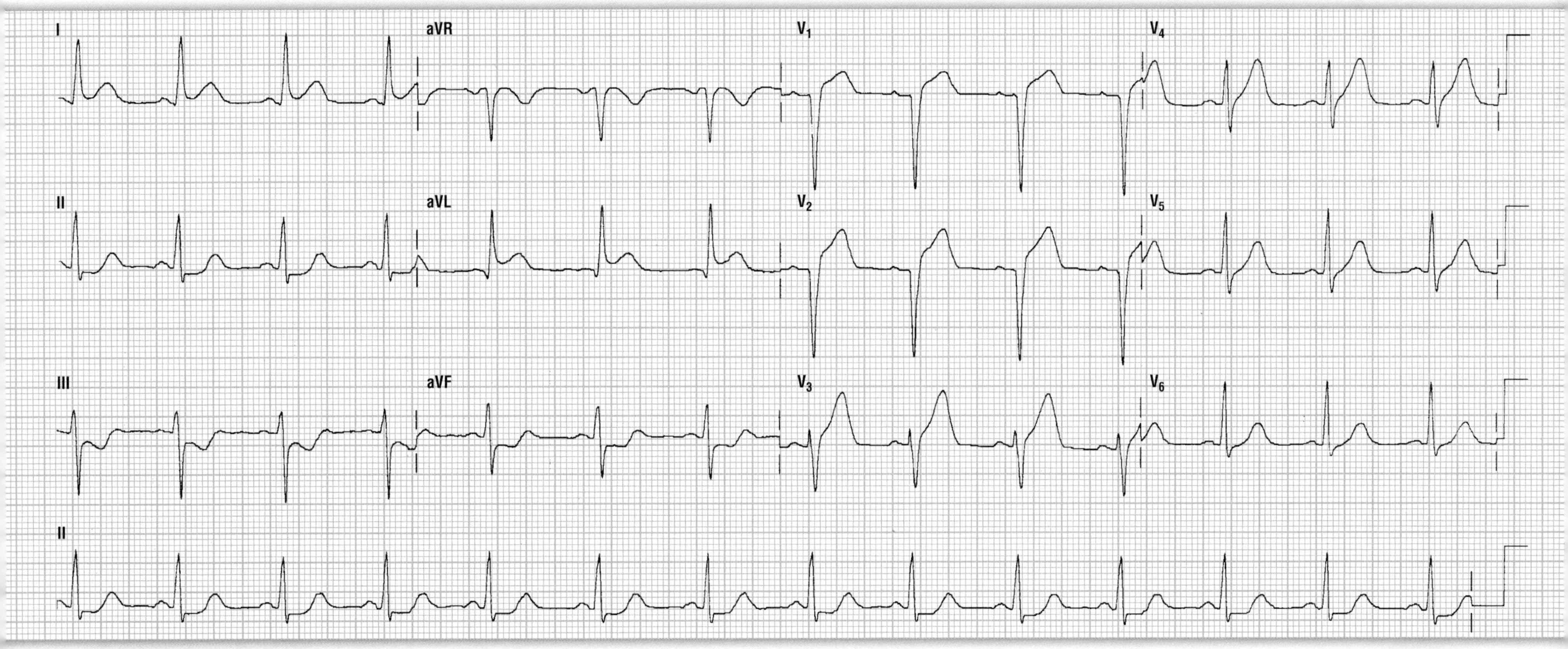

ECG 15-10

심전도 증례 연구 계속

2

심전도 15-11 이 심전도는 상당히 혈역학적으로 불안정한 명백히 고통을 받는 환자의 심전도이다. 측벽 확장으로의 확장이 있는 전중격벽 급성심근경색과 일치하는 변화가 있다. 하벽 유도에 상호변화가 있음을 한 번 더 언급한다.

모니터상 심전도군들이 형태가 변하거나 혹은 심근경색 환자의 경과 중 어느 시점에 증상 변화가 있을 때는 새로 심전도를 찍어 보아야 한다. 이것을 습관화시켜야 한다. 생각하지 말고 그냥 실행하라. 급성심근경색 환자는 많은 율동장애와 방실결절이나 각들을 침범하는 차단들이 발생할 수 있다. 이런 것들은 많은 경우에 경피적 혹은 정맥을 통한 박동기 삽입을 해야 할 수 있다. 여러 예상 가능한 상황에 대하여 항상 준비하라.

조언

새로운 차단이나 경색의 확장을 평가하기 위해서는 연속적인 심전도가 급성심근경색에서 중요하다.

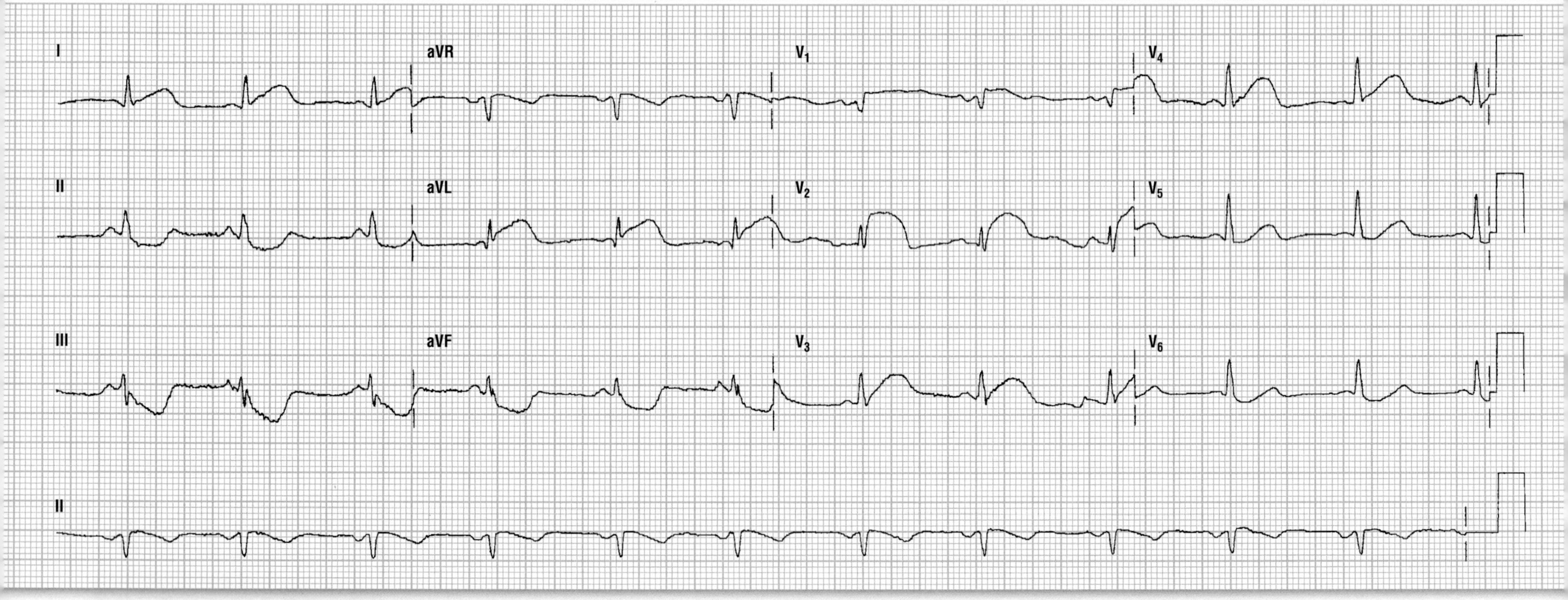

ECG 15-11

2

심전도 15-12 이것은 심전도 15-11을 찍었던 환자의 10분이 지나지 않은 시점에서의 심전도이다. 완전히 다른 심전도처럼 보인다. 왜 이처럼 달라 보이는가? 먼저 초보자를 위해서, QRS가 0.12초 보다 크다. 이 넓이일 때 무엇을 감별해야 하는 것이 무엇인가? 유도 I과 V_6에서 늘어진(slurred) S파가 있는가? V_6에서는 확실하나, 유도 I에서는 ST분절의 상승으로 보이지 않는다. V_1에서 역시 토끼 귀 모양이 보인다. 이러한 변화는 우각차단과 일치한다. 이제 축을 보자. 새로 생긴 좌전섬유속차단에 의해 축의 변화가 있다. 급성심근경색에 동반된 새로운 2섬유속차단은 심박동기 삽입의 지침이 된다. 빨리 생각하고 빨리 행동하라. 왜냐하면 가끔 생명을 위협하는 혈역학적인 불안정이 발생하기 전까지 수초 밖에 남아 있지 않을 수 있다.

조언

급성심근경색의 심박동기 시술의 적응증을 이해하여야 한다. 항상 준비해야 한다.

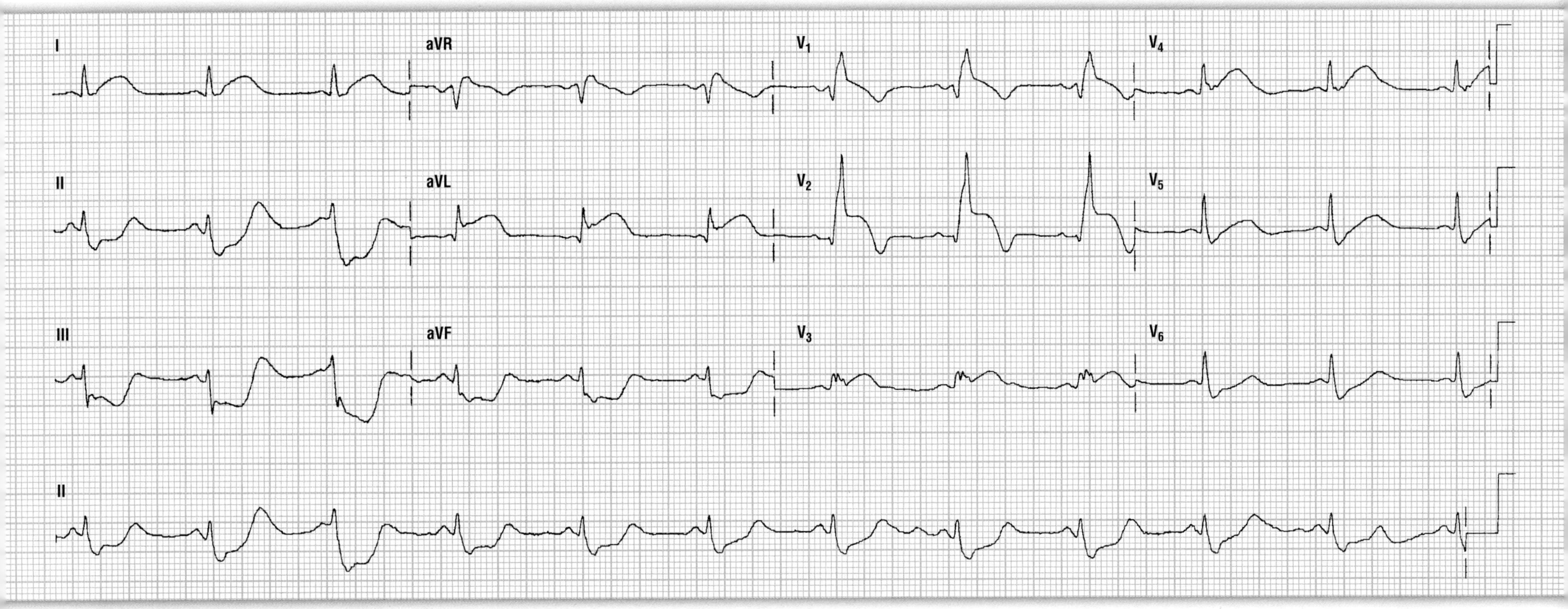

ECG 15-12

심전도 증례 연구 계속

2

심전도 15–13 여기에 다른 2 섬유속차단을 가진 측벽으로의 확장이 발생한 큰 전중격 급성심근경색의 다른 예가 있다. 우각차단과 좌전섬유속차단은 오래된 것이나 급성심근경색 형태는 새로 발생한 것이다. 과거 심전도에서 2 섬유속차단의 존재는 조금 안심하게 만드나 이 심전도는 심각하게 생각해야 한다. 심실로 전도시키는 섬유속은 단지 하나만 남아 있음을 기억하라. 그 섬유속에 무슨 일이 일어나면 환자는 심각한 문제가 생기게 된다. 만일의 경우를 위해 필요할 수 있기 때문에, 우리는 경피적 심박동기를 설치해 놓는 것을 추천한다. 응급상황에서 기계나 패드를 찾기 위해 허둥지둥하는 것보다 이미 붙어 있는 그 기계를 켜기만 하는 것이 훨씬 쉬울 것이다. 가장 최악의 상황에 대비하라. 환자의 생명을 두고 도박하지 말라.

임상의 진주

오래된 2섬유속차단은 안정적이다. 그러나 여전히 조심해야 한다. 급성심근경색과 동반되어 새로 나타난 2섬유속차단은 매우 위험하다.

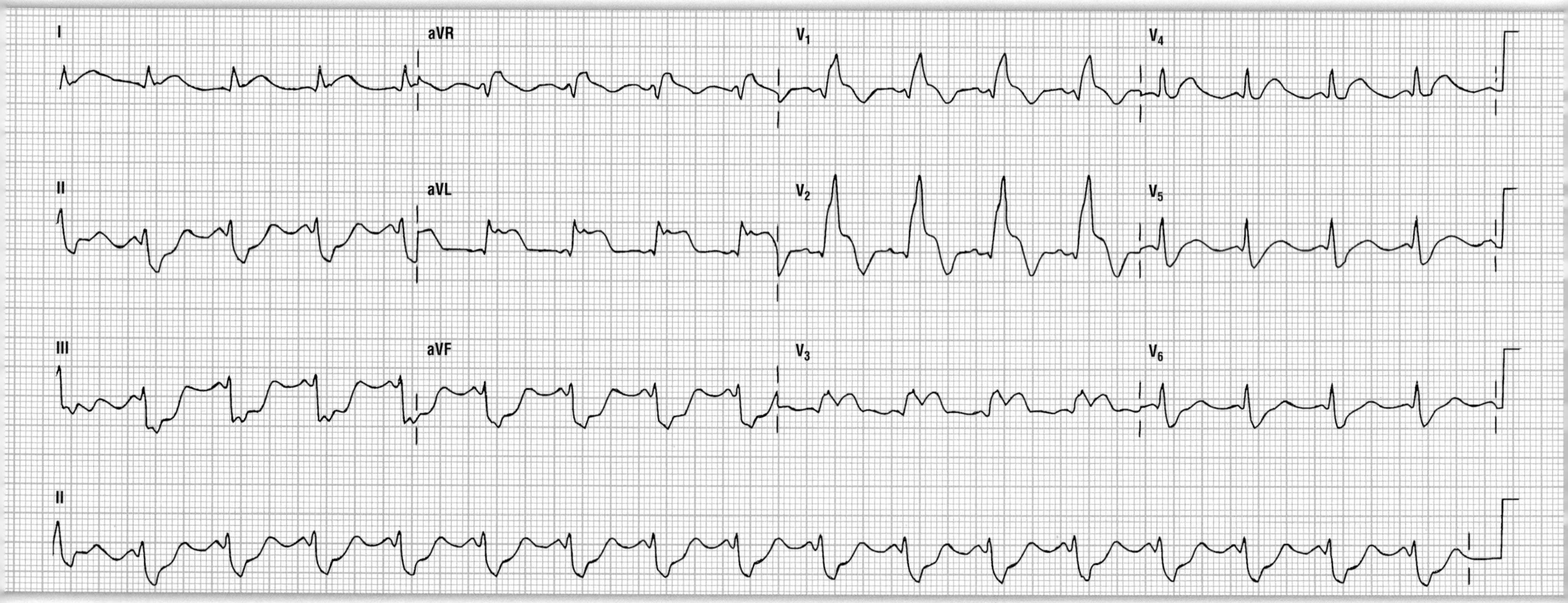

ECG 15-13

측벽 경색

측벽 급성심근경색은 유도 Ⅰ, aVL, V_5~V_6의 변화가 나타나거나, 다른 경색과 형태와 함께 나타나기도 한다. 가장 주목할 만한 것은 복합 형태는 하측벽, 전측벽, 혹은 측벽으로 확장된 전중격 급성심근경색이다. 또한 우심실 후벽 경색과 동반되어 일어날 수도 있다. 이 장의 끝에서 보게 될 것이다. 상측벽 경색은 하벽 유도에 상호변화가 있다는 것을 기억하라.

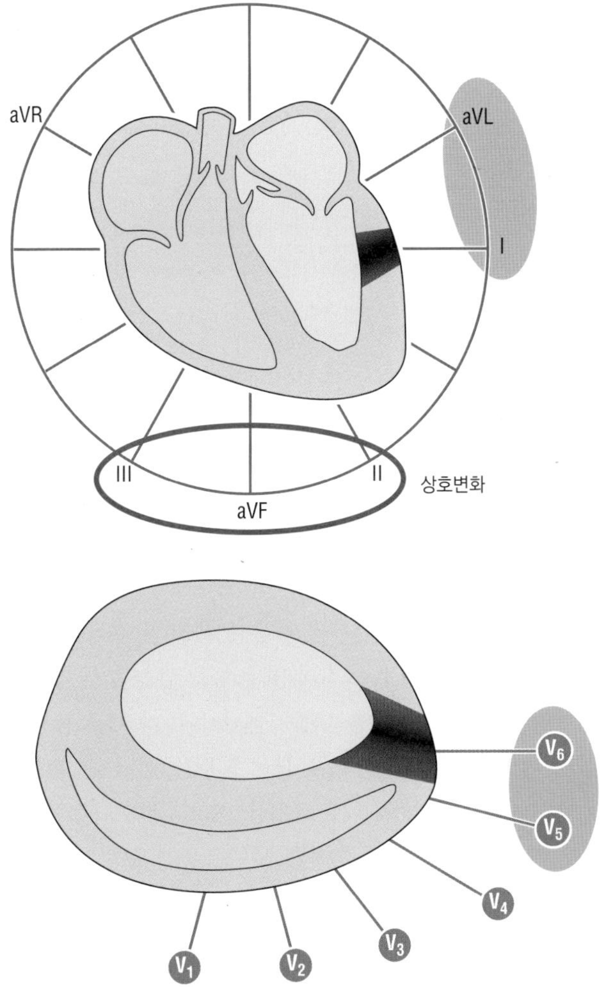

그림 15-22. 측벽 급성심근경색 = V5, V6 ; 상측벽 심근경색 = I, aVL

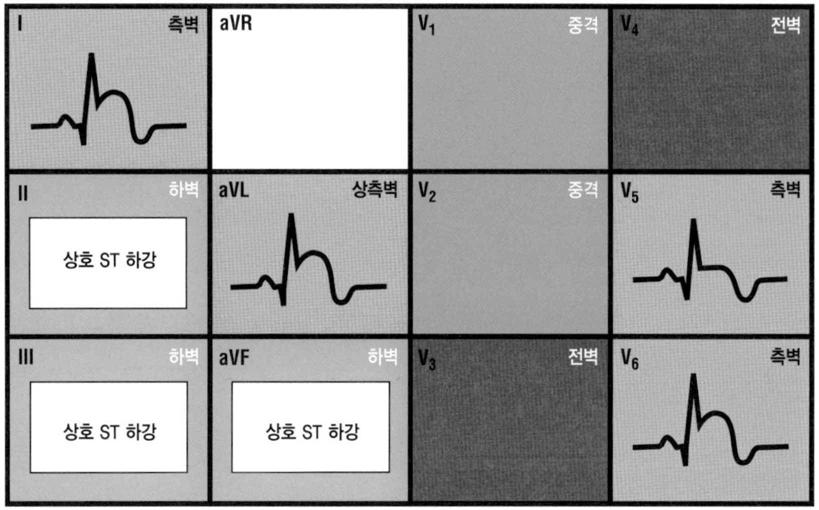

그림 15-23.

조언

측벽 경색들은 그것들만으로 발생하거나, 전벽, 전중격벽, 우심실, 후벽 급성심근경색과 동반되어 일어날 수 있다. 항상 심전도의 모든 영역의 유도를 확인하고, 부가적 유도를 이용하여 명확히 하라.

심전도 증례 연구 측벽 급성심근경색

2

심전도 15-14 환자는 상측벽 급성심근경색을 앓고 있다. 유도 I 과 aVL에서 편평한(flat) ST분절의 상승을 보라. 하벽 유도의 상호변화가 진단을 하게 한다.

긴장을 동반한 좌심실비대 형태에 의한 변화가 있으나, V_5~V_6에 대칭적인 T파를 볼 수 있다. 긴장이 있는 좌심실비대는 측벽 유도에서 비대칭적인 T파가 나타난다. 이 심전도에서 T들은 상측부 경색에 비추어 봐서 다른 것으로 증명될 때까지 허혈에 의한 이차적 변화로 본다. 또한 긴장을 동반한 좌심실비대는 유도 I과 aVL에서 ST분절의 하강과 비대칭적인 T파와 관련이 있을 수 있다는 것을 기억하라. 이 심전도에서 ST분절은 상승되어 있고, T파는 확실히 대칭적으로 급성심근경색과 일치한다.

조언

대칭적인 T파는 다른 것으로 증명될 때까지 병적인 것으로 생각해야 한다. 속지 말라.

2 빠른 복습

1. 측벽 급성심근경색은 단독으로 나타나거나 혹은 다른 영역과 연관되어 나타날 수 있다. 참 또는 거짓.

2. 측벽 급성심근경색은 유도 II, III, 그리고 aVF에서 상호변화를 보여준다. 참 또는 거짓.

3. 측벽 급성심근경색은 유도 V_1과 V_2에서 상호변화를 보인다. 참 또는 거짓.

4. 유도 I과 aVL에서의 Q파는 항상 측벽 경색에 의해서 일어난다. 참 또는 거짓

5. 유도 V_5 그리고 V_6에서 ST분절의 상승은 대개 양성이다. 참 또는 거짓.

6. 당신은 만일 언제든 어떤 *한* 영역의 경색의 증거를 발견한 경우 심전도의 *모든* 영역을 확인해야 한다. 참 또는 거짓.

7. 만일 후벽경색이 있을 경우 측부 유도들의 어떤 ST분절의 상승도 중요하지 않다고 무시할 수 있다. 참 또는 거짓.

8. 유도 V_4에서 변화는 고립된 측벽 경색들에 의해서 나타난다 참 또는 거짓.

9. 상호변화들을 보기 위해서는 ST분절의 상승이 항상 있어야 한다. 참 또는 거짓

10. 측벽경색은 경색들이 다음에 일어나는 것과 관련이 있을 수 있다.

A. 전벽
B. 후벽
C. 하벽
D. 우심실벽
E. 전중격 영역
F. 위 모두
G. 해당사항 없음

1. 참 **2.** 참 **3.** 거짓 **4.** 거짓, 중격 Qs파라고 하는 양성의 Q파일 수 있다. **5.** 거짓, 어떤 ST분절의 상승도 정상으로 보지 말라. 항상 임상적인 상황을 조사하라. **6.** 참!, 경색의 어떤 증거라도 찾았으면 항상 다른 유도들과 영역들을 매우, 매우 면밀히 관찰하여야 한다. 덧붙여 율동도 항상 주의 깊게 보아야 한다. **7.** 거짓 **8.** 거짓, 그것들은 전측벽 경색에서 전벽이 침범된 것의 증거이다. **9.** 거짓, 많은 경우 ST분절의 상승은 작거나 발달하고 있는 중일 수 있다. ST분절의 상호 하강은 많은 경우 심근경색의 첫 번째 징후로 나타날 수 있다. 자주 ST분절의 상승이 명확하게 보이는 것보다 ST분절 하강들이 먼저 나타날 수 있다. **10.** F.

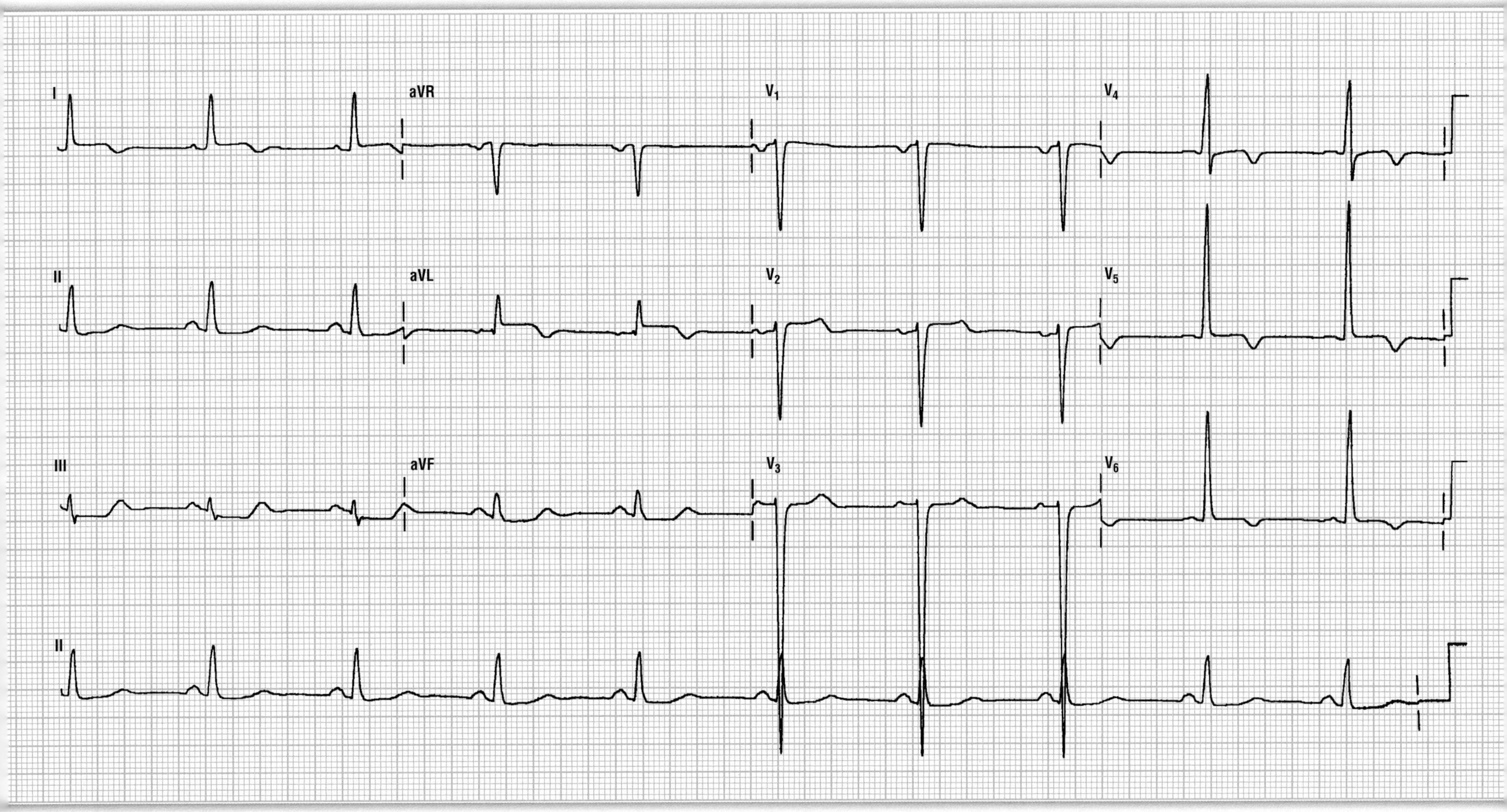

ECG 15-14

하벽 급성심근경색

그림 15-24에서와 같이, 유도 Ⅱ, Ⅲ, 그리고 aVF에서 변화가 있는 하벽경색은 측벽, 우심실, 후벽 등의 침범과 연관되어 있는 경우가 흔하다. 당신이 상상하듯이 하측벽 급성심근경색은 유도 Ⅱ, Ⅲ, aVF 그리고 V_5~V_6의 변화가 같이 나타난다. 만일 상측벽이 관계한다면 유도 Ⅰ, aVL의 변화가 포함될 수 있다. 만일 상측벽 역시 경색이지 않는 한 하벽 급성심근경색의 상호변화는 유도 Ⅰ, aVL에서 ST분절의 하강으로 나타날 것이다. 우심실 경색과 후벽 경색(2단계 자료)은 나중에 언급될 것이다.

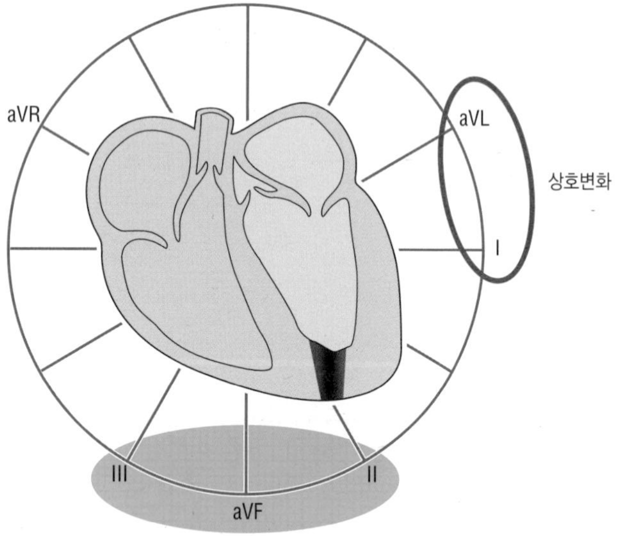

그림 15-24. 하벽 급성심근경색 = Ⅱ, Ⅲ, aVF.

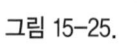

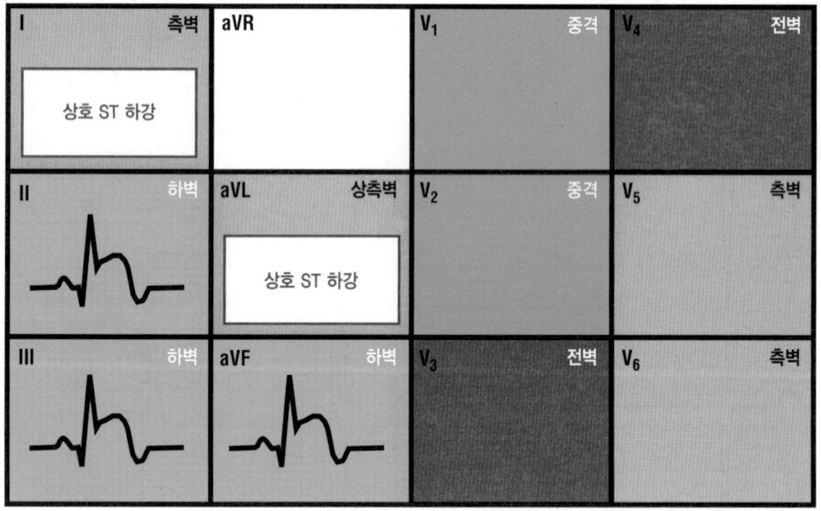

그림 15-25.

2

심전도 15-15 이 심전도에서 ST분절의 상승이나 하강을 조금이라도 보았는가? 아니다. 유도 aVF 그리고 V_5~V_6에 비특이적인 ST-T 변화와 편평한 T파만 있다. 왜 이 심전도가 심근경색 장에 있어야 하는가? 유도 Ⅲ와 aVF의 Q파를 보라. Q파는 너비가 0.03초 보다 넓고 높이가 연관된 R파의 높이의 1/3 보다 깊어서 확실히 병적이다. 이것들은 기간을 알 수 없는 하벽경색이다. *기간을 알 수 없는(age-undetermined)*이라는 용어는 언제 심근경색이 일어났는지 알 수 없지만, 현재 급성경색이 일어난 것은 아니라는 것은 알 때 사용한다.

독립된 하벽경색은 연대 미상의 경색에서 대부분 일어난다. 급성하벽심근경색은 보통 후벽, 우심실과 측벽을 관류하는 우관상동맥이 관계하기 때문이다. 그러므로 급성경색은 상기의 영역을 나타내는 유도에 변화가 나타나게 된다.

부진한 RR 진행(poor R-R progression)을 보라. 많은 저자들은 이것이 과거 전중격 급성심근경색으로 앞쪽으로의 벡터의 힘을 잃어버려서 발생한다고 이야기한다. 이것은 우리가 한 가지 가능성으로서 마음에 담아 두어야 할 것이나 다른 원인에 의한 부진한 RR 진행도 있을 수 있다.

여덟 번째 박동은 심실조기수축이다. 마지막은 편위전도된 조기심방수축(PAC)이다. QRS 앞에 P파가 있음을 보라. 그리고 그것은 정상 QRS와 같은 방향에서 시작된다.

심전도 15-16 이 심전도에서 제일 처음 당신의 시선을 끄는 것은 이상하고 넓은 QRS군일 것이다. 자동적으로 각차단이 있는지 의문이 생긴다. 유도 Ⅰ과 V_6에 늘어진(slurred) S파들이 있는가? 유도 Ⅰ에는 확실하나 V_6는 다른 이야기이다. 왜 이 유도에는 RSR' 형태가 있는가? 때로는 좌각차단에서 V_5 혹은 V_6에서 절흔(notching)이 있는 QRS를 볼 수 있다. 그러나 이것은 좌각차단이 아니다. 심실내전도지연(IVCD)일 수 있을까? 가능성은 있다. 그러나 좀 더 단순하게 설명이 있다. 유도 V_1, V_2를 보아라. 서로 매우 다를 것이다. 그러면 유도 V_2와 V_6를 보라. 서로 매우 유사할 것이다. 만일 V_1이 V_6에 위치한다면 자리를 벗어나 보이지 않을 것이다. 무슨 일이 일어났는가? 심전도를 찍는 기사가 V_6와 V_1을 바꾸어 붙인 것이다. 이러한 잘못 부착된 유도는 판독을 바꿀 수 있다. 유도 Ⅰ과 V_6는 같지는 않더라도 비슷하여야 한다. 이것은 우각차단이다.

우각차단에서 하벽에 Q파가 있다고 가정할 수 있는가? 그렇지 않다. 병적인 Q파는 병적인 Q파이다. 유도 Ⅲ과 V_1와 V_2를 제외하고는 경색의 증거이다. 이 증례는 우각차단이 연대미상의 하벽심근경색과 동반된 것이다.

첫 번째 박동은 병적인 것으로 심실조기수축이거나 편위전도된 QRS이다. 확실히 구분 짓기 위해서 우리는 이 심전도 판독을 시작하기 전에 무엇이 일어났는지 확인하는 것이 필요하다.

임상의 진주

하벽 심근경색은 여러 다른 부위 즉 우심실, 후벽, 측벽과 같이 발생할 수 있다. 연대 미상의 경색은 하벽 유도에서만 변화를 나타낼 수 있지만 경색의 급성기에는 다른 영역도 영향을 받는다.

심전도 증례 연구 계속

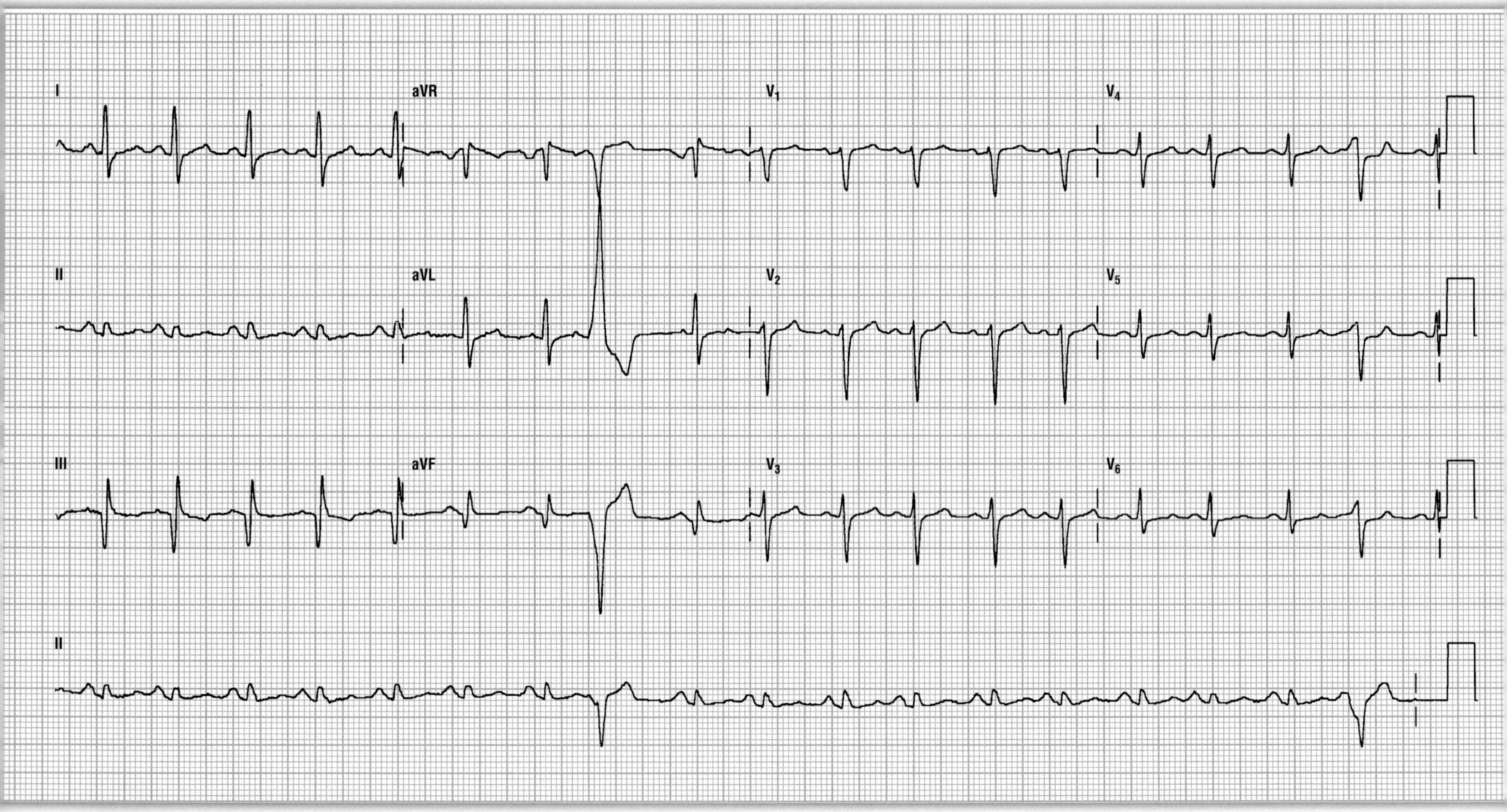

ECG 15-15

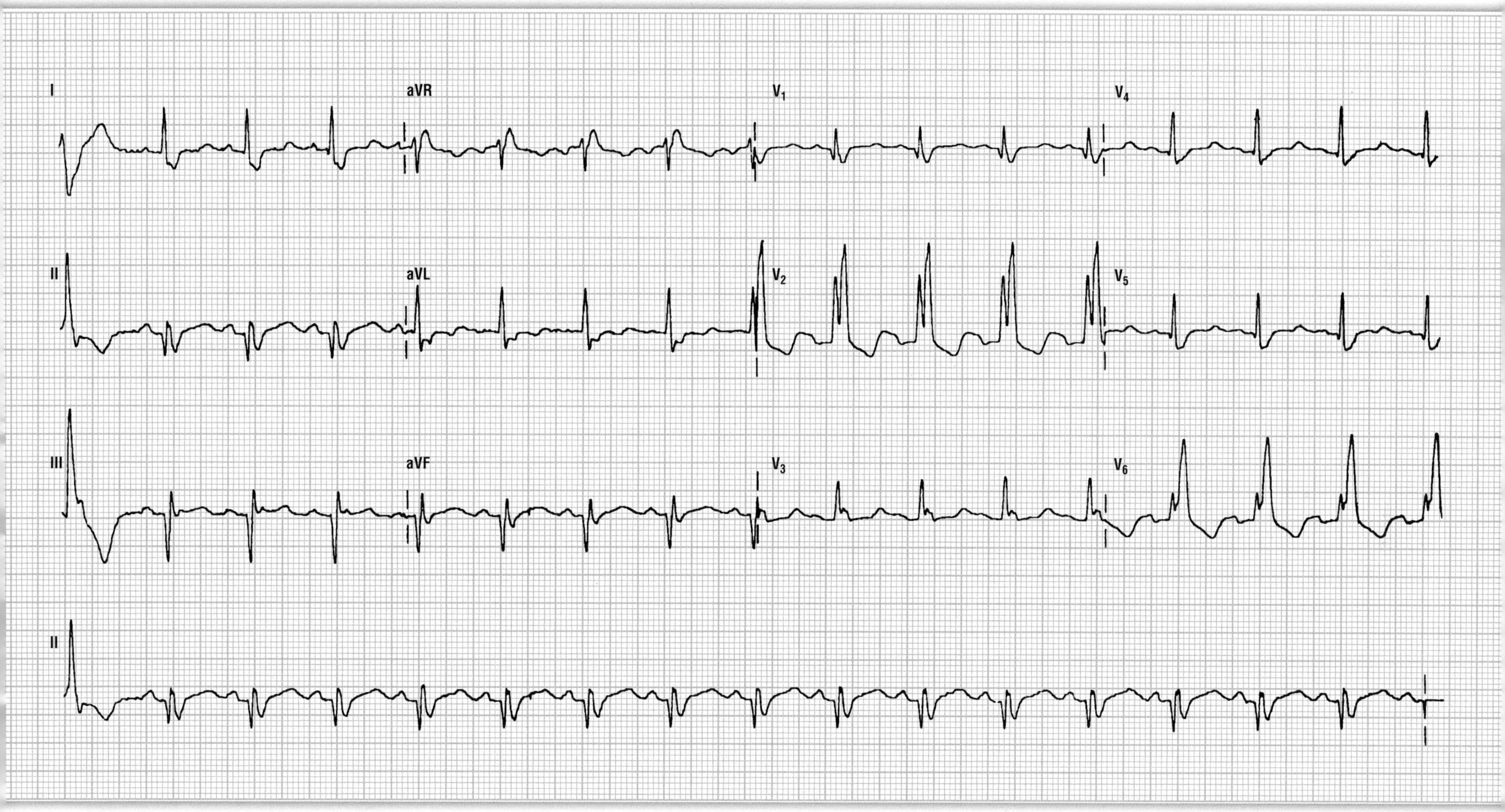

ECG 15-16

2

하측벽 급성심근경색

하측벽 급성심근경색은 유도 Ⅱ, Ⅲ, aVF, V_5, V_6, Ⅰ, 그리고 aVL에 변화가 있다. 유도 Ⅰ, aVL의 변화는 상측벽이 침범된 경우 발생한다. 전벽으로 얼마나 심하게 침범했는지에 따라 유도 V_2에서 V_4까지의 변화가 나타난다. 그러나 이런 경우 당신은 항상 예외 없이 V_5와 V_6에서 전형적인 변화를 볼 것이다. 그리고, 전벽 전흉부 침범 정도에 따라서 이들 유도들의 변화가 나타난다.

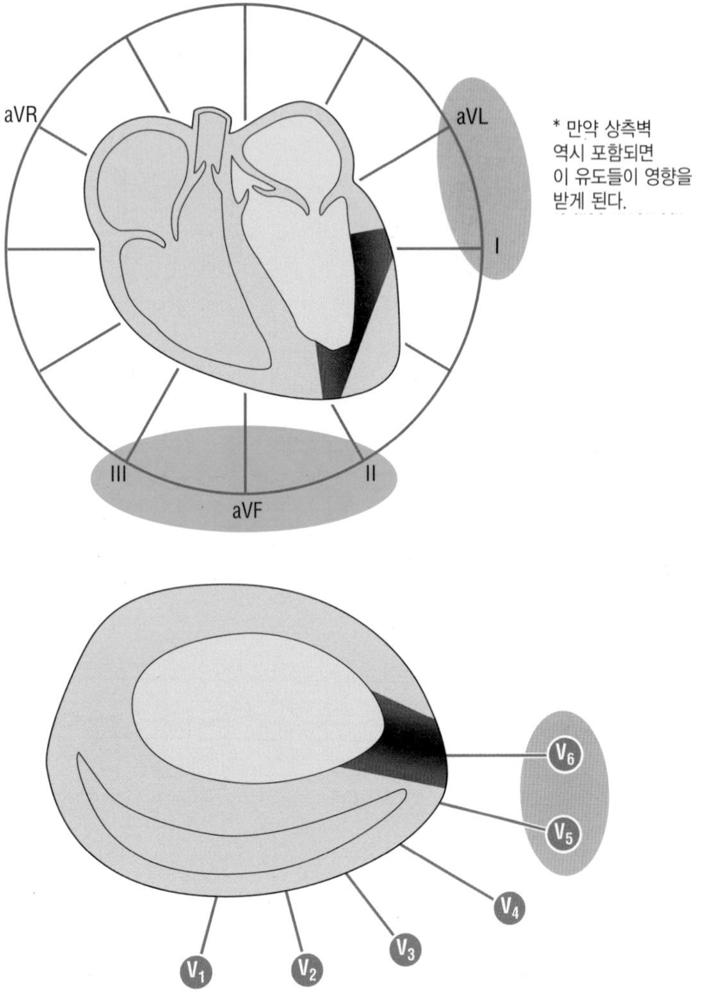

그림 15-26. 하벽 급성심근경색 = II, III, aVF; 측벽 급성심근경색 = V_5, V_6 (I, aVL*)

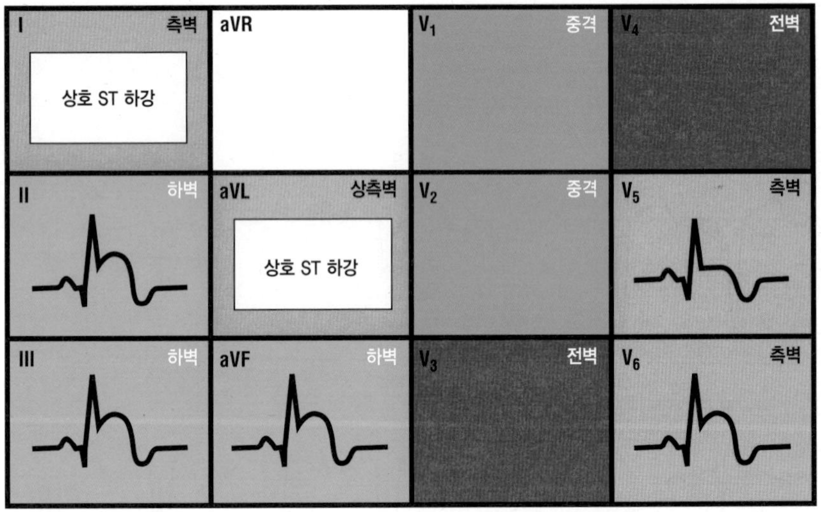

그림 15-27.

2

심전도 15-17 이 심전도는 하측벽 급성심근경색의 훌륭한 예이다(혹은 측벽으로의 확장이 있는 하벽 심근경색). 당신은 유도 Ⅱ, Ⅲ, 그리고 aVF에서 ST의 상승과 유도 Ⅰ, aVL에서 상호적 ST분절의 하강을 볼 것이다. 덧붙여 V_3에서 V_6까지의 ST 상승은 측벽 경색과 일치하는 소견이다.

유도 aVL을 보자. 이 유도에서 아래로 경사지는 ST분절의 하강을 보면 하벽 심근경색을 생각하라. 이것은 하벽 심근경색에서 하벽의 ST분절의 상승이 일어나기 전에 생길 수 있는 첫 번째 징조이다. 다른 것들이 그것을 유발할 수 있으나, 양성(benign)으로 생각하기 전에 항상 생명을 위협하는 문제를 먼저 배제시켜야 한다.

3

심전도 15-17 빈틈없는 임상의사라면 우심실경색(RVI)의 증거를 보았을 것이다. 유도 Ⅲ에서 유도 Ⅱ보다 ST 상승이 더 크고, V_2까지는 지속되지 않은 V_1의 ST 상승이 있다. 이것은 하측벽-우심실경색의 전형적인 형태이다. V_1에서는 ST분절이 상승하지만 V_2에서는 ST분절이 정상이거나 하강한다. 그리고 유도 Ⅲ에서는 ST분절이 측벽 경색(역자주; 측벽 경색이 아니라 우심실경색)에 의해서 상승한다.이 환자는 V_4R에서 ST분절의 상승이 있으며 이것으로 진단할 수 있다(이 장의 뒤 다른 부가적인 유도에서 V_4R에 대하여 언급할 것이다). 리듬은 동성부정맥이다.

조언

아래로 경사지는 ST 하강은 하벽 경색의 처음 신호일 수 있다.

2

심전도 15-18 하측벽 급성심근경색으로 유도 Ⅱ, Ⅲ, 그리고 aVF와 V_4에서 V_6까지 확실한 ST 상승이 있다. 하부 유도에서 Q파가 만들어지기 시작하며, 이것은 오래된 경색이 있는 장소에서 새로운 경색의 확장이 조금 발생하고 있다는 것을 나타내며, 혹은 - 더욱 가능성이 높은 것은 - 경색이 수시간이 지났다는 것이다. aVL에서 상호성 ST 하강을 볼 수 있으나 유도 Ⅰ에서는 그렇지 않다.

동성부정맥이 특징적 소견인 빨라지고 늦어지는 모양으로 나타나며 각 2박동마다 점진적으로 변화하는 모양을 보인다. 모든 P파들과 PR 간격들은 같다.

3

심전도 15-18 유도 V_2는 문제가 있다. 왜냐하면 r파가 넓고 뚜렷하기 때문이다. 덧붙여 ST분절이 조금의 하강이 있다. 이것은 초기 혹은 해소되는 후벽의 허혈이나 손상을 시사한다. 이 장의 나중에 논의될 *부가적인 심전도 유도들*, 후벽과 우심실 유도가 이 환자에 필요하다.

당신의 지식을 바탕으로 추측할 수 있다. 이 증례에서 후벽이 관여한다고 확실히 말할 수 있는가? 다른 정보나 유도 없이는 그럴 수 없다(이런 경우 심초음파가 역시 도움이 된다). 그러나 당신은 항상 최악의 경우를 예상해야 한다. 이 경우 하측부 급성심근경색은 확실하나 후벽이 추가로 관련되어 있을지는 확실치 않다. 이것이 차이가 있는가? 그렇다. 하측벽-후벽 급성심근경색은 하측벽 경색보다 많은 심근이 침범되어 있다. 사실 그것은 하나의 심근벽 전체가 더 포함되는 것이다. 당신은 자문의사와 상의하여 한 단계 높은 주의가 필요하면, 최선의 방법을 사용하여 보다 많은 심근을 구제할 수 있도록 하여야 한다.

심전도 증례 연구 계속

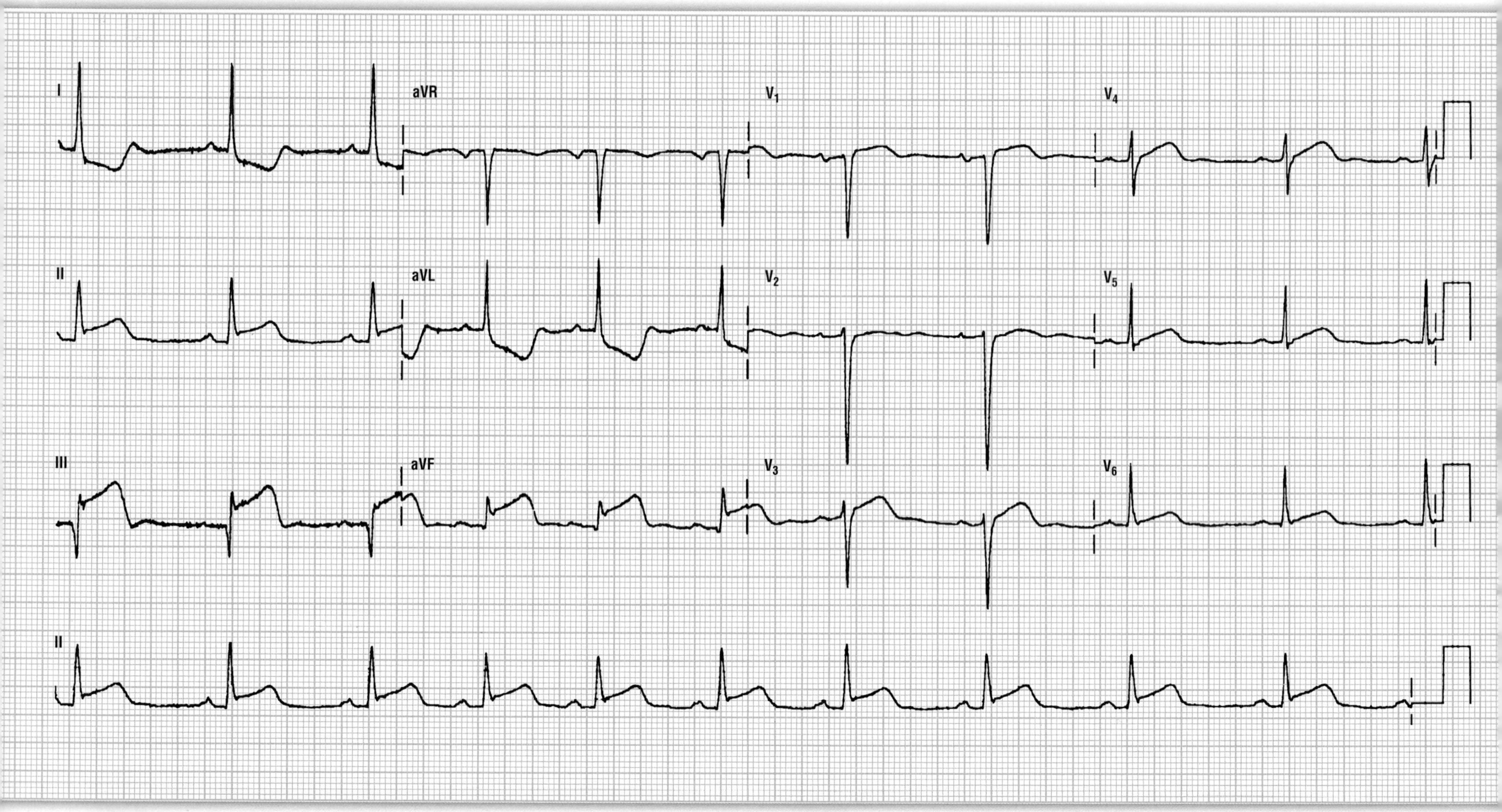

ECG 15-17

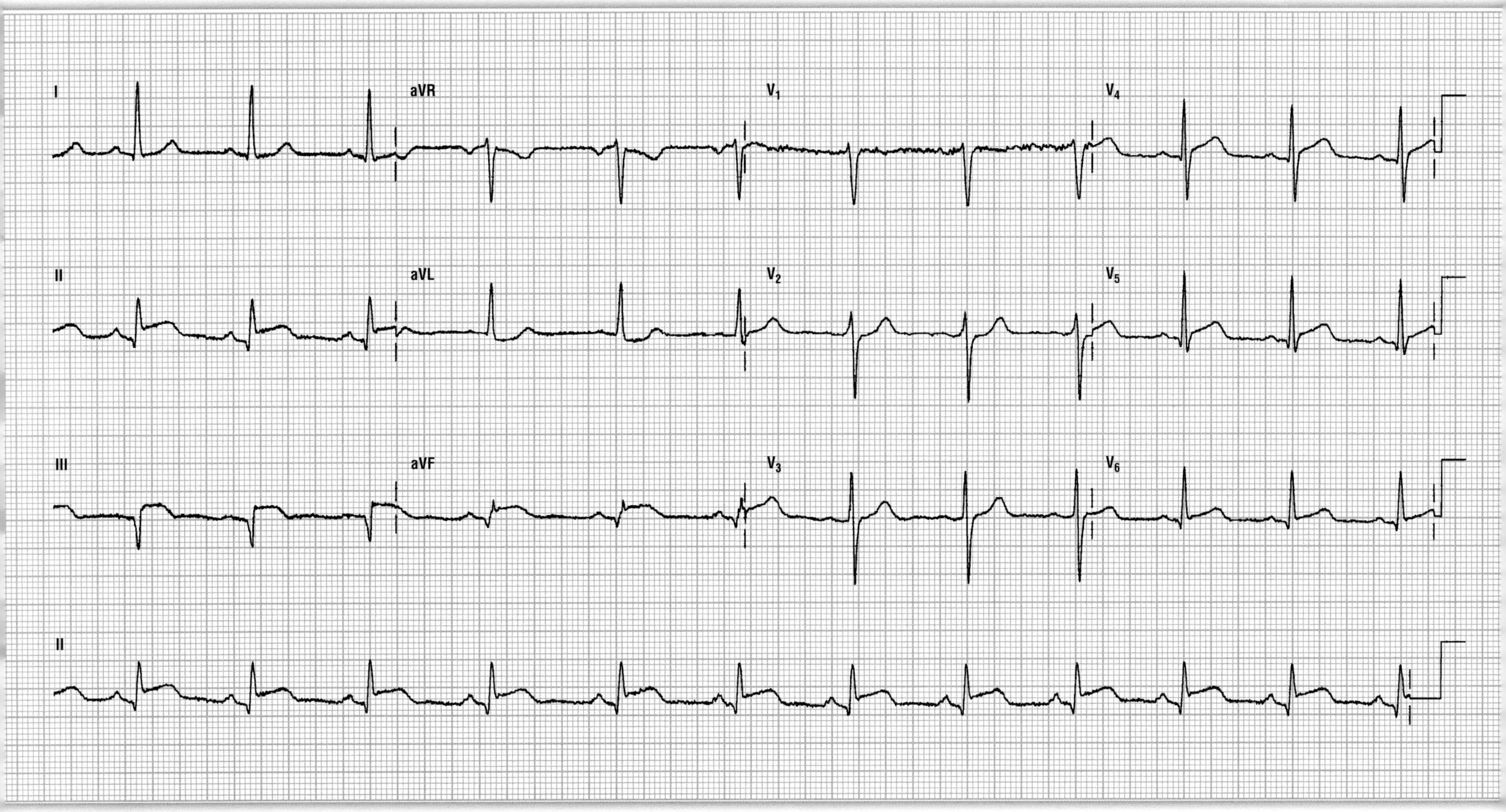

ECG 15-18

심전도 증례 연구 계속

2

심전도 15-19 시작하면서 우선 aVL을 보기 바란다. 이것은 우리가 이전에 여러 번 언급한 병적인 ST 하강이다. 유도 Ⅰ의 ST 하강이 있지만 그 정도가 과도하게 주의를 끌 만하지는 않다. 만약 하부 유도에서 ST 상승이 전혀 없다 하여도, 하벽 급성심근경색(IWMI)를 의심하며, 특히 임상적인 양상 특히 병력이 허혈에 합당한 소견을 가질 때 그러하다. 그러나 Ⅱ, Ⅲ, 그리고 aVF의 ST분절 상승이 보이고 있어 하벽 심근경색의 진단이 쉽다. ST 상승이 V_3에서 V_6까지 동반되어 있어 경색이나 손상의 패턴이 측벽까지 연장되어 있음을 알 수 있다.

3

심전도 15-19 심전도 15-17에서 이야기한 우심실경색(RVI)과 연관된 변화가 역시 이 심전도에서 보이고 있지만 보다 작은 변화가 나타난다. 유도 Ⅲ의 ST분절 상승이 Ⅱ보다 크다. V_1에서 약간의 ST 상승이 있고 V_2에서는 정상 ST분절을 보인다. V_2는 또 다른 골치 아픈 소견을 보이는데 R:S 비의 증가이다. 이것은 후벽 경색(PWMI)의 특징이다. 하벽, 우심실, 후벽, 측벽은 자주 동반되어 나타난다는 것을 기억하자. 다시 한번, 부가적 유도들이 도움이 된다. 임상적 소견과 심초음파의 연관도 진단과 치료 방법의 선택에 도움이 된다.

조언

WPW 증후군에서는, 가성경색(pseudoinfarct) 형태에 의해서 하부 유도들에서 Q파들이 있을 수 있다. 항상 "친구는 같이 다닌다"를 주시하라.

2

심전도 15-20 이것은 또한 하측벽 AMI와 상응한다. ST분절 상승이 Ⅱ, ⅢI, aVF와 V_3에서 V_6까지 보이며 유도 Ⅰ, aVL에서 상호변화(reciprocal change)를 보인다.

어떤 사람은 사지 유도와 V_1에서 QRS군의 시작이 늘어진(slurring) 모양을 보이는 WPW 패턴이라고 의문을 가질 수 있다. 글쎄, WPW에 반하는 몇 가지 소견이 있다. 첫째 PR 간격이 정상이다. 대략 12%의 WPW에는 정상일 수 있기 때문에 이것만으로 완전히 배제할 수 없다. 다른 한가지 더 의미 있는 점은 QRS가 넓지 않다는 것이다. WPW는 델타파를 만들고 이것이 QRS를 넓게 만든다. 이것이 넓은 QRS의 감별 진단에 WPW를 넣어야 하는 이유이다.

WPW의 경우 가성경색 패턴(pseudoinfarct pattern)이 하부 유도에 자주 나타난다. 이것은 하향의 델타가 이들 유도들에서 보이기 때문이지 경색 때문은 아니다. 이 심전도는 뚜렷한 내재편위(intrinsicoid deflection)를 가지는 하측벽 경색이지 가성경색 패턴의 WPW가 아니다.

우리는 당신의 심전도에 대한 사고를 자극하기 위해 WPW의 가능성을 들고 나왔다. 관련된 여러 가능성에 대해 생각하라. 적절한 임상적 해석을 위해 배운 지식을 활용하라. 또 다른 유용한 도구는 병력이다. 이 환자는 하측벽 급성심근경색을 강력히 시사하는 짓누르는 듯한 흉골하 흉통이 있었다.

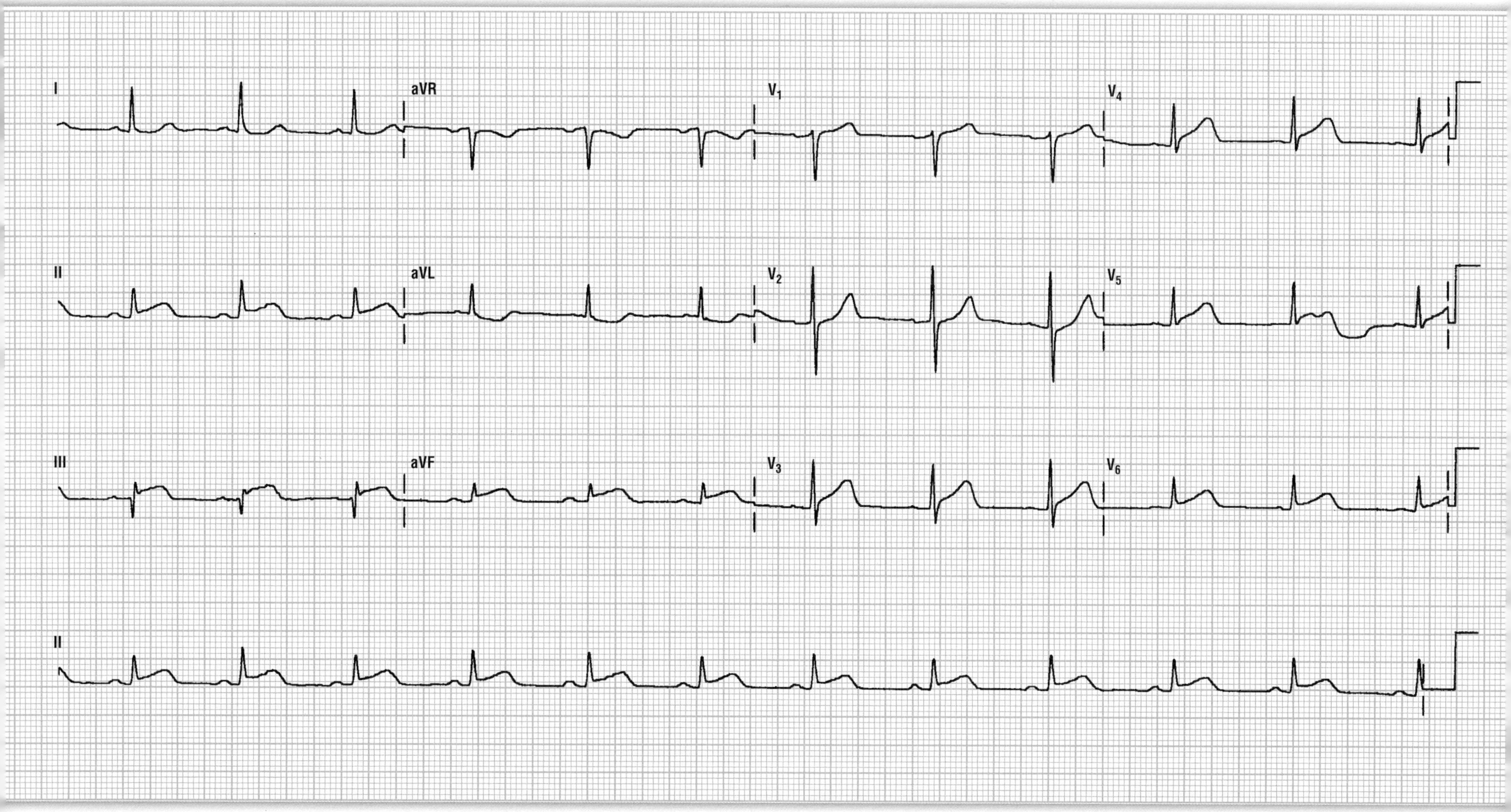
I
aVR
V1
V4
II
aVL
V2
V5
III
aVF
V3
V6
II

ECG 15-19

심전도 증례 연구 계속

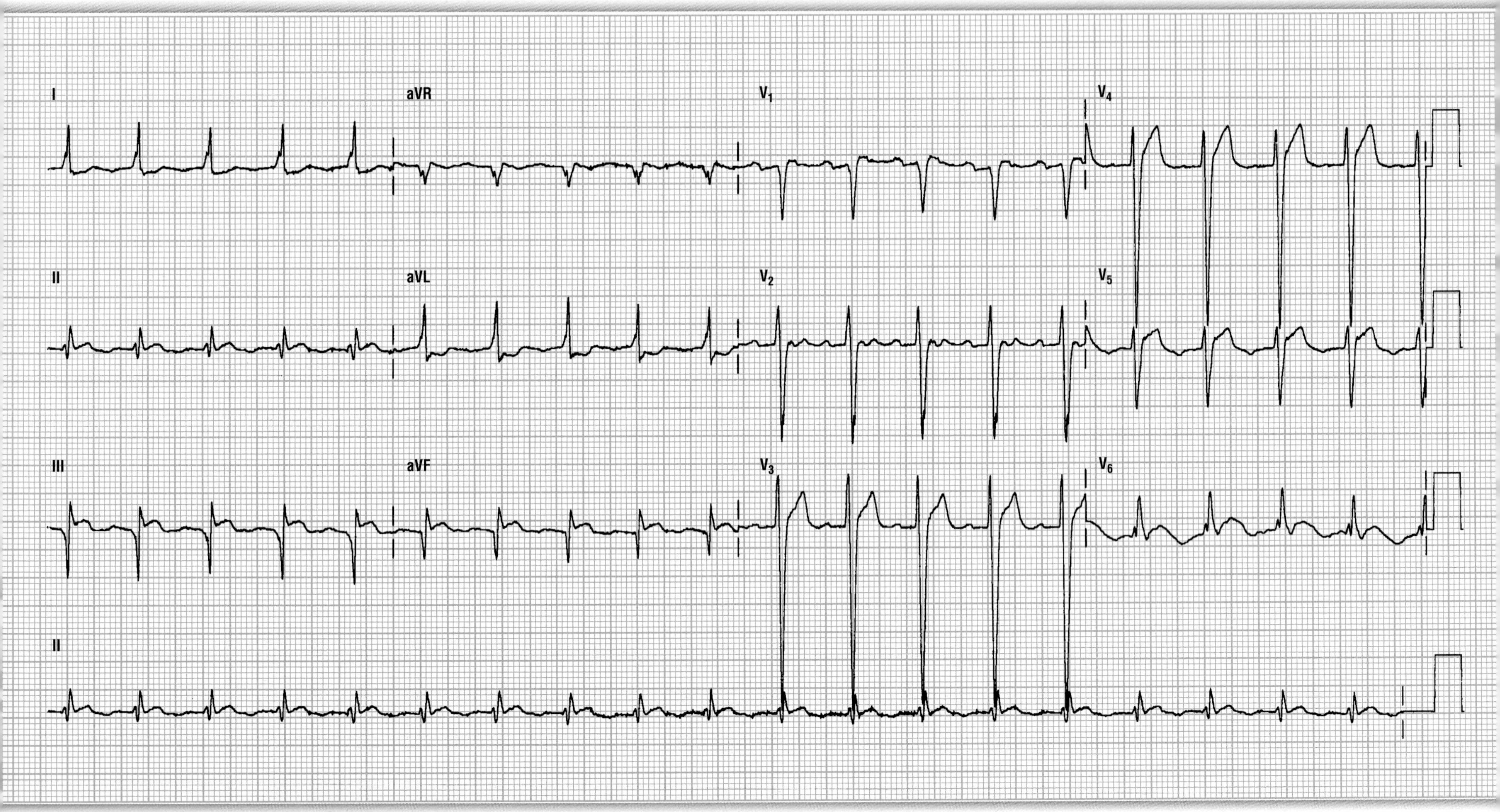

ECG 15-20

2

심전도 15-21 이것은 걱정스러운 심전도다. 토론을 하기 전에, 우선 아주 집중해서 살펴보고 해석에 도달하기 전에 시간을 좀 가지도록 하자(우리는 당신이 학습에 최대한의 효과가 있기 위해 모든 심전도에서 그렇게 하기를 권고한다).

우선 심박수부터 시작하자. 매우 빠르다. 분당 150~200회 사이이다. 규칙적인가? 아니다. 규칙적으로 불규칙적인가? 또 아니다. 불규칙적으로 불규칙적인가? 그렇다. 불규칙적으로 불규칙적인 율동에 대한 감별 진단은 유주심방조율(wandering atrial pacemaker), 다소성 심방빈맥(multifocal atrial tachycardia), 심방세동(atrial fibrillation)이 있다. 구별할 수 있는 P파가 보이지 않기 때문에 심방세동이 답이다. 이것은 심방세동과 매우 빠른 심실반응이다.

QRS군이 넓은가? 아니다. ST분절의 변화가 그렇게 보이도록 속일 수 있지만 QRS군 자체는 넓지 않다. 방실차단(Block)의 증거는 없다. 어디에 ST분절의 상승이 있나? Ⅱ, Ⅲ, aVF 그리고 V_5이다. 어디에 ST분절 하강이 있는가? 유도 Ⅰ, aVL과 V_1에서 V_3까지이다. 유도 Ⅰ과 aVL에서의 ST분절 하강은 하벽급성 심근경색의 상호변화이다. V_1에서 V_3까지의 ST분절 하강은 후벽의 허혈이나 손상을 의미한다. 나중에 간단히 다룰 것이다. 경색과 부정맥 중 어느 것이 먼저 발생하였을까? 심전도를 보고 알 수는 없지만 확실한 것은 두 경우 모두 우선 심박수를 조절해야 한다는 것이다.

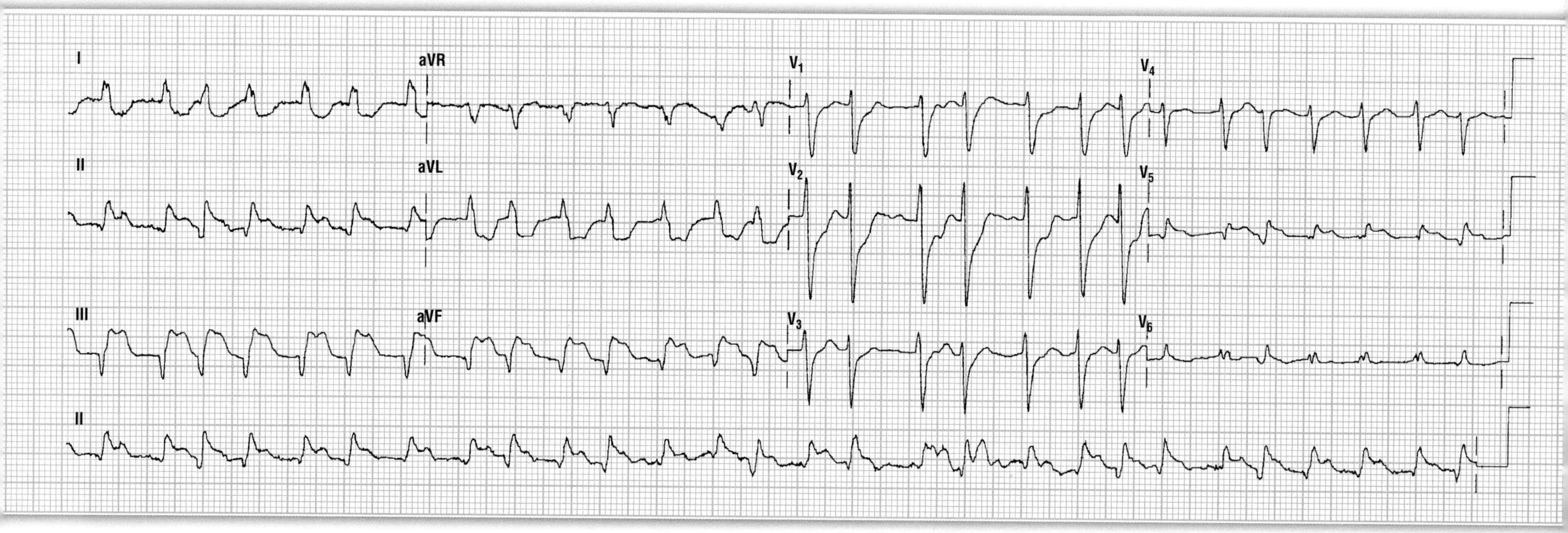

ECG 15-21

3

심첨부 급성심근경색(Apical AMI)

심첨부 경색은 우측 관상동맥계가 크게 우세한(dominant) 경우에 발생한 경색에서 나타난다. 이때 유도 Ⅰ, Ⅱ, Ⅲ, aVF와 V_2에서 V_6까지의 직접적인 변화를 유발한다.

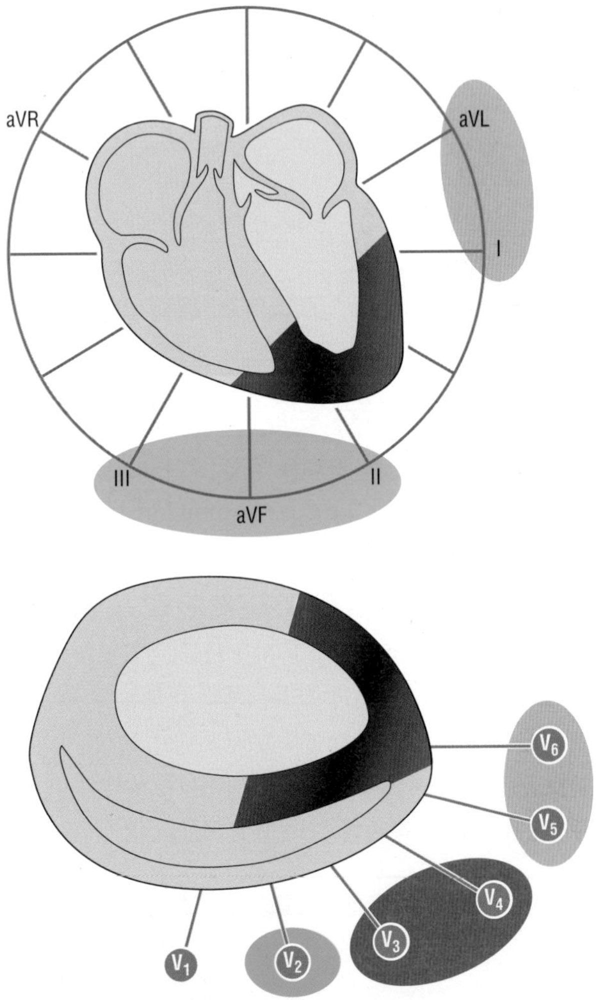

그림 15-28. 심첨부 급성심근경색 = Ⅱ, Ⅲ, aVF, V_2에서 V_5

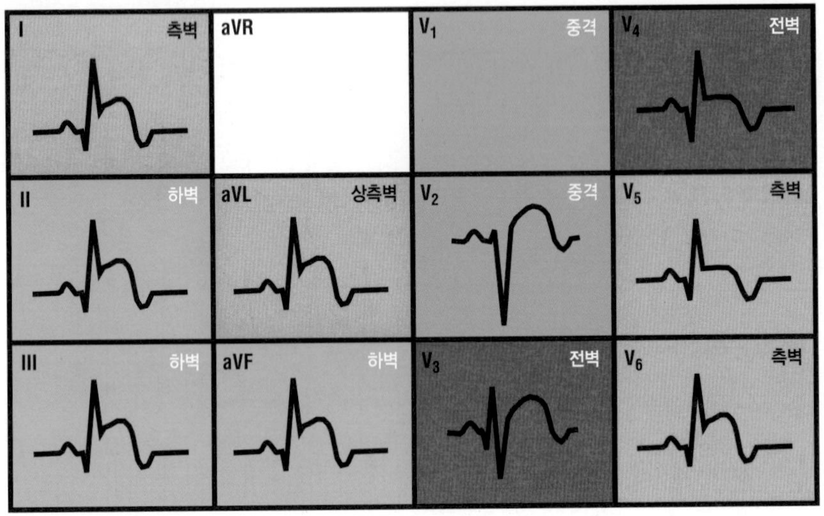

그림 15-29.

3

심전도 15-22 이 심전도에서 심첨부 심근경색을 시사하는 ST 상승이 Ⅰ, Ⅱ, Ⅲ, aVF, V_2에서 V_6까지 보이고 있다. 심첨부 경색은 사실 유도 I과 가능하면 aVL까지의 변화를 동반한 큰 하측벽 경색일 수 있다. 우리는 이것을 심첨부 경색으로 분류하였는데, 그 중요한 이유는 이런 타입의 경색에서 그 부위가 광범위하기 때문이다. 또한 평범한 하측벽 경색과 다르게 분류한 것은 이런 경우의 심전도에서 자주 심낭염으로 오인하기 때문이다. 일반적으로 유도 Ⅰ과 Ⅱ의 ST분절 상승은 3가지 가능성을 시사한다. (1) 심낭염 (2) 심첨부 경색이나 (3) 대동맥 박리로 인한 양측 관상동맥 개구부의 폐쇄로 발생한 전체의(global) 경색(매우 드묾).

이런 3가지 경우를 감별하기 위해서는 당신의 심전도에 관한 지식과 임상의학적 지식을 모두 사용하여야 한다. 동반된 PR분절 하강, 절흔(notching), 빈맥 등을 살펴보고 또한 심낭염을 진단하기 합당한 병력을 알아보아야 한다. 상행 대동맥류나 박리의 가능성을 발견하기 위해 양손의 다른 맥박, 대동맥판 역류의 심잡음, 중추신경계 증상, 방사선학적 소견 등을 조사해보자. 최종적으로 허혈에 상응하는 병력과, 심전도 변화의 진행, 심초음파, 관상동맥 조영술의 결과를 종합하여 심첨부 경색을 진단하도록 한다. 가장 중요한 것은 진단을 추측하고 즉시 합당한 치료를 시작하는 것이다.

심전도 15-23 이 심전도 역시 Ⅰ, Ⅱ, Ⅲ, aVF와 V_2에서 V_6까지의 ST분절의 상승을 보여 심첨부 경색에 상응하는 소견을 보인다. 하부유도에 Q파가 있어 급성심근경색 형태를 확증한다. 측벽 유도에서 조금의 PR 하강이 있다는 것을 주지하자. PR 하강의 정도는 의미있는(0.8mm 보다 깊음) 정도가 아니다. 이것은 얼마나 이것이 심낭염으로 쉽게 오인되는지에 대한 예이다. 그러나 치료는 매우 다르다. 하나는 응급 재관류이고 다른 하나는 비스테로이드성 소염제나 수술적 심장막절개술이며, 헤파린이나 혈전용해제, 항혈소판제제 어떤 것도 아니다.

심첨부 경색을 유발하는 관상동맥의 병리는 무엇인가? 글쎄, 상상할 수 있듯이 우관상동맥(RCA)를 침범하는 경우이다. 우관상동맥이 매우 우세한 시스템에서 협착이나 혈전이 근위부에서 일어나는 것이다. 이것이 하벽, 전벽, 측벽, 상측벽의 혈류를 감소시키고 중격과 우심실, 후벽의 혈류도 또한 감소시킬 수 있다.

광범위한 심근 침범이 위험에 처해 있기 때문에 응급 재관류가 치료로 선택되야 한다. 적극적인 혈역동학적 치료가 필수적이다.

심전도 15-24 이것은 해석하기 매우 어려운 심전도이다. 이렇게 어려운 심전도와 마주쳤을 때에는 간단한 구성 요소로 나누고 그 다음에 결과들을 조합하여 최종적인 해석에 도달하도록 하라. 우선 리듬 스트립부터 보자. 3번째, 6번째, 9번째와 마지막의 심전도파는 편위전도한 조기심방수축(APCs)들이나 조기접합부수축(JPCs)들이다. 그래서 마음속으로 이 파들을 제거하자. P파가 보이는가? 항상 보이는 것은 아니고, 각각의 PR 간격이나 모양이 다르다. 확실한 것은 몇몇 R–R 간격은 같지만, 대다수는 다른 길이를 가진다는 것이다. 유주심방조율이나 다소성 심방빈맥이 확실히 가능성을 가진다.

ST 상승이 Ⅰ, Ⅱ, aVL, aVF와 V_2에서 V_6까지 있다. aVF의 파형은 보통과 다른 모양이다. 왜일까? V_4에서 V_6까지의 QRS군을 조사해보면 그것들은 넓어 보인다. 이 심전도는 우각차단(RBBB)이나 좌각차단(LBBB)의 진단 기준을 모두 만족하지 않기 때문에 심실내전도지연(IVCD)이다. ST 상승이 Ⅱ와 aVF에 모두 있는데 왜 Ⅲ에는 없는지 잘 모르겠다. V_1의 ST 하강은 후벽 허혈을 시사하는 것일 수 있다. 이 심전도는 매우 어렵다; 많은 임상의들이 우리의 해석과 다를 것이다. 그리고 그것은 괜찮다. 환자는 임상적으로 급성심근경색과 같았고 추후 진행한 검사들이 심전도 해석을 입증하였다.

심전도 증례 연구 계속

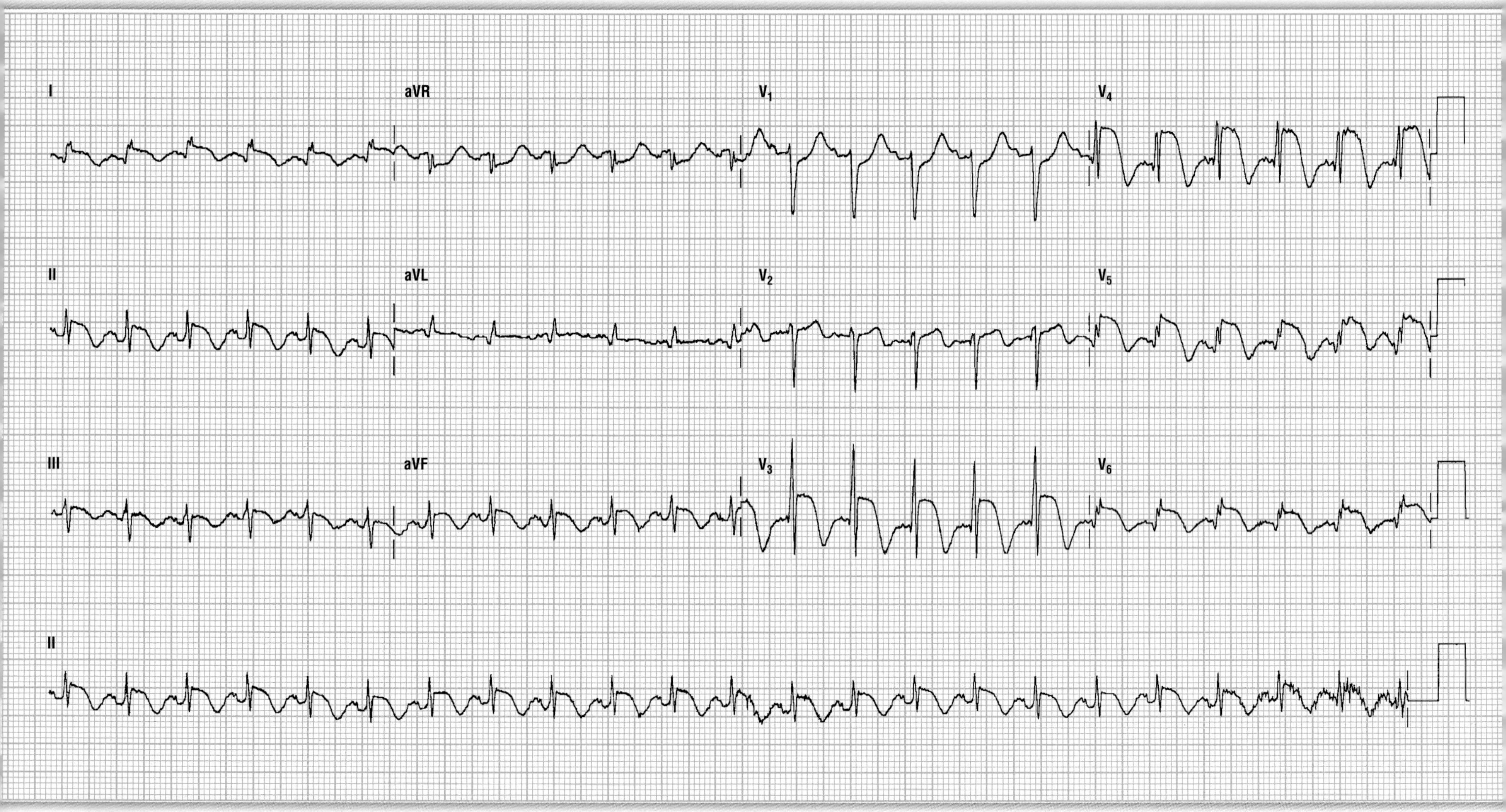

ECG 15-22

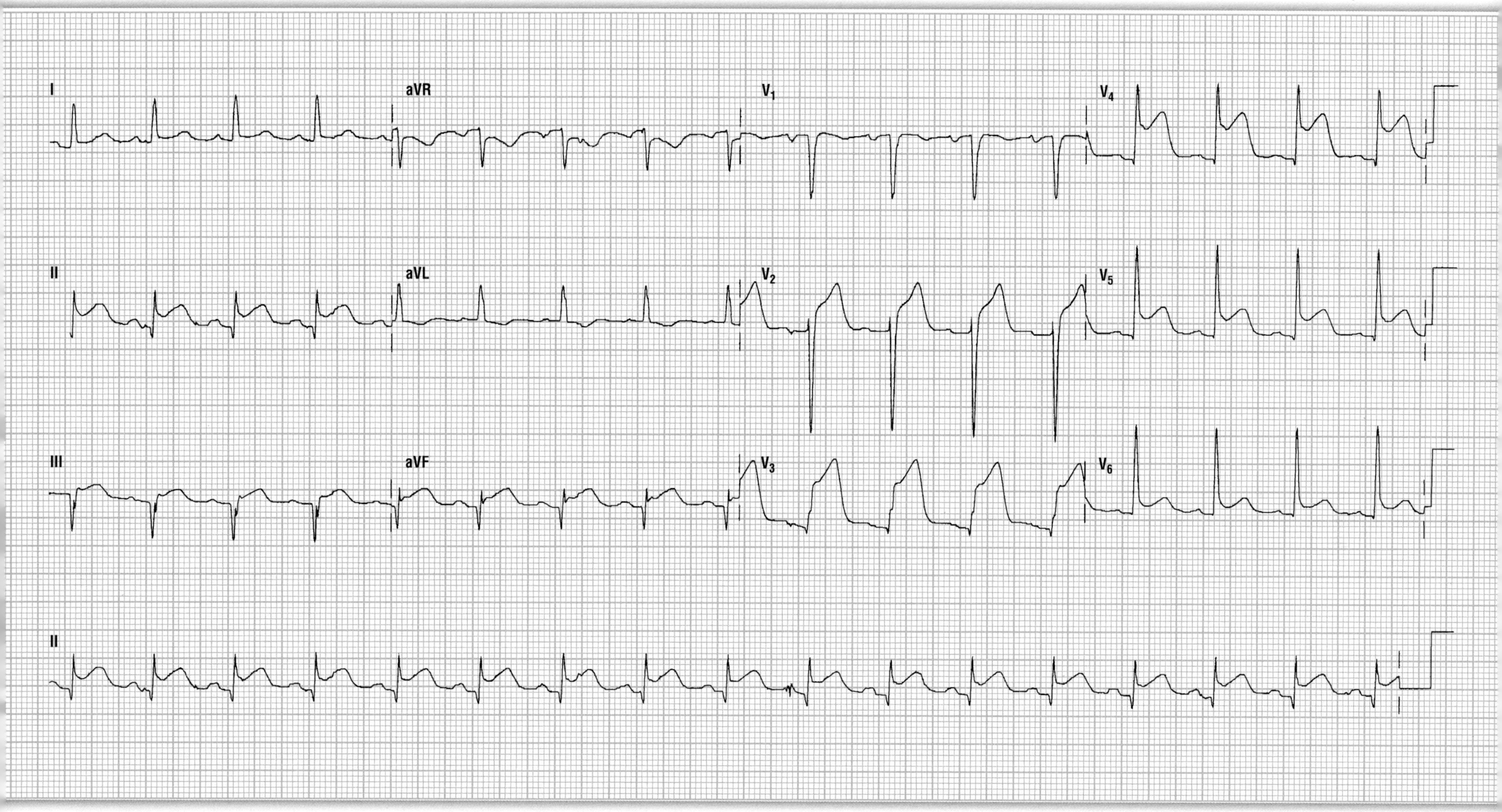

ECG 15-23

심전도 증례 연구 계속

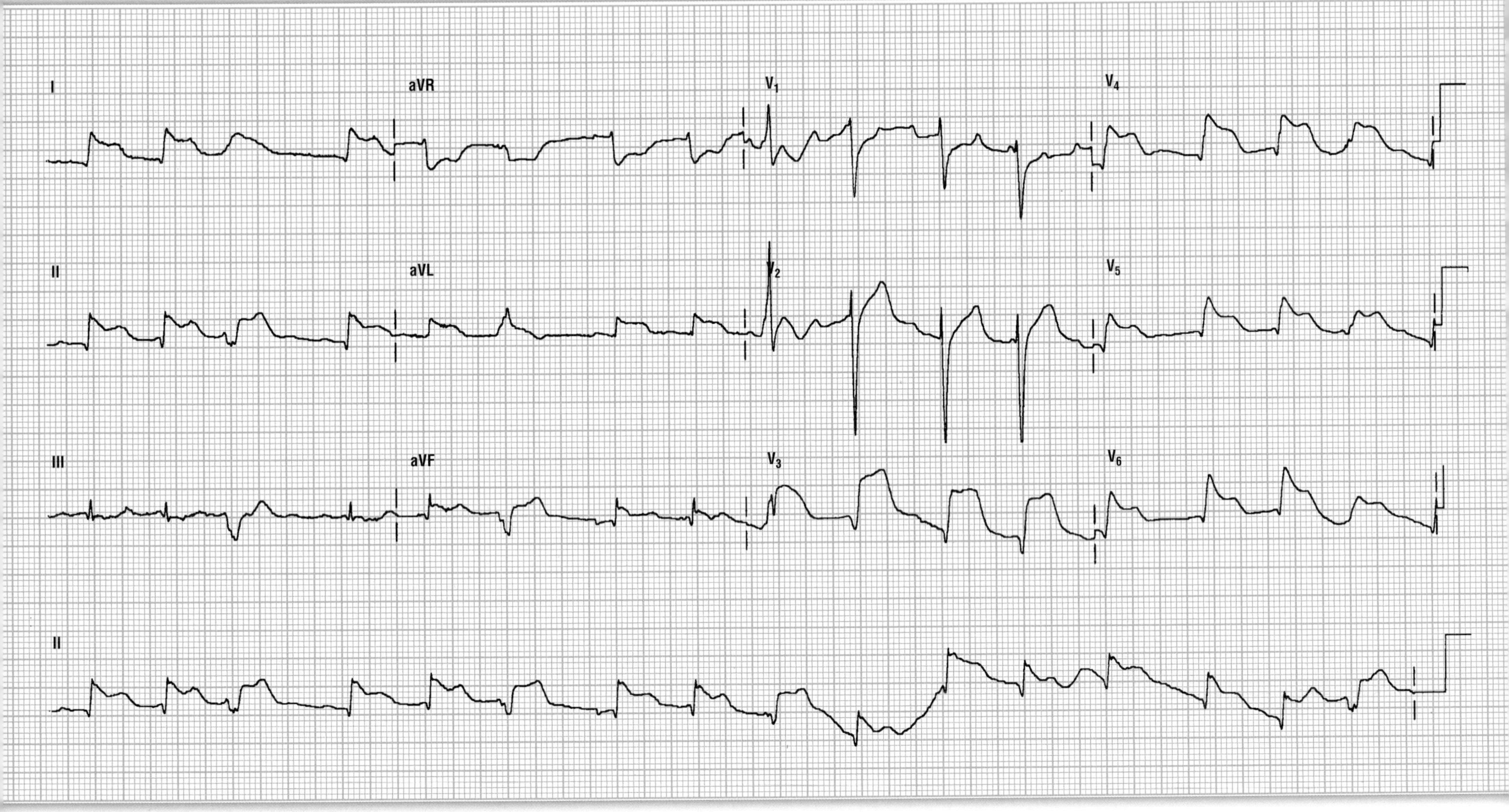

ECG 15-24

추가 심전도 유도들(Additional ECG leads)

표준 유도에 더하여 몇 개의 추가 흉부 유도는 급성심근경색을 평가할 때 편리하게 쓸 수 있다. 이 유도들은 하벽 경색에서 자주 동반되는 후벽과 우심실경색을 진단하는데 유용하다. 그림 15-30에 나오는 후부 유도 V_7에서 V_{10}은 후벽의 급성심근경색을 진단하는데 유용하다. 정상적으로 표준 12유도 심전도에서 우리는 단지 후벽 경색의 상호변화(reciprocal change)만 관찰할 수 있다. 이 상호변화는 V_1과 V_2에서 나타난다. 후부 유도의 사용은 후벽의 직접적인 심전도 변화를 명확히 볼 수 있다.

우측 흉부 유도들은 우심실경색을 진단하는데 비슷한 도움을 준다. 왜냐하면 우측 심실의 벡터는 전측(anterior)과 우측을 가리키기 때문이다. 우심실의 직접적인 변화는 V_4R, V_5R과 V_6R에서 명확히 볼 수 있다.

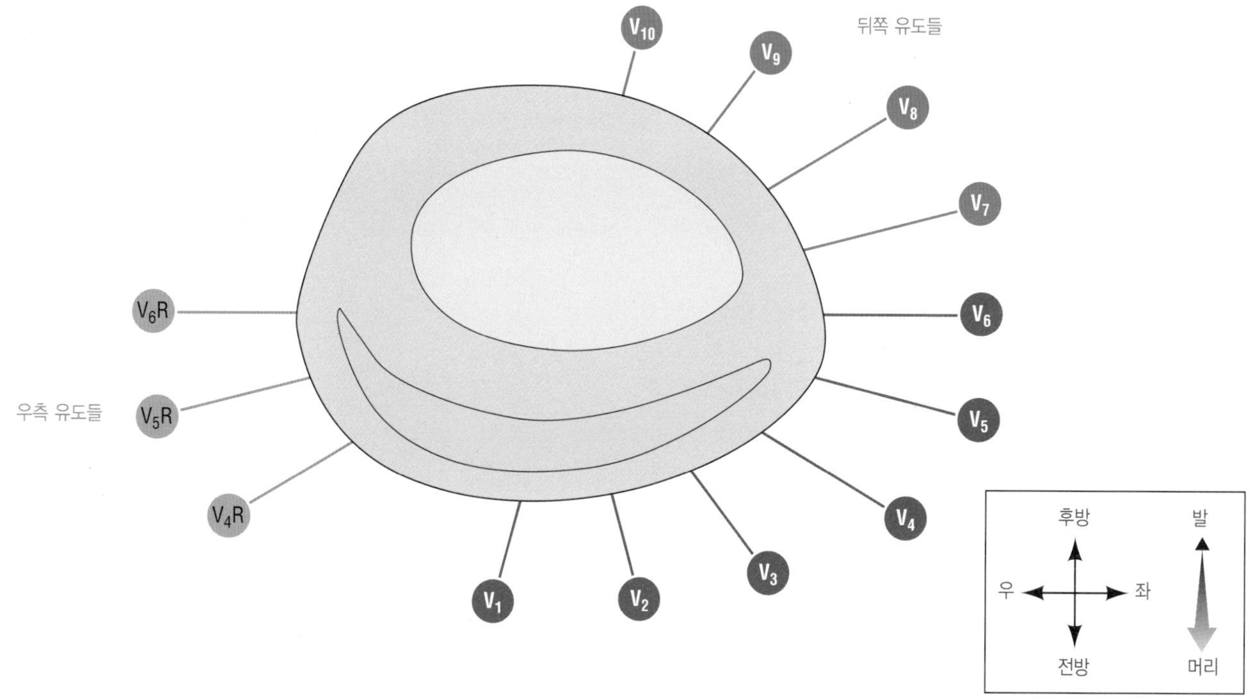

그림 15-30. 부가적인 전흉부 유도들

추가적 우측 유도들의 위치

우측 유도들은 V_4에서 V_6의 거울상에 위치하며 이것을 V_4R, V_5R, 그리고 V_6R이라고 한다. 심전도 기기를 통상적인 위치로 환자 몸에 붙이고 그림 15-31처럼 V_4를 우측의 거울상 위치로 옮겨 V_4R을 얻는다. 이 과정을 V_5, V_6에서 시행하여 V_5R, V_6R을 얻는다.

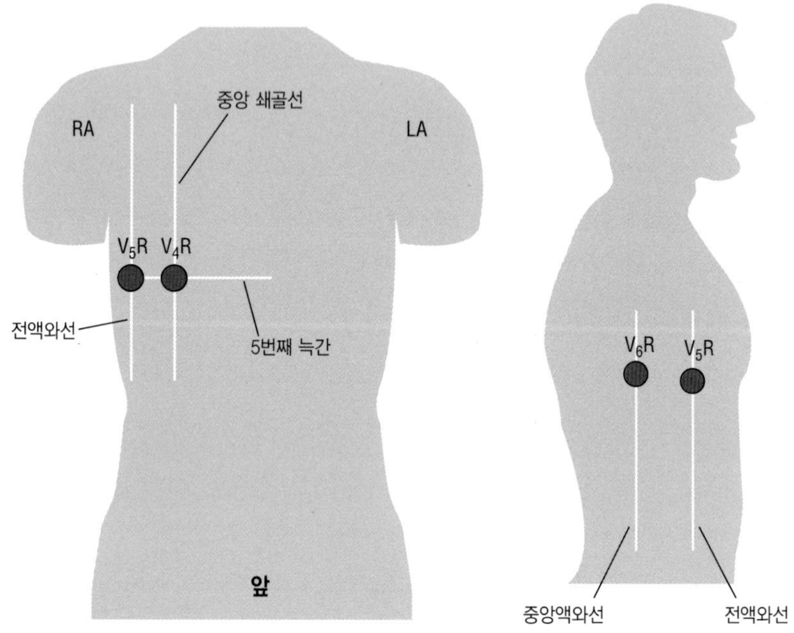

그림 15-31. 우측 유도들의 위치

우측 유도의 ST분절 상승은 우측 경색일 때 나타난다. 중요 포인트 : *하벽 경색을 볼 때마다 항상 우측 유도를 검사하라.* 버릇을 들이자. 이것은 당신과 당신 환자에게 엄청난, 말할 필요도 없는 성과를 보여줄 것이다.

추가적인 후벽 유도의 위치(Placing additional posterior leads)

후측 유도는 후벽 급성심근경색을 진단하는데 사용한다. 이것은 V_1과 V_2에서 나타나는 상호변화보다 직접적인 급성심근경색의 변화 – ST 상승, T파 역위, Q파–를 보여줄 것이다. 우각차단(RBBB)이 동반되지 않은 V_1에서 V_3까지의 ST분절 하강이 있을 때 후벽 유도를 측정하도록 한다.

다시 한번, V_4, V_5와 V_6를 움직여라, 그러나 이번에는 V_7, V_8와 V_9의 위치로 이동시킨다(그림 15-32).

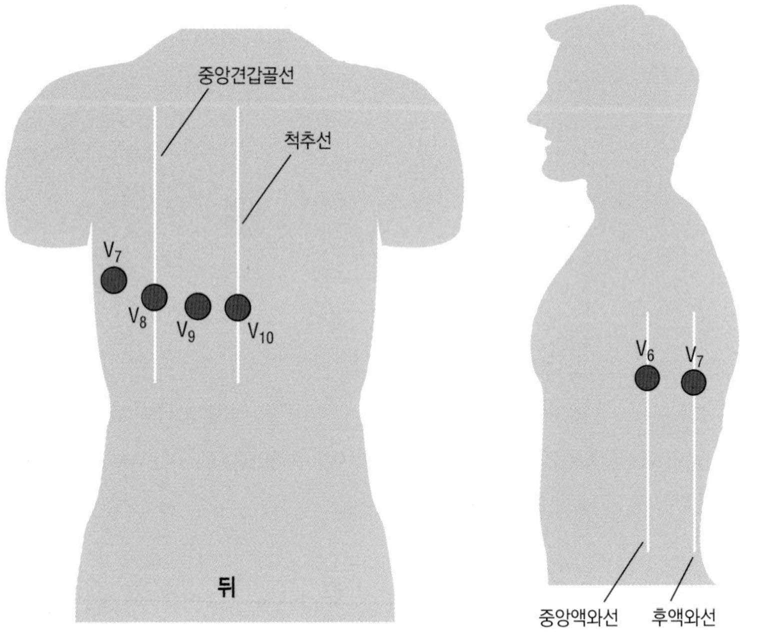

그림 15-32.

우심실경색

무엇이 우심실경색을 특별하게 만드는가? 그림 15-33을 보자. 우심실(RV)이 기능하지 않는다. 이제 어떻게 혈액이 좌심실로 돌아오는지 생각해보자. 좋은 생각이 있는가? 혈액은 오로지 정맥환류(還流, venous return)에 의한다. 심방은 단지 혈액을 심실로 밀어 넣을 수만 있는 압력을 가지고 펌프질을 하여 혈액의 복귀를 조금 도와준다. 어쨌든 간에 혈액이 좌심실로 들어오는 주경로는 정맥환류에 의해서다. 왜 이 사실이 중요한가? 만일 정맥의 용량(capacitance)을 늘리면 정맥환류가 감소할 것이다. 급성심근경색 때 우리가 사용하는 약제는 무엇이며 그 효과는 어떠한가? 나이트레이트(nitrate), 베타 차단제, 이뇨제, 몰핀을 사용하는데 이것들 모두 정맥환류를 감소시킨다. 환류가 없으면 혈압도 없다.

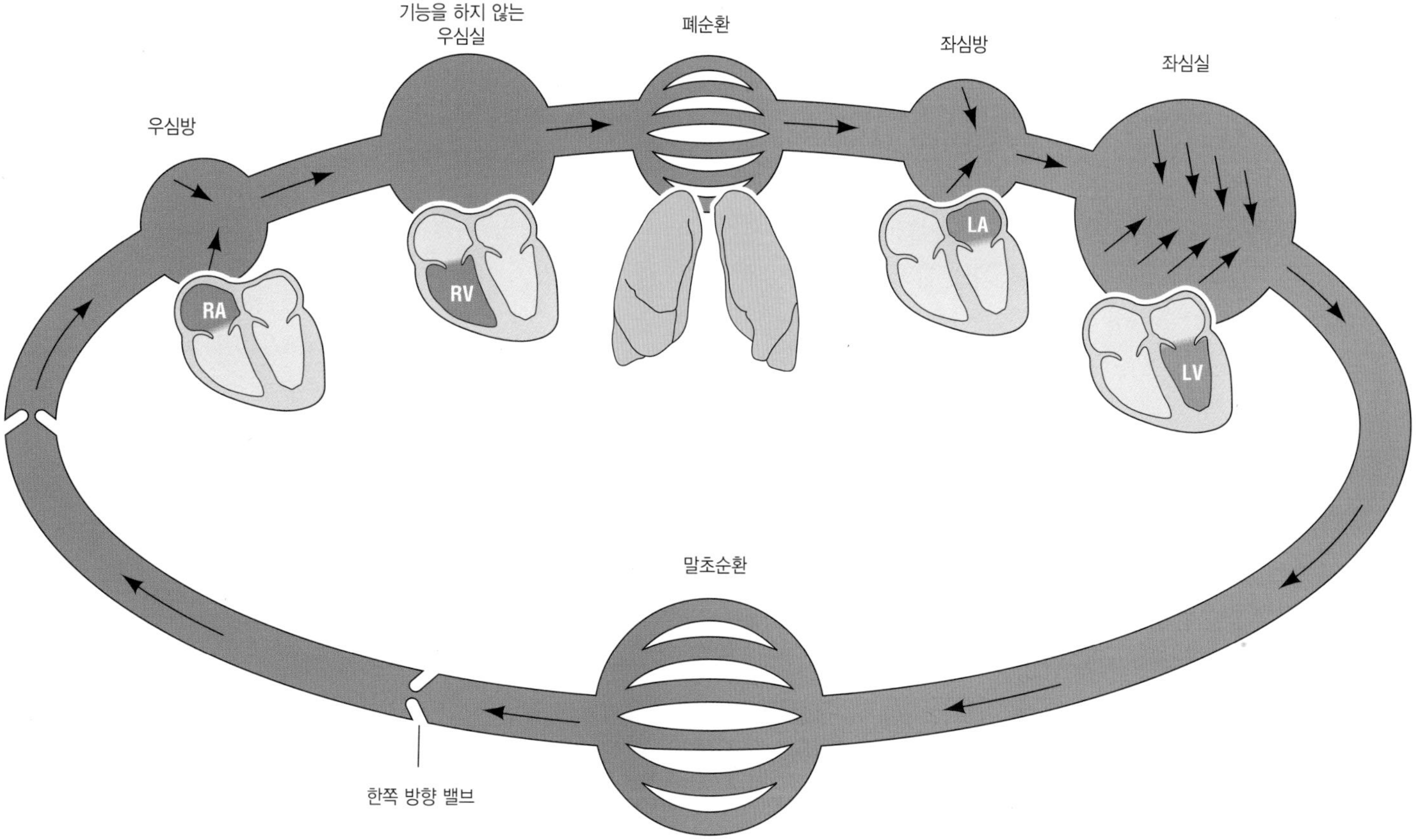

그림 15-33.

2

우심실경색의 진단 기준

앞에서 보았듯이 우심실경색은 좌심실경색에 비해 치료가 매우 다르다. 잠시 심장학 교과서로 돌아가서 우심실경색의 관리와 치료 원칙을 복습하기 바란다. 이 책에서는 진단 기준에만 집중하기로 하자. 전체 진단 기준은 아래에 나와 있다. 기억하라. 대부분의 심전도에서처럼 이 모든 진단 기준이 한 심전도의 확진을 위해 필요한 것은 아니다. 그리고 한 심전도에 다 나타나지도 않는다. 다시 말해서, 대부분의 심전도에서 단지 몇 개의 진단에 필요한 소견만 관찰하게 될 것이다. 이 진단 기준에 대해서 밑에서 다룰 것이다.

1. 하벽심근경색(IWMI)
2. ST분절 상승이 유도 Ⅲ에서 Ⅱ보다 크다.
3. V_1의 ST분절 상승(V_5에서 V_6까지 연장될 수 있음.)
4. V_2의 ST분절 하강(위의 #3과 같이 상승이 연장되지 않는 한)
5. V_2의 ST분절 하강이 aVF의 ST상승의 절반보다 클 수 없다.
6. 우측 유도에서 1mm 보다 큰 ST분절 상승(V_4R에서 V_6R)

1. 하벽 심근경색

대부분의 우심실경색은 하벽 경색과 동반된다 – 97%에서 나타난다. 그 이유는 대부분 하벽을 동시에 공급하는 우관상동맥의 폐쇄로 발생하기 때문이다. 또한 좌회선동맥의 폐쇄도 발생할 수 있지만, 이것은 드물다(3%). 하벽 심근경색일 때 우심실경색을 점검하는 버릇을 들여라.

2. ST분절 상승이 유도 Ⅲ에서 Ⅱ보다 크다.

경색은 심실간 중격에서 나오는 벡터를 저항없이 지나가게 한다. 이 벡터는 앞쪽, 아래쪽 그리고 오른쪽을 가리킨다. 유도 III는 바로 이 방향을 가리킨다. 이것이 유도 Ⅲ에서 ST분절이 높은 이유이다. 그림 15–34의 윗부분과 15–35에 참고도가 나와 있다.

3. V_1에서의 ST분절 상승

V_1의 ST분절 상승도 저항이 없는 벡터와 손상 전류의 방향에 기인한다. 이것이 정상적으로 V_1의 상승과 V_2의 하강을 보여준다. 이 벡터가 흔하지는 않지만; V_5나 V_6까지의 ST분절 상승으로 이어질 수도 있다. *기억하라. Ⅱ, Ⅲ, aVF, 마찬가지로 V_1에서 ST분절 상승이 있다면 가장 가능성 높은 것은 우심실경색이다.* 우관상동맥(대개 하벽을 공급하는)과 좌관상동맥(대개 전중격부를 공급하는)이 같은 시점에 경색이 오는 것은 매우 드문 경우이다. 한 가지 예외적인 것은 대동맥 박리로 인해 양쪽 관상동맥의 개구부가 막히는 것으로 극히 드문 경우이다.

4. V_2의 ST분절 하강.

일반적으로 벡터의 방향은 V_1에서 ST분절 상승을 만들고, V_2에서 하강을 유도한다. 이것은 벡터의 방향이 V_1을 가리키고, 동시에 V_2에서 멀어지거나 조금 멀어지기 때문이다.

5. V_2의 ST분절 하강은 aVF의 ST상승의 절반보다 클 수 없다.

V_2의 ST분절 하강의 정도는 결정적이다. 만약 aVF의 ST분절 상승 높이의 절반 이하일 경우에 이는 단순 하부–우심실경색이다. 만일 ST분절 하강이 aVF의 ST분절 상승 높이의 절반보다 클 경우에는 하벽–우심실–후벽 급성심근경색이다. 이것의 의미는 엄청난 양의 심근이 위험에 처해 있고 경색이 진행되고 있다는 것으로 치명적인 지점이다.

6. 우측 유도에서 1mm 보다 큰 ST분절 상승(V_4R에서 V_6R)

이것은 우심실경색의 가장 분명한 소견이다. 하벽 심근경색(IWMI)에서 V_4R에서 1mm 혹은 그것보다 큰 ST분절 상승이 있다면 진단을 할 수 있다. 가끔, V_6R에서도 상승을 발견할 것이다. 이 때문에 3개의 우측 유도를 모두 얻는 버릇을 들이자.

조언

모든 하벽 경색에서 우측 유도들을 검사하라.

우심실 급성심근경색 : 요약

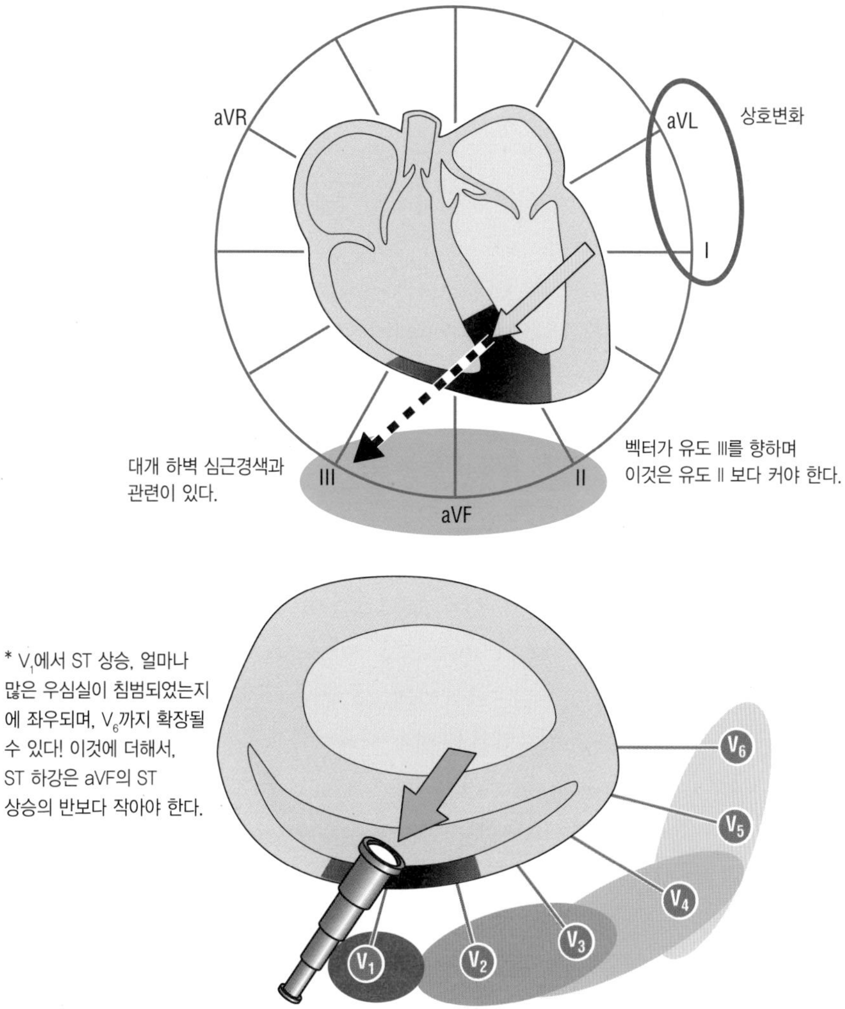

그림 15-34. 우심실 급성심근경색 = V_5, V_6, I, aVL

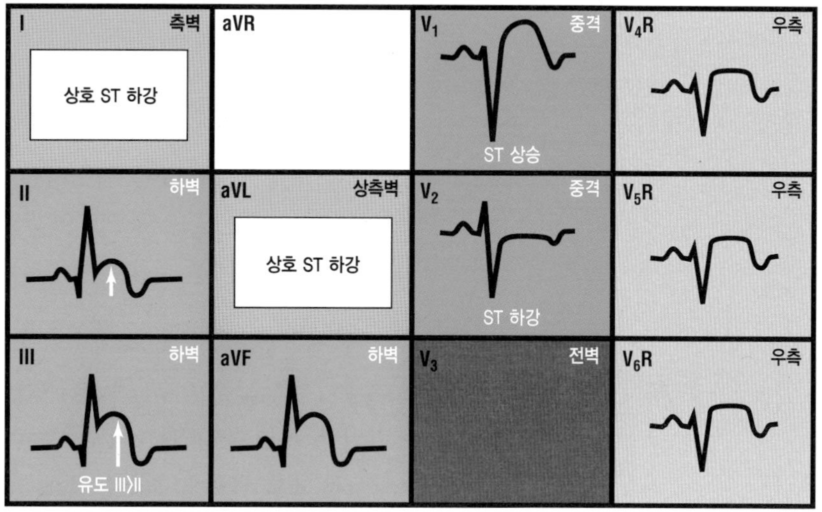

그림 15-35.

심전도 증례 연구 우심실경색

2

심전도 15-25 앞서 우리가 하벽 경색에 대해 많은 예들을 보여 주지 않은 것은 지금부터 우심실과 후벽의 경색을 다루면서 많은 예제 심전도가 나오기 때문이다. 여기에 하나의 예제가 있다. 이 환자는 Ⅱ, Ⅲ, aVF에서 ST분절 상승과 Q파를 보이기 때문에 하벽 경색이다. 또한 유도 I과 aVL에서 상호변화를 볼 수 있다. III에서 ST분절 상승의 높이가 Ⅱ에 비해서 높고, V_1에서 V_3까지 ST분절 상승이 있다. 이러한 소견은 급성심근경색이 우심실을 침범하여서 일어난다. 우측 유도를 측정하였다; V_4R의 ST 상승을 주목하라.

P파는 단지 V_3에서 V_6에서만 보이고 있다. 하지만 율동은 정상 동율동이다. 그 외 측벽 전흉부 유도의 이상성 T파는 좌심실비대와 긴장에 기인한다; 이것은 하벽 경색의 상호변화가 아니다.

심전도 15-26 이 심전도는 우심실경색의 전형적 양상들을 보인다. Ⅱ, Ⅲ, aVF에 ST분절 상승이 있는 하벽 경색과 측벽 유도들의 상호변화가 동반되어 있다. 유도 Ⅲ의 ST 상승이 Ⅱ에 비해서 크기 때문에 우심실경색에 일치하는 소견이다. 또한 V_1의 ST 상승과 V_2의 조금의 ST 하강 이것은 aVF ST 상승의 반보다 작다. 이것은 표준 12유도 심전도에서 우심실경색의 진단 기준이다. 우리는 우측 유도를 찍게 하였고, V_4R에서 ST분절 상승이 있어 우심실경색의 진단기준을 모두 충족시킨다.

흉부 유도에서의 ST분절 상승 패턴은 우심실경색의 매우 흔한 형태이다. V_1에서 ST분절 상승이 있고 V_2에서 편평하거나 하강이 있으면서, 다시 V_3에서 상승이 있다. 이것이 왜 발생하는지는 명확하지 않다. 하부 급성심근경색에서 항상 우측 유도들을 찍어라.

심전도 15-27 이 심전도 역시 우심실을 침범한 하벽 경색의 진단기준를 보여준다. 12 표준 유도들과 우측 유도들에서 우심실경색들의 진단 기준을 명확히 이해하는 것이 결정적이다. 이 급성심근경색은 다르게 치료하며, 진단을 먼저 하지 않은 상태에서 적절한 치료를 시작할 수 없다. 기본 12유도 심전도로 진단하는데 익숙해져야 하며, 그 다음에 우측 유도를 이용하여 확진해야 한다. Ⅱ, Ⅲ, aVF에서 ST분절 상승이 있는 어떤 환자에서도 우측 유도들을 검사하는 것은 아무리 강조해도 지나치지 않다. 가능하다면, 이것을 당신 병원의 기본 프로토콜로 만들아라, 그렇게 되면 자동적으로 기록될 것이다.

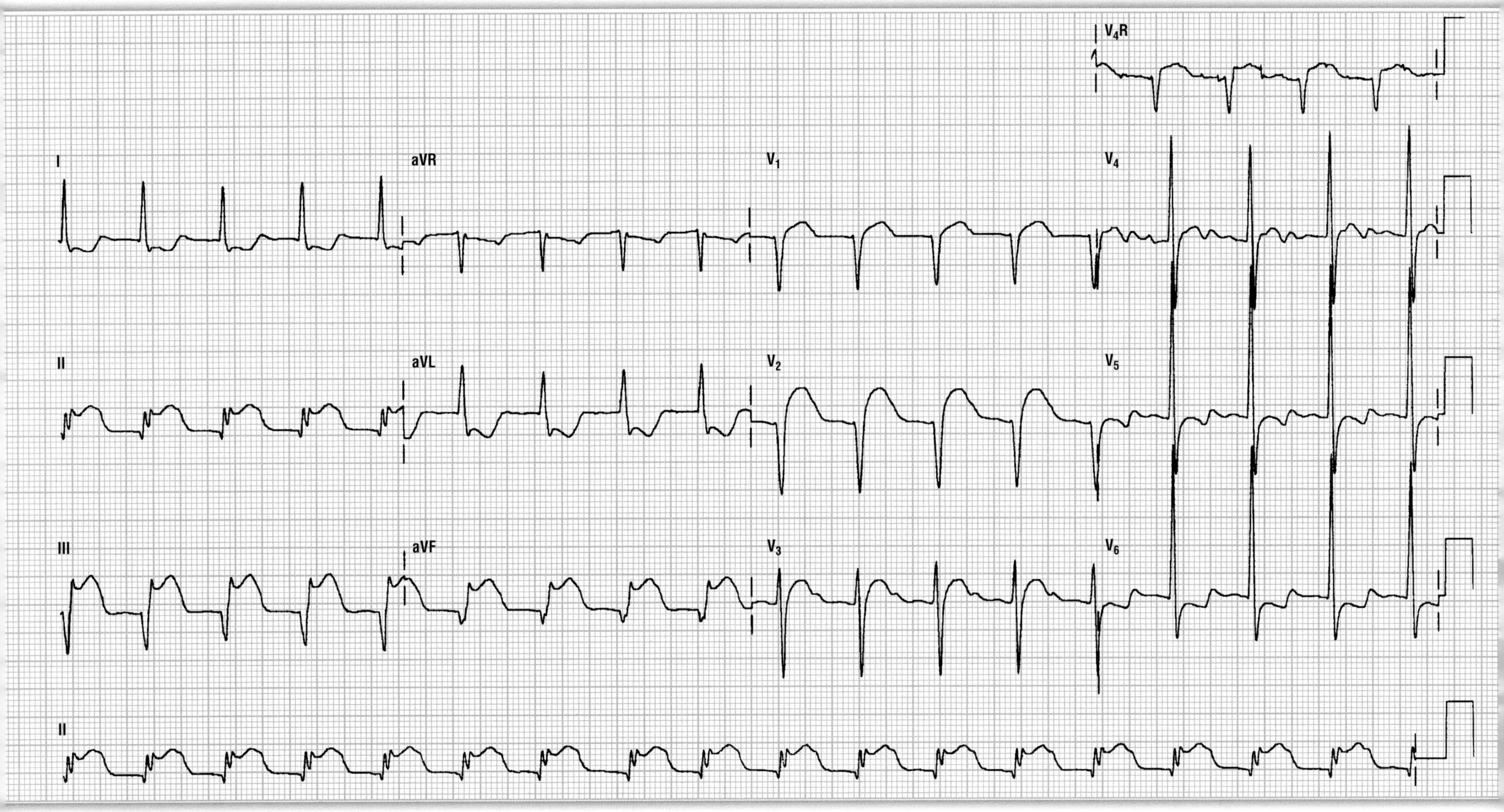
V4R
I
aVR
V1
V4
II
aVL
V2
V5
III
aVF
V3
V6
II

ECG 15-25

심전도 증례 연구 계속

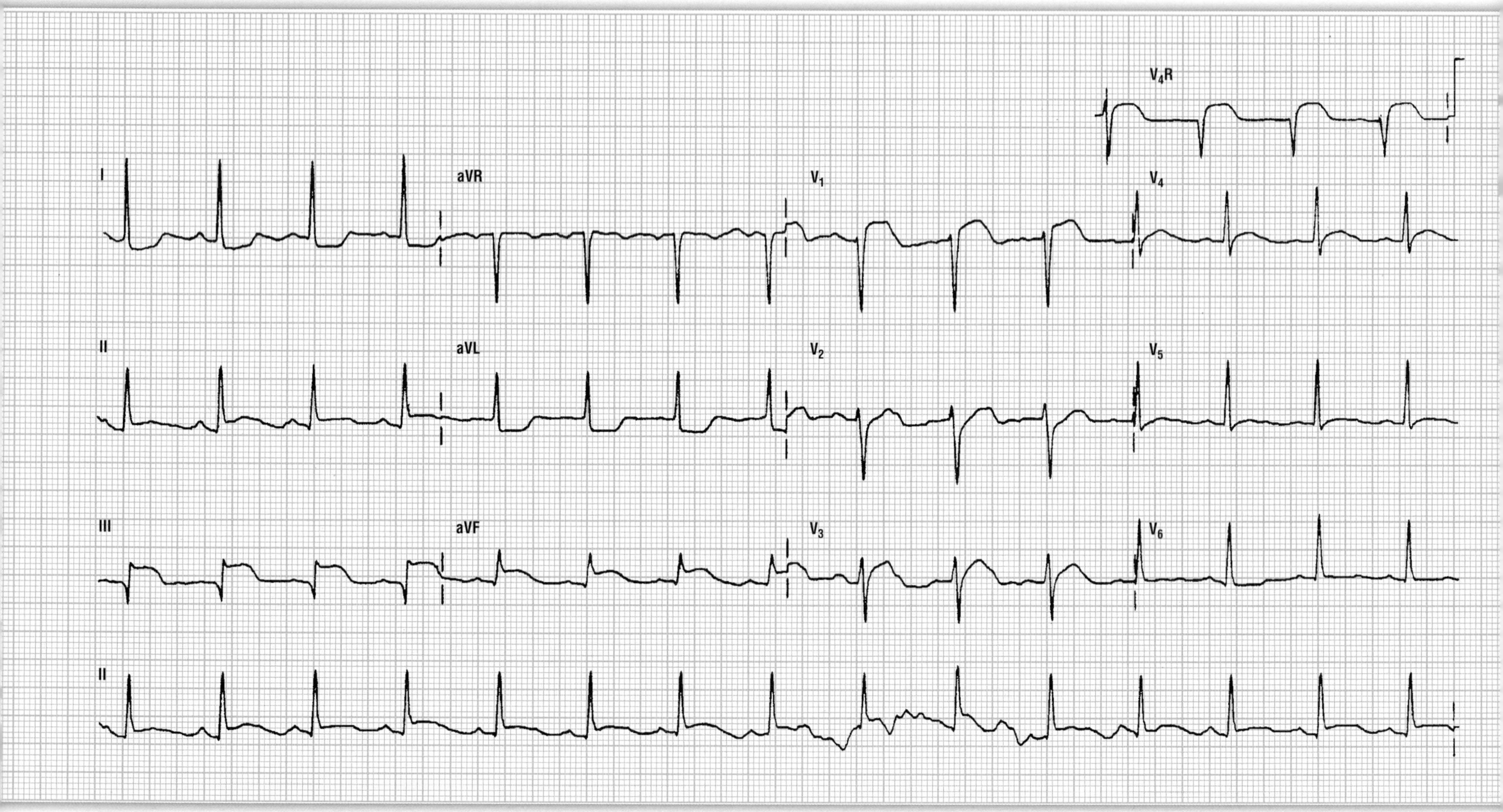

ECG 15-26

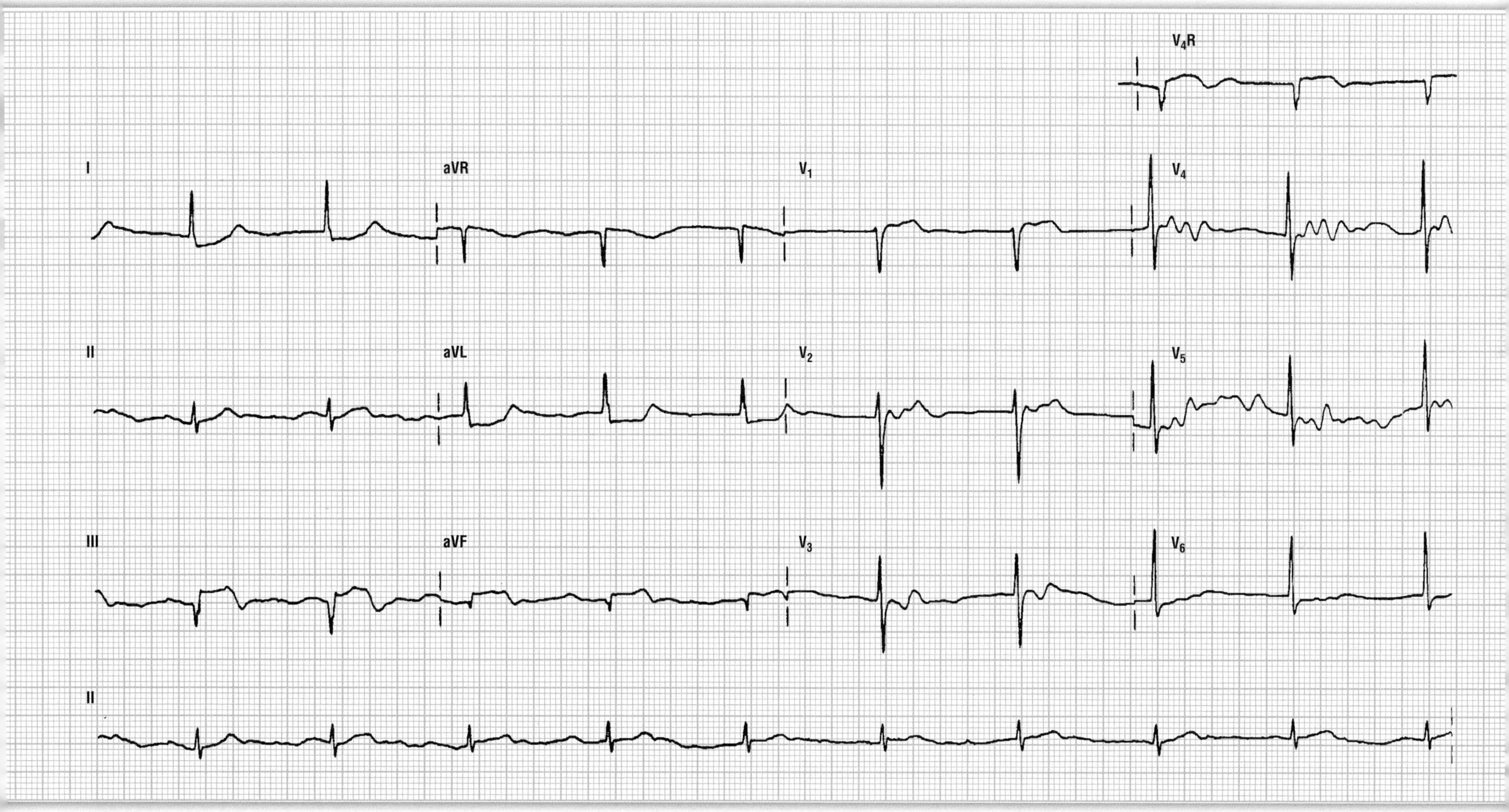
V4R
I
aVR
V1
V4
II
aVL
V2
V5
III
aVF
V3
V6
II

ECG 15-27

2

후벽 급성심근경색

기본 12유도 심전도에는 후벽을 보여주는 직접적인 유도들이 없다. 그러면 어떻게 진단을 할 수 있을까? 글쎄, 첫 번째 할 일은 상호변화(reciprocal change)의 개념을 이해하는 것이다. 만일 이해가 잘 안되면 바로 이 장의 앞에 나오는 내용을 복습하자. 후벽 심근경색의 진단은 기본 심전도의 V_1과 V_2의 상호변화를 살펴보는 것이다. 상호변화는 급성심근경색에 의한 군들의 직접적인 변화에 대한 거울상이다. V_1과 V_2에 높고 뚱뚱한 R파와, ST 하강, 상향의 T파가 보일 것이다(그림 15–36). 후벽 심근경색과 하벽 심근경색 사이에는 강한 연관이 있다.

이제, 만일 V_1과 V_2의 ST분절 하강을 관찰하였다면 진단에 있어서 딜레마에 빠질 수 있을 것이다. 옛 속담을 기억하자; "친구는 같이 다닌다". 나머지 군들을 살펴보고 후벽 유도들 몇개를 얻으면 정확한 진단을 내릴 수 있을 것이다. 만일 정상 R:S 비율, 좁은 R파, ST분절 하강과 T파 역위가 있다면 이것은 전벽(anterior)의 허혈이나 비 Q파 AMI이다. 만일 큰 R파가 보통($\geq$0.03초) 보다 넓고, 상향의 T파, 혹은 하벽 심근경색이 동반되어 있다면 이것은 후벽 심근경색일 가능성이 높다. 후벽 유도는 보통 이상이 나타나지만 심장에서부터 전극 사이의 거리 때문에 ST분절 상승은 그렇게 인상적이지 못할 수 있다. 강력히 의심하도록 하자.

조언

심전도로 후벽 심근경색을 진단하는데 있어서는 강력한 의심이 필요하다. V_1과 V_2의 어떤 ST분절 하강을 관찰하든지 이 가능성을 생각하라.

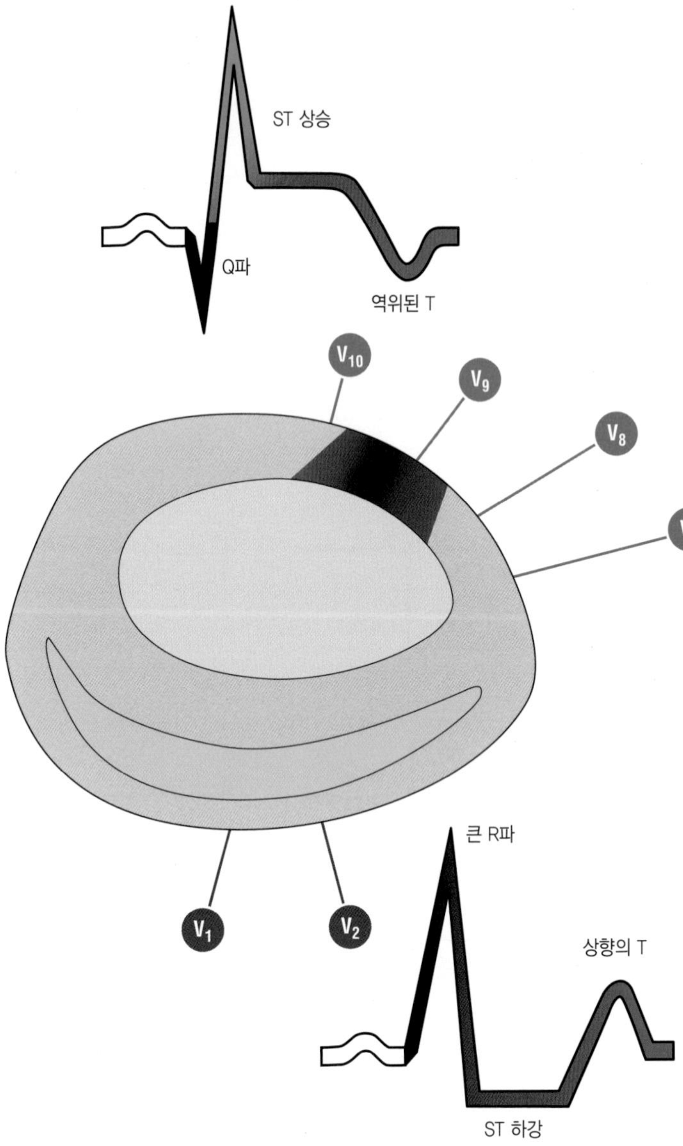

그림 15–36. 후벽 심근경색

심전도상의 회전목마 망아지(Carousel Ponies)는 좋지 않다.

상상력을 이용해 보면 그림 15-37의 심전도군과 회전목마 망아지(carousel ponies)의 모양을 겹쳐볼 수 있을 것이다. ST분절 하강은 안장이고 T파는 미끌어지는 것을 방지하는 안장 뒷부분이다. 이 상향의 T파는 정확한 진단을 하는데 있어서 중요한 기준이 된다. 만일 어떤 사람이 이 파형에 타고 앉아 R파를 기둥과 같이 붙들고 있으면 후벽 심근경색의 가능성이 높아진다. 우심실비대와 긴장은 또한 ST분절 하강과 큰 Q파를 보일 수 있지만 T파는 상향의 대칭형이 아닌 비대칭이며 역위의 모양을 가진다.

그림 15-37.

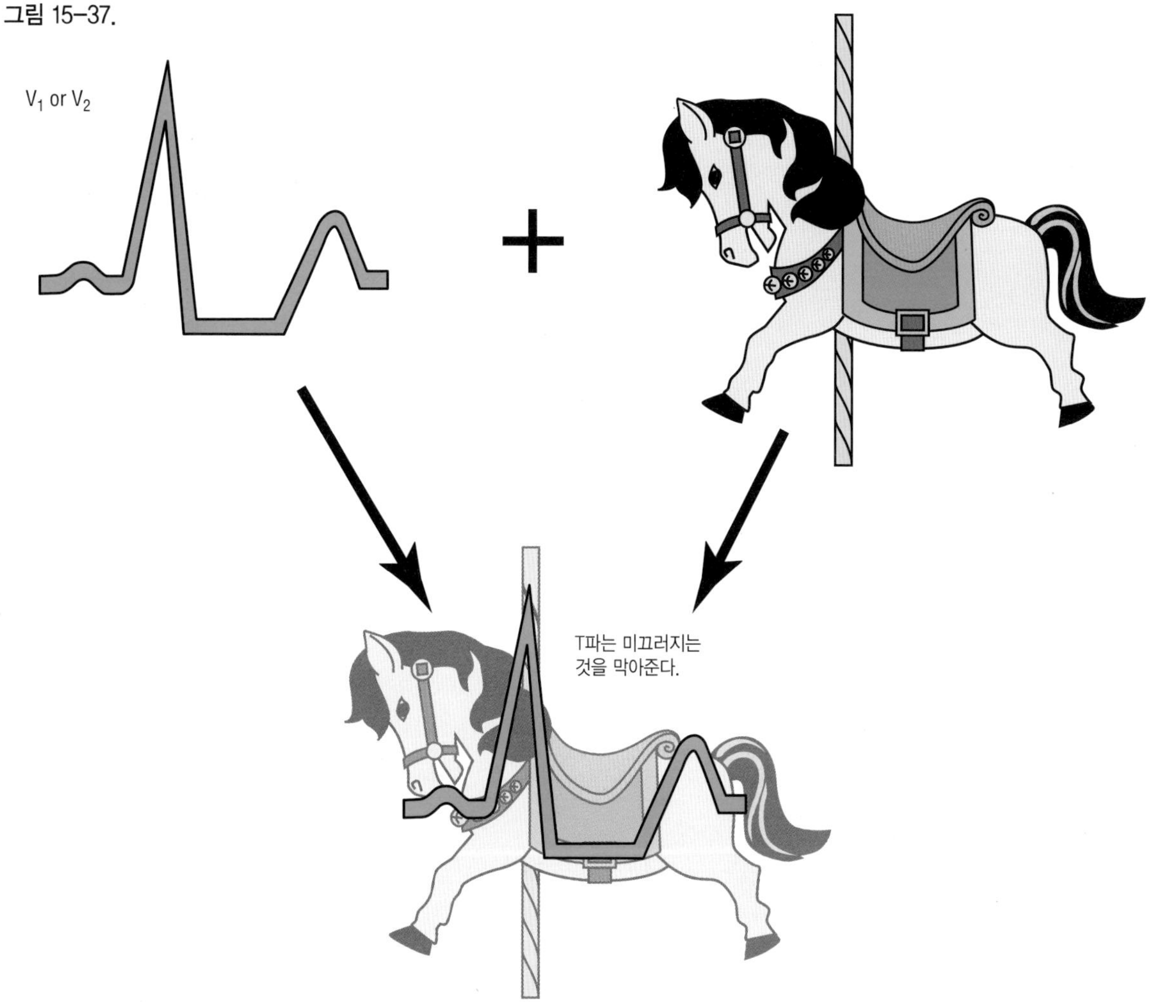
V_1 or V_2
T파는 미끄러지는
것을 막아준다.

2

우벽 경색: 요약

기본 12유도 심전도에서 상호변화를 관찰해야 한다는 것을 기억하자(그림 15-38). 만일 급성심근경색이 급성으로 발생하였다면 그림 15-39에 나오는 것과 같은 ST분절 하강을 목격할 것이다. 만일 확실히 이것이 보인다면 후부 유도인 V_7부터 V_9까지 추가 유도를 검사하도록 한다. 발생 시간을 알 수 없는 후벽 심근경색의 양상은 오직 V_1과 V_2의 R:S 비가 1보다 큰 것이다. 이것은 단지 성인에서 R:S 비가 상승할 수 있는 다른 이유들 – 우심실비대, WPW A형, 우각차단을 감별 진단 한 후에 가능한 배제의 진단이다.

대부분의 후벽 심근경색은 하벽 심근경색과 우심실경색과 동반되어 나타난다. 이것은 우리가 차후에 논의할 것이다.

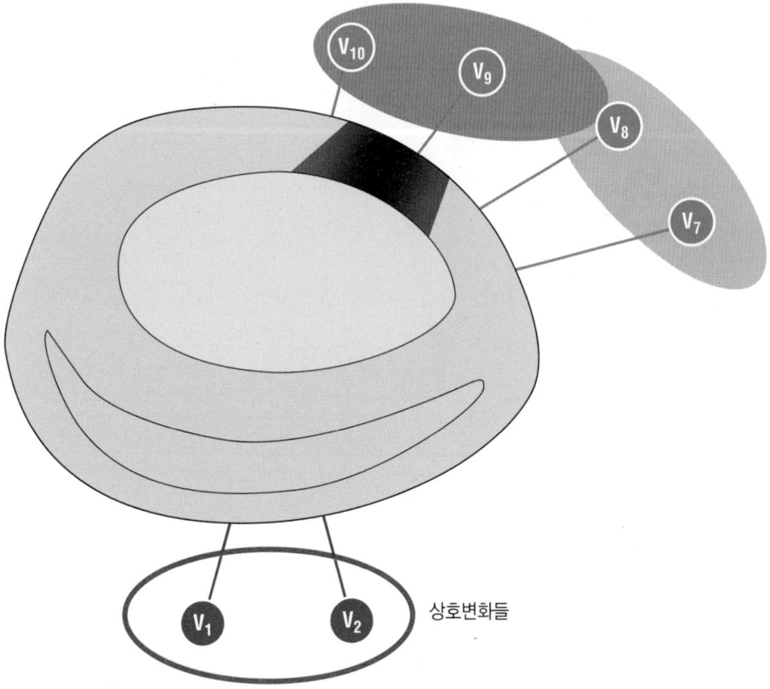

그림 15-38. 후벽 심근경색 = V_7, V_8, V_9, 상호변화들 V_1, V_2.

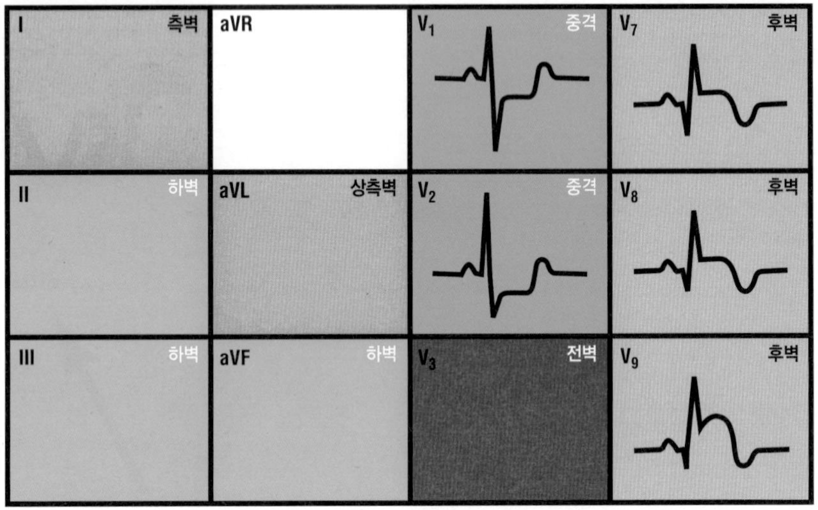

그림 15-39.

2

심전도 15-28 이 심전도는 단독 혹은 순수 후벽 심근경색의 고전적인 심전도 변화이다. V_1과 V_2의 증가한 R:S 비를 잘 봐두자. 증가한 R:S 비의 감별 진단을 다시 한 번 복습해보자. 환자가 소아이거나 청소년인가? 아니다. 환자는 50대이다. 우각차단인가? 아니다. 유도 I 이나 V_6의 늘어진(slurred) S파가 없다. 그리고 QRS군 넓이가 0.12초 보다 크지 않다. WPW A형인가? 아니다. 델타파가 없다. 우심실비대는 어떤가? 글쎄, 전기축의 위치는 거의 수직이긴 하지만 우심방확장이나 $S_1Q_3T_3$ 형태의 증거는 없다. 또한 임상적으로 우심실비대의 이유도 없다. 마지막 가능성은 후벽 심근경색이다. 이 증례에서 진단은 다른 원인을 배제함으로써 할 수 있다.

여기서 후벽 심근경색을 시사하는 다른 소견들도 찾아보자. R파는 V_1과 V_2에서 매우 넓으며 병적인 Q파와 일치한다. 다른 저자들에 따르면 넓은 R파일 필요는 없으며, 단지 높으면 된다고 한다. 하지만 높고 동시에 넓은 R파가 있으면 더 확실할 것이다. ST분절 하강과 상향의 T파 또한 급성, 아급성 후벽 심근경색을 시사한다. 측벽이나 하벽의 동반을 보이는가? 이 심전도에서는 아니다. 그래서 이것은 후벽 단독 심근경색이다.

후벽 유도는 이 경우에 도움이 된다. 확진을 위해서 항상 찍도록 요청하라.

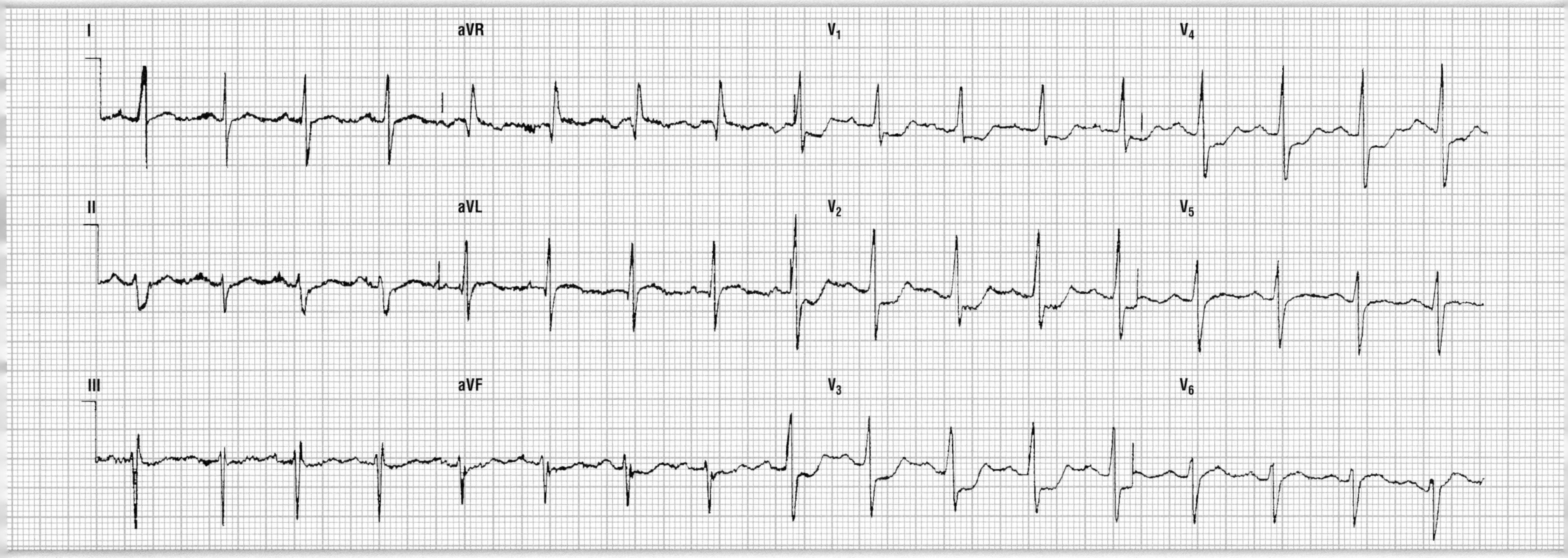

ECG 15-28

심전도 증례 연구 계속

2

심전도 15-29 이 심전도에서 V_2를 보면 R:S 비가 1보다 크다. R파는 0.03초 보다 넓은데 이것은 병적이다. ST분절 하강의 냄새가 나기는 하는데 가는 자로 측정해 보면 아니다. 착시 같은 것이다.

또 다른 경색의 증거가 있는가? 글쎄, 오래 되었거나 기간을 알 수 없는 하외측벽 경색과 일치하는 하부와 측벽 유도의 Q파가 보이기는 한다. 사실, ST분절 변화의 부재와 오래된 하측벽 심근경색으로 인해 이전에 후벽 심근경색이 있었을 것이라고 생각할 수 있다. 특히 하측벽 경색이 있었을 당시에 동반되었을 것이라고 생각할 수 있다. 후벽 심근경색은 하벽 심근경색과 우심실경색이 잘 동반된다는 사실을 기억하자. 그렇다면 왜 이것이 일어났는지 알 수 있겠는가?

후벽 심근경색, 하벽 심근경색, 우심실경색은 연관되어 있는데 이것은 이 부위들이 같은 동맥에 의해 혈류공급을 받기 때문이다 – 우관상동맥, 좌회선지, 후하행지. 한 동맥의 차단은 하나 이상의 부위의 경색을 가져온다. 3단계에서 이것에 대해 더 자세히 배울 것이다.

마지막으로 이 심전도의 율동은 무엇인가? P파가 없는 불규칙하게 불규칙한 율동이다. 이것은 심방세동과 느린 심실반응이다.

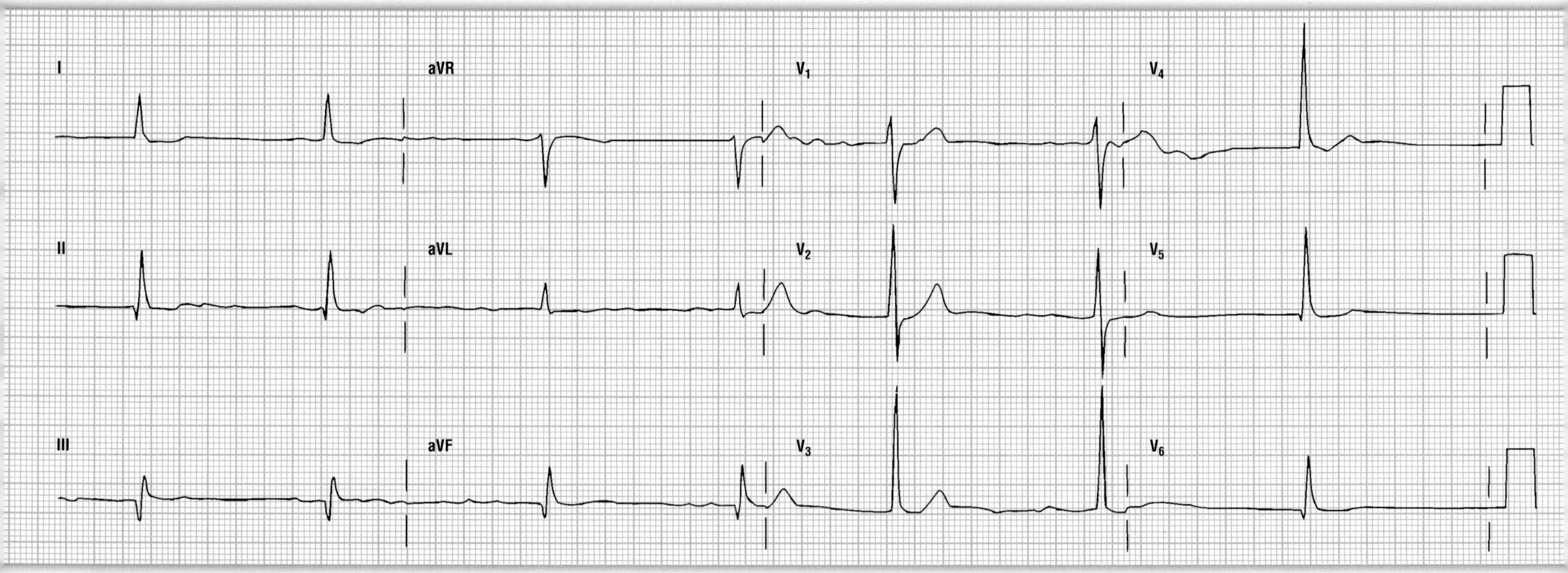

ECG 15-29

상호변화

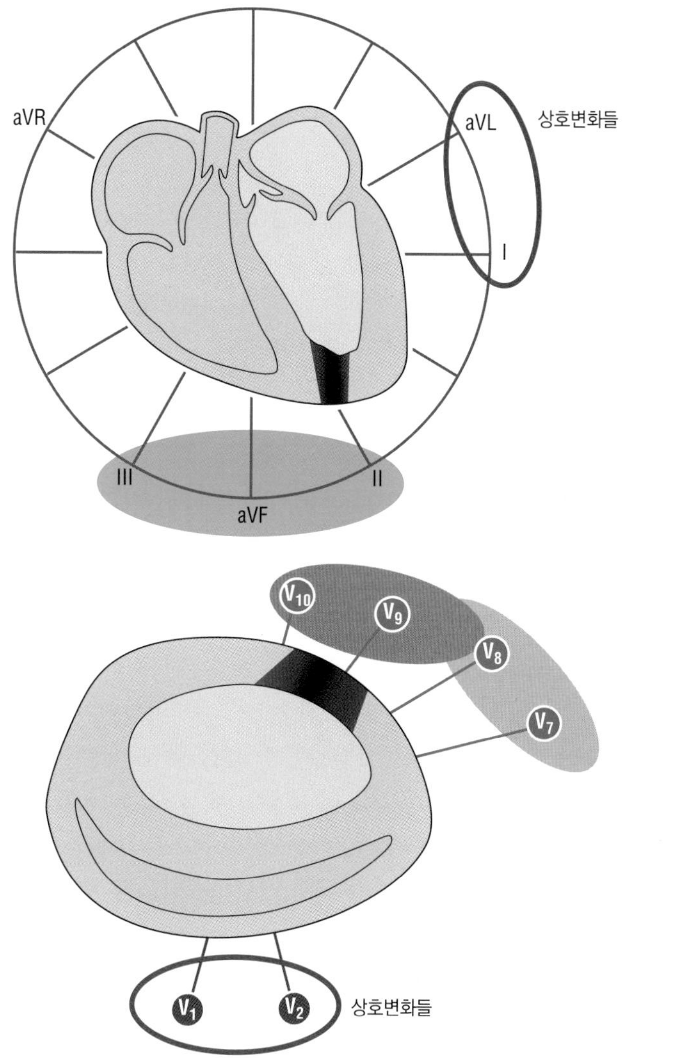

그림 15-40. 하벽 급성심근경색 = Ⅱ, Ⅲ, aVF; 후벽 급성심근경색 = V_7, V_8, V_9; 상호변화 V_1, V_2.

이제 하후벽 급성심근경색을 상세히 알아볼 것이다. 앞에서 말했지만, 이것은 하벽 급성심근경색에서 자주 보이는 가능한 조합이다. 기억할 것은, 하벽 급성심근경색과 후벽 급성심근경색의 진단 기준이 모두 적용되지만, 같이 존재한다는 것이다.

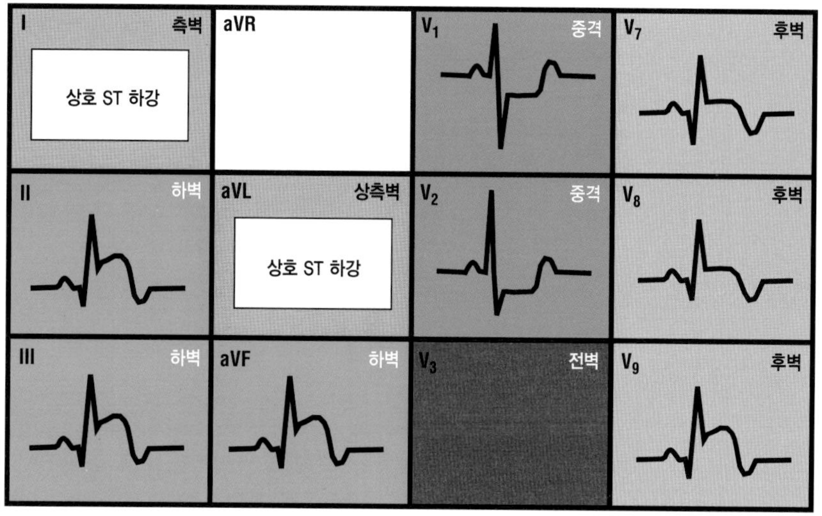

그림 15-41.

심전도 증례 연구 하후벽 급성심근경색

2

심전도 15-30 이것은 하후벽 심근경색의 측벽 연장의 훌륭한 예이다. Ⅱ, Ⅲ, 그리고 aVF의 ST분절 상승을 주지하자. 유도 Ⅱ와 Ⅲ의 ST분절 상승이 비슷한 것으로 보아서 우심실의 침범은 의심되지 않는다. 어쨌든, 우측 유도는 얻도록 하자. 하벽 급성심근경색에 합당한 상호변화가 aVL에서 보이고 있다. 이제 관심을 흉부 유도로 돌려보면, V_1과 V_2의 R:S 비의 증가, 0.03초 보다 넓은 R파, ST분절 하강과 상향의 T파를 볼 수 있다 – 그림 15-42를 보라. 이런 소견은 후벽 심근경색을 시사한다. 마지막으로 V_5에서 V_6까지의 ST분절 상승은 측벽 유도를 포함하는 경색소견을 보여준다.

심전도 15-31 이 심전도 역시 하벽-후벽-측벽 급성심근경색의 강력한 증거들을 보여준다. Ⅱ, Ⅲ, aVF와 V_4에서 V_6까지의 ST분절 상승을 볼 수 있다. 그리고 aVL의 상호 ST분절의 하강은 하측벽 급성심근경색을 시사한다. Ⅱ와 Ⅲ의 ST분절 상승은 비슷하여 잠재적으로 우심실 경색을 배제한다(그래도 하벽 급성심근경색일 때는 본능적으로 우측 유도를 측정하자). 이제 V_1과 V_2를 살펴보자. 그림 15-43에 ST분절 하강과 상향의 T파가 양 유도 모두에서 보이고 있다. 덧붙여, 0.03초 보다 넓고 큰 R파가 보인다. V_1과 V_2에서 보이는 변화는 후벽 급성심근경색에 합당하다. V_1과 V_2의 ST분절 하강을 측벽의 변화에 대한 상호변화로 착각하는 우를 범하지 말자; 이것들은 상호변화를 보이는 유도가 아니다.

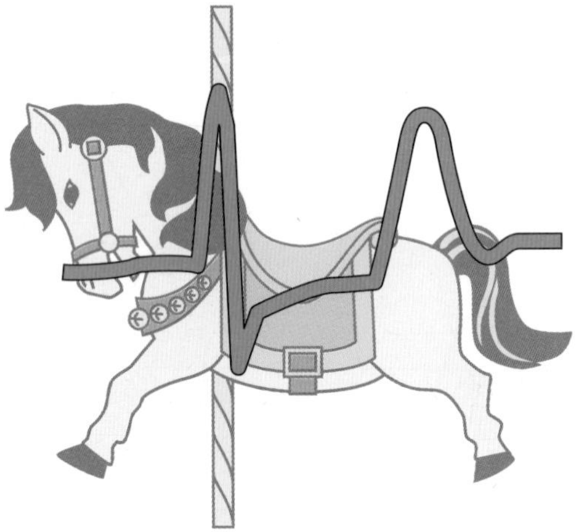

그림 15-42. 유도 V_2

그림 15-43. 유도 V_2

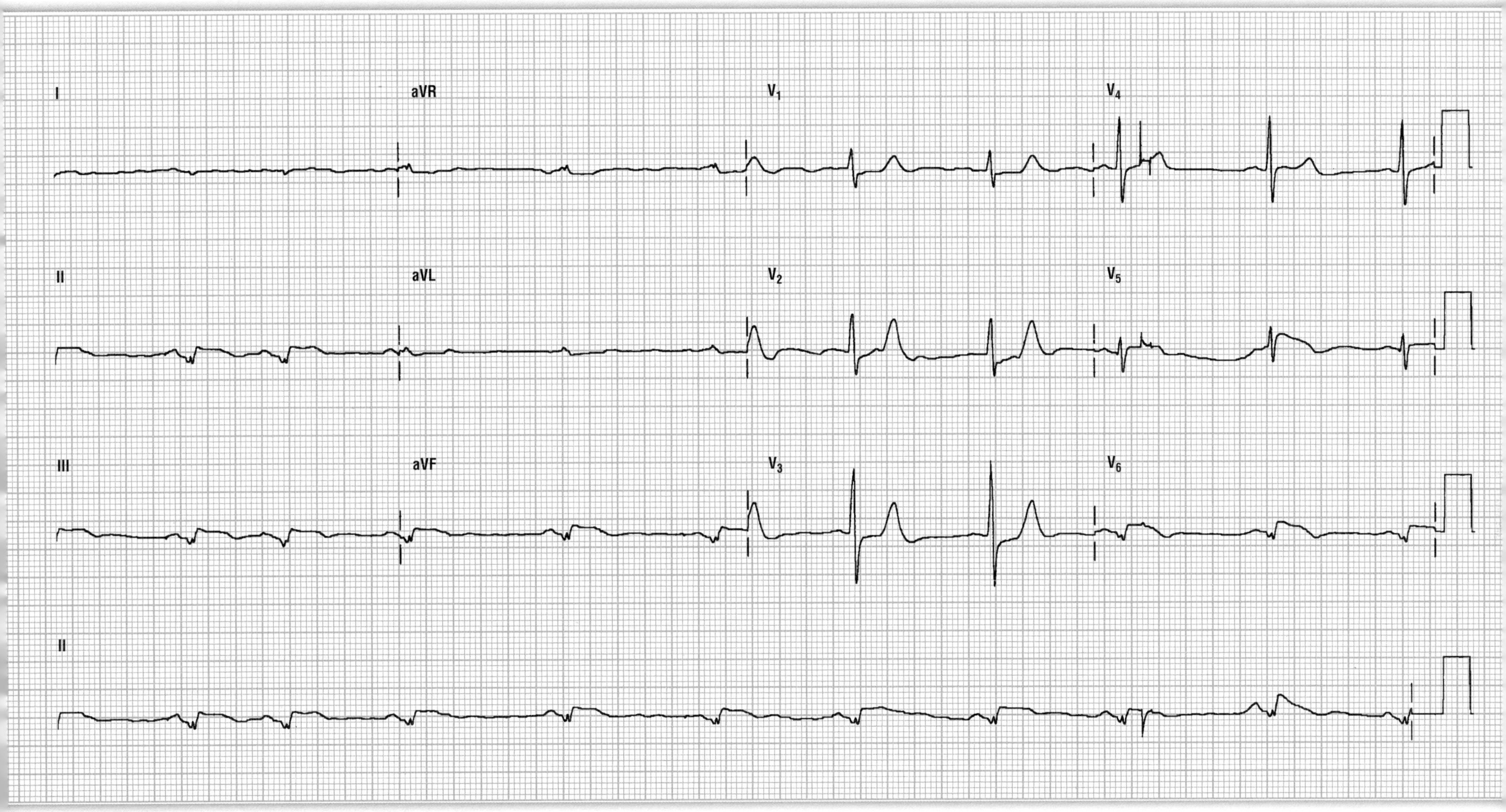

ECG 15-30

심전도 증례 연구 계속

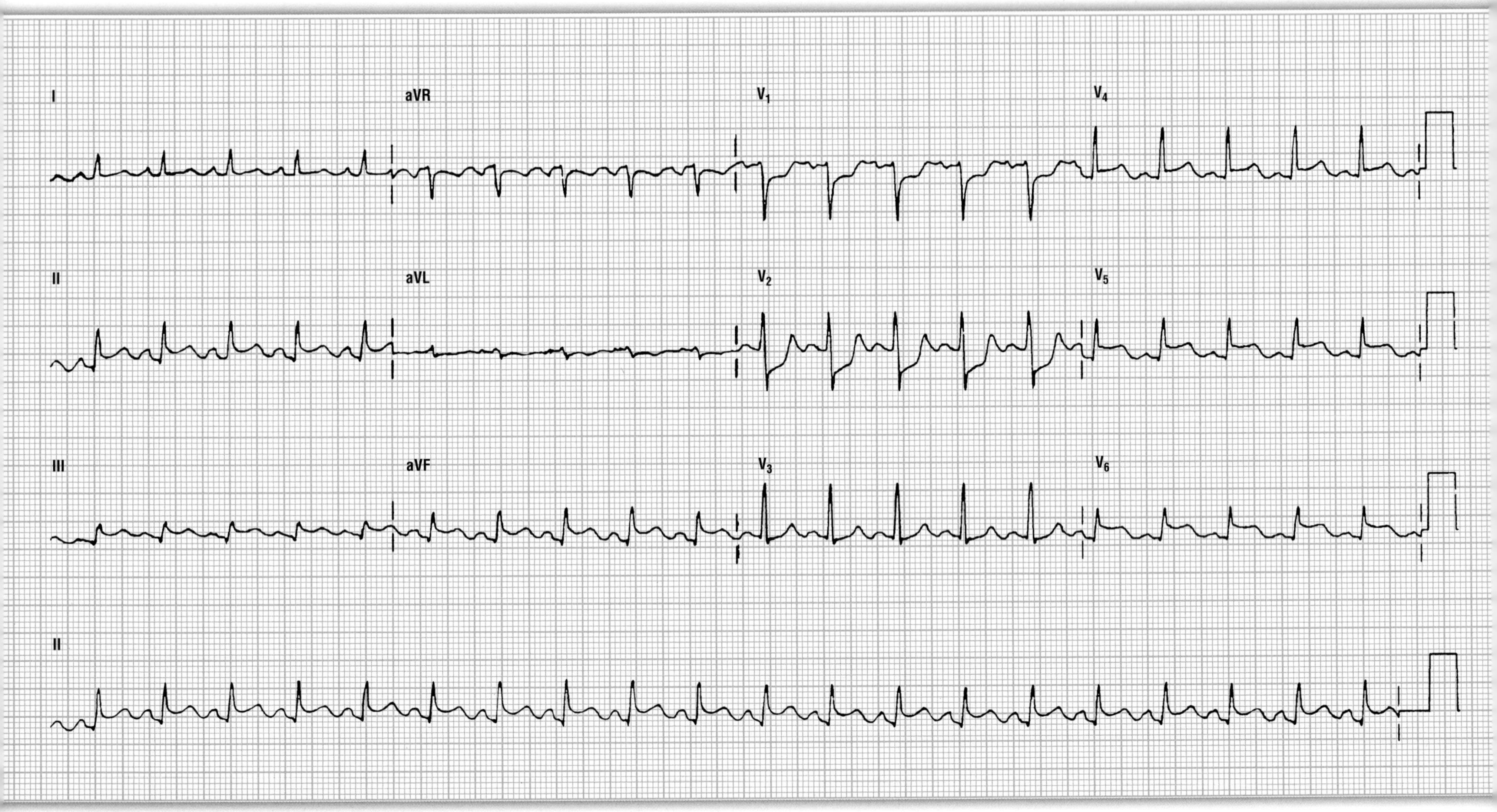

ECG 15-31

3

심전도 15-32 이것은 난해한 심전도이다! 다시 설명하기 전, 그리고 이 토론의 나머지 부분으로 가서 설명하기 전에, 한 번 판독을 해보려는 긍정적 시도를 해보라. 이 장이 하후벽 급성심근경색을 다루기 때문에 아마도 진단하는데 있어서 좋은 출발점이 될 것이다. 확실히 이것은 하후벽의 심근경색인데 이 심전도를 흥미롭게 만드는 것은 이것이 좌각차단을 가진 환자에게 일어났다는 것이다. QRS군의 넓이가 0.12초 이상으로 좌각차단에 합당하다. V_1에서 작은 R파와 큰 S파가 있다. 덧붙여서, 유도 Ⅰ과 V_6는 단형의 R파 모양을 보여주고 있다. 이것은 좌각차단의 패턴이다. 이제 좌각차단이 있는 경우 V_1과 V_2의 ST분절이 정상적으로 어떻게 보이게 되는가? 이들은 정상적으로 불일치한(discordant) 모양으로 상승한다.

V_1과 V_2의 ST분절은 하강해 있고 T파는 방향이 일치(concordant)한다. *좌각차단에서 V_1에서 V_3까지의 어떤 ST분절 하강도 항상 병적인 것이고, 후벽 급성심근경색을 시사한다.* 이제 같은 유도의 R파를 살펴보자. 통상적인 것보다 더 넓다 – 0.03초 보다 넓다. 이것 역시 비정상이고 이 환자에 있어서 후벽 심근경색을 시사한다.

우리가 앞서 이야기한 것처럼 병적인 Q파가 병적인 Q파인가? 이 심전도에서 하부유도에서 하벽경색을 시사하는 Q파가 보인다. 마지막으로 V_6에서 ST분절 상승을 보여 준다. 정상적으로 좌각차단에서 V_6는 ST분절이 하강한다. 상승이 아니라. 이 변화는 측벽 손상 형태를 시사한다.

심전도 증례 연구 계속

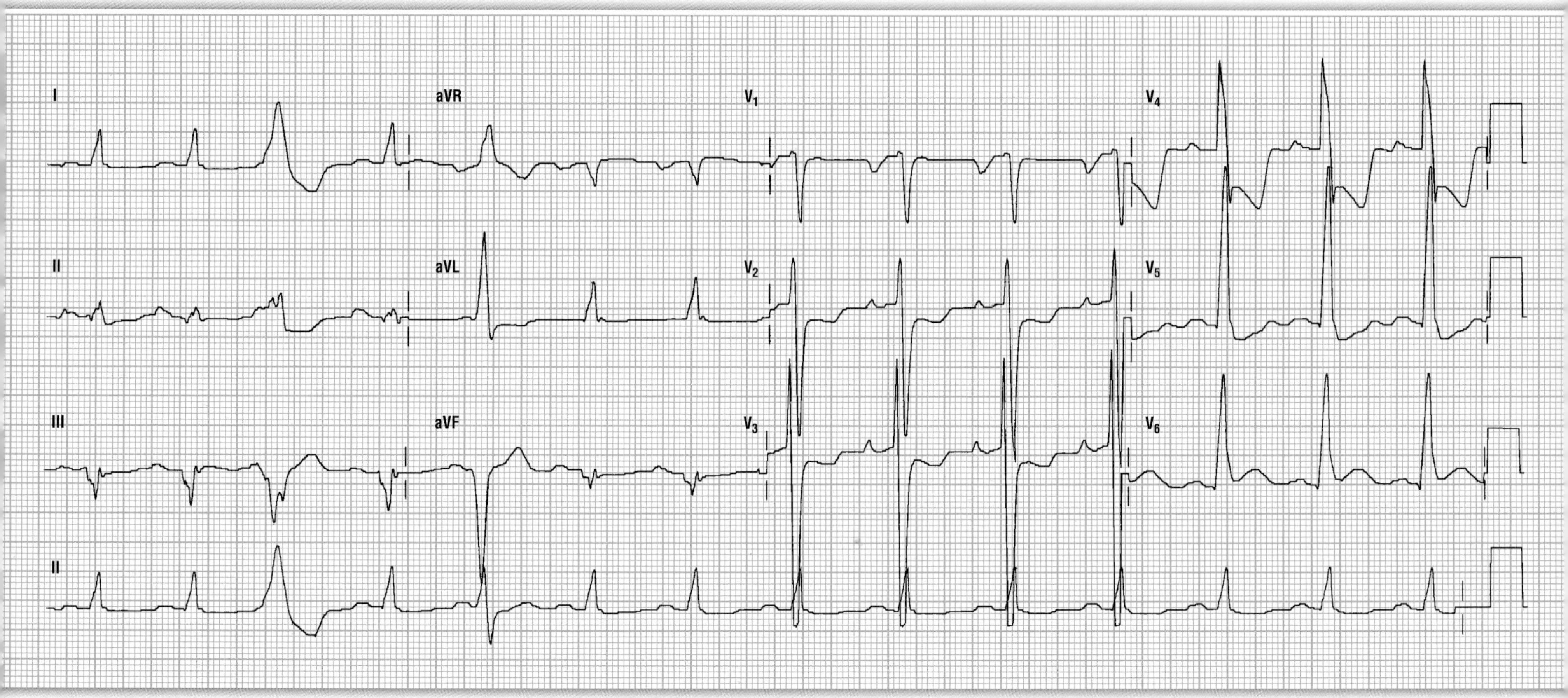

ECG 15-32

하벽-우심실-후벽 급성심근경색

이 장에서, 우리는 하벽, 우심실, 후벽 급성심근경색의 조합을 살펴볼 것이다. 주의할 것은 이것들이 역시 많은 경우, 측벽으로 확장될 수 있다는 것이다. 이런 경색들은 다량의 심근이 위험에 처해있음을 나타내며 적극적인 치료가 필요함을 나타낸다. 심장내과 의사들에게 빨리 의뢰를 하는 것을 강력히 추천한다.

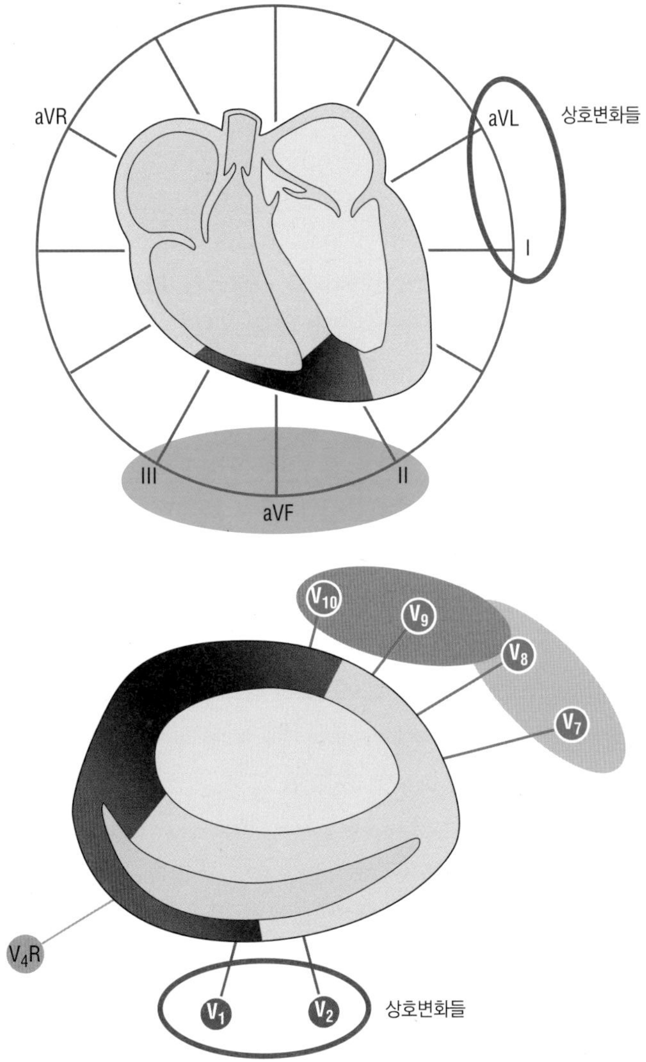

그림 15-44. 하벽 심근경색과의 조합에 대한 기준 : Ⅲ ST 상승이 Ⅱ 보다 크다, V_2의 ST 하강 폭이 aVF의 상승 폭의 절반 이상이다.

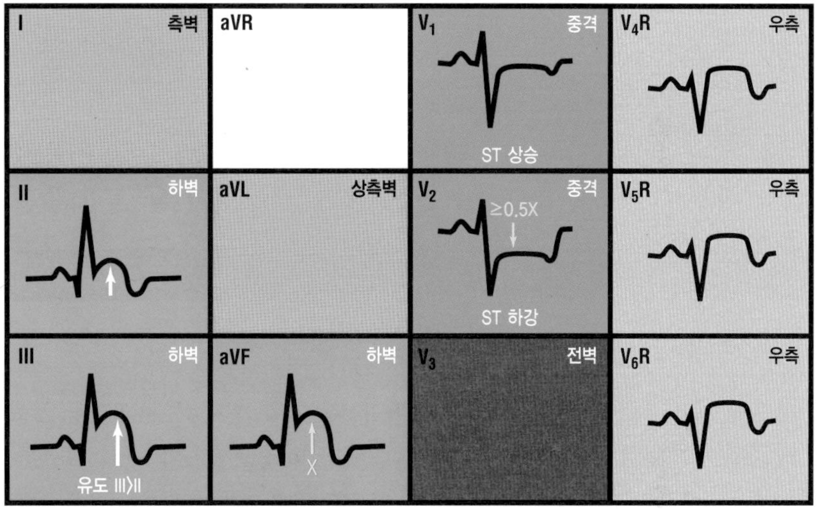

그림 15-45.

심전도 증례 연구 하벽–우심실–후벽 급성심근경색

2

심전도 15-33 이 심전도는 심장 3구역의 경색을 동시에 보여주는 소견을 가지고 있다 : 하벽, 우심실, 그리고 후벽. Ⅱ, Ⅲ, aVF의 ST분절 상승과 aVL의 상호 변화는 하벽 심근경색의 전형적인 소견이다. 유도 II와 비교하여 III에서 ST분절 상승이 심한 것으로 보아 우심실 침범 소견도 보인다. 우측 유도가 우심실경색을 확진해 줄 것이다. 후벽의 변화는 V_1과 V_2에서 증가한 R:S 비와 ST분절 하강을 나타낸다. 다음 심전도를 2분 후에 측정하였을 때 T파가 상향인 것을 볼 수 있다. R파는 0.03초 보다 넓다. 결론적으로 V_2의 ST분절 하강은 aVF의 ST분절 상승 높이의 절반보다 크다. 사실, V_2의 ST분절 하강과 aVF의 상승은 거의 비슷하다.

심전도 15-34 또 하나의 하벽–우심실–후벽 급성심근경색의 좋은 예이다. 사지 유도에서 전형적인 하부 유도의 ST 상승과 측벽 유도의 상호변화가 관찰된다. 또한 Ⅲ의 상승폭이 Ⅱ보다 크고 V_4R의 ST분절 상승은 우심실경색을 시사한다. 결론적으로, V_1과 V_2에서 R파가 저명하지는 않지만 ST분절의 하강의 정도는 의미가 있다. V_2의 ST 하강 폭과 aVF의 ST 상승 폭을 비교해 보면 V_2의 하강 폭이 훨씬 커서 후벽 심근경색을 시사한다. 불행히도, 후부 유도가 얻어지지 못하였다. 계속 강조하는 것이지만 하벽 심근경색 환자에서 우측 유도와 후벽 유도를 항상 얻도록 하라. 이 추가적인 유도로부터의 정보가 아주 유용하다.

심전도 15-35 이 심전도의 경색 소견은 아주 미묘하여 찾아내기 어렵다(농담이다!) 이것은 하벽–우심실–후벽 심근경색과 측벽으로의 확장이다. 소견들을 살펴보고 심장의 4구역에 해당되는 변화들을 확인하라. 이 환자는 혈관의 차단으로 인해 너무나 많은 양의 심근이 위험에 빠져 있다. 우리는 "혈관들" 이 아닌 *"혈관"* 이라고 하였는데 이는 경색이 대부분 하나의 혈관차단으로 일어나기 때문이다(고급 학생을 위해서 : 이런 많은 심근을 침범할 수 있는 경우는 우관상동맥이 우세한 관상동맥계에서 우관상동맥의 막힌 경우이다). 치료는 보다 적극적으로 이루어져야 한다. 하지만 우심실 침범으로 전부하(preload)는 가능한 유지되도록 해야 한다. 이 환자의 생존에 있어서 가장 중요한 것은 막힌 동맥의 재관류이다.

임상의 진주

우심실경색 환자의 치료 시 조심하여야 한다. 전부하의 유지가 결정적이다.

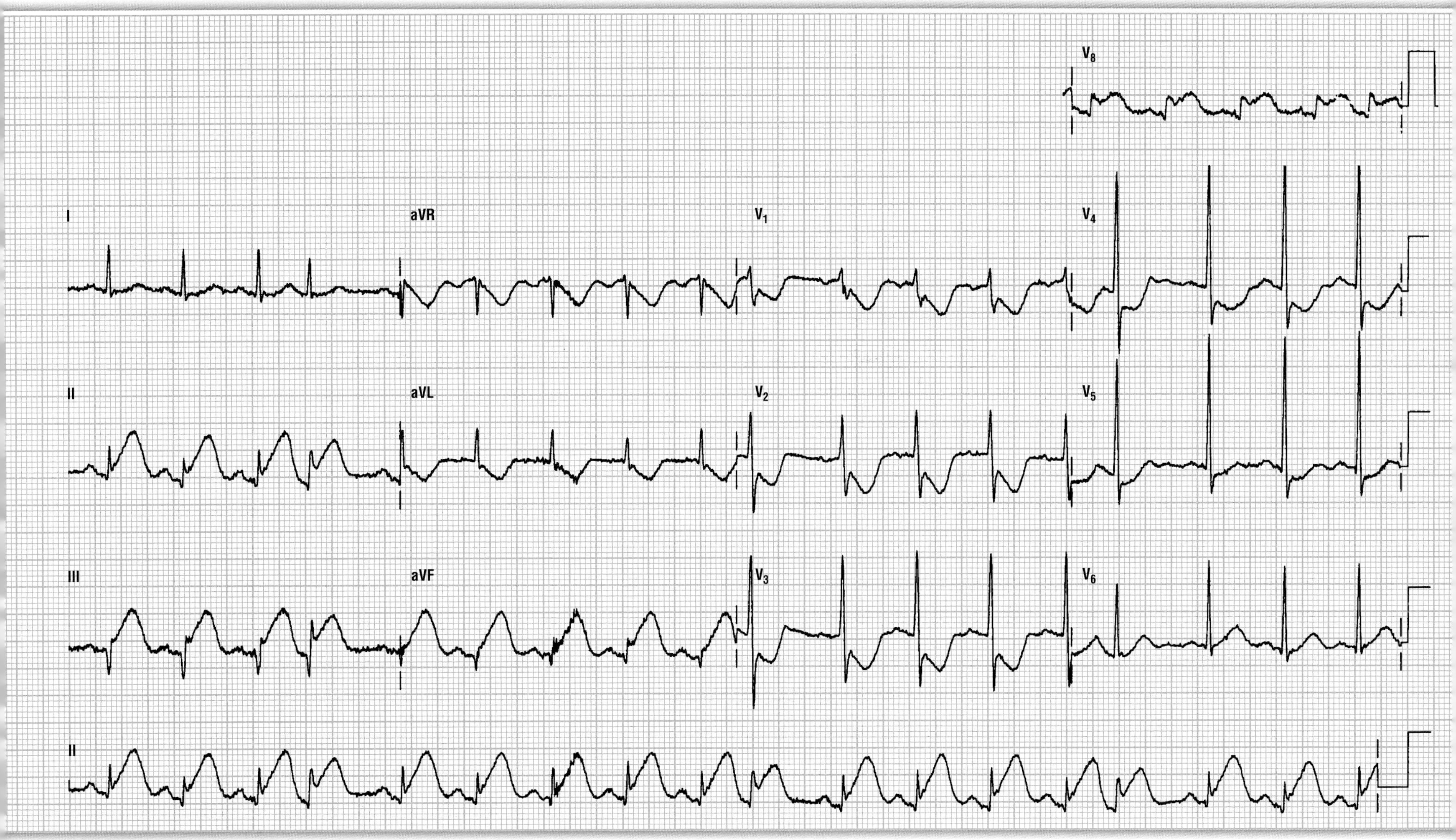
V8
I
aVR
V1
V4
II
aVL
V2
V5
III
aVF
V3
V6
II

ECG 15-33

심전도 증례 연구 계속

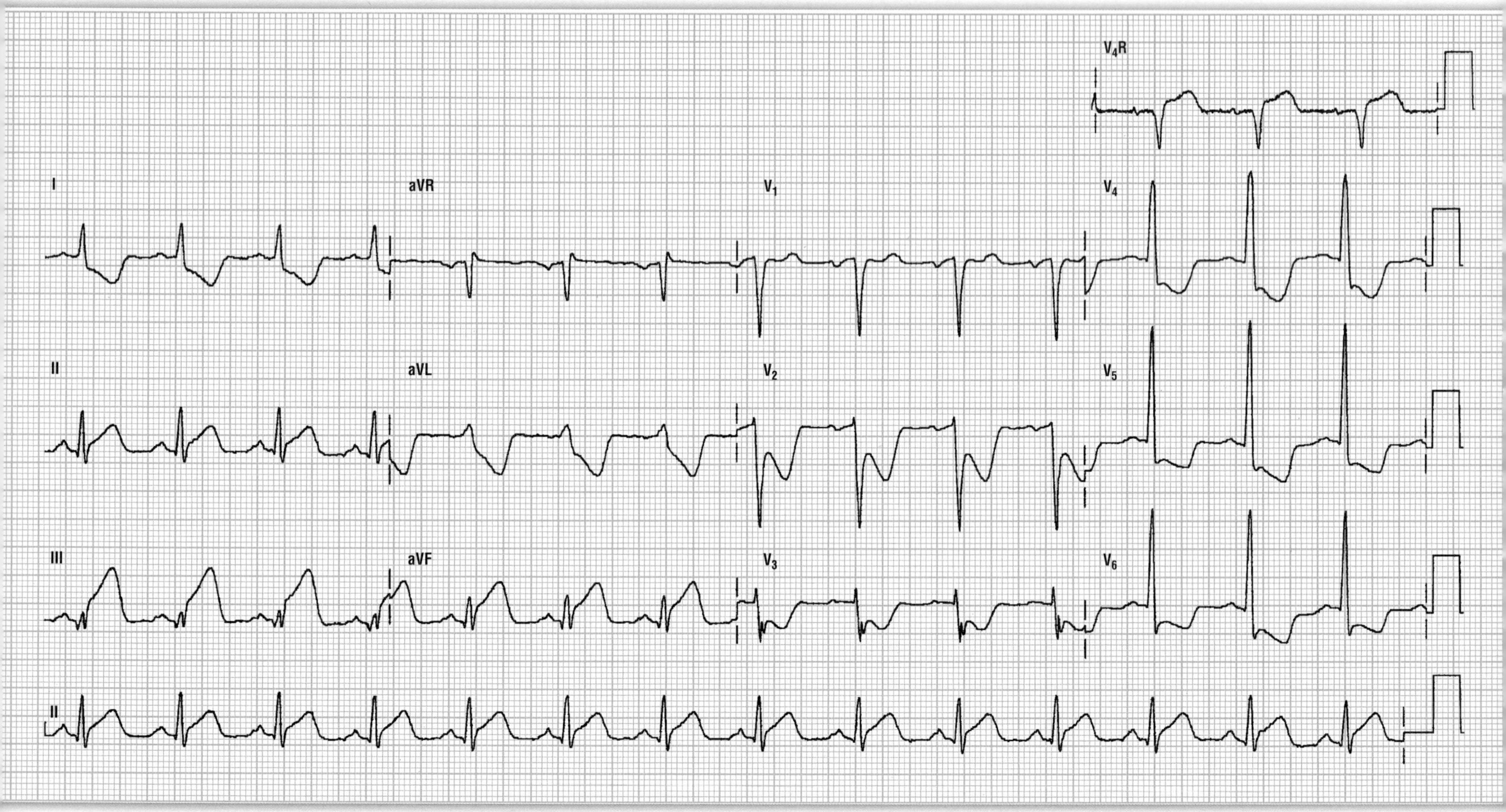

ECG 15-34

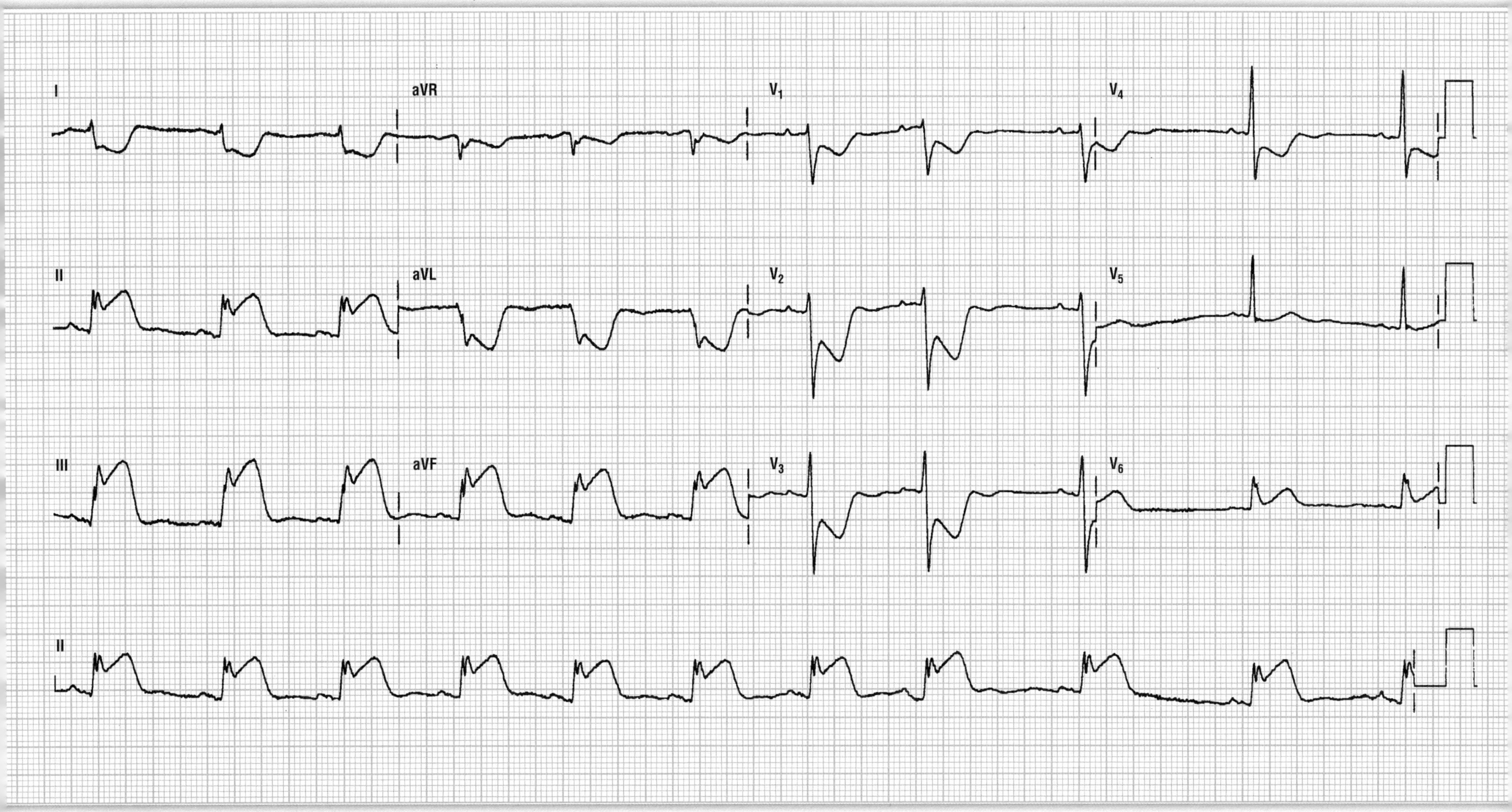
I
aVR
V1
V4
II
aVL
V2
V5
III
aVF
V3
V6
II

ECG 15-35

심전도 증례 연구 **계속**

2

심전도 15-36 또 다른 하벽-우심실-후벽 심근경색과 측벽 확장의 예이다. *혈전용해 치료 목적에 부합하는 저명한 변화는 급성심근경색의 병력을 가지면서 1밀리미터 이상의 상승이 2개 이상의 연속된 유도에서 관찰되는 것이다.* V_6의 ST상승 폭을 살펴보자. 이것이 병적인 것일까 아니면 정상 변이인가? 경색에 따른 변화가 심전도 전반에 걸쳐 나타나기 때문에 이런 작은 ST분절 상승도 병적이다. 어쨌든, 이 심전도 자체로는 혈전용해제를 사용하기는 충분하지 못하다. 왜냐하면 측벽 2개 유도 중에서 단 하나에서만 나타나기 때문이다. 하부 유도에서 나타나는 ST변화는 혈전용해제 사용 프로토콜에 합당하다. 기억할 것은 병적인 변화는 항상 혈전용해술의 기준에 충족하는 것은 아니다. 그러나 역시 위험하다.

임상의 진주

어떠한 ST분절 상승도 이유를 설명해야 하는 유의성을 가질 수 있으며, 또한 치료가 필요할 수 있다. 하지만 모든 ST분절 상승이 혈전용해제 투여를 할 만큼 의미있디는 않다.

심전도 15-37 여기에, 또다시, 하벽-우심실-후벽 심근경색의 변화를 보여준다. 이 변화들은 앞에 나왔던 예보다 조금 더 미묘하다. 그러나 치료하기에는 충분히 의미있다. 그리고 혈전용해제 투여의 국가 표준 지침에 부합한다. aVL의 ST분절을 보라. 이것은 앞 장에서 언급하였다시피 하벽 심근경색의 초기 소견이다.

결론

우리는 이 장이 당신에게 급성심근경색의 심전도 진단 기준의 훌륭한 소개가 되기를 바란다. 가능한 한 심전도를 많이 보기 바란다. 그리고 특별히 급성심근경색 환자의 심전도를 많이 보라. 관상동맥허혈증후군을 가진 환자들은 가능한 한 많은 의심을 가지고 다루어라. 또한 우심실경색은 병태생리가 다른 심근경색과 다르고 치료도 다르다는 점을 기억하자. 우심실경색은 당신이 그 가능성에 대해 생각해보지 않는다면 결코 알 수 없다. 사고의 방식을 본능적인 것으로 만들어야 "전투의 최고조"에 있을 때 기억이 날 수 있다. 하벽 심근경색을 진단한 경우 항상 우심실경색과 후벽 경색을 생각하자.

마지막으로 이 장과 *ST분절과 T파들* 장은 필요할 때 최대한 많이 복습하라. 여기에서 당신이 마주할 수 있는 가장 심각한 몇몇 병리들을 다루었다. 어떠한 실수라도 환자의 목숨과 직결할 수 있고 또한 당신에게 심한 마음의 아픔과 고통을 줄 것이다.

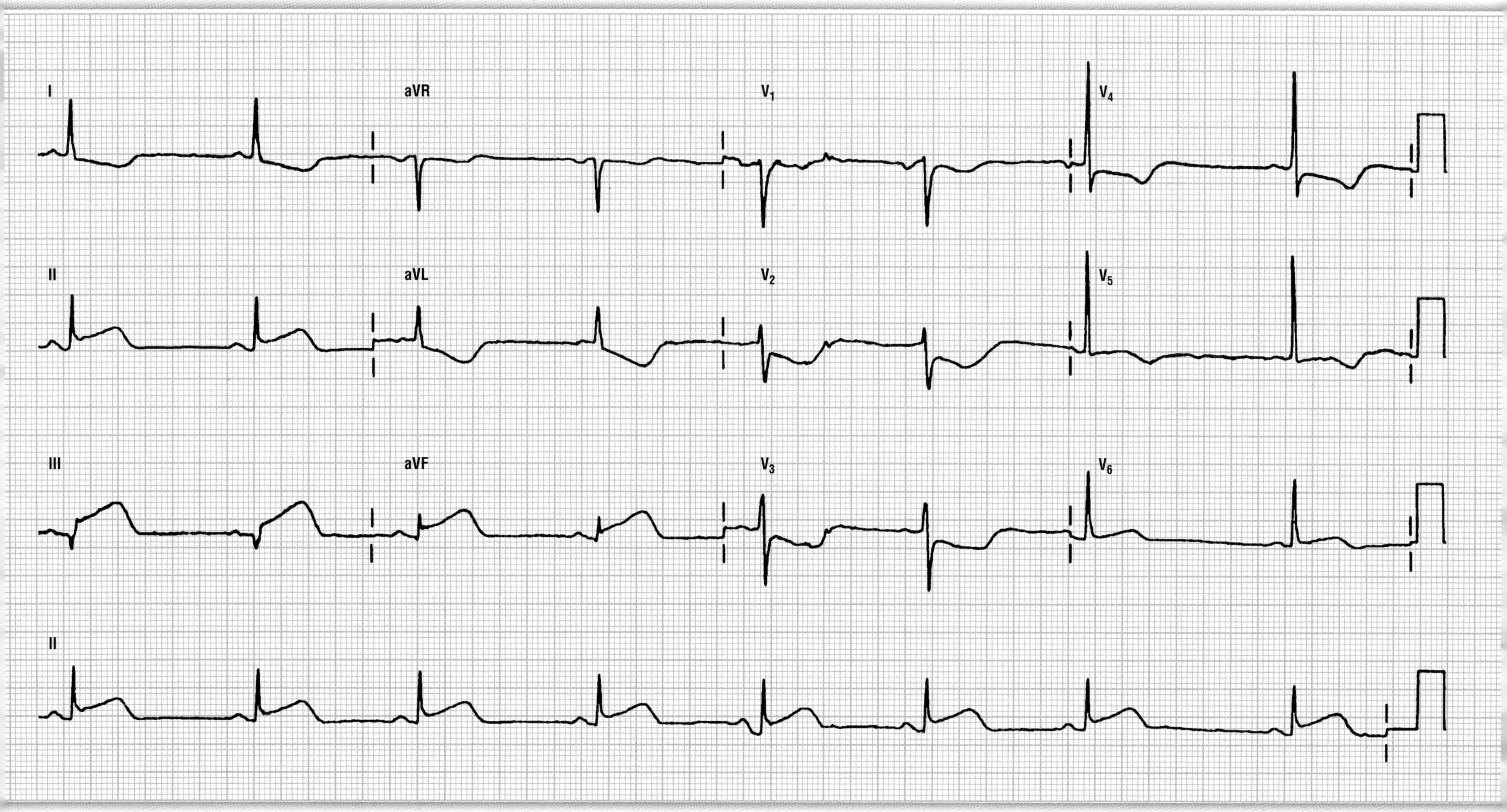
I
aVR
V1
V4
II
aVL
V2
V5
III
aVF
V3
V6
II

ECG 15-36

심전도 증례 연구 계속

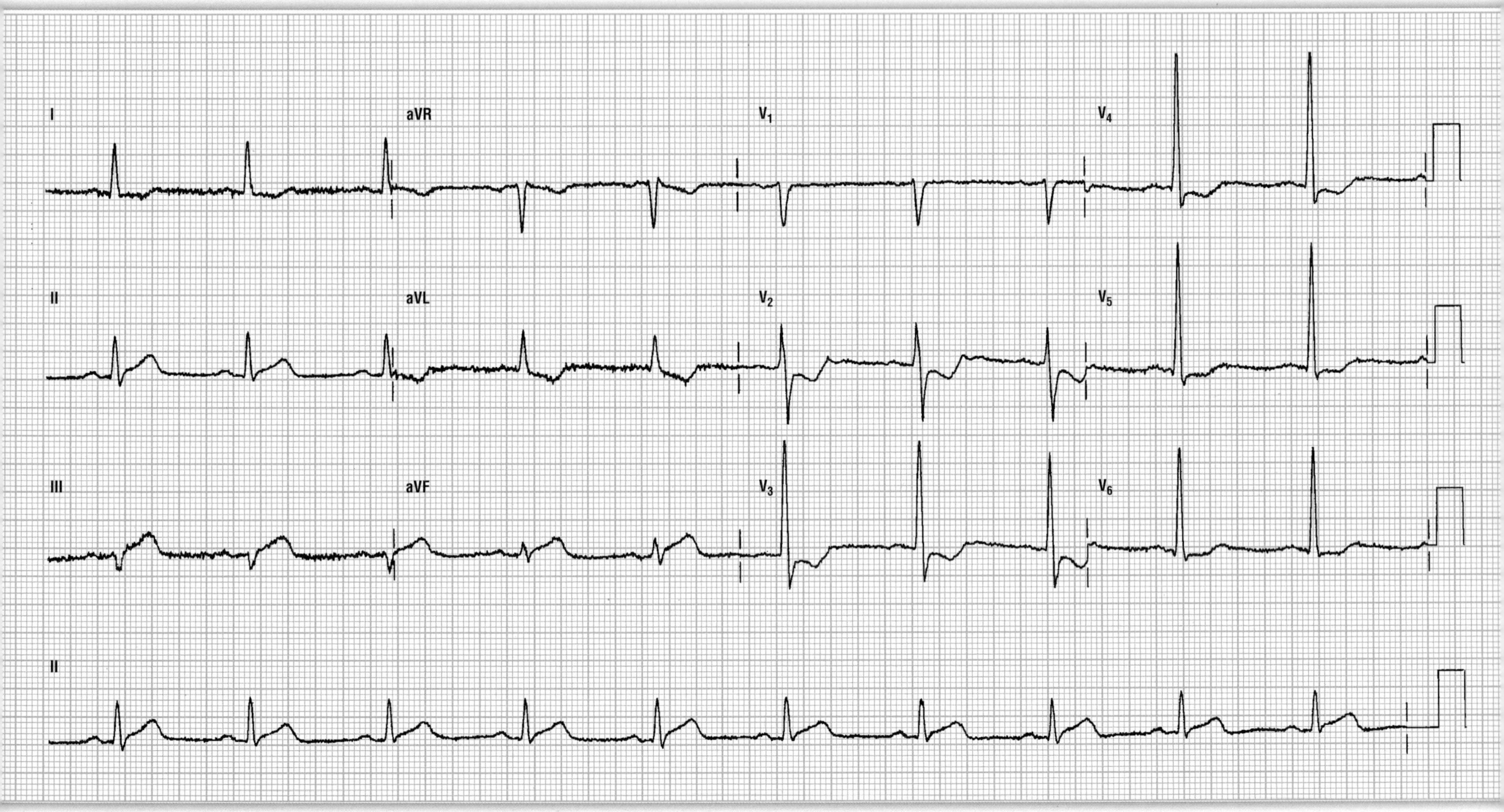

ECG 15-37

1 단원 복습

1. 허혈, 손상, 경색은 모두 가역적인 과정이다. 참 또는 거짓

2. 경색은 항상 심실내막을 따라 넓게 일어난다. 허혈과 손상의 범위가 심근내막에서 좁고 심근외막에서 넓어지는 방어 기전은 무엇인가?

A. 측부 순환
B. 확산
C. Thebesian 정맥
D. 이상 모두
E. 이상 모두 아님

3. 손상 부위는 주변의 조직보다 전기적으로 양성이다. 이 조건이 심전도에서 ST분절 상승으로 나타난다. 참 또는 거짓

4. 경색의 부위는 마치 전기적 "창문" 같이 행동한다. Q파는 반대쪽의 저항받지 않는 양성의 벡터가 경색부위에 있는 심전도에서 멀어지는 쪽을 향하고 이것을 창문을 통해서 보기 때문에 발생한다. 참 또는 거짓

5. 비 ST 상승 경색들은 항상 전층을 침범한다. 참 또는 거짓

6. 급성심근경색에서 부정맥으로 사망할 가능성은 얼마인가?

A. 20%
B. 40%
C. 60%
D. 80%
E. 100%

7. 어떤 경색 형태가 응급재관류 치료가 필요한가?

A. ST 상승 경색
B. ST 비상승 경색
C. 두 개다

8. 심근경색 부위와 정확히 반대편 벽에 놓인 유도나 전극에서 기록되는 것은 급성심근경색의 상호변화를 기록한다. 참 또는 거짓

1. 거짓, **2.** D, **3.** 참, **4.** 참, **5.** 거짓, **6.** B, **7.** A,
8. 참

2 빠른 복습

9. 큰 관상동맥은 대개 심장의 한 영역만 관류를 한다. 참 또는 거짓

10. 전중격 급성심근경색들은 하부 유도들에서 상호변화들이 나타난다. 참 또는 거짓

11. 측벽 확장을 동반한 전중격 급성심근경색들은 많은 양의 심근이 위험이 처해 있음을 나타낸다. 참 또는 거짓

12. 추적 심전도들은 하는 것은 어떤 급성심근경색 환자에서도 결정적이다 참 또는 거짓

13. 하벽 급성심근경색들은 대개 양성이며, 우심실이나 후벽을 침범하여도 그렇다. 참 또는 거짓

14. 방실결절은 어떤 동맥에 의해서 혈액 공급을 받나?

A. 우관상동맥
B. 좌전하행지
C. 첫 번째 둔각모서리동맥(first obtuse marginal)
D. 좌회선동맥
E. 해당 사항 없음

15. 하벽 급성심근경색의 첫 심전도 표시는:

A. II, III, 그리고 aVF의 ST 상승
B. I 그리고 aVL의 ST 상승
C. II, III, 그리고 aVF의 아래로 경사진 ST 하강
D. aVL의 아래로 경사진 ST 하강
E. 해당 사항 없음

16. 하벽 급성심근경색들은 자주 심낭염과 혼동된다. 참 또는 거짓

17. 하벽 심근경색이 있을 경우에는 언제든지 우측 유도들을 얻어야 한다. 참 또는 거짓

18. 우심실경색에서 좌심실로 피가 들어가는 것은 일차적으로 :

A. 우심방의 펌프 작용에 의해서
B. 좌심장의 펌프 작용에 의해서
C. 정맥 환류(venous return)
D. 중력(gravity)
E. 연동(peristalsis)

19. 우심실경색의 진단기준이 아닌 것은

A. 하벽경색
B. III의 ST 하강이 II에 비해서 클 때
C. V_1의 ST 상승
D. V_2의 ST 하강
E. V_2의 ST 하강이 aVF의 ST 상승의 절반보다 크지 않다.
F. 우측 유도들 V_4R에서 V_6R에서 1 mm ST 상승.

20. 회전목마 심전도는 나쁜 것이다. 참 또는 거짓

9. 거짓, **10.** 거짓, **11.** 참, **12.** 참, **13.** 거짓, **14.** A, **15.** D, **16.** 거짓, **17.** 참, **18.** C, **19.** B, **20.** 참

16장

1

이 장에서는 임상에서 마주치는 2가지 중요한 테마에 대해 이야기하겠다. 내용들은 1과 2단계에 있다. 당신이 3단계에 도달한다면 당신은 2가지 테마에 대해 철저히 알고 있어야 한다. 3단계의 고급독자라면, 당신은 이 장을 참고서로 삼고 이런 위급한 문제들에 대한 지식을 새롭게 하길 바란다.

전해질은 거의 모든 세포들의 세포외액과 세포내액에서 발견된다(*전기생리* 장을 보라).

가장 중요한 전해질은 소듐, 포타슘, 칼슘, 마그네슘이다. 전해질의 세포 내외로의 흐름은 탈분극과 재분극에 필요한 에너지를 만들어내고, 심장 기능을 위한 수축 기전을 가능하게 한다. 당신이 상상하는 것과 같이, 세포액 속의 이런 전해질 농도는 이런 흐름에 영향을 미치고 심전도에서 군들의 모양에 영향을 미친다.

약물은 세포막에서 발견되는 전해질 채널에 영향을 끼쳐서 전해질의 세포 내외로의 흐름을 바꾸게 된다. 이런 약물들은 전도양상과 모양 또한 바꾸어 심전도 군들의 모양을 바뀌게 한다.

이 장에서는, 심전도에서 진단적 의미가 있고 눈에 띌만한 변화를 유발하는 2가지 중요한 전해질에 대해 공부할 것이다: 포타슘과 칼슘이다. 마그네슘과 같은 덜 중요한 전해질들도 심전도의 변화를 일으키지만 비특이적이며 비진단적이다. 우리는 당신이 대개 임상적으로 유용한 심전도 소견에 집중하기를 바라기 때문에, 언급하지 않는 변화들은 추가 정보 섹션(Additional Reading section)을 참고하기 바란다.

약물에 의한 영향과 심전도 소견을 연관시키는 것 또한 중요하다. 예를 들면, 베타차단제를 복용 중인 환자가 서맥을 주소로 내원하였다면, 서맥의 원인은 베타차단제일 것이다. 임상적 연관관계가 판독의 열쇠이다. 대부분의 약물들은 진단적 가치가 있을만한 영향을 끼치지 않기 때문에 각각의 약제들에 대한 예를 들지는 않을 것이다. 디곡신(digoxin)은 예외이다. 디곡신은 여러 가지 다양한 변화와 부정맥을 유발하기 때문에 상세히 알아볼 것이다.

고칼륨혈증과 그의 영향

모든 전해질이 그러할 수 있지만, 고칼륨혈증은 가장 위험이다. 고칼륨혈증은 환자를 사망시킬 수 있을 뿐 아니라, 수 초 내에 사망하게 할 수 있게 하고, 소생술에 사용하는 약물의 반응을 방해할 수 있다. 고칼륨혈증은 QRS군의 모양을 바꾸는 원인이 되고, 세포 기능 변화의 상징이며, 어떤 부정맥 그리고 모든 부정맥의 원인이 될 수 있다. *즉각적인 인지와 심근막을 안정화시키려는 노력과 병적과정를 바꾸는 것이 고칼륨혈증의 부작용을 효과적으로 막는 핵심이다.* 우리가 말했듯이, 만약 당신이 문제에 대해 생각하지 않다면 당신은 절대 진단내릴 수 없다.

고칼륨혈증에서 심전도의 변화는 다양한 혈중 포타슘 농도와 일치하기 때문에(그림 16-1), 혈중 농도를 예측하는데 심전도가 도움이 된다. 고칼륨혈증에서 발견되는 주된 변화는 다음과 같다 :

1. T파의 이상소견, 특히 키가 크고 뾰족한 T파들
2. 심실내전도지연(IVCDs)
3. P파의 소실이나 P파의 진폭의 감소
4. ST분절의 변화는 손상과 비슷한 모양을 나타낸다.
5. 심장 부정맥, 어떤 그리고 모든 변화들

초급자의 입장에서는, T파에 집중하며, 고칼륨혈증은 어떠한 넓은 리듬도 발생시킨다는 것을 기억해라. 중급생이 되면 다른 발생할 수 있는 변화들에 집중하라. 당신에게 고칼륨혈증의 치료에 대해 기술된 교과서를 복습할 것을 권한다. 진단이 가장 중요한 치료 방향이다!

2

고칼륨혈증의 스펙트럼

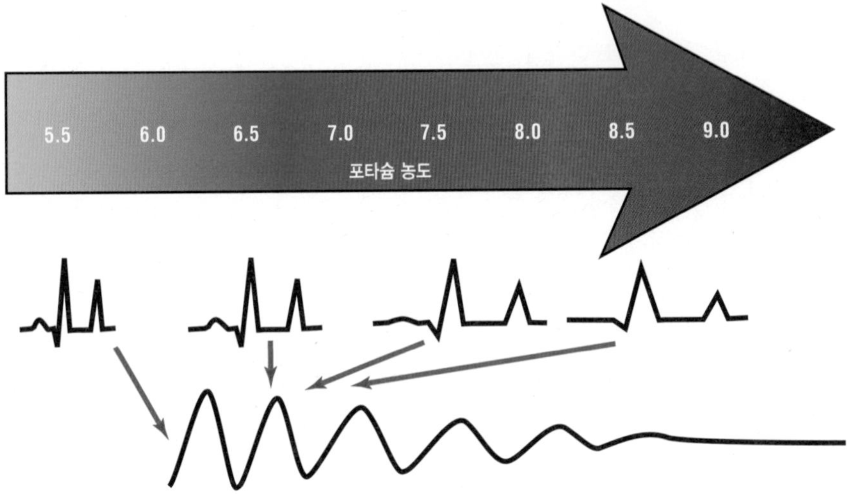

그림 16-1. 고칼륨혈증의 스펙트럼

고칼륨혈증은 농도에 걸쳐서 일어나며, 실제 혈중농도와 그 농도에서 발생하는 병리의 심전도적 표현이다(그림 16-1). 이런 변화들이 순조롭게 연속적인 리듬 스트립에 나타나는 것을 생각해보라. 포타슘 농도가 정상보다 증가할수록 T파는 키가 커지고 날카로워진다. 그런 후, 모든 간격들이 넓어지고 진폭이 감소한다. P파도 역시 진폭을 잃게 되고, 더 이상 보이지 않게 된다. 포타슘 농도가 계속 증가하면, 모든 군들의 모양은 소실되고 사인파(sine wave)가 나타난다. 결국엔.......... 직선.

율동은 변화가 발생한 어떠한 시점에서도 사인파와 무수축으로 전환될 수 있다(그림 16-1에서 빨간 화살표). 이것은 스펙트럼의 어떤 지점에서든 수 초 이내에 발생 가능하다. 이것과 다른 부정맥들이 고칼륨혈증에 의한 주요 위험들이다.

고칼륨혈증의 T파 이상

심전도에서, T파 이상이 고칼륨혈증이 진행하는 환자에서 처음 나타나는 변화이다. T파의 변화는 혈중 칼륨 농도가 5.5mEq/L 보다 높으면 나타나기 시작한다.

가장 잘 알려진 T파의 변화는 높고, 뾰족하고, 폭이 좁은 T파이다. 오래된 의학 격언 중에 고칼륨혈증의 T파를 보였을 때는 앉고 싶지 않을 것이다 라는 말이 있다. 당신이 앞으로 나올 몇 개의 예제를 보면 왜인지 알게 될 것이다. *그러나, 높고 뾰족하고, 좁은 T파는 고칼륨혈증 환자의 22%에서만 발견된다.* 나머지 78%의 T파는 높고, 뾰족하고, 좁거나, 혹은 넓은 형태의 조합으로 나타난다. 예제들에서는 키가 크면서 넓고, 뾰족하나 넓은 등의 것들을 볼 것이다. 가장 흔히 보이는 소견은 높고 뾰족하지만 좁지는 않다. 그러나 모든 조합들에서 보이는 T파는 대칭적이다.

다른 중요한 점은 T파의 모양은 포타슘 농도가 증가할수록 모양이 바뀔수 있다는 것이다. 그림 16-1에서 T파가 넓어지면서 높이가 감소함을 주시하라. 칼륨이 5.5mEq/L에 이르면 T파는 높고 뾰족하고 좁고, 정상이거나 약간의 QT 연장이 있을 수 있다. 그러나 혈중 농도가 높아질수록 T파와 PR, QRS, QT 간격들이 넓어지고 진폭은 감소한다. 이것들이 T파의 모양에 영향을 끼친다.

2

몇몇 임상의사들은 고칼륨혈증으로 진단하기 위해서는 모든 유도에서 T파가 상승해야 한다고 믿고 있다. 우리는 이런 믿음을 없애버리고 싶다. *T파의 변화는 대개 V_2~V_4에서 시작된다.* 왜 그런가, 우리도 알 수 없다. 아마도 심장과 가장 가까운 유도이기 때문일 것이다. V_2~V_4에서만 나타난 뾰족하고 좁은 T파는 고칼륨혈증 때문이 아니라는 어리석은 생각은 하지마라!

임상의 진주

고칼륨혈증의 T파

1. 고칼륨혈증의 최초 징후는 T파의 변화들이다.
2. 포타슘 농도가 5.5mEq/L를 넘을 때 나타난다.
3. 전형적인 형태인 높고 뾰족하고 좁은 T파는 단지 22%에서 볼 수 있다.
4. 심한 고칼륨혈증으로 발생한 심실내전도지연(IVCD)의 결과로 T파의 모양이 바뀔 수 있다.
5. T파의 변화는 전중격 유도들에 국한되어 있거나, 전반적으로 나타날 수도 있다.

2 빠른 복습

1. 고칼륨혈증은 많은 경우에서 진단하기 매우 힘들다. 참 또는 거짓

2. 신부전 환자에서 칼슘은 통상적으로 사용하여야 한다 : 이것이 사소한 문제에 안전한 약이다. 참 또는 거짓

3. 고칼륨혈증에서는 생명을 위협하는 상황이 일어날 수 있는 것을 막을 수 있는 시간이 수 초에서 수 분 밖에 없다. 참 또는 거짓

4. 심실내전도지연(IVCD)는 유도 I과 V_6에서 좌각차단처럼 보일 수 있고 V_1에서는 우각차단처럼 보일 수 있다. 참 또는 거짓

1. 참 **2.** 거짓 **3.** 참 **4.** 거짓

심전도 증례 연구 고칼륨혈증에서 T파의 변화

2

심전도 16-1 이 심전도에서 유도 V_2~V_4의 심한 T파의 변화를 알지 못하기는 어렵다. 이 T파들은 확실하게 키가 크고, 뾰족하며, 그리고 좁다. 이것이 고칼륨혈증의 전형적인 T파 변화이다.

우리는 하벽 유도에서도 T파를 살펴주기를 바란다. 매우 인상적인 모양은 아니다. 그러나 Ⅲ와 aVF의 R파 높이의 2/3보다 높다. 이런 것들은 병적인 상태이며, 이런 양상은 고칼륨혈증으로 인한 변화이다. 당신은 항상 심전도의 다른 산만한 요소들 때문에 저명해지지 않은 변화들을 주의 깊게 관찰해야 한다. 많은 경우에서, 이런 작은 것들이 확실한 진단을 내릴 수 있게 해준다.

심전도 16-2 이 심전도에서 T파는 고칼륨혈증에 합당한가? 그렇다! 심전도 16-1에서처럼 저명하지는 않지만 각각의 R파와 비교하여 얼마나 큰지 확인해 보라. 이것들은 대단히 크고, 대칭성의 T파이다. 이 T파들은 유도 Ⅰ, Ⅱ, Ⅲ, aVF와 V_2~V_6에서 병적소견을 보인다. 이런 변화는 매우 전체적이다; 심전도의 모든 지역에서 나타난다.

대칭성의 T파는 일반적으로 병적인 과정에서 볼 수 있다. 당신이 이런 심전도를 볼 때면 언제든지 "양성(benign)"이라고 판단내리기 전에 병적상태의 생명을 위협하는 원인들을 배제하라.

노트

고칼륨혈증의 끈의 법칙(The string theory)

다음의 유추들은 고칼륨혈증에서 T파 모양을 구분할 수 있도록 도와줄 것이다. 전체 심전도군이 끈으로 만들어져 있다고 가정을 해보라. P파 시작의 직전과 T파의 정점의 실을 잡고 있는 그림을 생각해 보라. 천천히 T파의 정점에서 끈을 당기기 시작하라. T파는 뾰족해지기 시작한다. 만약 당신이 양쪽에서 끈을 계속 당긴다면, 간격은 넓어지고 보다 작아지기 시작할 것이다. P파는 없어졌다. 결국에는, 직선으로 끝날 것이다. 이해가 되는가? 이것이 고칼륨혈증에서 나타나는 정확한 변화이다!

2 빠른 복습

고칼륨혈증은 어떤 근본적인 질병이 있는 환자에게서 발생하겠는가?

말기신장질환.

임상의 진주

높고 뾰족하고 좁은 T파는 고칼륨혈증 환자의 22%에서만 발견된다. 다른 가능성들을 경계하라!

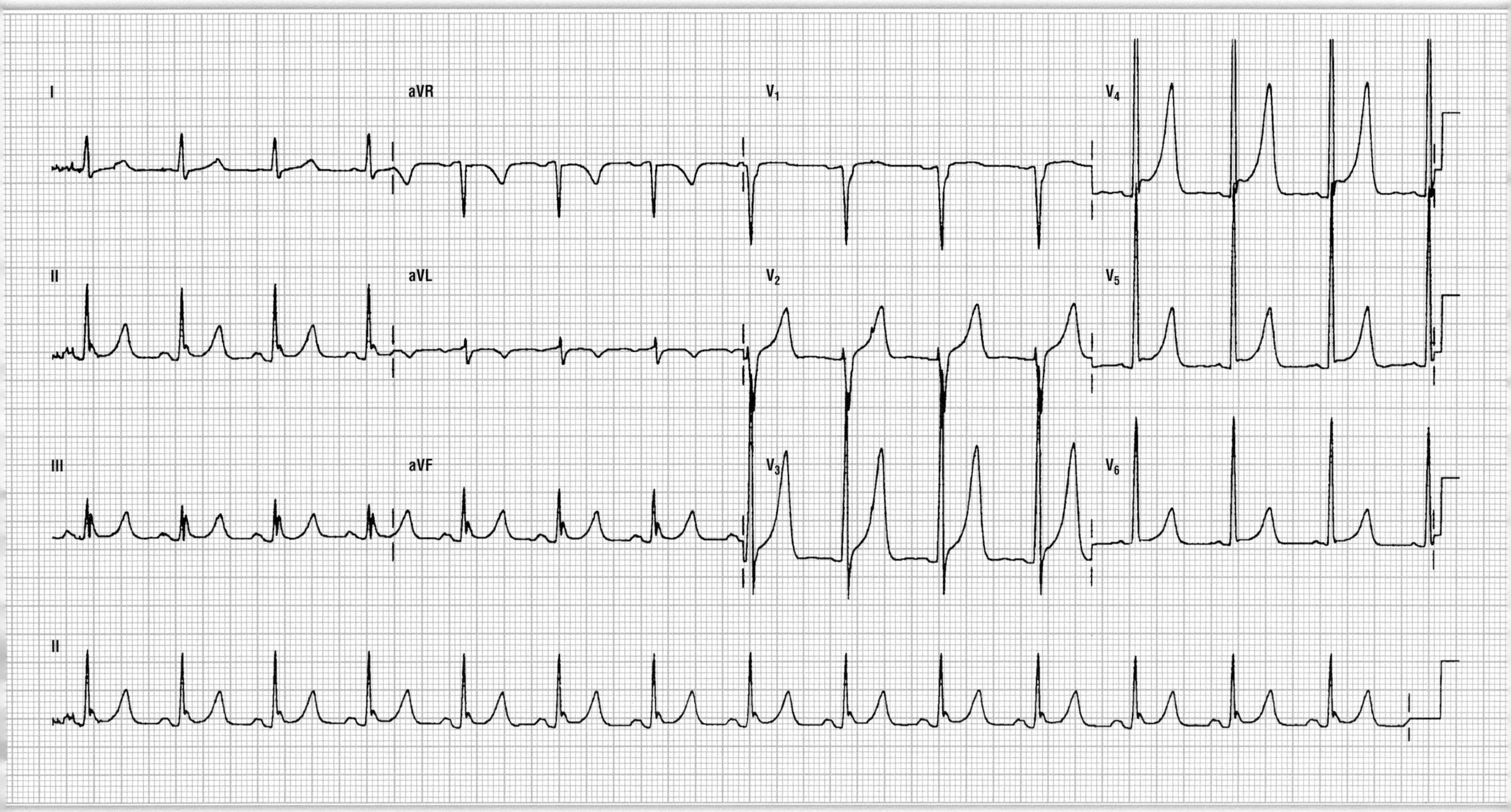
I
aVR
V1
V4
II
aVL
V2
V5
III
aVF
V3
V6
II

ECG 16-1

심전도 증례 연구 계속

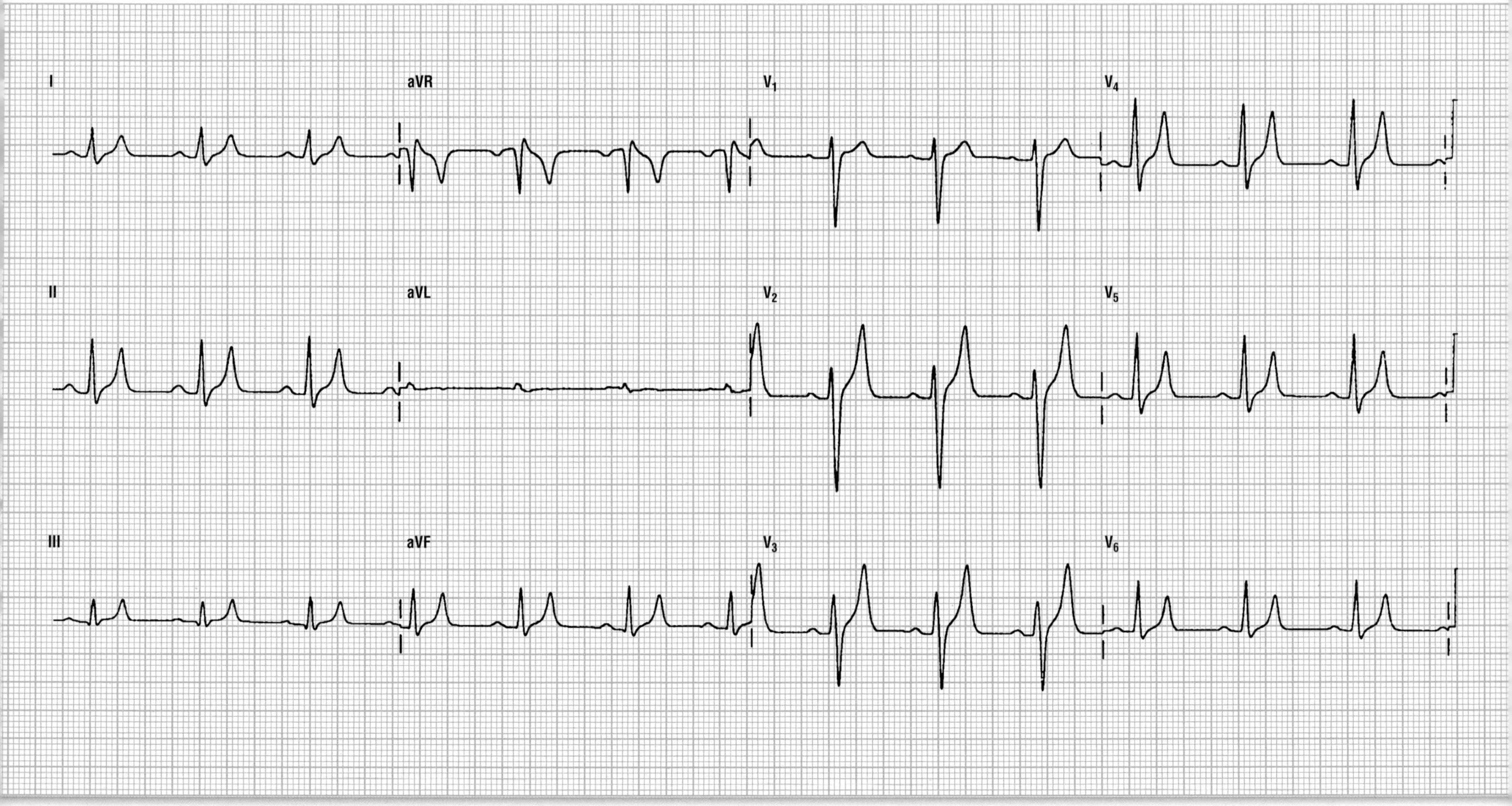

ECG 16-2

2

심전도 16-3 이 심전도에서 V_2~V_4의 T파 변화는 높고 좁고 뾰족하다. V_5~V_6은 전중격 유도 변화의 연속이다. 또한 하벽 유도의 의미있는 T파 변화도 주시하라. QT 간격의 연장은 심전도상 다른 것들의 넓어지는 정도와 비례하지 않는다. 왜 이런 변화가 일어났을까? 음, 신부전–가장 흔한 고칼륨혈증의 원인–은 저칼슘혈증과 연관이 있다. 그리고 이 단원의 뒤에서 보겠지만, 저칼슘혈증은 QT 간격의 연장을 일으킨다. 이 심전도에서 연장이 일어난 것은 고칼륨과 저칼슘의 축적된 결과이다. 이런 환자에게서는 심낭삼출로 인한 저전압(low voltage)이 흔히 나타난다.

2 빠른 복습

고칼륨혈증 외에 말기 신질환 환자에서 일어날 수 있는 변화는 무엇인가?

저칼슘혈증과 심낭삼출액. 다음에 보겠지만 저칼슘혈증은 QT 연장과 동반되어 있다. QT 간격을 연장되는 효과들이 가중되어서 간격을 매우 넓게 하는 경향이 있다.

심전도 16-4 와, 이 심전도는 앓기에는 너무 아플 것 같다, 그렇지 않은가? 인상적인 T파 외에 당신은 QT 간격이 심하게 연장된 것을 보았기를 바란다. 다시 한 번, 이런 환자에서는 고칼륨혈증과 저칼슘혈증이 흔히 동시에 있기 때문이다. *경미한 고칼륨혈증과 말기 신부전이 있는 환자에서, 당신은 칼슘 불균형이 아닌 포타슘 이상을 적극적으로 치료하여야 하는 것을 명심하라.* 칼슘을 가지고 과도하게 치료하는 것은 칼슘 + 인 = 인산칼슘을 조장하여 연부조직을 결정화시키기 때문이다. 신부전 환자에서는 전형적으로 인의 농도가 올라간다; 칼슘이 갑자기 더해지면, 이것들은 결정화된다.

임상의 진주

투석을 받는 환자에서 생명을 위협하는 응급상황을 제외하고는 칼슘의 사용을 삼가라! 그렇지만, 칼슘은 생명을 위협하는 고칼륨혈증에서 초기단계 치료제이다. 생명을 위협하는 부정맥이나 혈역학적 부작용이 있는 환자에서는 칼슘을 *어떠한* 환자라도 사용하라.

심전도 16-5 이 심전도 T파의 변화는 미세하지만 분명히 있다. V_2~V_5의 T파는 병적이고 고칼륨혈증을 강력히 시사한다. *변화가 미세하다고 속지마라. 변화가 미세하다고 해서 부정맥이 발생하기 전에 더 많은 시간이 있는 것은 아니다.* 환자가 죽어버리기 전에 단지 몇 초 혹은 몇 분이 있을 뿐일 것이다. 단지 언제 일어나는지 모르는 것이다. 도박하지 마라! 아무도 우리를 믿지 않기 때문에 여러 번이나 반복해서 말해왔던 유념해야 할 점 중에 하나이다. 이 장이 끝나기 전에 몇 가지 증거를 보여주겠지만, 지금은 단지 "지금 단지 수 초의 시간만 있다! 지금 단지 수 초의 시간만 있다! 지금 단지 수 초의 시간만 있다!"를 반복하라. 당신은 언젠가 우리에게 고맙다고 할 것이다. "그때 내가 말하지 않았는가"와 같은 말을 하지 않게 하라. – 이런 것을 싫어한다.

조언

T파의 변화는 생명을 위협하는 리듬이나 사인파가 발생하기 위해서 극도로 심한 변화가 있을 필요는 없다. 단지 T파의 변화가 현재 있다는 것 자체가 위험한 것이다!

심전도 증례 연구 계속

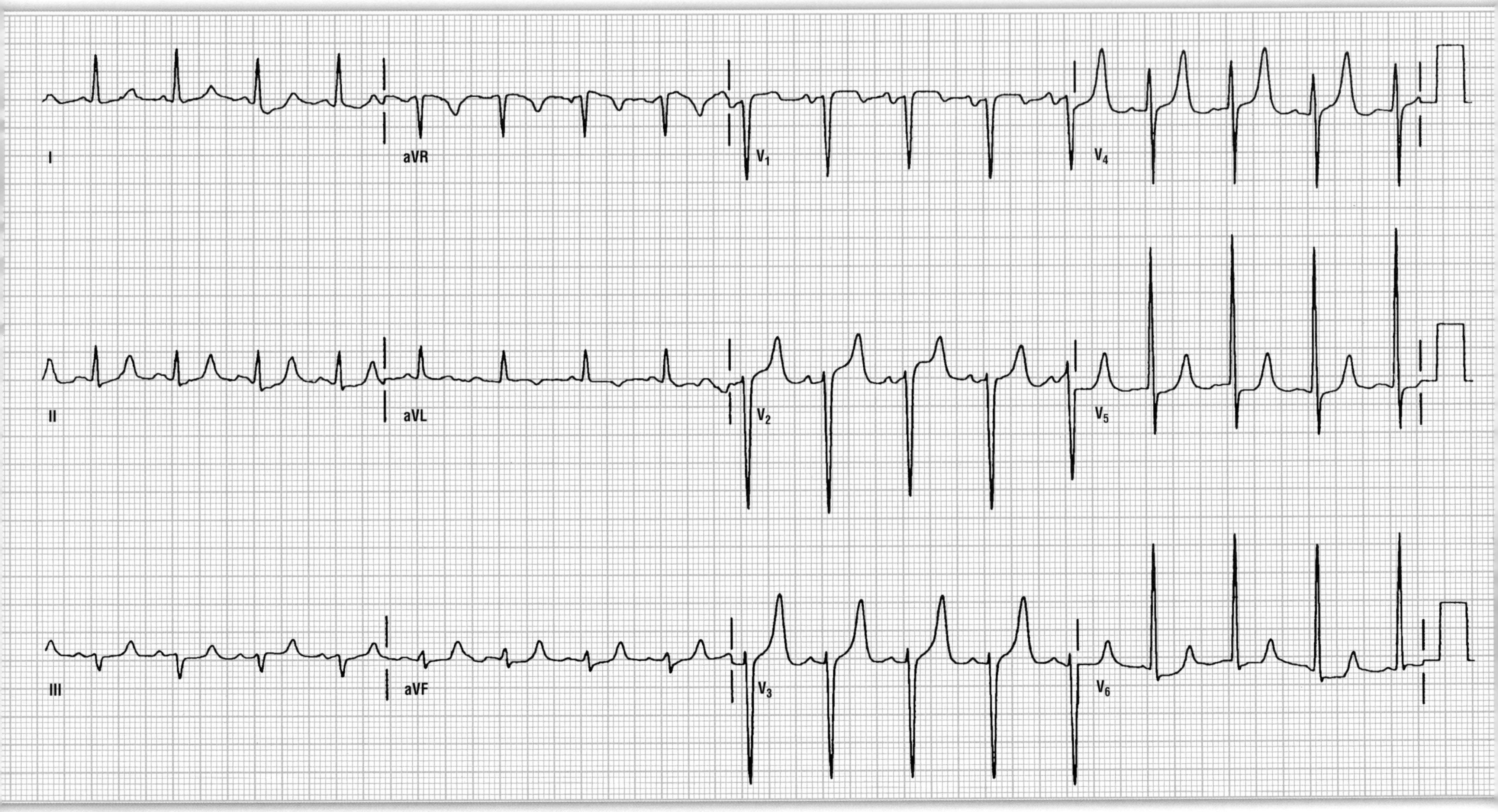

ECG 16-3

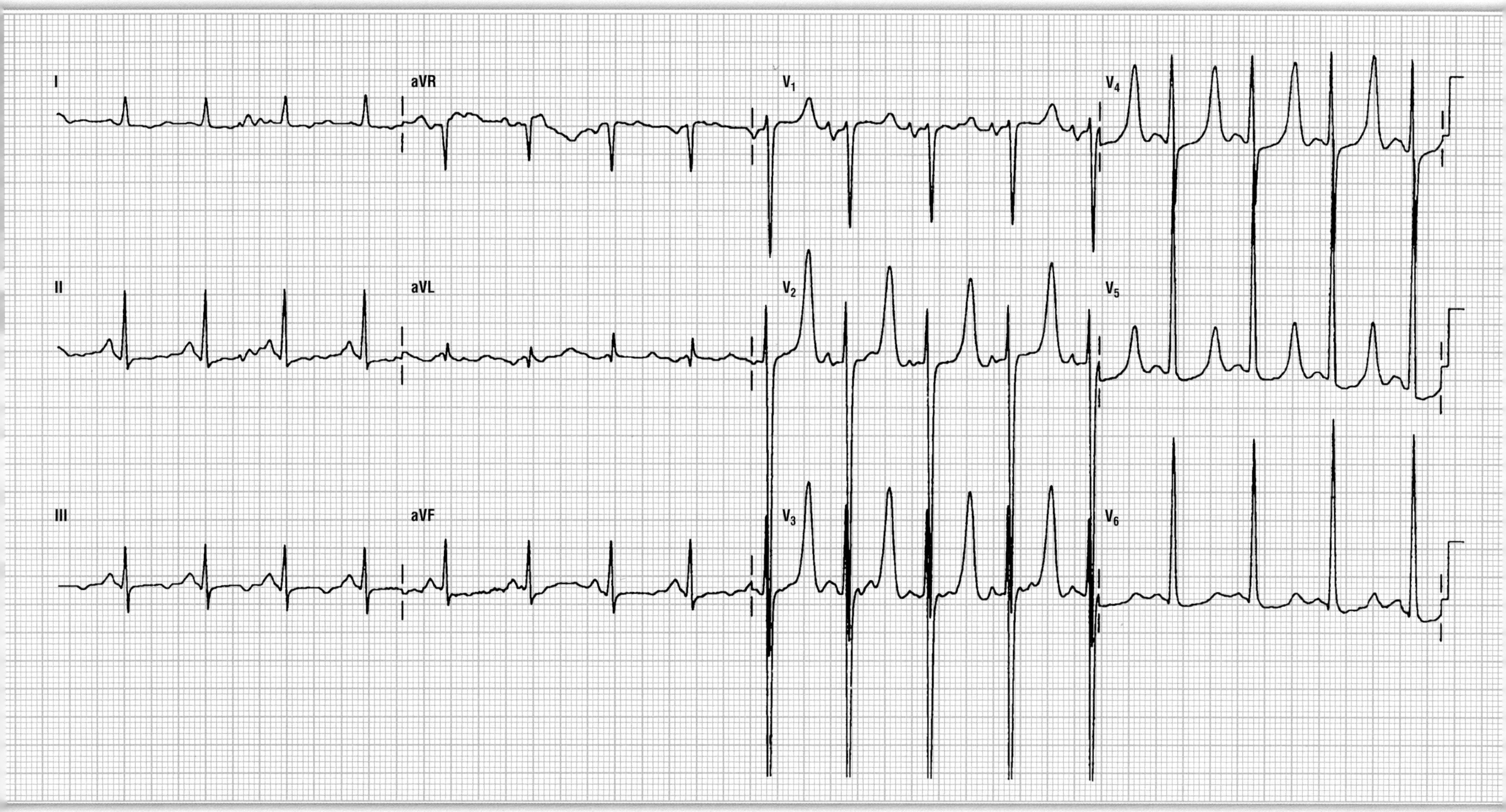

ECG 16-4

심전도 증례 연구 계속

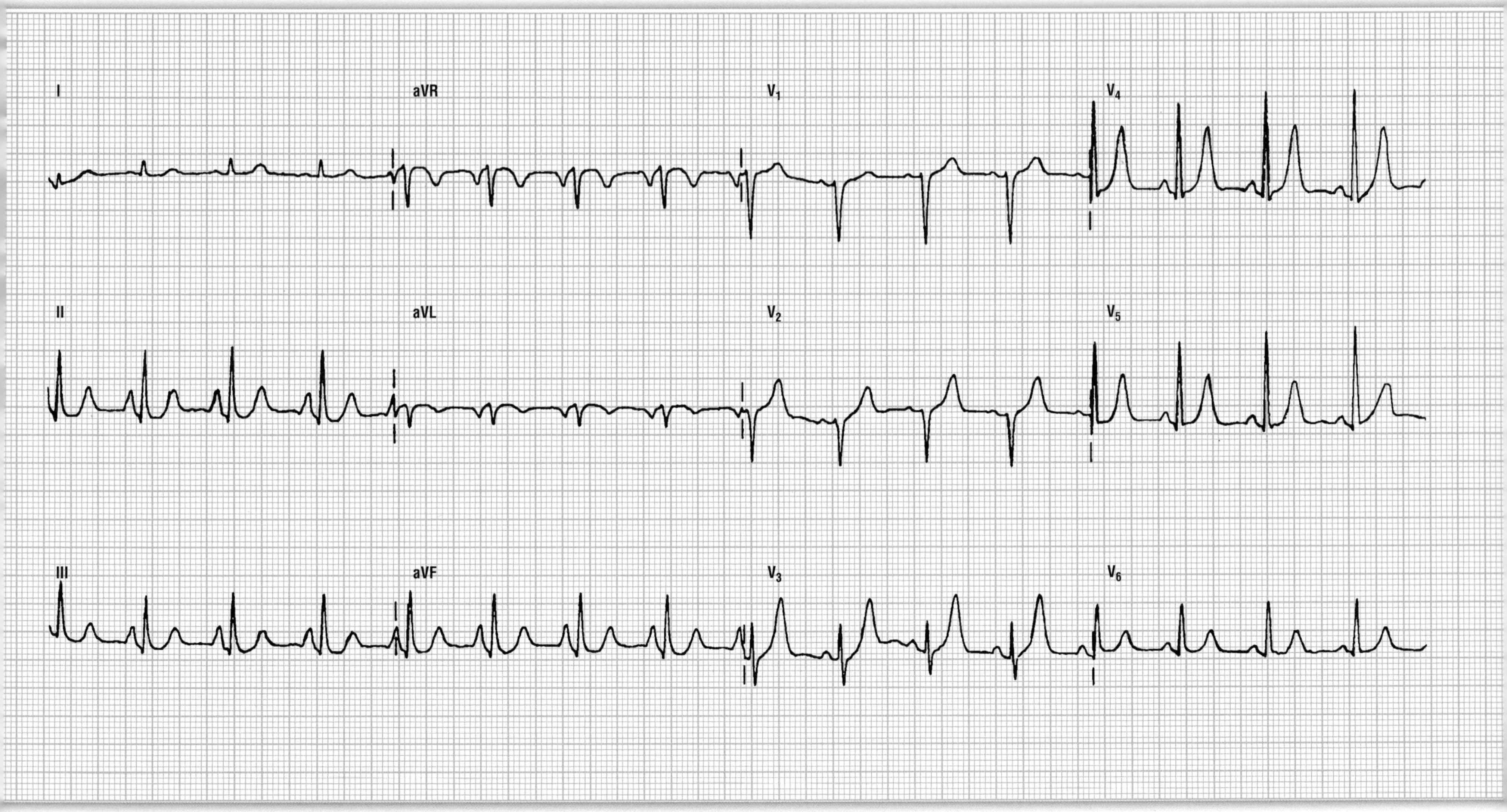

ECG 16-5

심실내전도지연(IVCD)과 고칼륨혈증

각차단들과 반차단들 장에서 심실내전도지연에 대해서 공부하였지만 잠시 간단히 복습해보자. 심실내전도지연은 QRS 넓이가 0.12초 이상이면서 심전도상 좌각차단이나 우각차단의 기준에 맞지 않을 때 존재한다. 가장 흔한 심실내전도장애는 V_1이 단형(monomorphic)의 S파나 rS군을 가지는 좌각차단처럼 보이고, 유도 Ⅰ과 V_6에서는 전형적인 늘어진 S파를 가지는 우각차단처럼 보인다. *심실내전도지연을 볼 때마다 고칼륨혈증을 가장 먼저 생각하라!* 이것이 심실내전도장애의 가장 치명적인 원인이고 이것은 당신에게 치료를 시작할 시간을 매우 조금밖에 주지 않는다. 항상 임상적 상호관계와 이전 심전도가 진단을 내리는데 매우 귀중하다. 만약 가능하다면, 포타슘 농도 측정이 가능한 동맥혈 가스 분석은 당신에게 빠른 예비 진단을 줄 것이다. 당신은 아마도 30분에서 90분 정도 소요되는 정규 칼륨 농도가 나오기까지의 시간 동안 기다릴 수 없을 것이다.

QRS군들이 넓어지는 것은 대개 칼륨 농도가 6.5mEq/L 이상에서 시작된다. 포타슘 농도가 높아질수록 QRS군은 넓어진다. 파들의 진폭이나 높이는 군들이 넓어질수록 천천히 감소하기 시작한다. 심실내전도지연이 진행하면서 저명한 S파가 유도 Ⅰ과 V_6에서 시작된다. 어떤 시점이든지 사인파양상이 나타날 수 있다.

심실내전도장애에서 T파는 아직까진 뾰족하지만, 아마도 이것보다 낮은 칼륨농도에서의 T파보다는 조금 작을 것이다. T파는 대개 뾰족하고 대칭성이며 넓다. 심전도의 축은 우축편위나 좌축편위로 바뀔 수 있다. 심실내전도지연 대신 새로운 좌각차단 혹은 우각차단 형태를 볼 수도 있다. 마지막으로, 이 시점에는 모든 상상할 수 있는 부정맥들이 발생할 수 있다.

조언

심실내전도지연을 진단했을 때, 항상 고칼륨혈증을 생각하라!

P파와 고칼륨혈증

칼륨농도가 7.0mEq/L 이상 증가하면, PR 간격이 증가하고 P파의 진폭은 감소한다. 결국에는 당신은 P파를 볼 수 없게 될 것이다. P파는 여전히 그대로 있지만 – 당신이 볼 수 없는 것이다. 왜 그런가? 칼륨농도가 증가하면 심방의 심근세포들은 탈분극을 멈출 것이다. 동방결절과 심방의 특수 전도계는 계속적으로 기능을 하지만 심근세포는 그렇지 않다. 심방근육이 감지할 수 있는 심방벡터를 만들어서 심전도에서 측정할 수 있는 P파를 나타내게 되므로, 우리는 심전도에서는 어떤 심방활동도 관찰할 수 없다. 기술적으로, 이것은 여전히 동방결절에 심장박동이 만들어지는 동성율동이다; 단지 심전도에 나타나지 않을 뿐이다. 문제는 당신이 "P파 없는" 동성율동과 심실고유율동을 구분할 수 없다는 것이다. 고칼륨혈증의 치료는 극적으로 P파가 돌아오게 할 것이다.

우리는 일부러 치료에 관여하지 않으려 한다. 그러나 당신이 고칼륨혈증으로 인한 부정맥을 직면했을 때, 약제의 반응은 전형적이지 않다는 것을 명심하라. 항부정맥제가 적절하게 효과를 발휘하지 못할 것이기 때문에, 고칼륨혈증을 먼저 치료할 필요가 있다. 게다가, 혈압상승제와 에피네프린과 같은 카테콜아민은 고칼륨혈증 환자에서는 정상적으로 효과를 나타내지 않는다. *고칼륨혈증을 먼저 치료하라!* 환자에게 칼슘과 중탄산나트륨을 주고 그래도 혈역학적 허탈(collapse)이 있다면 강압제를 주어라. 게다가, 고칼륨혈증의 환자에서는 심박동기가 작동하지 않는다는 증거가 있으며, 이것들은 포획(capture)이 안된다.

동정맥이식을 시행한 환자가 심정지가 있다면 항상 고칼륨혈증의 가능성에 대해 생각해야한다. 동정맥이식은 말기 신부전환자에서 투석할 때 사용되고,이런 환자들에서 고칼륨혈증이 잘 발생한다.

임상의 진주

고칼륨성 심실고유율동을 보았을 때, 심박동기와 아트로핀을 주기 전에 칼슘과 중탄산나트륨을 사용하라!

심전도 증례 연구 고칼륨혈증에서 심실내전도지연 그리고 P파들

2

심전도 16-6 이 심전도는 우리는 하여금 "고칼륨혈증이다!"라고 소리지르게 하는 몇가지 점들이 있다. 첫 번째는 PR 간격이 매우 심하게 연장되어 있다. 연장이 선행하는 T파까지 가 있다. QRS군은 넓고 심실내전도지연 양상을 보인다. V_1을 보라. 크고 단상형의 S파가 있는 전형적인 좌각차단처럼 보인다. V_6는 허상으로 가득하다; 해석하기 어렵다. 그러므로 유도 I을 관찰하라. 크고, 넓고, 늘어진 S파가 있어서 당신은 우각차단이라고 예상할 것이다. QT 간격은 매우 연장되어 있고 RR 간격의 1/2 보다 넓다. 그래서 전반적인 간격들이 연장된 심실내전도지연이라 하겠다. 물론 당신은 즉시 고칼륨혈증을 생각할 것이다.

이제, 더 알고 싶다면 T파를 보라. 매우 넓고 대칭성이다. T파들은 각각의 R파와 비교해 보면, Ⅰ, Ⅱ, Ⅲ, aVL과 V_3~V_6의 R파들의 높이의 2/3 보다 의미있게 크다. 이런 T파는 고칼륨혈증의 결과이다.

칼륨농도를 예측할 수 있겠는가? 자, T파는 5.5mEq/L에서 뾰족하고, 6.6 mEq/L에서 간격들이 넓어진다. PR 간격 연장과 P파 진폭의 감소는 7.0mEq/L 보다 높으면 시작된다. 따라서 이 환자의 칼륨 농도는 7.0mEq/L 보다 높음을 알 수 있다. 마지막으로, 8.8mEq/L 보다 높으면 P파들이 모두 없어지게 될 것이다. 그래서 7.0~8.8mEq/L 사이로 추정하는 것이 좋겠다!

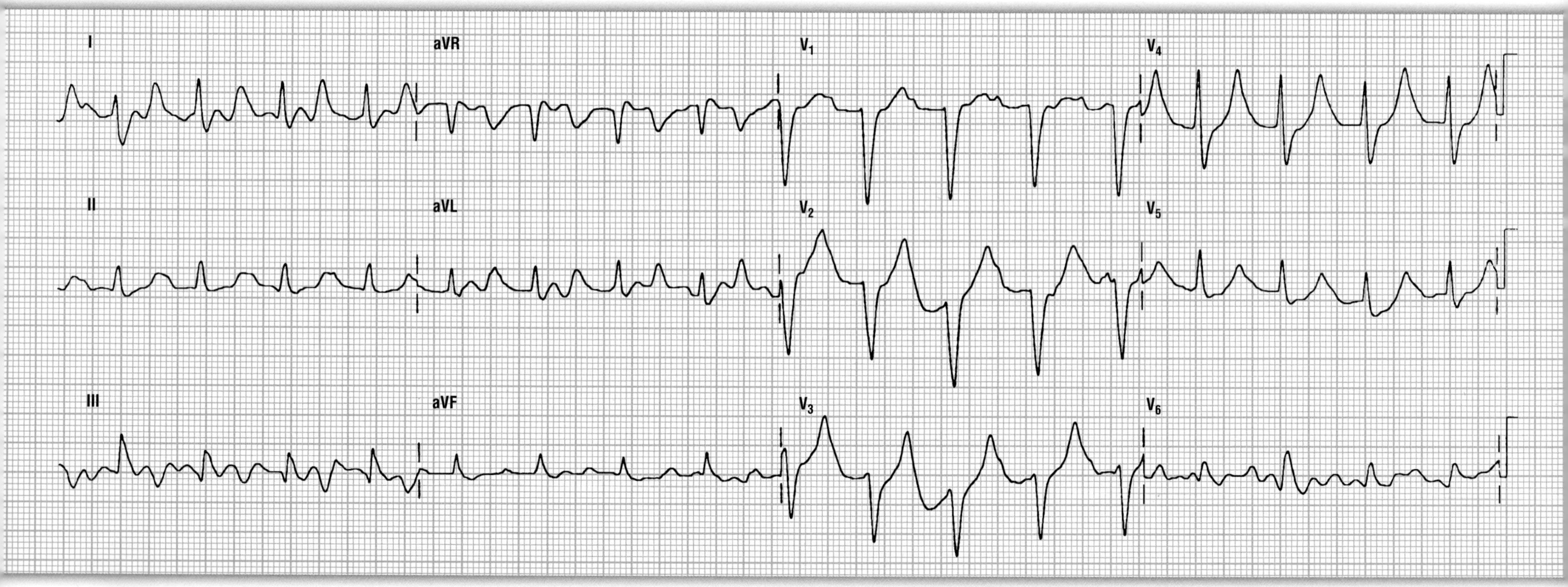

ECG 16-6

2

심전도 16-7 이 심전도 역시 고칼륨혈증의 특징적인 변화를 보여준다. 눈에 띄는 것은 QRS군의 넓이와 심실내전도지연 양상이다. 심전도 전반에서 모든 간격들이 넓어져 있는 것에 주목하라. T파는 굉장히 뾰족한 것은 아니지만 넓고 대칭성이다. P파는 어떤가 – 하나라도 보이는가? V_1의 3번째 군 바로 직전에 P파처럼 보이는 것이 있지만, 보이는 곳은 여기 밖에 없으므로 아니라고 할 수 있다. 마지막 박동 뒤는 무엇인가? 대상성 휴지기를 가지는 조기박동이다. 따라서 이것들은 접합부조기박동(JPC) 아니면 심방조기박동(APC)이다. P파가 없을 때 심방조기박동이 나타날 수 있는가? 고칼륨혈증이라면 나타날 수 있다. 기억하라, 심한 고칼륨혈증에서는 모든 P파의 소실이 나타난다. 당신은 몇 페이지 거슬러(고칼륨혈증에서 P파) 복습하면 더 많은 내용을 습득할 것이다.

조언

≧ 5.5mEq/L T파 이상
≧ 6.5mEq/L 넓어진 간격
≧ 7.0mEq/L P파 변화 시작
≧ 8.8mEq/L P파의 소실

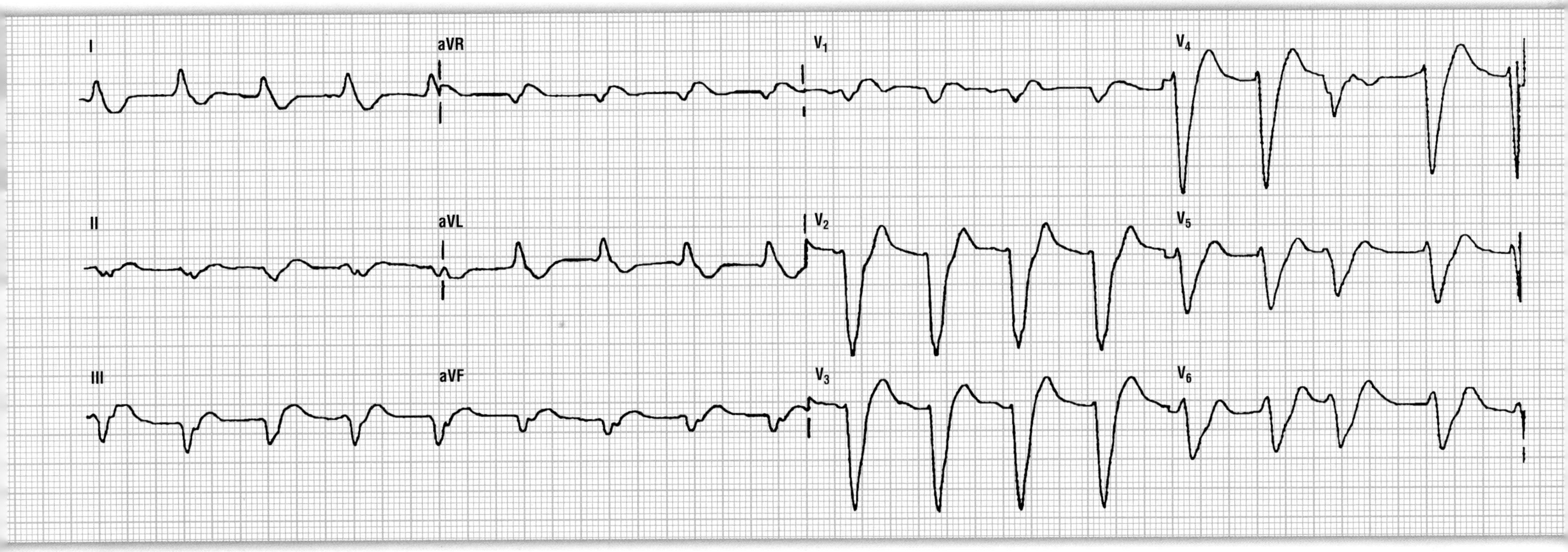

ECG 16-7

심전도 증례 연구 **계속**

2

심전도 16-8 이 심전도는 넓은 군 율동(wide-complex rhythm)이다. 당신은 심실고유율동이 아니라고 어느 정도 확신을 가지고 말하기는 곤란할 것이다. 그러나 한 가지 강력히 의심되는 것은 고칼륨혈증이 원인이라는 것이다. 전부는 아니지만 대부분의 심실고유율동은 좌각차단이나 우각차단 형태를 가진다. 이것은 심실내전도지연이다. 왜냐하면, 심실내전도장애에서 첫 번째 명심해야 할 것은 고칼륨혈증이다. 우리는 이 율동의 유발 인자를 논박하기 위해서 온갖 노력을 기울여야 한다. 실제로 이 심전도는 칼륨 농도가 10.4mEq/L인 투석환자의 것이다. 고칼륨혈증을 적극적으로 치료하고 나서 상황은 빠르게 바뀌었다.

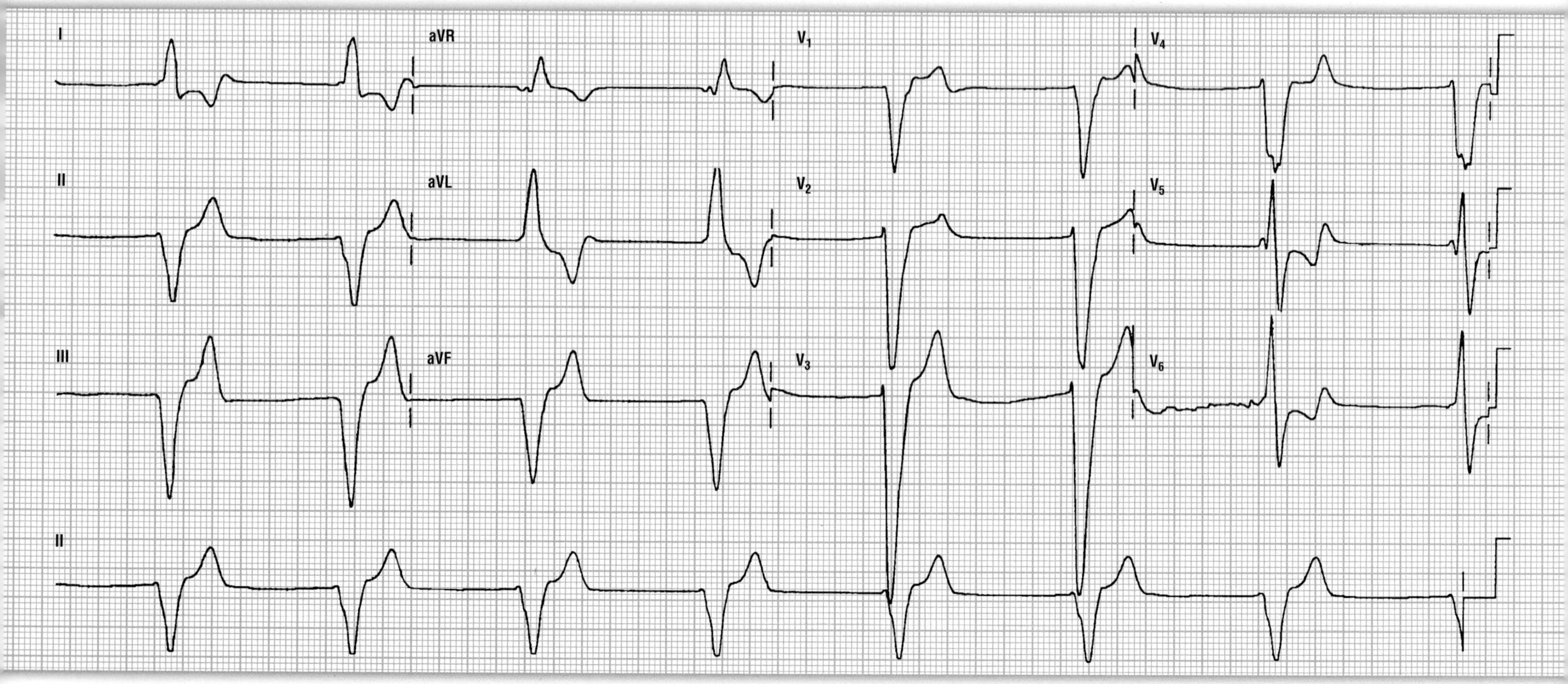

ECG 16-8

2

심전도 16-9 이 심전도 역시 P파를 구분해낼 수 없는 넓은 군 율동(wide-complex rhythm)이며, 고칼륨혈증을 고자질하는 증거들이 나타난다: 심실내전도 지연, 모든 간격들이 넓어지고, 뾰족한 T파들이다. 이런 모든 것들이 당신으로 하여금 " 도대체 환자의 칼륨 농도는 얼마지?" 라고 소리치게 될 것이다. *기억하라, 당신이 생각하지 않는다면 진단할 수 없다!*

임상의 진주

카테콜아민(에피네프린 같은 것), 승압제(도파민 그리고 다른 것들), 심박동기 등이 고칼륨환자의 심정지 때 작용하지 않는다.

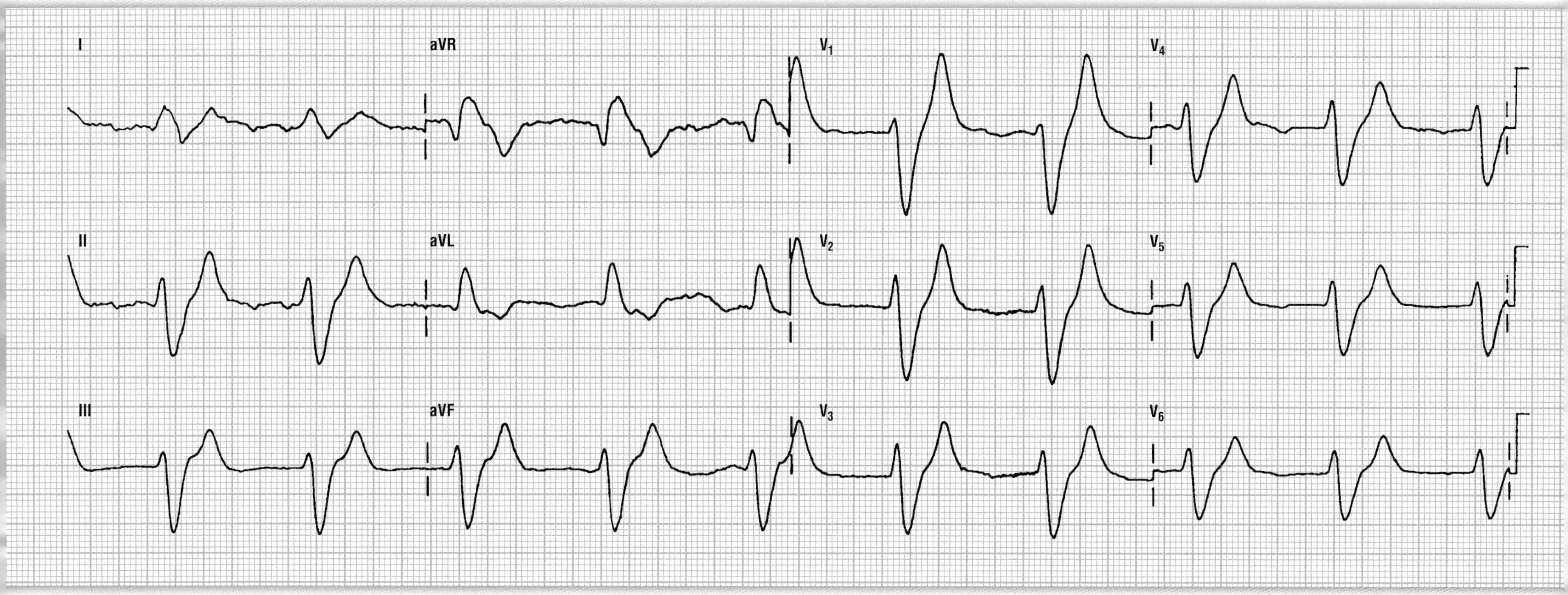

ECG 16-9

심전도 증례 연구 **계속**

2

심전도 16-10 이 심전도는 심실내전도지연을 동반한 넓은 군 율동이다. 이번 심실내전도지연 양상은 토끼 귀 모양과 V_6에서 늘어진 S파이지만 유도 I에서는 단상(monomorphic)의 R파를 가진다. QT 간격이 매우 연장되어 있고, T파는 확실히 뾰족하고 넓다. 이 심전도에는 다른 2가지 흥미로운 점들이 있다. 첫째, 율동이 무엇인가? 몇 개의 P파가 있지만 다른 모양을 하고 있고, PR 간격도 다르다. 율동은 불규칙하게 불규칙하다(irregularly irregular) 이것은 유주심박조율기(wandering atrial pacemaker)이다. 둘째, 환자는 중격 급성심근경색인가? 아니다, 고칼륨혈증은 급성심근경색의 ST 상승과 비슷할 수 있다. 칼륨 농도가 정상으로 돌아왔을 때, ST분절도 정상화 될 것이다. 이런 일은 매우 드물게 일어나는 일이며 정말 *매우* 드문 일이다. 항상 심전도와 환자를 연관하라.

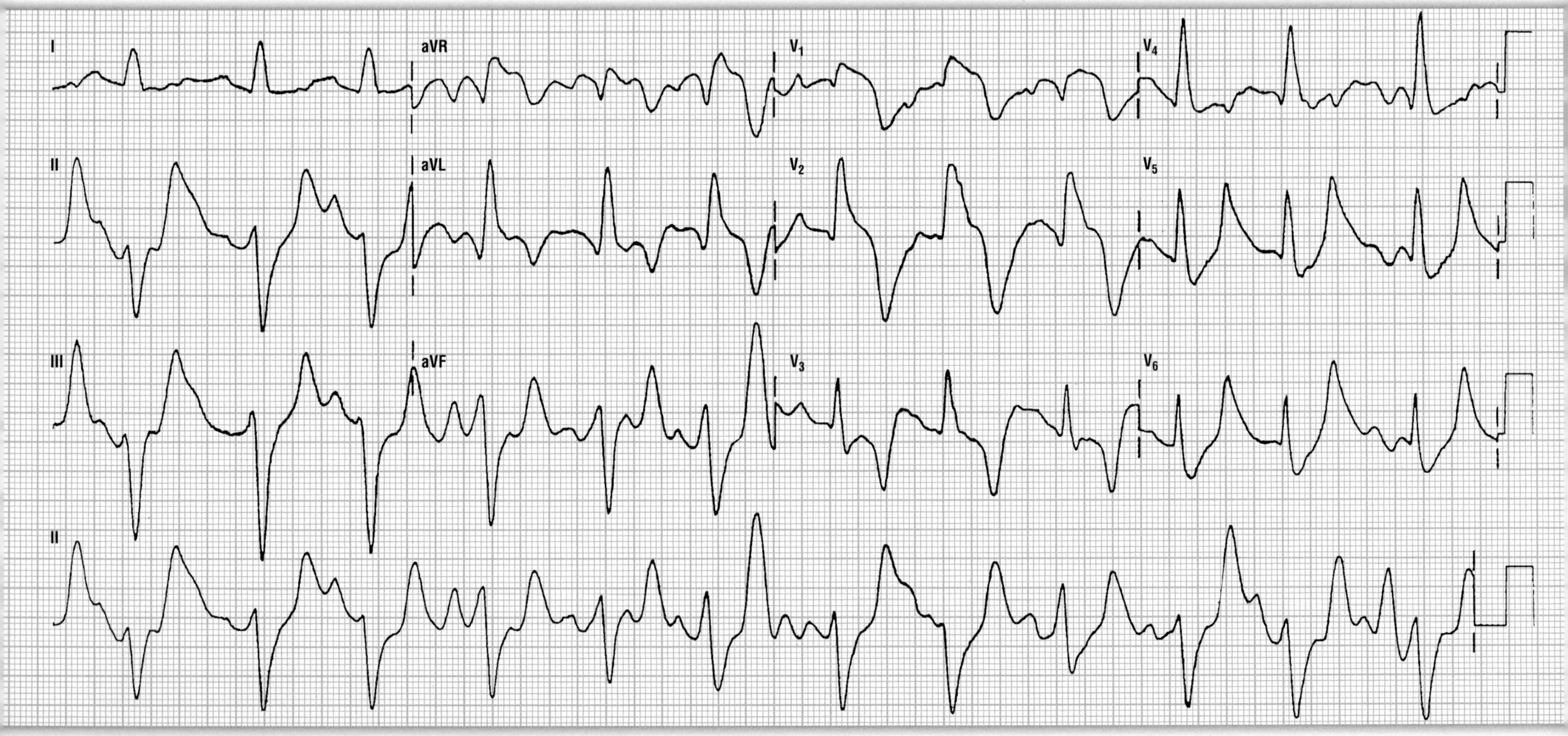

심전도 증례 연구 계속

2

심전도 16-11 이제 고칼륨혈증의 변화에 대해 친숙해지기 시작했을 것이다. 이 심전도는 모든 면에서 "날 좀 봐! 난 고칼륨혈증이야!"라고 말하고 있다. 뾰족하고 넓은 T파, 심실내전도지연, QT 연장, PR 연장이 있다. 만약 당신이 이들 변화를 찾아내는데 100% 확신이 서지 않으면, 이 장의 앞으로 돌아가 처음부터 다시 시작하라.

당신이 이미 알고 있는지 모르지만 다른 저자들은 그들의 책에서 그들이 중요하다고 생각하는 요점들에 대해 강조하고 있다. 우리는 3가지 중요점에 대해서 지금까지 집중해왔다 : (1) ST분절, (2) 급성심근경색, 특히 비전형적인 지역 (3) 고칼륨혈증이다.

ST분절은 대부분의 혼란을 유발한다. 이것은 임상적으로 병적인지 양성 소견인지 굉장히 변동이 심하다. 또한 긴장양상을 동반한 좌심실비대인지 경색인지도 수많은 혼돈이 있다. *ST분절과 T파들* 장에서, 우리는 몇 가지 질문에 대한 대답을 했었다. *급성심근경색* 장에서 급성심근경색을 "쉽게" 진단할 수 있도록 공부하였을 뿐만 아니라, 후벽과 우심실경색과 같은 비전형적인 지역의 경색에 대해서도 알아보았다. 그리고 이 장에서는 고칼륨혈증에 대해 토론했었다. 고칼륨혈증은 매우 치명적이고 매우 치료 가능한 질환이다. 그러나 우선 당신에게 필요한 것은 진단하는 것이다.

이 심전도는 호흡곤란으로 내원한 환자의 것이다. 진단은 내려지지 않았고 환자는 기다렸다. 심전도는 심실내전도지연, 간격의 연장, 비정상적인 T파를 보이고 있다. 환자는 신장문제에 대한 과거력이 없었다. 이 심전도를 찍고 얼마 후 모니터상 심전도 양상이 변하여 다시 심전도를 찍었다. 어서 심전도 16-12로 넘어가 계속 토의하자.

심전도 16-12 이 시점에, 환자는 리듬 스트립에 끔찍한 모양이 나타나는 것 이외에 증상은 없었다. 혈역학적으로 안정된 심실빈맥으로 진단하여, 리도카인이 즉시 주입되었고 치료에 들어갔다. 심전도 검사가 끝나고 유도들을 제거하는 순간 심정지가 일어났다. 나중에 보고된 혈중 칼륨 농도는 9.4mEq/L였다. 기억해야 할 사항 : 고칼륨혈증의 변화를 알고 이것의 치료를 외워서 하라. 초기에 진단을 하고 즉시 치료에 착수하라. 당신은 낭비할 시간이 없다. 움직여야 한다. 그리고 빨리 움직여야 한다.

이것은 사인파 양상이다. 당신은 각각의 군들을 찾아낼 수 있다. 간간히 서로 합쳐지기도 한다. 만약 환자가 이런 양상으로 진행한다면, 즉시 고칼륨혈증에 대해 치료하라. 만약 환자가 이런 양상으로 진행한다면, 즉시 심실빈맥과 고칼륨혈증에 대해 치료를 동시에 시작하여도 된다. *당신에게 주어진 시간은 단 몇 초이다. 현명하게 사용하라!*

심전도 증례 연구 계속

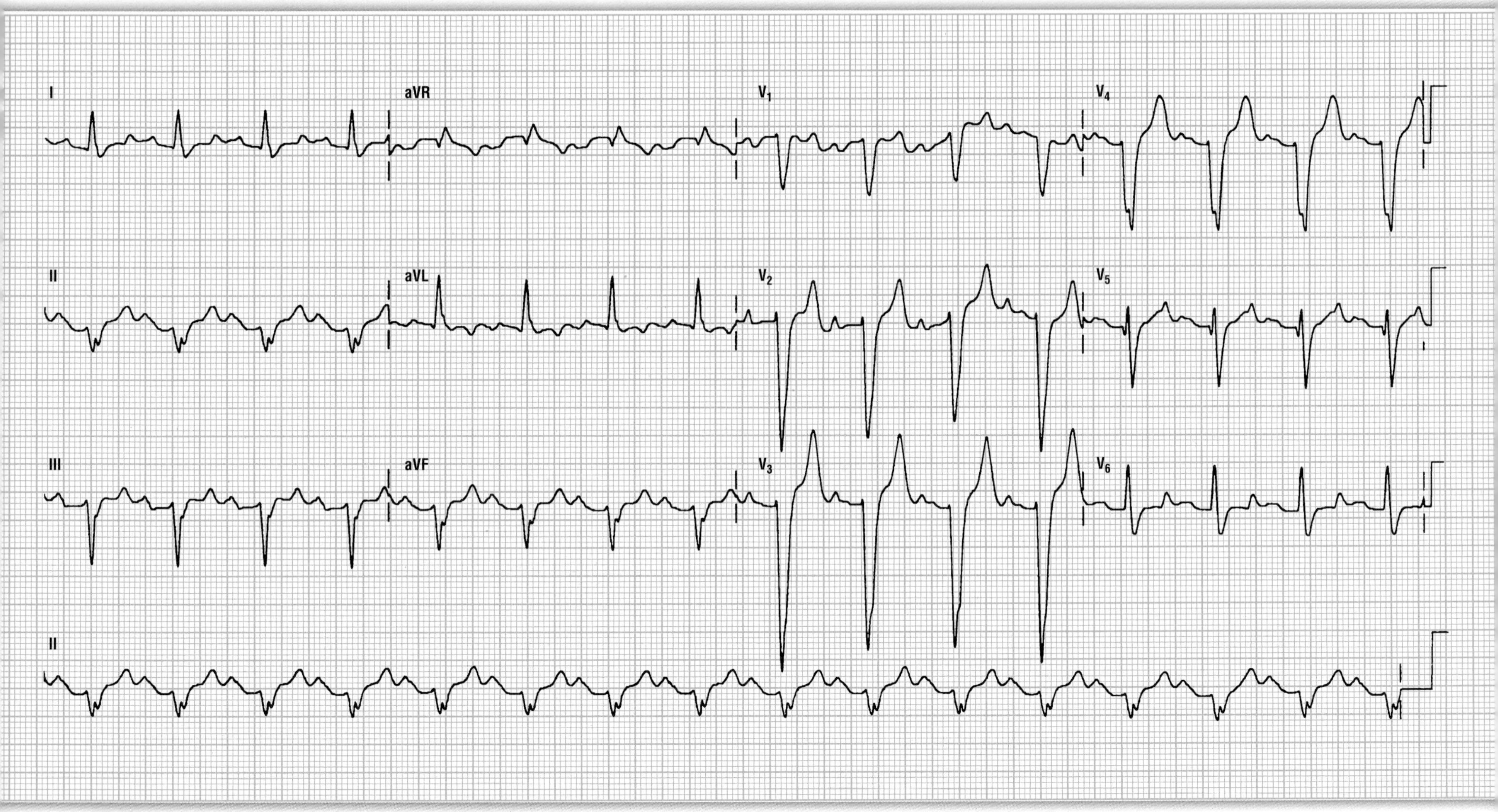

ECG 16-11

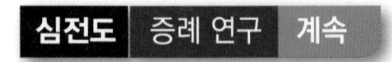

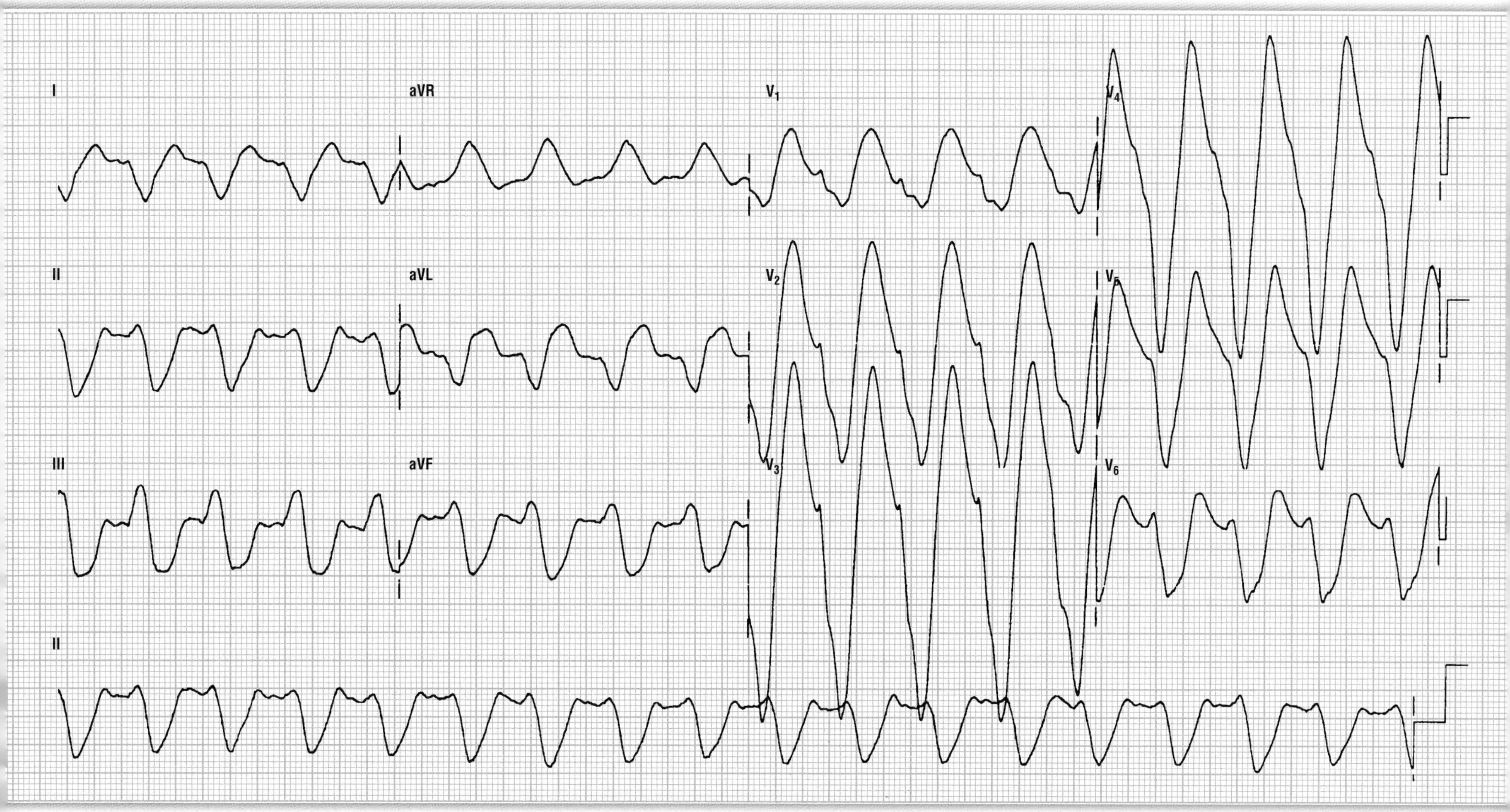

ECG 16-12

심전도 증례 연구 **계속**

심전도 16–13 만약 당신이 아직까지 회의적이면, 나쁜 상태보다도 심한 것으로 가는데 얼마 시간이 걸리지 않는다는…

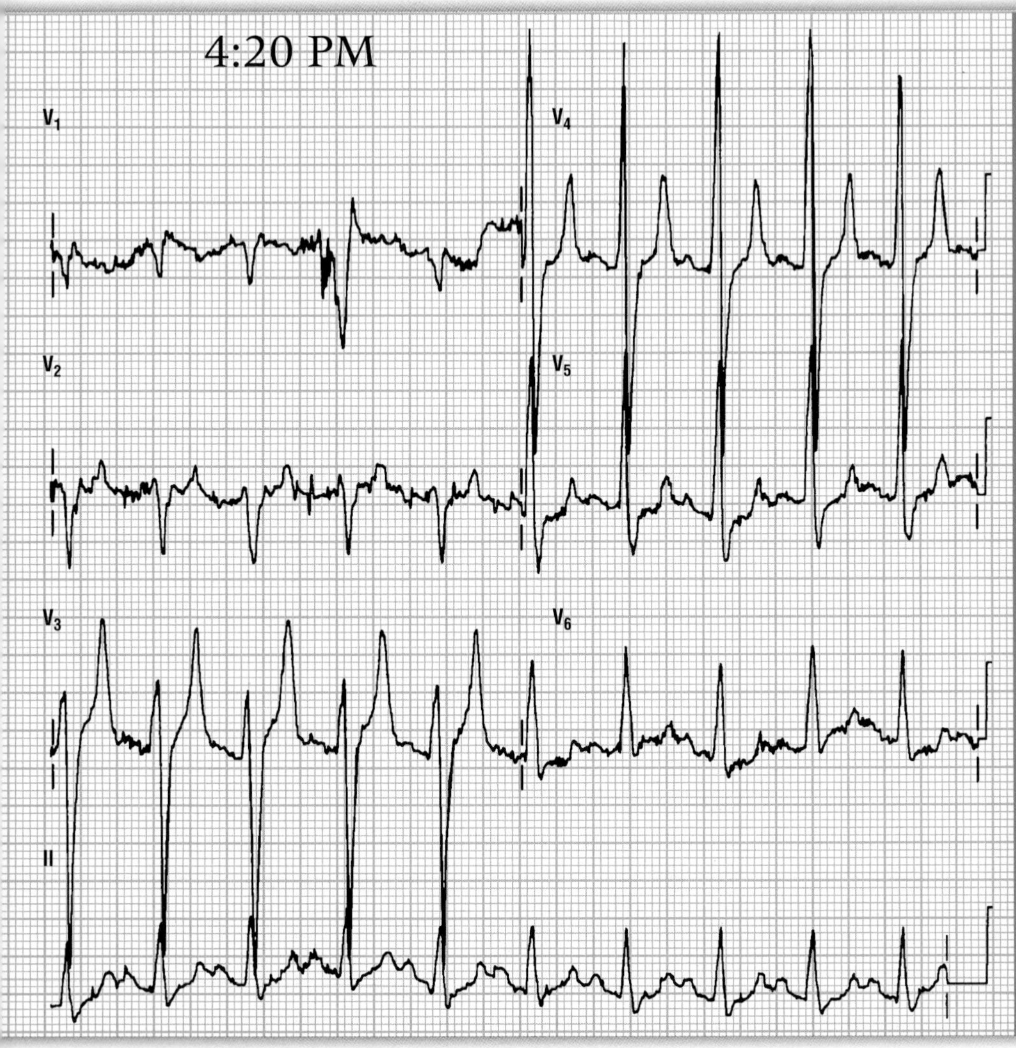

ECG 16-13A: 4:20 P.M

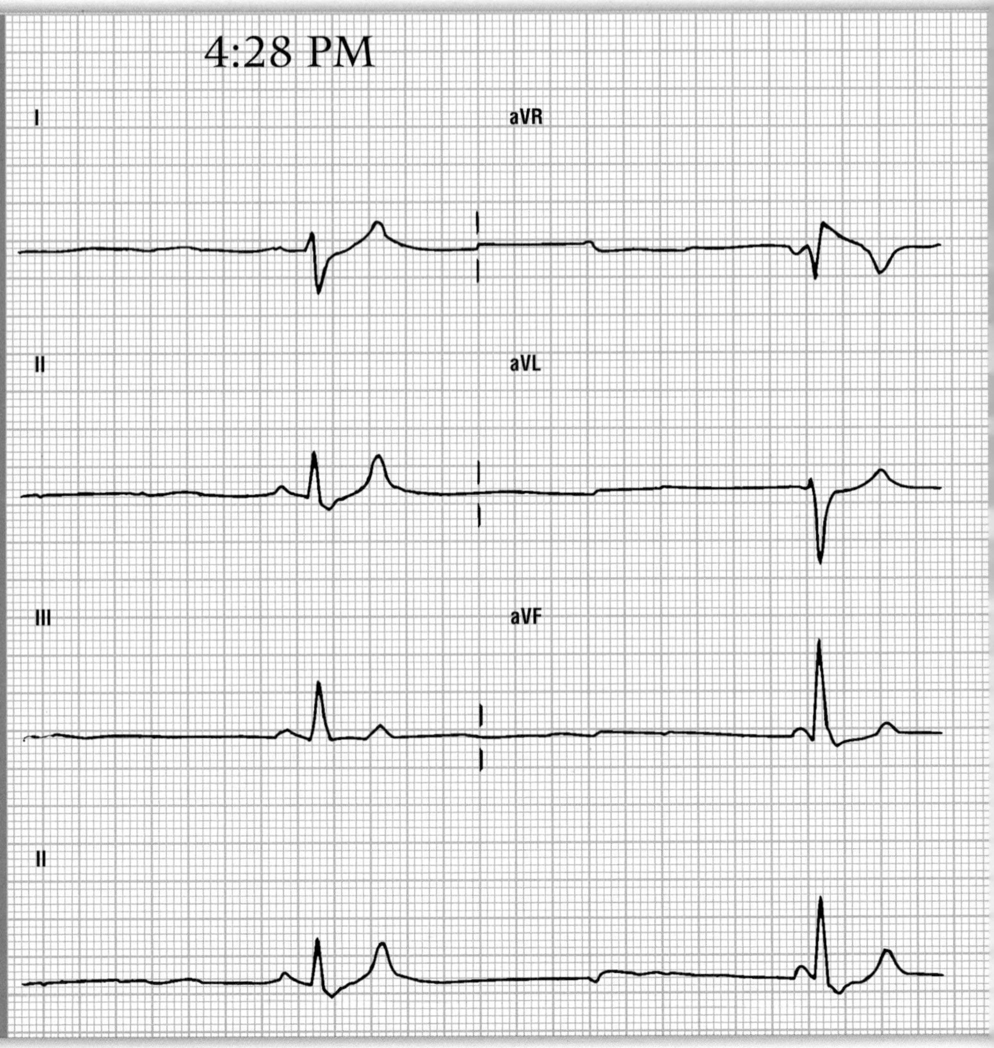

ECG 16-13B: 4:28 P.M

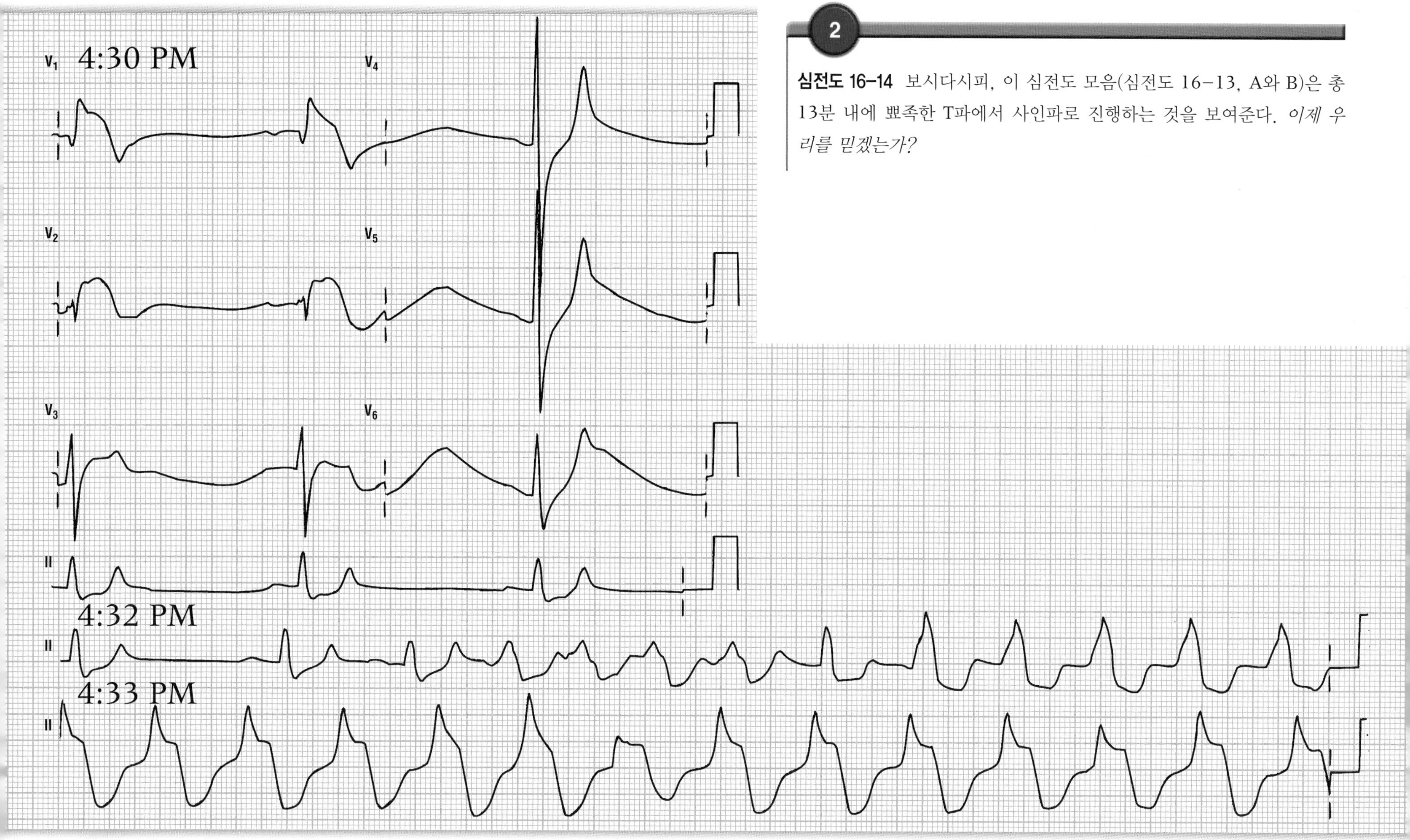

2

심전도 16-14 보시다시피, 이 심전도 모음(심전도 16-13, A와 B)은 총 13분 내에 뾰족한 T파에서 사인파로 진행하는 것을 보여준다. *이제 우리를 믿겠는가?*

ECG 16-14

2

기타 전해질 이상

저칼륨혈증

심전도의 저칼륨성 변화는 그리 극적이지 않다. 약간의 ST분절 하강, T파 진폭의 경한 감소, 극미한 QRS 간격의 연장과 같은 비특이적인 변화는 종종 있다. 그러나 저칼륨혈증에서 가장 흔한 이상소견은 저명한 U파이다. U파는 T파 직후에 나타나는 작은 파로, 대개 T파 높이의 1/10 보다 작은 크기이다(그림16-2). 그러나, U파는 다른 많은 원인으로 일어날 수 있다(아래의 감별 진단을 참조하라).

저칼륨혈증 그것만으로 부정맥이 발생할 가능성은 매우 낮다. 실제적인 위험은 디곡신을 복용중인 환자에서 존재하는 저칼륨혈증이다. 원인들이 결합할 때 생명을 위협할 수 있는 부정맥의 발생 가능성을 증가시킨다.

U파의 감별 진단은 다음과 같다 :

1. 저칼륨혈증
2. 서맥
3. 좌심실비대
4. 중추신경계 이상
5. 약물 사용 : 디곡신, Ⅰ군 항부정맥제재, phenothiazine

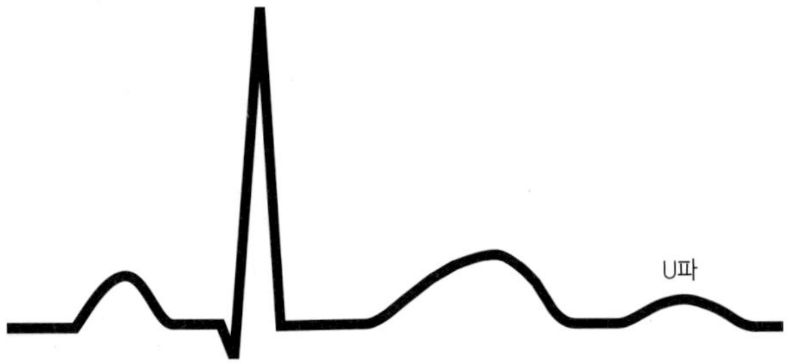

그림 16-2. U파

고칼슘혈증

심전도의 고칼슘혈성 변화는 극히 적다. 주된 변화는 ST분절의 단축이다. 이것은 QT 간격의 단축을 유발한다(또는 QTc 단축. QTc는 심박동수로 교정한 QT 간격임을 기억하라). 그러나 이것과 칼슘 농도 혹은 환자의 임상양상을 연관시키는 것은 어렵다. 심장 부정맥은 드물다.

저칼슘혈증

저칼슘 농도는 심전도상 ST분절을 연장시켜서 QTc 간격의 명확한 연장을 일으킨다. 고칼슘혈증의 반대 작용이라고 생각해라. 이 두 가지를 기억할 수 있는 쉬운 방법은 "고농도(hyper)"는 빨리 움직여서 짧게 나타나는 것이다. 반면에 "저농도(hypo)"는 긴 시간동안 움직이기 때문에 T파가 발생하는데 걸리는 시간이 길다. 심장 부정맥은 드물다.

어떤 원인으로든 QT연장의 위험성은 급사를 유발할 수 있는 torsades de points의 발생이다.

QT 간격 연장의 감별 진단은 다음과 같다 :

1. 급성심근경색과 허혈
2. 저칼슘혈증
3. 약물: Ia군 항부정맥제재, amiodarone, phenothiazines, 삼환계 항우울제
4. 중추신경계 이상
5. 저체온증
6. 갑상선 기증 저하증
7. 선천성 QT 증후군 또는 특발성 QT연장 증후군
   a. Romano-Ward 증후군
   b. Jervell-Lange-Nielsen 증후군
   c. 특발성 QT 간격 연장

2

심전도 16-15 첫눈에 이 심전도는 그다지 병적으로 보이지 않는다. 유도 II에 큰 폐성 p가 있고, 좌심실비대의 진단기준에 맞으면 축은 약간 수직이고 전반적인 약간의 비특이적 ST-T파(NSSTTW) 변화가 있다.

그 다음에 V_2를 보면 2개의 서로 다른 혹(hump)이 있다. 두 번째 혹은 V_1과 V_3의 분명한 P파와 나란하게 정렬되지 않는다. 그러면 이 혹은 무엇인가? ST 분절의 일부분인가? 이 심전도에는 매우 연장된 QT 간격이 있다. 그러나, T파는 롤러코스터(roller coaster)처럼 생기지 않았고, 위, 아래로 움직인 후 좀 더 높이 올랐다가 다시 내려온다. 대부분의 다른 유도에서 편평하지만 작은 혹이 있는 것을 주목하라.

T파와 다음 군의 P파 사이에 가능한 것은 무엇인가? 우리가 생각해낼 수 있는 유일한 것은 U파이다. 그러나 이게 어떻게 U파인가 – 이 파는 T파보다 크다! 자, 이 심전도의 U파는 칼륨 농도 1.6mEq/L인 환자의 것이다 – 매우 낮은 숫자다. 이런 심한 저칼륨혈증에서 예상 가능한 것은 T파의 평평해짐과 뚜렷한 U파이다. 비특이적 ST-T파(NSSTTW) 변화 또한 예상된다. 저칼륨혈증을 교정한 후에, 이런 변화는 해결되었다.

U파는 다양한 상황에서 발견된다는 것을 기억하라. 감별 진단 명단을 다시 보라. 어떤 것이든 놓치지 않도록 해라.

심전도 16-16 이 환자는 코감기가 들어서 응급실을 방문하였다. 그녀는 간호사에게 약간의 호흡곤란도 같이 있다고 하였다. 매우 조심스러운 신규 간호사가 심전도 검사를 명령하였다. 가장 먼저 눈에 띈 것은 최대한으로 연장된 저명한 QT 간격 연장이다! 여러분이 이전에 QT 간격의 연장을 경험하지 못했다면 이것이 연장된 것이다. 어쨌든, 환자는 그녀가 성인이 된 초기에서부터 이유 없이 갑자기 실신하기 시작했다고 얘기하였다. 그녀는 많은 의사들에게 진찰받았지만, 실신의 원인을 찾을 수 없었다. 그녀는 정신이 나간 사람 취급을 받았으며 계속해서 항우울제와 항정신약물을 복용하였다. 그녀는 약물들 때문에 직장을 잃었으며 노숙자가 되었다. 그녀의 유일한 항변은 "나는 정말 미치지 않았어요. 난 단지 의식을 잃었을 뿐이에요."

그래서, 이 의사는 그녀를 믿었고, 특히 심전도를 보고난 후에는 더욱 그랬다. 즉시 그녀에게 모니터를 부착하였으며 그녀의 심장에 대해 진찰하였다. 그녀는 기운이 빠져보였으며, 그녀를 보자 반응이 없어졌다. 모니터에 torsades de points가 나타났다. 혼수상태에 빠진 약 1분 후 소생술 장치를 준비하는 혼란스러운 시간 동안 그녀는 깨어나서 말하였다. "보세요, 의사 선생님. 내가 기절할 것이라고 얘기했죠." 아무도 QT 간격이 연장된 것을 알아차리지 못했기 때문에 이 불쌍한 환자의 인생을 망쳐놓았다. 그녀는 Romano-Ward 증후군이었으며 이후에는 상태가 좋아졌다.

심전도 증례 연구 계속

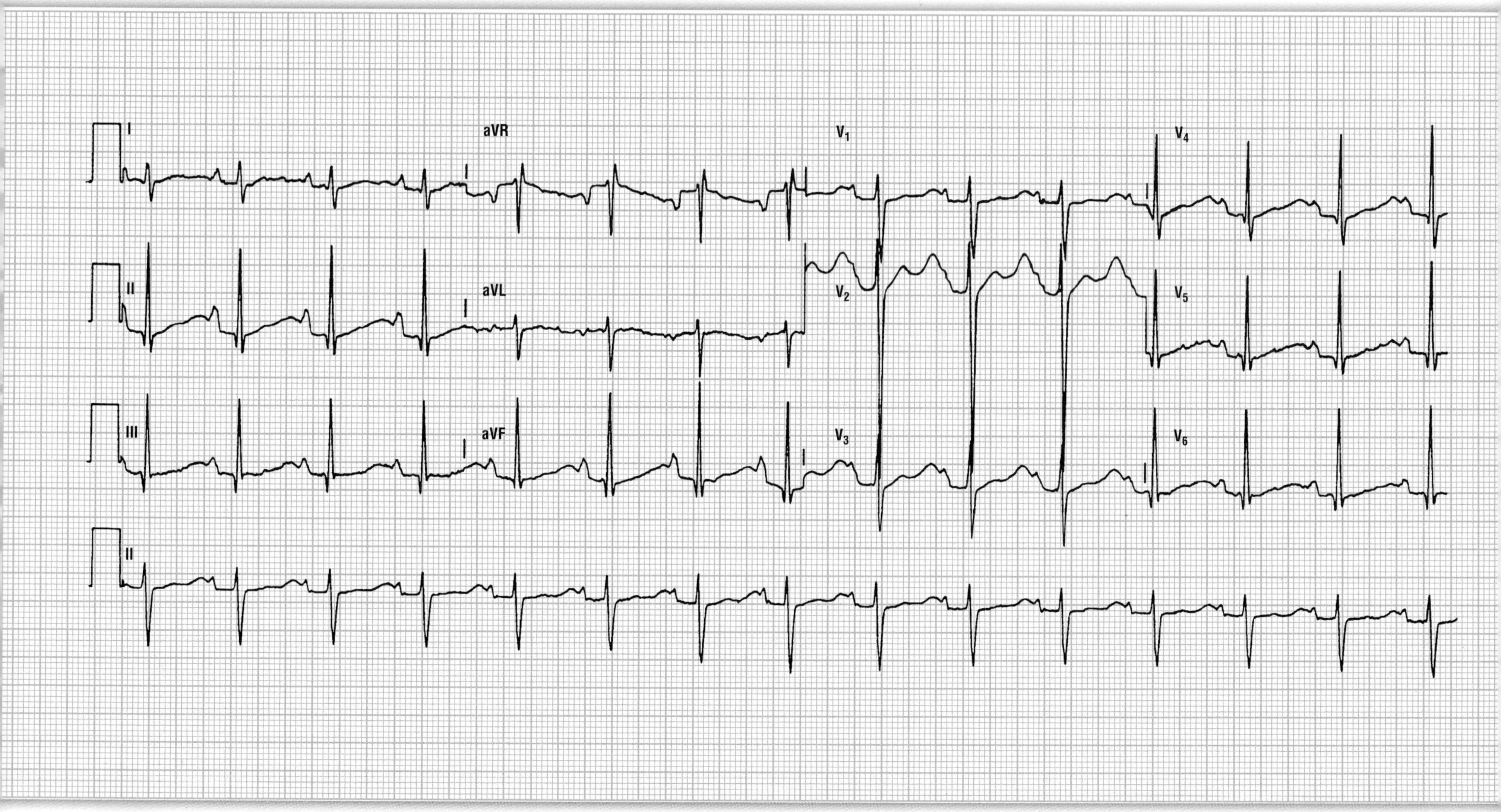

ECG 16-15

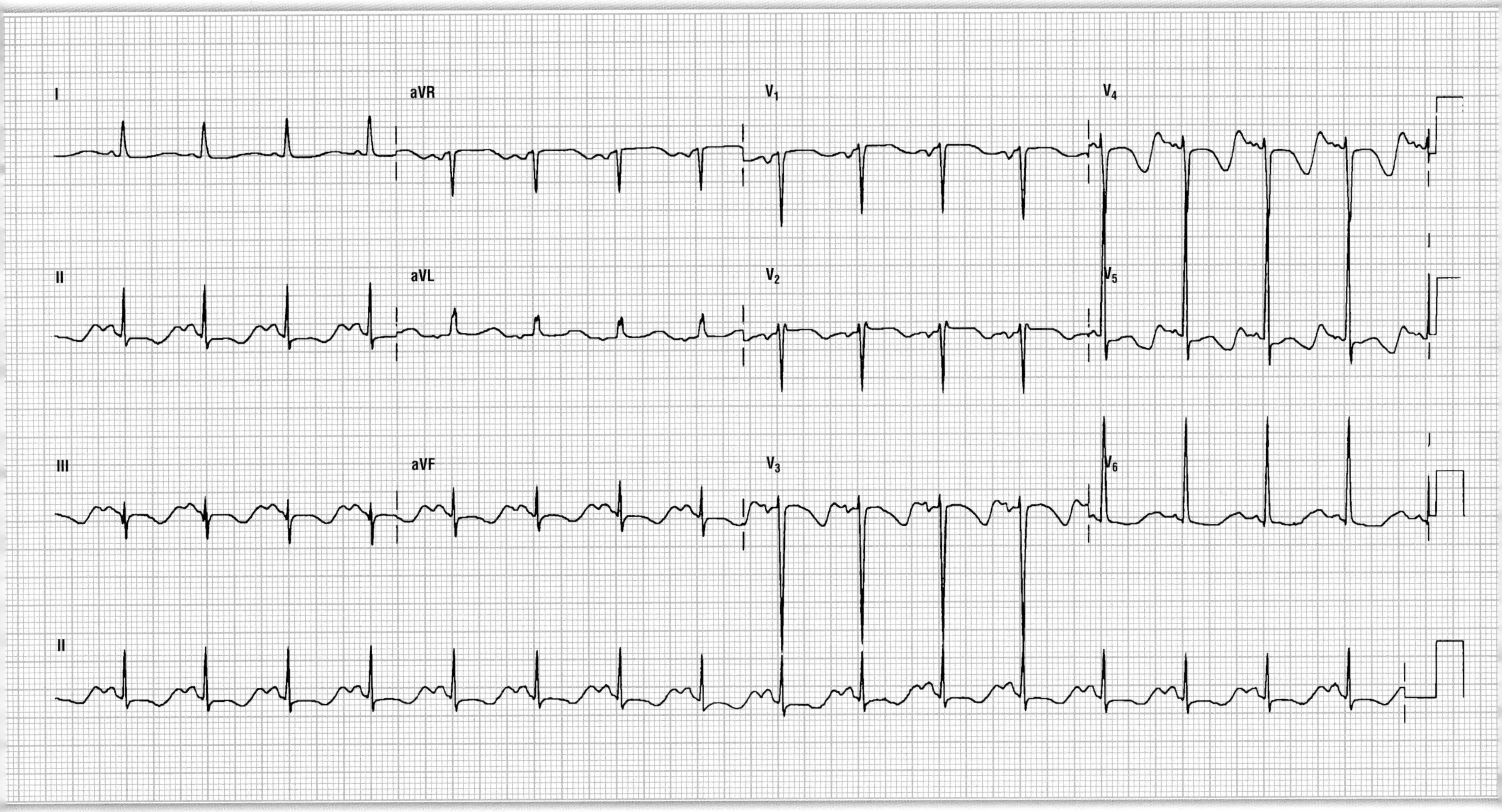

ECG 16-16

심전도 증례 연구 계속

2

심전도 16-17 이 심전도는 연장된 QT 간격과 연장된 QTc를 보여준다. 일반적으로, QT연장이 있는 경우 ST분절과 T파는 대개 정상으로 보인다 – QT 간격이 간단하게 R–R 간격의 1/2 이상이다. 이 심전도는, ST분절이 매우 연장되어 있으며 T파는 지극히 정상이다. 이것은 저칼슘혈증의 일반적 형태이다. 심전도는 좌심실비대와 합당한 소견을 보이며, 측벽 유도에서 편평하고 비대칭성의 T파가 있으므로 긴장양상이 동반된 좌심실비대일 가능성이 있다. 하부 유도에서 약간의 ST분절 하강이 있는데 허혈에 의한 것일 가능성이 있다. 언제나와 같이 임상적 연관이 필요한데 이유는 대부분의 QT연장의 원인이 허혈과 급성심근경색에 의한 것이기 때문이다. 그러나 그런 경우에는 ST분절과 T파가 똑같이 연장된다.

노트

QT연장을 알아내는 빠른 방법은 측경기를 사용하여 QT 간격을 구하는 것이다. 만약 선행하는 박동의 R–R 간격의 절반보다 넓다면 연장된 것이다.

심전도 16-18 이 심전도는 QTc 간격이 연장된 환자의 것이다. 이 환자는 편위전도 박동이 자주 발생하였고 심전도를 찍는 동안에 torsades로 변화하였다. 말할 필요도 없이, 심전도 기사는 깜짝 놀라 당황하였다.

이것이 QTc 간격 연장의 가장 두려운 점이다. 대개는 급성심근경색이나 약물 과다복용 같은 유발인자로 인해 이차적으로 QTc 간격이 연장된다. 치료의 가장 중요점이라고 말할 수 있는 마그네슘과 초과박동성 심박조율(overdrive pacing) 이외의 다른 치료는 이야기 하지 않겠다. 기저질환을 치료하고 부작용을 방지하라. 만약 QTc연장을 보았다면 스스로에게 왜 생겼을지에 대해 질문하라.

임상의 진주

다형 심실빈맥(polymorphic ventricular tachycardia), 다른 이름으로 torsades de points가 QT 간격 연장의 가장 위험한 부작용이다.

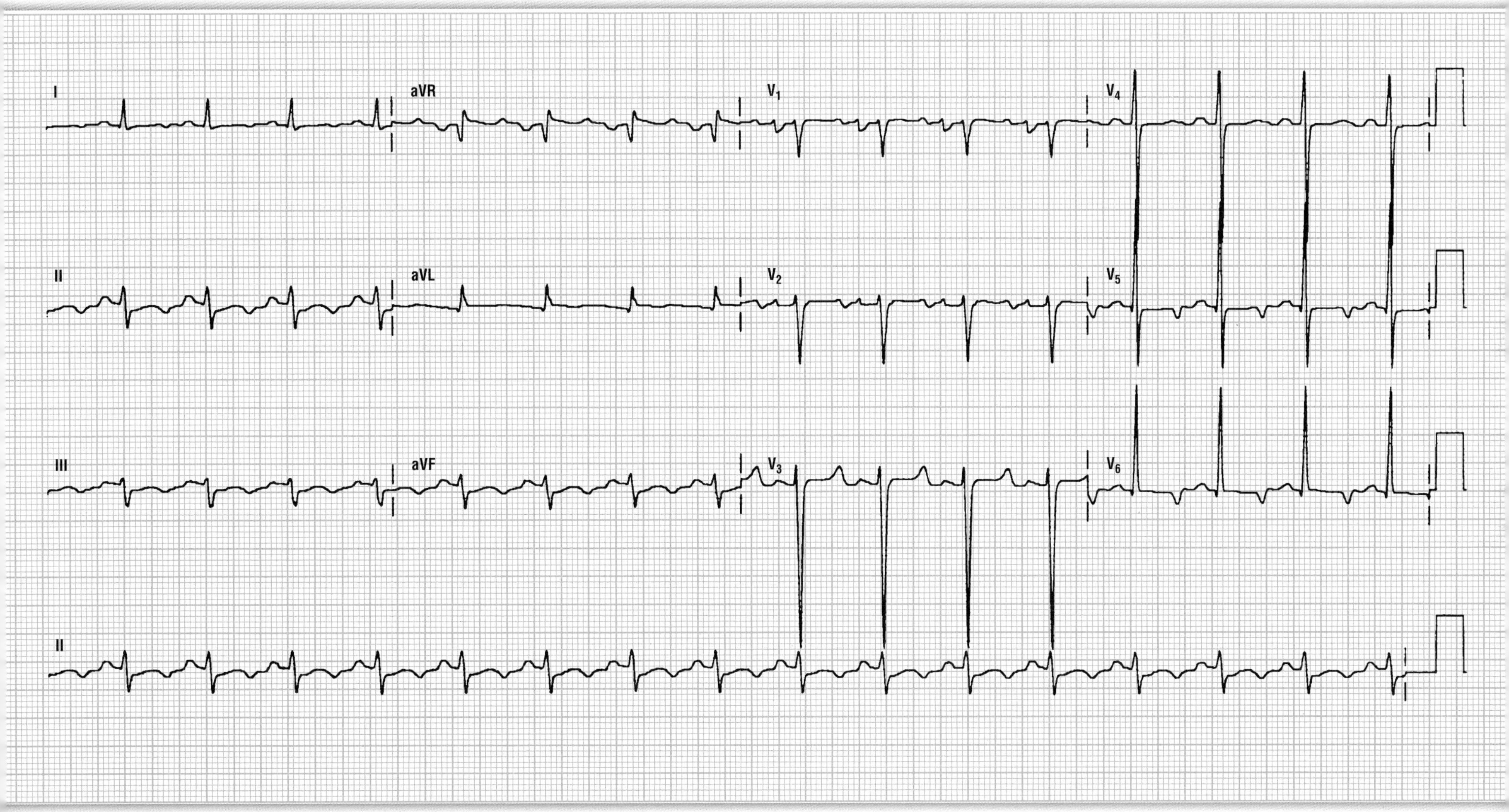

ECG 16-17

심전도 증례 연구 계속

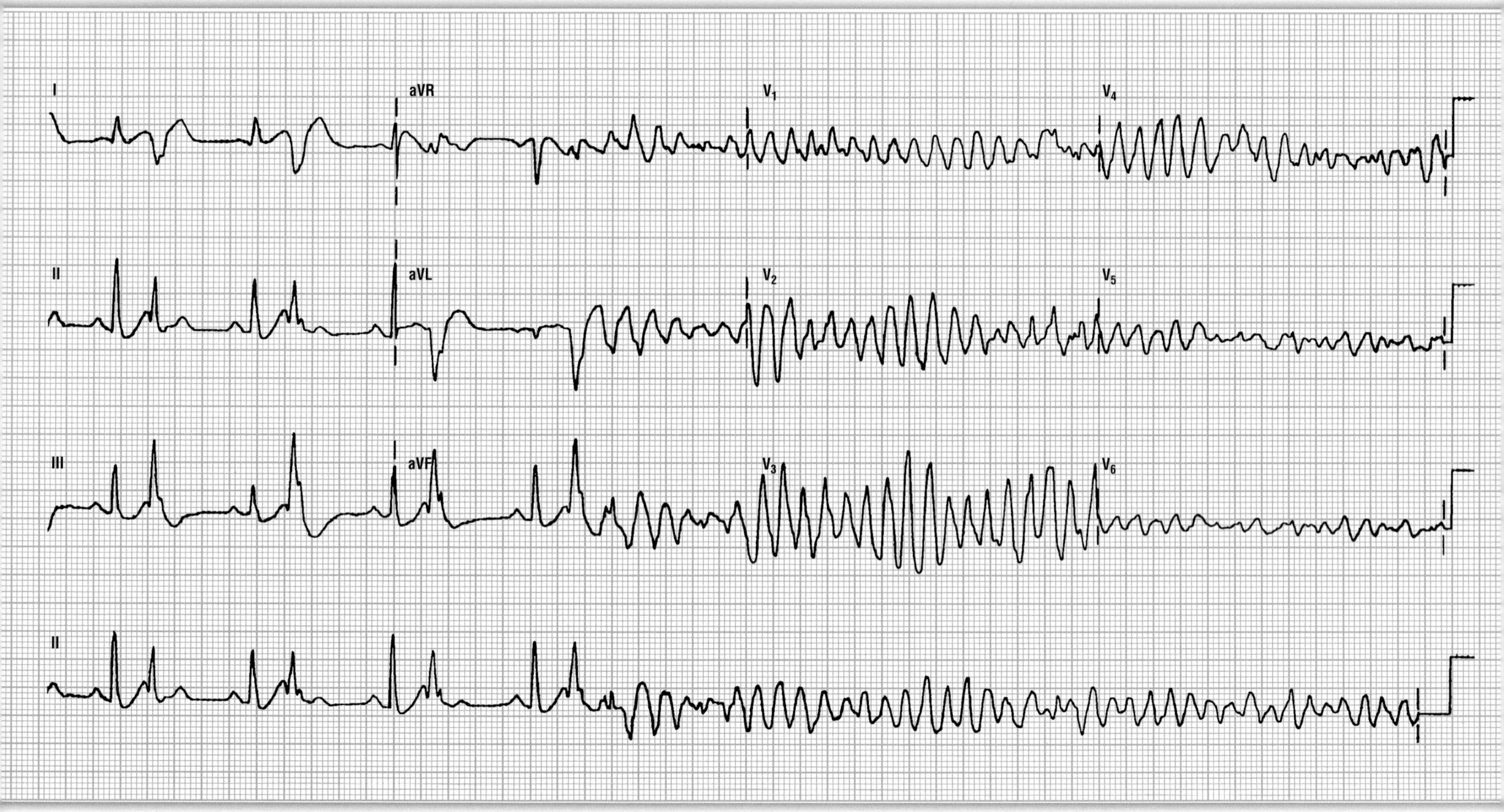

ECG 16-18

약제 효과

약제들 역시 세포와 채널의 기능에 영향을 미칠 수 있다. 이것은 차례로 세포가 탈분극, 재분극, 그리고 주위 조직을 자극하는 방식을 변화시킨다. 그리고 이것은 고유의 힘에 의해서 벡터를 변화시켜서 – 마지막에는 – 심전도의 모양을 변화시킨다. 우리는 디곡신에 주안점을 둘 것이나, 다른 약제들과 관련된 독성을 논의하기 위한 테이블을 준비하였다. 완전한 토론을 위해서는 약리학 교과서를 보라.

약	*가능한 독성 효과*
1군 항부정맥제제들	• QRS와 QTc 간격의 연장 • 방실차단 가능 • 동방결절을 느리게 하거나 완전 차단 • 부정맥
칼슘길항제들	• 일차적으로 방실결절 차단, 그러나 이 종류의 다른 약제들 사이에서 의미있게 다른 정도로 일어남 방실 차단
Beta-blockers	• 동방결절과 Purkinje의 자동능을 느리게 한다. • 방실결절 차단
아미오다론	• 모든 곳의 전도를 느리게 함 : 동방결절, 심방, 방실결절, Purkije 시스템, 그리고 심실
Phenothiazine 그리고 삼환 항우울증제제	• QRS와 QTc 연장 • T파 이상들 • 고용량에서 부정맥이 흔함.

노트
심전도 16-21에서 삼환계 중독 환자에서 어떤 심전도가 나타날 수 있는지 보여준다.

그림 16-3. 흔한 약물 독성

디곡신

디곡신과 다른 cardiac glycoside 계열의 약제는 어떤 경우에는 매우 유용하다. 그러나 매우 낮은 치료-대-독성 지수에 의해서 이것들은 너무나 많은 문제와 사망을 유발시킨다. 의과대학의 우리 반에서는 의사생활을 하는 동안 모든 의사가는 디곡신을 가지고 최소한 1명을 사망시키게 된다고 하는 이야기를 들었다. 여러 대학병원의 응급실에서 근무를 해보니 이 말이 아마도 맞거나 혹은 근접해 있다고 이야기할 수 있다. 고맙게도, 새로운 치료 방침은 이 약제의 사용 범위를 제한 시켰다. 그러나 아직까지 심하고 생명을 위협하는 합병증의 흔한 원인이기 때문에, 이것들에 대해서 이해하고 있어야 한다. 다시 한번, 우리는 여러분들이 이 토픽을 완전히 다루고 있는 부가적 독서 섹션의 책들을 읽기를 바란다. 여기서는 심전도의 변화에 대해 집중하겠다.

먼저 알아야 할 것은 디곡신의 과사용이나 과용량은 어떠한 종류 그리고 모든 종류의 부정맥을 유발시킬 수 있다는 것이다. 디곡신 독성과 관련해서 가장 많이 언급되는 것은 차단을 동반한 발작성 심방빈맥(paroxysmal atrial tachycardia(PAT) with block)이다. 차단을 동반한 발작성 심방빈맥은 기존의 동빈맥의 횟수가 분당 150에서 200회이면서 완전 방실차단이 있는 경우 진단하게 된다. 이탈 율동은 접합부 혹은 심실 기원일 수 있다.

심전도상으로 디곡신은 국자로 판 모양의(scooping) ST분절을 유발시키며 이것은 상당히 특징적이다. 이것은 아이스크림 국자로 기준선에서 구멍을 파낸 것과 같은 모양을 하고 있기 때문에, 국자로 파낸(scooped-out) 모양이라고 부른다(그림10-11, 144 페이지에서 이 소견을 표현한 그림을 보라, 그리고 145 페이지 심전도 10-8를 예제로 보라). T파는 낮은 진폭을 가지고 이상성의 모양을 가질 수 있다. QT 간격은 대개 예측되는 것보다 짧으며, U파가 더욱 현저하다. U파에 대해서 이야기하면, 저칼륨혈증이 digitalis glycosides의 효과를 상승시키며, 부정맥과 독성을 증가시키는 것을 기억하라. 이 경우에는 *어떤* 디곡신 혈중 농도도 독성을 가지게 된다!

심전도 증례 연구 약물 효과들

2

심전도 16-19 아래에 있는 심전도를 관찰해 보라. 국자로 파낸 모양의 ST분절이 많은 유도에서 나타난다. 이것은 디곡신과 이들 glycoside계 약제들의 고전적 모양이다. T파는 정상적으로 추정할 수 있는 것에 비해서 작다. 심전도 10-8의 다른 국자로 파낸 ST분절을 보라.

사람들이 국자로 파낸 것 같은 모양을 이야기하는 것을 발견하게 될 것이나, 국자 유추 (analogy)가 비슷하게 혹은 더욱 좋게 설명해준다. 그림 16-4를 보라. 우리가 의미하는 것이 무엇인지 보게 될 것이다.

이 심전도는 심방조기수축과 양심방확장을 보인다. 심방확장은 심방세동의 중대한 원인이며, 디곡신은 많은 환자에서 심방세동의 치료를 위해 사용된다.

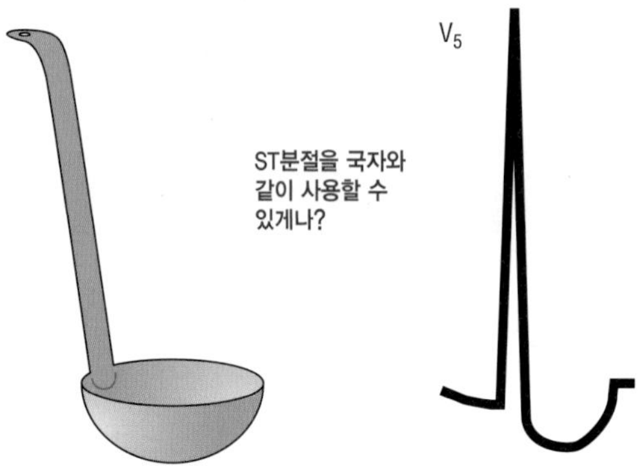

그림 16-4.

심전도 16-20 이 심전도는 완전 방실차단과 함께 분당 60회의 심박수를 가지는 방실접합부 이탈박동을 보인다. 기존의 심방 심박수는 분당 150회이다. 이것은 차단을 동반한 발작성 심방빈맥이다. 환자는 디곡신을 복용하고 있었고, 혈중 농도가 3.5ng/ml로 판명되었으며, 이것은 독성 범위에 해당된다.

차단을 동반한 발작성 심방빈맥은 디곡신 독성과 흔히 연관되어 있다. 그러나 이것은 완전히 특징적인 것은 아니다. 이것은 다른 경우에도 발견될 수 있으며 자연스럽게 발생할 수 있다. 이상 이야기한 것 전부로 해서, 이것을 보게되면, 디곡신 혈중 농도 측정을 하는 것이 좋다. 디곡신 독성에 의한 것일 경우에는 어떻게 치료를 할 것인가? 근본 문제를 해결해야 한다. 이 약제에 대한 항체가 디곡신에 의한 심한 독성에 주요 치료 방법이다.

> **조언**
>
> 차단을 동반한 발작성 심방빈맥은 동빈맥 심박동수가 분당 150~200회이면서 완전 방실차단이 있는 경우에 존재한다.

심전도 16-21 이 심전도는 심실내전도지연(IVCD)을 보여준다. 여기에는 고칼륨혈증의 증거는 없다. 그러나 이것은 생각해 볼 수 있다. 또한 PR 연장, QRS 간격 연장, QTc의 연장이 있다. 이 경우는 삼환계 항우울제의 과용량 투여로 오게 되었다. 그녀는 모든 적극적인 치료에도 불구하고 사망하였다.

이 심전도에서 삼환계(tricyclic)에 대한 특징적인 소견은 없다. 기억해야 할 것은 어떤 약제의 과량투여에 의해서 혼수상태에 있는 환자가 있으면, 삼환계를 원인으로 생각하라. 이것은 정말 살인마이며, 치료를 빨리 시작하는 것이 좋다. 이 환자들은 생명을 위협하는 부정맥이 흔하게 발생한다. 그러므로 이들은 주의깊게 관찰하여야 한다.

> **임상의 진주**
>
> 약물 과량 투여 환자에서 심실내전도지연(IVCD)를 보게 되면, 삼환계 항우울제를 생각하라.

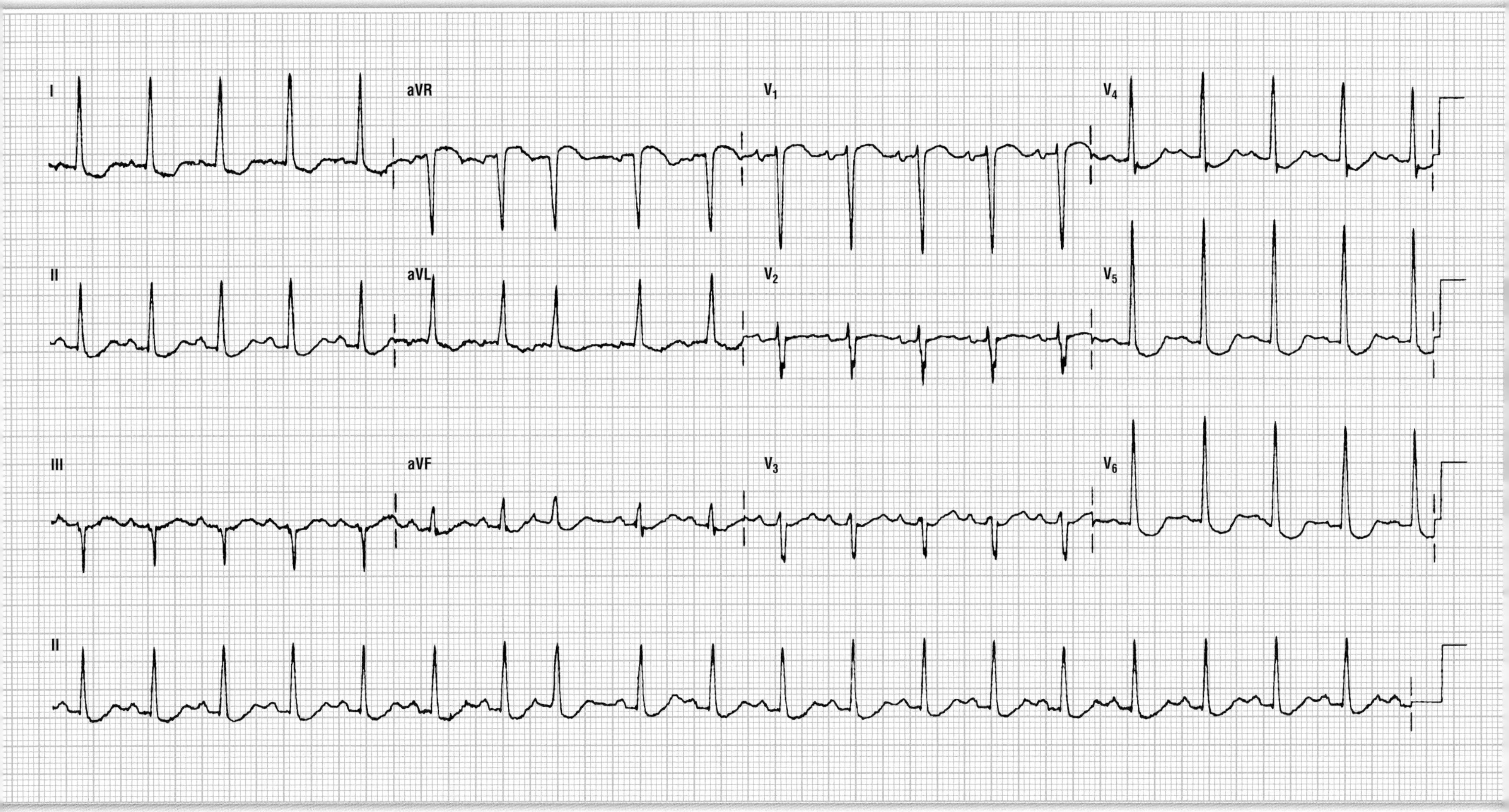

ECG 16-19

심전도 증례 연구 계속

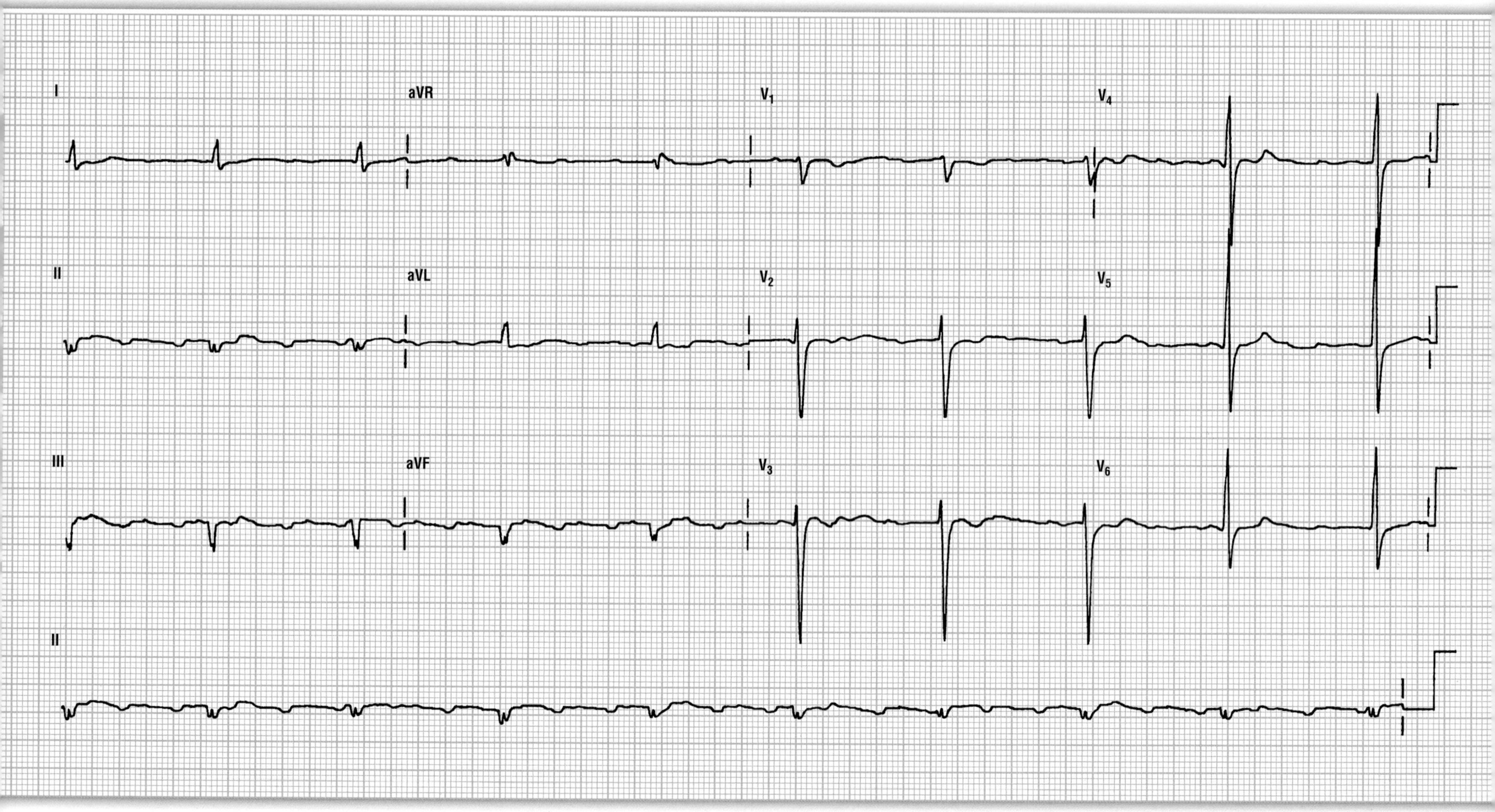

ECG 16-20

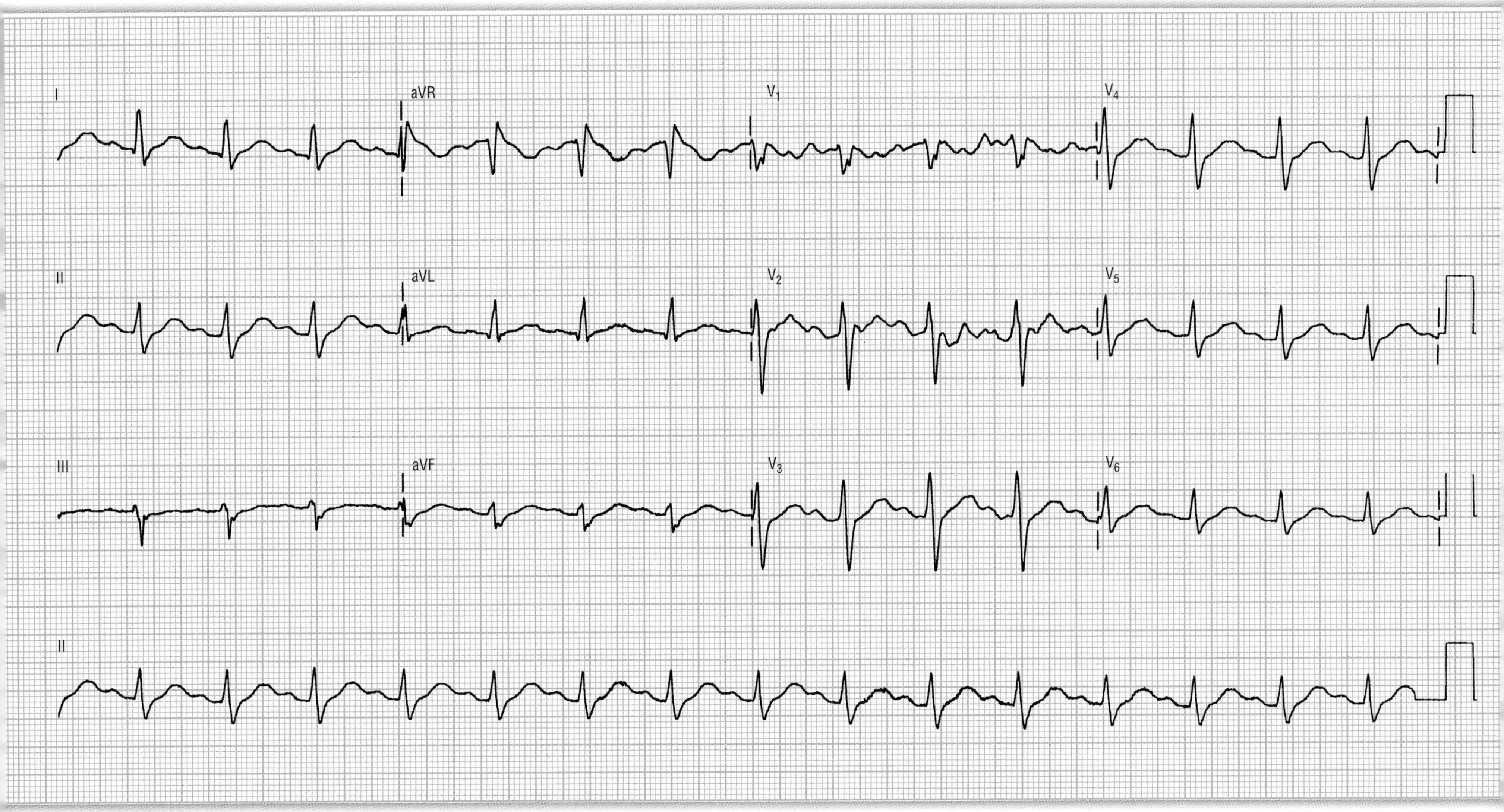

ECG 16-21

1 단원 복습

1. 고칼륨혈증은 환자를 사망하게 할 수 있을 뿐만 아니라, 수 초 이내에 사망하게 만들며 소생술에 사용하는 약제에 반응을 하지 않게 만든다. 참 또는 거짓

2. 빠른 인지와 심근의 세포막을 안정시키며, 병리 현상을 역전시키는 행동들이 고칼륨혈증에 의한 합병증과 효과적으로 싸우는 열쇠이다. 참 또는 거짓

3. 만약 문제를 생각하지 않는다면, 진단을 할 수 없다. 참 또는 거짓

4. 심전도는 혈중 칼륨 농도를 예측하는데 이용할 수 없다. 참 또는 거짓

1. 참 **2.** 참 **3.** 참 **4.** 거짓

2 단원 복습

5. 고칼륨혈증에서 발견되는 주요 심전도 변화는?
   - **A.** T파의 이상, 특히 크고 뾰족한 T파들
   - **B.** 심실내전도지연(IVCDs)
   - **C.** P파가 없거나 혹은 진폭이 감소한다.
   - **D.** ST분절의 변화가 손상 형태를 닮아간다.
   - **E.** 심장 부정맥, 어떤 혹은 모든 형태
   - **F.** 이상 모두

6. 고칼륨혈증의 T파의 변화에 대한 설명 중 틀린 것은?
   - **A.** 고칼륨혈증의 가장 빠른 소견이다.
   - **B.** K_+ 농도가 5.5mEq/L 이상의 경우에 볼 수 있다.
   - **C.** 고전적 T파는 크고 뾰족하며, 가는데 이것은 22%에서 나타난다.
   - **D.** 심한 고칼륨혈증과 동반되는 심실내전도지연(IVCD)에 의해서 T파의 모양이 변한다.
   - **E.** 변화는 항상 미만성(diffuse)이며, 모든 유도에서 보인다.

7. 심실내전도지연(IVCD)을 보게 되면, 즉시 고칼륨혈증을 생각해야 한다. 참 또는 거짓.

8. U파의 존재에 대한 감별 진단 중 아닌 것은?
   - **A.** 저칼륨혈증
   - **B.** 서맥
   - **C.** 좌심실비대
   - **D.** 중추신경계 병변들
   - **E.** 약제 : 디곡신, 1군 항부정맥제, phenothiazines
   - **F.** 위 모두 맞다.

9. 저칼슘혈증과 관련이 있는 것은?
   - **A.** QT 간격이 짧다.
   - **B.** QT 간격의 연장
   - **C.** 둘 다 아니다.

10. 저칼슘혈증은 digitalis glycosides의 효과를 증가시키며, 부정맥과 독성을 증가시킨다. 이 경우 어떤 디곡신의 혈중 농도도 독성을 가진다. 참 또는 거짓.

5. F **6.** E **7.** 참 **8.** F **9.** B **10.** 참

새로운 영역

우리는 이번 장에서 이전까지 대부분 기술되지 않은 영역으로 들어간다. 단지 몇 권의 책에서 심전도를 판독하는데 필요한 사고방식을 소개하였다. 대부분의 저자들은 우리가 심전도의 어떤 기초적 지식을 이해하면 그것을 가지고 타고난 직감을 이용하여 심전도를 해석한다고 생각한다. 불행하게도 심전도 해석은 우리 인간의 생존을 위해 자연이 RNA나 DNA에 새겨놓은 본능적 능력은 아니다. 그것은 할 수 있게 될 때까지 수많은 노력이 필요하다. 그러나 당신이 요령을 터득하고 나면, 왜 이렇게 되지 않았는가에 대해서 의문을 갖게 될 것이다. 그것은 자전거 타거나 글을 읽는 것과 같다.

여기 심전도적 우주의 비밀이 있다. 정상 심전도가 어떤 모양인지를 알아두자. 만약 심전도가 당신이 알던 정상 소견과 많이 다르다면, 당신은 병적인 소견을 대하고 있는 것이다.

심전도 모양에 대한 10가지 의문

심전도를 검사할 때 체계적인 접근을 하는 것이 중요하다. 이번 블록에서는 판독 순서의 포맷을 보여 줄 것이다. 심전도의 해석에 있어서 단계적 접근방법을 따른다면 이것이 도움을 줄 것이다. 우리의 체계는 심전도의 기본적인 단계를 요약해 놓았다. 이것을 “*심전도에 대한 10가지 의문(the 10 questions of the gram)*” 이라고 명명한다.

1. 전반적인 느낌이 어떠한가?
2. 두드러진 어떤 모양이 있는가?
3. 심박수는 어떠한가?
4. 간격은 어떤가?
5. 율동은 어떤가?
6. 축은 어떤가?
7. 비대가 있는가?
8. 허혈이나 경색이 있는가?
9. 이상소견의 감별 진단에는 어떤 것이 있는가?
10. 어떻게 이 모든 것들을 환자와 통합할 수 있는가

이 접근 방법은 당신의 삶을 무척 간단하게 만들 것이다. 당신이 위의 각각 질문들에 답을 한다면, 당신은 심전도가 보여주는 필수적인 부분들을 확인한 것이다.

처음 이 시스템을 사용할 경우에는 당신이 발견한 모든 비정상적인 부분을 적어라. 절차에 익숙하기 전까지는 기억에 의존하지 마라. 왜냐면 틀림없이 어떤 중요한 것들을 잊어버릴 것이다. 질문에 대해 모든 답을 적은 후, 해법을 종합하라. 이 책의 부제인 *“판독의 기술”*은 이 과정이 특히 환자와 연관지어서 생각할 때에는 어떠한 기술(art)의 형태임을 말해준다. *환자야말로 당신이 우선적으로 심전도를 얻어야 하는 이유다!* 라는 말을 기억해라. 간단한 검사인 심전도는 심장의 해부학, 병리학, 병태생리, 약리에 관한 정보를 줄 것이다. 당신은 이런 정보들을 종이에서 끄집어 낼 수 있어야 한다.

1. 나의 전반적인 느낌은 무엇인가?

당신은 심전도를 보기 시작하고 중요 문제를 찾아낼 것이다. 중요 문제가 경색인가? 비대인가? 부정맥인가? 많은 경우 당신은 이런 전체적인 개요를 잊어버리고, 자질구레한 것에 신경을 쓰게 된다. 이것이 때때로 잘못된 진단을 만든다.

그러면 우리는 어떻게 전체적인 개요를 만들 수 있는가? 일단 우리는 마음속으로 의문을 가진 심전도를 정상 예와 비교해 봐야한다. *'정상 심전도가 어떤 모양인지를 알아둬라. 정상 패턴과 달라 보인다면 그것은 병적인 것이다.'* 책 전반을 뒤돌아보면 정상 심전도(심전도 9-4, 92 페이지), 정상 우각차단(심전도 13-5, 263 페이지), 정상 좌각차단(심전도 13-18, 285 페이지)을 이 책의 여러 시점들에서 각각의 심전도들 형태의 일부 "정상" 변이들로 언급했었다. 지금 우리가 당신에게 원하는 것은 이들 정상 심전도들을 매우 자세히 공부하는 것이다. 각 유도를 관찰하고 나타나는 일반적인 형태를 봐라. 당신이 정상소견에 익숙해지면, 각각의 이상 증례를 보도록 하라. 마음속으로 2개를 비교하여 중요 차이점을 찾아내라.

먼저 정상 심전도를 보는 것으로 시작해보자. QRS군이 어떻게 예쁘고 균등한 모양을 하고 있는지 보라. 그것들 중 어떤 것들이 예외적으로 길거나 짧은가? 그것들은 가늘거나 넓은가? 어떻게 P파가 QRS군과 연관되어 있는지 보라. T파를 보자. 그것들은 조금 비대칭적이면서, 너무 뚜렷하지는 않지 않은가? 그것들은 모두 매우 비슷하게 보일 것이다. 그들이 상항이어야 유도들에서 그러한가? 간격을 봐라. 그것들이 존재해야 하는 간격보다 더 길거나 더 짧은가? 축을 살펴봐라. 그것들이 정상 사분면에 있는가? 전흉부 유도에서 이행대는 V_3과 V_4 사이이거나 다른 곳인가?

그것은 오랜 시간이 걸릴 것처럼 보인다. 하지만 정상 심전도를 보는데 5분 정도 투자해 보자.

각차단은 외형상 보기에 이상하게 생겼기 때문에 이것의 일반적인 느낌을 이해하는 것이 훨씬 더 필수적이다. 초기 심전도에 나타난 "괴상한 모양(ugliness)"을 보고 놀라지 마라. 미운 오리 새끼 이야기를 기억해라 – 이 경우의 못생긴 모양은 정확한 진단을 함으로써 예쁜 것으로 바뀌게 될 것이다.

이제 정상 우각차단을 봐라. QRS군이 0.12초 이상인가? 늘어진 S파가 유도 I와 V_6에서 보이는가? V_1에 토끼 귀가 보이는가? 모든 T파가 QRS 마지막 부분에 대해 반대쪽에 위치하고 있는가? 어떻게 QRS가 처음 시작 시점에는 가늘다가 점점 넓어지는지를 관찰하라. ST상승은 어떠한가– 조금이라도 있는가? $-V_1$~V_2는 어떤가? V_3까지 정상인가? ST분절의 하강이 있는가? 이 유도들에서 정상적으로 ST 하강이 있는가? 군(complex)을 자세히 봐라 – 그리고 모든 간격이 같다는 것을 기억해라. 하벽 유도에 ST분절의 상승이 보이는가? QRS군의 일부가 ST분절이 상승된 것처럼 *보이게* 했는가? 어떤 Q파라도 존재하는가? 양쪽의 각차단에서 Q파가 정상적으로 존재하는가?

이제 좌각차단의 심전도에도 똑같이 해보자. ST분절이 V_1과 V_2에서 상승되어 있는가? 모든 T파가 불일치(discordant)한가? 어떤 유도가 상승하고 어떤 유도가 하강하는가? 확인하라. V_1이나 V_2에서 ST분절이 상승하는가, 하강하는가? ST분절의 하강이 좌측 전흉부 유도 V_5, V_6에서 나타나는가? 그것은 정상인가? 하벽 유도는 어떠한가? – ST 하강을 나타내는가? V_1이나 V_2에서 현저한 R파가 보이는가? 정상 좌각차단에서 Q파를 보이는 V 유도 이외에 다른 곳에 Q파가 있는가? 이것이 새로운 좌각차단인가, 아니면 이전 심전도에도 있었나? 새로운 좌각차단은 급성심근경색증의 가능성을 시사하며, 편위전도된 박동이거나, 심실리듬일 수 있다. 환자는 어떤가? 안정되어 있는가, 그렇지 않은가?

당신이 이 질문에서 얻은 것에 대해 이해하고 있다는 것을 확인하라. 세부사항에 억눌리지 말라! 일반적인 느낌을 만들어라. 때때로 당신은 세부사항에 얽매여 큰 그림을 놓칠 수 있다. 이런 실수를 하지 말라!

2. 어떤 두드러진 것이 있는가?

우리는 심전도에서 *명확한* 비정상에 관해서 이야기하려고 한다. 질문 1에서 우리는 전체 심전도를 살펴봤다. 이번 문제에서 답을 내기 위해 우리는 작은 부분으로 좁혀 들어갈 것이다. 그것은 하나의 군이나 그룹일 수 있다. 그것은 몇 개의 정상적으로 보이지 않는 유도들일 수 있다. 그것은 하벽, 외측벽, 전벽과 같은 심장의 특별한 지역에 위치하는가? 대부분의 군들이 넓고 이상하고 가끔 정상적인 P−QRS−T 주기가 이런 혼돈(chaos) 내에 섞여 있는가? (만약, 그렇다면 그것은 다른 것으로 밝혀질 때까진 심실빈맥이다.)

만약 당신이 주된 병인을 빨리 진단할 수 있다면, 그것은 나머지 심전도의 평가에 도움을 줄 것이다. 반대로 당신이 환자에게 어떤 숨겨진 병인이 있다는 것을 안다면 당신은 심전도의 관련 변화를 찾아볼 것이다. 예를 들어 환자가 디곡신과다 복용으로 왔다면 차단이 동반된 발작성 심방빈맥(PAT) 같이 관련된 디곡신 독성의 리듬 이상을 찾아볼 수 있다.

당신의 평가를 당신이 조사하는 지침으로 사용하여라. 이 혼란스런 문장은 심전도가 환자의 내재된 병리에 대한 몇몇 단서를 줄 수 있다는 사실을 말해준다. 누군가가 당신에게 심전도를 보여 주었다고 가정해보라. 당신은 즉시 그것을 P파가 없는 심실내전도지연(IVCD)이라는 것을 알게 될 것이다. 그것은 넓은 아주, 아주 이상한 모양이다. 당신의 입에서 나오는 질문은 "환자의 혈중 포타슘 농도는 얼마인가?" 당신은 다음에 환자를 가서 보고 − 혼수 상태에 있는 − 그리고 양쪽 팔에 있는 동정맥 단락(shunt)을 확인할 것이다. 만약 단락이 있다면 말기 신장질환 환자일 것이다. 단락을 발견하지 못한다면, 대신 환자의 호흡이 아주 빠르고 깊으며 정신상태가 변화가 있을 것이다. 당신은 복부를 검사하며, 이것에 압통(tenderness)이 있는 것을 확인한 후 즉시 손가락 끝의 혈당과 동맥혈 가스 분압 검사를 지시할 것이다. 당신은 당뇨병성 케톤산증(diabetic keto acidosis)을 진단해 내었다. 주위의 사람들은 당신의 진단의 날카로운 통찰력에 놀랄 것이다. 그러나 당신은 자신에게 이렇게 반복할 것이다. "친구는 같이 다닌다" 그리고 다음 증례를 향해 움직일 것이다. 인상적이다!

3. 박동수는 얼마인가?

이것은 단순한 질문이다. 우리는 당신이 단지 숫자에 머무르는 것을 원치 않는다. 환자와 박동을 결합시켜라. 예를 들어 호흡이 빠르고, 식은땀을 흘리고 고통을 호소하는 환자가 있다고 하자. 심박동수는 명백한 불편함 때문에 빠를 것이 틀림없다. 그러나 박동은 분당 42회이다. 규칙에 따라 당신은 당신 스스로에게 이 책에서 배운 대로 왜 박동이 그렇게 느린지를 물어보아야 한다. 당신은 aVL에서 3/4mm 정도 ST분절 하강을 알아챘다. 즉시 당신의 면도날과 같은 의식은 이것에 대한 추리 순서를 따르게 된다. 이것이 상측벽의 허혈일 수 있나? 그렇다. 그러나 측벽의 허혈은 대개 서맥과 관련이 없다. 어떤 허혈/경색이 서맥과 관련이 있는가? 자. 하벽 심근경색이 미주 신경을 증가시키고 서맥을 유발한다. ST분절 하강이 상대적 변화일 수 있는가? 하벽 급성심근경색의 첫 번째 징후인가? 믿는 것이 좋다. 바로 심장내과 의사에게 알려서 환자를 심도자실로 보내도록 하라. 당신은 영웅이고 환자는 고마워할 것이다. 아마 이 이야기는 약간은 진부할 것이다. 이해한다. 이 이야기는 가르침과 즐거움 양쪽 다 의미를 가진다. 우리가 전달하려고 하는 개념을 알아차렸기를 희망한다. 생각하라! 상황들을 같이 모아라. 이것은 대단한 진단을 얻어내는 로켓 과학이 아니다. 아마도 아직까지 당신이 모든 임상 의학을 다 모를 수도 있다. 그러나 결국은 알게 될 것이다. 당신이 익힌 모든 정보를 활용하라.

2

4. 간격은 얼마인가?

간격은 정확한 진단의 필수적 요소이다. *언제나 가장 넓은 간격을 재고 이것을 이용하여 다른 군과 유도의 측정에 이용하라.* 당신은 PR 간격, QRS군, QT 간격을 잴 필요가 있다(그림 17–1, 17–2, 17–3 각각).

PR 간격은 정상이거나 짧거나 증가되었을 것이다. 정상이라면 훨씬 더 좋을 것이다. 만약 증가되고 일정하다면 1도 방실차단일 것이다. 하지만 거기서 멈추지 마라. 만약 불규칙할 뿐 아니라 다음 박동들 사이에서 증가했다면 그것도 2도 방실차단 Mobitz 1 (Wenckebach)형을 생각해야 한다. 만약 불규칙하게 불규칙하다면 다양한 형태의 리듬 이상이 존재할 수 있다.

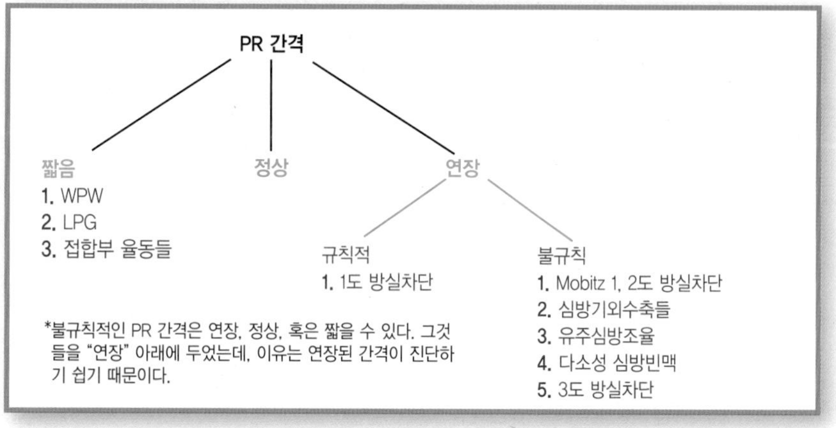

그림 17–1.

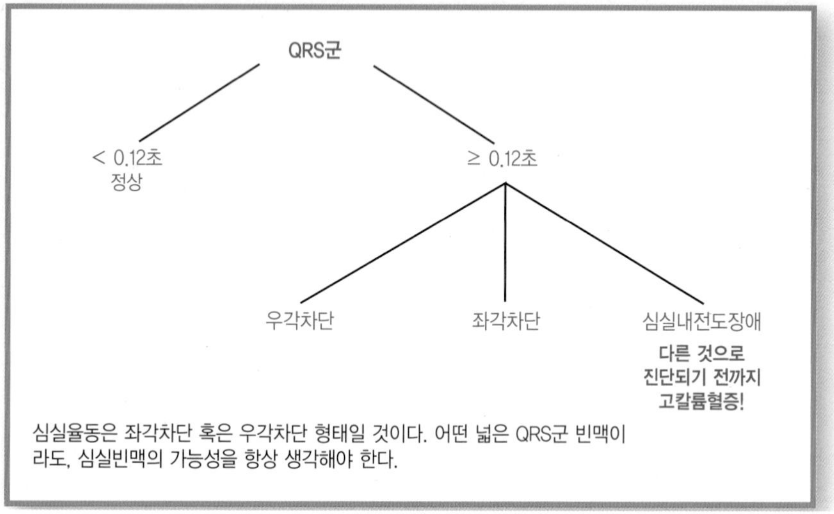

그림 17–2.

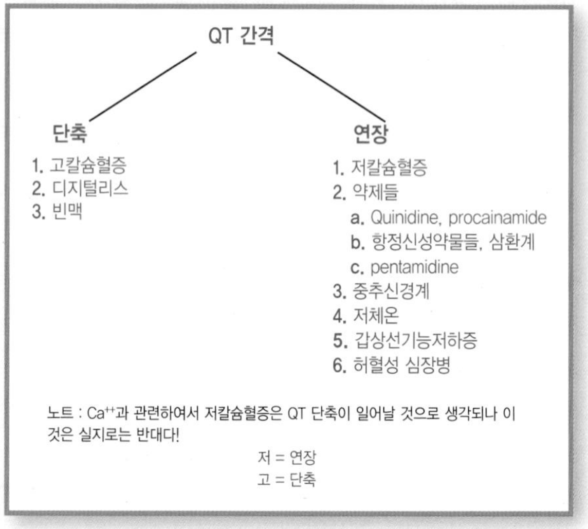

그림 17–3.

5. 리듬은 무엇인가?

리듬 장에서 오랜 시간동안 우리는 어떻게 리듬을 해석하는지를 배웠다. 이제 우리는 전체 심전도의 해석에 관련된 어떤 요점을 강조할 것이다. 언제나 리듬을 해석하기 전에 다음의 질문을 하라.

전반적으로

1. 리듬이 빠른가, 느린가?
2. 리듬이 규칙적 혹은 불규칙적인가? 만약 불규칙적이면, 이것이 *규칙적*으로 불규칙한가 혹은 *불규칙적*으로 불규칙한가?

P파

3. P파들을 볼 수 있는가?
4. 모든 P파들이 같은가?
5. 각 QRS군들에 하나의 P파가 있는가?
6. PR 간격은 일정한가?

QRS군

7. P파들와 QRS군들이 연관되어 있는가?
8. QRS군들이 좁은가 넓은가?
9. QRS군들이 그룹을 이루고 있는가? 그렇지 않은가?

리듬이 빠른가 느린가? 명백하게, 빠른 리듬의 감별 진단은 느린 리듬의 감별 진단과 다르다. 우리는 각각 리듬에 대한 몇 가지 예제를 줄 것이다(그림 17-4). 당신은 그것을 모두 기억할 필요가 없다. 그리고 그 목록은 모든 것을 포함하는 것이 아니라는 것을 기억하라.

P파를 볼 수 있는가? P파의 유무는 리듬의 진단을 좁혀 가는데 정말 도움을 준다. P파가 없다면, 리듬이 방실결절에서 유래하거나 이 하부에서 유래한다. 그러나 역행성(retrograde) P파는 하부 심방이나 방실결절 하부에서 발생할 수 있다.

다른 P파들의 존재 역시 진단을 하는데 도움을 준다. 만약 다른 모양의 P파를 가지는 불규칙적인 박동이 있다면, 다른 모양의 P파가 일찍 혹은 늦게 나타나는 것에 따라서 조기 혹은 이탈 박동을 보게 된다. 만약 당신이 세 가지 이상의

늦은 경우	정상	빠른 경우	빠르거나, 정상, 혹은 느릴 수 있는 경우
동서맥	정상 동율동	동성빈맥	심방세동
접합부 이탈	가속성	가속성	심방조동
심실 이탈	– 접합부	– 접합부	3도 방실차단
심실고유	– 심실고유	– 심실고유	2도 방실차단
유주심방조율 (wandering atrial pacemaker)	유주심방조율 (wandering atrial pacemaker)	심실빈맥	1도 방실차단
		발작성 상심실빈맥	심방조기수축들
		다소성 심방빈맥	접합부 조기수축들
		편위전도된 상심실성 빈맥	심실조기수축(VPCs)

그림 17-4.

다른 모양의 P파들을 가지고, 다른 PR 간격을 보인다면, 유주심방조율(WAP)과 다소성 심방빈맥(MAT)을 의심해야 한다.

명백한 P파를 보이는 것에 더해서 이전 박동의 QRS군 혹은 T파와 같은 시점에 발생하는 *숨어있는 P파들*에 대해서도 생각해야 한다. 이런 숨겨진 P는 이전의 T파가 T파 형제들과 다른 모양을 가지게 한다. 숨겨진 P를 가지는 T파는 혹(hump)을 가지거나 주위의 다른 T파보다 더 클 것이다. *"다른 것들과 모양이 틀린 파형을 보면 멈춰서 왜 이것이 발생했는지를 조사해봐라"* 이것은 매우 중대한 사항이다. 이 충고를 따르는 것이 당신의 두통을 줄여줄 것이다.

묻혀진 P파를 말할 때, 또 다른 중요한 사항이 있다. 심박동수가 분당 150이면, 약간 차이가 있을 수는 있지만, 심방조동 2:1 차단을 생각하라. 이것은 생각할 필요없이 본능적이 될 필요가 있다. 심박이 분당 150인 것을 본다면, QRS군들이 가장 작은 유도를 확인하고 보이는 두 개의 P파들 사이의 정확히 중간 위치에 있는 숨겨진 P파를 찾도록 노력해라.

임상의 진주

분당 150회 = 다른 것이 입증될 때까지 심방조동 2:1 방실차단.

리듬은 규칙적인가 혹은 불규칙적인가? 이것의 답은 최종 판독을 대단히 도와줄 또다른 간단한 질문이다. 일정하다는 것은 심박조율기가 박동을 결정한다는 것이다. 그것은 심방성, 접합부성, 심실성일 수 있다. 불규칙적인 것은 2개 이상의 심박조율기가 있는 경우이거나, 혹은 방실결절을 통해 전달되는 것이 불규칙적하기 때문에 불규칙할 수 있다. 후자의 경우는 다양한 차단이 있는 심방세동, 그리고 심방조동에서 나타난다.

만약 리듬이 불규칙적이라면 그것이 *규칙적으로 불규칙한가* 혹은 *불규칙적으로 불규칙한가*를 물어봐라. 규칙적으로 불규칙 리듬에는 불규칙성이 특정한 시간이나 기간에 나타나거나 예상 가능한 패턴을 보인다. 불규칙성에 질서가 있다. 이런 타입의 리듬의 례는 2도 심방차단이나 심박의 조기 혹은 이탈 박동을 볼 수 있다. 후자의 것은 불규칙적이나 기저 리듬은 규칙적이다.

불규칙하게 불규칙적인 것에는 오직 세 가지가 있다. 심방세동, 유주심박조율, 다소성 심방빈맥, 이것은 당신이 리듬을 불규칙적으로 불규칙적인 것을 보았을 때 결정을 쉽게 하게 해준다. P파들을 보라. 만약 일부에서 보인다면 그것은 아마 리듬이 빈맥이냐 아니냐에 따라 유주심방조율(WAP)이나 다소성 심방빈맥(MAT)일 것이다. 만약 P파를 볼 수 없다면 그것은 심방세동일 것이다.

군이 좁은가 혹은 넓은가? 이 질문은 즉각적인 답을 요구한다. 중요한 이유는 많은 넓은 군(wide complex) 리듬은 생명을 위협하기 때문이다. 가능한 이름 몇 개를 대면 심실빈맥, 고칼륨혈증, 약물의 작용, 심실고유 이탈율동(idioventricular escape rhythm), 중추신경계 이상 등이다. 이제 많은 수의 사람들이 안정된 각차단도 넓은 QRS군 리듬으로 나타난다고 생각할 것이다. 그러나 이런 경우라 할지라도 각차단에 심각한 기저 병리가 숨겨져 있을 수 있다. 총체적으로 말해서, 넓은 QRS군 심전도에 접근할 때는 주의가 필요하다.

당신이 무엇을 하던지 기억하라 *"넓은 QRS군 빈맥은 다른 것으로 판명되기 전까지는 심실빈맥이다."* 심실빈맥으로 환자는 사망할 수 있다. 편위전도된 심실상성 빈맥은 생명을 위협하지 않는다. 항상 환자가 심실빈맥이라고 생각하고 치료를 시작하라. 정반대에 대한 증거를 찾아낸다면 치료를 변경할 수 있다.

좁은 QRS군들은 정상 전도로 내려가기 때문이며, His속 혹은 그 상방에서 시작하여야 한다. 넓은 QRS군은 만약 편위전도되거나 각차단을 가지고 있는 경우에는 상심실성빈맥 기원일 수 있지만, 이것들 역시 심실에서 기인할 수 있다. *몇몇을 제외하면 심방부정맥은 심실부정맥보다 덜 중요하다.* 왜냐하면 심실이 온몸으로 피를 보낼 때 심방은 단지 심실로 피를 보내기 때문이다. 만약 당신의 실심실 펌프가 멈춘다면 사망할 것이다.

당신은 심실빈맥을 절대로 제외시킬 수 없다. 몇몇 사실들이 편위전도된 상심실빈맥들이나 심실빈맥을 감별할 수 있도록 도와줄 것이다.

1. 각 QRS군들 앞에 P파들이 있으면 심실상성 빈맥을 더 시사한다.
2. 편위전도된 심실상성 빈맥에서 비정상 박동의 시작 방향이 정상박동의 시작 방향과 같다.
3. 심실빈맥은 방실해리와 연관되어 있다.
4. 포획(capture) 그리고 융합(fusion) 박동은 심실빈맥에서 나타난다.

만약 운좋게 당신이 부정맥 시작 순간을 잡을 수 있다면, 당신은 심실상성 빈맥의 진행과정이나 심실빈맥의 시작을 볼 수 있을 것이다.

조언

불규칙적으로 불규칙한(irregularly irregular) 리듬
심방세동, 유주심방조율, 다소성 심방빈맥

조언

넓은 QRS군들이 지나가고 있는 사이에 정상 QRS군을 하나를 보게 되면 이것은 아미도 심실빈맥이다.

어떤 휴지기(pause)라도 보았는가? 만약 당신이 휴지기(pause)를 보았다면 왜 그것이 발생했는지를 생각해 봐라. 그것은 보상적 휴지기를 가지는 조기 수축에 의해 생길 수 있다. 휴지기는 연장된 P–P 간격을 동반한 이탈 박동, 그리고 Mobitz I(Wenchebach)형 혹은 Mobitz II형 2도 방실차단 같은 방실차단 등에 의해 발생할 수 있다. 같이 동반되는 소견을 관찰하여 진단을 하여라. 만약 계속적으로 PR 간격의 길어지다가 QRS군이 빠지고 휴지기가 발생한다면, 당신은 Wenckebach를 본 것이다.

> **조언**
>
> 휴지기와 부정맥을 알기 위해 측경기(calipers)를 사용해라.

파들과 군들의 관계는 무엇인가? 가장 일반적인 P파와 QRS군의 관계는 1:1이다. P파는 각 QRS군과 특정 거리인 PR 간격 앞에 위치한다. 각 QRS군에 두 개의 P파를 발견했을 때 무슨 일이 발생했는가? 이때 PR 간격을 봐야만 한다. 만약 그것이 완전히 다르고 QRS군과 아무 관계가 없다면 방실해리(AV dissociation) 그리고/또는 3도 방실차단이다. 이제 항상 PR 간격이 같다고 생각해보자. 당신의 가장 중요한 추정 원인은 2도 2:1 방실차단이다. 당신은 어떻게 우리가 이런 것들을 같이 종합하는지를 보기 시작했는가?

매우 넓은 QRS군 심전도는 몇몇 P파들이 QRS군과 관계가 없는 것을 알아차렸다고 가정해 보자. 추가로 넓은 QRS군에서 좁은 QRS군으로의 변화가 두 박동에서 일어나는 것을 보았다고 하자. 진단은 무엇인가? 심실빈맥이다. 어떤 경우에는 심실빈맥 묘사를 읽는 것이 그것을 심전도에서 보는 것보다 더 쉽다. 이것이 시작 때 당신에게 답을 쓰도록 한 이유다. 당신이 기록한 것을 검토하면, 이해가 더 잘될 것이다. 결국 당신은 심정지가 일어나 있는 중간에 같은 정보를 판독할 수 있을 것이다. – 적는 것 없이.

어떻게 이것들을 통합할 수 있을까? 당신이 찾은 다른 모든 것들을 기록하라. 꼼꼼한 사람이 되라! 어떤 비정상도 놓치지 마라. “하나님은 세밀한 곳에 있다.” 라는 말이 심전도 판독에도 진실이다. 많은 경우 진단은 작은 한 부분이나 혹은 어떤 경우는 한 파형에서 발견된다. 만약 당신이 답을 못 찾는다면 두려워하지 말고 누군가를 찾아서 물어봐라.

여러 비정상의 감별 진단을 기억하라. 그것들을 이용해서 맥락을 찾아내라. 예를 들어 우리에게 리듬이 어떤가를 말해봐라

1. 리듬은 빠른가 느린가? *느리다*
2. P파를 볼 수 있는가? *예*
3. 군은 좁은가 혹은 넓은가? *넓다*
4. 리듬이 규칙적인가, 불규칙한가? *규칙적이다*
5. 휴지기를 볼 수 있는가? *아니오*
6. 파와 군의 관계는 어떤가? *어떤 QRS군 앞에 두 개의 P파가 있다. 다른 것 앞에는 단지 하나의 P가 있다. P파들과 QRS군들의 사이의 뚜렷한 관계는 없다.*
7. 어떻게 통합할 것인가? *당신의 답은 : 답은 쉽다. 리듬은 느리고 넓다. 그것이 0.12초 보다 넓다면 그것은 좌각차단, 우각차단, 심실내전도지연(IVCD), 심실이탈, 편위전도 박동 중에 하나일 것이다. 위에 7가지 질문 중에 중요한 것은 무엇인가? 6:에 관한 대답: P파들과 QRS군들 사이에는 관계가 없다. 왜냐하면 방실해리가 보이고 그것이 느리기 때문이다. 그것은 아마도 심실고유 이탈 리듬일 것이다. 최종진단 : 심실고유 이탈 리듬을 가지는 3도 방실차단. 다른 것을 시도해 보자(특히 심전도 10–22, 167 페이지).*

> **조언**
>
> 모든 파들과 군들을 보라.

6. 축은 무엇인가?

축은 많은 의사에게 중요하지 않게 여겨진다. 와 그것은 틀린 것이다! 축은 급성 심근경색에서 유일하게 바뀐 것일 수 있다. 그것은 주요 힘의 작용에 대한 정신적 그림을 제공하며, 심장 대부분의 조직이 있는 영역을 보여준다. 그것은 진단에서 매우 중요하다. 축을 가장 완벽하게 계산할 수 있도록 노력하라. 이 책의 다음 복습에는 당신은 고급 임상가가 될 것이다(축하한다!). 축의 섹션에 도달하면 당신은 Z축에 대해 공부할 것이다. 축을 완벽히 이해하라. 이것은 당신의 축을 수평에서 3–D 그림으로 확장할 것이다. 그것은 당신 컴퓨터에서 새로운 3D 게임 카드를 장치한 것과 같다. 당신은 그것을 할 수 있고 더해진 시각으로 더 많은 것들 볼 수 있을 것이다.

축이 이동했다면 생각해야 할 것이 여러 개 있다. 환자가 축이 가리키는 반대쪽의 심근을 잃었는가? 새로운 차단이나 섬유속차단이 있는가? 환자는 비대의 더 많은 징후들을 보여주는가? 그렇다면 왜 그런가? 이들 질문에 대해 답을 하면, 심장을 매우 선명하게 볼 수 있을 것이다. 여러분은 종이에 있는 선을 지켜보는 것을 대신하여 진짜 심장을 마음속으로 그릴 수 있게 된다.

임상의 진주

당신이 우측 축을 보았을 때 좌후섬우속차단을 생각하라.

여기 축에서 기억해야 할 다른 중요한 것이 있다. 당신이 증가한 V_1이나 V_2의 R:S 비를 볼 때 – 이것은 이행점이 전흉부 유도에서 빨리 나타난 것으로 진단은 다음 5개 중에 하나이다.

1. 우각차단
2. 우심실비대
3. 후벽(posterior) 급성심근경색
4. WPW A형
5. 환자가 어린이 혹은 청소년

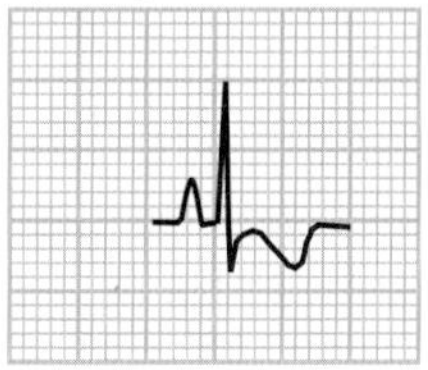

그림 17–5.

우각차단은 특징적인 토끼 귀 형태를 보인다. 하지만 그것이 사람을 현혹시킬 수 있다. I와 V_6에서 늘어진 S를 찾아라. WPW는 델타파와 짧은 PR 간격을 가진다. 우심실비대는 역위된 T와 함께 그림 17–5와 유사한 모양을 보인다. 후벽 심근경색은 역시 그림 17–5 같은 모양을 보인다. 하지만 R파는 넓고 T는 위를 향하고 있다.

7. 비대가 있는가?

심방과 심실에서 비대를 찾아라. 기준을 기억하지 못한다면 시간을 내서 앞으로 가서 다시 검토하라. 같이 동반되는 소견들을 기억하라. 예를 들면, 우심실비대는 축과 심방 둘 다 영향을 받을 수 있다.

우리는 당신이 비대에 대해서 생각할 때 심장을 마음 속에 떠올리기를 바란다. 만약 당신이 좌, 우 심방과 우심실에 비대를 가진 심전도를 본다면 당신의 마음에는 작은 좌심실과 다른 세 개의 방(chamber)의 비대를 가진 심장의 모습이 그려져야 한다.

무엇이 이런 조합을 가능하게 하는가? 고혈압이 이런 그림을 주는가? 그렇지 않다. 왜냐하면, 고혈압은 좌심실의 크기를 증가시키기 때문이다. 당신은 혈류 흐름의 순서에서 좌심실 이전의 문제를 찾아야 한다. 어떤 구조물이 좌심실 이전에 있는가? 좌심방 – 하지만 그것 역시 비대되어 있다.

두 심강(chamber) 사이에 무엇이 있는가? 승모판! 승모판 역류가 세 방 확장의 원인인가? 그렇지 않다. 왜냐하면 피가 심실에 들어간 후에 심방으로 역류하기 때문이다. 이것은 많은 양의 피를 수용해야 하기 때문에, 좌심실을 확장시킬 것이다. 승모판 협착은? 맞다! 승모판 협착은 좌심실 전의 혈류 차단을 유발한다. 좌심방은 비대될 것이며, 폐의 압력의 증가는 우심실 그리고 우심방의 비대를 유발시킬 것이다. 훌륭한 진단이다. 그렇지 않은가? 모든 것이 당신이 단지 그것을 읽는 것이 아니라 그것을 예술적으로 해석했기 때문이다.

2종류의 좌심실비대가 있다는 것을 기억하라 : 용적 과부하와 압력 과부하. 이것은 당신이 심장과 이것의 병리를 마음속에 그려보는데 도움을 줄 것이다. 이제 이전의 모든 질문들에 대한 답들을 합산하여 우리가 어디로 가는지 지켜봐라. 이것은 심전도를 어떻게 해석하는가이다. 심전도는 언어다. 상형문자(hieroglyphics)의 하나다. 그리고 모두가 그것을 이해하도록 그것을 해석해야 한다. 여기에는 시간과 인내가 필요하다. 하지만 인내를 가지면 당신은 그곳에 도달할 수 있을 것이다.

8. 허혈이나 경색이 있는가?

우리는 *급성심근경색* 장에서 많은 시간을 소비했다. 바라건대, 이것이 당신에게 보상을 해주기를 기대한다. 우리는 많은 정보를 재탕하지는 않을 것이다. 우리는 이것을 반복할 것이다 : 국소적 변화들을 찾아라. 국소적인 변화는 비록 작더라도 중요하다. 허혈 혹은 경색의 진단을 하는데 많은 도움을 주는 것은 오래된 심전도이다 비교를 위해서 사용하는 과거 심전도는 크나큰 이득을 줄 것이다. 조기 재분극, 탈분극–재분극 이상들, 긴장을 동반한 좌심실비대, 심실류 등 많은 변화들이 심근경색과 혼돈을 가져올 수 있다. 이런 변화들과 마주치게 된다면, 오래된 심전도가 결정적이다. 6개월 전의 심전도에 이런 소견이 있었다면 아마도 새로운 사건과는 관련이 없을 것이다. 그러나, 심근허혈 혹은 경색이 심전도의 급성 변화 없이도 있을 수 있다는 것을 기억하라; 그것은 임상적인 진단이다. *심전도가 변화가 없다고 치료를 보류하지 마라. 심전도가 차이 없다고 통증이 양성이라고 단정하지 마라.* 항상 가장 최악의 상황을 염두해 둬라!

각차단의 심전도를 볼 때 정상차단은 어떤 모양을 하는지 기억하라. 어떤 이상한 것이나, 새로운 변화는 의심스러운 것이다. 차단들을 조심해라.

심장은 어떤 특정한 영역에서 특정 유도가 상승할 것이라는 것을 이해하지 못한다. 관상동맥 해부학은 각 사람마다 다른 영역에 피를 공급한다. 당신이 본 심전도의 비정상을 유도하는 차단된 동맥을 그려봐라. 우심실경색의 치료는 다른 것들과 다르다는 것을 기억하라. 기억하지 못한다면 다시 검토하라. 그 사실은 환자의 생명의 가치를 가진다!

2

9. 비정상의 감별 진단은 무엇인가?

여기는 우리가 가장 좋아하는 세션이다. 의학의 비밀은 감별 진단이다. 그것은 잃어버린 기술이다. 이 기술은 모든 수준의 임상가에 중요하며, 학생들, 기사들, 응급구조사들, 간호사들, 간호 실습생들, 의사 보조사들(PA), 의사들 등 누구든 중요하다. 그 원리는 보편적인 것이고 당신의 특정한 필요와 수련의 정도에 따라 적용될 수 있을 것이다. 다음은 Garcia 박사가 개인적으로 이야기한 그의 임상 사고의 과정 그리고 어떻게 그런 과정을 얻게 되었는지에 대한 글이다. 의학적 사실에 과도하게 집중하지 마라; 대신, 과정에 집중하라. 이것이 토론의 중요 요점이다. 내가 이때까지 만난 가장 위대한 의사는 마이애미 대학의 Julio Ferreiro 박사다. 나는 그에게 어떻게 그런 믿기지 않는 임상적 진단이 가능한지 물었다. 그의 답은 겸손했고 놀라웠다. 그게 뭔지 상상이 가는가? 그렇다. 감별 진단이다.

그가 한 것은 단지 병력을 청취하여 환자의 병에 대해 물어본 것이다. 다음 그는 환자를 검사하고, 나타난 병의 징후(sign)를 평가하였다. 다음 그는 마음속으로 각 증상과 징후의 감별 진단을 해냈다. 그는 모든 것들에서 흔하게 발생하는 하나를 찾아냈다. 빙고! 그것이 진단이다.

여기에 이 간단한 방법으로 환자에게 접근하는 예가 있다. 50살의 수녀가 응급실로 내원했다. 그녀는 심하게 짧은 숨을 쉬었다. 매우 창백했고 복부는 팽창되어 있었고 온몸에 부종이 있었다. 심박동수는 분당 135회, 동성빈맥이었다; 혈압 100/50; 호흡수 28, 얕고 힘든게 숨을 쉬었다. 무엇이 일어나고 있는가? 간결하게 하기 위해, 각 항목들에 대해서 2~4개의 감별 진단들을 보여주었다.

창백	호흡곤란	전신부종	빈맥	복수
빈혈	빈혈	저알부민혈증	심부전	저알부민혈증
저혈압	심부전	빈혈	빈혈	간질환
혈관-미주신경	폐렴	간질환	폐혈증	암
		암	저산소증	

그림 17-6. 무엇이 흔한 테마인가?

어떤 것이 그림 17-6에서 가장 많이 언급되었나? 빈혈, 다른 자주 언급된 것은 무엇인가? 암과 간질환이다. 암과 간질환이 빈혈을 유발시킬 수 있는가? 그렇다. 둘 다 저알부민혈증과 전신부종을 유발시킬 수 있는가? 그렇다. 둘 다 복수가 생길 수 있는가? 그렇다. 어떤 것이 미국에서 간질환의 가장 흔한 원인인가? 알콜성 간질환. 수녀가 술을 많이 마시는가? 대개 아니다. 그러므로 진단은 빈혈을 동반한 암일 것이며 이것이 고박출성 심부전을 유발시킬 수 있을 것이다. 아마도 폐, 장(intestine), 유방, 난소거나 육종일 것이다. 이들 중 어떤 것도 이 증례를 만들 수 있다. 심한 복부팽창은 아마도 난소암을 의심할 수 있다. 이 환자를 진찰할 때, 그녀는 크고 자유롭게 움직이는 덩어리를 복부에 가지고 있었다. 진단은 옳았다. 이것은 나중에 컴퓨터 단층촬영으로 확인되었다.

처음 당신은 빠르지는 않을 것이다. 이렇게 발전하기까지 몇 년은 걸릴 것이다. 하지만 이것은 본질적으로 간단한 과정이다. 당신은 종이에 글을 쓰고 생각하는 것으로 같은 진단을 할 수 있을 것이다. Ferreiro 박사의 겸손한 답은 옳다.

심전도와 의학에서 3×5 카드에 감별을 적고 가지고 다니다가 수 초간 쉬는 시간이 있다면 수업시간 사이나 버스 안에서 그것을 가져와서 읽어라. 그것은 당신에게 영원히 남을 것이다. 그림 17-7은 우리가 가지고 다녔던 감별 진단 카드의 예가 있다. 우리가 그것을 기억하기 쉽도록 대문자를 사용하여 연상 기호를 만들어 사용한 것을 보라.

새로 발생한 심방세동/심방조동의 감별 진단		
심근경색 (Myocardial infarction)	류마티스성 심장병 (Rheumatic heart disease)	폐색전증 (Pulmonary embolus)
동맥경화증성 심질환 (Atherosclerotic heart disease)	알콜성휴일심장 (Alcoholic holiday heart)	폐렴 (Pneumonia)
약물들 (Drugs): 디곡신	갑상선중독증 (Thyrotoxicosis)	심낭염 (Pericarditis)
(MAD[미친])	(RAT[쥐])	(PPP)

그림 17-7. 무엇이 흔한 테마인가?

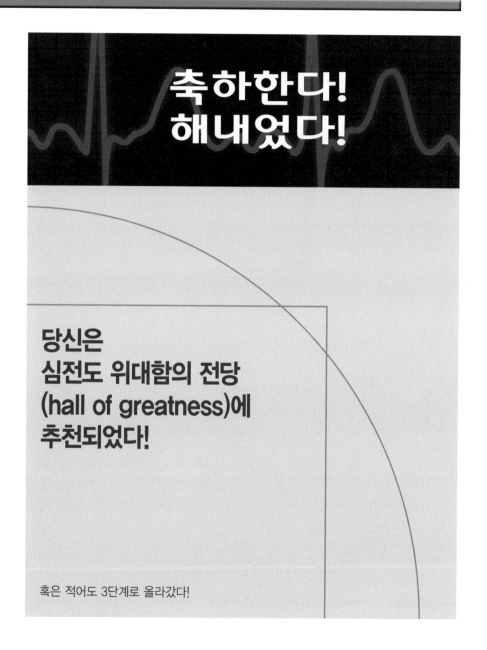

10. 어떻게 환자에게 이 모든 것을 한꺼번에 적용할 수 있는가?

우리는 다른 질문들에 대한 답을 하면서 이 토픽의 대부분을 이미 다루었다. 이것을 다시 다른 하나의 질문으로 독립시킨 이유는 이것의 중요성 때문이다. 당신이 거기에 있고 또한 이 모든 훈련을 뚫고 지내온 이유는 환자를 가장 잘 돌보기 위해서이다. 심전도는 단지 환자를 평가하는 한 도구다. 그러나 심전도처럼 환자 옆에서 바로 정보를 얻을 수 있고, 비교적 저렴하고 많은 정보를 줄 수 있는 것은 많지 않다. 어떤 사람은 심전도를 죽은 기술(lost art)이라고 이야기하기도 한다. 그것은 심전도를 습득하기 위해 시간을 보내는 사람이 적기 때문에 죽은 기술이라는 거다. 심초음파 검사를 의뢰하는 것과 실시간 심장의 사진을 보는 것이 쉬운 일이다. 하지만 그것이 항상 쉽지는 *않다.* 심전도는 어떤 임상 상태에서도 빠르고 신속한 방식으로 쉽게 할 수 있는 병상 검사이다. 전문화 된 사람이나 도구를 기다리기 위해 시간을 허비하는 것은 어떤 환자들에게는 재앙이 될 수 있다!

심전도를 판독하면서 환자의 심장 상태를 마음속으로 그림을 그려보자. 어떻게 당신이 보고 있는 병인이 환자와 연관돼 있는지 봐라. 그리고 빠르게 적절한 치료에 도달하게 될 것이다. 어떻게 환자에게 이 모든 것을 한꺼번에 적용할 수 있는가? 단지 그것에 대해 생각하는 것에 의해서이다!

심전도를 판독할 때 감별 진단을 사용하는 것을 기억하라. 이상소견을 발견하면, 집요한 추적자(bloodhound)가 되라 – 원인을 냄새 맡아라. *당신이 불어 날려버린 작은 것이 나중에 가장 중요한 것이 될 것이다.* 심전도의 머피의 법칙이다.

큰 그림

어떻게 심전도를 읽는지 요약해보자. 먼저 전체 그래프에 대한 감을 잡아라. 그리고 평가를 시작해라. 당신이 발견한 것을 적어라. 무엇을 썼는지 보고 각각에 대한 감별 진단을 생각해라. 기적적으로 당신은 답을 얻을 것이다. 우리가 웹사이트에 제공한 심전도 예제를 보고 연습해 봐라. 끝나면 책을 다시 빨리 검토하고 다시 시도해 봐라. 가능한 많은 심전도를 봐라. 그것이 심전도 판독 기술의 전문가가 되는 방법이다.

축하한다!
해내었다!

당신은
심전도 위대함의 전당
(hall of greatness)에
추천되었다!

혹은 적어도 3단계로 올라갔다!

3부

시험 심전도들

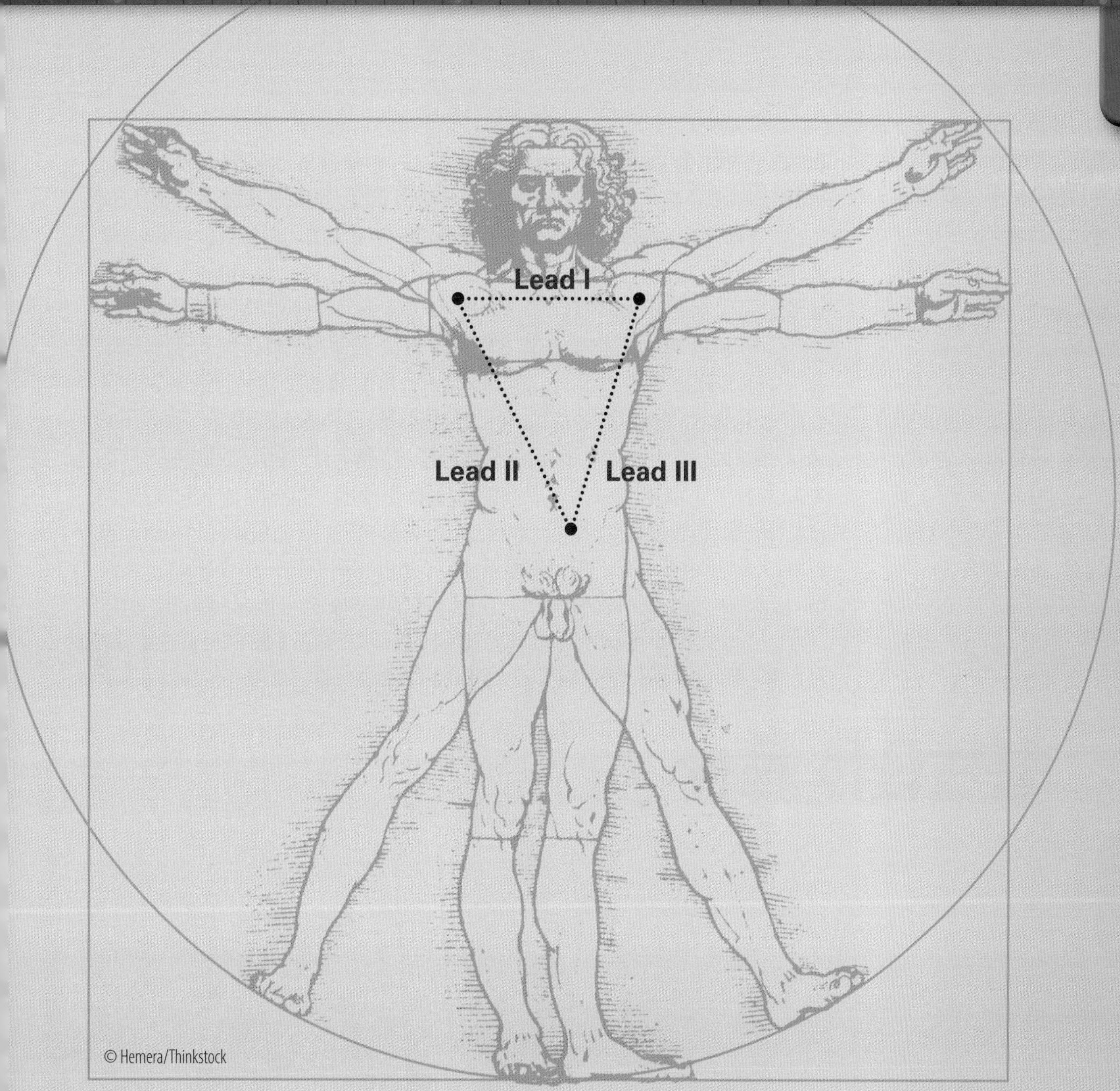

3부

시험 심전도들

이 책에서, 심전도를 조직적 그리고 임상적으로 판독하는데 필요한 수단들을 제공했었다. 이제 여러분들이 그 정보가 유용하고 임상적으로 쉽게 접근할 수 있는지 확인할 차례이다. 이 부분에서는 제법 도전적인 50개의 심전도들이 포함되어 있다. 그것들을 심전도 기계에서 나온 그대로 보여주었다; 심전도 판독을 쉽게 하기 위해, 허상이나 이상한 불규칙적인 것을 제거하지 않았다. 실제 상황과 같이, 임상적으로 무엇이 의미가 있고 없는지에 대해 알아내는 것은 당신에게 달려있다. 우리는 일차적으로 흔한 소견들과, 생명을 위협하는 중대한 사건들에 집중할 것이며, 이것이 실제 임상에서 너무나도 적절한 것이다. 심전도들은 복잡성 혹은 관련성에 특별한 순서를 두지 않았다. 만약 잘 알지 못하겠으면 다음 심전도로 넘어가라.

각 심전도의 밑에는 임상 판독의 공식화를 시작하기 위해서 본인에게 꼭 물어봐야 하는 몇 개의 기본 질문들이 있다. 측경기들, 자들, 축바퀴들 등을 사용하여 심전도 기록(tracing)에서 적절하고 튼튼한 자료를 모으고, 당신의 임상적 의견을 만들어라. 간격에서 특정한 값을 얻는 것은 비교적 주관적이란 것을 알아두기 바란다. 당신이 측경기를 어디에 위치시키느냐에 따라서 내가 측정한 것에 비해서 1 혹은 2밀리세컨드(millisecond) 차이가 있을 수 있다. 이것은 항상 일어난다. 중요한 것은 명백한 것을 놓치지 않는 것이며 여러 간격들의 정상과 비정상의 범위에 대해서 인식하고 있어야 한다.

이 책의 일반적 주제를 따라, 답들을 591 페이지에서 시작하여 격식에 얽매이지 않는 방식으로 토론할 것이며, 우리의 안내 지침인 임상 판독의 기술을 가르칠 것이다. 토론의 불빛을 유지하고, 쉽게 따라가기 위해서, 시험 목적으로 정형화된 판독을 위해 여러 관리체제에서 이용하는 광범위한 부호화(coding) 혹은 작업표(worksheet)는 사용하지 않았다. 당신의 개인적인 연습과 필요를 위해서 여러 관리체계에서 사용하는 문서를 참조하라.

마지막으로, 아마도 당신은 이 교재를 여러 차례 다시 복습을 하게 될 것이다. 반복은 좋은 것이며, 일상업무에서 자료를 통합하는데 도움을 줄 것이다. 심전도 판독은 상급 임상가들조차 비교적 조심스러운 것일 수 있다. 인내를 가지고, 방법적으로, 가능한 모든 노력을 다하면, 당신의 실력이 얼마나 빨리 성숙되어 가는지 놀라게 될 것이다.

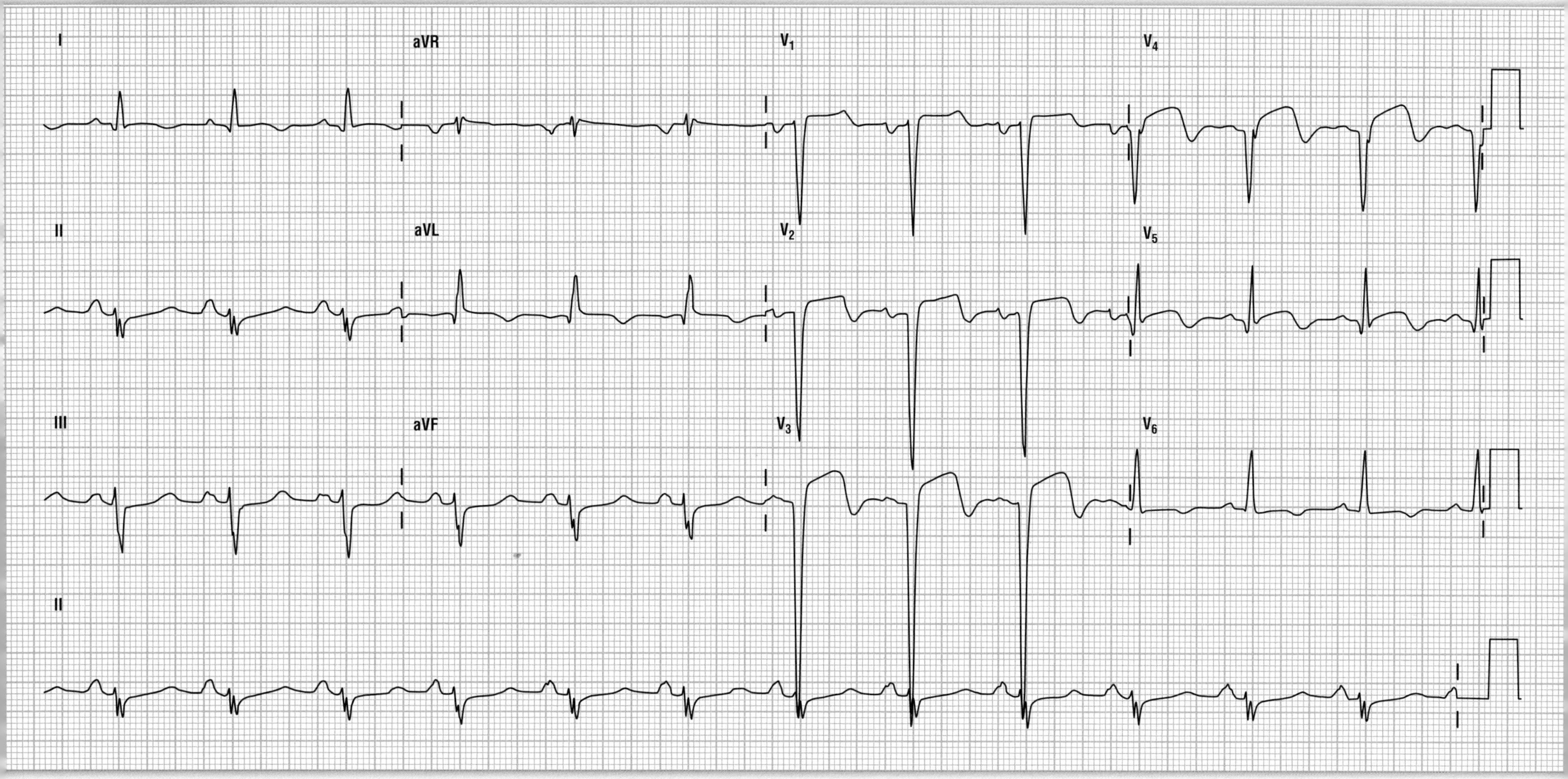

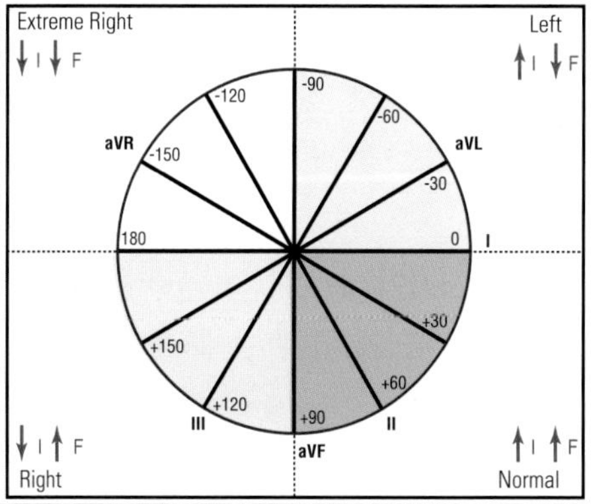

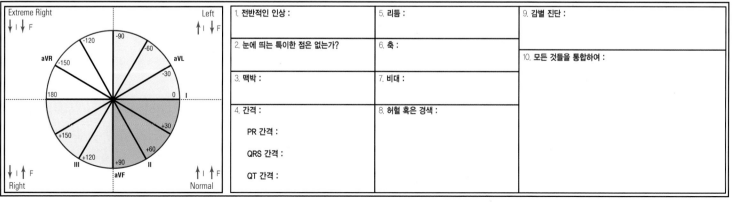

1. 전반적인 인상 :	5. 리듬 :	9. 감별 진단 :
2. 눈에 띄는 특이한 점은 없는가?	6. 축 :	10. 모든 것들을 통합하여 :
3. 맥박 :	7. 비대 :	
4. 간격 : PR 간격 : QRS 간격 : QT 간격 :	8. 허혈 혹은 경색 :	

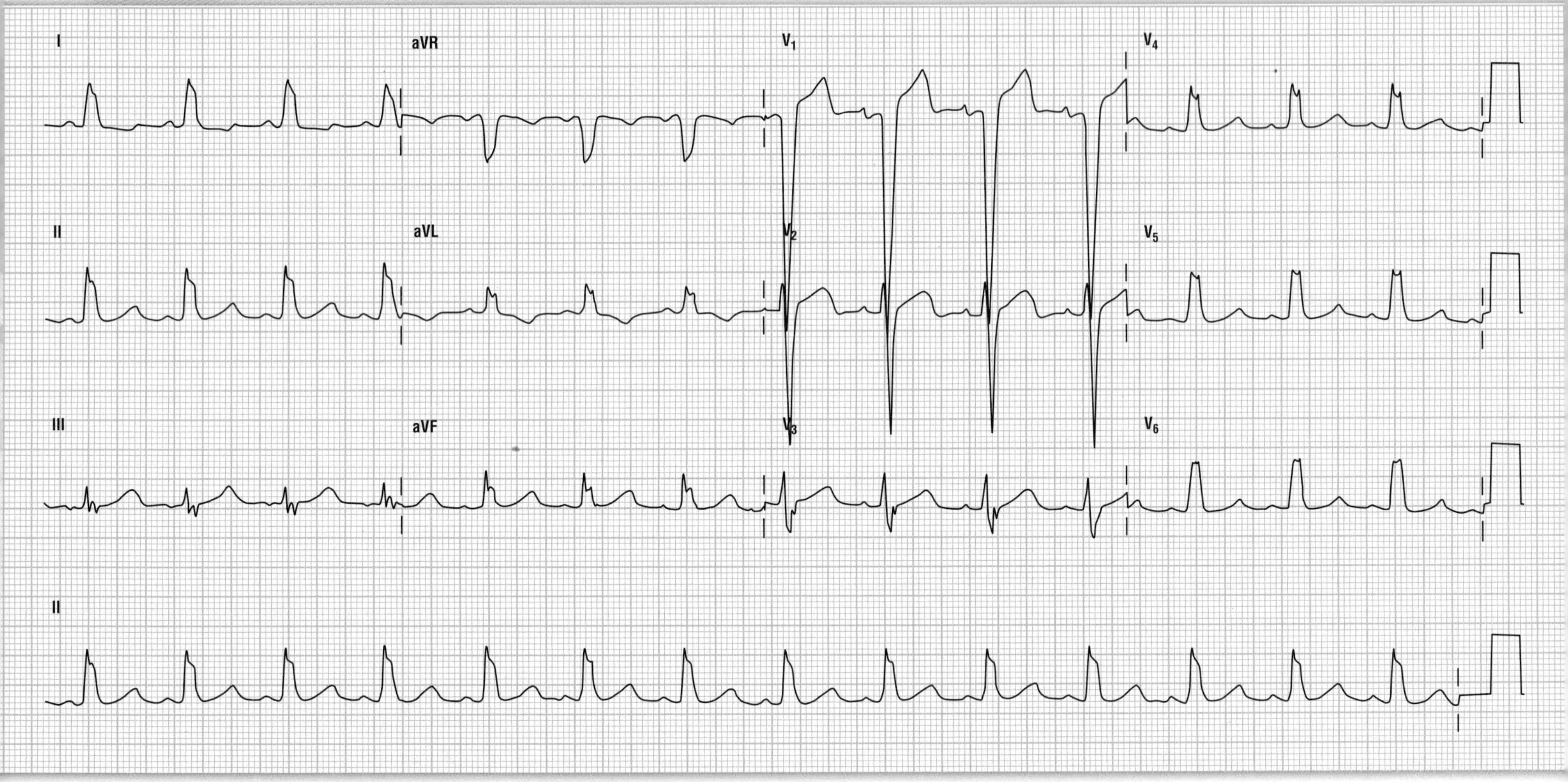

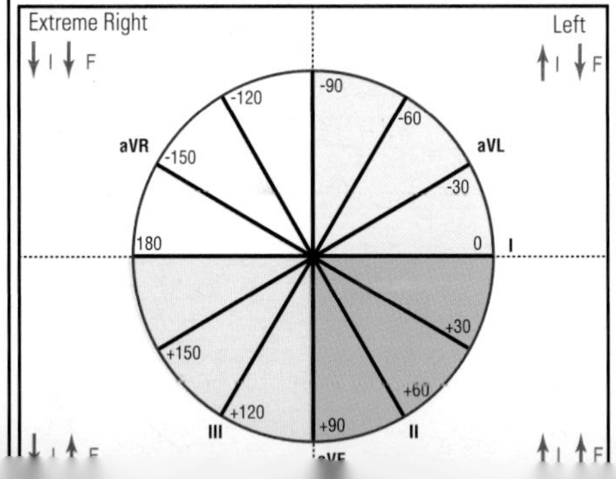

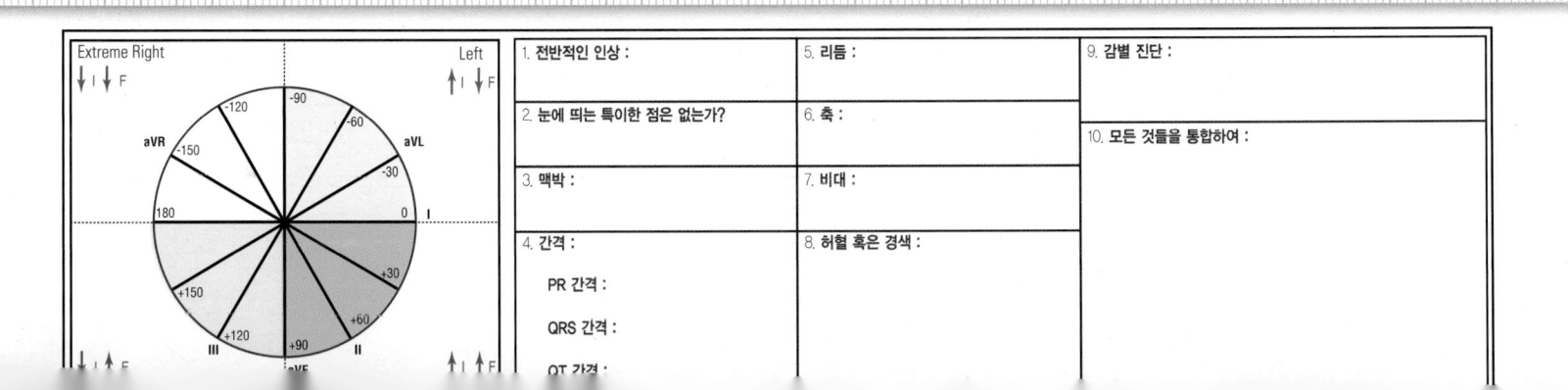

1. 전반적인 인상 :	5. 리듬 :	9. 감별 진단 :
2. 눈에 띄는 특이한 점은 없는가?	6. 축 :	10. 모든 것들을 통합하여 :
3. 맥박 :	7. 비대 :	
4. 간격 : PR 간격 : QRS 간격 : QT 간격 :	8. 허혈 혹은 경색 :	

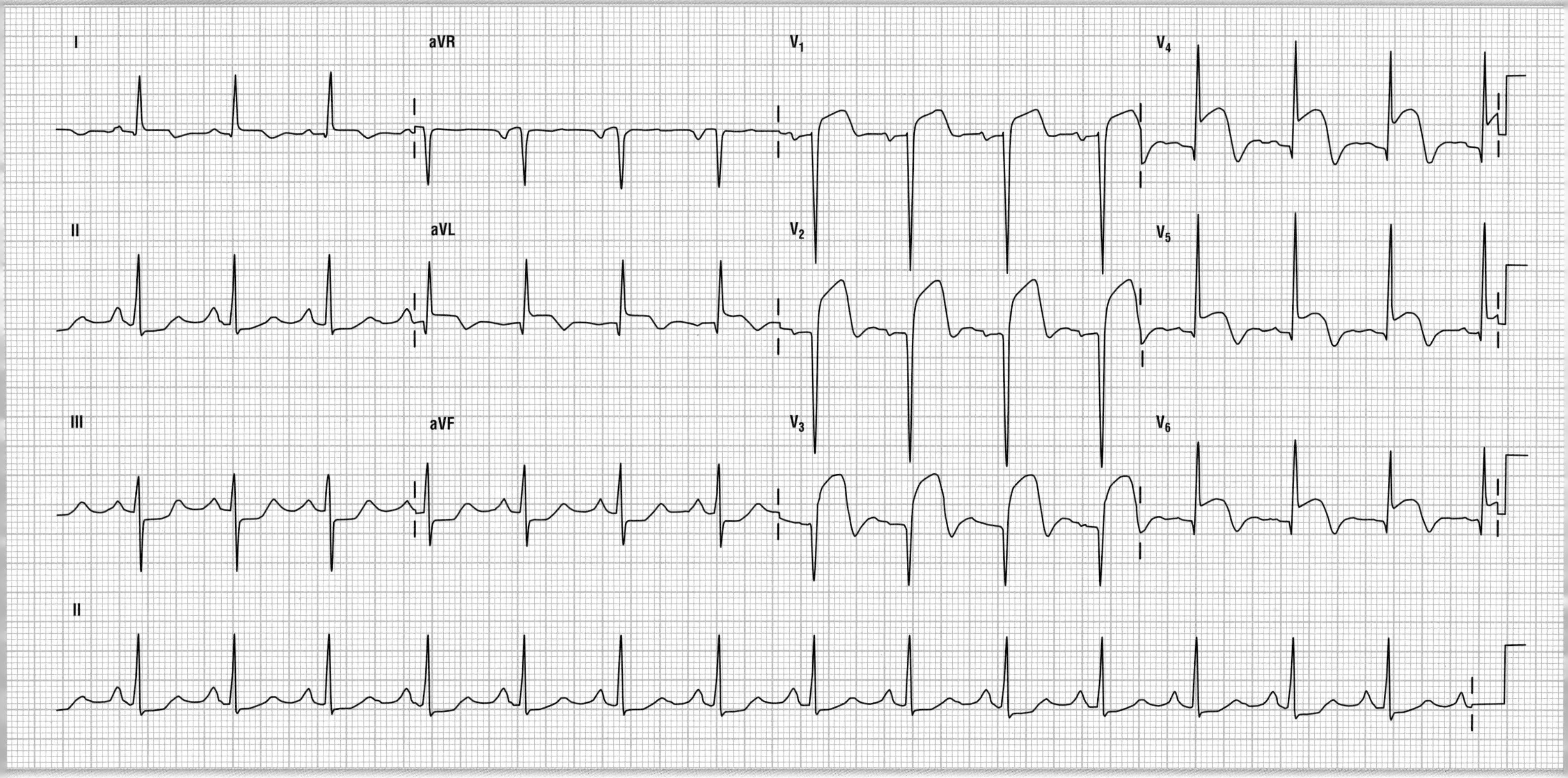

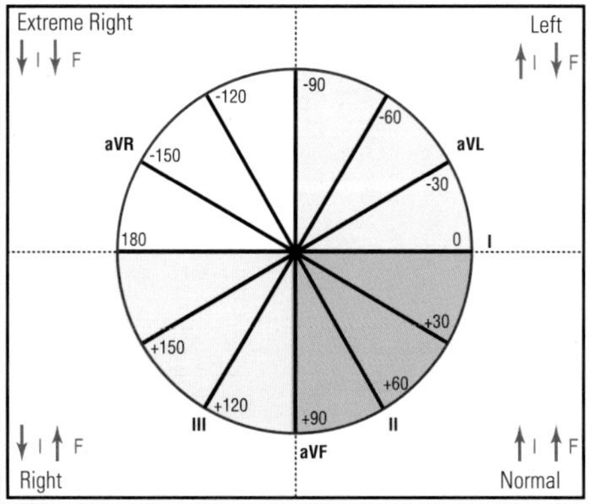

1. 전반적인 인상 :

2. 눈에 띄는 특이한 점은 없는가?

3. 맥박 :

4. 간격 :

PR 간격 :

QRS 간격 :

QT 간격 :

5. 리듬 :

6. 축 :

7. 비대 :

8. 허혈 혹은 경색 :

9. 감별 진단 :

10. 모든 것들을 통합하여 :

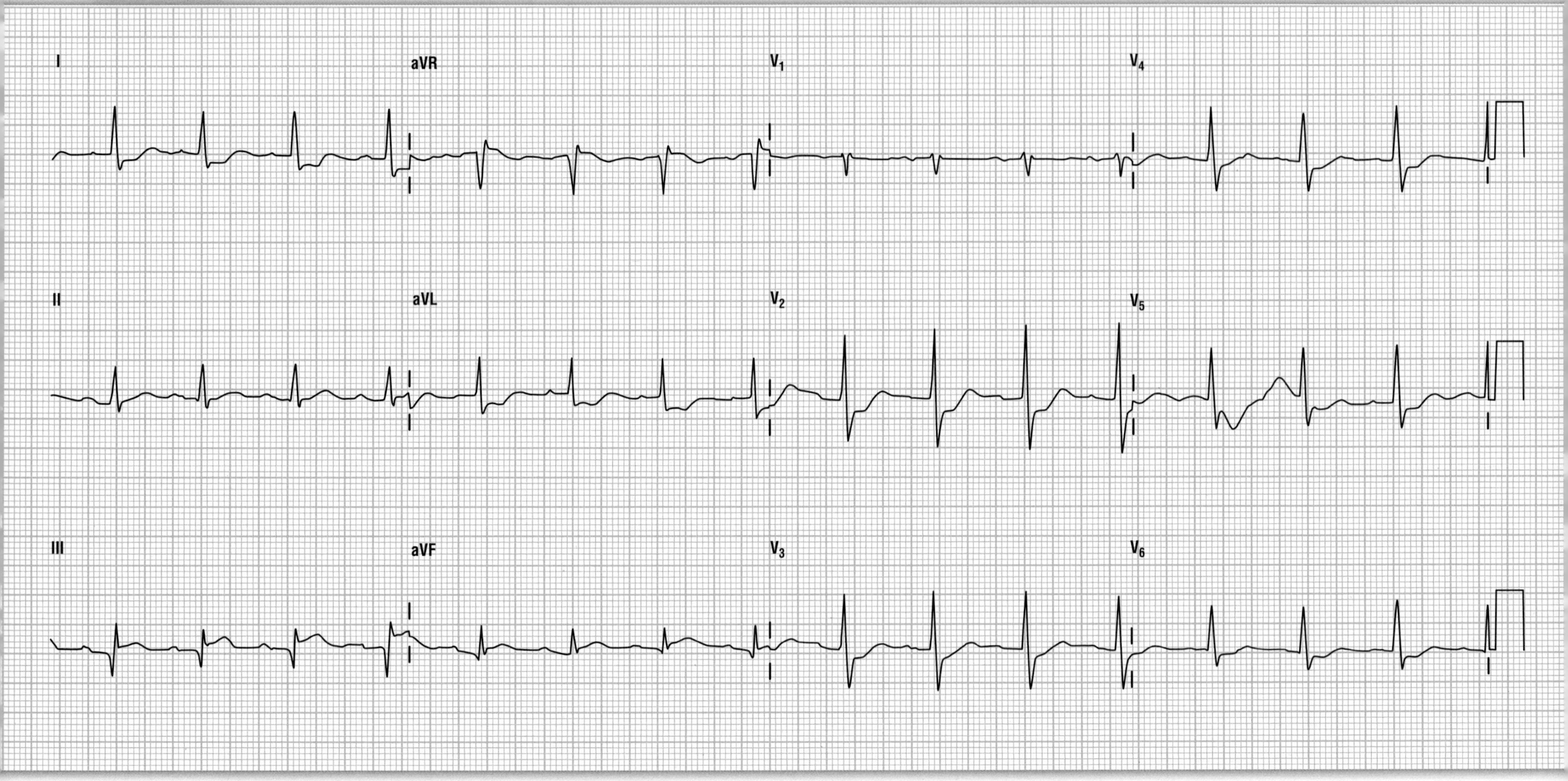

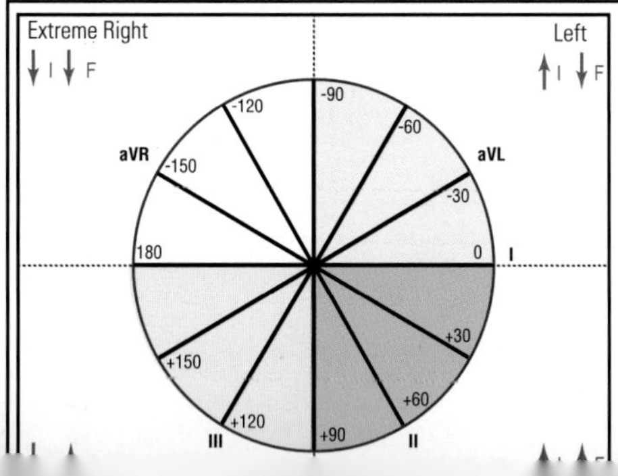

1. 전반적인 인상 :	5. 리듬 :	9. 감별 진단 :
2. 눈에 띄는 특이한 점은 없는가?	6. 축 :	10. 모든 것들을 통합하여 :
3. 맥박 :	7. 비대 :	
4. 간격 : PR 간격 : QRS 간격 :	8. 허혈 혹은 경색 :	

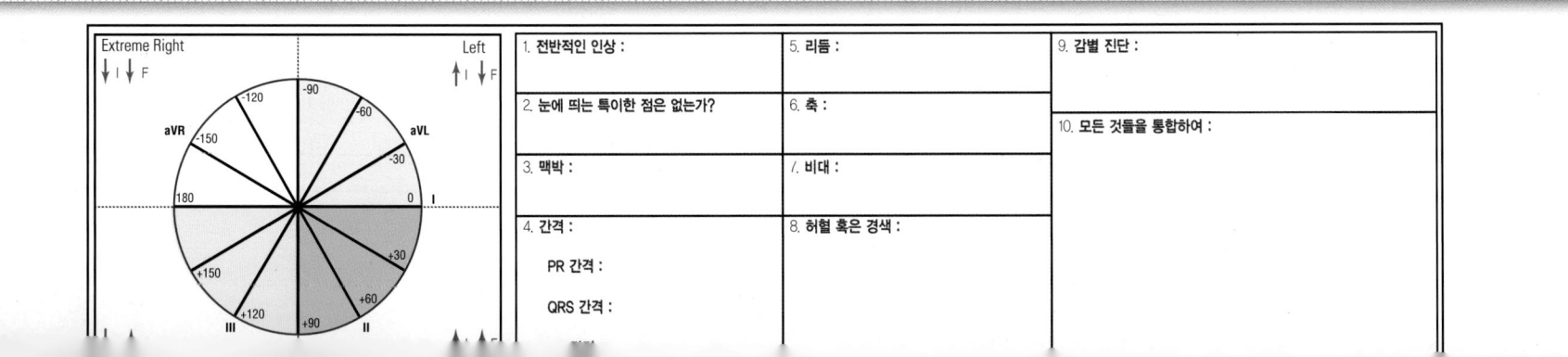

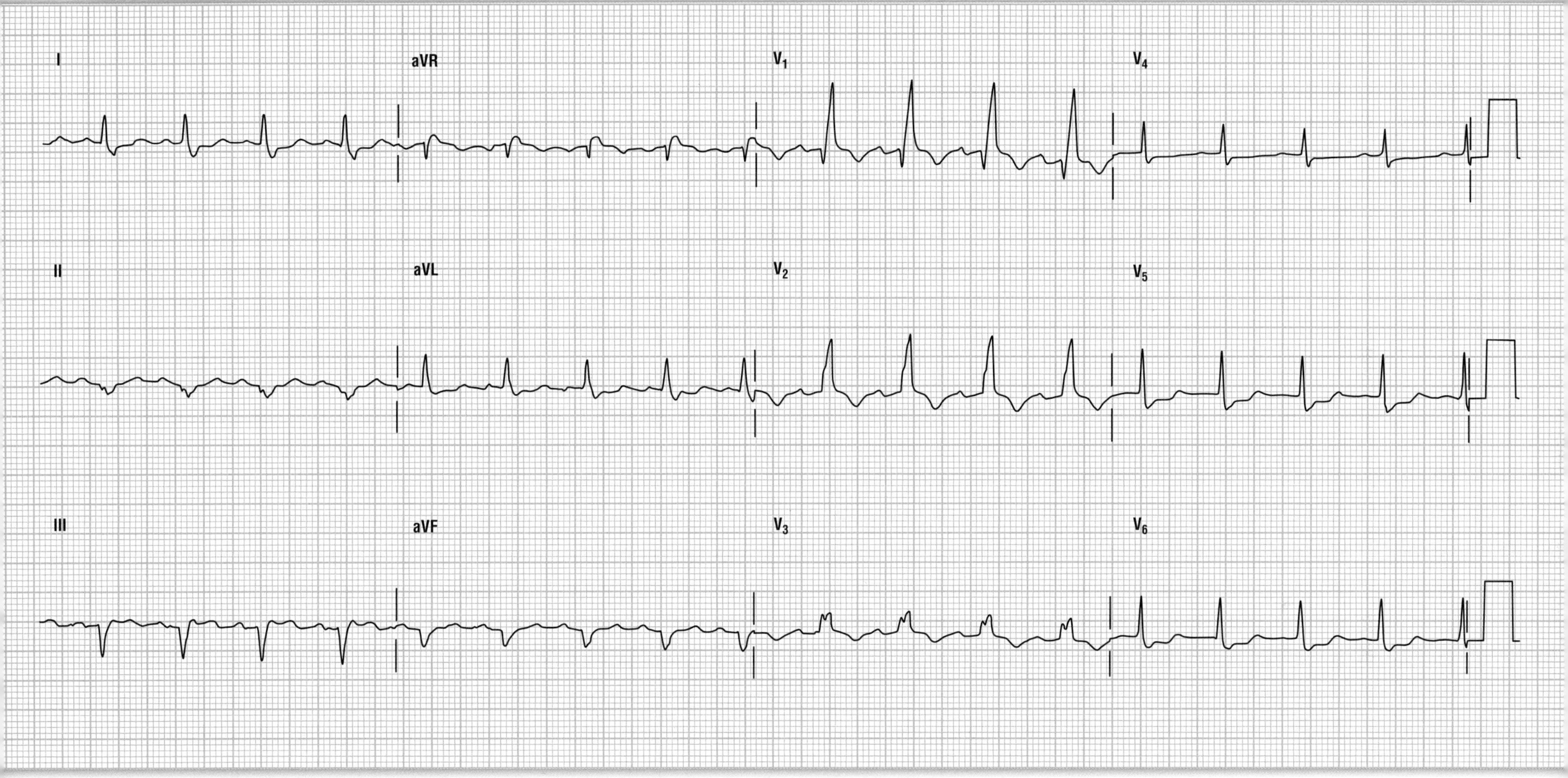

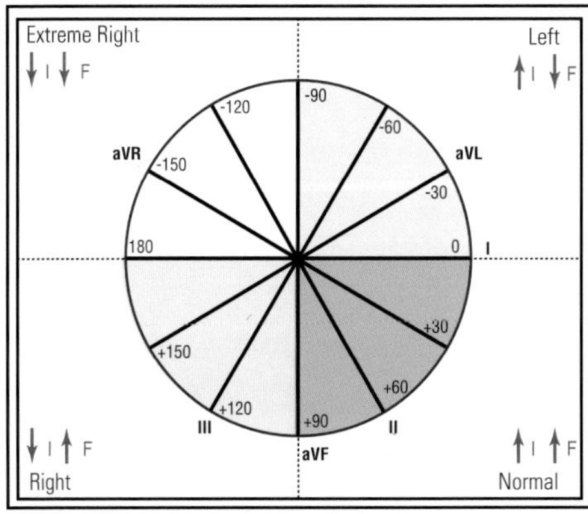

1. 전반적인 인상 :	5. 리듬 :	9. 감별 진단 :
2. 눈에 띄는 특이한 점은 없는가?	6. 축 :	10. 모든 것들을 통합하여 :
3. 맥박 :	7. 비대 :	
4. 간격 : PR 간격 : QRS 간격 : QT 간격 :	8. 허혈 혹은 경색 :	

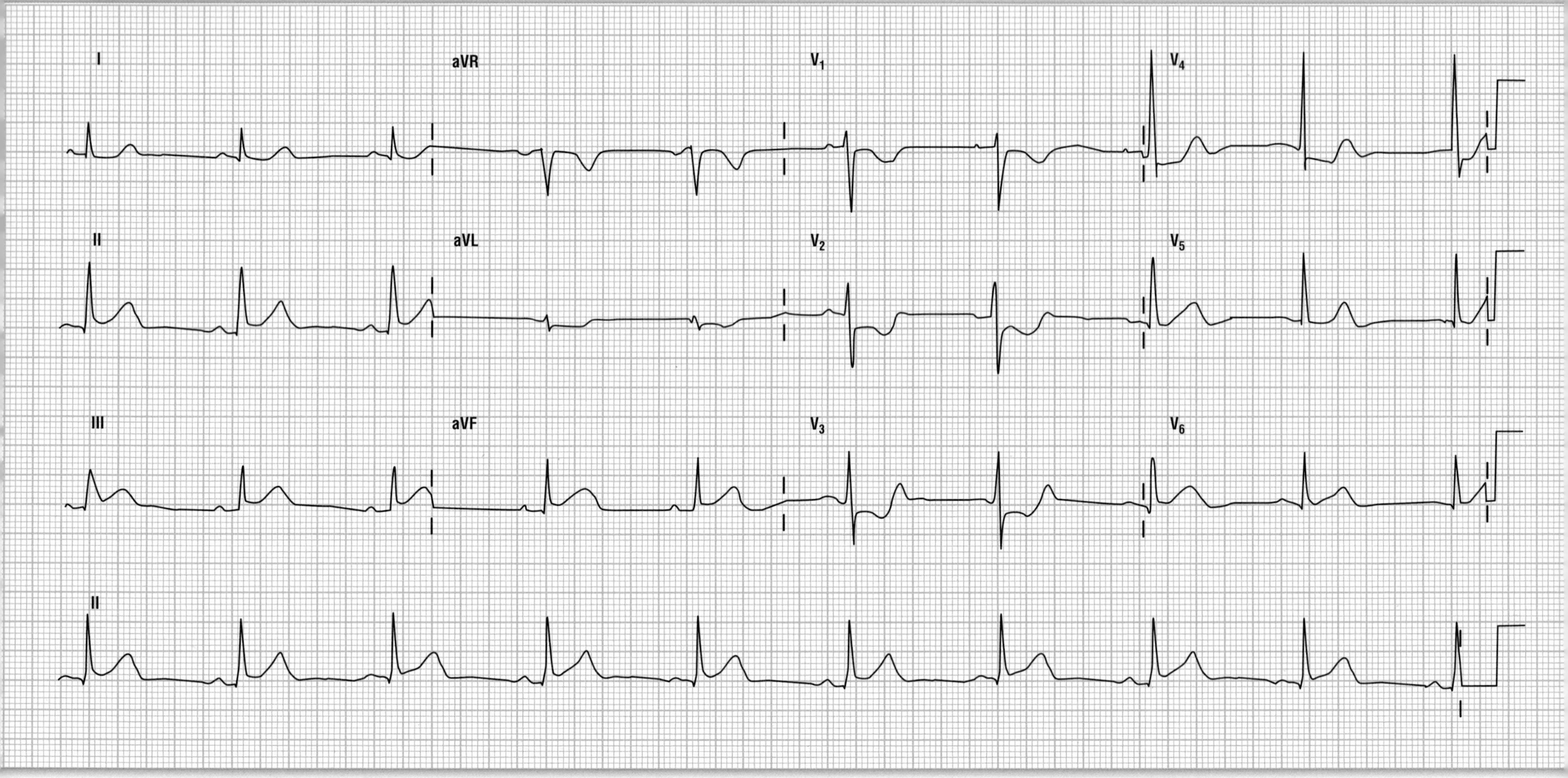

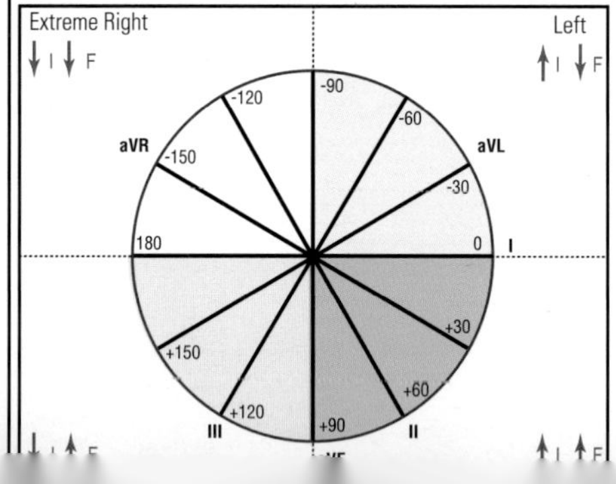

1. 전반적인 인상 :	5. 리듬 :	9. 감별 진단 :
2. 눈에 띄는 특이한 점은 없는가?	6. 축 :	10. 모든 것들을 통합하여 :
3. 맥박 :	7. 비대 :	
4. 간격 : PR 간격 : QRS 간격 : QT 간격 :	8. 허혈 혹은 경색 :	

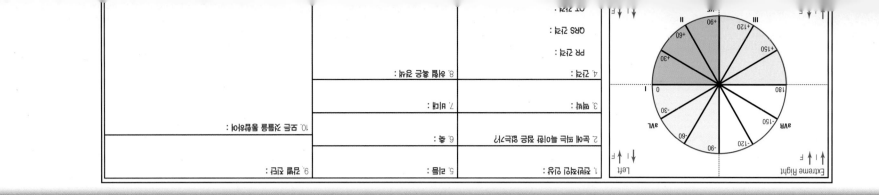

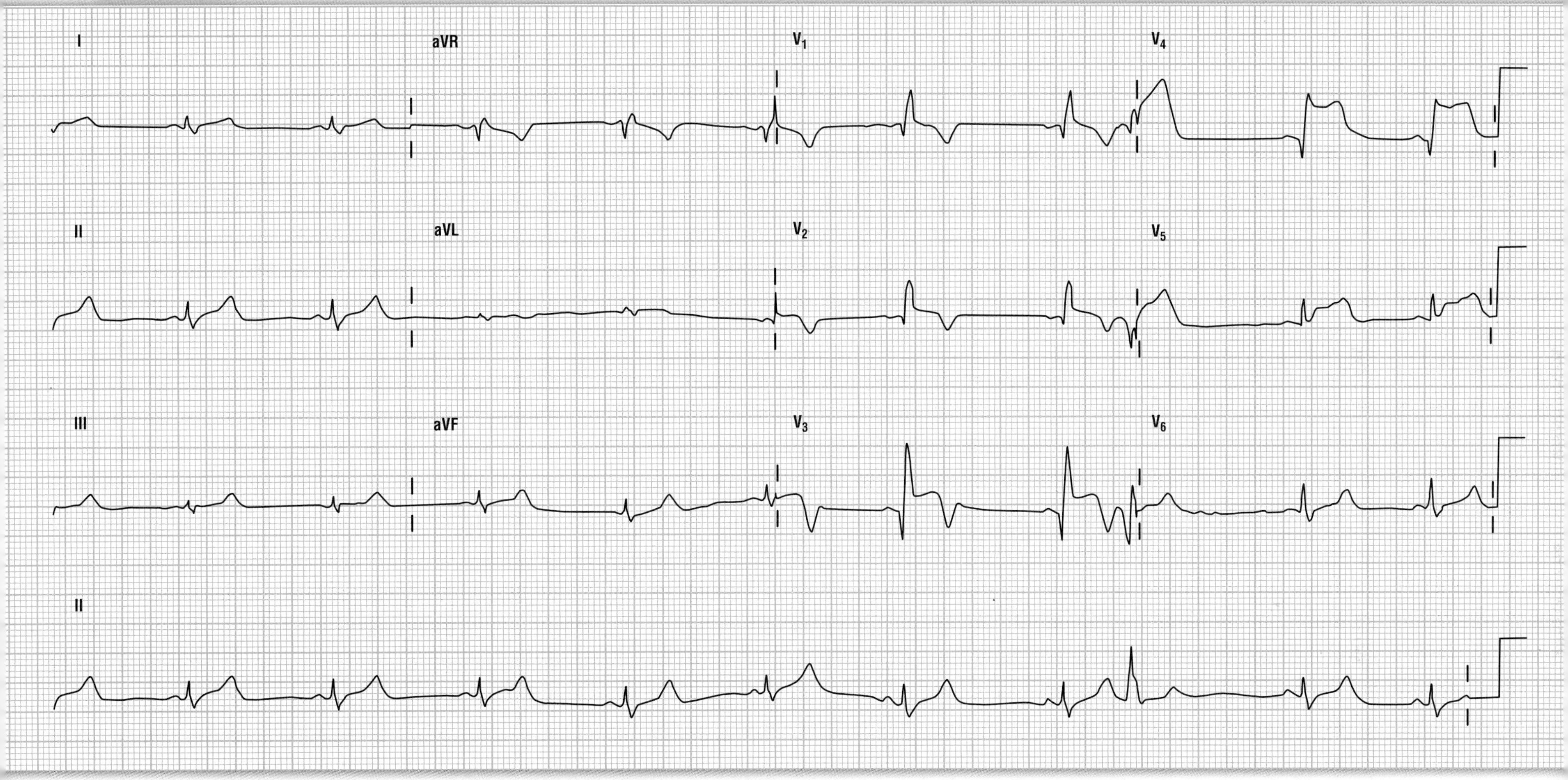

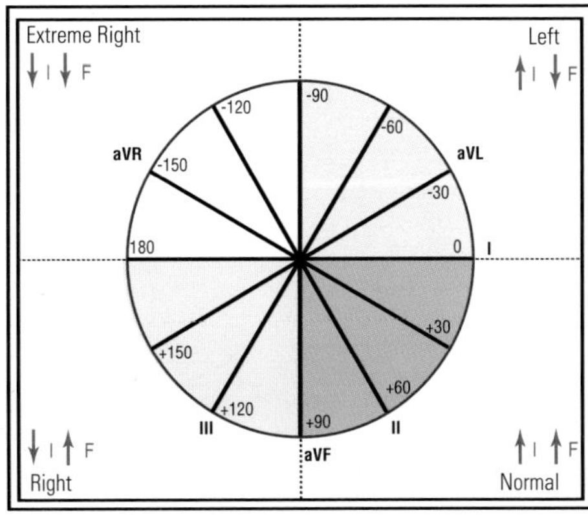

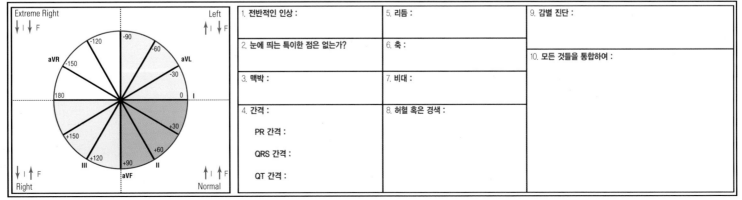

1. 전반적인 인상 :	5. 리듬 :	9. 감별 진단 :
2. 눈에 띄는 특이한 점은 없는가?	6. 축 :	10. 모든 것들을 통합하여 :
3. 맥박 :	7. 비대 :	
4. 간격 : PR 간격 : QRS 간격 : QT 간격 :	8. 허혈 혹은 경색 :	

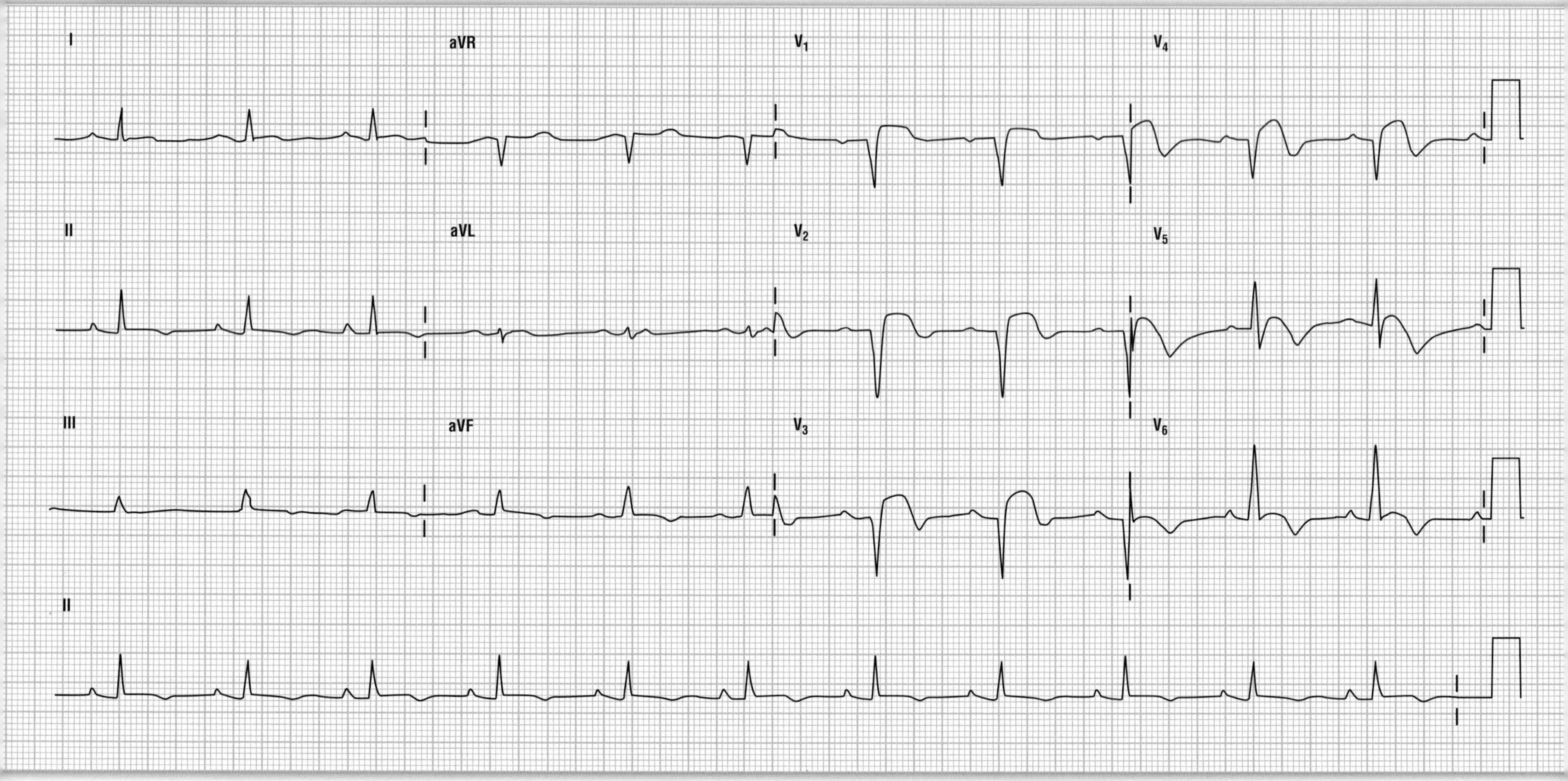

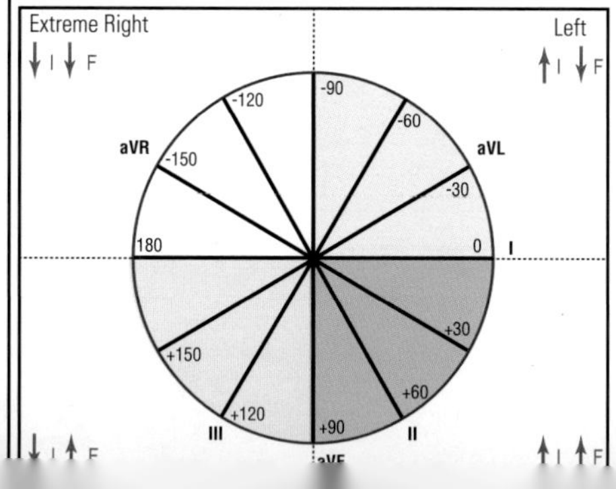

1. 전반적인 인상 :	5. 리듬 :	9. 감별 진단 :
2. 눈에 띄는 특이한 점은 없는가?	6. 축 :	10. 모든 것들을 통합하여 :
3. 맥박 :	7. 비대 :	
4. 간격 : PR 간격 : QRS 간격 : QT 간격 :	8. 허혈 혹은 경색 :	

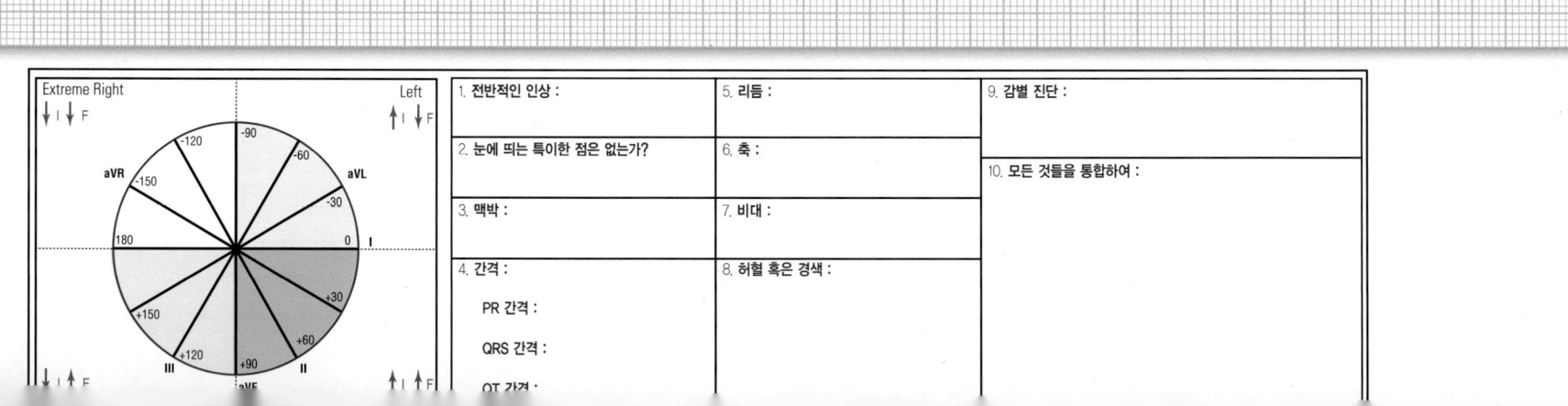

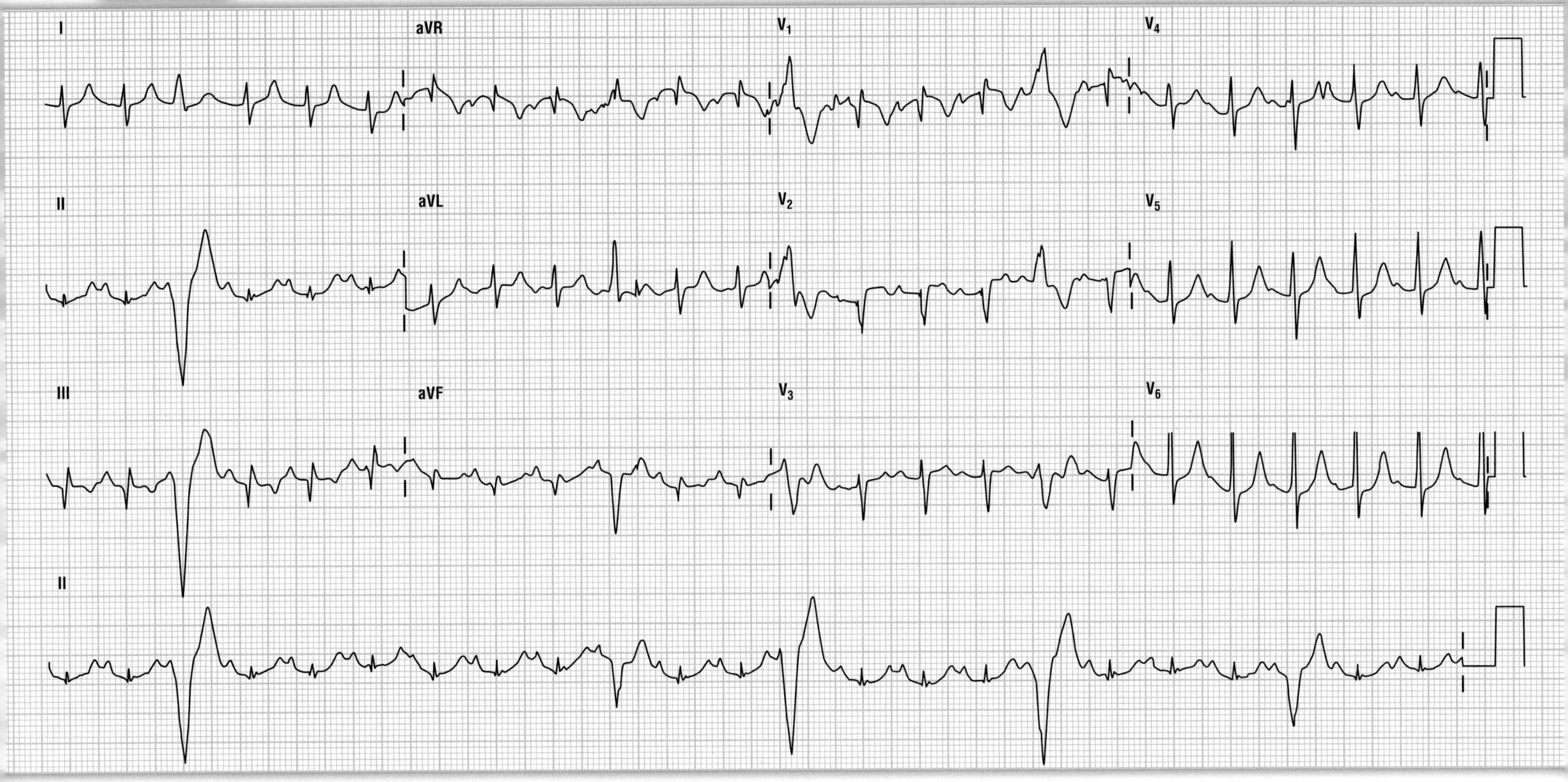

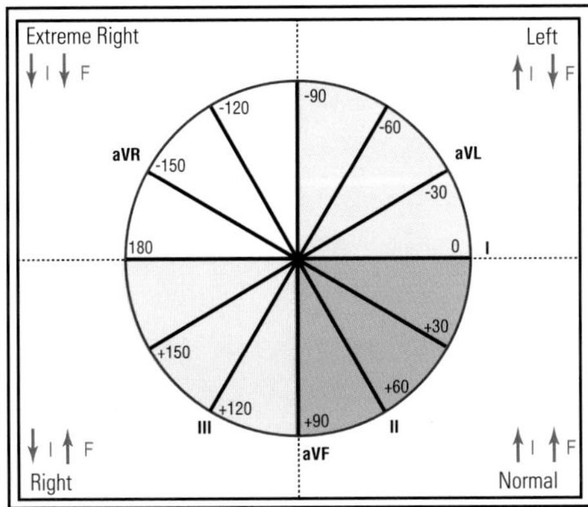

1. 전반적인 인상 :

2. 눈에 띄는 특이한 점은 없는가?

3. 맥박 :

4. 간격 :

PR 간격 :

QRS 간격 :

QT 간격 :

5. 리듬 :

6. 축 :

7. 비대 :

8. 허혈 혹은 경색 :

9. 감별 진단 :

10. 모든 것들을 통합하여 :

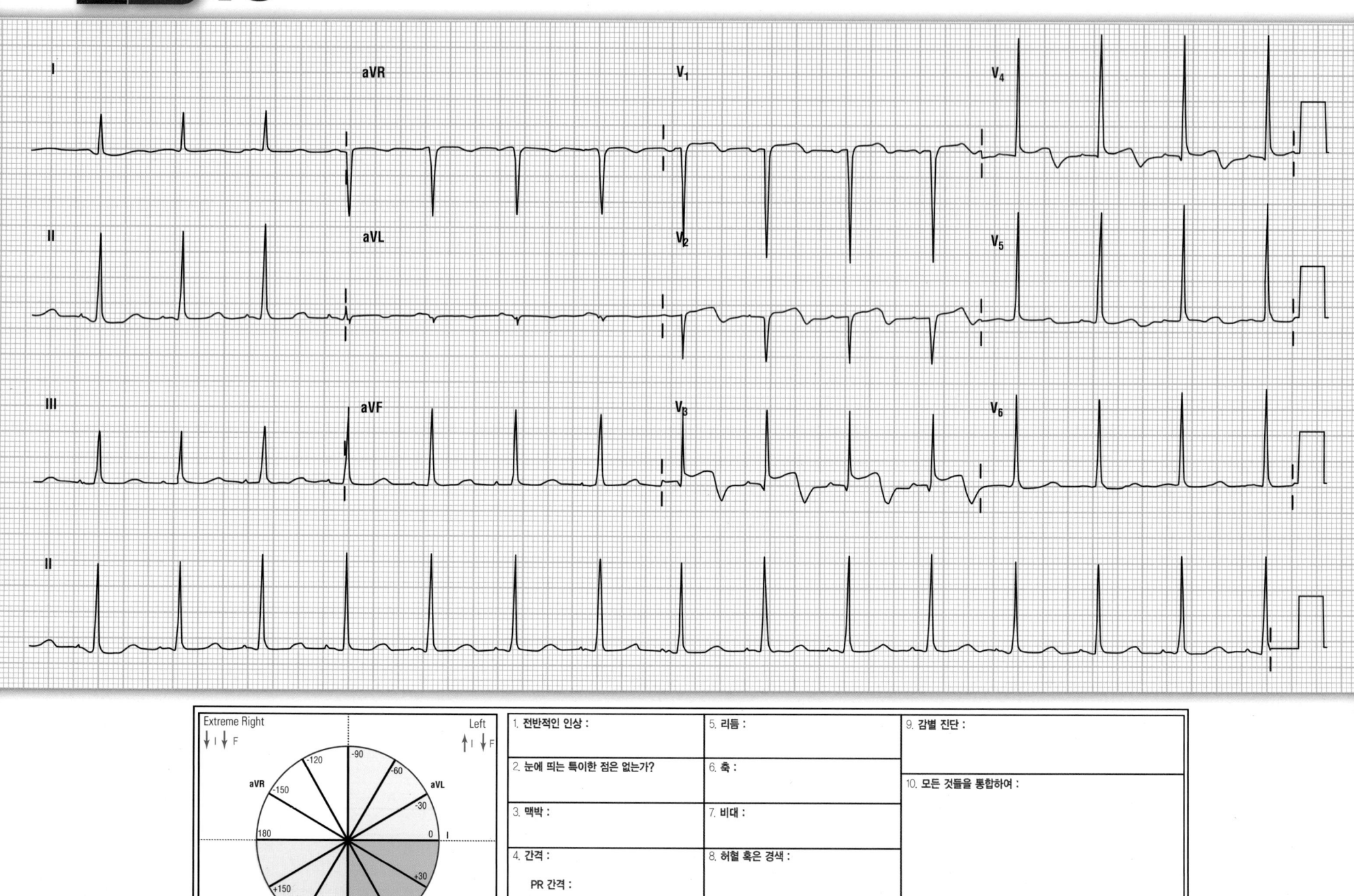

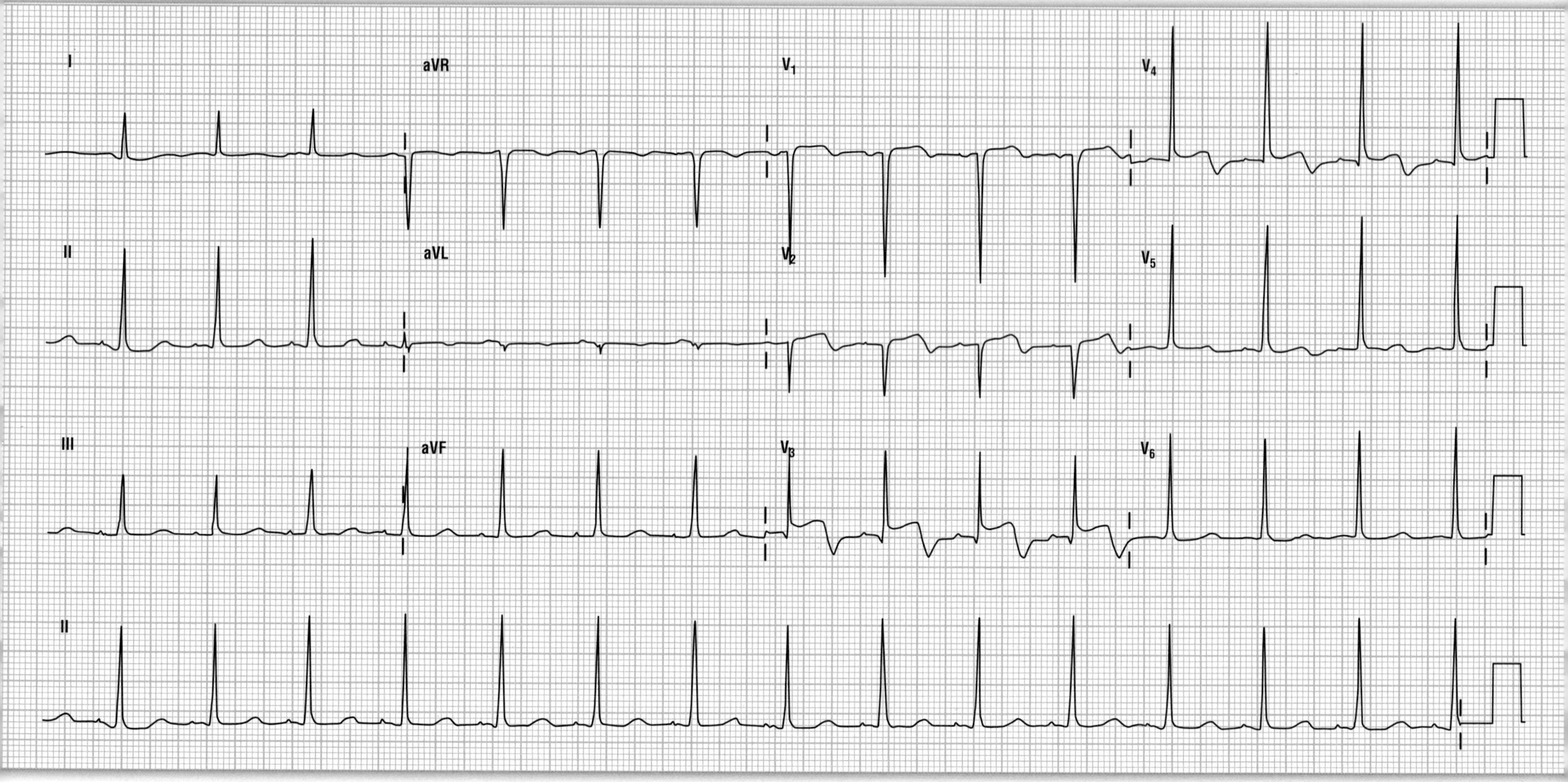

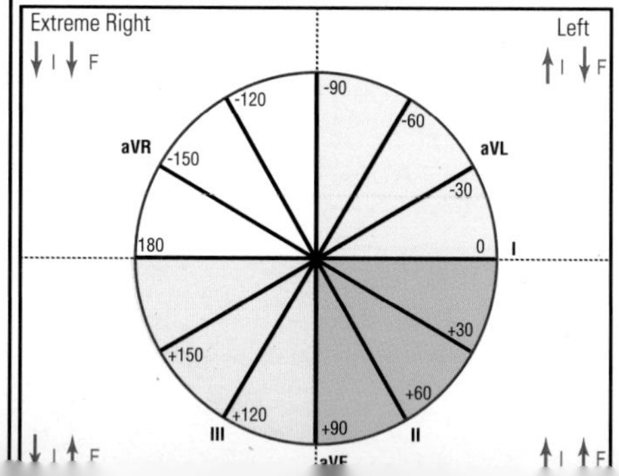

1. 전반적인 인상 :	5. 리듬 :	9. 감별 진단 :
2. 눈에 띄는 특이한 점은 없는가?	6. 축 :	10. 모든 것들을 통합하여 :
3. 맥박 :	7. 비대 :	
4. 간격 : PR 간격 : QRS 간격 : QT 간격 :	8. 허혈 혹은 경색 :	

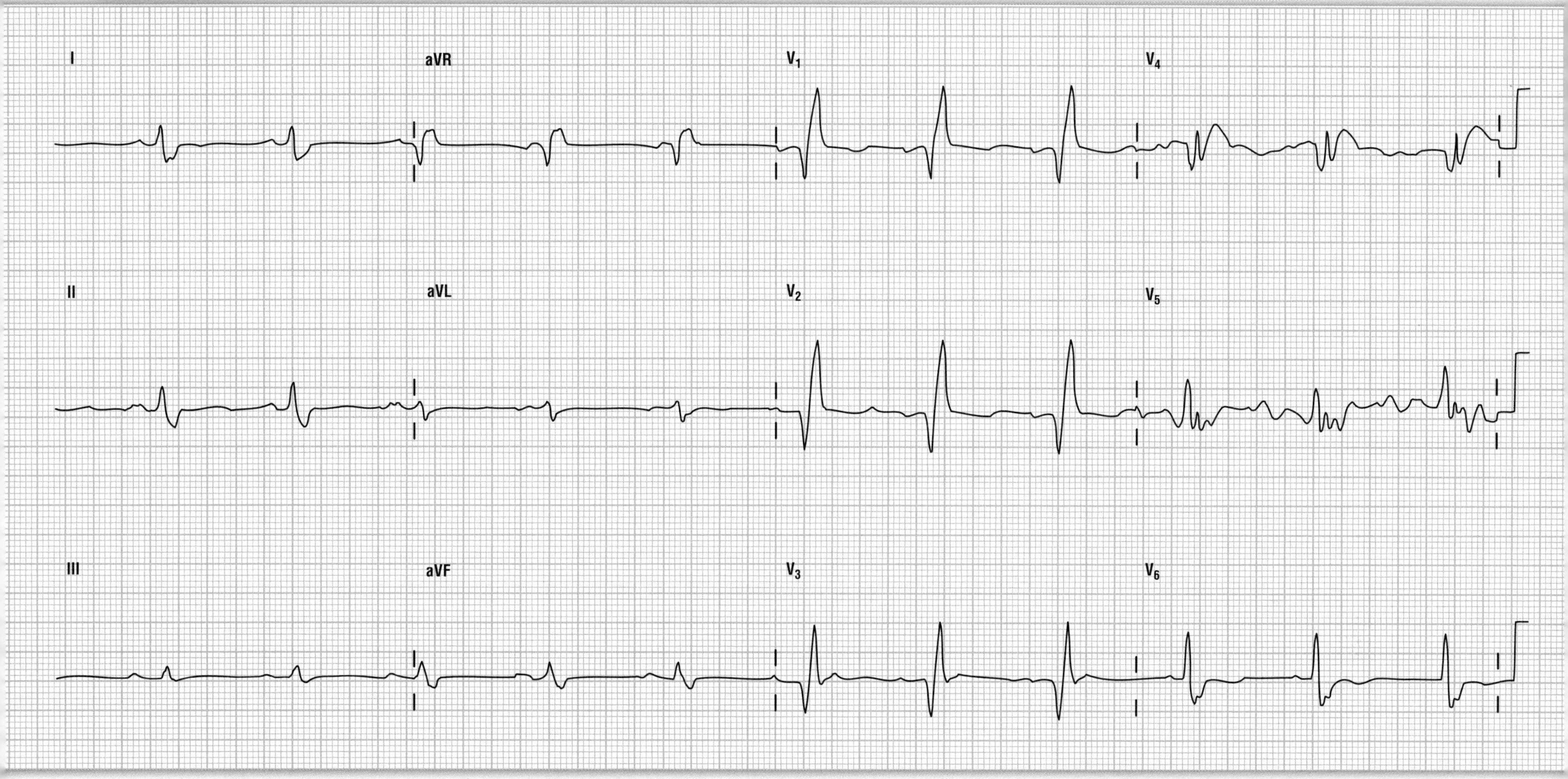

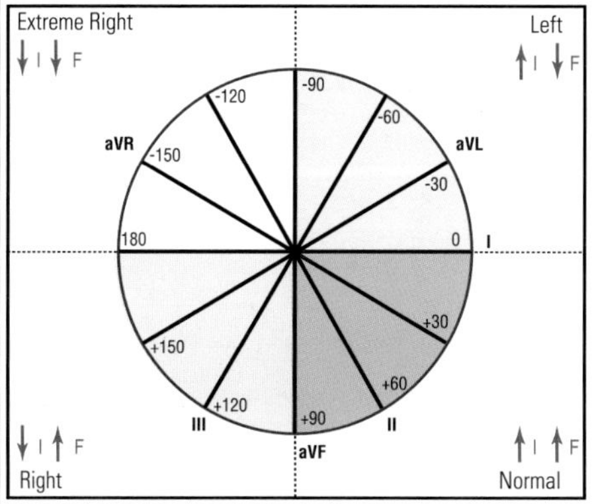

1. 전반적인 인상 :	5. 리듬 :	9. 감별 진단 :
2. 눈에 띄는 특이한 점은 없는가?	6. 축 :	10. 모든 것들을 통합하여 :
3. 맥박 :	7. 비대 :	
4. 간격 : PR 간격 : QRS 간격 : QT 간격 :	8. 허혈 혹은 경색 :	

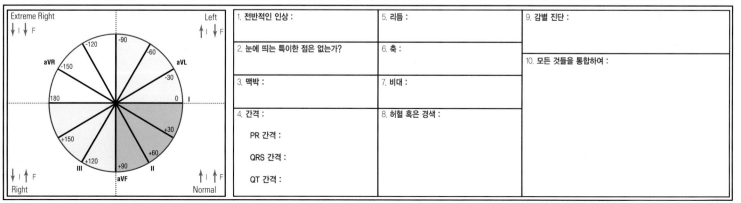

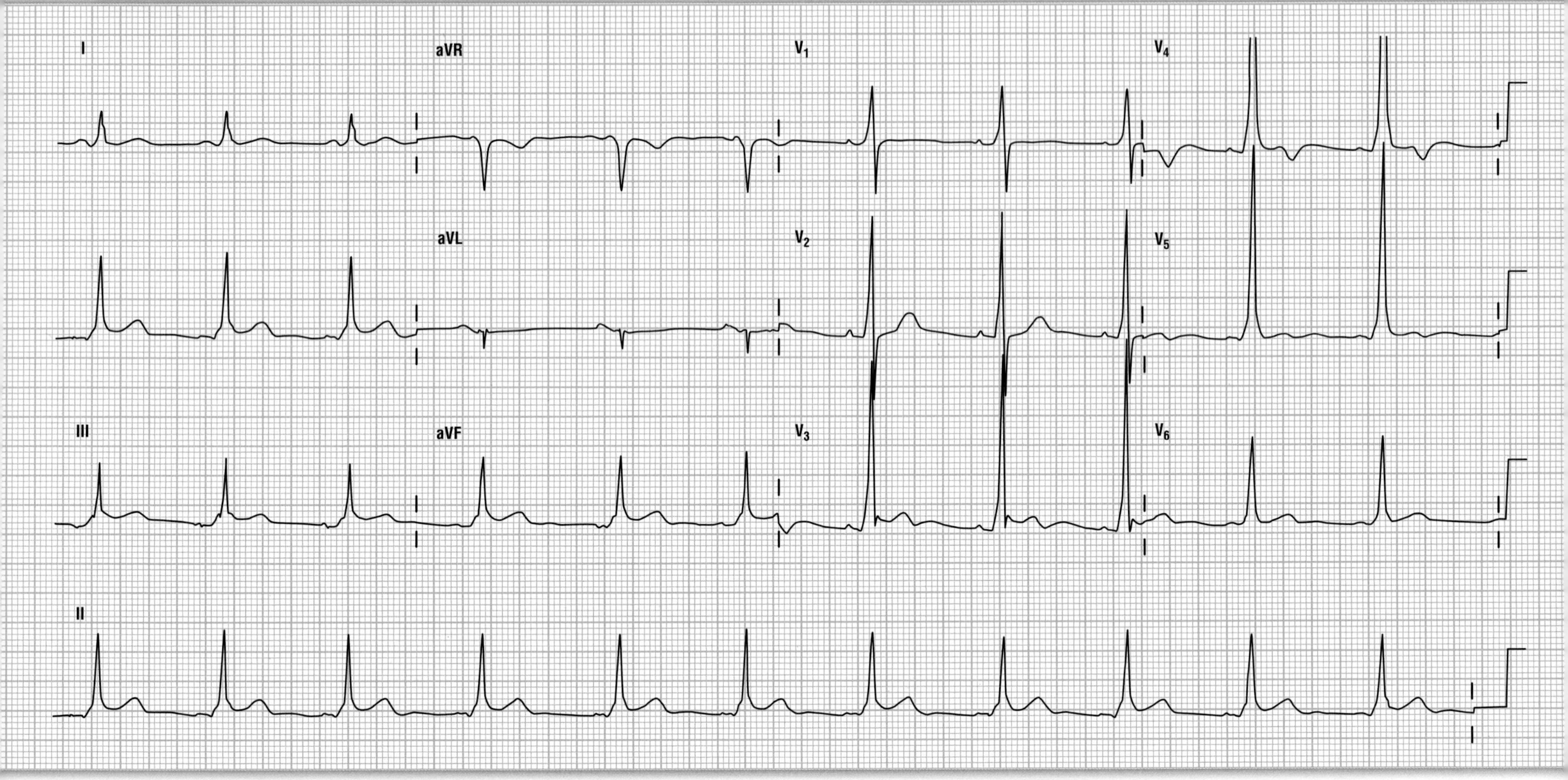

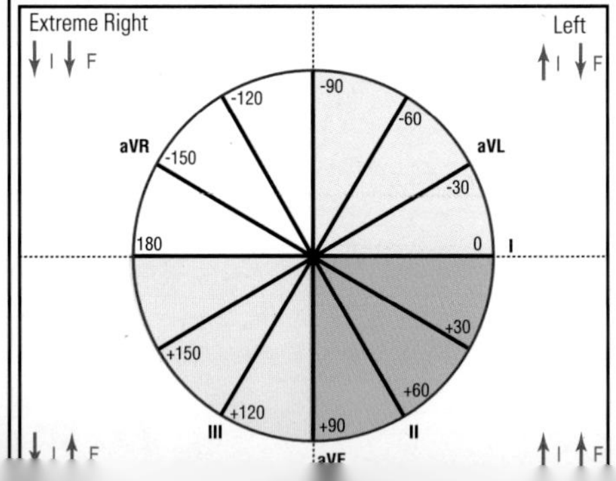

1. 전반적인 인상 :	5. 리듬 :	9. 감별 진단 :
2. 눈에 띄는 특이한 점은 없는가?	6. 축 :	10. 모든 것들을 통합하여 :
3. 맥박 :	7. 비대 :	
4. 간격 : PR 간격 : QRS 간격 : QT 간격 :	8. 허혈 혹은 경색 :	

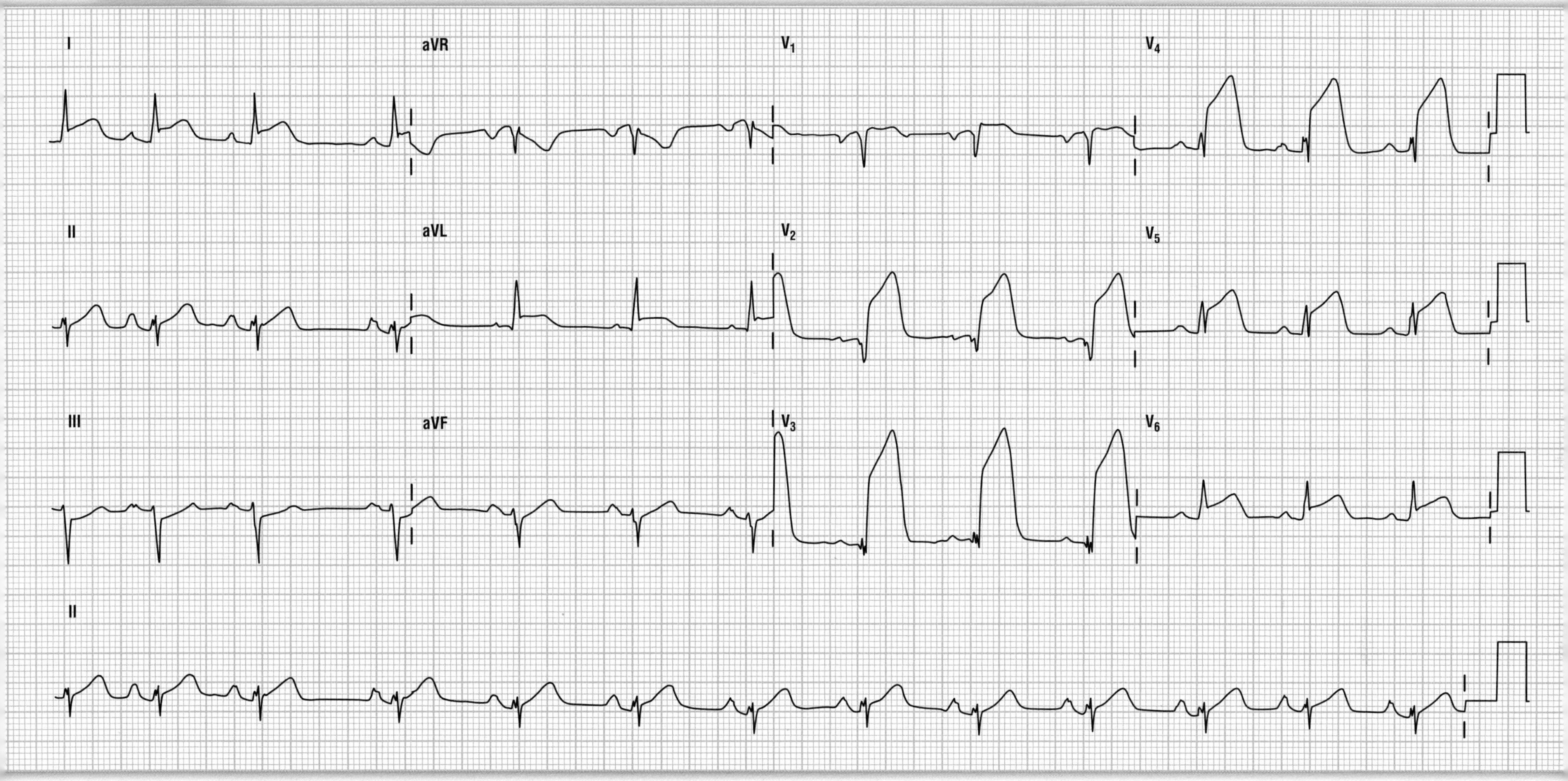

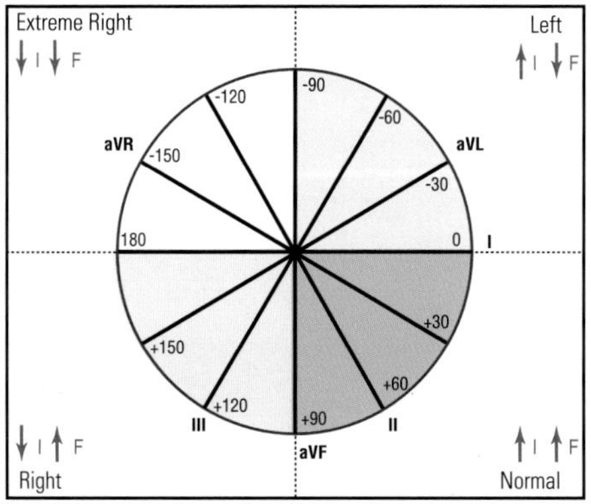

1. 전반적인 인상 :	5. 리듬 :	9. 감별 진단 :
2. 눈에 띄는 특이한 점은 없는가?	6. 축 :	10. 모든 것들을 통합하여 :
3. 맥박 :	7. 비대 :	
4. 간격 : PR 간격 : QRS 간격 : QT 간격 :	8. 허혈 혹은 경색 :	

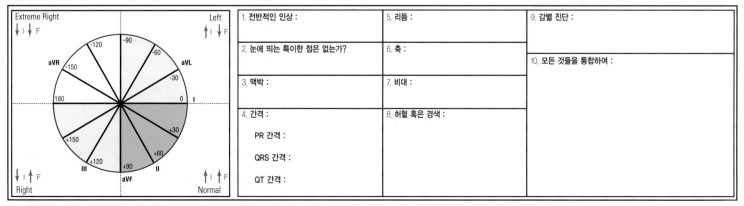

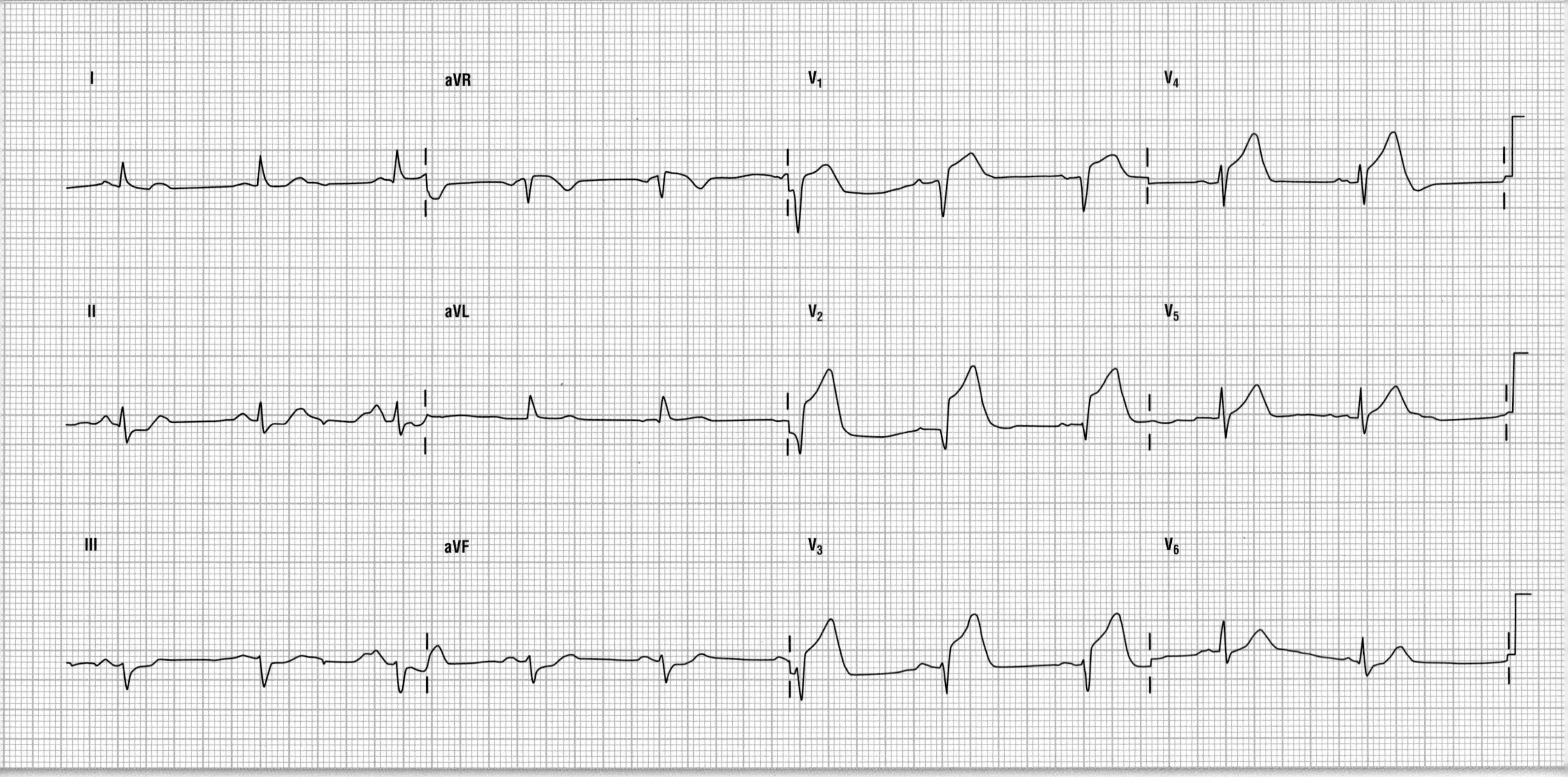

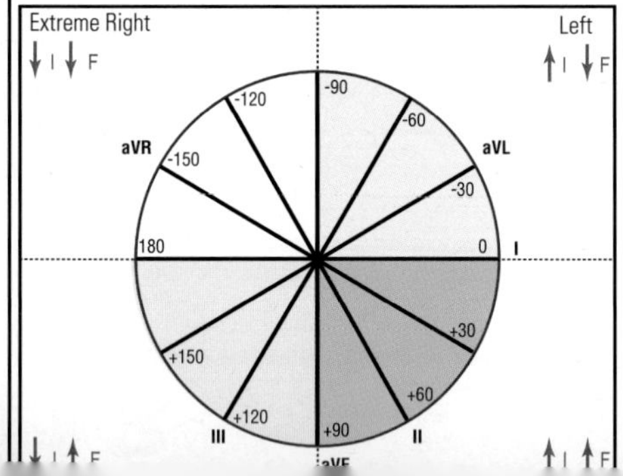

1. 전반적인 인상 :	5. 리듬 :	9. 감별 진단 :
2. 눈에 띄는 특이한 점은 없는가?	6. 축 :	10. 모든 것들을 통합하여 :
3. 맥박 :	7. 비대 :	
4. 간격 : PR 간격 : QRS 간격 : QT 간격 :	8. 허혈 혹은 경색 :	

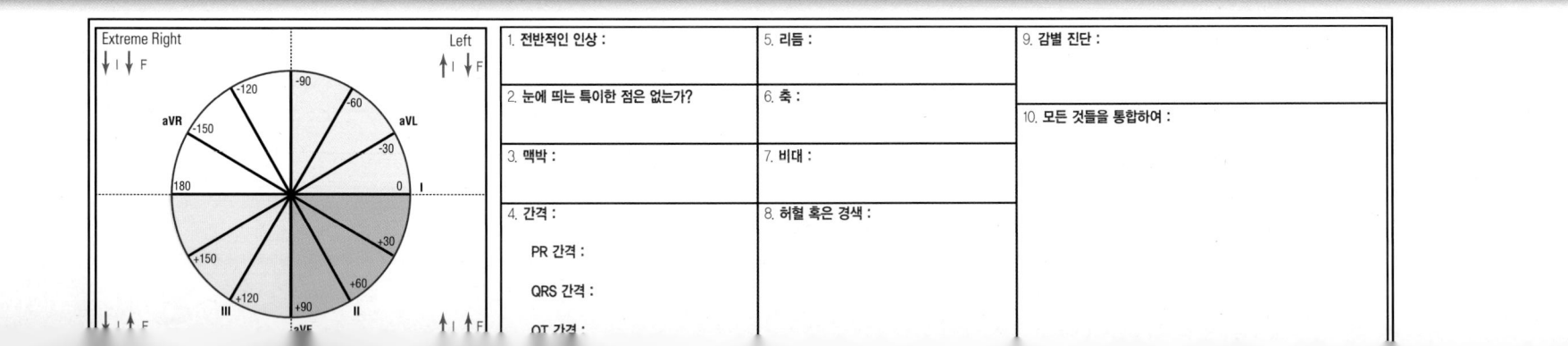

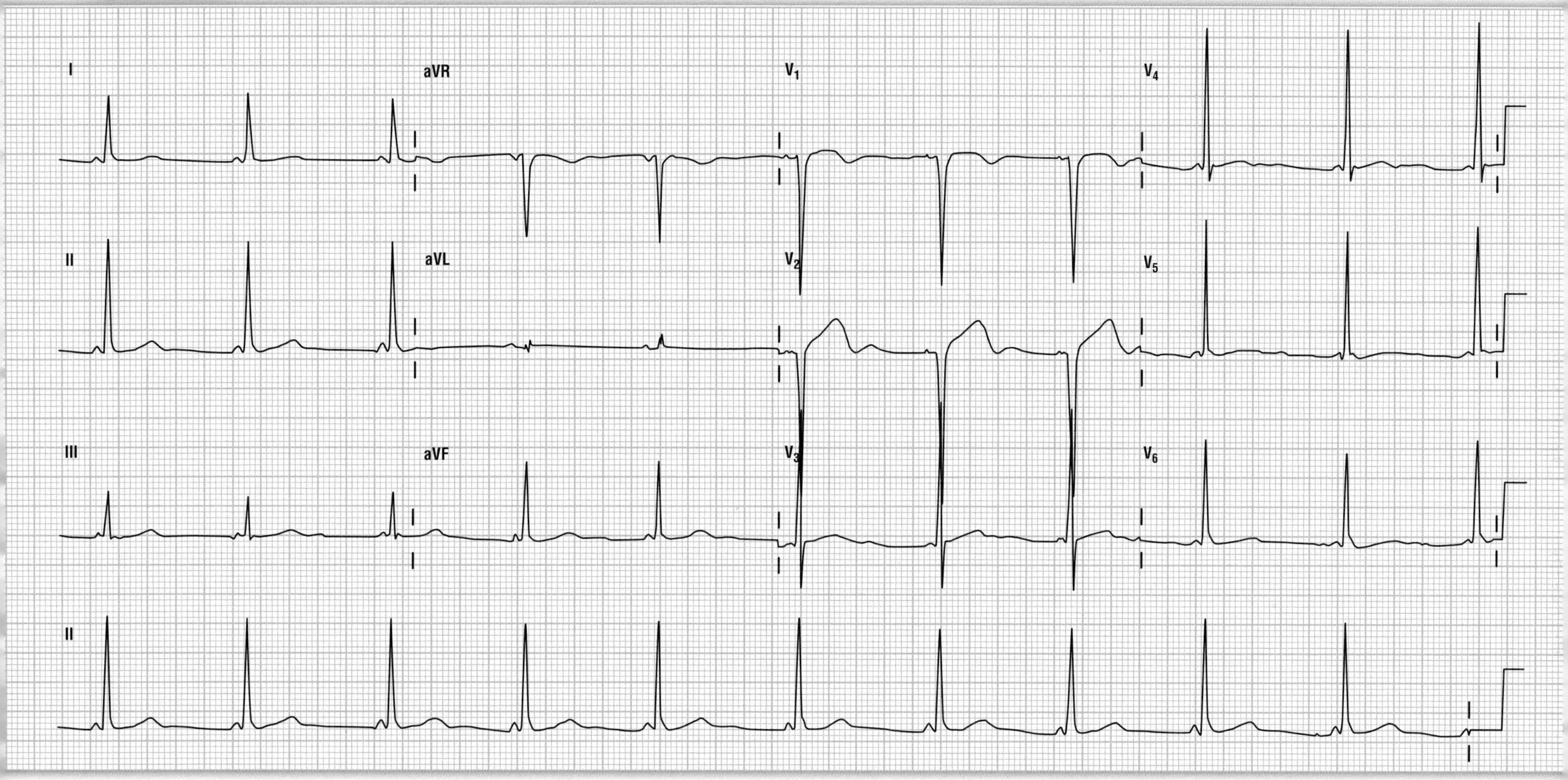

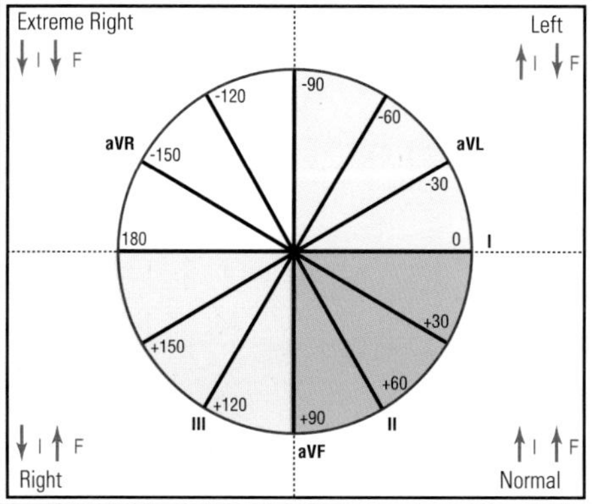

1. 전반적인 인상 :	5. 리듬 :	9. 감별 진단 :
2. 눈에 띄는 특이한 점은 없는가?	6. 축 :	10. 모든 것들을 통합하여 :
3. 맥박 :	7. 비대 :	
4. 간격 : PR 간격 : QRS 간격 : QT 간격 :	8. 허혈 혹은 경색 :	

시험 심전도 16

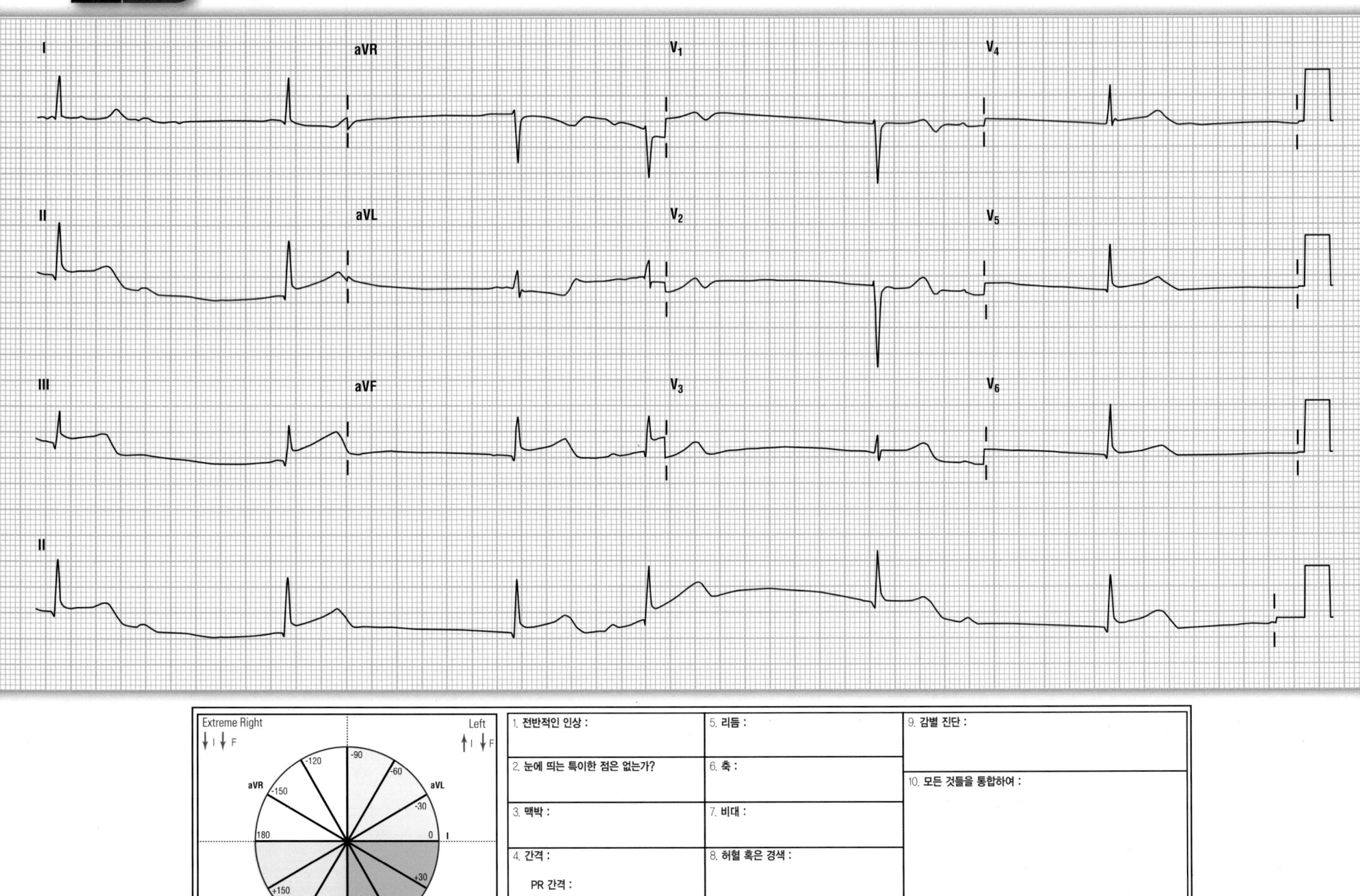

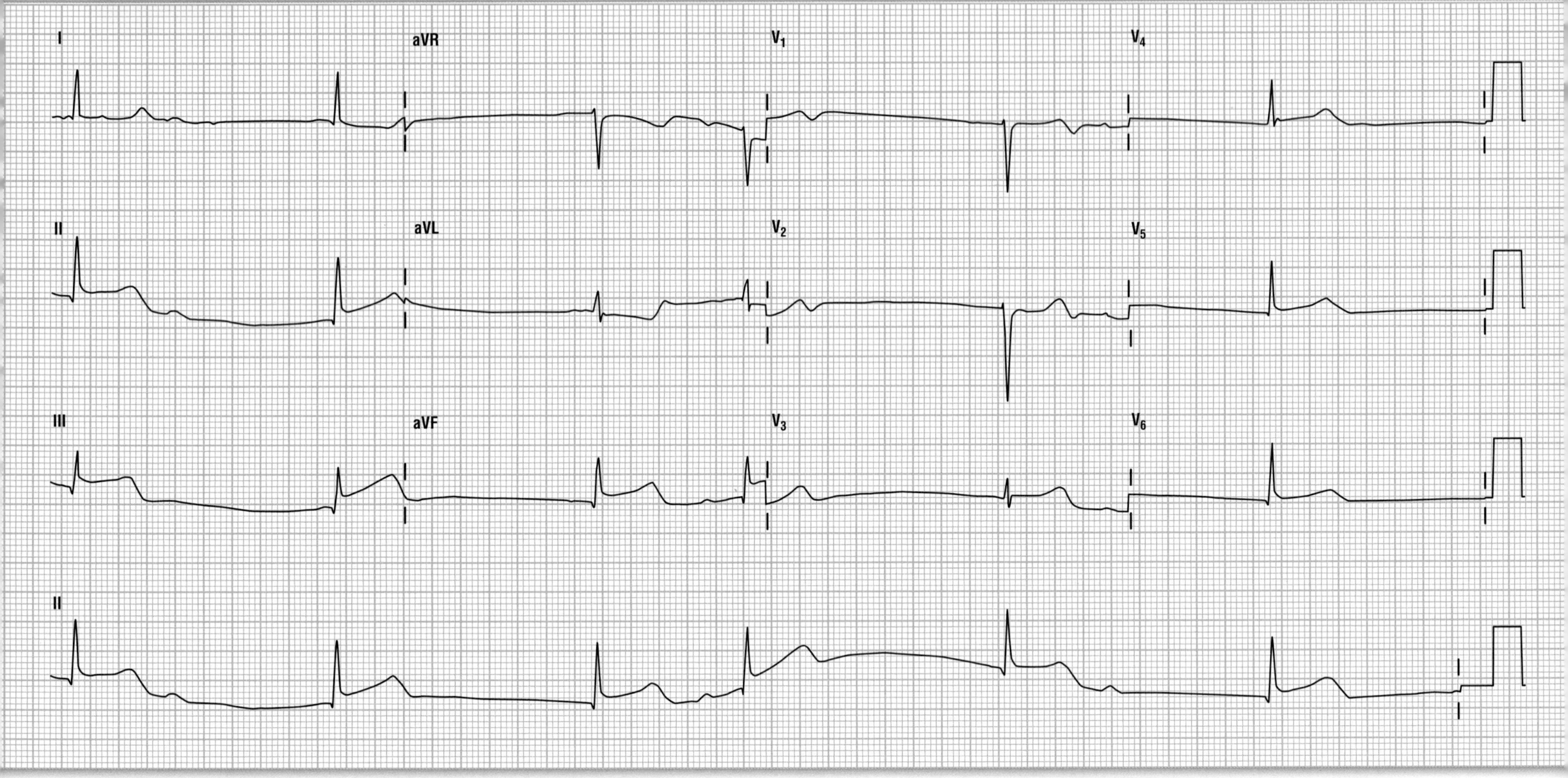

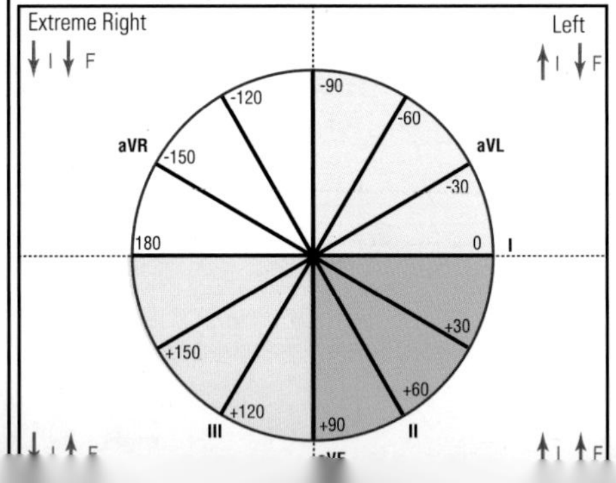

1. 전반적인 인상 :	5. 리듬 :
2. 눈에 띄는 특이한 점은 없는가?	6. 축 :
3. 맥박 :	7. 비대 :
4. 간격 : PR 간격 : QRS 간격 : QT 간격 :	8. 허혈 혹은 경색 :

9. 감별 진단 :

10. 모든 것들을 통합하여 :

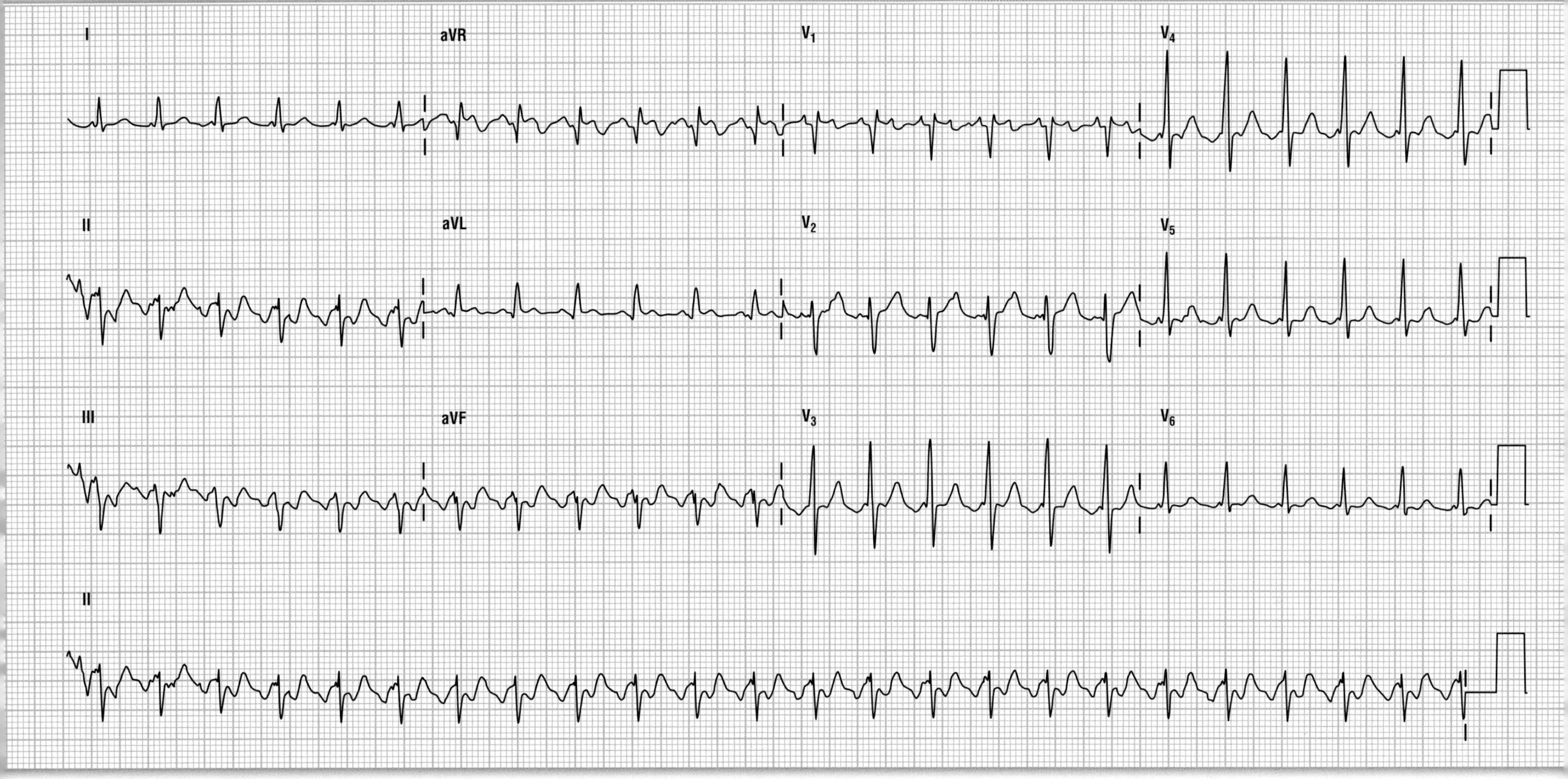

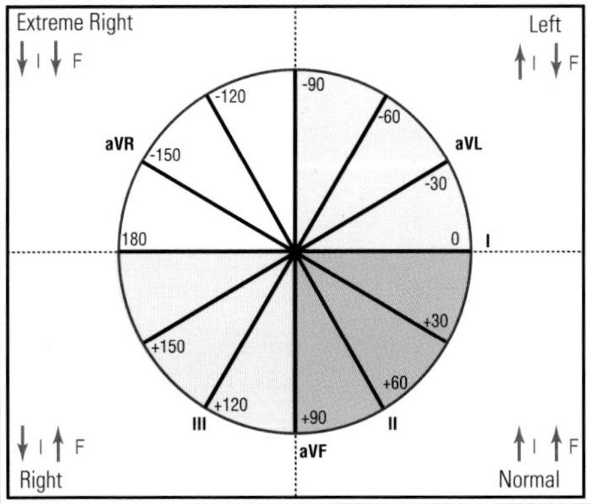

1. 전반적인 인상 :	5. 리듬 :	9. 감별 진단 :
2. 눈에 띄는 특이한 점은 없는가?	6. 축 :	10. 모든 것들을 통합하여 :
3. 맥박 :	7. 비대 :	
4. 간격 : PR 간격 : QRS 간격 : QT 간격 :	8. 허혈 혹은 경색 :	

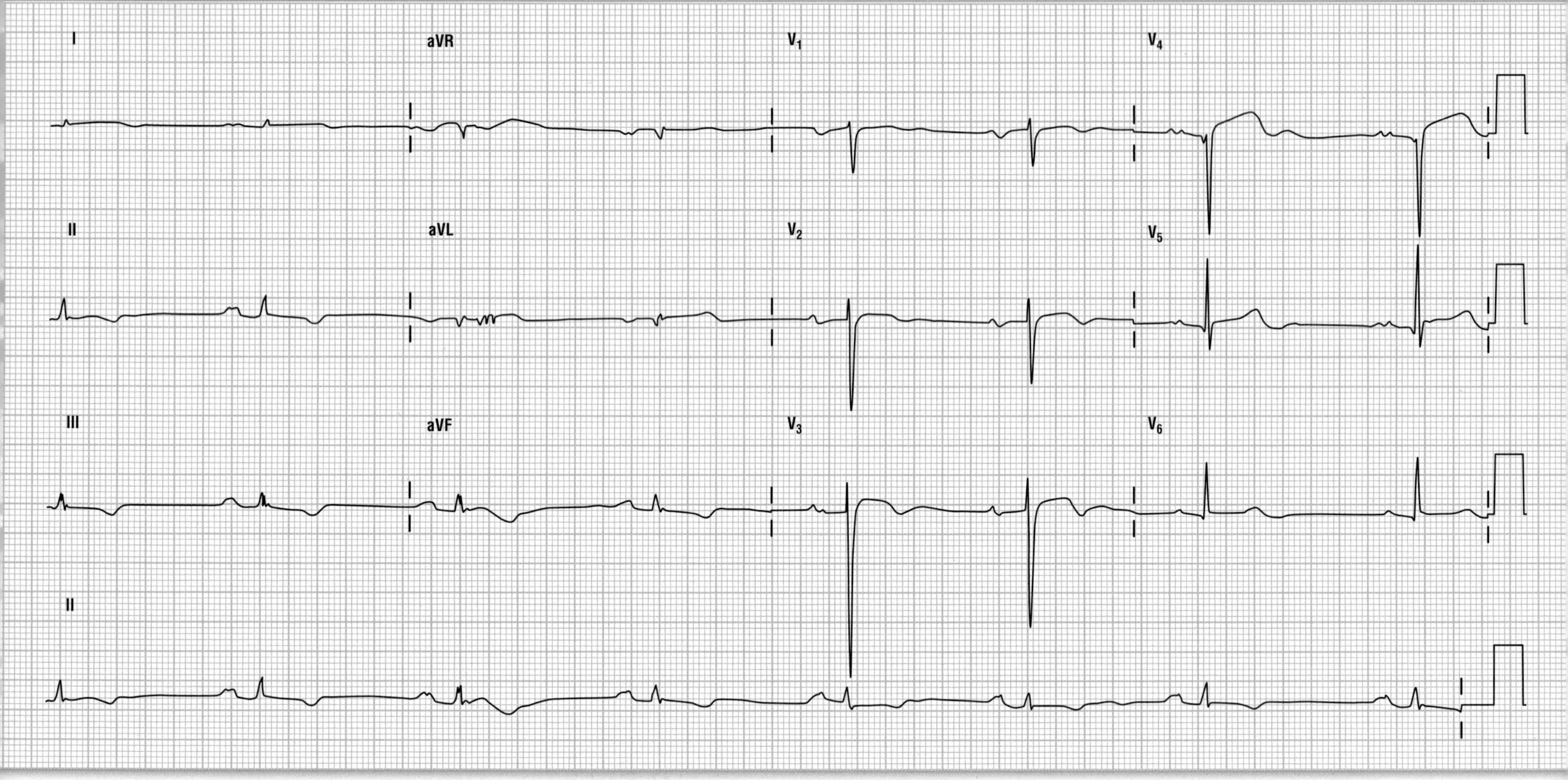

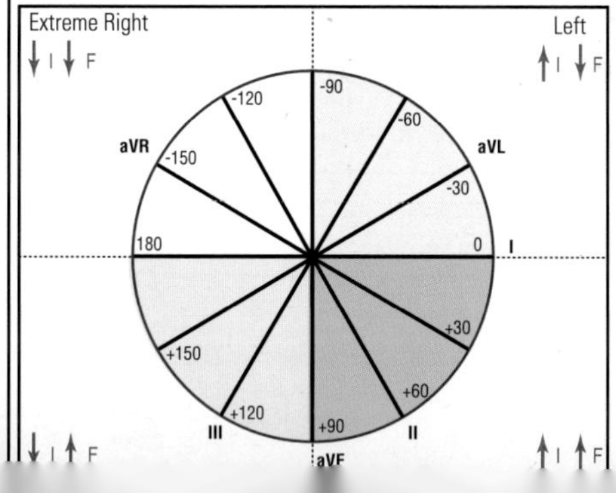

1. 전반적인 인상 :	5. 리듬 :	9. 감별 진단 :
2. 눈에 띄는 특이한 점은 없는가?	6. 축 :	10. 모든 것들을 통합하여 :
3. 맥박 :	7. 비대 :	
4. 간격 : PR 간격 : QRS 간격 : QT 간격 :	8. 허혈 혹은 경색 :	

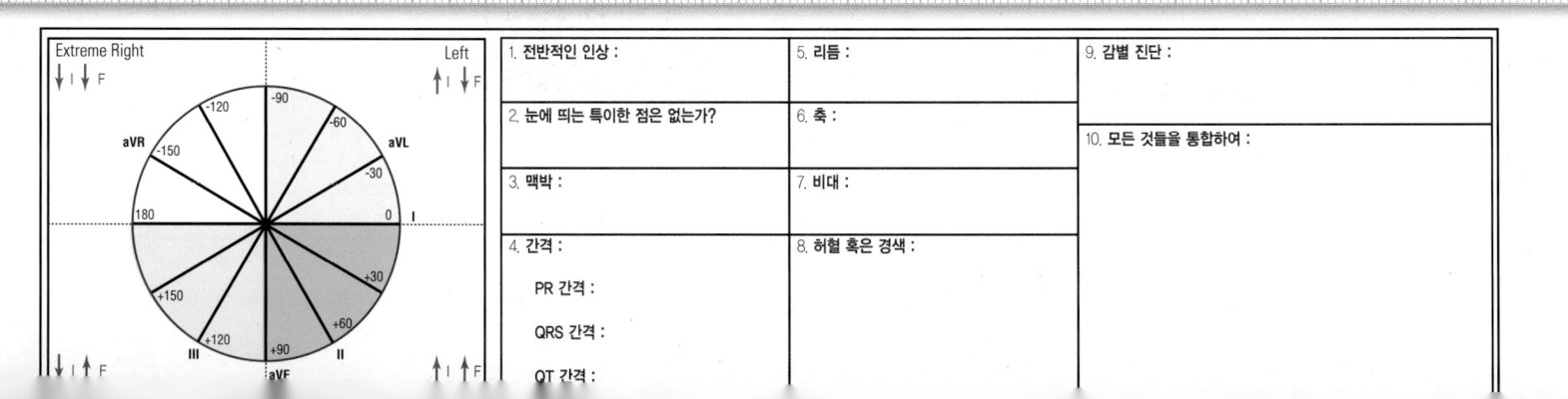

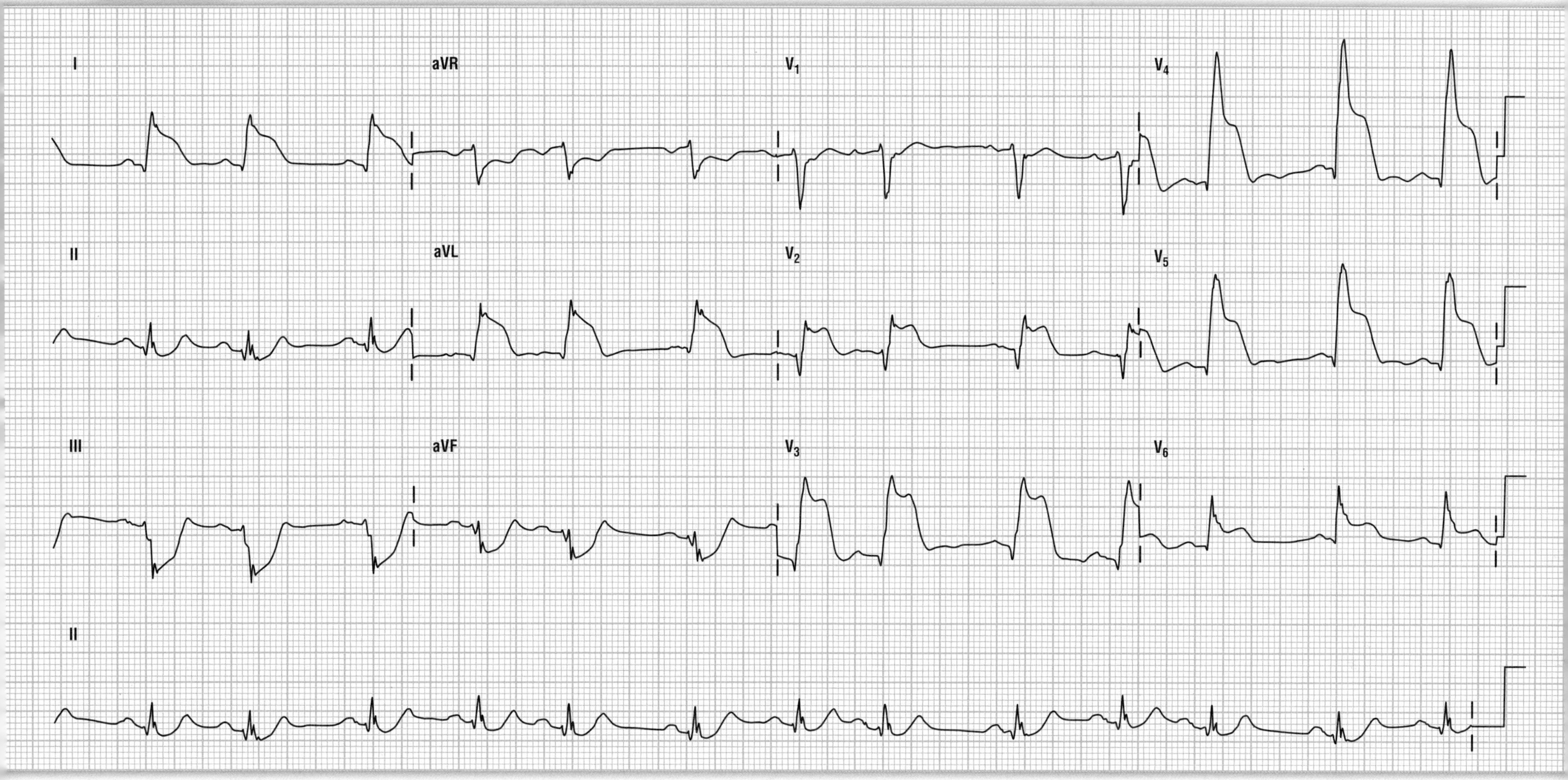

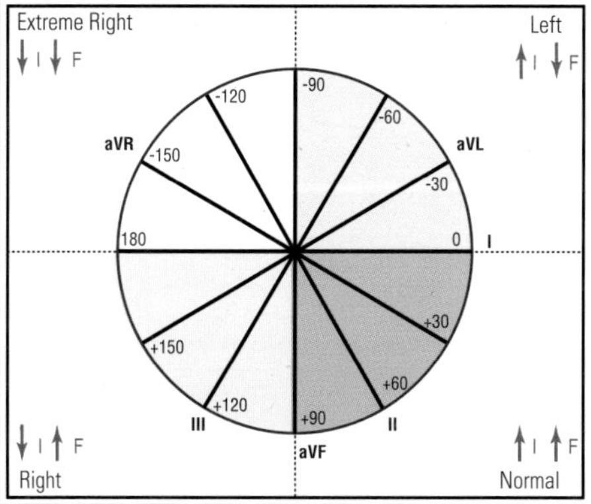

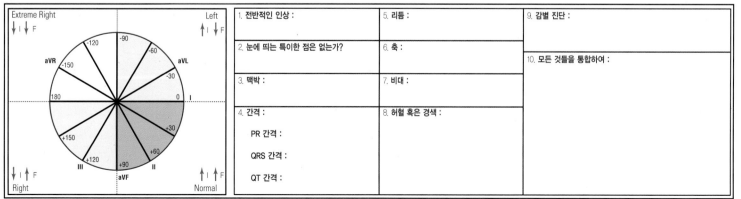

1. 전반적인 인상 :	5. 리듬 :	9. 감별 진단 :
2. 눈에 띄는 특이한 점은 없는가?	6. 축 :	10. 모든 것들을 통합하여 :
3. 맥박 :	7. 비대 :	
4. 간격 : PR 간격 : QRS 간격 : QT 간격 :	8. 허혈 혹은 경색 :	

시험 심전도 20

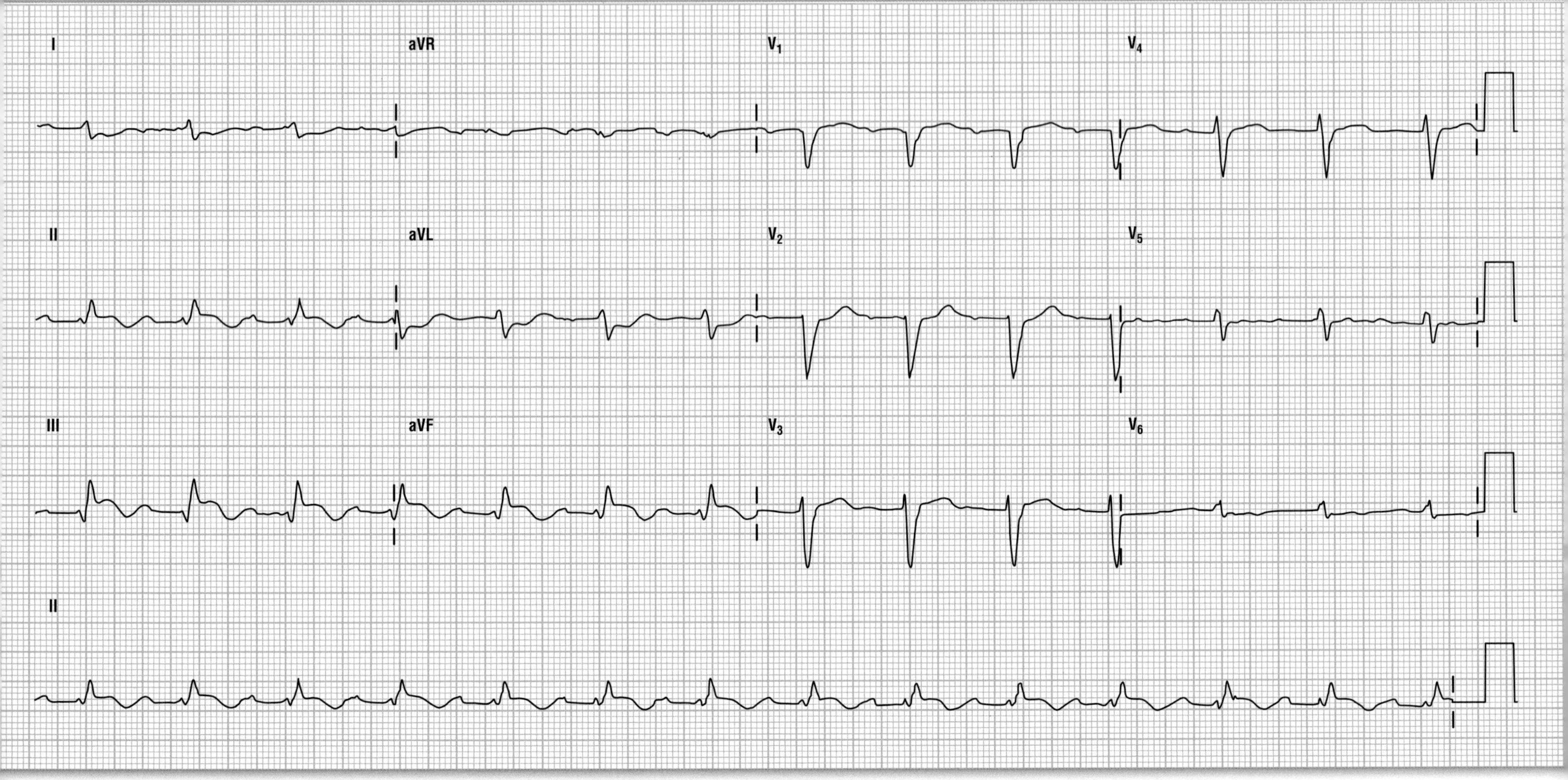

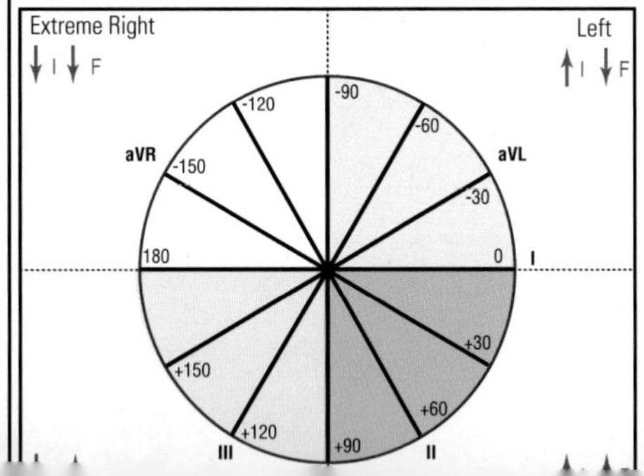

1. 전반적인 인상 :	5. 리듬 :	9. 감별 진단 :
2. 눈에 띄는 특이한 점은 없는가?	6. 축 :	10. 모든 것들을 통합하여 :
3. 맥박 :	7. 비대 :	
4. 간격 : PR 간격 : QRS 간격 :	8. 허혈 혹은 경색 :	

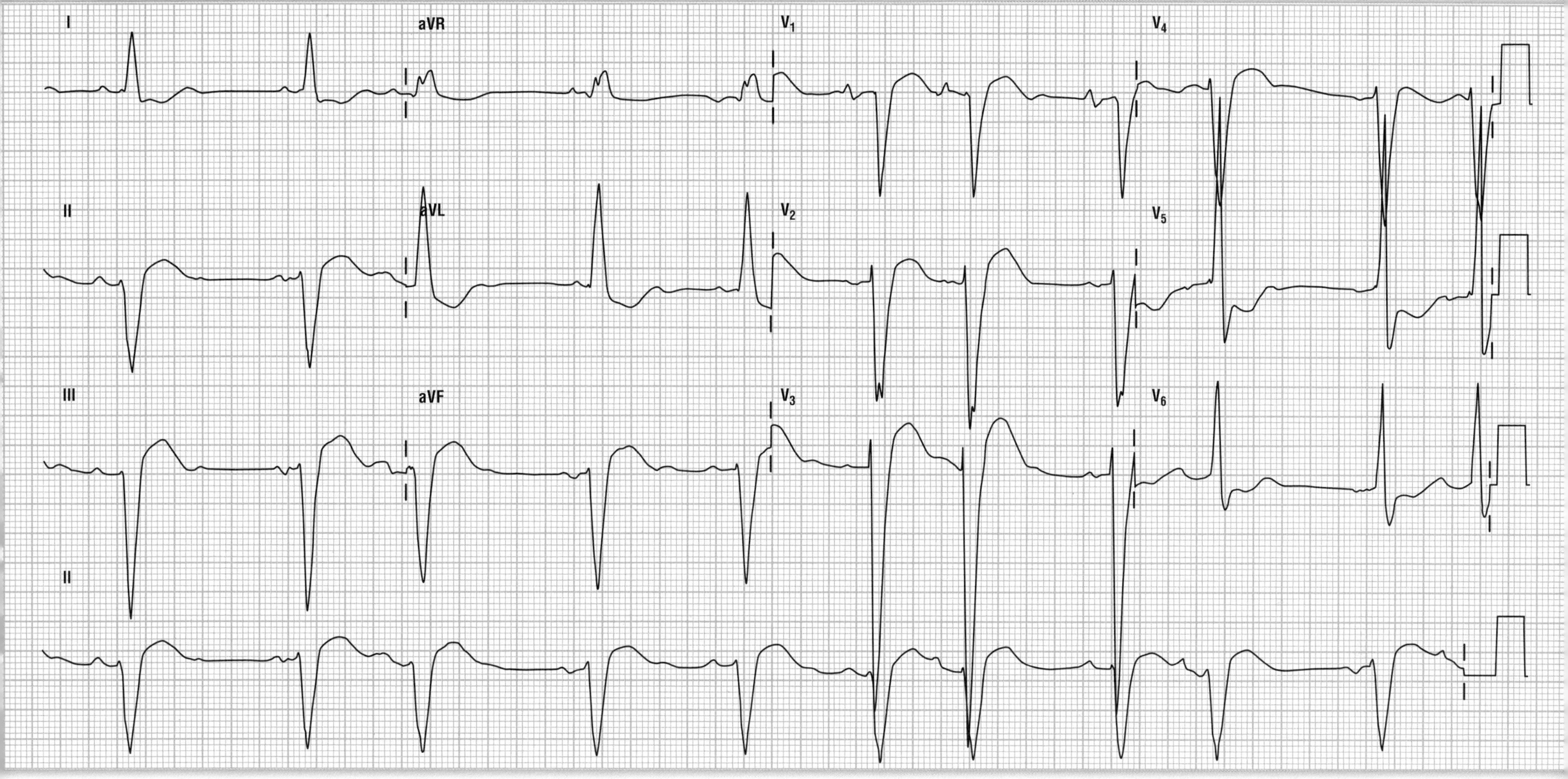

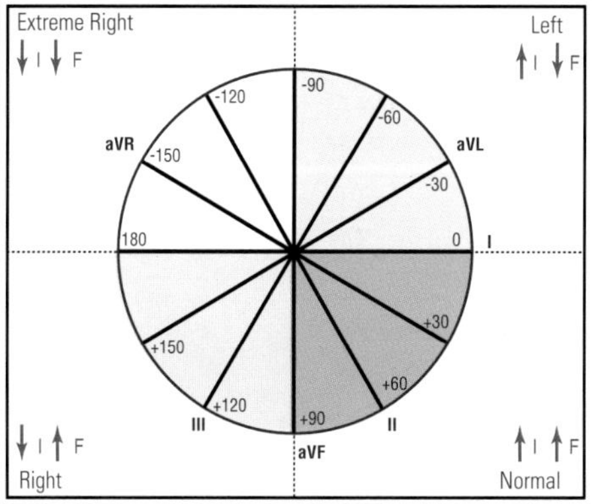

1. 전반적인 인상 :	5. 리듬 :	9. 감별 진단 :
2. 눈에 띄는 특이한 점은 없는가?	6. 축 :	10. 모든 것들을 통합하여 :
3. 맥박 :	7. 비대 :	
4. 간격 : PR 간격 : QRS 간격 : QT 간격 :	8. 허혈 혹은 경색 :	

시험 심전도 22

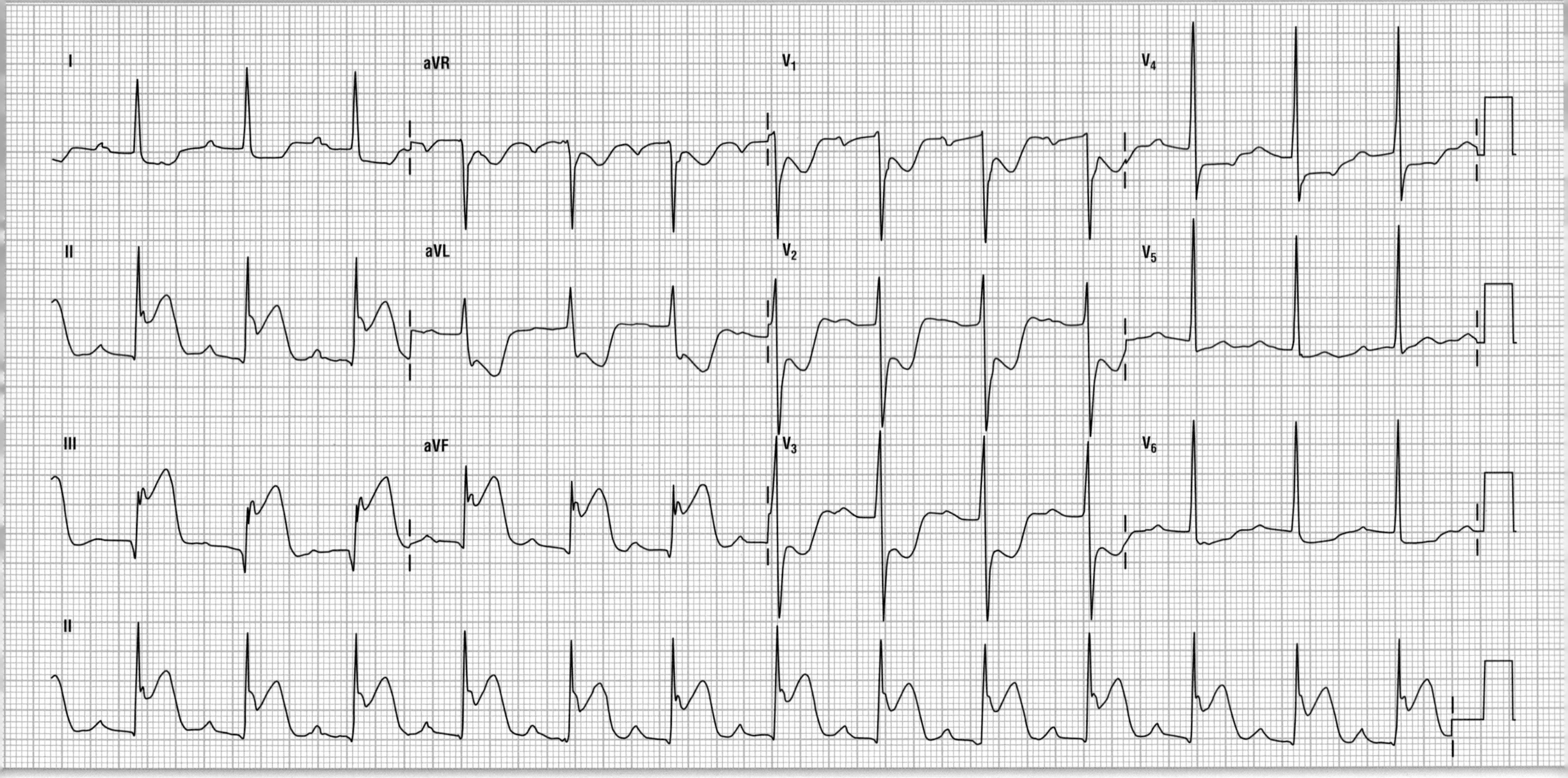

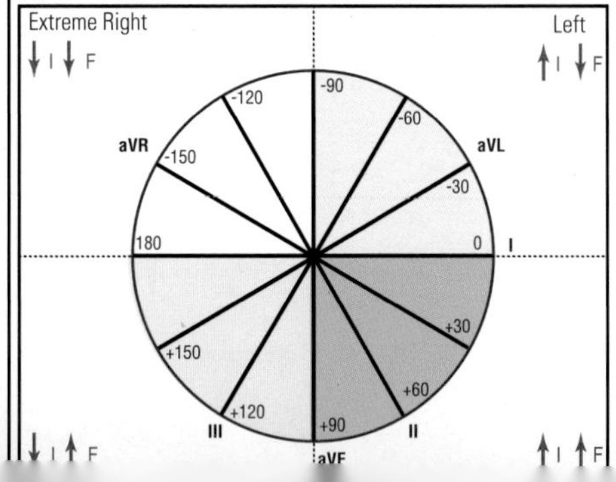

1. 전반적인 인상 :	5. 리듬 :	9. 감별 진단 :
2. 눈에 띄는 특이한 점은 없는가?	6. 축 :	10. 모든 것들을 통합하여 :
3. 맥박 :	7. 비대 :	
4. 간격 : PR 간격 : QRS 간격 : QT 간격 :	8. 허혈 혹은 경색 :	

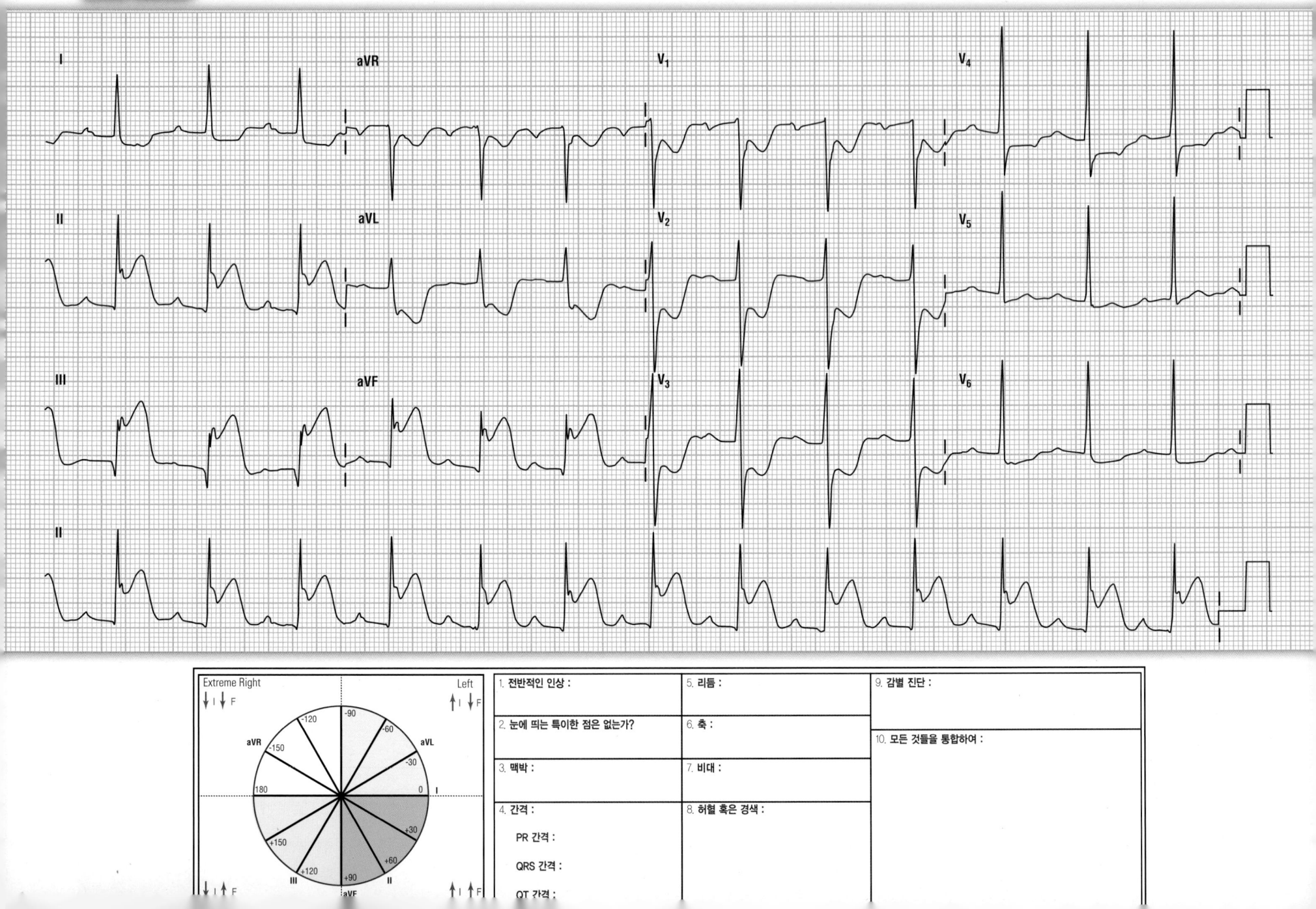

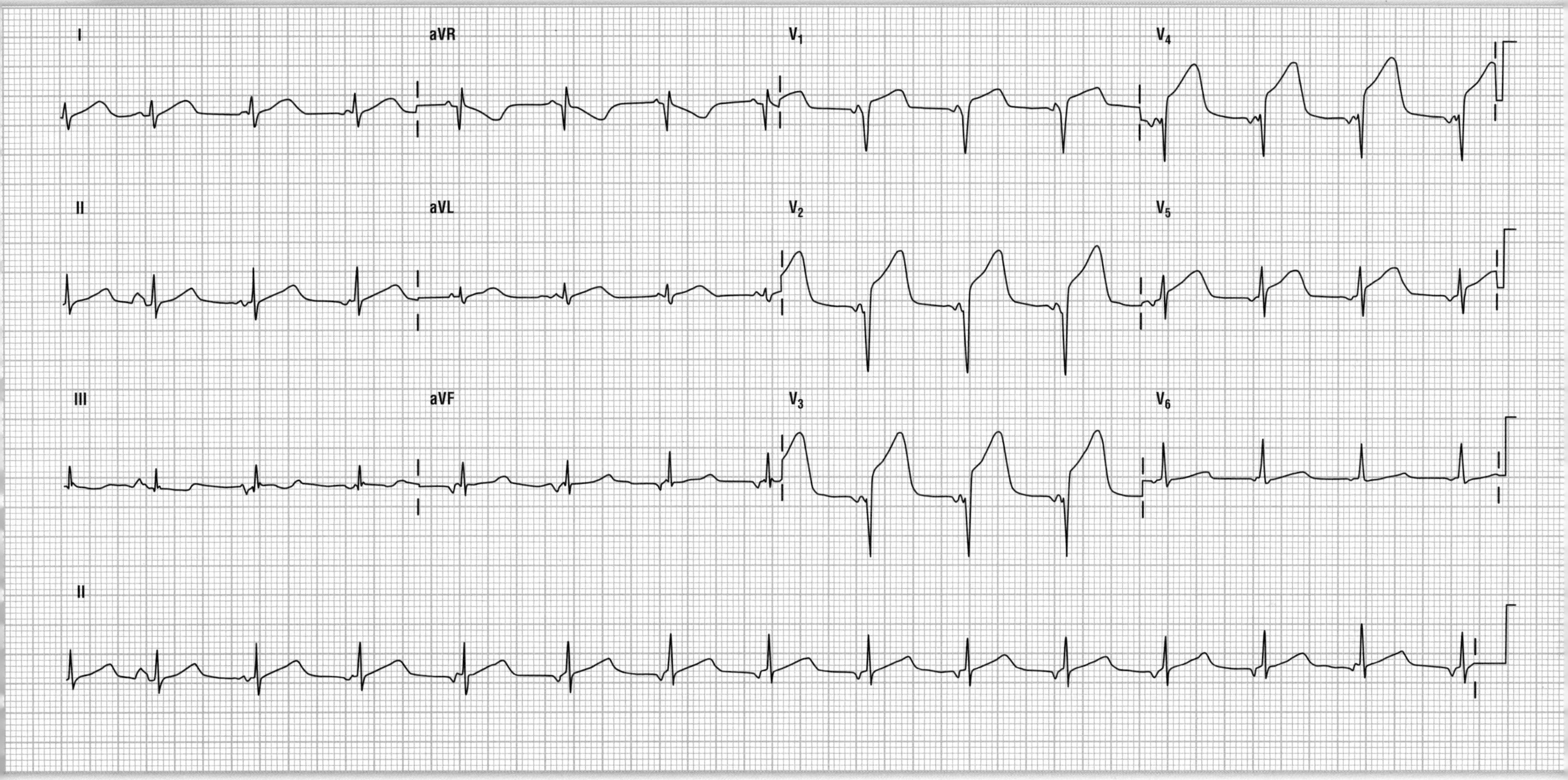

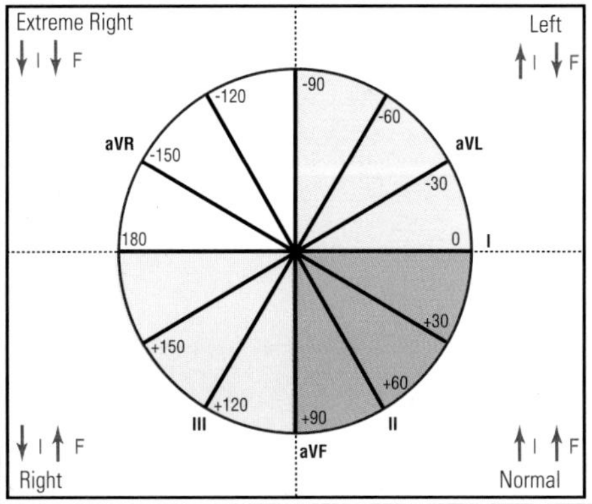

1. 전반적인 인상 :	5. 리듬 :	9. 감별 진단 :
2. 눈에 띄는 특이한 점은 없는가?	6. 축 :	10. 모든 것들을 통합하여 :
3. 맥박 :	7. 비대 :	
4. 간격 : PR 간격 : QRS 간격 : QT 간격 :	8. 허혈 혹은 경색 :	

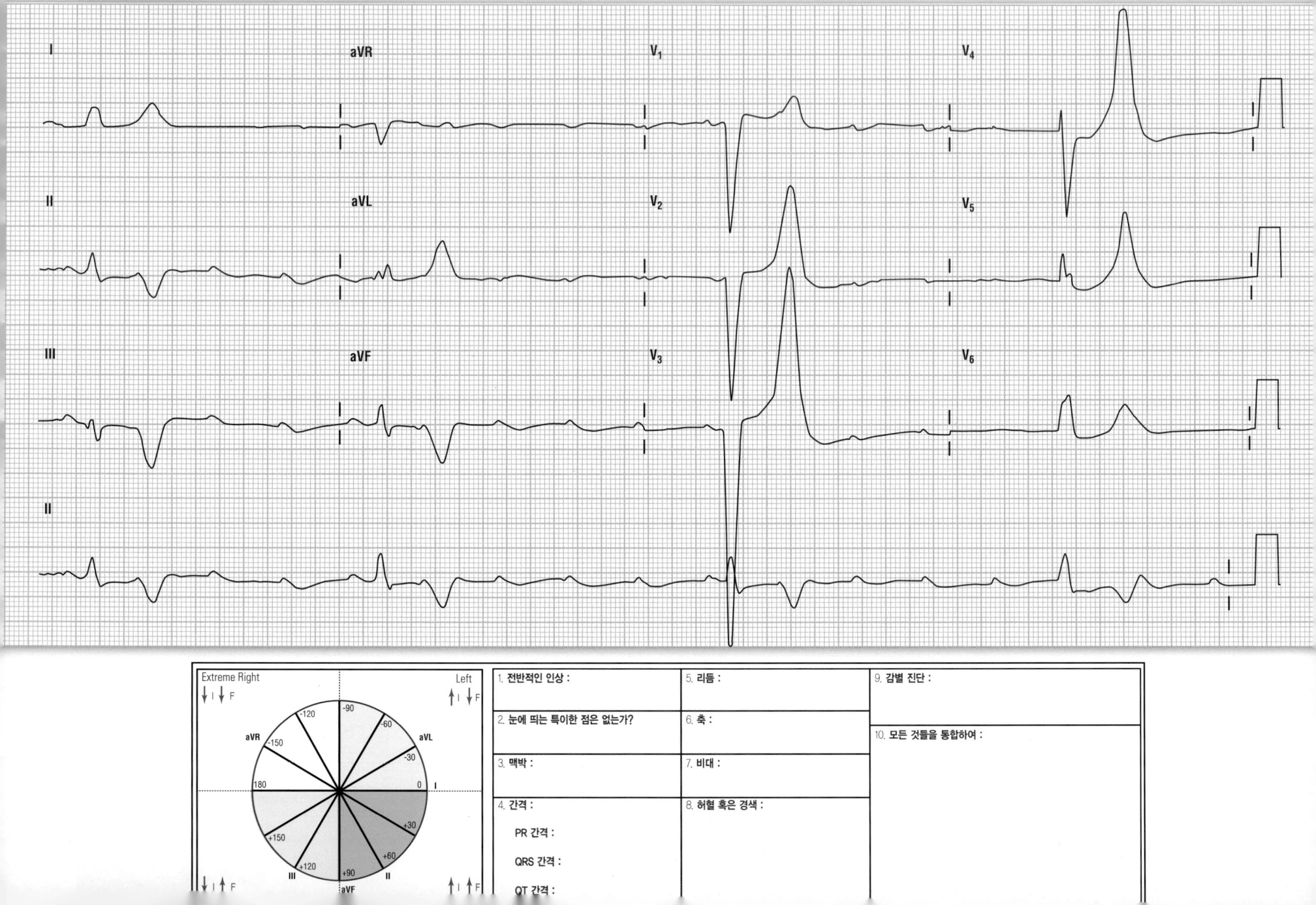

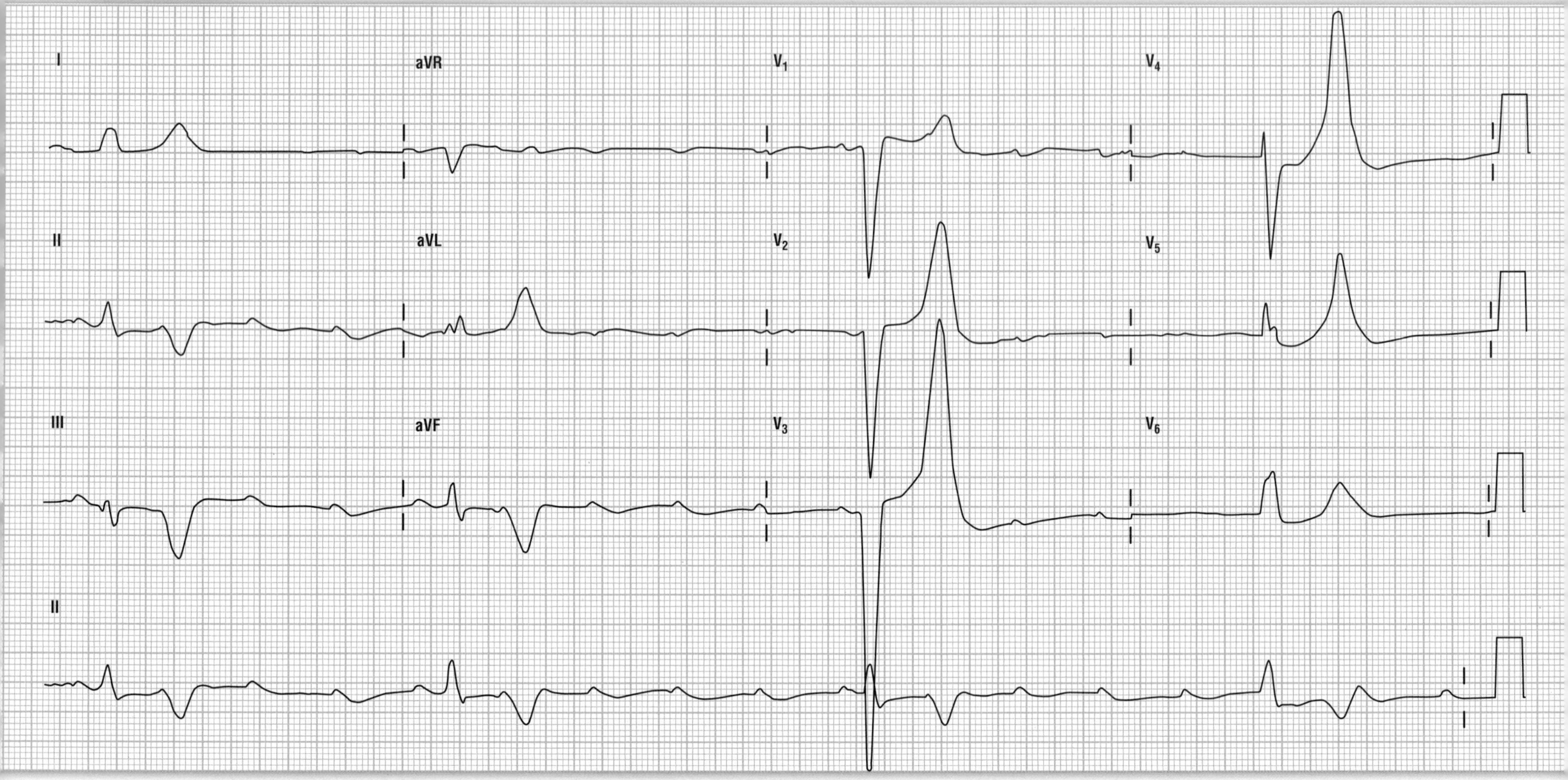

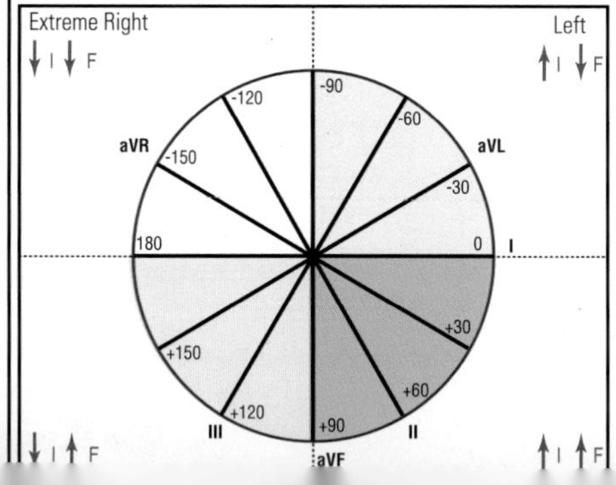

1. 전반적인 인상 :	5. 리듬 :	9. 감별 진단 :
2. 눈에 띄는 특이한 점은 없는가?	6. 축 :	10. 모든 것들을 통합하여 :
3. 맥박 :	7. 비대 :	
4. 간격 : PR 간격 : QRS 간격 : QT 간격 :	8. 허혈 혹은 경색 :	

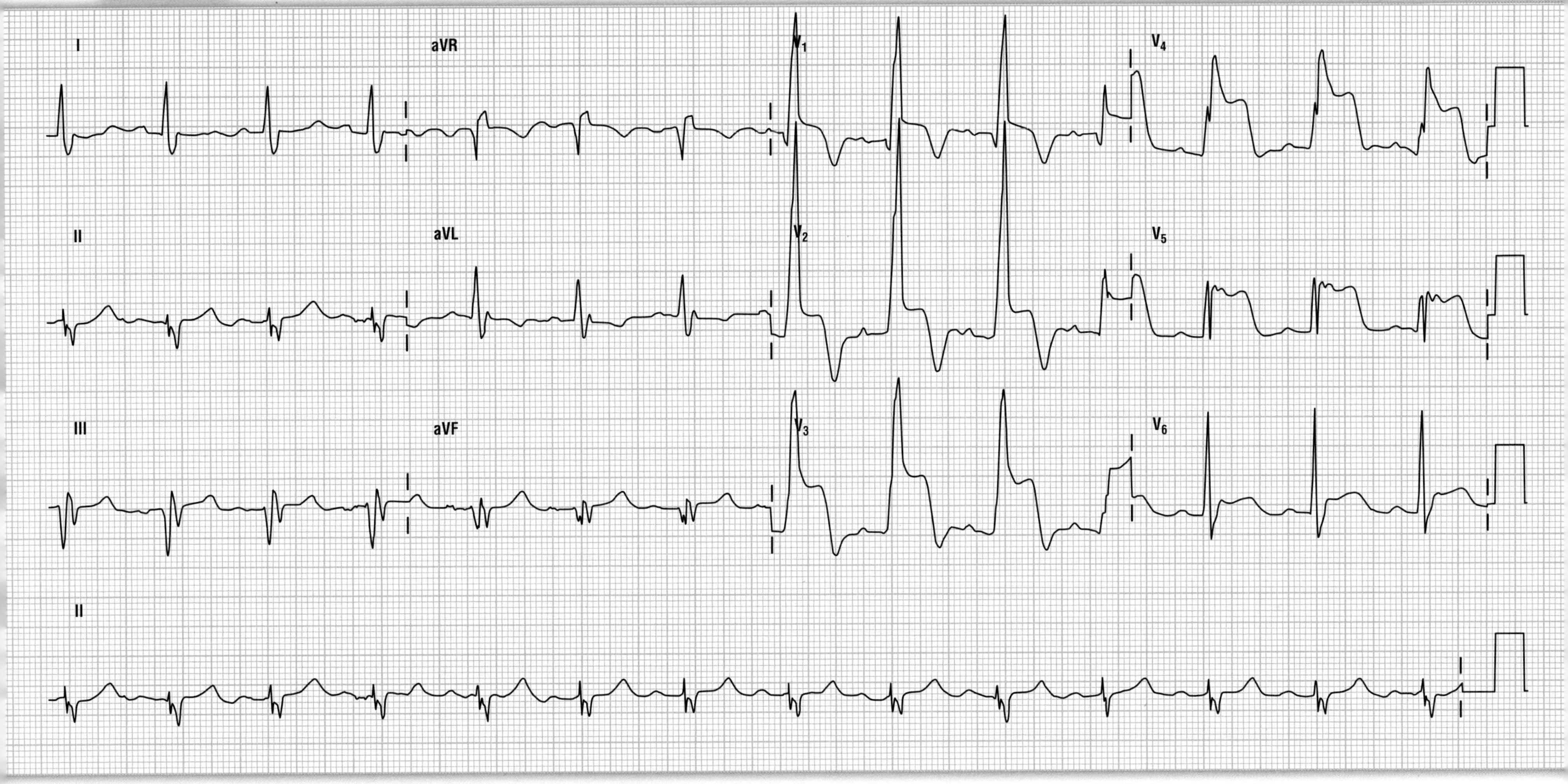

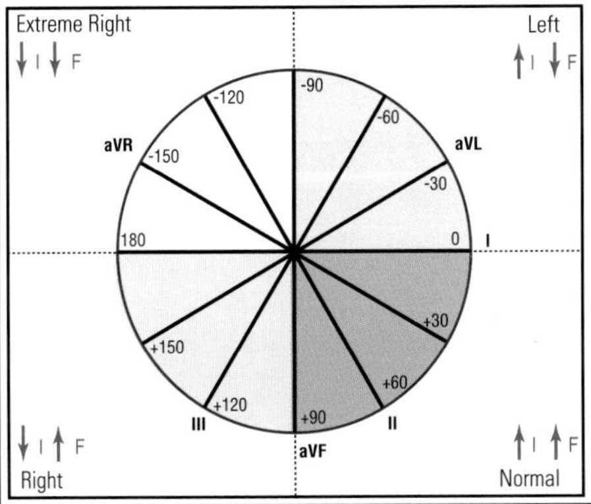

1. 전반적인 인상 :

2. 눈에 띄는 특이한 점은 없는가?

3. 맥박 :

4. 간격 :

PR 간격 :

QRS 간격 :

QT 간격 :

5. 리듬 :

6. 축 :

7. 비대 :

8. 허혈 혹은 경색 :

9. 감별 진단 :

10. 모든 것들을 통합하여 :

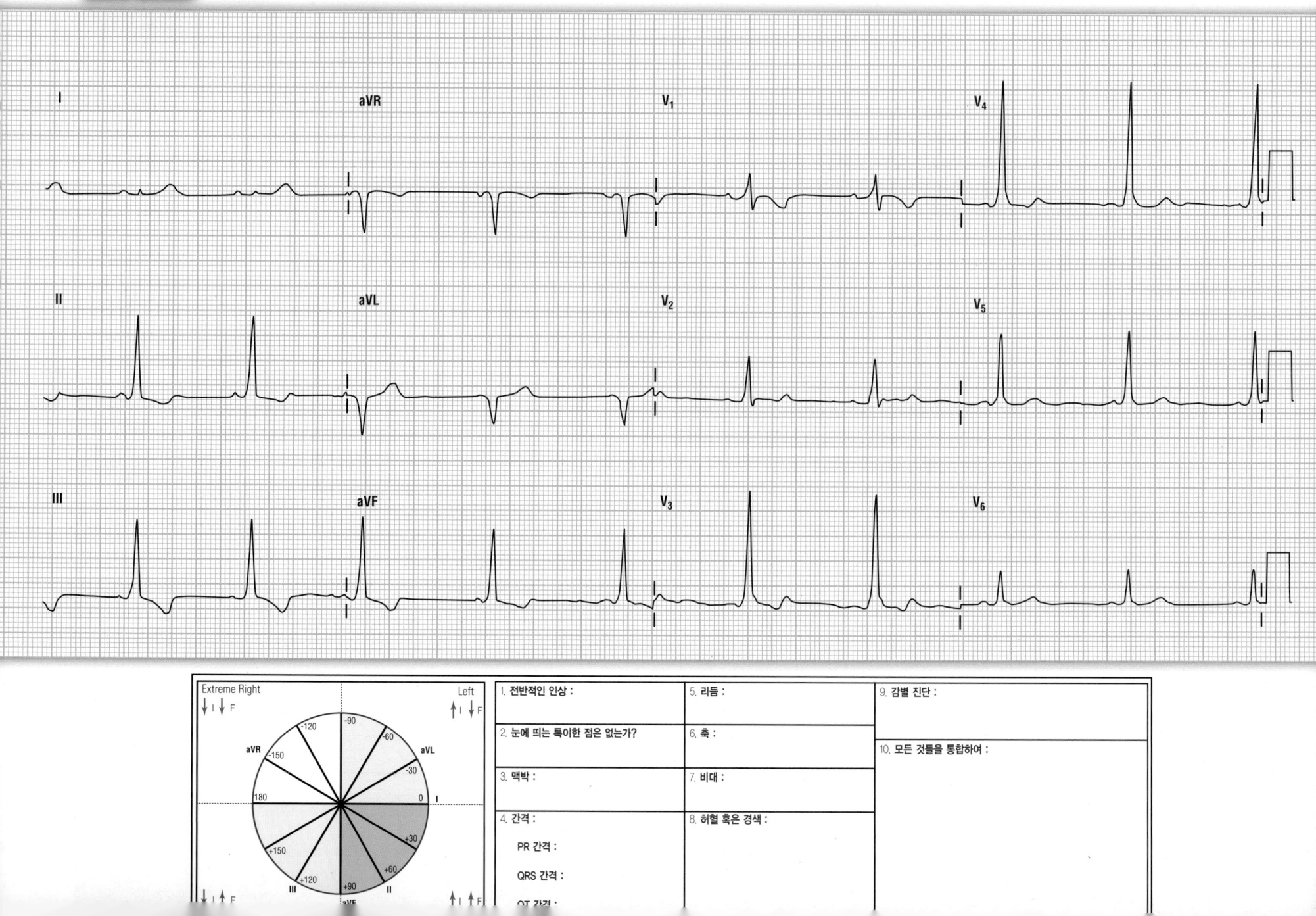

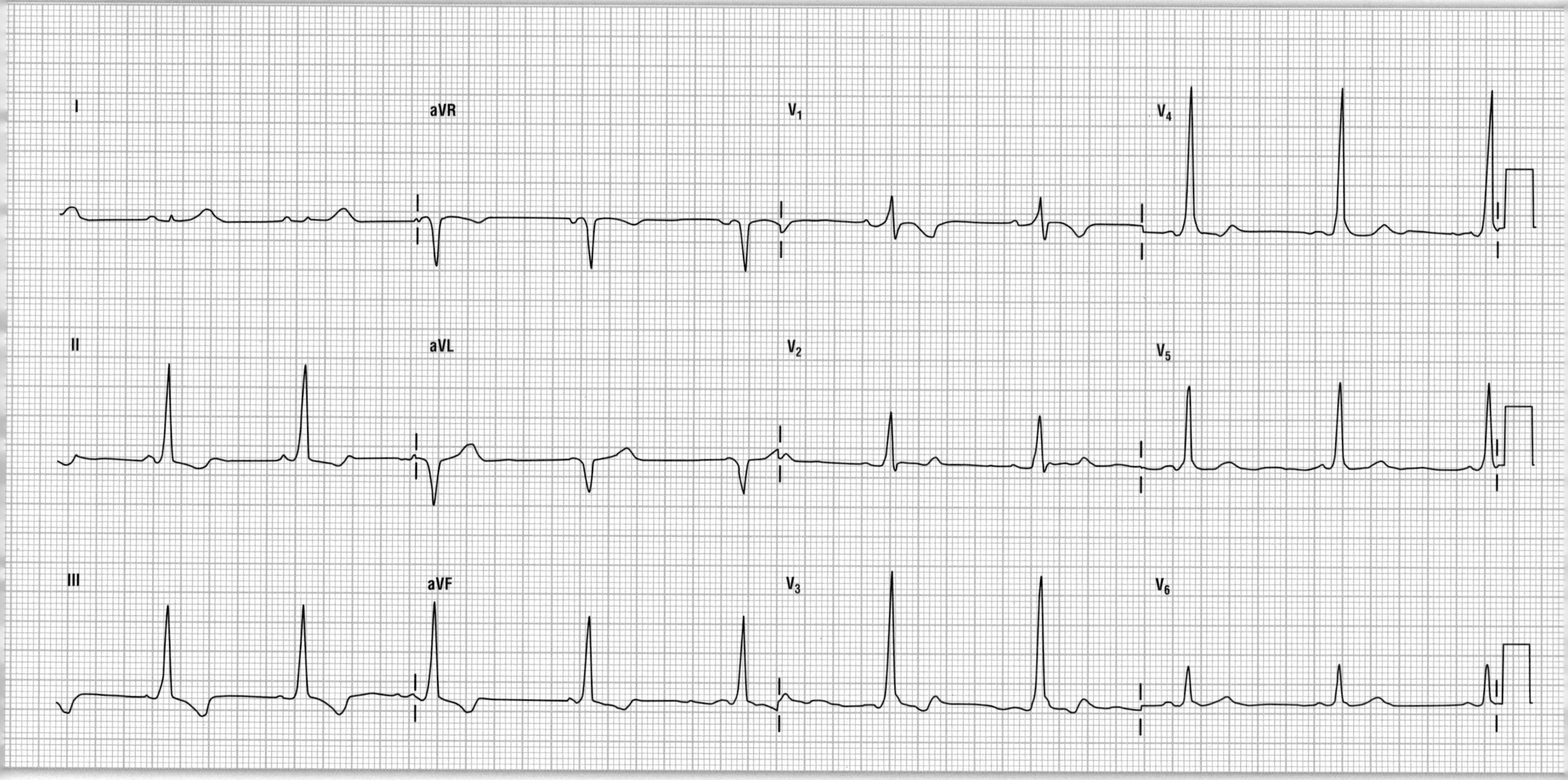

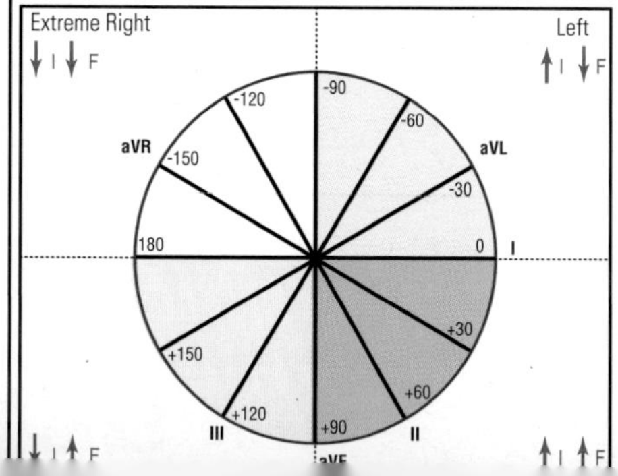

1. 전반적인 인상 :	5. 리듬 :	9. 감별 진단 :
2. 눈에 띄는 특이한 점은 없는가?	6. 축 :	10. 모든 것들을 통합하여 :
3. 맥박 :	7. 비대 :	
4. 간격 : PR 간격 : QRS 간격 : QT 간격 :	8. 허혈 혹은 경색 :	

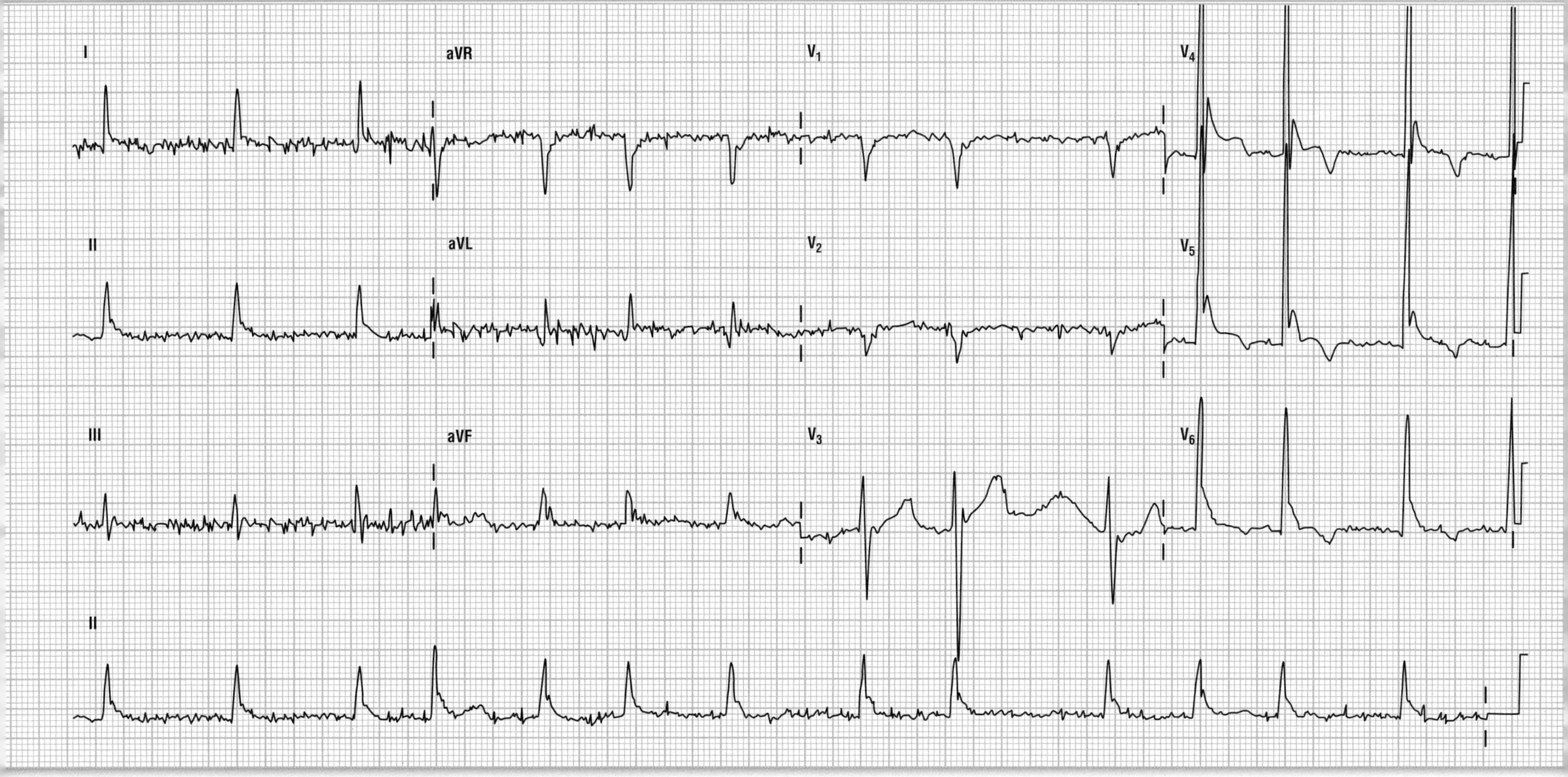

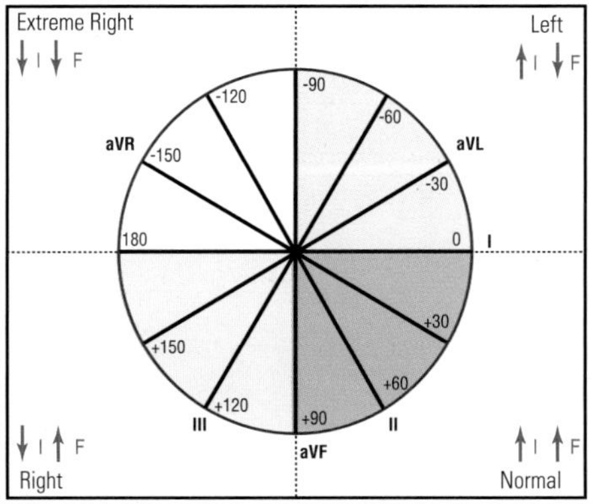

1. 전반적인 인상 :	5. 리듬 :	9. 감별 진단 :
2. 눈에 띄는 특이한 점은 없는가?	6. 축 :	10. 모든 것들을 통합하여 :
3. 맥박 :	7. 비대 :	
4. 간격 : PR 간격 : QRS 간격 : QT 간격 :	8. 허혈 혹은 경색 :	

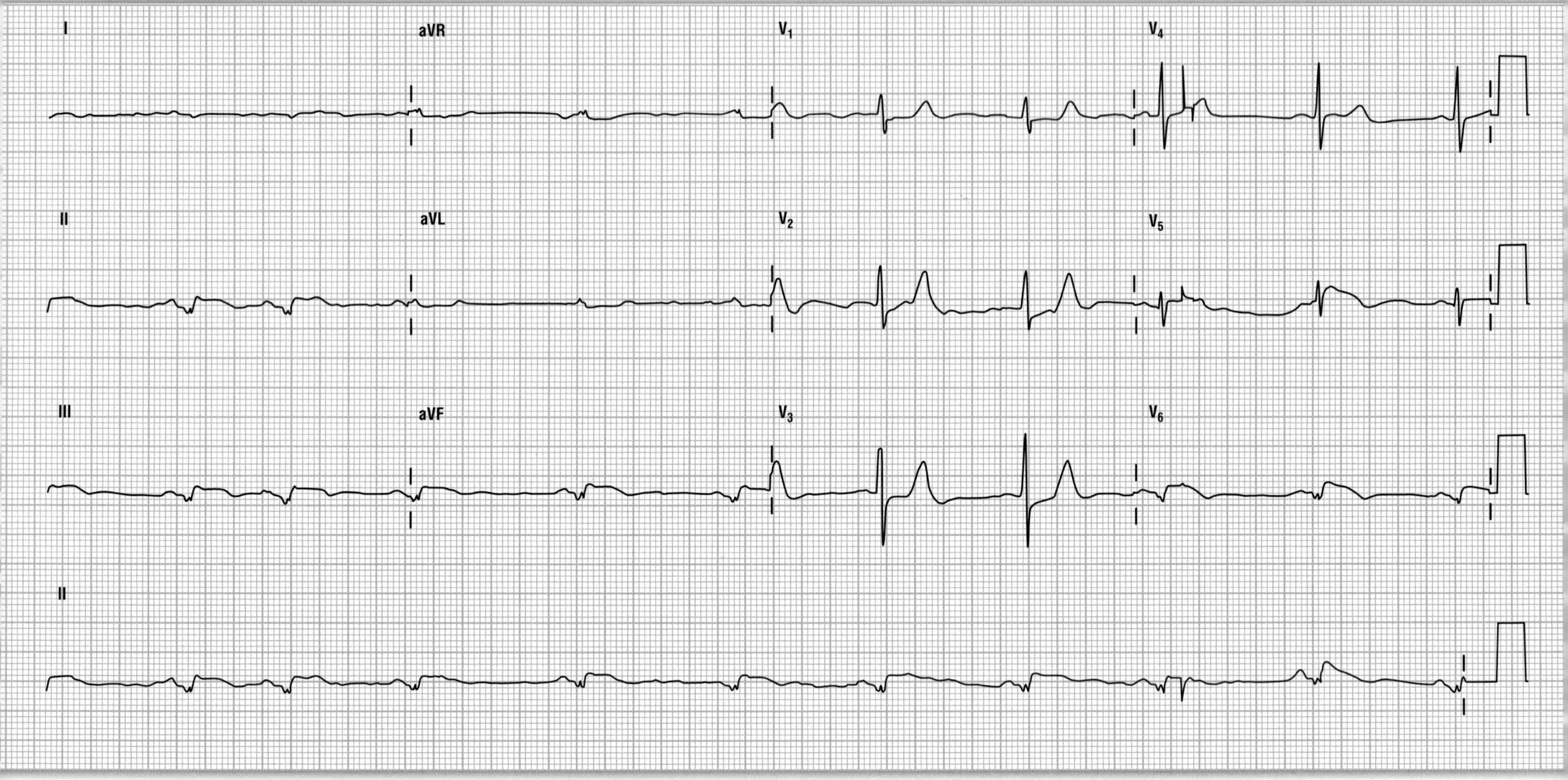

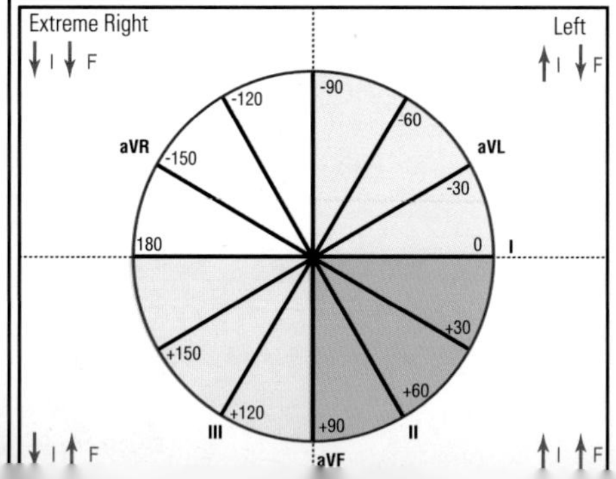

1. 전반적인 인상 :	5. 리듬 :	9. 감별 진단 :
2. 눈에 띄는 특이한 점은 없는가?	6. 축 :	10. 모든 것들을 통합하여 :
3. 맥박 :	7. 비대 :	
4. 간격 : PR 간격 : QRS 간격 : QT 간격 :	8. 허혈 혹은 경색 :	

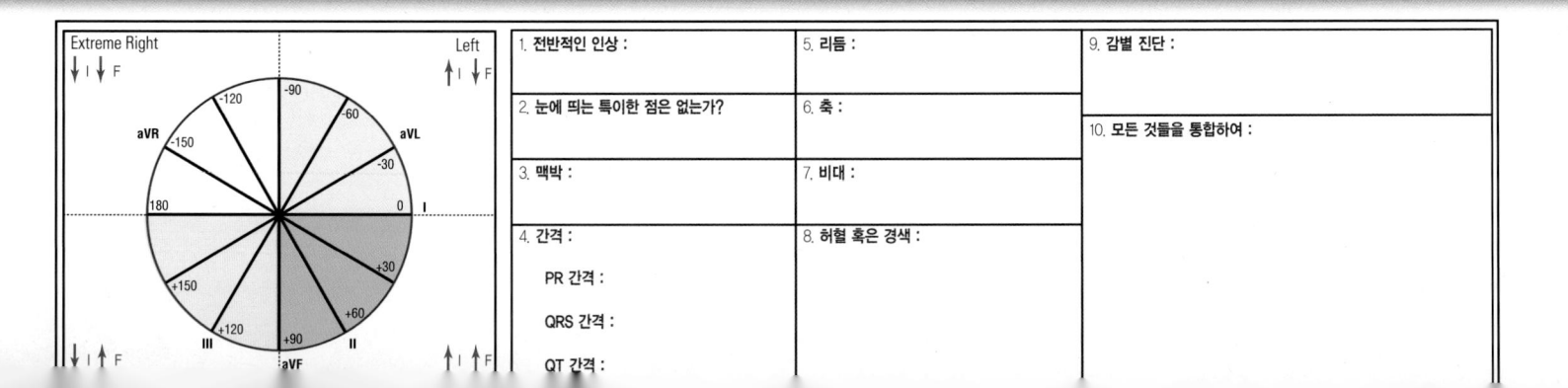

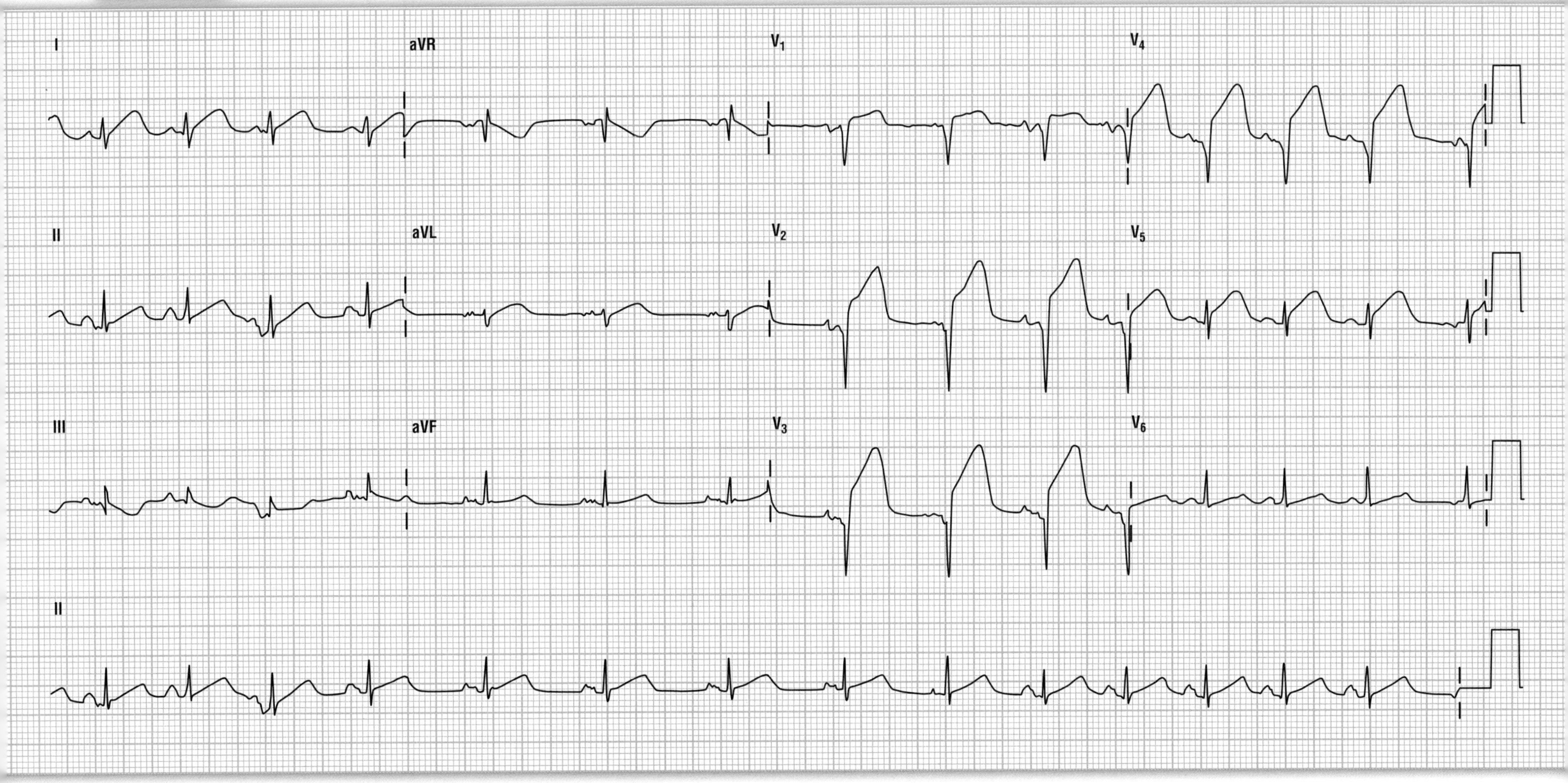

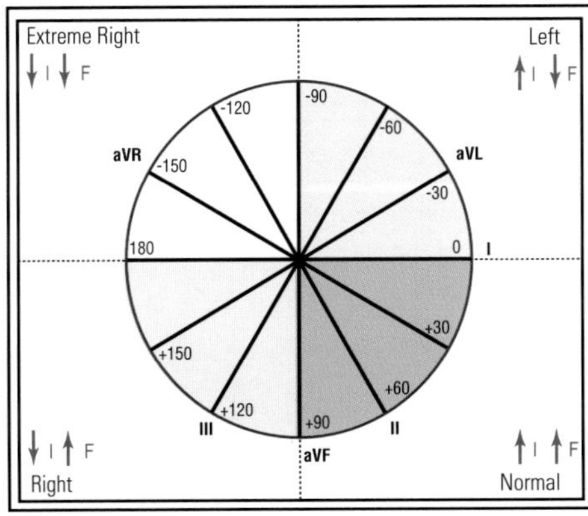

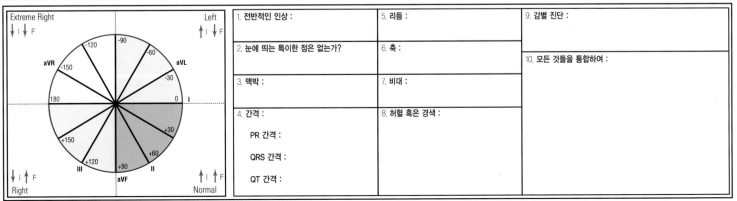

1. 전반적인 인상 :	5. 리듬 :	9. 감별 진단 :
2. 눈에 띄는 특이한 점은 없는가?	6. 축 :	10. 모든 것들을 통합하여 :
3. 맥박 :	7. 비대 :	
4. 간격 : PR 간격 : QRS 간격 : QT 간격 :	8. 허혈 혹은 경색 :	

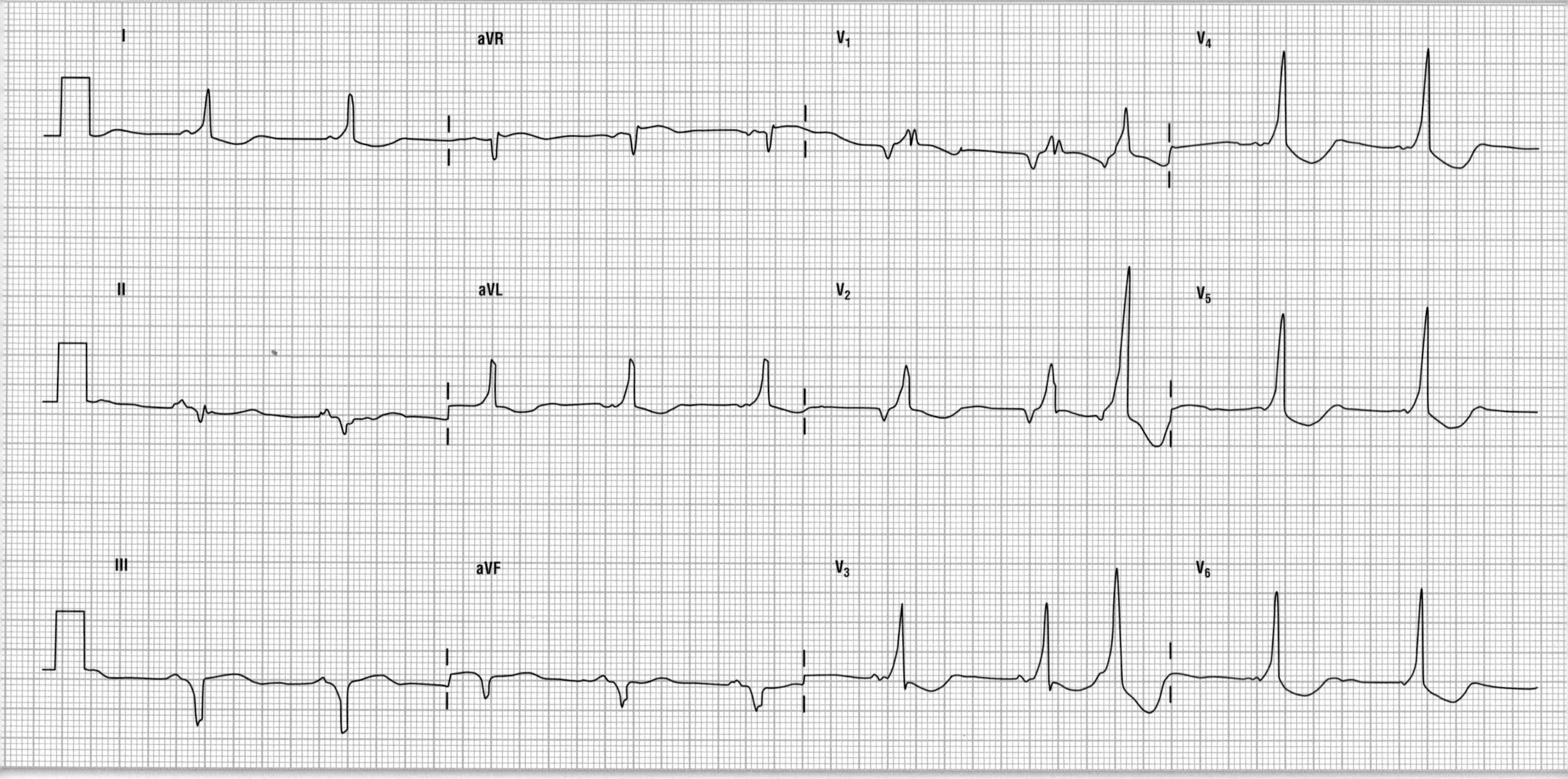

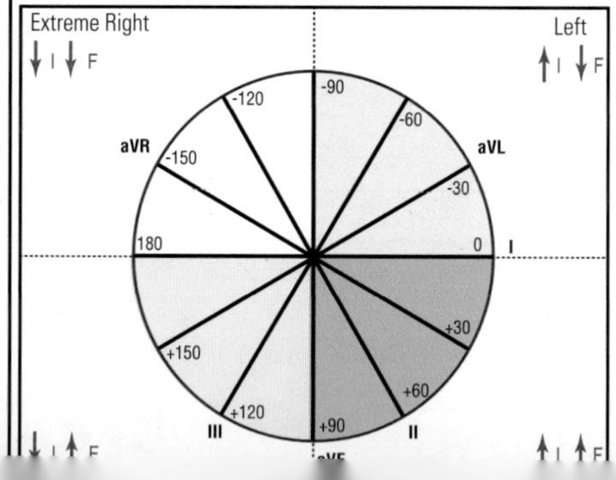

1. 전반적인 인상 :	5. 리듬 :
2. 눈에 띄는 특이한 점은 없는가?	6. 축 :
3. 맥박 :	7. 비대 :
4. 간격 : PR 간격 : QRS 간격 : QT 간격 :	8. 허혈 혹은 경색 :

9. 감별 진단 :

10. 모든 것들을 통합하여 :

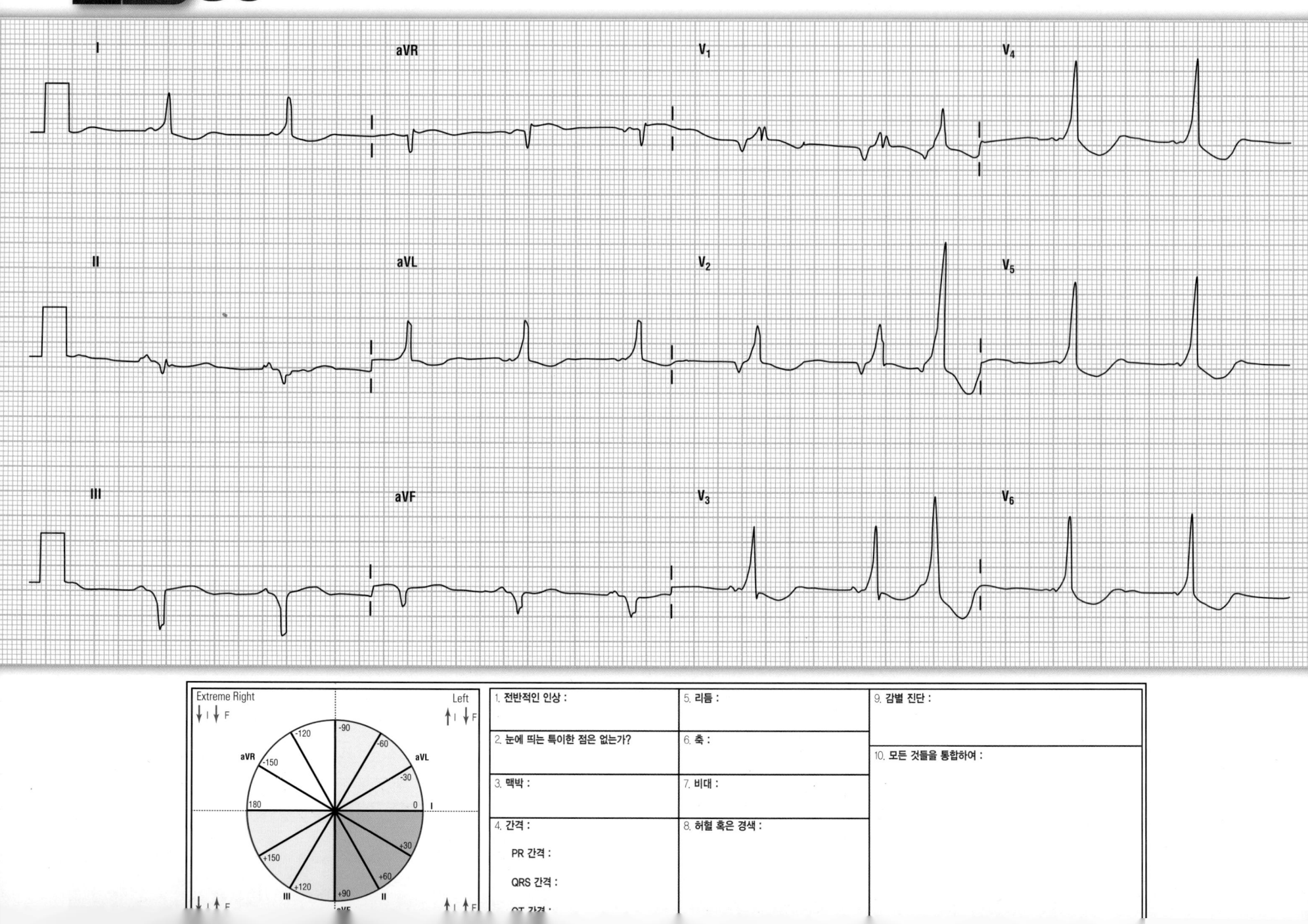

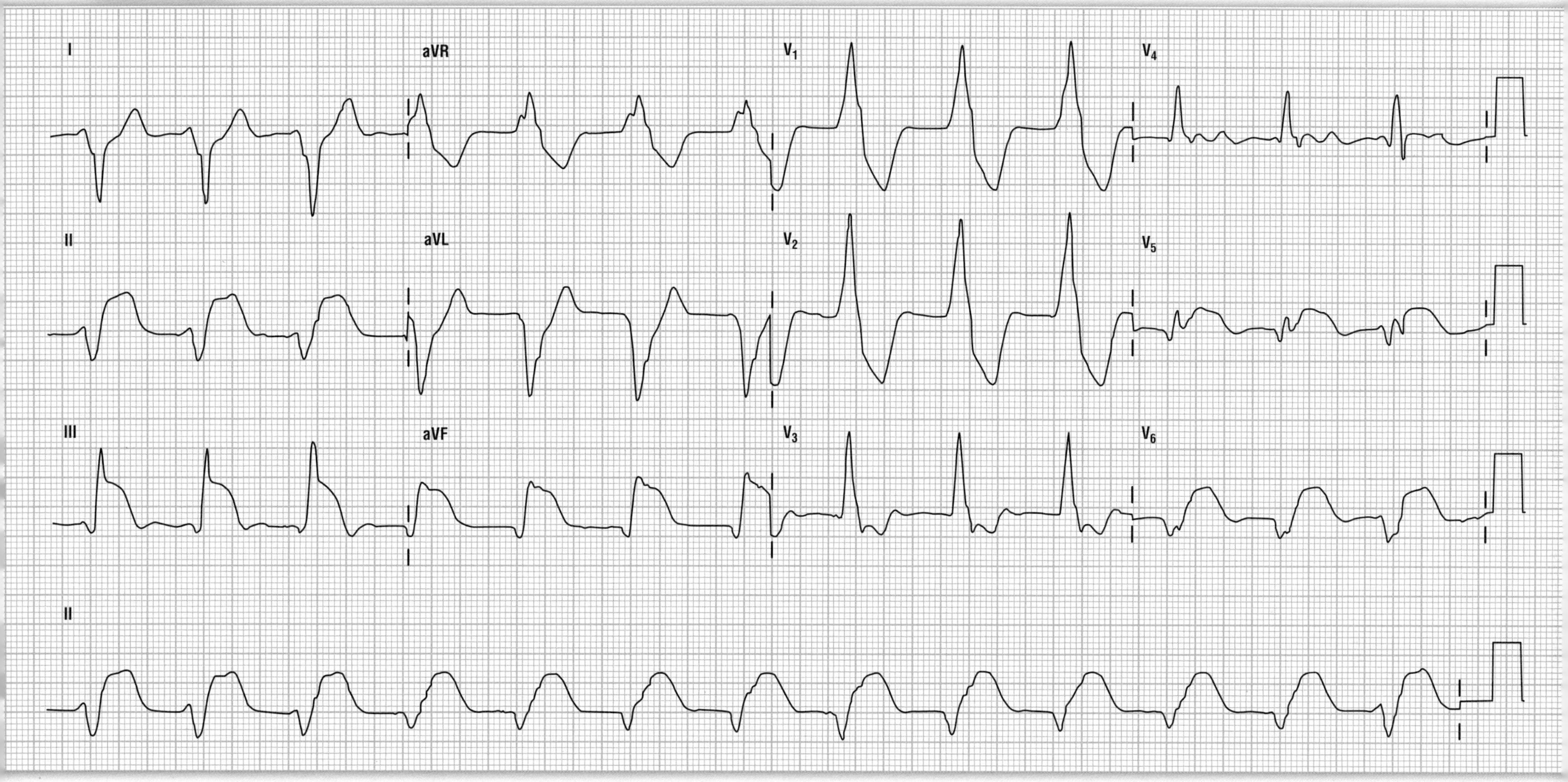

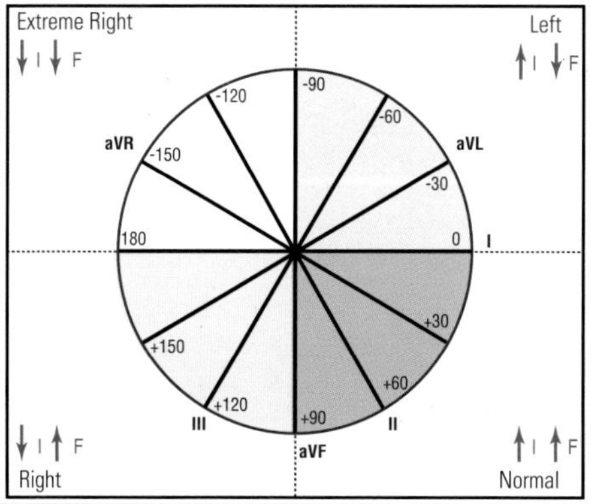

1. 전반적인 인상 :	5. 리듬 :	9. 감별 진단 :
2. 눈에 띄는 특이한 점은 없는가?	6. 축 :	10. 모든 것들을 통합하여 :
3. 맥박 :	7. 비대 :	
4. 간격 : PR 간격 : QRS 간격 : QT 간격 :	8. 허혈 혹은 경색 :	

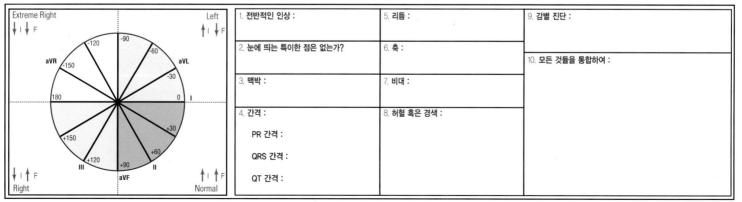

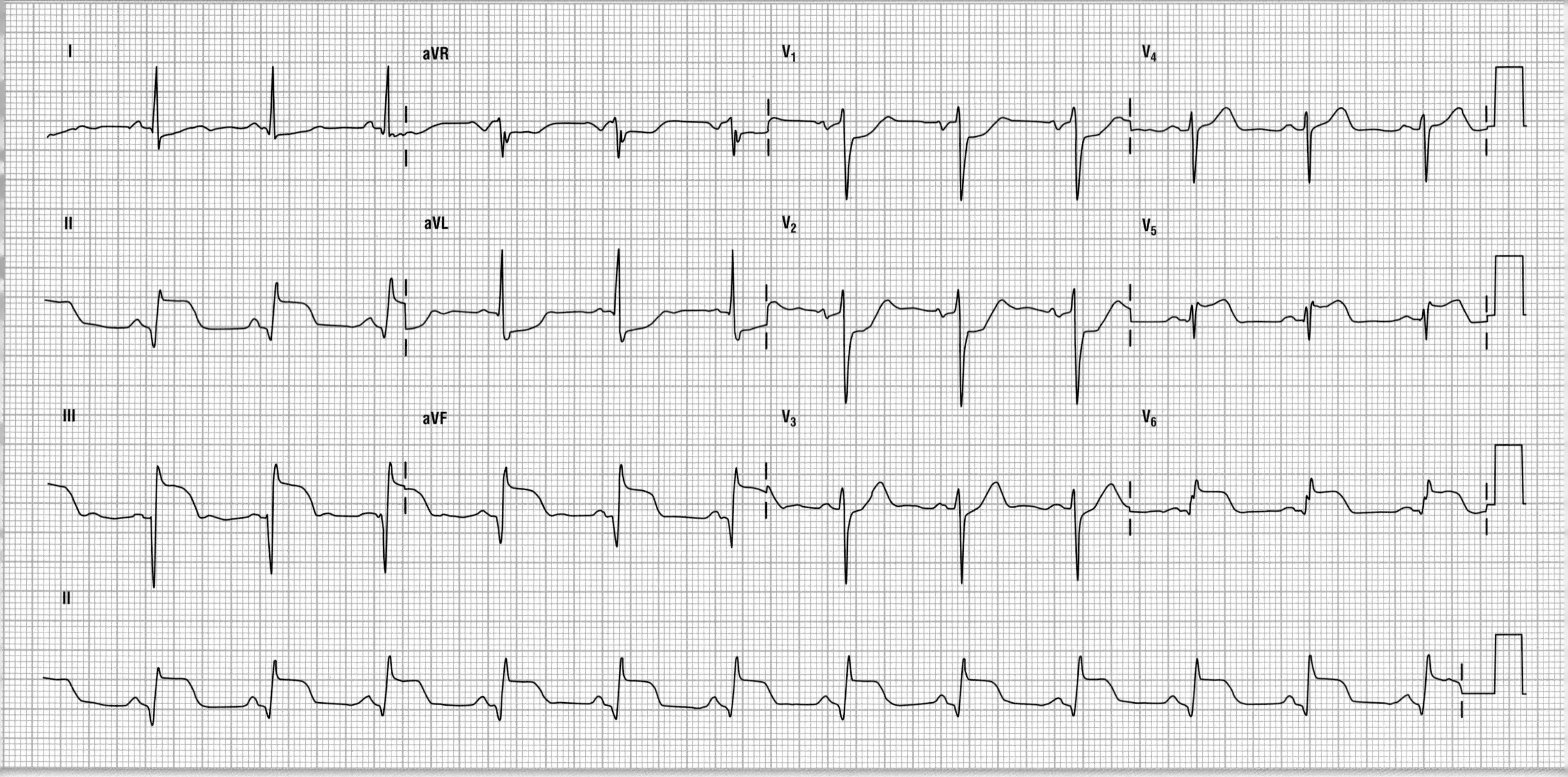

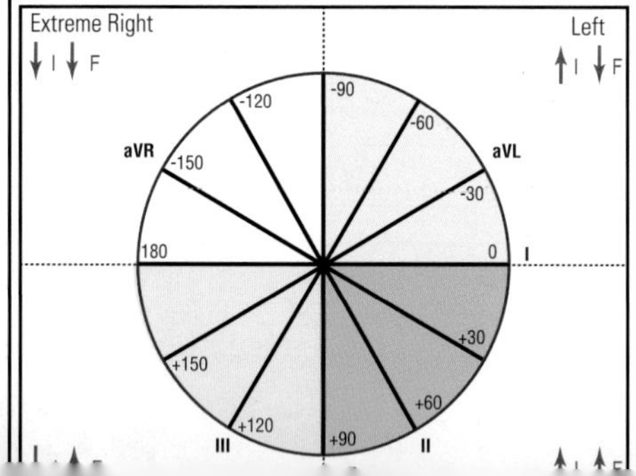

1. 전반적인 인상 :	5. 리듬 :	9. 감별 진단 :
2. 눈에 띄는 특이한 점은 없는가?	6. 축 :	10. 모든 것들을 통합하여 :
3. 맥박 :	7. 비대 :	
4. 간격 : PR 간격 : QRS 간격 : QT 간격 :	8. 허혈 혹은 경색 :	

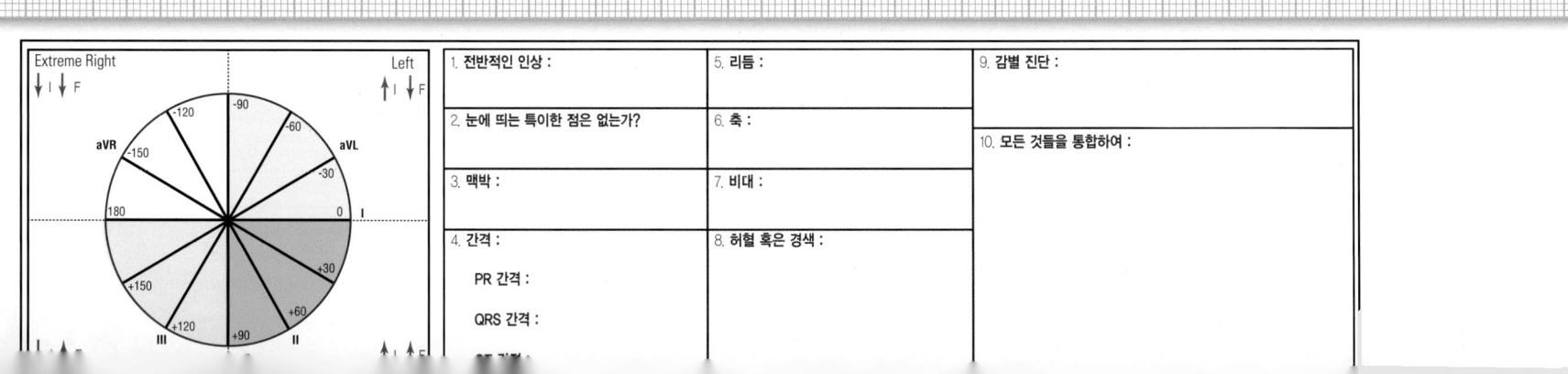

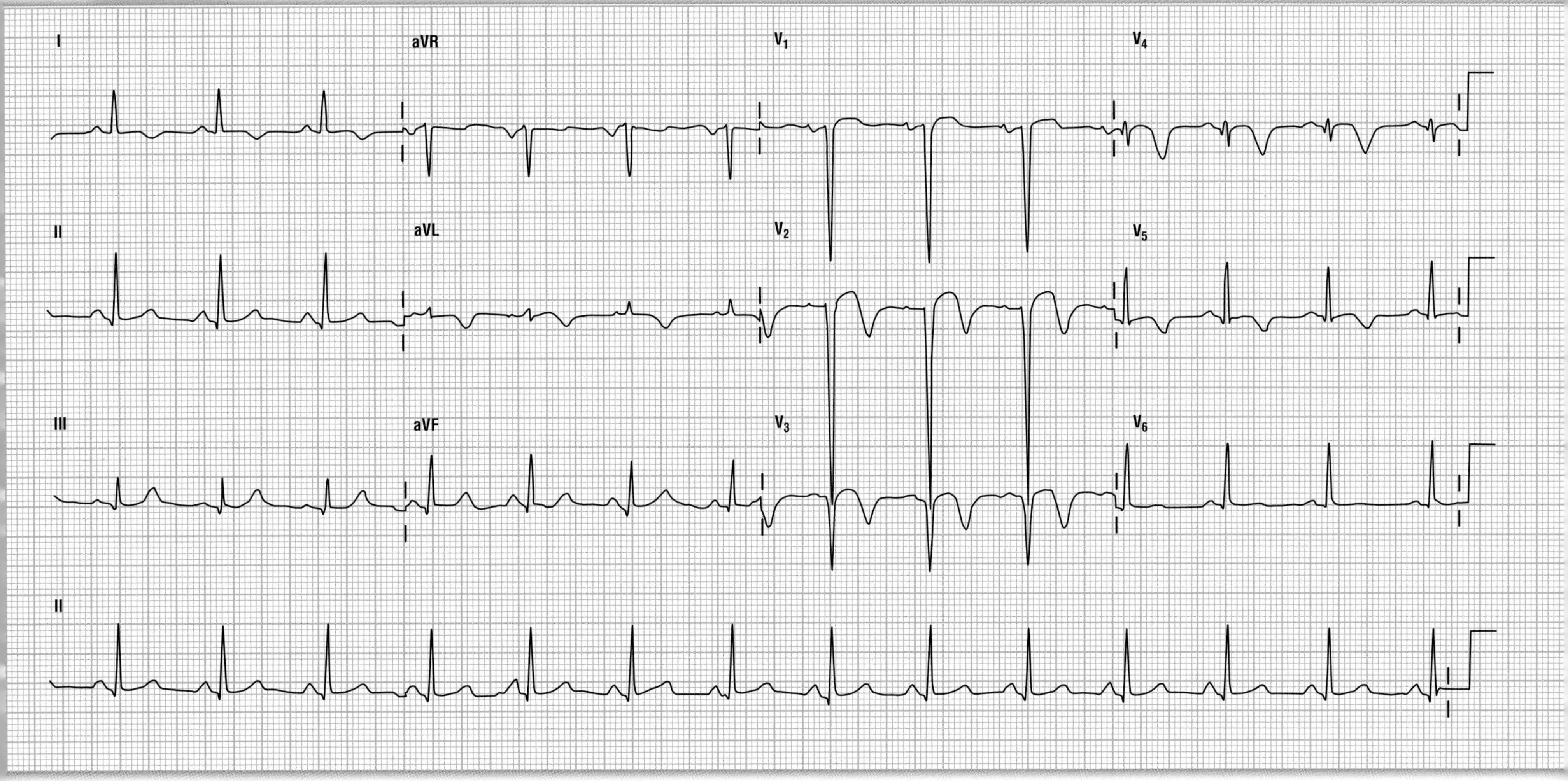

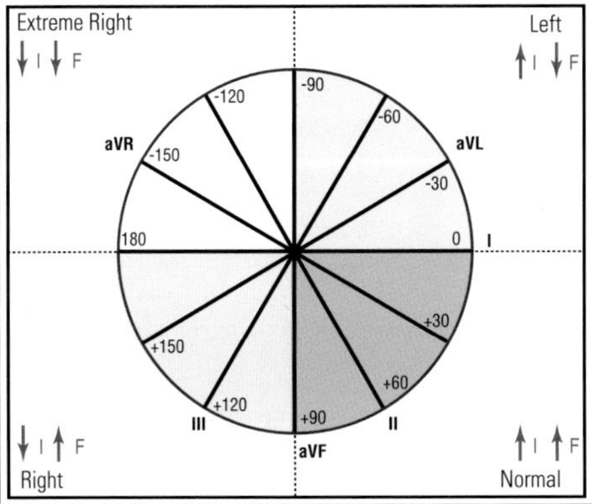

1. 전반적인 인상 :	5. 리듬 :	9. 감별 진단 :
2. 눈에 띄는 특이한 점은 없는가?	6. 축 :	10. 모든 것들을 통합하여 :
3. 맥박 :	7. 비대 :	
4. 간격 : PR 간격 : QRS 간격 : QT 간격 :	8. 허혈 혹은 경색 :	

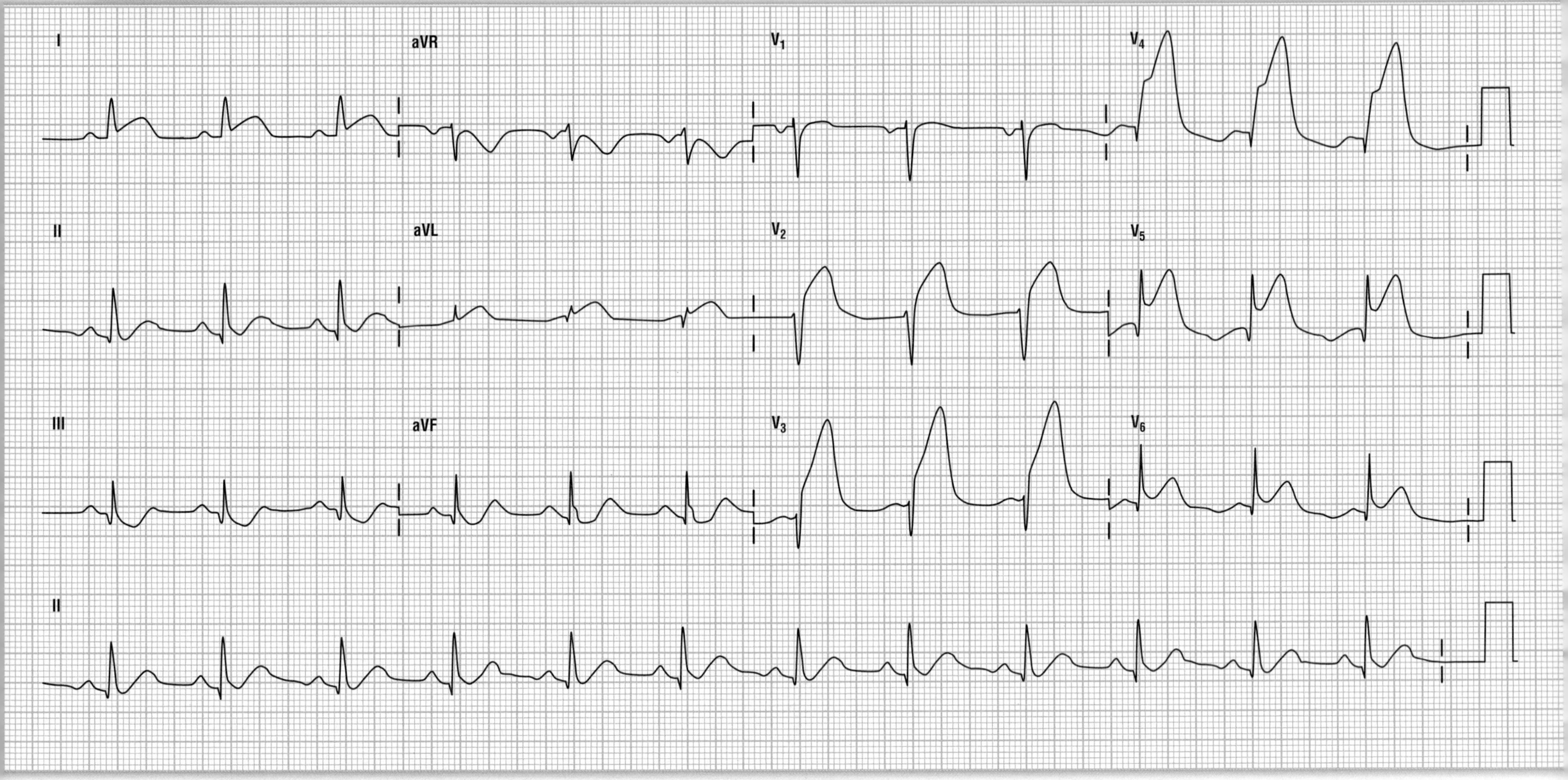

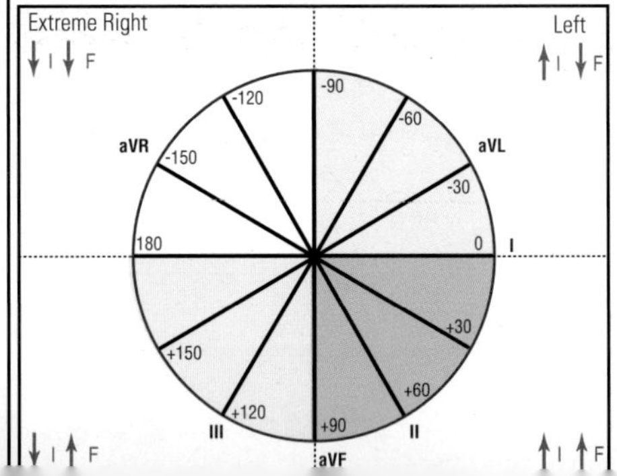

1. 전반적인 인상 :	5. 리듬 :	9. 감별 진단 :
2. 눈에 띄는 특이한 점은 없는가?	6. 축 :	10. 모든 것들을 통합하여 :
3. 맥박 :	7. 비대 :	
4. 간격 : PR 간격 : QRS 간격 : QT 간격 :	8. 허혈 혹은 경색 :	

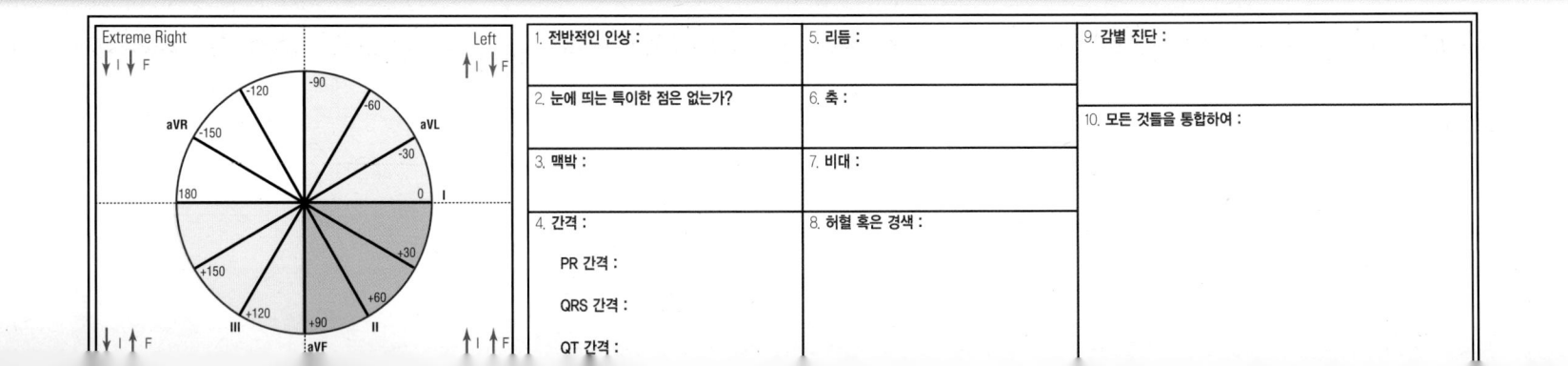

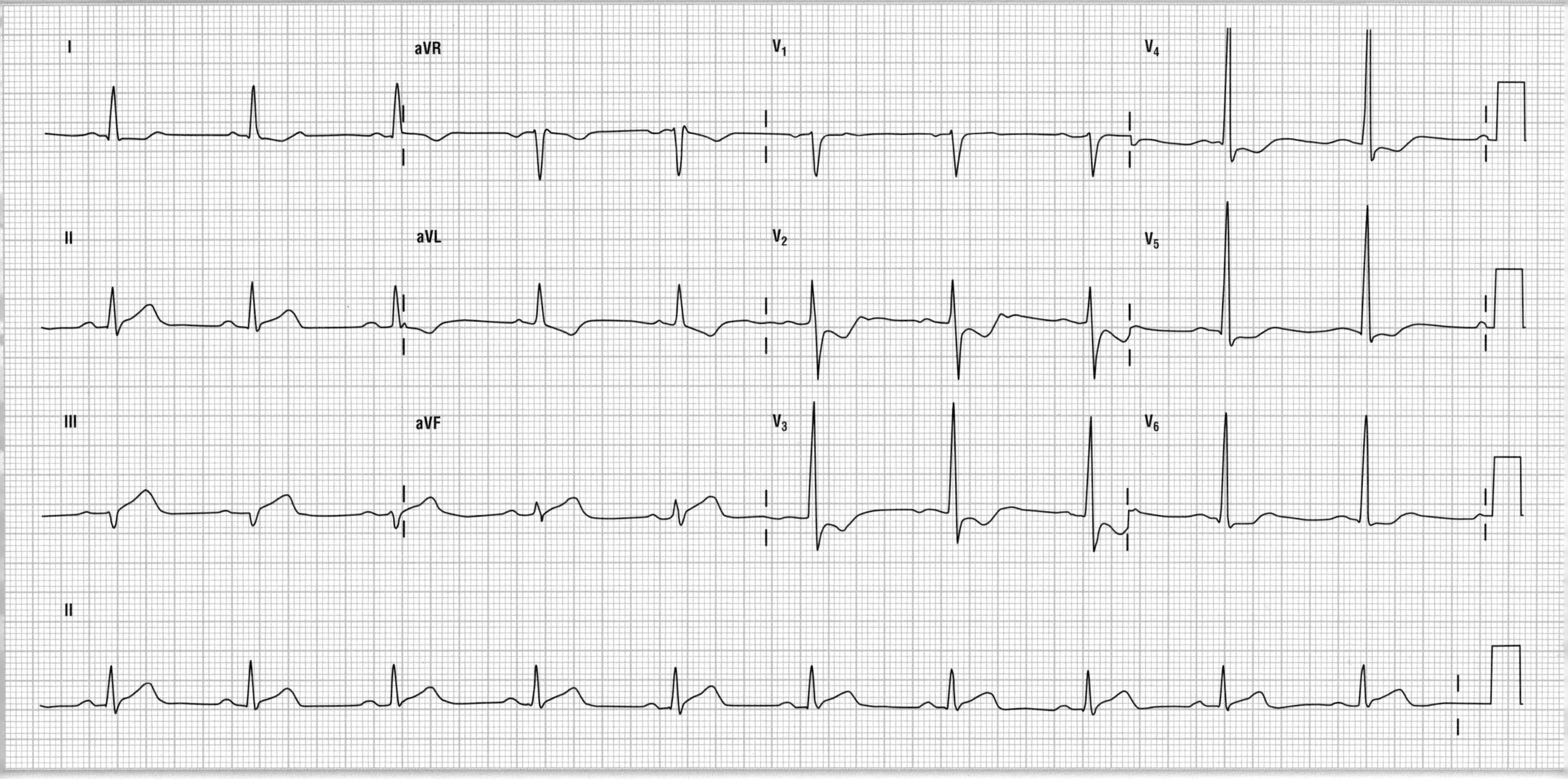

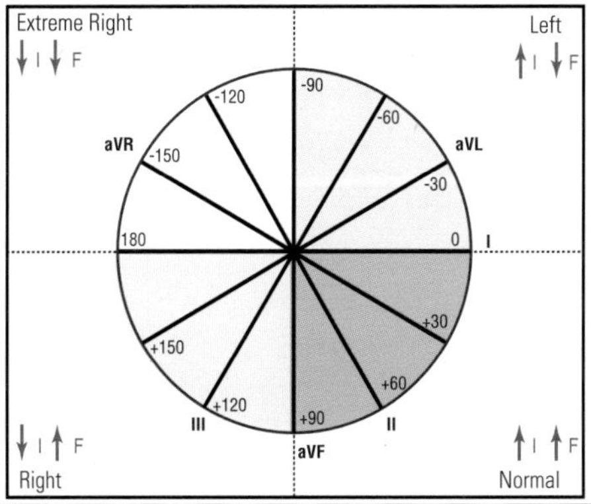

1. 전반적인 인상 :	5. 리듬 :	9. 감별 진단 :
2. 눈에 띄는 특이한 점은 없는가?	6. 축 :	10. 모든 것들을 통합하여 :
3. 맥박 :	7. 비대 :	
4. 간격 : PR 간격 : QRS 간격 : QT 간격 :	8. 허혈 혹은 경색 :	

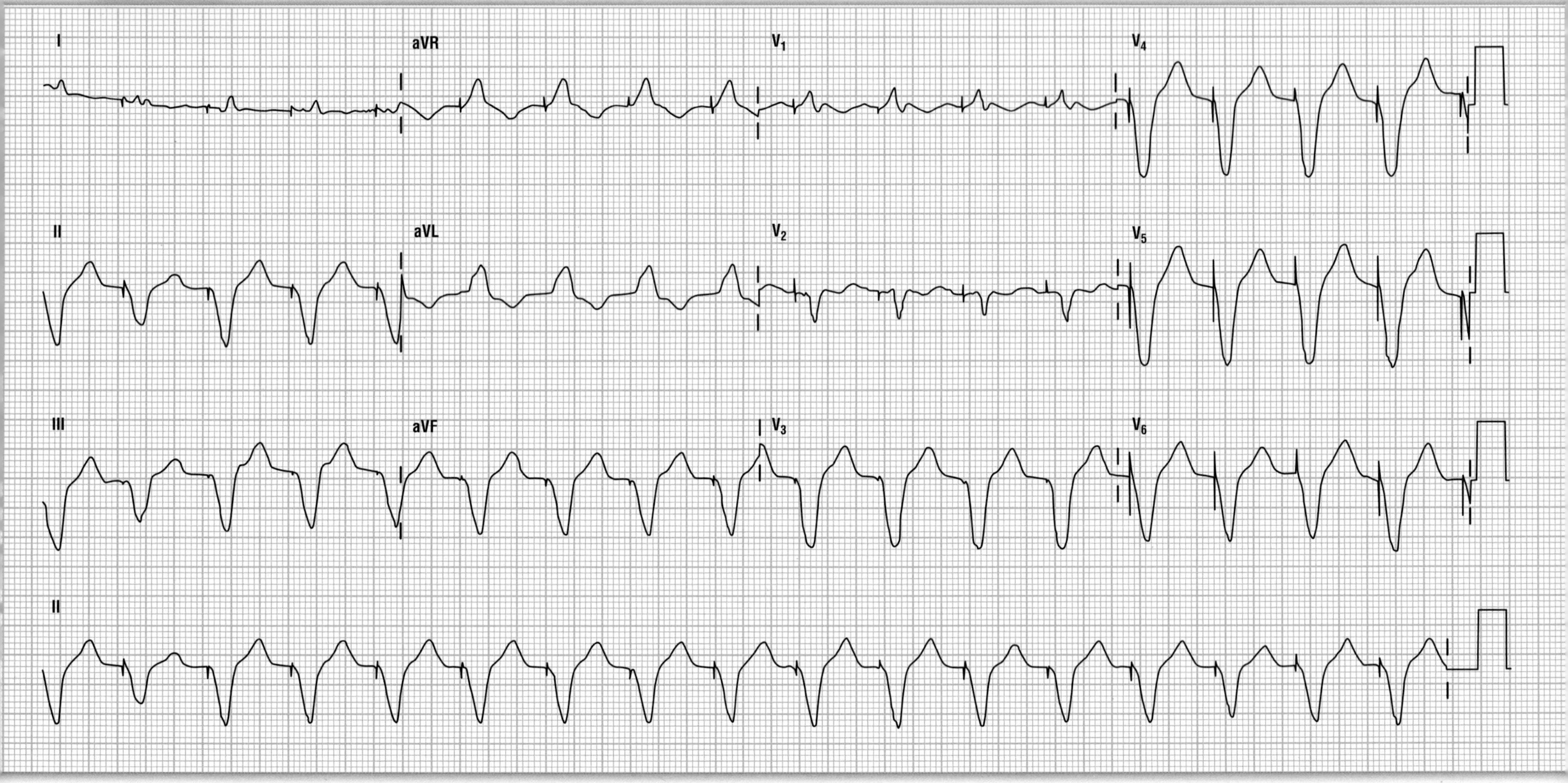

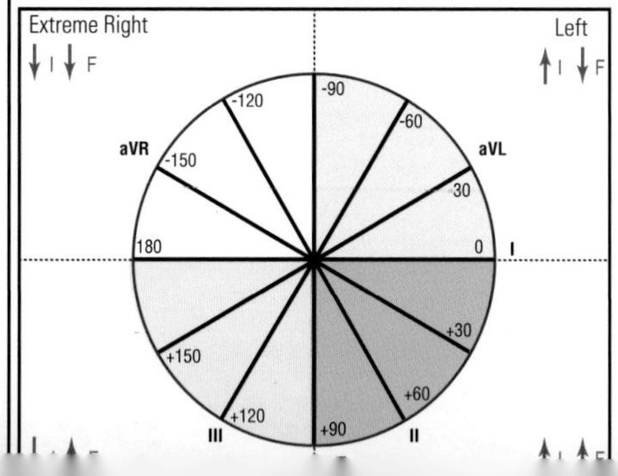

1. 전반적인 인상 :	5. 리듬 :
2. 눈에 띄는 특이한 점은 없는가?	6. 축 :
3. 맥박 :	7. 비대 :
4. 간격 : PR 간격 : QRS 간격 : QT 간격 :	8. 허혈 혹은 경색 :

9. 감별 진단 :

10. 모든 것들을 통합하여 :

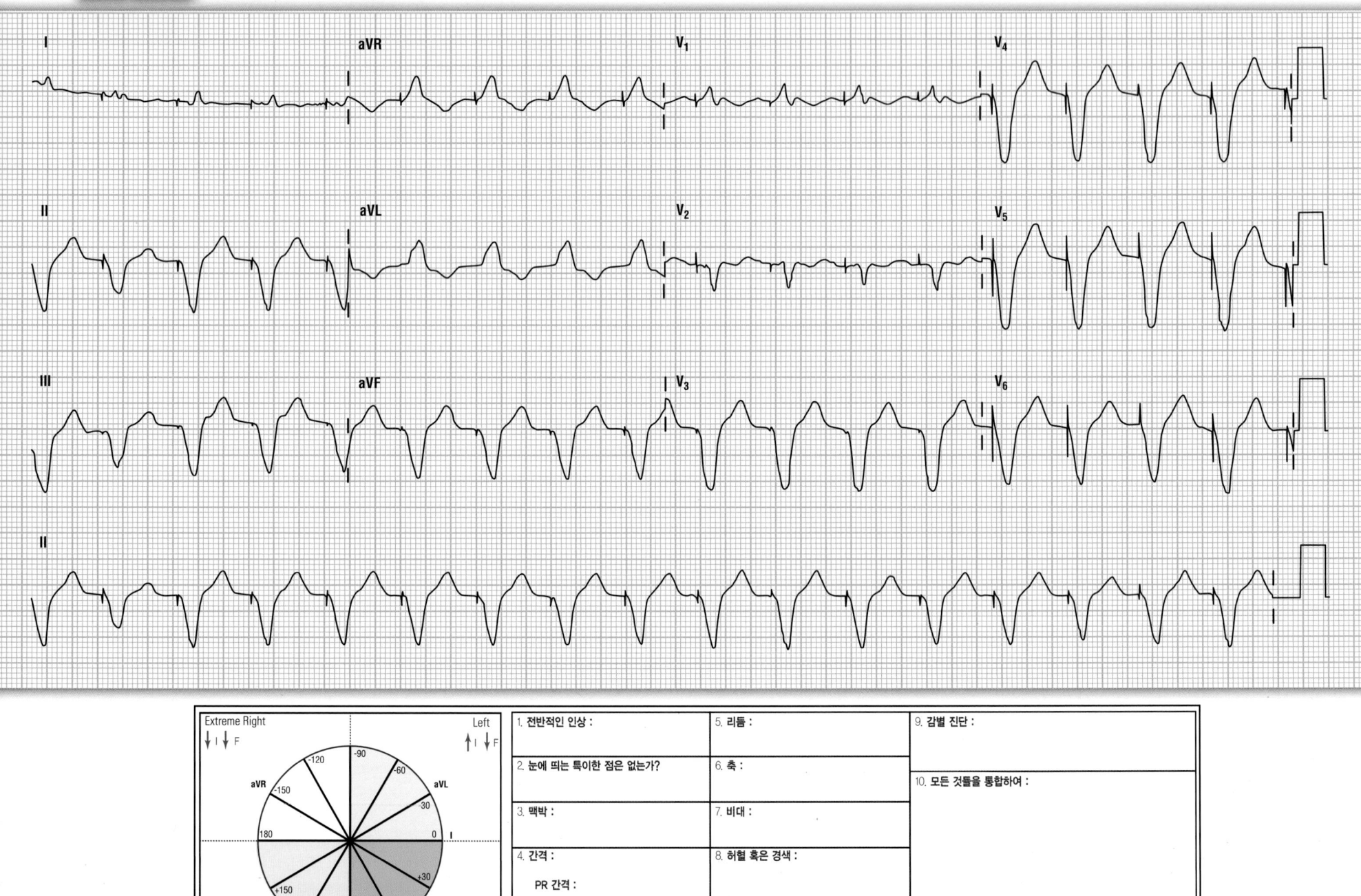

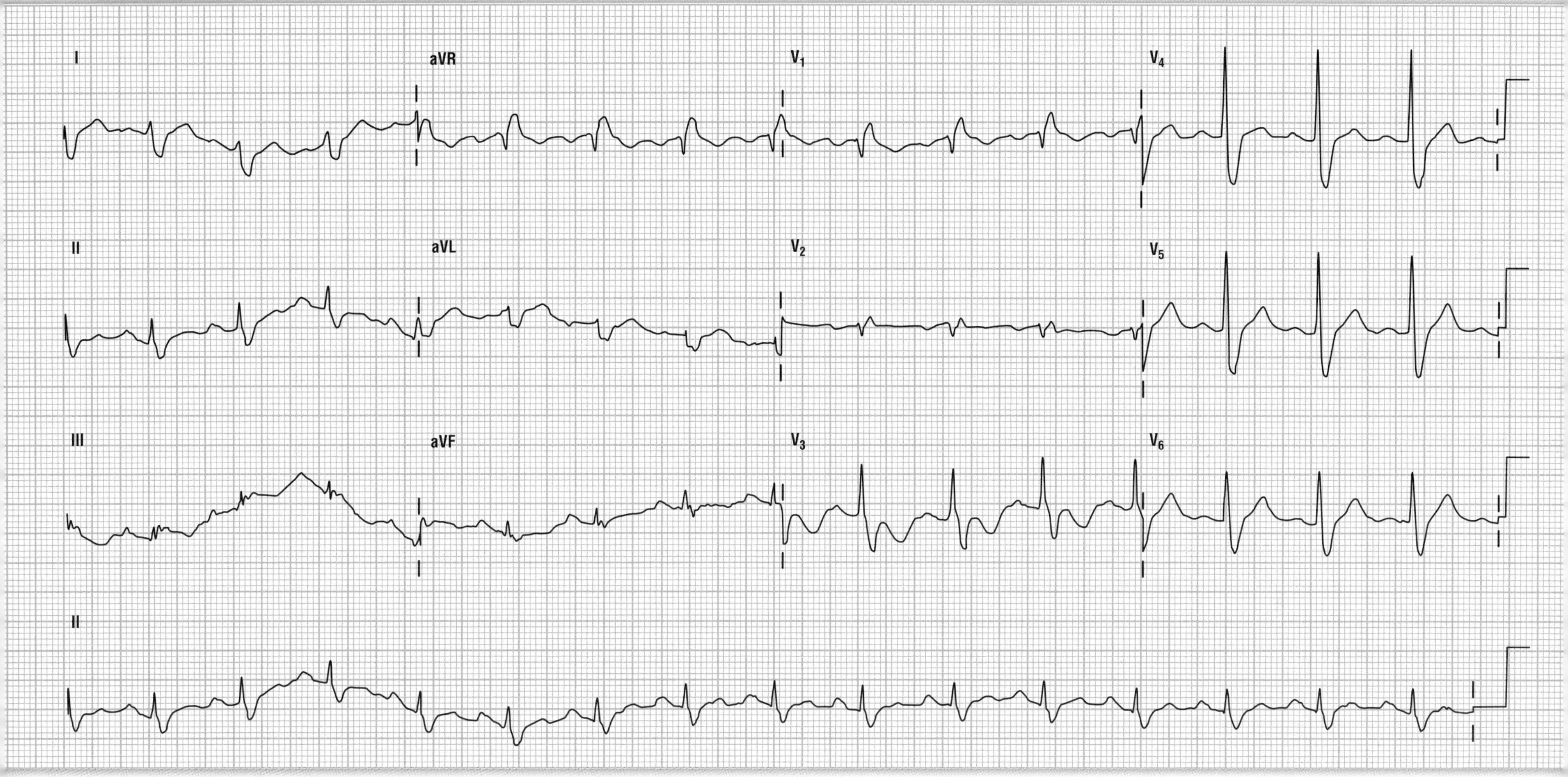

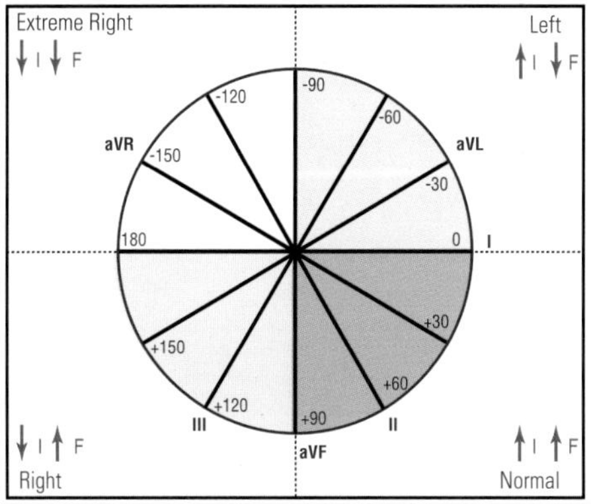

1. 전반적인 인상 :	5. 리듬 :	9. 감별 진단 :
2. 눈에 띄는 특이한 점은 없는가?	6. 축 :	10. 모든 것들을 통합하여 :
3. 맥박 :	7. 비대 :	
4. 간격 : PR 간격 : QRS 간격 : QT 간격 :	8. 허혈 혹은 경색 :	

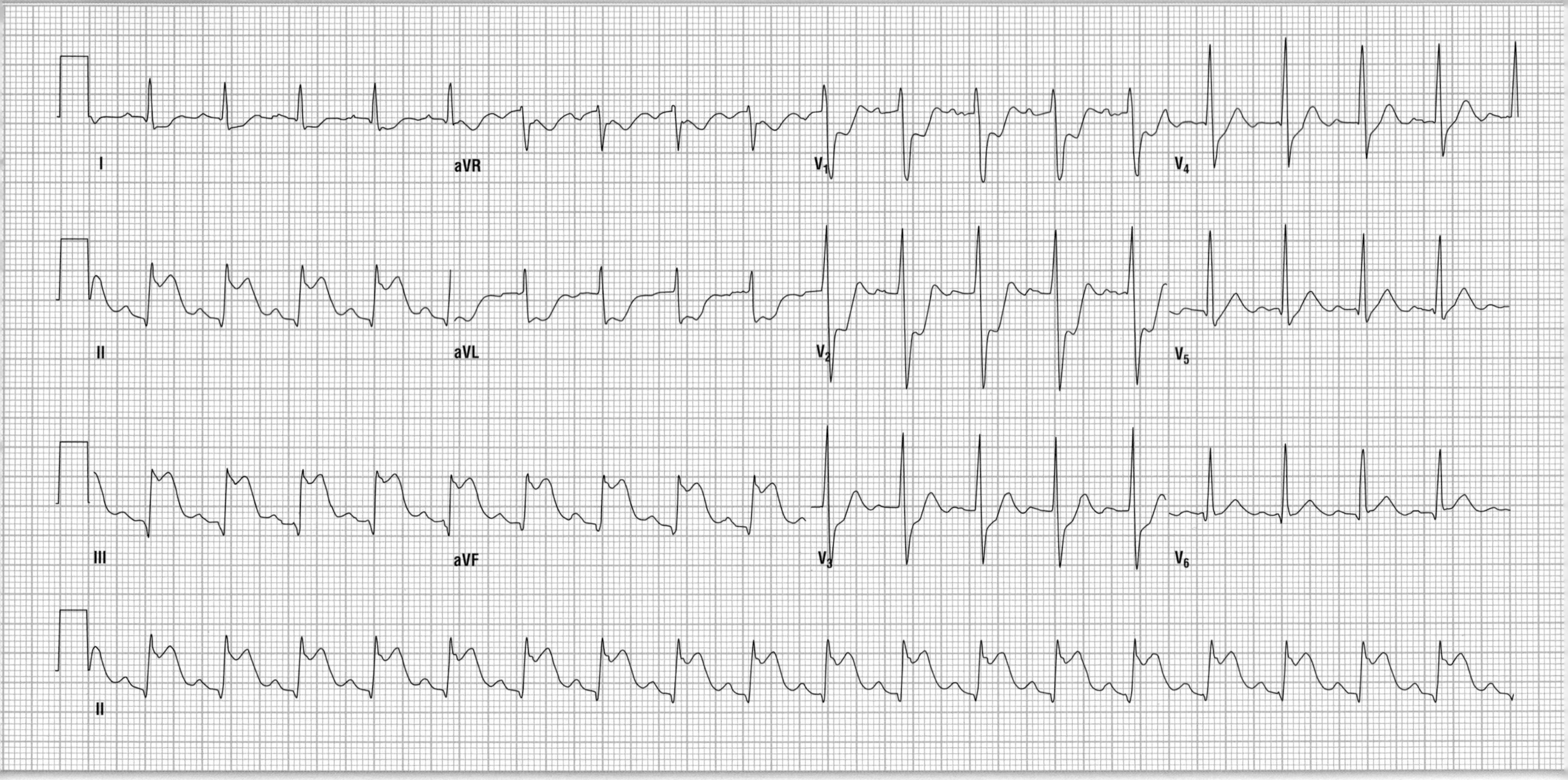

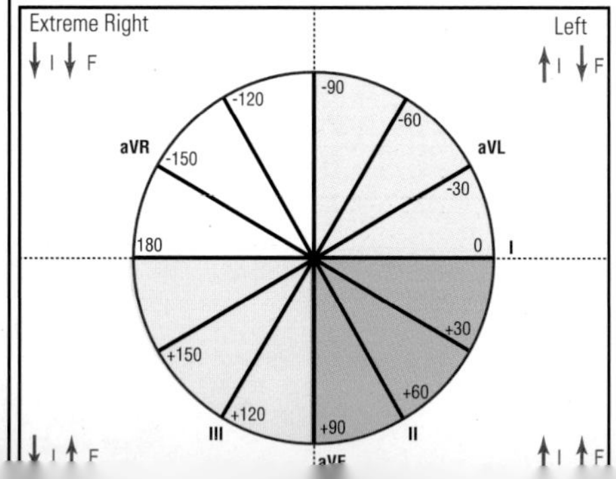

1. 전반적인 인상 :	5. 리듬 :
2. 눈에 띄는 특이한 점은 없는가?	6. 축 :
3. 맥박 :	7. 비대 :
4. 간격 : PR 간격 : QRS 간격 : QT 간격 :	8. 허혈 혹은 경색 :

9. 감별 진단 :

10. 모든 것들을 통합하여 :

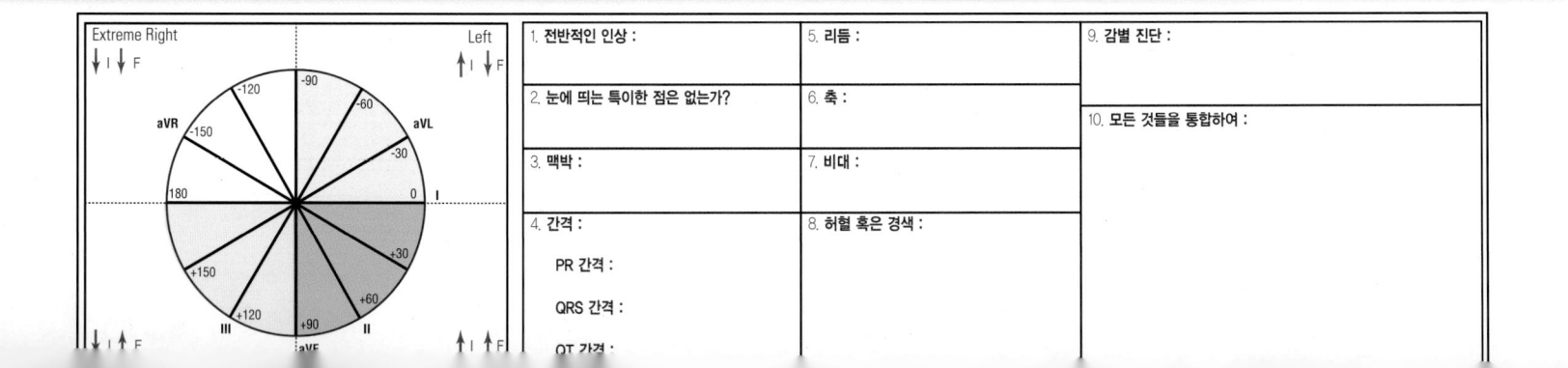

시험 심전도 39

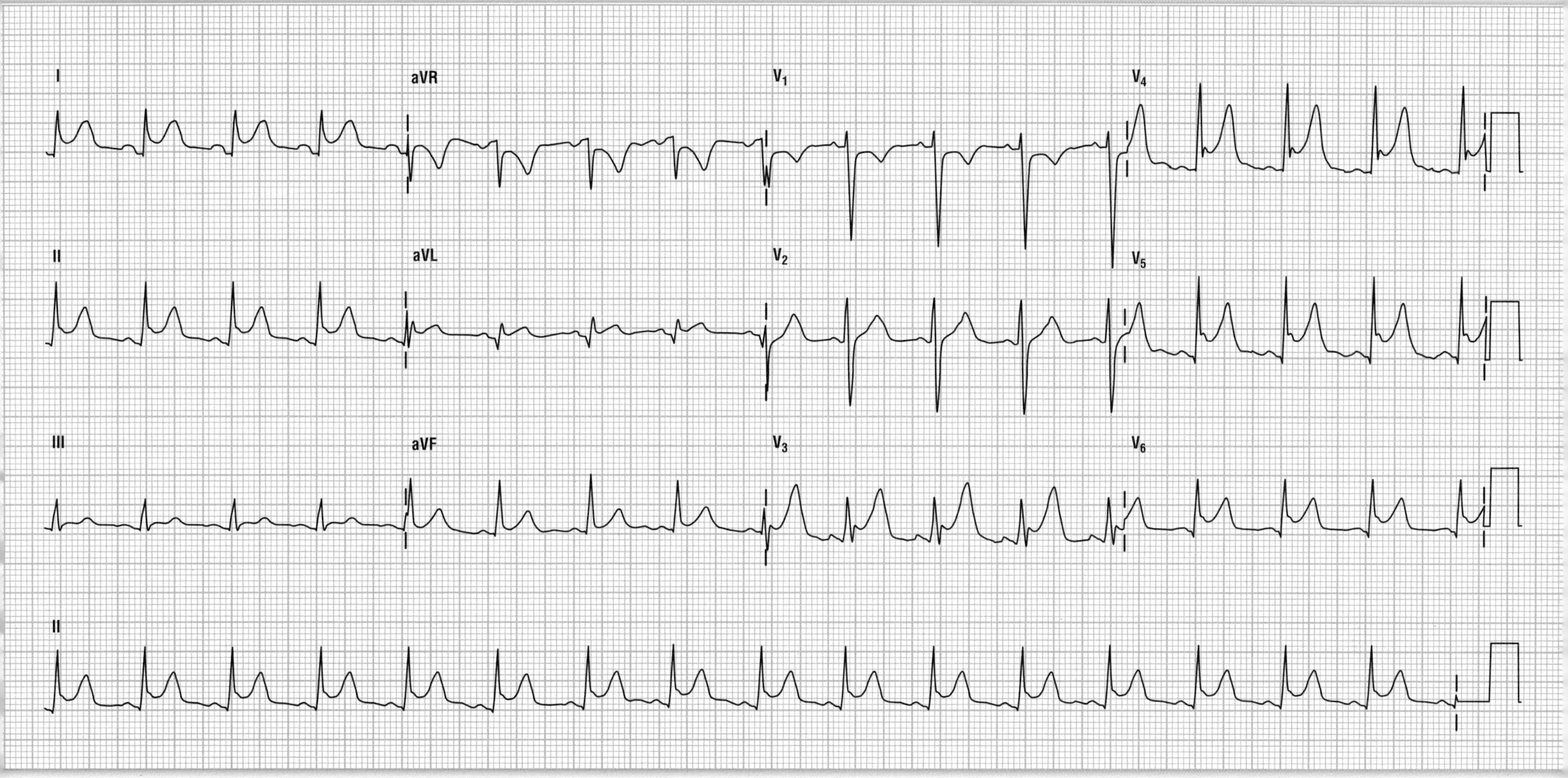

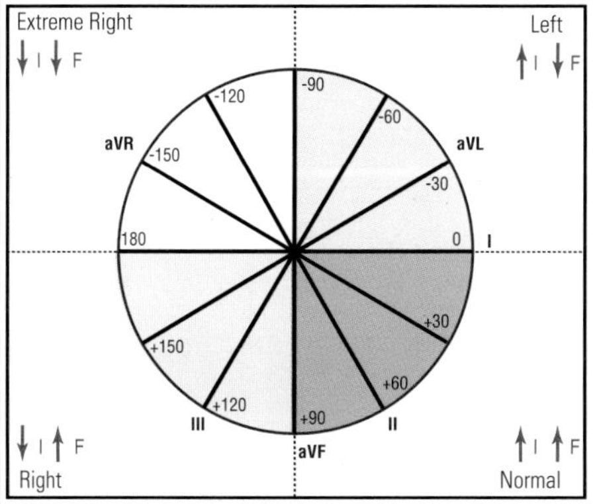

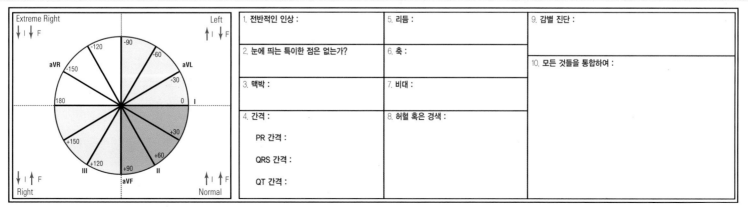

1. 전반적인 인상 :	5. 리듬 :	9. 감별 진단 :
2. 눈에 띄는 특이한 점은 없는가?	6. 축 :	10. 모든 것들을 통합하여 :
3. 맥박 :	7. 비대 :	
4. 간격 : PR 간격 : QRS 간격 : QT 간격 :	8. 허혈 혹은 경색 :	

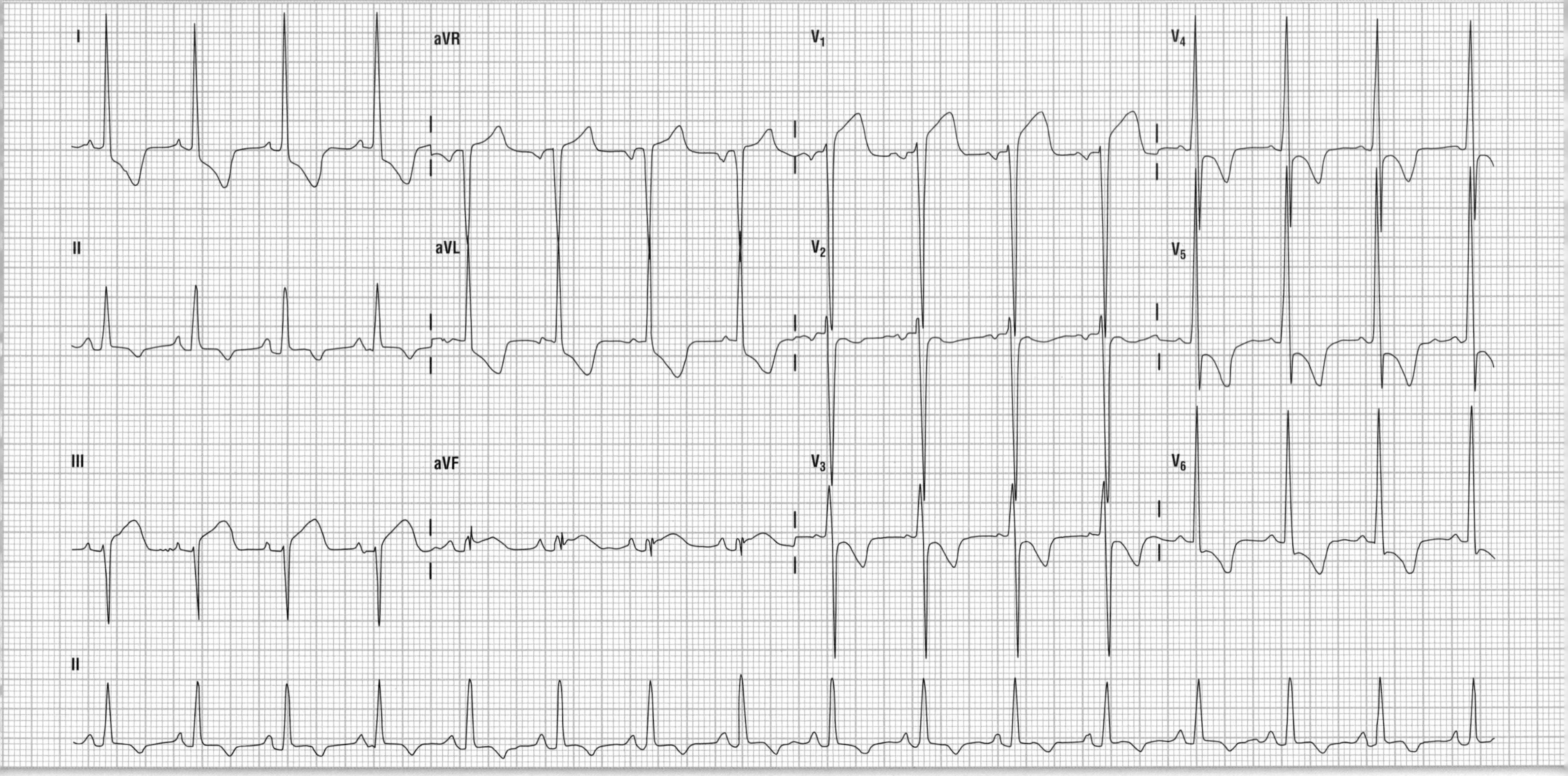

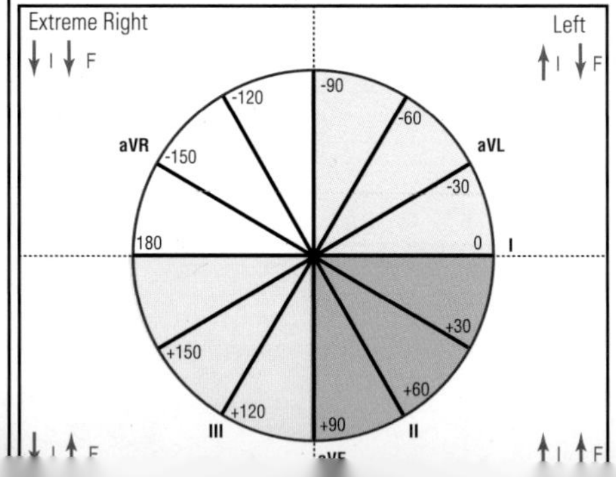

1. 전반적인 인상 :	5. 리듬 :	9. 감별 진단 :
2. 눈에 띄는 특이한 점은 없는가?	6. 축 :	10. 모든 것들을 통합하여 :
3. 맥박 :	7. 비대 :	
4. 간격 : PR 간격 : QRS 간격 : QT 간격 :	8. 허혈 혹은 경색 :	

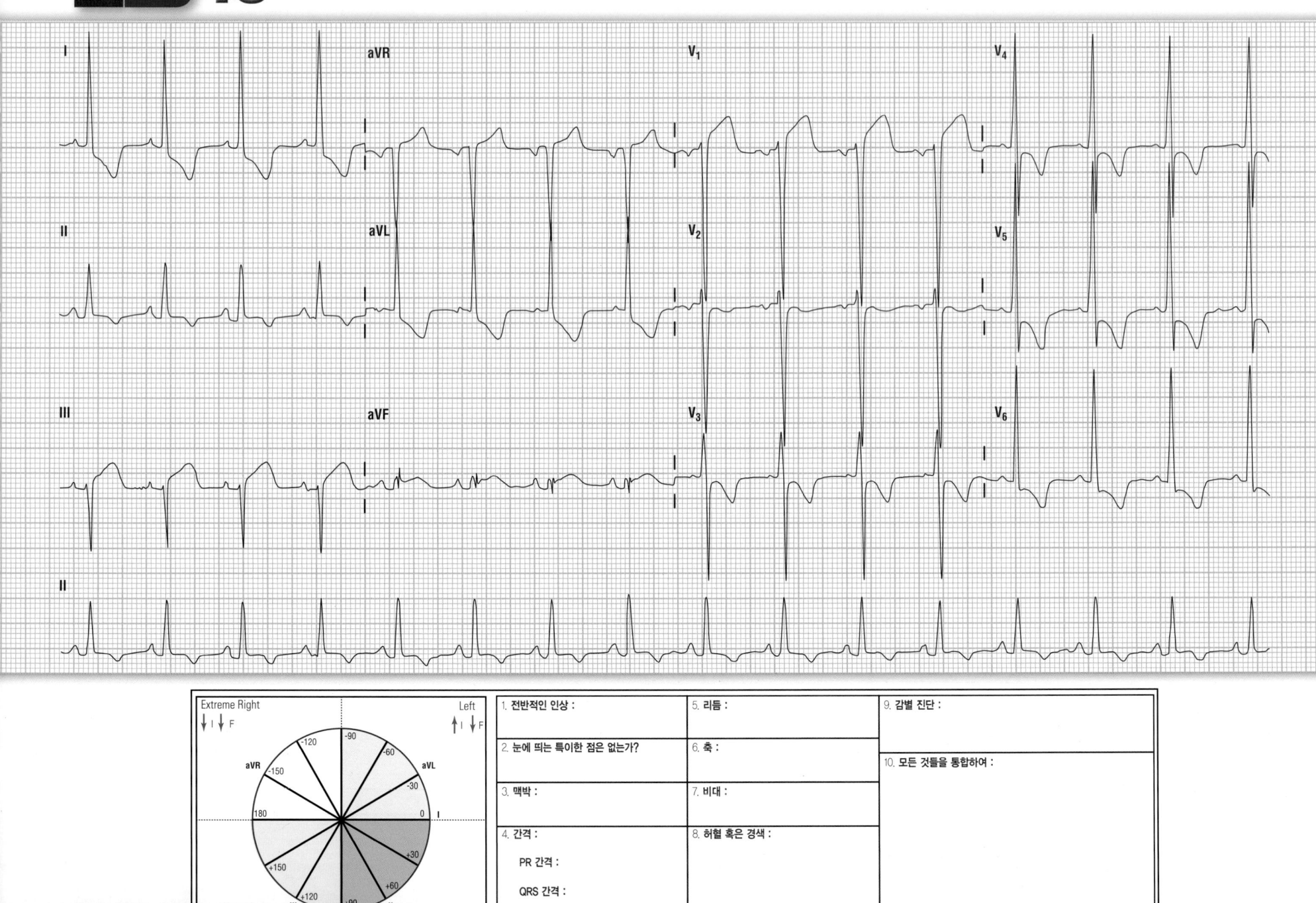

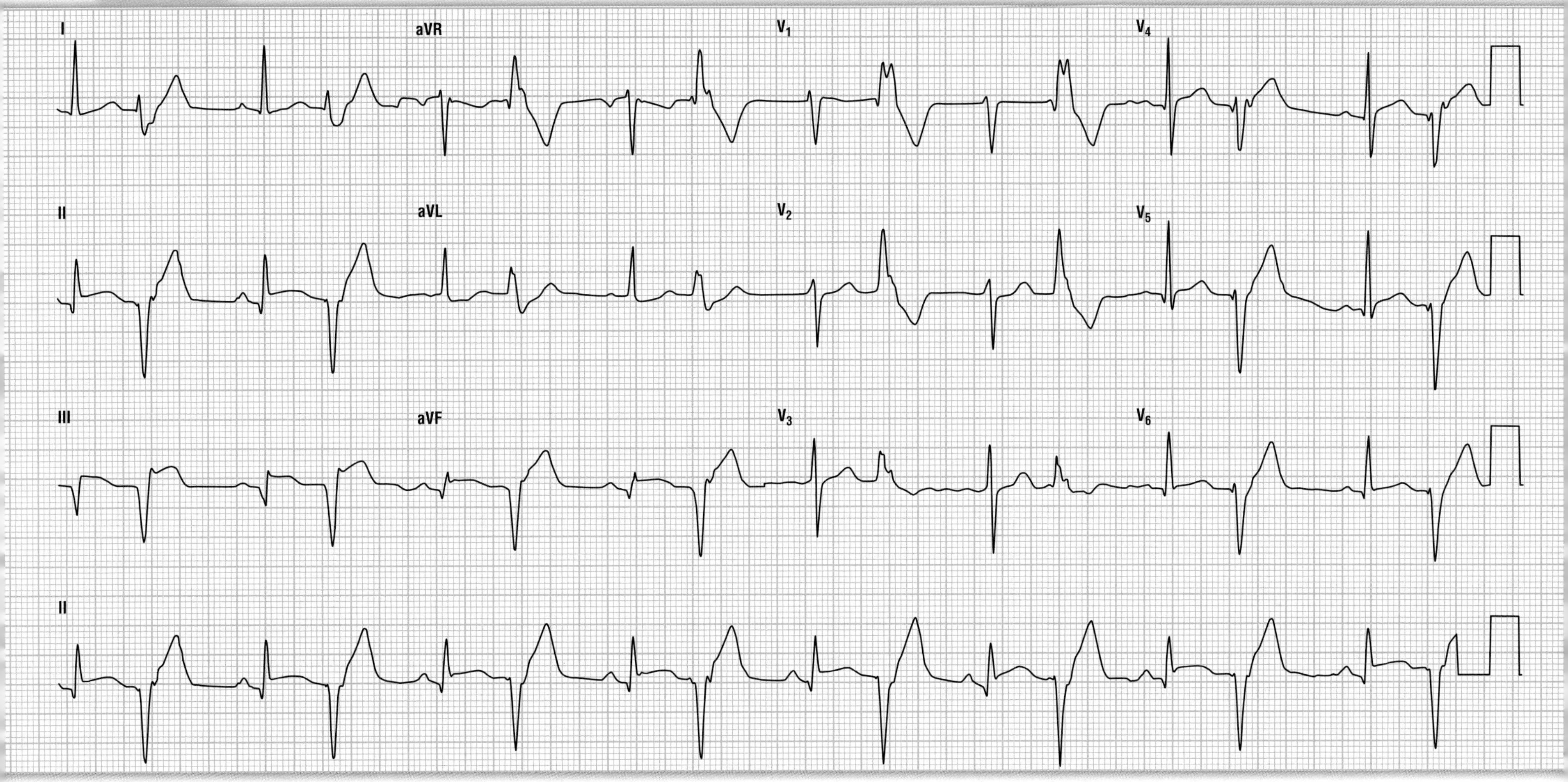

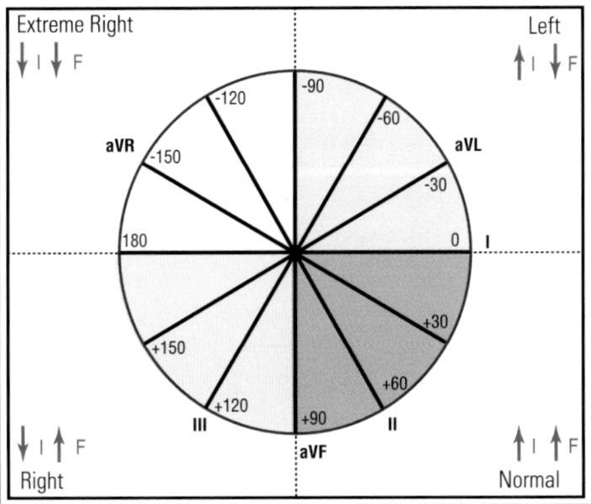

1. 전반적인 인상 :	5. 리듬 :	9. 감별 진단 :
2. 눈에 띄는 특이한 점은 없는가?	6. 축 :	10. 모든 것들을 통합하여 :
3. 맥박 :	7. 비대 :	
4. 간격 : PR 간격 : QRS 간격 : QT 간격 :	8. 허혈 혹은 경색 :	

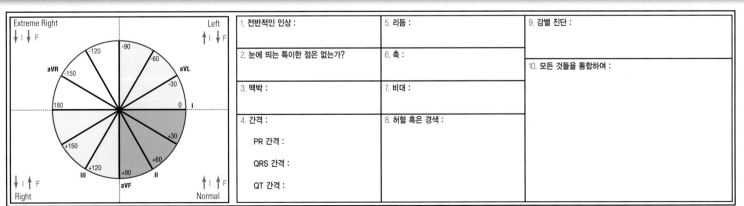

시험 심전도 42

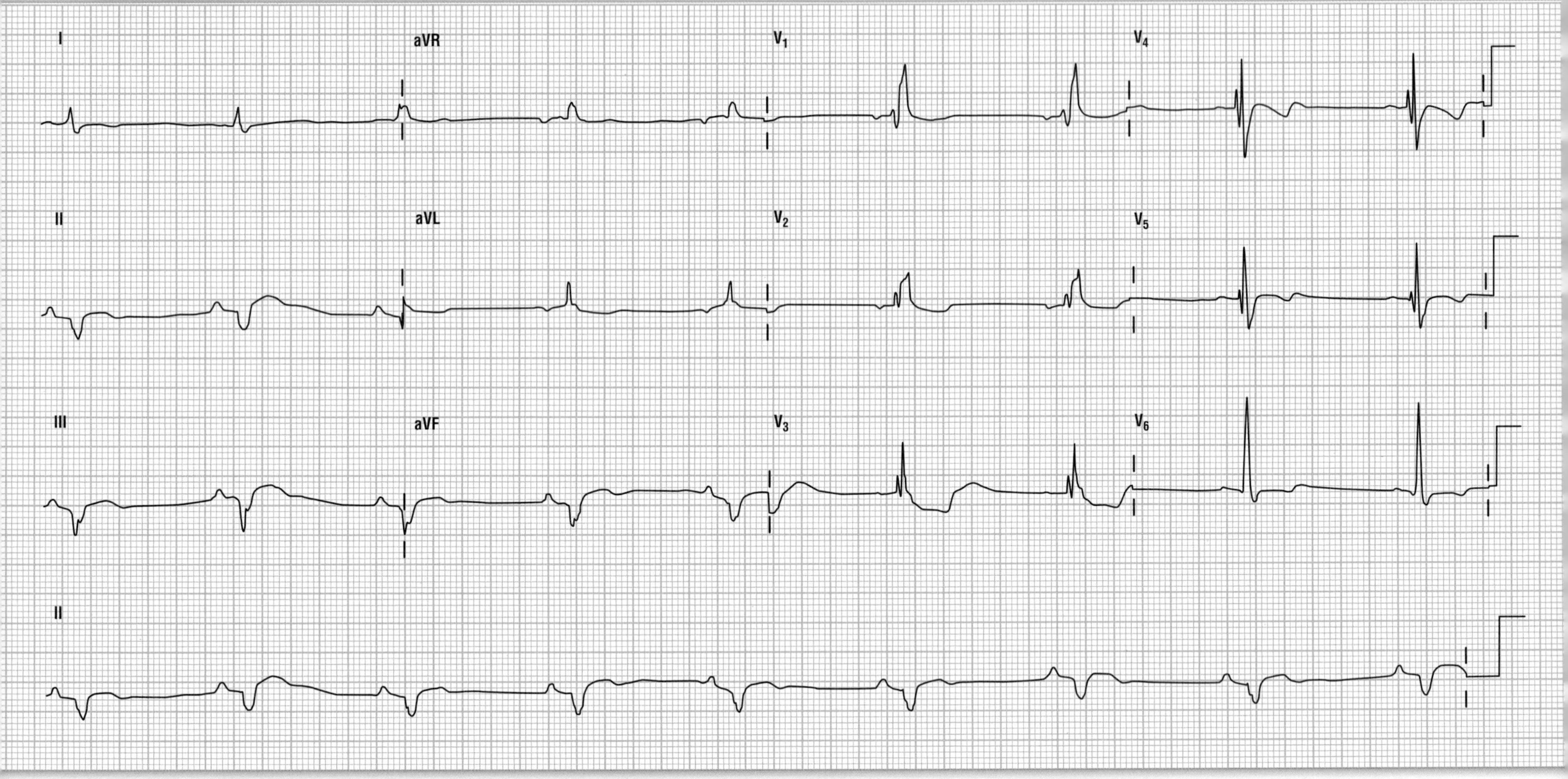

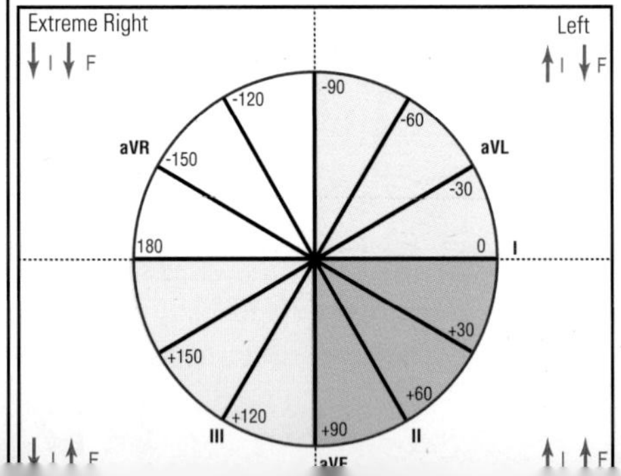

1. 전반적인 인상 :	5. 리듬 :	9. 감별 진단 :
2. 눈에 띄는 특이한 점은 없는가?	6. 축 :	10. 모든 것들을 통합하여 :
3. 맥박 :	7. 비대 :	
4. 간격 : PR 간격 : QRS 간격 : QT 간격 :	8. 허혈 혹은 경색 :	

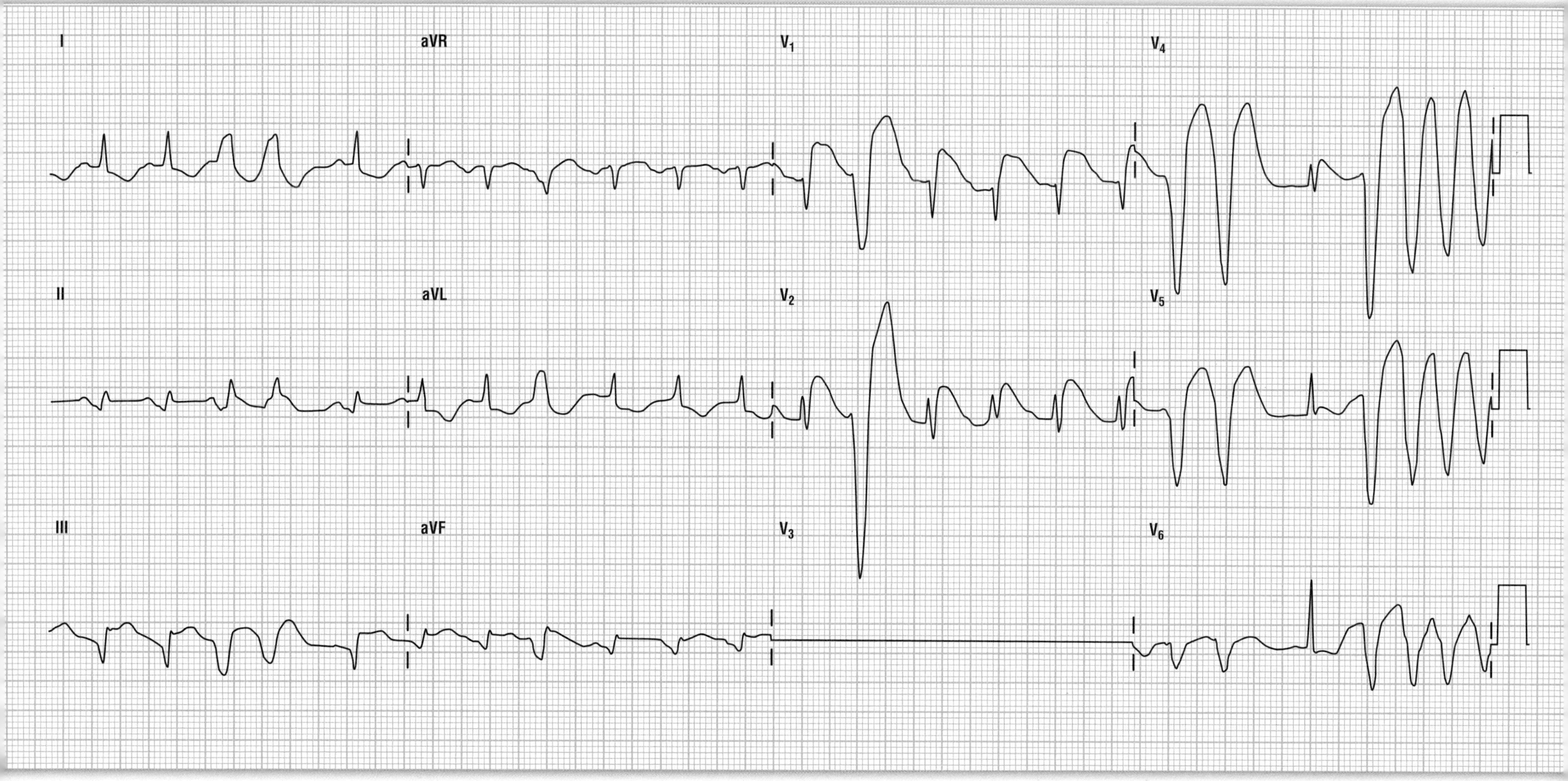

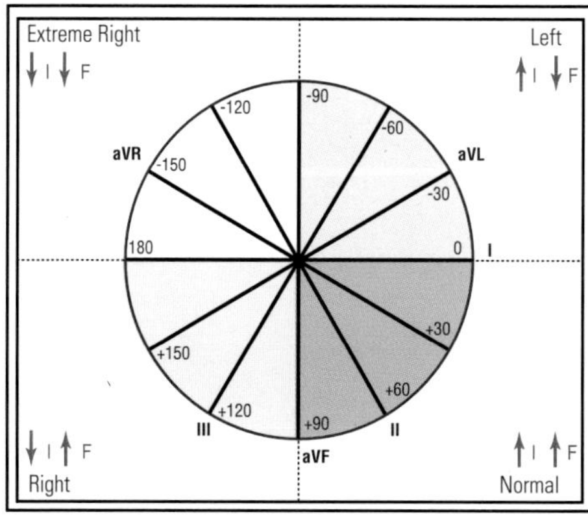

1. 전반적인 인상 :	5. 리듬 :	9. 감별 진단 :
2. 눈에 띄는 특이한 점은 없는가?	6. 축 :	10. 모든 것들을 통합하여 :
3. 맥박 :	7. 비대 :	
4. 간격 : PR 간격 : QRS 간격 : QT 간격 :	8. 허혈 혹은 경색 :	

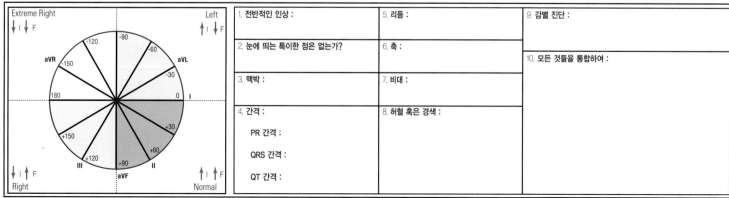

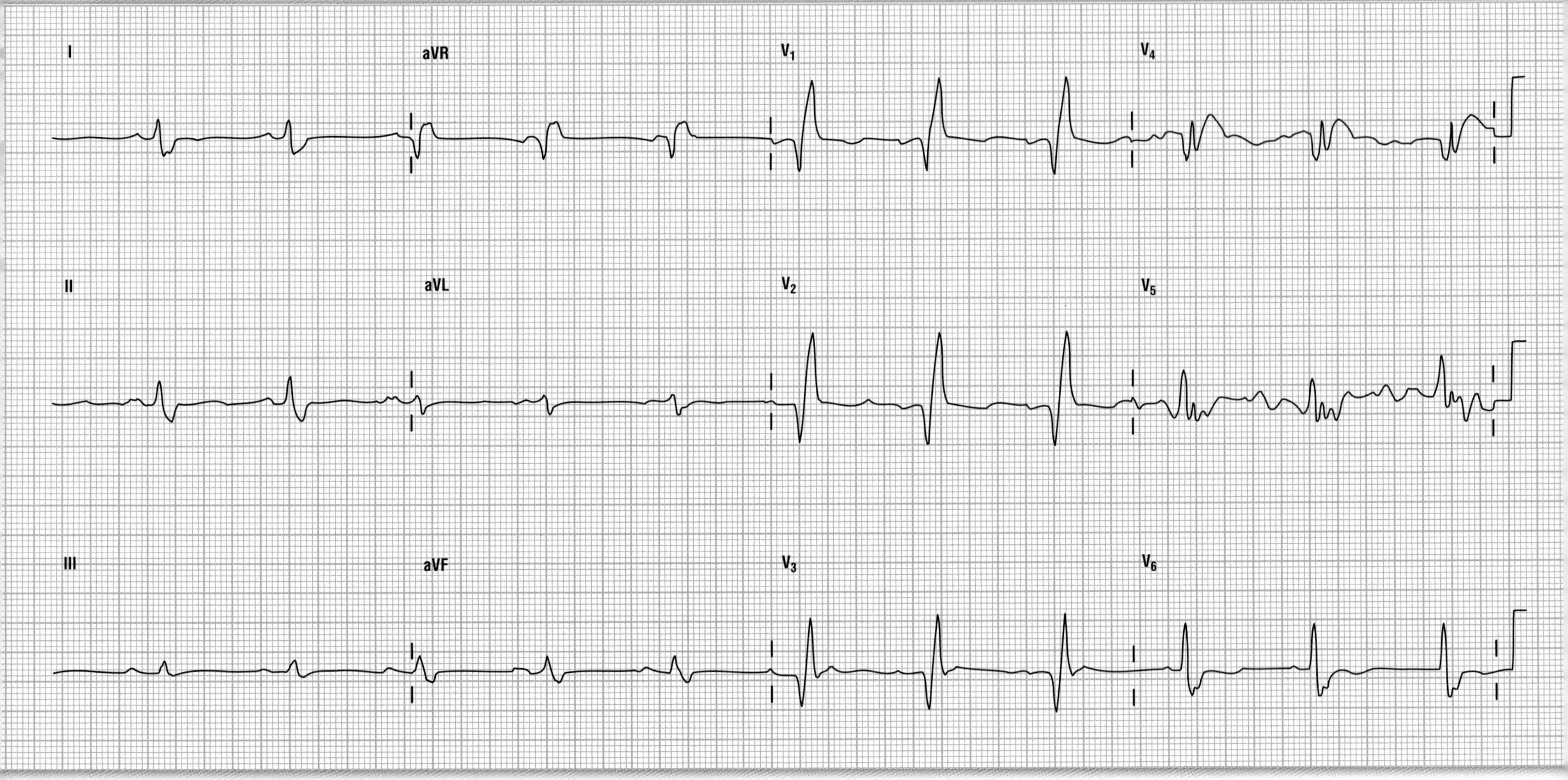

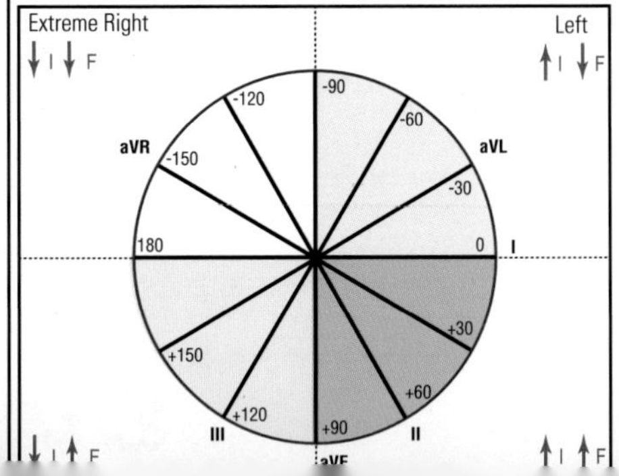

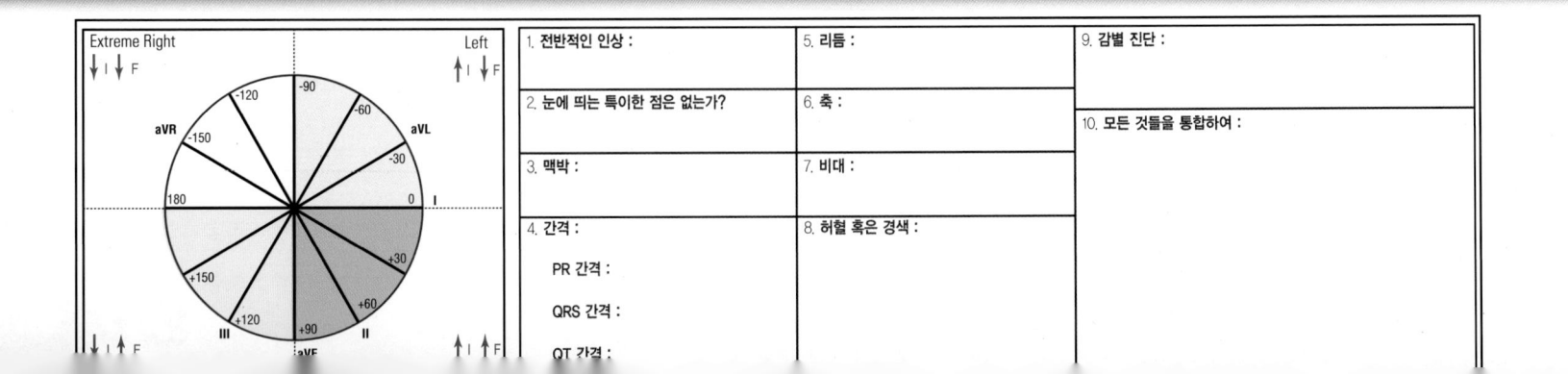

1. 전반적인 인상 :	5. 리듬 :	9. 감별 진단 :
2. 눈에 띄는 특이한 점은 없는가?	6. 축 :	10. 모든 것들을 통합하여 :
3. 맥박 :	7. 비대 :	
4. 간격 : PR 간격 : QRS 간격 : QT 간격 :	8. 허혈 혹은 경색 :	

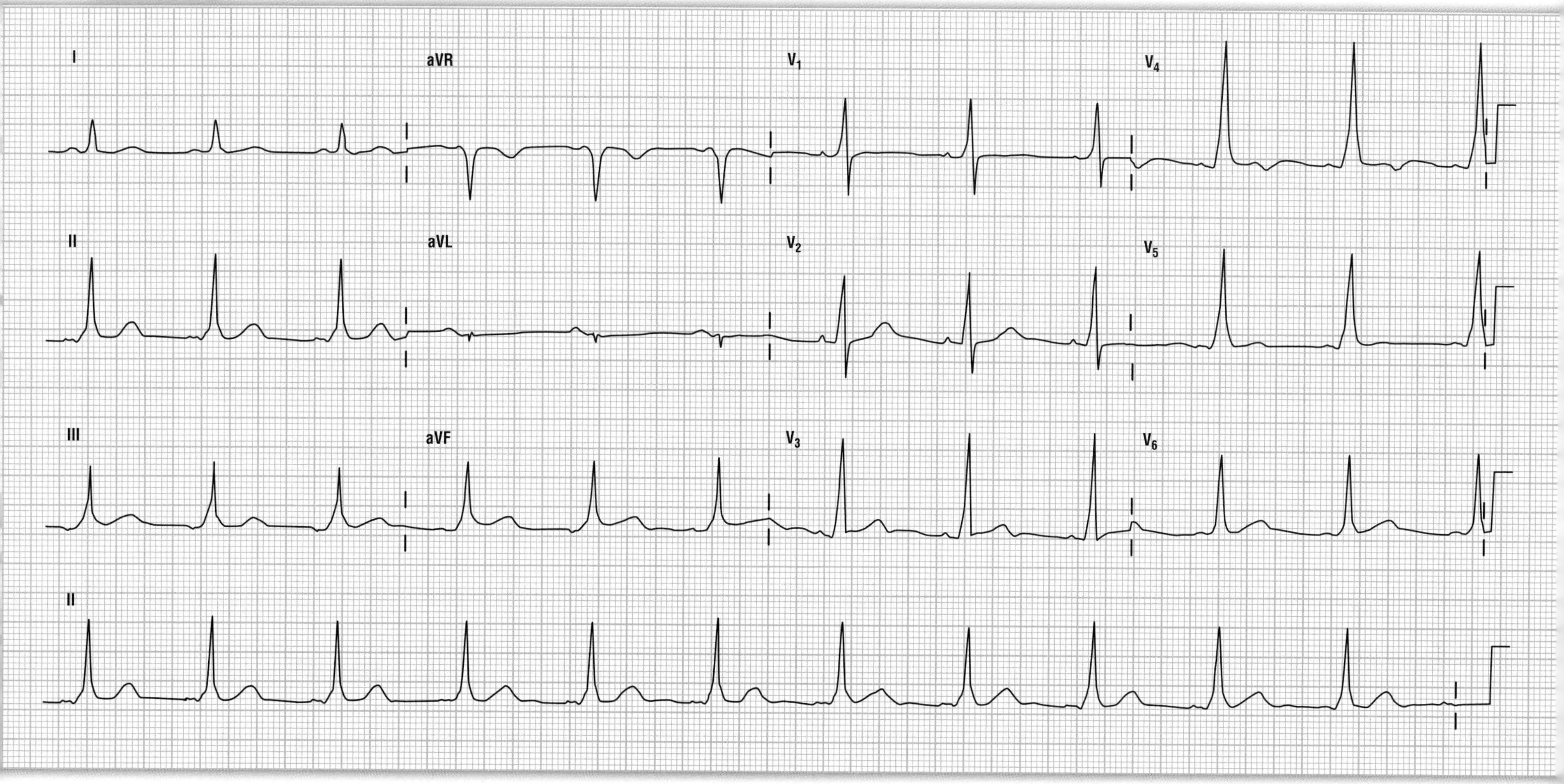

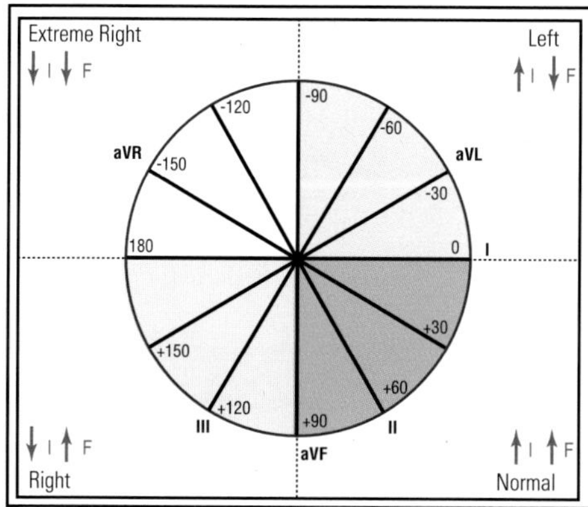

1. 전반적인 인상 :

2. 눈에 띄는 특이한 점은 없는가?

3. 맥박 :

4. 간격 :

PR 간격 :

QRS 간격 :

QT 간격 :

5. 리듬 :

6. 축 :

7. 비대 :

8. 허혈 혹은 경색 :

9. 감별 진단 :

10. 모든 것들을 통합하여 :

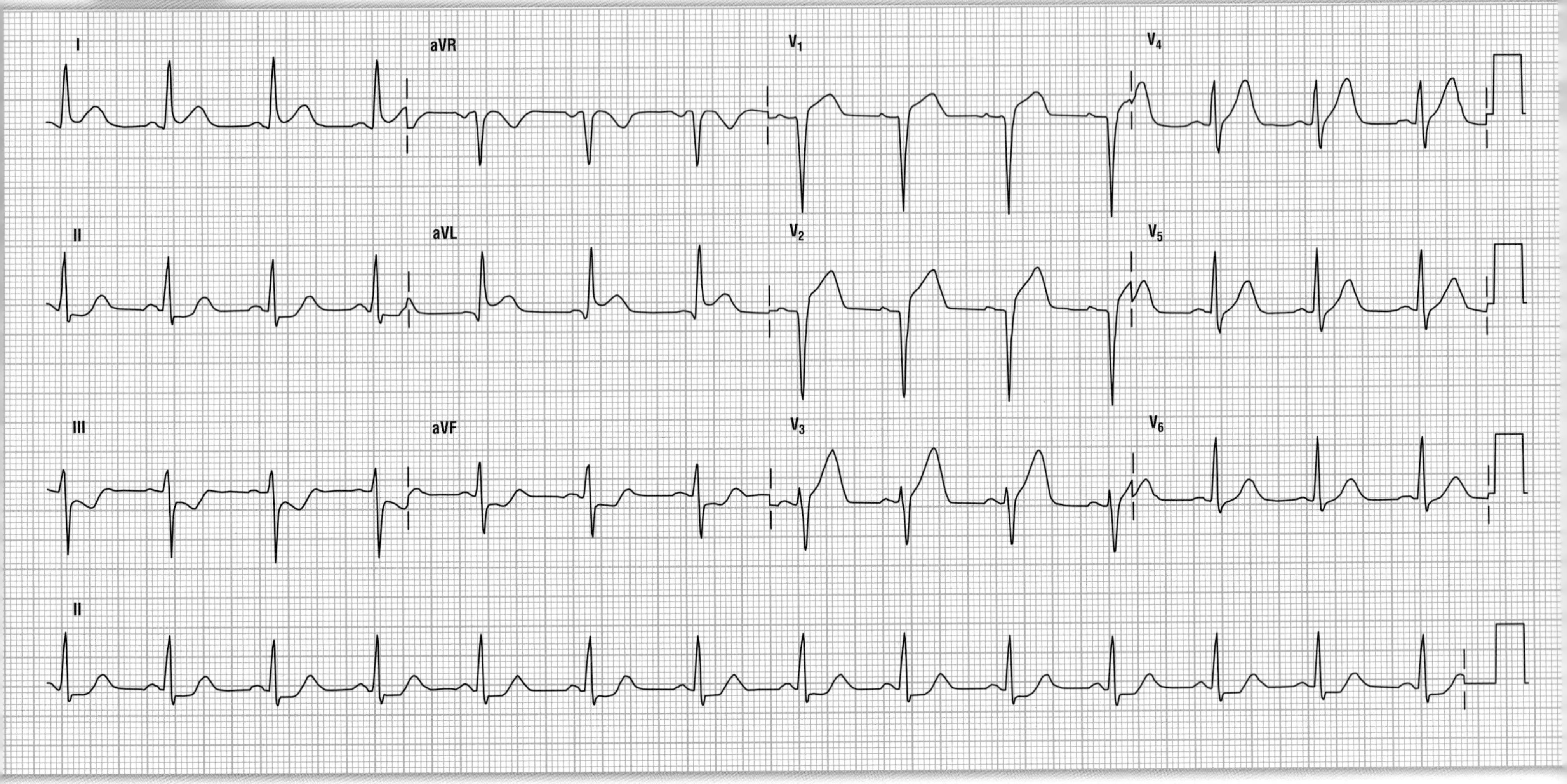

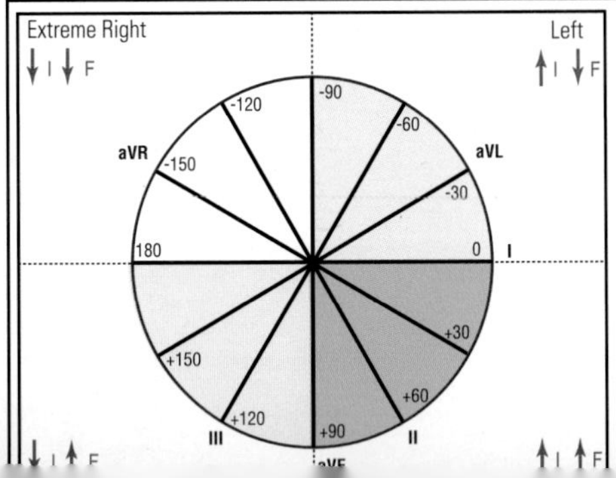

1. 전반적인 인상 :	5. 리듬 :	9. 감별 진단 :
2. 눈에 띄는 특이한 점은 없는가?	6. 축 :	10. 모든 것들을 통합하여 :
3. 맥박 :	7. 비대 :	
4. 간격 : PR 간격 : QRS 간격 : QT 간격 :	8. 허혈 혹은 경색 :	

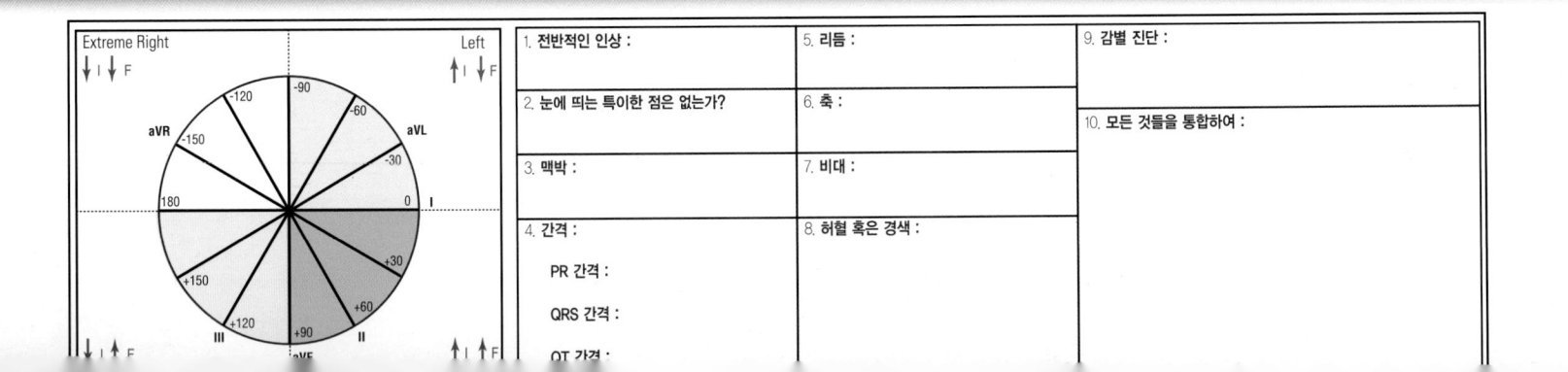

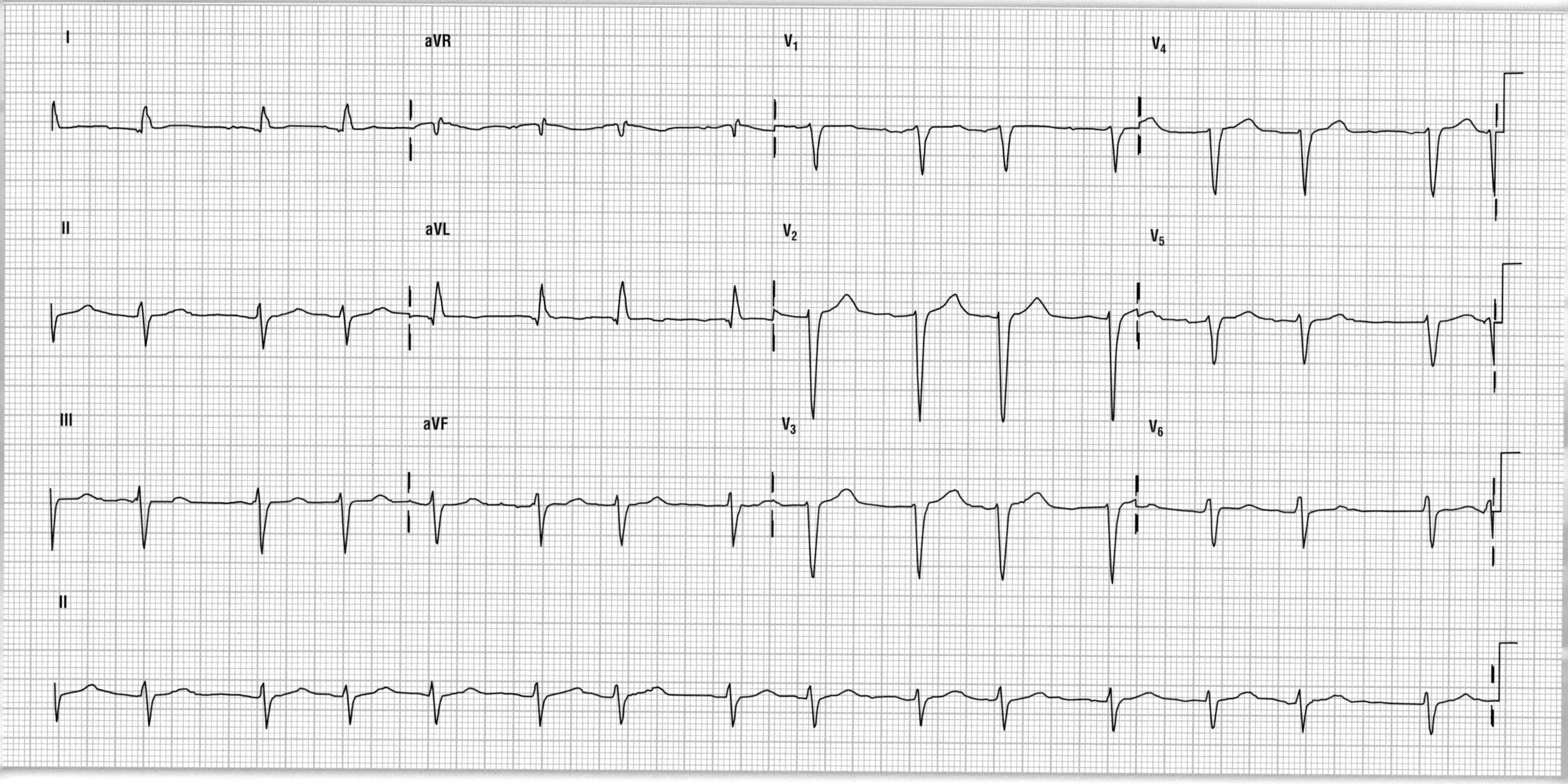

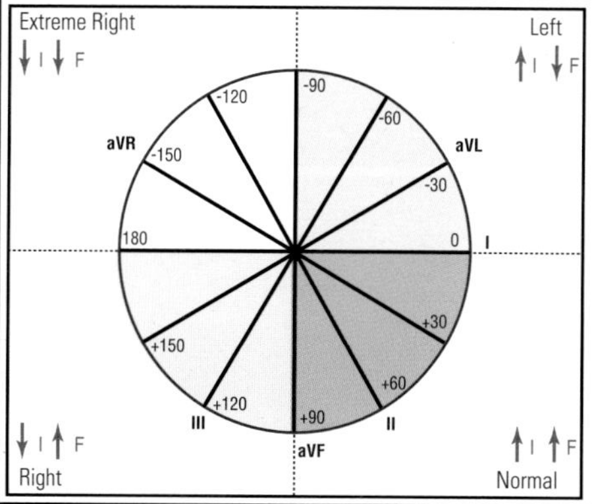

1. 전반적인 인상 :

2. 눈에 띄는 특이한 점은 없는가?

3. 맥박 :

4. 간격 :
   - PR 간격 :
   - QRS 간격 :
   - QT 간격 :

5. 리듬 :

6. 축 :

7. 비대 :

8. 허혈 혹은 경색 :

9. 감별 진단 :

10. 모든 것들을 통합하여 :

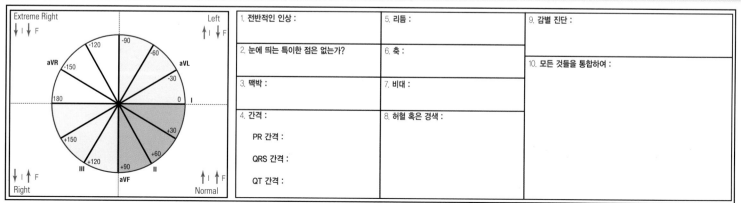

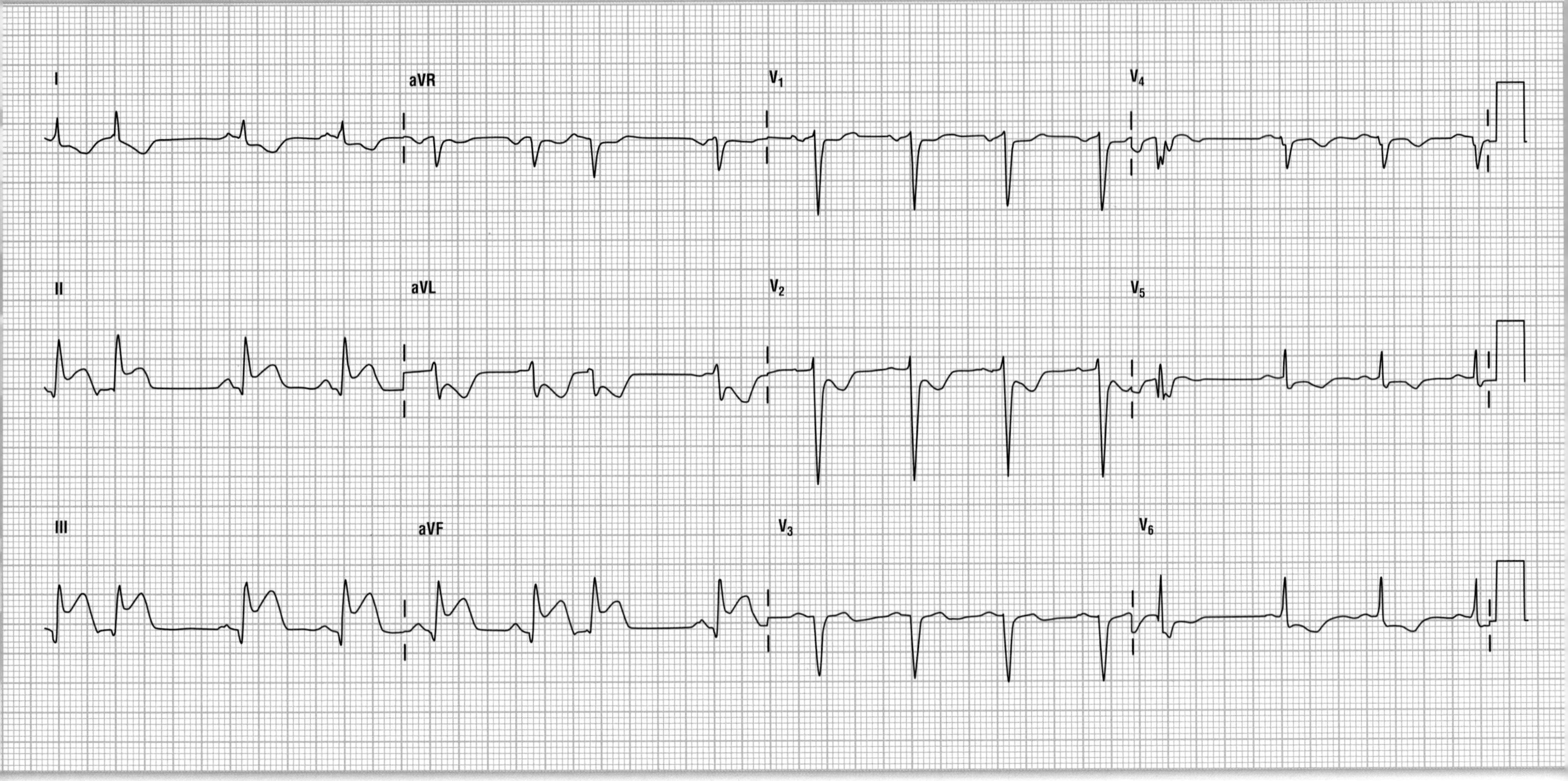

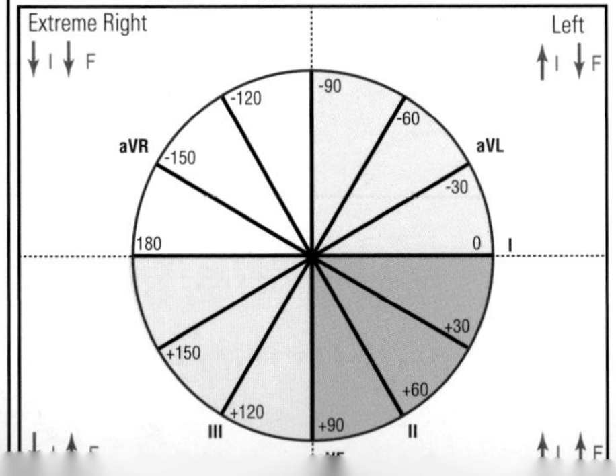

1. 전반적인 인상 :	5. 리듬 :	9. 감별 진단 :
2. 눈에 띄는 특이한 점은 없는가?	6. 축 :	10. 모든 것들을 통합하여 :
3. 맥박 :	7. 비대 :	
4. 간격 : PR 간격 : QRS 간격 : QT 간격 :	8. 허혈 혹은 경색 :	

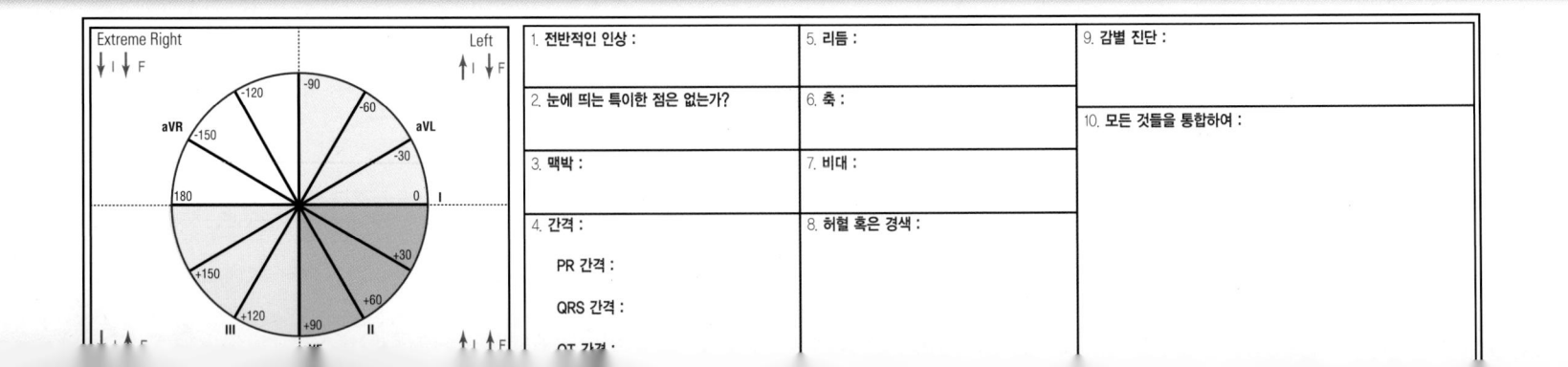

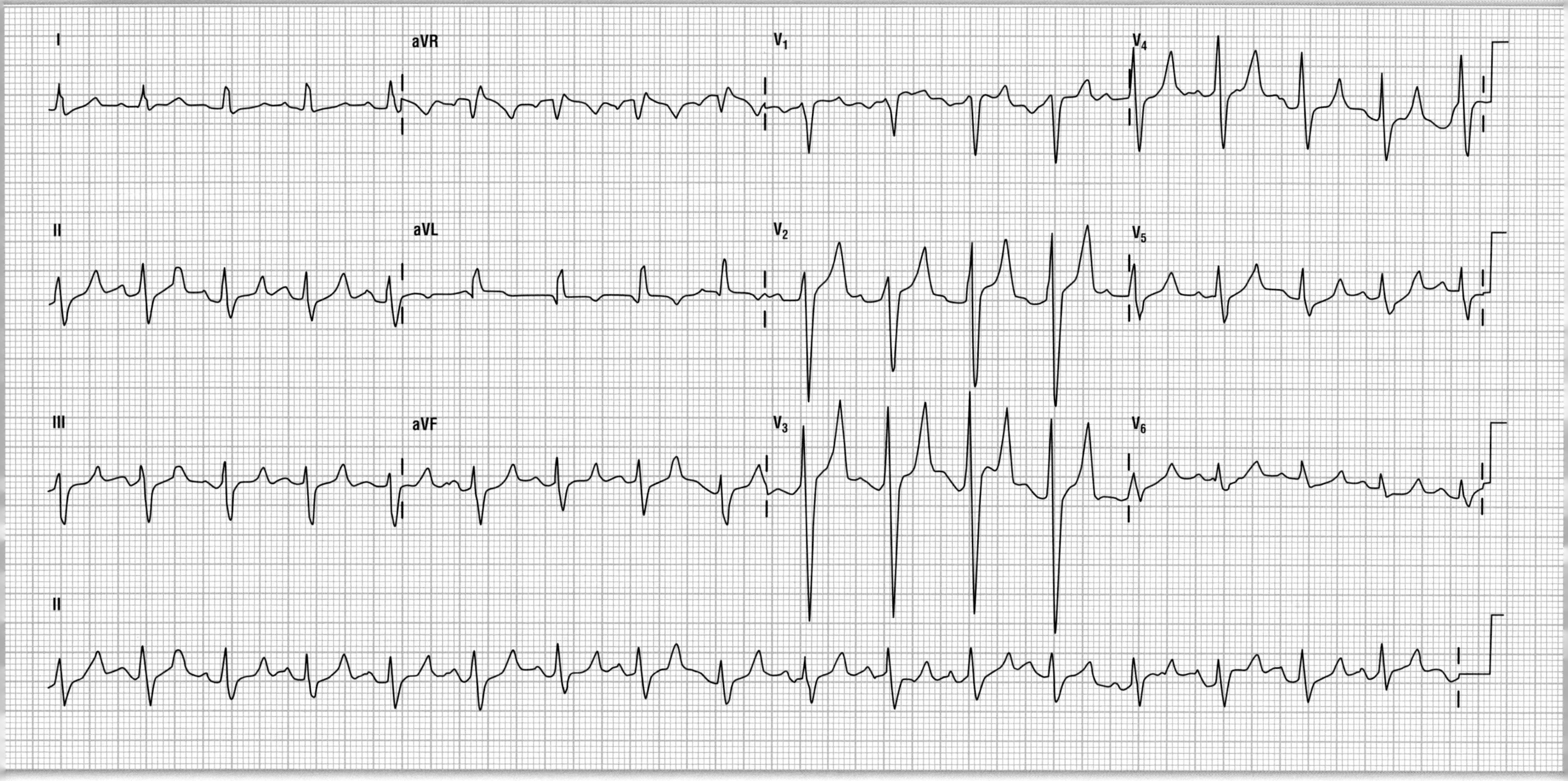

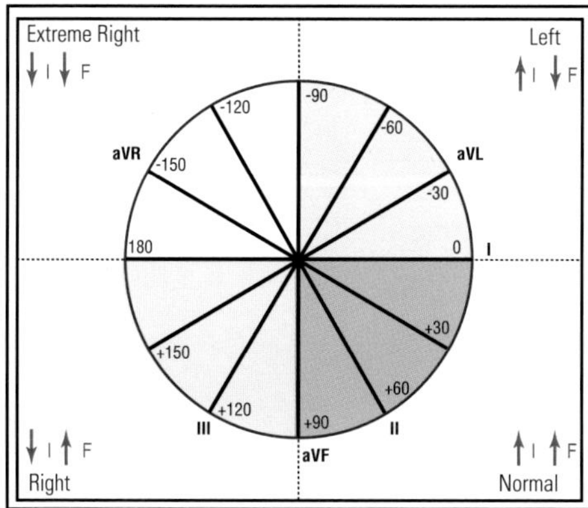

1. 전반적인 인상 :	5. 리듬 :	9. 감별 진단 :
2. 눈에 띄는 특이한 점은 없는가?	6. 축 :	10. 모든 것들을 통합하여 :
3. 맥박 :	7. 비대 :	
4. 간격 : PR 간격 : QRS 간격 : QT 간격 :	8. 허혈 혹은 경색 :	

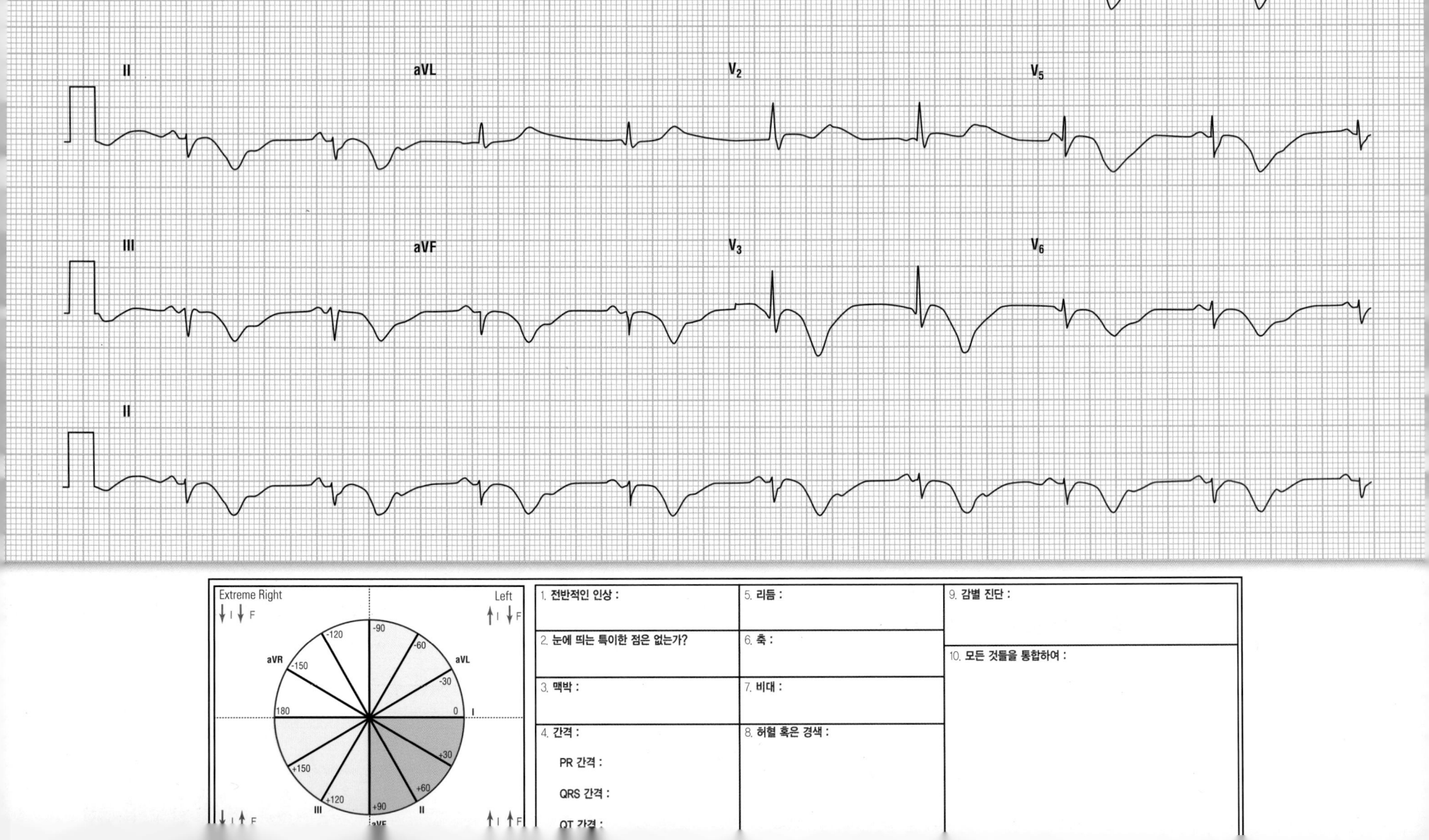

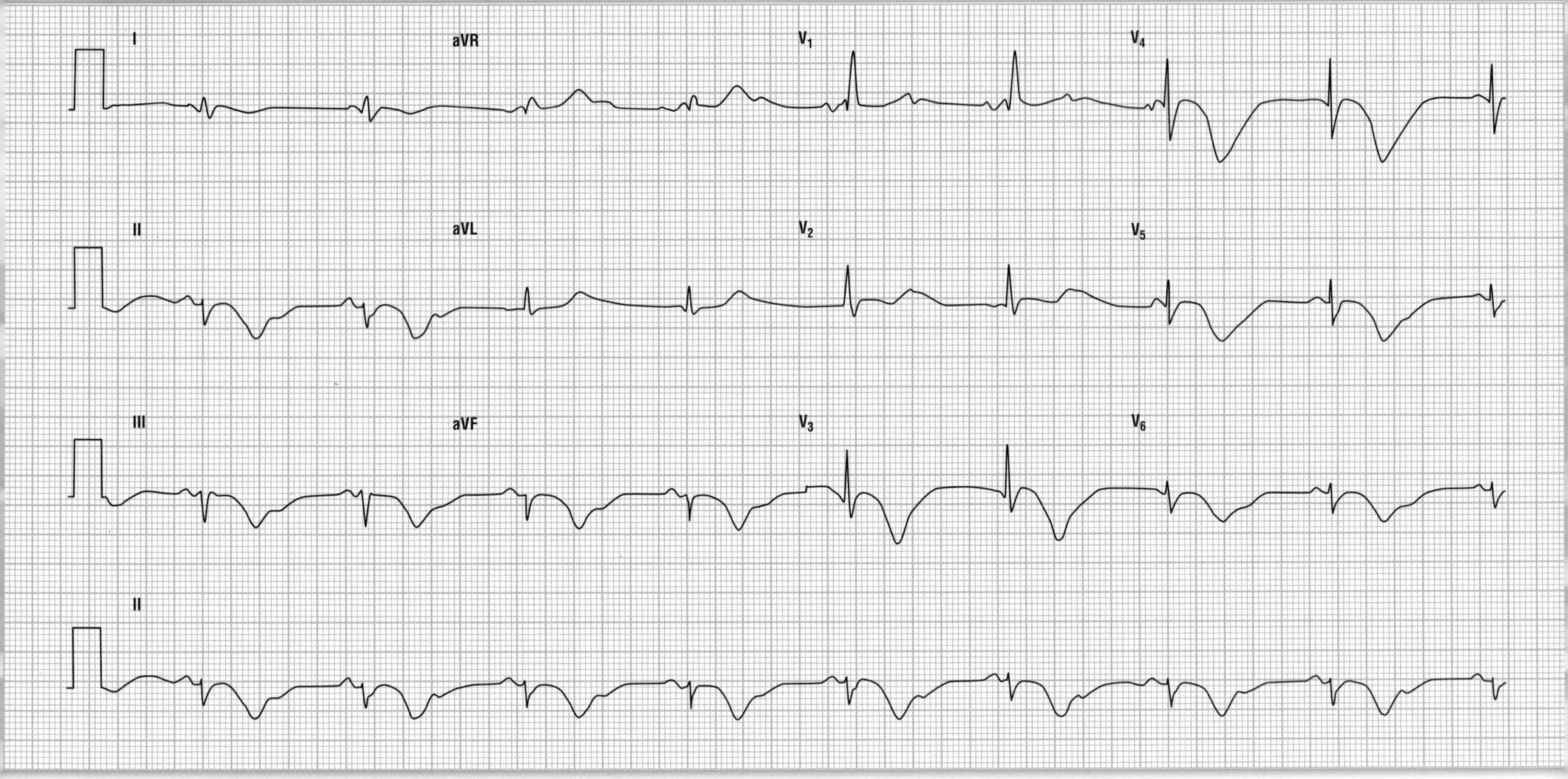

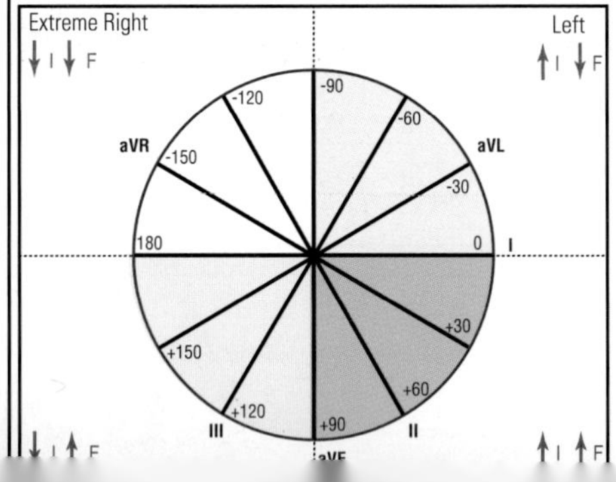

1. 전반적인 인상 :	5. 리듬 :	9. 감별 진단 :
2. 눈에 띄는 특이한 점은 없는가?	6. 축 :	10. 모든 것들을 통합하여 :
3. 맥박 :	7. 비대 :	
4. 간격 : PR 간격 : QRS 간격 : QT 간격 :	8. 허혈 혹은 경색 :	

1. **전반적인 인상 :** 좌심실비대 가능, 경색
2. **눈에 띄는 특징적인 소견은 없는가?**
   $V_1 \sim V_3$의 QRS군들의 크기
   편평하거나 아래로 오목한 ST분절 상승
3. **맥박 :** 분당 75회
4. **간격**
   PR 간격 : 0.18초
   QRS 간격 : 0.10초
   QT 간격 : 0.52초, QT 간격 연장
5. **리듬 :** 정상 동율동
6. **축 :** 좌축편위, 좌전섬유속 차단, −50도
7. **비대 :** V_2의 S파 + V_5의 R파 = 34mm, 그러므로 좌심실비대는 *아니다.*
8. **허혈 혹은 경색 :** V_1에서 V_5 유도들의 편평하거나 아래로 오목한 ST분절 상승 Ⅰ, Ⅱ, 그리고 $V_2 \sim V_6$의 역위된 T파들.
9. **감별 진단 :** 긴장을 동반한 좌심실비대 그리고 좌심실류가 첫인상으로 나와야 한다. 아래의 토의 내용을 참조
10. **모든 것들을 통합하여**

처음으로 이 심전도를 볼 때, 당신은 긴장을 동반한 좌심실비대를 첫인상으로 가질 수 있을 것이다. 이러한 인식은 이 심전도가 어떤 것이 급성심근경색증을 사칭하는 좋은 예인지 말해준다. 긴장을 동반한 좌심실비대는 특정 기준을 맞춰야 하는 것을 기억하라(363 페이지를 보라). 이 심전도에서 부합하는 것은 오직 $S(V_1 \text{ or } V_2) + R(V_5 \sim V_6) \geq 35mm$이다. 조금 더 정확히 측정하자면 이 수치는 오직 34 mm이며 좌심실비대의 기준을 만족시키지 못한다. 만약 좌심실비대가 아니라고 한다면 긴장을 동반한 좌심실비대는 될 수가 없고 그러므로 이 질환 역시 배제할 수 있다.

계다가, 가장 깊은 QRS군을 가진 곳에서 ST분절의 상승이 가장 크기 때문에 ST분절을 긴장을 동반한 좌심실비대로 잘못 판독할 수 있다.

그러나, 긴장을 동반한 좌심실비대에 비해서, J점들이 날카롭고, ST분절들이 편평하거나 아래로 오목하여, ST분절 상승 심근경색을 강력하게 시사한다. $V_2 \sim V_6$의 T파들의 역위 또한 허혈 및 경색에 합당하다. ST분절 상승이 $V_1 \sim V_5$ 유도들에 있음은 측벽 확장을 동반한 전중격 ST분절 상승 심근경색을 의미한다. 늘 그랬듯이, 환자의 임상적 연관성을 얻어야 한다.

몇 개의 부가적 문제점들...

Ⅰ, aVL, V_5에 병적이지 않은 Q파들이 있다. 전흉부 유도들에 작은 R파들이 있다. 그러므로 QS파의 전형적인 모습이 아니다. 또한, 유도 Ⅰ 및 aVL에서 초기 ST분절 상승의 기미를 보여주고 있으며, 하부 유도들에서 상호적 ST 하강을 보여주고 있다. 그러나 상승 및 하강의 정도가 임상적으로 유의하지 못하다. 반복적인 혹은 연속적인 심전도들은 이러한 변화들이 더욱 더 경색 형태로 변하는 것을 보여줄 것이다(임상의 진주 : 한 번의 심전도는 수 시간 동안 발생한 역동적인 경과의 한 장의 빠른 스냅사진이다. 가능하면 항상 연속적인 심전도를 얻도록 하라).

좌축편위를 유발하는 좌전섬유속차단은 이전 혹은 이번 급성 사건과 연관이 있을 수 있다. 가장 좋은 시나리오는, 환자가 이전의 여러 개의 심전도들을 가지고 있고 현재의 심전도와 비교해보는 것이다. 이러한 비교는 문제를 해결해 줄 것이다. 만약, 다른 심전도를 이용할 수 없다면 당신은 반드시 좌전섬유속차단이 새로운 것이라고 추정해야 한다.

마지막으로, 이 환자에게 있어 QT 간격은 연장되어 있다. 가장 흔한 연장의 원인은 급성경색이다. 이 환자는 감시가 필요할 것이기 때문에, 당신은 간격을 추적할 수 있고 필요하다면 조치를 취할 수도 있다. 하지만 당신이 환자에게 어떤 약을 줬을 때 그것이 QT 간격을 더 연장할 수도 있다는 점을 조심하여야 한다는 것을 기억하라.

최종 평가

1. ST분절 상승 심근경색, 측벽 확장을 동반한 전중격 급성심근경색증
2. 좌축편위/좌전섬유속차단
3. 아마도 허혈/경색에 의한 2차적 QT 간격 연장

시험 심전도 2: 답

1. **전반적인 인상 :** 좌심실비대 가능, 좌각차단 가능
2. **눈에 띄는 특징적인 소견은 없는가?**
   V_1 유도의 QS파의 깊이
   V_2~V_3 사이의 빠른 이행
   Ⅰ, Ⅱ ,aVL, aVF, 그리고 V_3~V_6의 QRS파의 절흔
   전반적인 대칭적인 T파
3. **맥박 :** 분당 85회
4. **간격**
   PR 간격 : 0.15초
   QRS 간격 : 0.13초
   QT 간격 : 0.46초, 연장
5. **리듬 :** 정상 동율동
6. **축 :** 정상 사분역(quadrant), +40도
7. **비대 :** 유도 V_1의 이상성 P파, 심방내전도지연(IACD)
8. **허혈 혹은 경색 :** 아래의 토의 내용을 참조
9. **감별 진단 :** 좌각차단, 전해질 이상, 약물효과
10. **모든 것들을 통합하여**

자, 먼저 우리의 전반적인 인상을 검토하면서 시작해보자. 긴장을 동반한 좌심실비대 혹은 좌각차단에 해당되는가? 좌심실비대는 V_1의 S파와 V_5 혹은 V_6의 R파를 더했을 때 명백하다. 게다가 가장 깊은 S파는 가장 높은 ST분절 상승과 연관되어 있다. J점은 V_1 유도에서 명백하게 퍼져있지만 V_2에서 예리하여 쉽게 확인된다. 그러나 QRS군들의 폭은 0.12초보다 넓다. 그래서 이런 형태는 긴장을 동반한 좌심실비대보다는 어느 정도는 좌각차단에 해당된다. 좌각차단은 좌심실비대를 감추기 때문에, 좌각차단이 있는 경우, 심전도로는 어떤 좌심실비대 형태도 알 수 없다는 것을 기억하라.

자, 이제 우리의 주의를 좌각차단의 가능성으로 돌려보자, 앞서 언급했듯이 대부분의 유도에서 QRS군들은 0.13초로 측정되었다. 흥미롭게도, V_1에서는 0.12초로 측정된다. 이것은 의미가 있는가? 아니다. 등전위(isoelectric) 분절이 간격을 그릇되게 연장하거나 단축시킬 수 있기 때문에, 실제 측정은 유도에 상관없이 가장 넓은 것을 측정한다는 것을 상기하라. 가장 넓은 간격은 등전위 분절에 의한 변이가 가장 적은 것이다. 거의 모든 유도들에서 ≥ 0.12초이기 때문에, 확실하게 각차단을 다루고 있는 것이다. 각차단을 좀 더 구별하기 위해 몇 가지의 질문이 더 필요하다 유도 Ⅰ 및 V_6에서늘어진 S파가 있거나 혹은 V_1에서 우각차단의 RSR' 형태의 토끼 귀 모양이 보이는가? 아니다. 따라서 우각차단 형태가 아니다. V_1에서 QRS군들이 모두 음성이고 유도 Ⅰ과 V_6에서 모두 양성인가? 맞다. 그러면 정의상 이것은 좌각차단 형태이다.

만약 당신이 각차단을 확인했다면 당신의 다음 생각은 : *ST분절과 T파가 QRS군과 일치하는가 아니면 불일치하는가?* 여야 한다. 만약 이 질문을 즉시 하지 않는다면, 이 중요한 사항을 잊어버리고 지나갈 위험이 있다. 이 증례에서 유도 Ⅱ, aVF, V_3~V_6의 T파는 QRS와 일치 형태를 보여준다. ST분절과 T파의 QRS와의 일치는 각차단에서 허혈 혹은 경색을 의미한다. 좀 더 이 문제를 명확히 하기 위해서, 이전 심전도와의 비교 및 임상 상태와의 연관성을 고려해야 한다 – *이것에 대해서 생각하는 것이 더 낫다.* 만약 환자의 병력이나 또는 현재상황이 허혈 혹은 경색과 일치한다면, 즉시 중재시술 심장전문의에게 자문을 구하라. 이런 환자는 경피적 관상동맥중재술(PCI)의 좋은 대상이다.

몇 개의 부가적 문제점들...

이 환자는 V_2 그리고 V_3에서 조기 이행을 한다. 사실 V_3에서 이미 양성을 보이고 있다. 이것은 좌각차단의 전형적인 모습이 아니며, 당신은 이러한 점을 마음속에 새겨두어야 한다. QRS군은 V_3에서 V_6사이에서 많이 변하지 않는다면 심전도 전극들이 잘못 붙여진 것은 아닌지 의심해봐야 한다.

전극의 위치에 신경을 쓰면서 다시 심전도를 찍는 것을 추천한다.

연장된 QT 간격은 보통 각차단 환자에게서 잘 나타난다. 이것은 심실 탈분극과 재분극을 위해 꼭 가야하는 전기 전도가 비정상 경로를 거치기 때문이다.

시험 심전도 2 : 답

절흔(notching)은 좌각차단 환자의 상향의 QRS군이 있는 유도들에서 흔히 볼 수 있다. 이런 군들은 특징적인 RSR'군들을 가지는 우각차단의 형태와는 모양이 다르다. 이 주제를 복습하기 위해서, *각차단들과 섬유속차단들* 장으로 가서 각차단들에 대한 정보를 자세히 확인하라.

최종 평가

1. 좌각차단
2. 측벽 유도들의 T파들이 QRS와 일치하는 형태를 보여줌으로 허혈 혹은 경색의 가능성이 있다.
3. 좌심방확장 가능
4. V_2 과 V_3 사이의 조기 이행

시험 심전도 3 : 답

1. **전반적인 인상 :** 경색, 경색, 경색...
2. **눈에 띄는 특징적인 소견은 없는가?**
   미만성 ST분절 상승
   대칭적인 T파들
   사지 유도들의 상호성 변화들
   유도 Ⅱ의 크고, 뾰족한 P파들
   좌심실비대
3. **맥박 :** 분당 88회
4. **간격**
   PR 간격 : 0.18초
   QRS 간격 : 0.08초
   QT 간격 : 0.40초, 경색과 일치하는 경한 QT 간격 연장
5. **리듬 :** 정상 동율동
6. **축 :** 정상범위 내, +20도
7. **비대 :** 폐성 P파 = 우심방확장, 심방내전도지연(IACD)
8. **허혈 혹은 경색 :** 아래의 토의 내용을 참조
9. **감별 진단 :** 없음
10. **모든 것들을 통합하여**

가장 명백한 사실을 확인하면서 시작해보자. 유도 Ⅰ 및 aVL, V_1~V_6까지 편평하거나 아래로 오목한 모양의 전반적인 ST분절 상승이 있다. 이 유도들에서 T파가 대칭적으로 뒤집힌 모습을 보인다. 이것은 고전전인 ST분절 상승 심근경색 모양이다. 특히 측벽 확장을 동반한 전중격 ST분절 상승 심근경색이다.

유도 V_1을 보면, 깊은 S파 바로 앞에 매우 작은 r파를 볼 수 있고 이는 rS 패턴을 만든다. 그러나 이 r파는 V_2 그리고 V_3부터 사라지고 급성심근경색의 QS 패턴을 시사한다. 통상적으로 QS 형태는 V_2에서 시작하여 V_3로 이동하기 보다는 V_1과 V_2에서 시작하지만 이 심전도는 특이한 경우이다. 유도 Ⅰ, aVL, V_3~V_6의 Q파는 0.03초보다 넓거나 R파의 1/3 보다 깊지 않다. 그러므로 이것은 이번에는 의미있는 Q파가 아니다("이번에는" 이라는 것은 Q파가 경색이 발생하면서 더 깊고 넓어질 수 있기 때문에 타당한 말이다).

사지 유도들을 살펴보면, 상호적 변화의 전형적인 모습을 보여준다. 유도 I, avL의 ST분절 상승 및 II, III, avF의 ST분절 하강을 볼 수 있다. 상호성 변화들은 급성심근경색 진행의 급성 혹은 초기와 밀접한 관계가 있다. 사실, 많은 환자들에게서 상호성 변화가 급성심근경색의 첫 심전도 징후이다.

이것은 ST분절 상승 심근경색의 탁월하고 명백한 예이다. 이 ECG 10개의 가능성 있는 감별 진단은 순서대로, 급성심근경색증, 급성심근경색증, 급성심근경색증, 급성심근경색증, 급성심근경색증, 급성심근경색증, 급성심근경색증, 급성심근경색증, 급성심근경색증, 그리고 심실류(ventricular aneurysm)이다. 하지만 만성심실류의 가능성은 사지 유도들의 상호성 변화들과 V_1 유도의 rS 형태에 의해서 버리게 될 것이다. 이 심전도는 많은 생각을 요구하지 않는다. 환자는 최대한 많은 양의 심근을 살리기 위하여, 즉시 적극적인, 보살핌과 중재시술이 필요하다.

몇 개의 부가적 문제점들...

유도 II에서 P파는 2.5mm 만큼 더 크다. 이는 우심방확장이 동반한 환자에서 특징적으로 나타나는 폐성-P(P-pulmonale)와 일치한다. 또한 유도 V_1은 좌심방확장의 가능성을 조금 시사하는 이상성(biphasic) P파를 보여준다. 왜냐하면 밑으로 향하는 반쪽(negative half)은 현저하게 넓지 않기 때문이며, 이는 단순히 심방내전도지연이라고 불린다.

또한 유도 aVL에서 11mm의 R파와 V_1의 R + V_5의 S = 합이 45mm이기 때문에 좌심실비대가 있다.

최종 평가

1. ST분절 상승 심근경색, 측벽 확장을 동반한 전중격 급성심근경색
2. 좌심방확장, 심방내전도지연
3. 좌심실비대
4. QT 간격의 경한 연장

1. **전반적인 인상 :** 미세한 하벽 급성심근경색
2. **눈에 띄는 특징적인 소견은 없는가? :** Ⅲ과 aVF의 ST분절 상승, 조기 이행대
3. **맥박 :** 분당 94회
4. **간격**

   PR 간격 : 0.22초, 1도 방실차단

   QRS 간격 : 0.10초

   QT 간격 : 0.38초, 경한 QT연장
5. **리듬 :** 정상 동율동
6. **축 :** 정상 사분역, +40도
7. **비대 :** 심방내 전도 장애
8. **허혈 혹은 경색 :** 아래 토론을 보세요
9. **감별 진단 :** 폐색전증, 우심실비대
10. **모든 것들을 통합하여**

다소 미세한 이 심전도는 임상의가 심전도에 나타내는 명백한 징후를 집어내기에 충분히 기민하지 않다면 오진단의 위험을 내포한다. 논리적 순서를 따라서 접근해보고 우리를 어디로 데려다주는지 확인해보자.

사지 유도들 검사에서 처음 나타나는 것은 유도 Ⅰ과 aVL에 존재하는 편평한 ST분절 하강이다. PR 간격에서 PR 간격까지 직선을 놓아보면, ST분절 하강이 거의 1mm 정도인 것을 알 수 있다. 이 수준의 ST 하강은 과거 몇몇 매우 뛰어난 임상의들에 의해 무시되었었지만, 그리고 그런 반응들이 다시 일어날 수 있지만, 이것은 실수이다. T파들은 위를 향하며, 넓고, 대칭적이어서, 붉은 깃발을 올리게 만들며, 단지 ST–T파의 비특이적 변화로 생각되지는 않는다. 언제든 이런 모습들을 마주쳤을 때 기민한 임상의들은 "친구는 같이 다닌다"를 살펴본다. 다른 말로, 유도들 주변의 소견들과 질문과 관련된 사항 등을 찾는다. 사지 유도들에서는 ST분절 상승 혹은 하강이 있을 경우, 항상 상호 유도들을 관찰하라. Ⅰ과 aVL의 상호유도는 Ⅱ, Ⅲ, 그리고 aVF이다.

이 심전도에서 유도 Ⅱ는 상승 혹은 하강 없이 매우 정상적으로 보인다. 하지만 유도 Ⅲ와 aVF에서 (특히 유도 Ⅲ에서) 약간의 경한 ST분절의 상승이 있다. 유도 Ⅲ는 대략 0.75mm의 상승이 있는데, 이것은 많은 임상가들이 혈전용해제를 투여하는 기준을 만족하지 못하기 때문에 그냥 무시하게 한다(그러나 ST 상승이 혈전용해제의 기준을 만족하지 못한다고 하는 것이 의미있는 허혈이나 급성심근경색의 초기 양상이 아니라는 것을 의미하는 것이 아님을 기억하라). 이 모든 소견들을 통합하여 보면, 하벽 유도들에서 ST분절 상승이 있으며, 유도 Ⅲ의 상승이 유도 Ⅱ보다 크며, 유도 Ⅰ과 aVL에 상호성 ST분절 하강이 있다. 친근하게 들리지 않는가? 만약 상승이 2mm 정도였다면, 우리들 대부분은 우심실 침범 가능성을 가지는 하벽 급성심근경색과 일치하는 소견이라고 할 것이다. 오른편의 유도들(V_4R)을 우리의 의심이 정확한지를 보기 위해서 얻어져야만 한다.

환자와의 임상적인 연관성이 이 시점에서 최고로 중요하다. 환자의 첫 번째 증상이 무엇이었는가? 그것이 허혈이나 경색과 일치하는가? 환자가 땀을 흘리거나, 오심 혹은 구토(하벽 허혈과 연관된 증상들)가 있는가? 환자가 저혈압(우심실경색과 관련된)인가?

우리가 고려해야 하는 이 심전도의 또 다른 중요한 측면이 있다–흉부 유도의 조기 이행이다. 이 심전도에서의 이행은 V_1과 V_2 사이에서 일어난다. 534 페이지에서 우리는 R:S 비가 1보다 클 땐, 다섯 가지 중 하나를 의미한다라고 했다.

1. 우각차단
2. 우심실비대
3. 후벽 심근경색
4. WPW 증후군(Wolff–Parkinson–White syndrome)
5. 어린이 혹은 청소년 환자

시험 심전도 4 : 답

임상적으로 하벽 심근경색들은 공동 순환으로 인해 우심실과 후벽으로의 확장과 관련되어 있다. 그래서 이 환자의 조기 이행의 가장 명백한 답은 우리가 추가적인 후벽 심근경색을 다룬다는 것이다.

이제 뒤로 돌아가서 유도 V_2의 형태에 대해 재평가해보자. 이는 ST분절 하강과 위를 향하는 T파와 동반된 큰 R파를 가진다. 이것은 후벽심근경색의 고전적인 "회전목마" 양상이다. 입증하기 위해서 후벽 유도들 검사를 지시하라. V_6 유도까지의 ST분절 변화를 통해서 측벽 침범을 볼 수 있다.

몇 개의 부가적 문제점들...

이 환자에서 보여지는 1도 방실차단은 만성 혹은 급성 허혈의 2차 소견일 수 있다. 오래된 심전도와의 비교가 도움이 될 것이다.

상호 변화를 동반한 하벽 심근경색 심전도 변화는 이전에 언급한 급성폐동맥색전증이나 긴장을 동반한 우실실비대를 효과적으로 배제할 수 있다. $S_1Q_3T_3$ 형태는 명백하지 않으며, 폐동맥색전증을 진단하기 위해 이것이 필요하지는 않다. 부가적으로 급성이나 만성, 폐동맥색전증이나 우심실비대를 시사하는 폐성-P 혹은 우심실 확장의 증거는 없다. 축은 또한 정상 사분역에 있으며, 이 또한 가능성을 멀리하게 만든다.

최종 평가

1. ST분절 상승 급성심근경색, 측벽 확장을 동반한 하벽-우심실-후벽 급성심근경색
2. 1도 방실차단
3. 심방내전도지연
4. 경한 QT 간격 연장

1. **전반적인 인상 :** 넓은 QRS군들, 전흉부 유도들의 조기 이행과 V_1의 R:S 비의 증가, 좌축편위
2. **눈에 띄는 특징적인 소견은 없는가?** 유도 V_1 모양
3. **맥박 :** 분당 102회
4. **간격**
   PR 간격 : 0.19초
   QRS 간격 : 0.13초
   QT 간격 : 0.38초, QT연장
5. **리듬 :** 동성빈맥
6. **축 :** 좌사분역, −60도
7. **비대 :** 심방내전도지연
8. **허혈 혹은 경색 :** 유도 Ⅰ, aVL, 그리고 V_3~V_6에서 일치성(concordant) ST하강의 가능성
9. **감별 진단 :** 허혈, 전해질 이상, 약물 효과
10. **모든 것들을 통합하여**

이것은 약간 어려운 현혹시키는 심전도이다. QRS군들의 넓은 폭의 원인을 알아내는 것으로 시작해보자. 언제든 당신이 넓은 QRS군들을 본다면, 당신은 몇 가지를 생각할 필요가 있다 : 각차단들, 전해질 이상들, 약물 효과들, 그리고 항부정맥제제들. 전해질 이상들은 대개 탈분극/재분극 과정의 일부 균열을 야기한다. 포타슘의 경우, 심전도 형태는 뾰족한 T파들에서부터 심실내전도지연까지 다양할 수 있다. 이 심전도는 고칼륨혈증과 대개 관련된 혼란된 모양을 보여주지 않아서, 그 생각은 나중으로 미룰 것이다. 약물 효과들은 항상 고려되어야 하지만(평소와 같이), 이 심전도는 일반적인 약물과용에서 나타나는 전형적인 소견을 보여주지 않는다. 임상병력과 증상의 발현 등이 감별 진단을 하는 데에 도움을 줄 것이다. 심실 부정맥들은 QRS군들을 넓게 할 수 있지만 P파의 불규칙 또한 대개 관련이 있다. 이 또한 감별 진단의 흥행 순위표에서 낮은 순위를 차지한다. 그래서 제거 과정은 각차단들을 남겨둔다.

우리는 넓은 QRS군들 심전도를 마주쳤을 때 몇 가지 질문을 우리 스스로에게 해야 한다. 유도 Ⅰ과 V_6에 늘어진 S 파가 있는가? 그렇다. 유도 V_1이 양성인가? 그렇다. 만약 두 가지 질문 모두에 '그렇다' 라고 대답을 했다면, 당신은 우각차단만을 거의 확실하게 다루고 있다. 우리가 V_1에 RSR'이나 토끼 귀 모양이 있는지에 대해 묻지 않았다는 것을 알아차려라. 이 토끼 귀들은 여러 가지 형태를 가질 수 있기 때문이고, 이러한 다양성은 가끔 당신을 속일 수 있다. 이 심전도가 그러한 경우이고, 명백한 RSR' 패턴이 존재하지 않는다. 당신이 좀 더 가까이서 본다면, 당신은 S파 바로 직전에 매우 작은 양성의 굴곡(inflection)을 볼 것이다. 그 작은 양성의 굴곡은 첫 번째 음성 굴곡이 Q파가 아님을 의미한다. 따라서 이 심전도는 rSR'군이며 qR'군은 아닌 예이다. 이것은 다른 RSR'군들과 마찬가지로 우각차단을 시사하는 것이다. 오직 중요한 점은 토끼 귀 모양은 열등한 군(complex)이다. Ⅰ과 V_6에서의 늘어진 S파와 유도 V_1의 rSR'의 존재는 우각차단으로 진단하게 한다.

다시 말하자면, 당신이 각차단이라고 단지 진단하는 상황을 직면할 때, 당신 마음속의 다음 질문은 : *"일치성 혹은 불일치성이 존재하는가?* 여야 한다. 일치성이 정상이거나 병적일 수 있어서 불일치성이 기대된다. 이 증례는 유도 Ⅰ, aVL, V_4~V_6에 일치성 ST분절을 가지고 있다. 이 측벽 유도들의 분리는 기저 허혈성 문제의 가능성을 의심하게 만든다. 환자와의 임상적인 상호연관과 이전 심전도와의 비교는 이 문제를 해결하는 데에 필수적으로 중요하다. 이런 경우들에 대한 의심을 높이 유지하고, 적절하게 환자를 치료하라.

마지막으로 고려할 것은 축이다. 이 환자는 좌사분역의 축을 가지고 있고, 유도 Ⅱ는 음성이다. 이는 환자가 좌전섬유속차단을 가지고 있다는 걸 의미한다. 좋은 것은 좌전섬유속차단을 동반한 우각차단은 안정된 차단이라는 것이다. 하지만 당신은 높은 의구심을 가지고 일이 일어나기 전에 항상 준비하고 있어야 뛰어난 임상가가 될 것이다.

시험 심전도 5 : 답

그리고, 환자가 허혈과 일치하는 변화를 가지기 때문에, 이 모든 문제들이 해결될 때까지 예방적 조치로 심박동기를 근처에 구비해둬야 한다. 환자가 치명적인 부정맥이나 무수축이 발생할 때 더듬거리면서 심박동기를 찾는 것보다 더 나쁜 것은 없다.

몇 개의 부가적 문제점들...

이 환자는 유도 V_1에 이소성 P파를 가지고 있어서 심방내전도지연(IACD)를 진단하게 된다.

어떤 종류의 각차단에서든 있을 수 있는 이상 재분극 경로(aberrant repolarization pathway)로 예상하게 되는 것 같이, QT 간격은 연장되어 있다. 하지만, QT연장의 다른 원인들도 계속 마음속에 두어야 한다.

최종 평가

1. 좌전섬유속차단을 동반한 우각차단
2. 측벽 유도들에서 나타나는 일치성 ST분절 하강
3. 심방내전도지연
4. QT 간격 연장

1. **전반적인 인상 :** 전흉부 유도들의 조기이행을 동반한 꽤 정상적으로 보이는 심전도
2. **눈에 띄는 특징적인 소견은 없는가?** 동서맥, 그리고 조기이행
3. **맥박 :** 분당 55회
4. **간격**
   PR 간격 : 0.18초
   QRS 간격 : 0.10초
   QT 간격 : 0.40초
5. **리듬 :** 동서맥
6. **축 :** 정상, +50도
7. **비대 :** 없음
8. **허혈 혹은 경색 :** 아래의 토의 내용을 참조
9. **감별 진단 :** 조기 재분극
10. **모든 것들을 통합하여**

나는 당신이 "강하게 의심하는(high index of suspicion)"의 모자를 썼으면 하고 바라는데, 왜냐하면 이 심전도는 당신이 조심하지 않는다면 법원으로의 힘든 여정으로 인도할 수 있기 때문이다. 처음에 봤을 때, 이 심전도는 꽤 양성(benign)으로 보인다. 하부 유도들의 경한 ST 상승은 조기재분극으로 오인될 수 있고 조기이행은 환자의 어린나이 때문일 수도 있다. 하지만 이 심전도의 특정한 소견들은 그런 생각들을 빠르게 무효화시킨다. 조기재분극 소견들은 단지 일부 동떨어진 것들에서 일어나는 것이 아니라, 심전도 전체를 통해서 통해서 나타난다. 게다가 정의에 따라 조기재분극에서 T파들은 비대칭이어야 하지만, 이 T파들은 명백히 대칭적이다. 이러한 소견들은 큰 붉은 깃발을 들어 올려야 하고 즉시 허혈과 경색을 생각하게 한다. 상호성 변화들이 있는가? 글쎄, 경한 ST 하강이 유도 aVL에 있다. 이는 두 번째 붉은 깃발이다.

유도 V_2의 군들의 형태 또한 의심스럽다. ST분절 하강과 대칭적인 상향의 T파들을 동반한 큰 R파들은 후벽 심근경색들에서 나타나는 전형적인 것이다. 이 심전도는 대개 R파가 더 크다는 것을 제외하고는, 전형적인 회전목마 모양을 가진다. 후벽 그리고 우측 유도들을 즉시 얻어져야 한다.

이 심전도 형태는 하벽-후벽 급성심근경색의 초기에 전형적으로 나타난다. 동서맥은 또한 미주신경의 작용에 의한 인한 하벽 심근경색의 전형적인 특징이다. 늘 그렇듯, 임상적인 상호관련과 일련의 심전도 검사들이 필수이지만, 당신은 이 환자를 좀 더 신중하게 잘 봐야한다. 우리는 이 중요한 드럼치는 것을 계속할 것이다- 심지어 이것이 당신 얼굴을 계속해서 응시할 때라도 정보를 무시하고 싶을 것이지만, 당신이 그러지 않는 것이 매우 중요하다. 상황이 쉽지 않다는 것을 스스로 알 때는 언제든, 항상 당신의 임상적 직감을 따르고 임상의들은 그들의 실수를 가린다는 것을 네 스스로 다시 상기해라.

몇 개의 부가적 문제점들...

만약 당신이 리듬 스트립을 보고 있다면, RR 간격은 전체적으로 일관적이다. 하지만, P파의 모양은 조금 변한다. 방실차단이나 박동이 빠지는 것의 증거는 없다. 유주심방조율기(wandering atrial pacemaker)는 R-R 간격의 변화와 연관되어 있다. 이런 모양 변화의 원인은 불분명하다. 유도 Ⅱ 혹은 V_1(혹은 둘 다)에서의 긴 리듬 스트립은 미묘한 리듬 장애를 식별하는데 도움이 될 것이다.

최종 평가

1. 하벽-후벽 급성심근경색
2. 동서맥

시험 심전도 7 : 답

1. **전반적인 인상 :** 큰 심근경색
2. **눈에 띄는 특징적인 소견은 없는가?** 조기이행, 전흉부 유도들에서 ST분절 상승, 몇몇 비정상 군들, 넓은 QRS군들
3. **맥박 :** 분당 58회
4. **간격**
   PR 간격 : 첫 4박동들에서 0.13초, 그 후 나오는 것들은 다양한 PR 간격들
   QRS 간격 : 0.12초
   QT 간격 : 0.44초
5. **리듬 :** 심방기 외 수축들을 동반한 동서맥, 스트립 후반은 유주심방조율기 가능
6. **축 :** 정상 사분역, +60도
7. **비대 :** 없음
8. **허혈 혹은 경색 :** 아래의 토의 내용을 참조
9. **감별 진단 :** 전해질 이상
10. **모든 것들을 통합하여**

넓은 QRS군들의 원인을 식별하는 것부터 시작해보자. 유도 I과 V_6에 늘어진 S파들이 있는가? 그렇다. 유도 V_1에 상향의 QRS군들과 함께 전흉부 유도들에 조기이행이 있는가? 그렇다. 이는 우각차단이다. 일치성이나 불일치성이 있는가? 유도 V_1~V_5에 심한 일치성 ST분절 상승이 있다. 예제 심전도 5와 비교했을 때, 유도 V_1에 r파가 없다. 유도들 V_1~V_4는 qR'파들의 예들이다. 이것은 우각차단이 있는 환자에서 측벽 확장을 동반한 전중격 ST 상승 심근경색의 예이다.

측경기를 사용하여, 환자가 처음에는 동서맥을 나타낸다는 것을 알 수 있다. P파의 모양이 첫 네 군들에서는 동일하게 나타나고 R–R 간격이 동일하다는 것에 주목하라. 다섯 번째 군은 약간 이르고 처음 4개와는 다른 모양의 P파와 연관되어 있다. 그때부터 계속, 패턴이 다른 P파 모양을 가진 불규칙하게 불규칙한 리듬으로 변해간다.

세 개의 주된 불규칙하게 불규칙한 리듬이 있다 : 심방세동(atrial fibrillation), 유주심방조율기(wandering atrail tachycardia), 그리고 다소성 심방빈맥(multifocal atrial tachycardia). 심방세동은 어떤 P파들도 가지고 있지 않다. 이 심전도는 P파들을 가지고 있다는 것을 감안하면, 우리는 이 진단을 제외할 수 있다. 다소성 심방빈맥은 이름에서 암시하듯이, 빈맥이어야 한다. – 그래서 우린 이 진단 또한 제외할 수 있다. 우리는 이 부분에서 하나의 가능성만이 남았다. 대략 적어도 세 개의 다른 P파 형태를 가진 불규칙하게 불규칙한 리듬과 연관된 분당 58회 박동수는 이것을 이소성심방조율기(wandering atrial pacemaker)로 만든다. 긴 리듬 스트립은 이 시점에서 더욱 그 리듬을 식별하기 위해서 얻어져야만 한다.

리듬 스트립의 여덟 번째 군은 편위전도된 심방조기수축을 나타낸다. 우리가 결론에 어떻게 도달하는지를 보자. 선행하는 T파의 모양은 다른 것들과 약간 다른데, 이는 범죄자처럼 숨겨진 P파의 가능성을 시사한다. 편위전도된 박동과 정상적으로 일어나는 박동들은 편위전도된 박동이 나타나는 부분에서 모든 유도들에서 같은 방향으로 시작한다는 것을 주목하라. 이 패턴은 전형적으로 편위전도된 심방조기수축 혹은 접합부조기수축 등에서 나타나지만, 심실조기수축에서는 나타나지 않는다. P파가 숨어있는 선행하는 T파의 약간 비정상적인 모양은 심방조기수축을 더 시사하는 소견이다. 접합부조기수축은 대개 P파의 역행전도와 관계가 있기 때문에 대개 QRS 안에서 발견하게 된다. 그러므로 역행성 P파들은 선행하는 T파의 모양에 어떤 변화도 야기할 수 없다.

몇 개의 부가적 문제점들...

사지 유도들의 QRS군들은 모두 전체 크기가 5mm보다 작거나 같다. 이것은 사지 유도의 낮은 전압 기준이다. 낮은 전압의 원인은 이 환자에서 규명되어야 한다. 당신은 과도한 심낭삼출액의 가능성에 대해 환자를 평가해야 한다. 이는 만성 혹은 급성의 문제일 수 있다. 낮은 전압은 보통 많은 양의 심낭액의 축적으로 특징지어지는 만성심낭삼출에서 보인다. 만성적인 축적은 심낭의 확장을 가능하게 한다. 급성심낭삼출은 심낭이 추가적인 삼출액을 수용하기 위해 확장할 수 있

는 시간이 없기 때문에, 쉽게 심낭압전(tamponde)과 환자의 사망이 일어나게 한다. 하지만 급성심낭압전을 야기하는데 필요한 삼출액의 양은 작고 대개 낮은 전압의 심전도를 일으키지 않는다. 급성심근경색의 드문 소견은 심실 파열에 의한 급성심낭압전이며, 이 가능성은 이 환자에서 기억하고 있어야 한다. 매우 빠른 악화와 죽음은 이러한 환자들에서 전형적으로 보인다.

최종 평가

1. 측벽 확장을 동반한 급성 전중격 ST 상승 심근경색
2. 우각차단
3. 사지 유도의 낮은 전압 기준의 심전도
4. 동서맥이 유주심방조율기로 의심되는 형태로 변화함.
5. 편위전도를 하는 심방기 외 수축들

시험 심전도 8 : 답

1. **전반적인 인상 :** 급성심근경색
2. **눈에 띄는 특징적인 소견은 없는가?** $V_1 \sim V_4$에서 QS파들, 아래로 오목한 모양의 ST분절 상승과 대칭적인 역위된 T파들
3. **맥박 :** 분당 66회
4. **간격**
   PR 간격 : 0.24초
   QRS 간격 : 0.10초
   QT 간격 : 0.40초
5. **리듬 :** 정상 동율동
6. **축 :** 정상사분역, +60도
7. **비대 :** 없음
8. **허혈 혹은 경색 :** 아래의 토의 내용을 참조
9. **감별 진단 :** 심실류
10. **모든 것들을 통합하여**

이 심전도는 명확히 심근경색과 일치하는 변화를 보여준다. 변화는 좌심실의 전벽, 중격, 그리고 측벽 영역을 포함한다. 만약 당신이 이 심전도를 건네받았고 흉통, 호흡곤란, 좌측 팔의 방사통을 호소하는 45세 남성의 것이라고 들었다면, 당신의 행동의 과정은 매우 명백할 것이고 환자는 마치 급성심근경색을 가지고 있는 것처럼 치료받을 것이다. 이제, 여기 다른 시나리오를 보자 : 당신은 이 심전도를 일상적으로 건네받았고 그 환자가 그의 발에 벽돌이 떨어져서 치료받기 위해 왔다고 듣게 된다. 그 환자는 부서진 자신의 발 이외에 다른 통증은 없다고 한다. 자, 당신은 어떻게 생각하는가?

당신이 첫 번째로 해야 하는 것은 환자를 당신 스스로 평가하는 것이다. 출처를 알고 있거나, 출처를 알고 그 사람을 명백히 신뢰할 수 있지 않는 한 당신에게 주어진 병력을 믿지 마라. 이 심전도가 진짜일 수 있는가? 정답은 완전히 그렇다이다. 이 환자는 명백히 그의 과거에 급성심근경색이 있었고, 특히 역위된 T파들과 함께 아래로 오목한 ST분절 상승과 연관된 매우 깊은 QS파의 존재는 그 변화의 원인으로써 심실류의 가능성을 제기한다. 심근경색은 시간을 알 수 없지만 급성은 아닐 것이다. 당신의 의심은 당신이 정밀 조사하는 동안 높게 남아있어야 하며 무증상 허혈(silent ischemia)가 항상 가능하다는 것을 인식해야 한다.

이전의 심전도와 비교하는 것은 이러한 경우들에 매우 중요하다. 그럼에도 불구하고, 이전 심전도를 사용할 수 없더라도, 모든 것을 잃어버리는 것은 아니다. 환자의 빠른 검사는 심실류의 존재를 확인할 수 있을 것이다. 단순히 환자의 왼쪽 전흉부 위에 손가락의 공 부분(ball of your fingers [손가락이 손과 만나는 영역])을 놓아라. 유방 영역부터 쇄골까지 다양한 곳을 확인하고 당신이 심실융기(ventricular heave)를 느낄 수 있는지 보아라. 이것은 당신의 손을 부드럽게 윗 방향으로 미는 흉벽 밑에서 오는 부드러운 압력처럼 느껴진다. 심실융기는 심실 수축이 심실류가 부풀어 나가도록 야기할 때 일어나고, 결과적으로 흉벽에 대한 부드러운 두드림이 된다. 만약 당신이 그 융기를 느낀다면, 당신은 심초음파도 혹은 필요로 하다면 카테타 삽입을 실시하여 심실류의 존재에 대한 다른 증거를 얻으려고 할 수 있다. *외래에서 이러한 검사들을 하라는 지시와 함께 환자를 퇴원시키지 마라.* 사과보다 안전이 더 낫다! 혈전생성을 예방하기 위한 항응고제 치료를 시작하기 위해서 심장학 협진이 필요하며, 가능한 색전(embolic) 현상을 방지하기 위해 환자를 평가해야 한다.

몇 개의 부가적 문제점들...

환자는 또한 1도 방실차단과 일치하는 PR연장을 가지고 있다.

QT 간격의 연장 또한 분명하다.

유도 1과 aVL에서 ST분절들과 T파들의 경한 변화가 있다는 것을 주목하라. 게다가, 하부 유도들에 미세하게 역위된 T파들이 있다. 우리는 가끔 이러한 변화들을 그것들이 정상이 아니지만 또한 매우 경고하는 것은 아니라는 비특이적 ST–T파 변화라고 언급한다. 이전 심전도와 비교가 지시되어질 것이다.

최종 평가

1. 아래로 오목한 ST분절의 상승과 역위되고 대칭성의 T파들이 있는 $V_1 \sim V_4$의 QS파. 급성심근경색을 배제시킬 수 없다.
2. 심실류의 가능성
3. 1도 방실차단
4. QT 간격의 연장
5. 비특이적 ST–T파의 변화들

시험 심전도 9 : 답

1. **전반적인 인상 :** 전반적으로 뾰족한 T파들을 동반한 빈맥, 다소성 심실기외수축들(multifocal PVCs)
2. **눈에 띄는 특징적인 소견은 없는가?** 전반적으로 뾰족한 T파들을 동반한 빈맥, 다소성 심실기외수축들
3. **맥박 :** 분당 134회
4. **간격**
   PR 간격 : 불확실, 1도 방실차단; 아래의 토의 내용을 참조
   QRS 간격 : 0.08초
   QT 간격 : 0.28초
5. **리듬 :** 다소성 심실기외수축들을 동반한 동빈맥
6. **축 :** 불확실
7. **비대 :** 우심방확장의 가능성
8. **허혈 혹은 경색 :** 유도들 III과 aVF의 Q파들, 유도 V_1~V_2에서 ST 상승의 가능성
9. **감별 진단 :** 급성심근경색, 전해질 이상, 폐동맥색전증
10. **모든 것들을 통합하여**

이것은 이 부분 전체에서 가장 어려운 심전도 중에 하나이다. 모든 군들의 모양은 적어도 괴상하다. 하벽 유도들은 P파들과 T파들 사이에 QRS군들이 끼어 있는 것처럼 보인다. 게다가 빈맥과 다소성 심실기외수축들은 집중할 수 없게 한다. 하지만 우리는 어떻게든 해석해야 한다.

우리의 감별 진단 목록을 통한 작업으로 이 심전도를 이해하려고 해보자. 흔들리는 기준선이 그 정도를 측정하기 어렵게 하지만, 유도들 V_1~V_2에서의 ST분절 상승은 명백히 존재한다. 이것이 초기 중격 경색일 수 있는가? 그럴 수 있고, 우리는 그 가능성을 무시하는 실수를 하는 것을 명백히 원하지 않는다. 하지만 전반적 상향의 대칭적 T파들은 약간 문제를 일으킨다. 임상적 상호관련은 이번 경우에 분명이 도움이 될 것이다.

전해질 이상, 특히 고칼륨혈증은 변화들을 설명할 수 있다. 전반적으로 뾰족하고 대칭적인 T파들; QT연장; 그리고 아마도 1도 방실차단의 추가적인 소견들을 고려해 볼 때 이는 특히 사실이다. 심각한 신부전을 가진 환자들은 대개 고칼륨혈증과 저칼슘혈증에 의한 QT 간격이 짧고, 연장되지 않는데, 아마도 이 환자는 아직 그런 심각한 신장의 손상은 없다. 하지만, 연장된 간격이 존재할 때면, 당신은 *모든* 간격들의 연장을 기대할 것이다. QRS군이 꽤 가늘고 정상이기 때문에 상황이 우리가 진단을 내릴 때 보고 싶어 하는 것처럼 명확하지 않다. 우리는 몇 가지 임상적인 상호연관성과 이에 대해 우리에게 도움을 줄 응급 칼륨 수치를 얻을 필요가 있지만, 우리는 거의 분명히 높은 수준의 의심의 눈을 가지고 있어야 할 필요가 있다.

우리의 감별 진단 목록의 마지막 가능성은 폐동맥색전증(pulmonary embolus [PE))이다. 폐동맥색전증은 빈맥과 급성우측압력변화의 심전도, 저산소증, 다환기(hyperventilation), 그리고 흉통의 날카로운 시작과 관련이 있다. 우리는 폐동맥색전증에 대한 전체 토론을 하는 것은 이 책의 범위를 벗어나는 것이기 때문에, 이런 변화들을 단지 이름만 언급하겠다. 이런 변화들에 대한 심전도적 증거가 있는가? 그렇다. 우리는 명백히 분당 134회의 빈맥이 있다. 우리가 폐동맥색전증의 가능성을 평가하기 위해 심전도를 보면, – 이름하여, $S_1Q_3T_3$ 패턴이라고 명명되는 특징적인 소견을 생각해야한다.

$S_1Q_3T_3$ 형태는 유도 Ⅰ에서의 의미있는 S파, 유도 Ⅲ의 의미있는 Q파, 유도 Ⅲ의 역위된 T파로 구성된다. 우리의 심전도를 보면, 우리는 이 모든 조건들을 충족함을 알 수 있다. 이 소견들은 우심방확장과 우심실비대의 증거와 함께 급성 우측압력증가와 관련된 소견들이다. 우심실비대를 제외하고, 이 심전도는 이러한 기준들을 만족시킨다. 명백히, 폐동맥색전증은 매우 가능성이 있어서, 이 시점에서 우리는 몇몇의 임상적인 상호연관성, 이전 심전도들과의 비교, 그리고 응급 혈액가스분석 등을 얻을 필요가 있다. 이 심전도에서 함께 기억해야 할 좋은 임상 포인트는 우리의 고칼륨혈증 검사를 도와주기 위해 응급 칼륨 농도를 혈액

가스분석을 통해 얻을 수 있다는 것이다. 혈액가스를 통해 얻어진 칼륨 농도는 일반적인 검사만큼은 정확하지 않지만, 만약 매우 높거나 정상에 비해 낮다면 진단을 내리게 안내할 수 있다.

이전에 감별 진단 목록에 있었던 것들이 상호간에 배타적이지 않다는 것을 기억하라. 예를 들어서, 폐동맥색전증 환자에서 스트레스나 저산소증에 의한 급성심근경색이 일어날 수 있다. 마찬가지로, 신부전이 있는 환자에서 종종 폐동맥색전이 생긴다.

이러한 환자에서의 임상적 상호연관은 급작스런 시작, 날카로운 흉통 그리고 호흡곤란 등을 확정하였다. 더 진행한 조사에서 문제의 원인으로서 급성폐동맥색전증을 확인하였다. 사람들은 자주 몇 명 환자에서 심전도를 얻는 것의 필요성에 대해 의문을 표시하지만, 심전도가 병상 옆에서 시행하게 되면, 심전도를 통해 얻을 수 있는 정보의 양은 매우 귀중한 것이다. 날카로운 흉통과 어느 정도의 경한 호흡곤란을 호소하는 환자들이 얼마나 많이 매일 응급실에 나타나는가? 이 경우에는, 병력과 심전도 소견을 가지고 기민한 임상의는 명백한 진단을 내리고, 아마 이 환자의 삶을 구할 것이다. 기민한 임상의라는 것에 대해 텍사스 휴스턴의 Dr. Senthil Alagarsamy에 대해 감사를 표하고 싶다.

몇 개의 부가적 문제점들...

이 심전도의 축은 불명확하다고 생각될 수 있다. 거의 모든 심전도군들이 등전위이어서, 명백한 결정을 내리기 어렵게 한다.

편위전도된 박동들은 심실기외수축들이다. 비정상 박동의 처음 굴곡은 대개 원래의 박동의 반대 방향이다. 게다가 박동들은 완전 보상적 휴지(full compensatory pause)를 한다. 이 두 가지 소견은 편위전도된 심방기외수축들 혹은 접합부기외수축들보다는 심실기외수축들과 일치한다. 적어도 세 개의 다른 형태의 군들을 볼 수 있고, 이들 박동들의 기원이 다른 심실 병소들이라는 것을 시사한다.

우리는 오직 0.19초까지만 측정할 수 있지만, 1도 방실차단이 존재한다. 우리는 P파들의 시작이 이전의 T파들에 묻혀있기 때문에 1도 방실차단이 존재한다고 결론을 내릴 수 있고, 비록 진짜로 측정한 값에서는 얻어질 수는 없다고 하더라도, 적어도 0.01mm 보다 더한 간격의 존재를 추정할 수 있다.

최종 평가

1. 동빈맥
2. ST분절 상승이 유도들 V_1과 V_2에 있으며, 허혈/경색을 배제할 수 없다.
3. 불확실한 축
4. $S_1Q_3T_3$ 형태
5. 우심방확장
6. QT 간격 연장
7. 비특이적 ST–T 변화들, 고칼륨혈증을 배제할 수 없음
8. 다소성 심실기외수축들

시험 심전도 10 : 답

1. **전반적인 인상 :** 좌심실비대, 급성심근경색증
2. **눈에 띄는 특징적인 소견은 없는가?** 군들의 크기, 전중격 유도들에서 ST분절의 상승
3. **맥박 :** 분당 90회
4. **간격**
   PR 간격 : 0.16초
   QRS 간격 : 0.08초
   QT 간격 : 0.38초, QT 간격 연장
5. **리듬 :** 정상
6. **축 :** 정상 사분역, +70도
7. **비대 :** 심방내전도지연, 좌심실비대
8. **허혈 혹은 경색 :** 아래의 토의 내용을 참조
9. **감별 진단 :** 급성심근경색
10. **모든 것들을 통합하여**

이 심전도는 좌심실비대와 일치하는 변화를 보여준다. 만약 우리가 유도 V_1의 QS파와 유도 V_5의 R파를 합친다면, 우리는 총 42.5mm를 얻는데, 이는 좌심실비대의 기준을 만족한다. 나머지 기준들은 좌심실비대를 만족하지 않았지만, 당신은 진단을 내리기 위해서 그들 중 오직 하나만을 만족시키면 된다. 심방내전도지연은 유도 V_1의 이상성 P파들에서 나타난다.

이 심전도에서는 긴장 형태의 증거가 없다. 만약 우리가 가장 깊은 파를 나타내는 유도 V_1을 보면, 작은 상승이 있고 J점이 꽤 선명하다. 그 상승은 통상 기대되는 것보다 편평하며, 계속 상승하여서 유도 V_3에서는 끔찍한 모양이 된다. 유도 V_3에서 1mm를 넘는 ST분절 상승과 이상성 T파들, 그리고 밑으로 향하는 부분에서 어느 정도 못생긴 대칭 양상을 보여준다. 이 유도는 명백히 경색의 증거를 보여준다. T파 이상은 V_4까지 미친다.

이 심전도 패턴은 좌심실비대를 가진 사람에서 전중격 ST 상승 심근경색의 예이다. 경색이 있는 좌심실비대와 비교해서 긴장을 동반한 좌심실비대의 변화를 잘 이해할 필요가 있다는 것을 아무리 강조하여도 충분치 않다. 이 변화들은 종종 미묘하지만, 이 둘 사이를 구분할 수 있다는 것은 삶과 죽음의 차이를, 당신의 돈을 간직하거나 변호사에게 주느냐, 그리고 밤에 충분히 잘 수 있는지를 의미할 수 있다. 극적이지 않은가? 그렇다, 하지만 사실이다.

몇 개의 부가적 문제점들...

이 환자는 연장된 QT 간격을 가진다. 이 섹션의 심전도들 거의 대부분은 이러한 패턴들 전체는 꽤 병적이기 때문에 이런 변화들을 보여줄 것이다. 이 경우에는, 연장이 좌심실비대와 급성심근경색 양상 때문이다.

최종 평가

1. 전중격 ST 상승 심근경색
2. 좌심실비대
3. 심방내전도지연
4. 비특이적 ST–T파 변화들

1. **전반적인 인상 :** 넓은 우각차단, 기간을 알 수 없는 경색
2. **눈에 띄는 특징적인 소견은 없는가?** QRS군들의 넓이, QS파들
3. **맥박 :** 분당 67회
4. **간격**
   PR 간격 : 0.22초
   QRS 간격 : 0.16초
   QT 간격 : 0.50초
5. **리듬 :** 정상 동율동
6. **축 :** 불확실
7. **비대 :** 좌심방확장
8. **허혈 혹은 경색 :** 전중격 유도들의 QS파들
9. **감별 진단 :** 전해질과 관련된 변화들
10. **모든 것들을 통합하여**

이 심전도에서 두드러지는 첫 번째는 QRS군들의 넓이이다. 전형적으로, 각차단은 0.12 ~ 0.14초의 QRS 간격을 가진다. 간격이 더 넓어질 때, 우리는 심실성 율동을 고려해야 할 필요가 있다. 하지만 이 심전도는 각각의 QRS군들 이전에 P파들이 있고, 심실 기원의 근거가 전혀 없으므로 우리는 흔하지 않은 각차단들의 일종이라고 추정해야 한다.

유도들 Ⅰ과 V_6에 늘어진 S파가 있는가? 그렇다. 유도 V_1의 군들이 상향(positive)인가? 그렇다. 이것은 각차단이 우각차단임을 확인해준다. 허혈/경색을 시사하는 일치성이 있는 부분이 있는가? 유도 V_6의 T파가 일치성을 보이지만, 하나의 고립된 유도에서만 발견되기 때문에, 이는 우연히 나타난 소견이며 급성 허혈을 나타내지 않는다.

하지만 유도들 V_1~V_4에 QS파가 있다 – 비교적 어느 정도 깊고 넓은 파들이다. 이러한 파들의 존재는 기간을 알 수 없는 심근경색을 나타낸다; 다시 말해서, 그것들이 과거 어느 시점에 일어났다는 것이다. 일반적으로, 좌각차단들을 가진 환자들보다 우각차단들을 가진 환자들에서 허혈/경색을 식별하는 것이 훨씬 더 쉬운데, 이는 좌각차단들의 모양이 너무나 넓고 이상해서 허혈/경색의 전형적 소견들이 쉽게 '숨겨질 수' 있기 때문이다. 하지만, 각차단들을 다룰 때, 당신은 항상 높은 수준의 의심을 가져야할 필요가 있고, 임상적 연관성을 찾을 필요가 있다.

유도 V_5는 엉망(mess)이다 – 하지만, 이 엉망(mess)이 재발하기는 하지만 많은 양의 전기적 "거친 흐름(turbulance)"에 의한 것이다. 하나의 유도에서 이런 패턴에 직면하면, 그 유도의 위 아래를 살펴보고, 그 심전도에서 수직 방향으로 직선을 그음으로써 다양한 파들과 간격들을 알아낼 수 있다는 사실을 기억해라. 예를 들어, 유도 V_6에서 P파가 시작하는 곳을 봐라. 그리고 수직 방향으로 직선을 그음으로써 유도 V_5에서 P파가 있어야 할 곳을 찾아내라. 이제 P파를 찾기는 훨씬 쉬워졌을 것이다. T파도 이런 식으로 찾아낼 수 있다.

몇 개의 부가적 문제점들...

PR 간격은 0.22초로 연장되어 1도 방실차단에 해당하는 소견이다. QT 간격은 0.50초로 심하게 증가되었고, QRS군들의 폭도 같이 넓어질 수 있을 것이다.

축은 불명확하다고 생각할 수 있다. 왜냐하면, 다시 한 번 말하지만, 대부분의 사지 유도들이 등전위이기 때문이다. 명확한 상향이나 하향의 유도가 없을 시엔, 딱 떨어지게 답을 내릴 수 없다.

유도 Ⅱ에서 P파는 넓고 절흔이 있어서, 좌심방확장의 전형적인 승모판–P 형태를 가진다. 파의 전체 전체 폭은 0.16초이고 "낙타 혹들" 사이의 거리는 0.06초이다. 이러한 긴 음성(negative) 부분을 갖는 이상성 P파 역시 좌심방확장 소견이다.

시험 심전도 11: 답

마지막 주의로써, 우리는 왜 이러한 파들과 간격들이 이렇게 넓은지에 대해 다시 생각할 필요가 있다. 고칼륨혈증과 특정 약물은 이런 정도의 넓어짐을 야기하므로 배제가 가능한지 확인해야 한다. 고칼륨혈증의 전형적인 패턴은 심실내 전도지연이며, 이것은 이 심전도에서는 나타나지 않지만, 이 패턴이 없다고 고칼륨혈증의 가능성을 배제하지 못한다. 형태학적으로 모든 추측들은 고칼륨혈증과는 관련이 없다. 환자의 병력과 진찰소견(특히 신체에 꼽혀 있는 관이나 신장투석에 사용되던 동정맥문합들을 찾는 것) 그리고 차트의 확인하는 것이 도움이 될 것이다. 검사실의 분석 또한 다른 칼륨이나 전해질의 장애를 배제하기 위해서 필수적이다.

최종 평가

1. 기간을 알수 없는 전중격 심근경색
2. 우각차단
3. 1도 방실차단
4. 불확실한 축
5. 좌심방확장을 동반한 승모판성 P파
6. QT 간격 연장

1. **전반적인 인상 :** WPW 증후군(Wolff–Parkinson–White syndrome) A형
2. **눈에 띄는 특징적인 소견은 없는가?** 델타파들, 넓은 QRS군들, 전흉부 유도들의 조기이행
3. **맥박 :** 분당 64회
4. **간격**
   PR 간격 : 0.12초
   QRS 간격 : 0.16초
   QT 간격 : 0.34초
5. **리듬 :** 동부정맥
6. **축 :** 정상 사분역, +80도
7. **비대 :** 평가할 수 없음
8. **허혈 혹은 경색 :** 없음
9. **감별 진단 :** 없음
10. **모든 것들을 통합하여**

당신이 이 심전도를 볼 때 즉시 떠오르는 것들 중 하나는 전흉부 유도들의 조기이행이다. 언제나 조기이행을 볼 때면 다음 중 어느 패턴에 가장 들어맞는가를 물어야 한다 : 우심실비대; 우각차단; 후벽 심근경색; WPW 증후군, A형 혹은 매우 어린나이. 이러한 가능성들을 생각해볼 때, 당신을 한쪽 방향으로 기울게 할 수 있는 원인들 무엇인가 존재하는가? 그 대답은 명백히 그렇다이다.

넓은 QRS군들을 나타내는 질환들을 살펴보면서 감별 진단 목록을 줄여나가기 시작해보자; 이 심전도는 0.16초의 QRS 폭을 보여준다. 조기이행을 동반하는 넓은 군들의 목록은 우각차단이나 WPW A형(Wolff–Parkinson–White syndrome, type A)으로 좁혀질 수 있다. 유도 Ⅰ이나 유도 V_6에서 늘어진 S파가 나타나지 않고, 유도 V_1에서 RSR 패턴이 나타나지 않아서, 우각차단 역시 배제할 수 있다. 남은 것은 WPW A형 뿐이다.

WPW의 특징 중의 하나는 델타파라고 알려진 늘어진 QRS군 시작의 존재이다. 우리가 우리의 군들을 볼 때, aVL을 제외한 모든 유도에서 델타파가 뚜렷하게 나타난다(만약 당신이 델타파가 무엇인지 또는 어떻게 만들어지는 지에 대해 잘 모른다면, 134 페이지에서 시작하는 이 주제의 도입부를 다시 보기 바란다). 델타파는 이 증례에서 QRS군의 모양이 0.16초까지 넓어지게 한다.

WPW 증후군은 대개 0.12초 보다 짧은 PR 간격과 관련되어 있다. 이 환자의 PR 간격은 정확히 0.12초이지만, P파의 끝부분에서 바로 늘어진 델타파가 시작하여서, 정확한 측정을 어렵게 한다는 것을 명심해야 한다. 대다수의 WPW 환자들이 이런 진단기준에 들어맞지 않고, 이번 례의 심전도는 그렇게 심하게 짧아지지는 않았다.

또한 이 환자는 ST분절이나 T파의 비특이적인 변화에 대한 진단기준에 부합한다. 재분극 패턴이 방실결절을 통해서만 전도가 발생할 때 일반적으로 나타나는 조직화된 패턴을 가지지 않기 때문에 심전도상에서 이상한 형태의 두개의 다른 방향의 재분극이 있다.

몇 개의 부가적 문제점들...

당신도 알고 있듯, WPW 증후군은 빈맥과 연관된다. 당신은 이런 심전도 형태를 볼 때 강하게 의심해야 하고 환자는 부정맥과 연관될 수 있는 증상을 호소할 것이다. 설명되지 않는 실신을 동반한 환자를 절대로 놓치거나 꾀병으로 여겨서는 안된다.

최종 평가

1. WPW 증후군 A형(Wolff–Parkinson–White syndrome, type A)

시험 심전도 13 : 답

1. **전반적인 인상 :** 큰 급성심근경색
2. **눈에 띄는 특징적인 소견은 없는가?** 상승된 ST분절들
3. **맥박 :** 분당 74 회
4. **간격**
   PR 간격 : 0.18초
   QRS 간격 : 0.08초
   QT 간격 : 0.34초
5. **리듬 :** 아래 논의를 보시오
6. **축 :** 좌측 사분역, −50도
7. **비대 :** 심방내전도장애
8. **허혈 혹은 경색 :** 아래의 토의 내용을 참조
9. **감별 진단 :** 없다
10. **모든 것들을 통합하여**

이 심전도는 유도들 Ⅰ, aVL 그리고 V_1~V_6에서 조금 편평한 ST분절 상승을 가진다. 게다가, 유도들 V_2~V_4에서 심한 ST−T파 분절의 상승이 나타나고, 이는 전형적으로 나타나는 것이 아니다. 이 뚜렷한 ST−T파의 상승은 급성 ST 상승 심근경색의 초급성기로 알려진 기간 동안 나타난다. 이 시기는 오직 급성심근경색의 시작 시점 근처에 짧게 일어난다. 흉통 증상의 시작과 심전도를 얻는 것 사이에 일어나는 필연적인 지연 때문에, 전형적으로 잘 보이지 않는다.

몇 개의 부가적 문제점들...

이 심전도의 율동은 진단하기에 약간 어려운데 왜냐하면 주된 변화가 일찍 일어나고 당신은 기록이 시작되기 이전에 어떤 일이 일어났는지에 대한 마땅한 생각이 없기 때문이다. 첫 번째 두 P파들은 PR 간격의 어떤 연장과도 관련이 없다. 첫 세개 군들의 R−R 간격들은 다양하고 일관성을 보여주지 않는다. 그 후 휴지(pause)가 있다. 다음으로, 심장탈분극군이 점화되어서, 새로운 리듬이 시작된다. 4번째에서 13번째 군들은 동부정맥으로 나타나며, 이는 R−R 간격에서 매우 작은 변화만이 있기 때문이다; P파들과 PR 간격들은 모두 일치한다.

좌전섬유속차단이 좌축편위와 함께 있다.

최종 평가

1. 측벽 확장을 동반한 전중격 영역의 초급성 ST분절 상승 심근경색
2. 심방이탈박동을 동반한 동부정맥
3. 좌축편위/좌섬유속차단

1. **전반적인 인상 :** ST분절 상승 심근경색
2. **눈에 띄는 특징적인 소견은 없는가?** ST분절 상승과 대칭적 T파들, 낮은 전압
3. **맥박 :** 분당 59회
4. **간격**

   PR 간격 : 0.16초

   QRS 간격 : 0.08초

   QT 간격 : 0.36초
5. **리듬 :** 동서맥
6. **축 :** 좌사분역, −20도
7. **비대 :** 없음
8. **허혈 혹은 경색 :** 아래의 토의 내용을 참조
9. **감별 진단 :** 기저 심낭삼출이나 전해질 이상이 존재하는 급성심근경색
10. **모든 것들을 통합하여**

이 심전도의 큰 이야기는 유도들 Ⅱ, Ⅲ, 그리고 aVF의 상호변화와 함께 나타나는 유도들 V_1~V_5에서의 ST분절 상승이다. 이것은 측벽 확장이 있는 전중격 급성심근경색의 또 다른 예시이다.

측벽경색의 초기 징후 중 하나는 유도 aVL ST분절의 경미한 상승과 하벽유도들의 상호변화이다. 이 경우 하벽 유도는 하강하지만 유도 Ⅰ과 aVL의 기저선은 변함없다. 이러한 현상이 일어날 수 있는 이유는 심전도에 나타날 만큼 충분하지 않은 전류의 변화 즉, 매우 매우 작은 aVL의 ST분절의 상승과 일치하는 작은 전류의 변화가 있기 때문에 이런 심전도가 발생하는 것이다. ST분절의 상승은 아예 나타나지 않거나, 시간이 지나면서 점점 상승할 수 있다. 중요한 점은 전중격 부위와 하벽 유도를 동시에 공급하는 동맥에 허혈성 변화가 일어나기는 힘들다는 것이다. 이러한 유형은 몇몇 우세 동맥계에서 나타날 수 있지만 이것이 ST분절 하강의 주된 원인 중 하나가 될 수는 없다.

몇 개의 부가적 문제점들...

이 심전도는 사지 유도들과 전흉부 유도들에서 모두 낮은 전압 기준을 만족한다. 사지 유도들은 모두 5mm이거나 더 작고, 전흉부 유도들은 모두 10mm이거나 더 작다. 심낭삼출과 저전압의 다른 원인들은 고려 및 평가해야 한다.

추가적인 지적으로, 환자는 동서맥과 아직 정상적으로 보이는 QT 간격을 가지고 있다. 저전압을 가지는 환자를 다룰 때에, 우리는 QT 간격의 일부분이 전압 손실의 원인에 의해 손실될 수 있다는 것을 기억할 필요가 있다. 전기적인 비정상은 또한 정상적으로 더 길어야 하는 QT 간격을 더 짧게 할 수도 있다. 심낭삼출은 종종 전해질 이상을 가지는 신장질환 환자에게 발생한다 – 당신은 이 내용을 앞으로 나아갈 때 염두에 두어야 할 것이다.

몇몇 독자들은 QS파가 유도 V_1과 V_2에서 나타난 것을 확인했을 것이다. 자세히 살펴보면 유도 V_2는 QRS군들이 시작하는 부위에서 뚜렷한 양의 굴절이 있는 것을 확인할 수 있다. V_1 역시 확실히 직선이 아닌, 기저선의 흔들림에 의해 일부 가려졌지만, QRS군 앞에 상향으로 경사진 곡선을 가지고 있다. 하지만 우리가 저전압 상황에 대해서 다루고 있다는 것을 감안한다면 어떤 미약한 굴절도 작게 나타날 수 있다. 이런 것들은 진정한 QS군들을 나타내지 않는 것 같다.

시험 심전도 14 : 답

두 번째 군의 끝에, 허상 또는 유도의 움직임으로 보이는 작은 굴절이 있다. 같은 방법으로 세 번째 P파군의 두 번째 "파형"에 대해서도 설명할 수 있다. PR 간격이나 QRS군들의 형태에는 변화가 없다는 것을 주목하라. 또한 유도 Ⅰ에서도 이상한 점은 보이지 않아 유도나 환자의 움직임이 유도 Ⅱ나 Ⅲ의 허상을 일으키는 오류라는 것을 시사한다. 이 이상이 재발하는지 아니면 비정상적인 파(wave)나 리듬의 유무를 좀 더 관찰하기 위해서 긴 리듬 스트립이 도움이 될 것이다.

심전도의 축은 좌측 사분역에 있지만 정상 범위 내에 있다. 좌축편위의 증거는 없다. QRS의 높이가 약간 변하고 있지만, 이는 호흡으로 인해 이 환자의 매우 수평으로 놓인 축이 약간 움직인 결과로 생각된다. 이 심전도를 이전의 것들과 비교한다면 저전압 상황이 되풀이되는지 확인해야한다. 이전 심전도에서 환자의 전압이 정상이었다면, 아마도 약간 다른 축이 보일 것이다.

최종 평가

1. ST분절 상승 심근경색, 측벽 확장을 동반한 전중격 급성심근경색
2. 낮은 전압
3. 동서맥

1. **전반적인 인상 :** 좌심실비대, 짧은 PR 간격
2. **눈에 띄는 특징적인 소견은 없는가?** 델타파가 없음
3. **맥박 :** 분당 62회
4. **간격**
   PR 간격 : 0.08초
   QRS 간격 : 0.08초
   QT 간격 : 0.44초
5. **리듬 :** 정상 동율동
6. **축 :** 정상 사분역, +50도
7. **비대 :** 좌심실비대, 심방내전도지연
8. **허혈 혹은 경색 :** 유도들 V_1~V_3에서 예측한 것보다 좀 편평한 ST 상승을 동반한 대칭성의 T파들을 보인다.
9. **감별 진단 :** WPW(B형), Lown–Ganong–Levine 증후군
10. **모든 것들을 통합하여**

이 환자는 V_2의 S와 V_5의 R을 더해서 전체 47mm로 명백히 좌심실비대이다. 유도들 V_1~V_3는 좌심실비대 형태에서 기대할 수 있는 것과는 다른 ST–T파 변화들을 보여준다. 가장 깊은 파는 V_2이다. 이 유도는 퍼져있는 J점과 연관되어 있지만, ST분절은 우리가 기대한 것보다 더 편평하고 T파는 명백히 의심스럽다. 이 의심은 유도들 V_1과 V_3까지 뻗친다. 허혈/경색을 배제할 수 없으며, 우리는 이 환자에서 높은 수준의 의심을 가질 필요가 있다. 이전 심전도과의 비교와 임상적 연관성은 진단에 많은 도움이 될 것이다.

우리가 더 고려해야 할 필요가 있는 다른 흥미로운 점들이 있다. PR 간격이 짧은 것이다. 이것만의 감별 진단 목록은 매우 한정적이다. 우리의 목적에 있어서는, WPW와 Lown–Ganong–Levine (LGL) syndrome (LGL 증후군)에 한정되며, 이것은 132 페이지에서 좀 더 자세히 다루어져 있다.

많은 소견들이 WPW에 반대이다. 첫 번째로, 이 심전도는 유도 V_2와 V_3사이에 조기이행을 가지는데, 이는 WPW A형의 진단 가능성을 뒷받침한다. 하지만 V_1의 군들은 하향이고 이는 A형 증후군에서는 일어날 수 없다. 게다가, 델타파가 없으며, QRS군들의 정상 넓이는 WPW A형과는 일치하지 않는다. 많은 유도들에서 R파의 시작이 늘어져 보이지만 이는 너무 작아서 델타파보다는 내재성편행(intrinsicoid deflection)때문으로 보인다.

정상 폭 QRS군들을 가진 환자에서의 짧은 PR 간격은 LGL 증후군이 진단에 더 부합한다. 이러한 소견들은 보통 양성(benign)이고 환자에게 어떤 문제든 일으키지 않는다.

몇 개의 부가적 문제점들...

심방내전도지연은 유도 V_1에서 이상성 P파와 함께 나타난다.

최종 평가

1. 전중격 유도들의 허혈/경색 변화들을 배제할 수 없다.
2. 좌심실비대
3. Lown–Ganong–Levine 증후군
4. 심방내전도지연

시험 심전도 16 : 답

1. **전반적인 인상 :** 하벽 급성심근경색, 3도 방실차단의 가능성
2. **눈에 띄는 특징적인 소견은 없는가?** 리듬의 불규칙성
3. **맥박 :** P파 박동수는 알 수 없다, QRS 박동수는 대략 분당 30회, 규칙적으로 불규칙함
4. **간격**
   PR 간격 : 없음
   QRS 간격 : 0.08초
   QT 간격 : 0.56초
5. **리듬 :** 아래의 토의 내용을 참조
6. **축 :** 정상 사분역, +40도
7. **비대 :** 없음
8. **허혈 혹은 경색 :** 아래의 토의 내용을 참조
9. **감별 진단 :** 허혈/경색, 약물효과 혹은 남용, 전해질 이상
10. **모든 것들을 통합하여**

이 단순해 보이는 심전도 패턴은 어디에서나 위험의 신호로 가득 차 있다. 집어내기 쉬운 경색부터 시작해 보자. 유도들 Ⅱ, Ⅲ 그리고 aVF에서 ST분절의 상승이 있고, 유도 aVL에서 상호변화가 있다. 이는 하벽 ST 상승 심근경색을 암시한다. 이상한 것은 당신은 매우 드물게 하벽 심근경색 단독만 있는 것을 본다는 것이다. 대개, 그것들의 동맥관류(aterial perfusion) 때문에, 이 경색들은 측벽, 우심실, 후벽으로의 확장과 함께 발생한다. 유도들 V_5~V_6에서 일어나는 이 작은 ST분절 상승은 측벽 확장의 가능성의 매우 빠른 변화를 암시일 수 있지만, 이러한 연관은 명확하지 않다. 일련의 심전도들과 이전 심전도들과의 비교는 매우 도움이 될 것이고, 이 경우에 필수적이다.

유도들 V_2와 V_3사이에 조기이행이 있지만, 패턴이 후벽 심근경색을 암시하는 것은 아니다. T파들은 모두 대칭적이고, 이상성 T파들이 유도 V_1과 V_2에서 보인다. 이것들은 또한 허혈 환자들에서 전형적으로 보여진다.

이제, 율동 장애에 주의를 기울여 보자. P파가 있는가? 그렇다, 3개의 명확히 보이는 P파가 있고, 첫 번째와 세 번째는 비슷한 모양을 가지고 있다. 두 번째 시작 지점의 기저선이 흔들리는 걸로 보아, 다른 두 파동과 같은 형태를 가진다고 확신을 가지고 이야기 하는 것은 불가능해 보인다. 이 P파들은 일시적으로 전혀 서로 연관되어 보이지 않는다. 그것들은 당신이 캘리퍼를 사용해 구분되지 않으며 숨겨진 심방 리듬을 보여줄 수 있는 파묻힌 P파들의 증거 또한 없다. 역행성 전도 양상을 시사할 만큼, P파들은 QRS군에 충분히 가깝지 않다. 대신 이 3개의 파들은 그냥 아무 것도 없는 곳에서 나타나고 서로 연관성이 없다. 더 나은 설명이 없기 때문에, 이것은 심방이탈 박동들로 명명할 것이다.

심실 박동수는 같은가? 글쎄, 군 1과 2, 2와 3, 그리고 5와 6 사이의 R–R 간격들은 모두 같다. 3번째 5번째 QRS군들 사이의 R–R 간격들은 비보상성 휴지를 나타낸다. QRS군들은 멋있고 폭이 좁아서, 어떻든 심실 기원은 아닌 것으로 보인다. P파와 정상 QRS 간격 사이에 관련성이 없어서 QRS군들은 접합부 기원이다. 심실군들의 박동이 매우 느려서 접합부 이탈율동을 시사하나, 이것은 대개 분당 40~60회의 심박동수를 가지고 때문에 – 이것은 이 환자에서 우리가 계산한 심박동수 30회 보다 훨씬 빠르다. 이것이 느린 심방세동의 양상인가? 이 진단은 이 리듬이 불규칙하게 불규칙하지 않고 규칙적으로 불규칙하기 때문에 확실히 배제할 수 있다.

4번째 QRS군은 심방기외수축(매우 연장된 PR 간격과 관련된) 혹은 접합부 기외수축을 나타낸다. 이 두가지의 감별은 불가능하고 의학적으로도 의미있지 않

다. 더 긴 리듬 스트립이 율동 비정상 진단에 도움을 줄 수 있다.

하벽 심근경색은 종종 방실차단과 관련이 있다. 우리가 P파와 QRS군 사이의 연관성을 고려할 때 우리는 그것들이 전혀 관련이 없음을 발견했다. 그래서, 이것은 3도 방실차단인가? 3도 방실차단은 어떠한 형태로도 심방의 리듬과 심실의 리듬이 서로 관련이 없을 때 알 수 있다. 이것 같은 경우는 우리가 확인할 수 있는 심방의 리듬이 실제로 없으므로 그렇게 진단할 수는 없다.

몇 개의 부가적 문제점들...

이 심전도와 연관된 기저 약물 작용이나 전해질 문제가 있을 수 있는가? 동방결절과 방실결절의 억제를 야기하는 숨겨진 약물 작용은 확실히 있을 수 있다. 디곡신과의 연관성을 나타내는 ST분절의 국자로 뜬 것 같은 모양(scooping)은 없지만 이 가능성은 명심해야 하고, 환자의 약물 복용력과 연관지어야 한다. 부주의한 또는 의도적인 디곡신 혹은 다른 약물 중독 또한 염두해 두어야 한다. 전해질 이상도 율동 장애를 일으킬 수 있다. 그러나 좁은 QRS군과 정상으로 보이는 P파 모양들은 이 가능성에 반대된다. 그러나, 어떤 경우든지, 신중한 검사실 분석이 필요하다.

최종 평가

1. 하벽 ST 상승 심근경색
2. 조기 박동을 동반한 접합부 이탈군
3. 비특이적 ST−T파 변화들

시험 심전도 17 : 답

1. **전반적인 인상 :** 빠른 심실상성 부정맥
2. **눈에 띄는 특징적인 소견은 없는가?** 심방군들의 톱니 패턴
3. **맥박 :** 분당 150회
4. **간격**
   PR 간격 : 적용 불가
   QRS 간격 : 0.08초
   QT 간격 : 적용 불가
5. **율동 :** 심방조동 2:1 차단
6. **축 :** 아래의 토의 내용을 참조
7. **비대 :** 심실 비대의 증거가 없음; 조동파들은 심방 비대를 평가할 수 없게 함.
8. **허혈 혹은 경색 :** 없음
9. **감별 진단 :** 다른 심실상성 빈맥
10. **모든 것들을 통합하여**

훈련된 사람에게는 2:1 차단이 있는 심방조동의 존재가 명확하다. 훈련 받지 않은 사람에게는 이것은 단지 빠른 심실상성 율동으로 보인다. 부정맥에 대해서 당신의 눈을 훈련시키는 것은 이 책의 범위 밖이다. 이 책의 자매지인 부정맥 인식; 판독의 기술(arrhythmia recognition : the art of interpretation). 그 텍스트에서, 우리는 많은 시간을 투자하였고, 이러한 리듬에 대해 많은 예시를 보여주었다. 그것을 통해서, 당신은 부정맥을 대할 때 명확히 알 수 있게 될 것이다.

지금은, 이 진단에 어떻게 쉽게 다가갈 수 있는지 살펴보자. 이것은 명확히 빈맥이다. 빈맥은 상심실성 빈맥을 의미하는 좁은 QRS군들을 가진다. 다음으로,우리는 심실박동수를 조사해야 한다, 이는 분당 150회이다. *당신이 만약 좁은 QRS군 상심실성 빈맥이 정확히 분당 150회의 심실박동수를 가진 것을 보게 된다면, 아마도 심방조동을 보고 있다고 생각하라.* 이것이 왜 일어나는가? 전형적으로 심방조동에서 P파의 박동수는 분당 – 300회이다. 방실결절은 빠른 박동의 공격을 좋아하지 않아서, 전형적으로 방실결절에 도달하는 모든 조동파 2개 중 하나를 차단한다. 그 결과 2:1 방실차단과 분당 150회의 심실 박동이 된다.

조동파들은 유도 V_1에서 쉽게 식별되고 측경기들 세트로 측정할 수 있다. 유도 II에서는, 모든 조동파가 하나씩 걸러서 QRS군 바로 직전에 하향편위(negative deflection)를 하는 것을 볼 수 있다. 그것들을 더 확인하고 파묻혀 있는 조동파들을 드러내기 위해서는, 간단히 당신의 측경기를 가져와 그것을 QRS군들의 바로 직전의 파의 가장 낮은 끝에 둬라. 이 측정법으로 측경기를 실제 심전도를 포함하고 있지 않은 부위로 옮겨라(특히, 빈 부분), 그러면 당신은 심박동수가 분당 150회라는 것을 알 수 있을 것이다. 심전도 종이의 빈 공간을 이용하여 거리를 반으로 나눠라. 이제, QRS군 전의 조동파의 가장 낮은 끝에 당신의 측경기의 첫 번째 끝을 두라. 그 다음 QRS군 바로 뒤에 있는 하향편위에 다른 끝이 바로 떨어지는 것을 볼 수 있을 것이다. 그것이 묻혀있던 F파이다.

몇 개의 부가적 문제점들...

축의 결정과 심방비대의 평가 또는 허혈/경색 징후의 확인은 조동이 교정된 후에 행해져야 한다. 빠른 조동파들은 다양한 비정상 소견을 숨기고 있을 수 있다, 그러므로 당신은 심각한 이상을 놓칠 수 있다.

최종 평가.

1. 2:1 방실차단을 가지는 심방조동

시험 심전도 18 : 답

1. **전반적인 인상 :** 측벽 확장이 있는 전중격 ST분절 상승 심근경색
2. **눈에 띄는 특징적인 소견은 없는가?** V_1에서 V_5 유도까지 ST분절의 상승
3. **맥박 :** 분당 43회
4. **간격**
   PR 간격 : 0.26초
   QRS 간격 : 0.08초
   QT 간격 : 0.46초
5. **리듬 :** 동서맥
6. **축 :** 정상적 사분역, +60도
7. **비대 :** 승모판성 P가 있는 좌심방확장
8. **허혈 혹은 경색 :** V_1에서 V_5 유도들의 ST분절 상승
9. **감별 진단 :** 없음
10. **모든 것들을 통합하여**

이 심전도는 측벽 변화를 동반한 전중격 ST분절 상승 심근경색의 전형적인 모양을 보여 주고 있다. V_1에서 V_5 유도에서 ST분절은 편평하거나 밑으로 오목한 모양을 나타낸다. 게다가, V_6에서 조금의 미세한 상승이 나타낸다. 사지 유도들에서는, 낮은 전압 패턴의 추가적인 합병증에 초점을 맞춘 평가가 필요하다. 이 환자에서 저전압의 원인에 따라, aVL 유도에서 보이는 작은 상승과 유도 III와 aVF의 하강은 보이는 것보다 더 중요할 수 있다. 만약 당신이 사지 유도들에서의 변화를 놓치더라도, V_5와 V_6에서 측벽의 침범이 여전히 진단된다. 그러므로, 당신은 아무것도 놓치지 않았다. 그러나, 당신은 당신이 평가하는 심전도의 모든 변화를 설명하는 노력을 해야 한다.

몇 개의 부가적 문제점들...

이 환자는 유도 Ⅱ에서 0.14초 너비의 P파와 정점들 사이가 0.06초 떨어진 절흔 영역을 가지는 승모판-P 형태를 가진다. V_1 유도는 2개의 이상성 P파를 보여주고, 또한 이 증례에서는 명백한 좌심방확장에 의한 심방내전도지연과 일치되는 소견을 보인다.

스트립은 환자의 호흡에 따라서 R-R 간격의 작은 차이를 가지는 동부정맥을 보여준다. 이것은 느린 감소와 그 후의 리듬의 증가를 가리키는데, 동부정맥 등에서 발생한다.

사지 유도들은 전체 높이가 모두 5mm보다 작다, 이는 저전압 상황에서 전형적으로 나타난다. 임상적 연관관계가 필요하다. 저전압에 대해 말하자면 -만약 전압이 고쳐졌다면, 전중격유도의 ST분절 상승은 어떻게 보여질 것이라고 생각하는가?

최종 평가

1. 측벽 확장을 동반한 전중격 ST분절 상승 심근경색
2. 저전압
3. 동서맥
4. 1도 방실차단
5. 비특이적 ST-T파 변화들

시험 심전도 19 : 답

1. **전반적인 인상 :** 측벽 확장을 동반한 전중격 ST분절 상승 심근경색
2. **눈에 띄는 특징적인 소견은 없는가?** 크고, 편평한 ST분절 상승
3. **맥박 :** 분당 78회
4. **간격**
   PR 간격 : 0.20초, 1도 방실차단
   QRS 간격 : 0.11초
   QT 간격 : 0.34초
5. **리듬 :** 상심실성 삼단맥(tirgeminy)를 동반한 정상 동율동
6. **축 :** 좌측 사분역, −10도
7. **비대 :** 심방내전도지연
8. **허혈 혹은 경색 :** 아래의 토의 내용을 참조
9. **감별 진단 :** 전해질 장애
10. **모든 것들을 통합하여**

이 심전도를 처음 보면, 당신의 첫 생각은 아마, "어떻게 이렇게 못 생기고 혼란스러운가!" 일 것이다. 물론 당신의 평가는 적중했다. 그러나, "못생기고 혼란스러운" 것에 대해서는 진단 부호와 특별한 치료가 없기 때문에, 우리는 좀 더 다듬어야 한다.

명백한 것부터 시작해서, 유도들 II, III, 그리고 aVF에서 ST분절 하강의 상호변화를 동반한 유도들 I, aVL, 그리고 V_2에서 V_6까지의 광범위한 ST분절 상승이 있다. 이러한 변화는 측벽 확장을 동반한 전중격 ST분절 상승 심근경색과 일치하는 변화이다.

QRS군들은 넓어 보이지만 측정할 수 있는 곳 2군데 유도들에서 단지 0.11초이다. 우각차단은 유도 V_1에서 상향이 아니고, 이 유도의 어디에도 토끼 귀의 증거를 찾을 수 없기 때문에 확실하지 않다. 심전도의 좌각차단 패턴은 전혀 맞지 않고, 그래서 우리는 그것을 배제할 수 있다. 각차단에 대한 우리의 인상은 급성심근경색증을 더 잘 관리하고 심전도를 다시 반복할 때까지 기다린다. 그러나, 임상적으로 고칼륨혈증에 대해 생각해야 하고 그것에 대한 가능성을 확실해 배제하기 위해 검사를 시행하여야 한다.

이제, 리듬에 관심을 가져 보자. 확실히 군들이 그룹으로 존재하고, 우리는 먼저 mobitz Ⅰ형 2도 방실차단으로 생각하였다. 강한 임상의 진주 : 심전도에서 군들의 그룹화가 보이면 방실차단을 항상 고려해야 한다. 그러나 이 경우에 우리의 처음 생각은 틀렸다.

2도 방실차단, Mobitz Ⅰ형은 QRS군들 중 하나가 마지막에 빠질 때까지 PR 간격이 증가하는 것과 관계가 있다. 적어도 빠지는 박동이 생길 때까지 R–R 간격은 점점 짧아진다. 그러면, 그룹의 끝에, 전도되지 않은 한 개의 P파가 있게 된다. 스트립을 보면, PR 간격의 증가가 없고, 그룹의 끝에 전도되지 않는 P파의 증거가 없는 것을 알 수 있다. P파가 묻혀 있을까? 글쎄, 선행하는 T파의 모양이 변화가 없어서 P파가 묻히는 것은 불명확하다.

2도 방실차단, Mobitz Ⅱ형은 전도되지 않는 P파 뒤의 QRS군이 빠지는 것과 관련되어 있다. PR 간격이 변화하지 않고, RR 간격들은 일정하다. 우리의 빠지는 박동에는 전도되지 않는 P파의 어떠한 증거도 보이지 않으므로, Mobitz II 역시 배제된다.

군들을 면밀히 조사하면, 짧은 휴지 전에 나타나는 P파의 모양이 다른 것과 조금 다르며, PR 간격이 조금 짧은 것을 알 수 있다. 이 작은 변이는 이 군들을 자극하는 박동기의 위치가 동방결절과 근접해 있음을 알려준다. 이 휴지는 비보상적이다. 이것은 심방기외수축이며 휴지는 동방결절이 재가동(resetting)되기 때문이다. 심방기외수축이 매 3번째 박동마다 생기므로 상심실성 삼단맥(supraventricular trigeminy)이 된다. 이 환자에서는 운좋게, 이것은 매우 양성(benign)의 리듬이고 심각하게 걱정할 것은 없다. 비교를 위해 여러 번의 측정을 해야 하는 경우에는, 측경기 세트가 스트립들을 분석하는 데 매우 도움이 된다.

시험 심전도 19 : 답

몇 개의 부가적 문제점들...

PR 간격이 0.20초로 연장되어 있는 것은 1도 방실차단을 의미한다.

유도 V_1에 이상성의 P파 모양이 있는 것은, 심방내전도지연를 의미한다.

최종 평가

1. 측벽 확장을 동반한 전중격 ST분절 상승 심근경색
2. 상심실 삼단맥
3. 1도 방실차단
4. 심방내전도지연

시험 심전도 20 : 답

1. **전반적인 인상 :** 하벽 심근경색; 비정상적인 넓은 QRS 패턴
2. **눈에 띄는 특징적인 소견은 없는가?** 비정상적, 넓은 QRS 패턴 매우 연장된 PR 간격
3. **맥박 :** 분당 82회
4. **간격**
   PR 간격 : 0.32초
   QRS 간격 : 0.12초
   QT 간격 : 0.40초
5. **리듬 :** 정상 동율동
6. **축 :** 우측 사분역, +110도
7. **비대 :** 심방내 전도 지연
8. **허혈 혹은 경색 :** 아래의 토의 내용을 참조
9. **감별 진단 :** 고칼륨혈증
10. **모든 것들을 통합하여**

처음 보면, 심전도는 매우 간단해 보인다. 그러나, 다시 한 번, 자세히 보면 보이는 것보다 간단하지 않는 것이 드러날 것이다. 가장 중요한 요소인 급성심근경색의 가능성에서부터 조사해보자. 유도 Ⅱ, Ⅲ 그리고 aVF에 ST분절 상승이 확실히 있고, 유도 Ⅰ과 aVL에 상호변화가 있다. 어떠한 측벽 혹은 후벽의 침범은 보이지 않는다. 하지만, 하벽경색은 단절되어 홀로 나타나지 않기 때문에 우심실 침범의 가능성을 생각해야 한다. 유도 Ⅱ와 Ⅲ을 보면, 유도 Ⅲ의 ST분절 상승이 유도 Ⅱ 보다 더 크다는 것을 알 수 있다. 이는 우심실 침범을 의미한다. 우측 유도를 얻는 것이 이 증례에서 중요하다.

이제 간격들로 우리의 관심을 돌려보자. QRS군들을 측정하면, 0.12초라는 것을 확인할 수 있다. 이는 각차단 형태와 일치하는가? 그렇지 않다. 우각차단의 늘어진 형태의 S파는 오직 유도 Ⅰ에서만 존재한다. 유도 V_6는 S파를 가지지만 늘어져 있지는 않다. 유도 V_1 음의 방향이고 우각차단에서 기대되는 RSR' 모양이 존재하지 않는다. 유도들 Ⅰ과 aVL에서 작지만 저명한 S파 모양이 좌각차단의 전형적인 모습은 아니다. 이것은 특징적으로 고칼륨혈증과 관련 있는 심실내 전도지연 형태만 남겨두게 된다.

PR 간격은 또한 0.32초로 심하게 증가되었다. QRS군와 멀리 떨어져 있는 P파를 언제라도 본다면, 우리는 P-P 간격을 확인하고 측경기로 이를 반으로 나눠야 한다. 명백한 P파에 바늘 하나를 놓고, 다른 하나의 바늘은 QRS군 안으로 떨어지는 것을 볼 수 있다. 그것의 정확한 시점에서 QRS군들의 모양은 약간의 변화를 보인다. 전흉부 유도들을 보면, 2번째 바늘이 유도 V_1에서 V_4까지의 S파가 상승하는 부분의 절흔에 떨어지는 것을 볼 수 있다.이것이 2:1 방실차단인가? 그럴 수 있고, 당신은 이를 당신 생각의 가장 우선순위로 생각해 둬야 한다.

이전에, 나는 이러한 T파가 왜 고칼륨혈증을 가지고 있는 환자에서 전형적인 모양이 아닌가에 대한 질문을 많이 받았다. 그러나 대답은 간단하지 않다. 뾰족한 T파는 고칼륨혈증에서 고전적인 모양이지만, 포타슘 농도가 계속해서 증가함에 따라, T파의 형태 또한 변한다는 것을 생각해야 한다. *전해질과 약물효과?* 본문 중 16장 '고칼륨혈증의 끈의 법칙'에서 끈으로 비유한 내용을 기억하라. 우리가 끈을 당기면, T파들은 높이를 잃어버리고 넓어지게 된다. 이 심전도는 이런 넓고 편평한 T파들의 좋은 예제가 될 것이다. 뾰족한 T파들에서 편평한 파들까지 나타나는 전체 스펙트럼이 있다는 것을 항상 기억해야 한다.

QT 간격은 또한 이 환자에서 증가되어 있다. 이 변화는 허혈과 고칼륨혈증을 포함하는 전해질 이상으로 야기됐을 수 있다.

고칼륨혈증은 가성-경색 형태를 만드는데, 이는 여기서 보이는 ST분절 상승을 설명할 수 있다. 하지만, 상호변화는 그런 상황에서는 전형적이지 않다.

그러나 한꺼번에 볼 때, 이 심전도에서 고칼륨혈증들의 수많은 특징들이 무시 할 수 없을 정도로 많다. 늘어난 PR 간격, QRS 간격, QT 간격, 심실내전도 지연; 그리고 2:1 방실차단의 가능성은 고칼륨혈증에서 흔히 보여지는 소견이다. 응급 칼륨 농도와 환사의 과거력과 임상적 연관성이 매우 중요하다. 만약 고칼륨혈증이 정말로 있다면, 더 심하게 악화되는 것을 막기 위해서 즉각적인 치료가 시작되어야 한다. 필요한 약물들과 박동기 선택이 환자의 침대 옆에서 가능해

야 하며, 사이파가 갑자기 시작되는 것을 주의해야 한다.

몇 개의 부가적 문제점들..

이 환자를 감시하면서 연속적인 심전도들을 얻는 것을 잊지 말아야 한다. 이 환자는 두 가지의 잠재된 생명을 위협하는 문제를 가지고 있다 : 경색과 고칼륨혈증. 두 가지 잠재된 문제 모두 철저하게 평가되어야 하고 이에 따라 치료가 시작되어야 한다. 기억하라, 고칼륨혈증 환자는 경피적(transcutaneous) 혹은 경정맥 심박조율에 반응을 잘하지 않는다는 것이다. 그러나, 이런 환자를 치료하기 시작하면, 그들은 안정을 빠르게 되찾을 수 있다. 만약 당신이 내부 경정맥 심박조율기(internal transvenous pacemaker)를 놓는데 훈련이 되어있지 않다면, 즉시 당신에게 도움을 줄 수 있는 사람에게 부탁을 하는 것이 필요하다. 준비되어 있어라 – 환자에게 심정지가 일어난 후, 뒤늦게 도구를 찾는 것은 당신에게나 환자에게 모두 좋지 않다.

최종 평가

1. 우심실 침범이 있는 하벽 ST분절 상승 심근경색의 가능성
2. 심실내전도지연
3. 고칼륨혈증 심전도변화의 가능성
4. 2:1 2도 방실차단의 가능성을 가지는 1도 방실차단
5. 연장된 QT 간격
6. 우축편위

시험 심전도 21 : 답

1. **전반적인 인상 :** 좌각차단
2. **눈에 띄는 특징적인 소견은 없는가?** 리듬의 불규칙성
3. **맥박 :** 분당 60회
4. **간격**

   PR 간격 : 다양함

   QRS 간격 : 0.16초

   QT 간격 : 0.46초
5. **리듬 :** 아래의 토의 내용을 참조
6. **축 :** 좌측 축, −80도
7. **비대 :** 정확히 평가하기 어려움
8. **허혈 혹은 경색 :** V_5와 V_6 유도에서 일치성의 ST분절
9. **감별 진단:** 전해질 불균형
10. **모든 것들을 통합하여**

이 심전도에 대해 당신이 떠올려야 하는 첫째는 QRS군의 너비와 크기이다. 0.16초의 QRS 너비는 각차단, 이소성 심실군들(ectopic ventriclar complexes), 혹은 심실내전도지연 등과 일치한다. 유도 Ⅰ과 V_6에는 늘어진 파들이 없다. V_6의 S파는 늘어진 모양이 아니다. 그것들은 우각차단에서 보이는 특징적 모습이 아니다. 파들은 유도들 Ⅰ과 V_1에서 모두 하향이다(번역자주, 유도 Ⅰ은 상향임). 비록 심전도가 유도 V_6에서 좌각차단의 특징적인 소견이 아니지만, 이 패턴은 사실 좌각차단이다. V_6의 모습은 유도의 위치나 매우 확장되고 위치가 옮겨진 심장 때문일 수 있다.

특징적으로, 좌각차단은 0.12에서 0.14초의 너비이다. 이소성심실군들, 즉 심실조기수축들 같은 것은 폭이 넓다. 이 증례는 그러나, 각각의 군들 전의 P파의 존재가 이런 가능성에 반대된다. 심실내전도지연의 가능성은 유도 V_6의 모습으로 보아 좋은 생각이며 항상 염두해 두어야 할 것이다. 임상적 연관성과 포타슘 농도를 확인해야 한다. 왜냐하면 유도 Ⅰ과 V_6가 완전히 형태적으로 다르기 때문에 심실내전도지연의 가능성은 감별 진단의 리스트에 밑에 놓여질 수 있으며, 이는 유도 위치 문제를 시사한다.

이제 우리는 모양이 좌각차단이라고 결정했다. 다음에 답을 해야 할 문제는 일치성이냐 혹은 불일치성이냐이다. V_5와 V_6에 ST분절 일치성이 어느 정도 있는데 이는 밑에 있는 허혈이나 경색을 가르킨다. 다시 한번 말해, 옳지 못한 유도의 위치의 가능성이 그것의 못생긴 머리를 들기 때문에 그리고 유도 위치에 특별한 신경을 쓴 후 심전도를 다시 찍는 것이 필요하다. 심장의 크기와 잘못 위치한 유도와 임상양상의 상관성 그리고 이전의 심전도들 등이 이 증례에서 굉장한 도움이 될 것이다.

이제 리듬에 대해 생각해 보자. 리듬이 규칙적인가? 그렇지 않다. 규칙적으로 불규칙적인가 아니면 불규칙적으로 불규칙적인가? 불규칙적으로 불규칙적이다. 이것은 감별 진단을 3개로 좁혀 준다 : 심방세동, 유주심방조율기(WAP), 그리고 다소성심방빈맥(MAT). P파의 존재가 심방세동을 배제시킨다. 3개 이상의 P파의 다른 모양이 있는가? 그렇다, 그러므로 진단은 유주심방조율기(WAP)와 다소성심방빈맥(MAT)로 좁혀진다. 분당 60회의 박동은 빈맥을 의미하는 것이 아니므로 유주심방조율기(WAP)의 가능성만 남게된다.

처음 볼 때, 아마 심전도 패턴이 2도 방실차단, Mobitz Ⅰ형으로 생각했을 것이다. PR 간격이 늘어난 몇몇 장소가 있고 그런 후에 휴지가 있다. P파를 좀 더 자세히 살펴보면, 그러나, 그들 대부분 형태적으로 다른 모양을 보인다. 이소성심방병소(ectopic atrial foci)가 형태학적으로 다른 P파와, 각기 그것 고유의 다른 PR 간격을 가진다. 이 리듬은 하지만 유주심방조율기이다. 전도되지 않는 P파가 없고 묻혀 있는 P파도 없기 때문에 방실차단으로 진단할 수 없다.

몇 개의 부가적 문제점들..

이 심전도는 좌측 사분역과 −80도의 축을 가지고 있다. 우리는 이 패턴을 좌전섬유속차단을 가진 좌각차단라고 하지 않는다. 왜냐하면 좌각차단는 좌측 각의 완전 차단에 의해서 발생할 수 있기 때문이다. 따라서 "좌전섬유속차단을 동반한 좌각차단"은 과잉이다. 그럼에도 불구하고, 우리의 좌축편위에 대한 인지는 임상적으로 유용하다. 이 환자가 좌측편위를 가지고 있지 않은 환자보다 예후가 좋지 않을 수 있음을 말해주기 때문이다.

최종 평가

1. 좌각차단
2. 측벽 유도들의 허혈의 가능성
3. 유주심방조율기(wandering atrial pacemaker)
4. 좌축편위

시험 심전도 22 : 답

1. **전반적인 인상 :** 하벽 ST분절 상승 심근경색
2. **눈에 띄는 특징적인 소견은 없는가?** 긴 PR 간격, ST분절 상승
3. **맥박 :** 분당 80회
4. **간격**
   PR 간격 : 0.26초, 1도 방실차단
   QRS 간격 : 0.03초
   QT 간격 : 0.36초, 약간 연장
5. **리듬 :** 정상 동율동
6. **축 :** 정상 사분역, +60도
7. **비대 :** 좌심실비대(LVH), 심방내전도지연
8. **허혈 또는 경색 :** 아래의 토의 내용을 참조
9. **감별 진단 :** 없음
10. **모든 것들을 통합하여**

하벽유도에서 심한 ST분절 상승이 나타나고, 유도 Ⅰ 그리고 aVL에 상호성 변화가 있다. 이 패턴은 하벽 ST분절 상승 심근경색과 일치한다. 심장의 다른 부위들도 영향을 받았을까? 물론 영향을 받았다. —그래야만 한다. 유도 Ⅲ과 ST분절 상승을 보고 유도 Ⅱ의 상승과 비교해보라. 유도 Ⅲ의 상승이 유도 Ⅱ의 상승보다 크기 때문에, 우심실 침범소견과 일치한다. 게다가, 비록 전흉부 유도에서의 이행이 너무 이르지는 않지만, 명확한 회전목마 형태가 발생한다. 저명한 R파, ST분절 하강, 그리고 상향의 T파들이 있다. 이것은 모두 후벽침범 소견과 일치한다. 마지막 평가는 다른것으로 입증되기 전까지는 이 패턴이 하후벽-우심실 ST분절 상승 심근경색을 나타낸다. 우측 그리고 후측 유도를 얻어야 한다.

몇 개의 부가적 문제점들..

PR 간격이 0.26초로 뚜렷이 증가되어 있다. 이것은 1도 방실차단과 일치하는 소견이다. 한편으론 이전에도 언급했듯이, P파가 R-R 간격의 정중점에 나타나면, P파가 묻힌 2:1 2도 방실차단의 가능성을 검토해야 한다. P-P 간격을 측정할 때, 어느 지점에서 측정하느냐에 따라 결과가 18 또는 19mm로 나오게 된다. 그 간격을 반으로 나눈 후 측경기를 이용해서 그 간격을 상세히 확인하면, 묻힌 P파에 의한 QRS군의 형태 변화를 전혀 찾아볼 수 없을 것이다. 그렇기 때문에 어떤 방실차단도 나타나고 있다고 볼 수 없다. 우리는 당신을 좋은 심전도 해석 습관과 친숙하게 하기 위해 이점을 다시 상기시킨다. 특히, 만약 가능성에 대해 고려하지 않는다면, 당신은 절대 그것을 진단할 수 없다.

유도 Ⅰ의 R파 높이가 12.5mm로 좌심실비대가 있음을 알 수 있다. 다른 기준은 좌심실비대와 맞지 않지만 급성심근경색의 변화로 숨겨져 있을 수 있다. 예를 들어, V_1과 V_2에서 S파의 실제 크기는 급성후벽 변화가 정상적인 힘을 압도하기 때문에 측정할 수 없다. V_1의 이상성 P파는 심방내전도지연이 있음을 나타낸다.

최종 평가

1. 하후벽-우심실 ST분절 상승 심근경색
2. 1도 방실차단
3. 좌심실비대
4. 심방내전도지연

시험 심전도 23 : 답

1. **전반적인 인상 :** 측벽 확장을 동반한 전중격 ST분절 상승 심근경색
2. **눈에 띄는 특징적인 소견은 없는가?** ST분절의 상승, P파 역위
3. **맥박 :** 분당 82회
4. **간격**

   PR 간격 : 0.08초

   QRS 간격 : 0.08초

   QT 간격 : 0.36초
5. **리듬 :** 가속성접합부율동(accelerated junctional rhythm)
6. **축 :** 정상 사분역, +80도
7. **비대 :** 없음.
8. **허혈 혹은 경색 :** 아래의 토의 내용을 참조
9. **감별 진단 :** 심실류(ventricular aneurysm)
10. **모든 것들을 통합하여**

유도들 Ⅰ과 aVL, V_1에서 V_5까지 명백한 ST분절의 상승이 관찰된다. 이것은 심장의 앞쪽, 중격(septal), 측벽을 침범한 ST분절 상승 심근경색증에 해당한다. 짧은 PR 간격과 P파 역위의 존재로 인해, rS 대 QS군을 정확하게 평가하는 것이 쉽지 않다. QS파의 존재는 기간을 가늠할 수 없는 경색을 의미할 수 있으며, 심실류 – 계속 생각하고 있어야 하는 것도 가능할 수 있다. 이 증례에서 새로운 심전도와 이전 심전도의 비교 그리고 임상적 연관성을 고려하는 것이 필수적이다. 그러나 심실류가 고려될 필요가 있다 하더라도 당장 생명을 위협하는 ST분절 상승 심근경색의 가능성이 다른 것으로 진단될 때까지 잠재적 진단(working diagnosis)으로 존재하고 있어야 한다는 것을 기억해야 한다.

유도들 Ⅰ과 aVL에서의 ST분절 상승은 뚜렷하거나 심한 변화는 아니지만 그럼에도 불구하고 존재한다. 우리의 "친구는 같이 다닌다." 기준에 따르면 이들 ST분절 상승은 측벽의 허혈/경색을 의미한다. 흥미롭게도, 하벽 유도들의 상호 변화가 없다. 이러한 소견은 경색이 많이 진행되어 있어서 변화가 보이지 나타나지 않을 수 있는 것이다. 이 심전도가 우리에게 주는 의미는 꽤 최근에 일어난 것이나 현재는 급성기가 아니라는 점이다. 증상 발현과 임상적 연관성이 추가적인 평가와 가능성으로 필요하다.

몇 개의 부가적 문제점들...

리듬을 좀더 유심히 보자. 먼저 리듬이 규칙적인가, 불규칙적인가? 이것은 하나의 불규칙한 영역을 제외하면 규칙적이다 – 이것이 리듬을 규칙적으로 불규칙하게 만든다. 세번째 군 이후의 R–R 간격을 재보면 리듬의 규칙성을 볼 수 있다. R–R 간격의 차이가 매우 조금 존재하며, 임상적으로 중요한 정도는 아니다. 그러나 첫 번째와 두 번째의 R–R 간격을 보면, 다른 것들과는 다르다. 첫 번째가 다른 것들보다 짧으며 P파가 보이지 않는다. 두 번째는 군는 더 길며 다른 것들과 매우 다른 상향의 P파와 연관되어 있다. 이러한 정보를 종합해보면, 우리는 비대상성 휴지기가 있는 심방기외수축이 있음을 알 수 있다.

이제, 나머지 스트립을 보자. 유도들 Ⅱ, Ⅲ, aVF에서 P파 역위가 존재한다. 이 패턴은 방실결절(AV node) 혹은 결절군(nodal complex)에 가까운 이소성 병소를 연상시킨다. 짧은 PR 간격은 정상적으로 PR 간격을 길게하는 전형적인 방실결절 지연을 거치지 않는 전기파로서, 결절병소의 가능성을 높여준다. 방실결절 세포의 고유 박동에 의해 전형적인 순수 접합부 율동의 박동수는 분당 40에서 60회이다. 이 증례의 분당 82회는 예상보다 빠르며, 역행(retrograde)성 P파를 동반한 가속성접합부율동을 의미한다.

최종 평가

1. 외측벽 확장을 동반한 전중격 ST분절 상승 심근경색
2. 가속성접합부율동(accelerated junctional rhythm)
3. 조기심방수축(PAC, Premature atrial contraction)

시험 심전도 24 : 답

1. **전반적인 인상 :** 3도 방실차단, 심실이탈군들(ventricular escape complexes)
2. **눈에 띄는 특징적인 소견은 없는가?** 매우 저명한 T파를 동반한 아주 크게 증가한 QRS군들
3. **맥박 :** 심방 : 분당 80회, 심실 : 분당 20회
4. **간격**

   PR 간격 : 적용 불가능

   QRS 간격 : 0.16초

   QT 간격 : 0.72 초
5. **리듬 :** 심실이탈군들을 동반한 3도 방실차단.
6. **축 :** 적용 불가능
7. **비대 :** 적용 불가능
8. **허혈 혹은 경색 :** 적용 불가능
9. **감별 진단 :** 심근병증, 허혈, 중추신경계 문제, 고칼륨혈증
10. **모든 것들을 통합하여**

의심의 여지없이, 우리는 환자가 많은 문제가 있다고 말할 수 있다. 당신이 취해야 할 행동은 빠르고 결정적이여야 한다. 심방과 심실은 명백히 관련 없어 보이고, 심방의 자극에 의한 QRS군이 없다. QRS군들은 QRS 간격(0.16초)의 너비와 전체적인 군들의 이상한 모습으로 인해 심실이탈박동으로 보인다. T파는 매우 날카롭고 그리고 매우 매우 크며, 그리고 QT 간격은 눈에 띄게 연장되어 있다. 좌각차단을 보이고 심실내전도지연은 심전도에서 보이지 않는다.

이러한 군들의 형태학적 모양은 짧지만 치명적인 감별 진단 리스트와 관련되어 있다. 심근병증을 보는 것으로 시작해보자. 심근병증은, 원인이 뭐든지, 이 사례에서 보여주는 것처럼 비정상적 재분극을 동반하는 매우 심한, 넓은 QRS군들을 만들 수 있다. 이러한 심전도 모양은 흔하지 않지만, 이 사례의 가장 가능성 높은 원인이 아님에도 불구하고 이것의 가능성은 계속 고려되어야 한다.

우리가 많이 보는 심근경색은 특징적으로는 이 심전도 같이 보이지 않는다. 그러나 자연에서는 어떤 일이든 일어날 수 있다. 대부분의 심근경색은 심실성이탈박동 리듬을 동반할 가능성이 있는 3도 방실차단의 원인으로 나타난다. 이소성 병소에 의한 심실이탈군들은 전도가 정상적 경로를 통해 이루어진다면 정상적으로 보이게 되는 많은 나쁜 것들을 숨길 수 있다.

심한 중추신경계의 사건들은 넓고, 이상한 재분극 파들을 야기할 수 있으나, QRS군들은 일반적으로 좁다. 이런 진단들은 모양의 변화를 유발시킬 수 있는 여러 방실차단들 그리고 부정맥들과 관련이 있다.

이것은 우리에게 마지막 감별 진단 리스트를 남긴다 : 고칼륨혈증. 고칼륨혈증 변화들은 이 심전도에서 나타난 것을 포함한 다양화된 양상을 설명할 수 있다. 그것들은 모든 종류의 차단(섬유속차단, 각차단, 그리고 방실차단)과 관련되어 있다. 고칼륨혈증은 이상한 모습과 비정상적인 재분극, 넓은 QRS군들 그리고 모든 간격들을 넓힐 수 있다. 고칼륨혈증 변화들은 이 심전도의 꽤 저명하고 뾰족한 T파와 관련이 있다. 특징적으로, 고칼륨혈증은 심실내전도지연 변화를 야기하나, 좌각차단와 우각차단 패턴도 생길 수 있다. 이것이 이 심전도와 가장 잘 맞는 감별 진단이다.

평소와 같이, 임상적 그리고 검사 소견의 연관성이 중요하다. 환자의 병력이나, 이학적 검사로 신부전 또는 신장 투석을 하는지 확인해야 한다. 무엇보다도, 의심을 가지고 환자를 빨리 치료하라!

몇 개의 부가적 문제점들...

심실성 리듬은 대략 분당 20회의 박동수를 가진다. 이 박동은 이 스트립에 걸쳐 나타나는 다양한 R–R 간격과 일치하지 않는다. 심실성이탈박동은 같은 병소에서 기원하기 때문에 특징적으로 규칙적이다. 이 스트립에서의 다양성은 여러 병소들이 기본 박동기들로 자극을 만들거나, 고칼륨혈증 그 자체로부터 야기된 국소적 탈분극 이상으로 다양한 경로를 가지는 자극에 의한 것일 수 있다.

최종 평가

1. 심실성 이탈 박동 또는 리듬을 동반한 3도 방실차단
2. 고칼륨혈증 변화 가능성

시험 심전도 25 : 답

1. **전반적인 인상 :** 측벽 확장을 동반한 전중격 ST분절 상승 심근경색
2. **눈에 띄는 특징적인 소견은 없는가?** 조기이행
3. **맥박 :** 분당 82회
4. **간격**

   PR 간격 : 0.20초

   QRS 간격 : 0.14초

   QT 간격 : 0.46초
5. **리듬 :** 정상 동율동
6. **축 :** 좌측 사분역, −40도
7. **비대 :** 심방내전도지연
8. **허혈 혹은 경색 :** 아래의 토의 내용을 참조
9. **감별 진단 :** 전해질불균형
10. **모든 것들을 통합하여**

이 심전도는 유도들 V_1~V_6에서 ST분절의 상승을 보인다. ST분절의 상승은 편평하고, 불길하며, 많은 유도들에서 깊고 대칭적인 역위된 T파와 관련이 있다. 이 소견들은 측벽 확장을 동반한 전중격 ST분절 상승 심근경색의 명백한 변화이다. 몇몇 다른 명백한 소견들도 역시 고려될 필요가 있다.

여기는 V_1 유도에서 상향의 QRS군들이 나오는 조기이행이 있다. 다음 5개의 감별 진단 중에서 어떤 것이 이 상황에 딱 들어맞는가? 우심실비대, 우각차단, 후벽심근경색, WPW(A형), 또는 어린이나 청노년 환자인가? 자, 0.14초로 넓은 QRS군을 보였지만, 열거했던 것들 중 각차단이나 WPW으로 압축시킬 수 있다. 우각차단을 만족시키는 늘어진 S파가 Ⅰ과 V_6가 있으며, V_1의 rsR'도 있다. WPW는 이와 다르게 가능성을 위해 만족시키는 기준이 없다. 이 ST분절 상승 심근경색 환자는 역시나 우각차단이 존재한다.

왜냐면 우리가 우각차단을 다루기 때문에, 우리는 일치성의 존재를 본다. 일치성은 모든 전흉부 유도에서 존재하고, 일찍 진단된 ST분절 상승 심근경색과 일치하는 소견이다.

축을 보면, 이것이 좌사분역에 존재하고 정확하게 말하면, −40도인 것을 알 수 있다. 이는 좌전섬유속차단과 일치한다. 기억해봐라. 좌전섬유속차단의 가장 빠른 진단은 유도 Ⅰ과 aVF를 보는 것이다. 복합체들이 각각 상향과 하향이었나? (특히 유도 Ⅰ의 상향 그리고 aVF의 하향) 그렇다. 유도 Ⅱ는 하향인가? 그렇다. 이 두 질문의 대답은 그렇다이다. 좌전섬유속차단 진단 기준의 지름길에 우린 만족한다. 이것이 우각차단과 좌전섬유속차단을 가진 환자에서 발생한 측벽 확장을 동반한 전중격 ST분절 상승 심근경색으로 최종진단을 확장시켜주는 것이다.

몇 개의 부가적 문제점들...

이 환자는 PR 간격이 0.20초이다. 이것은 1도 방실차단의 기준에 해당한다.

이 환자는 또한 0.46초로 아주 눈에 띄게 연장된 QT 간격을 가졌다. 이 소견들은 아마도 각차단 혹은 ST분절 상승 심근경색 자체로 기인할 것이다.

이 환자는 이상성 P파가 유도 V_1에 있고, 이것은 심방내전도지연의 존재를 암시한다.

마지막으로 우리가 다뤄야 할 것은 유도 Ⅱ와 aVF에서 Q파가 가능한 모양이 있는 것이다. 이 파는 분명히 넓고 깊어서 만약 이것이 의미있는 Q파가 있다면 충분한 자격이 될 수 있다. 그러나 그들이 진짜 Q파인가? 아주 짧은 r-파가 QRS군의 시작 때 바로 나타난다. 언제나처럼, 이전 심전도와 임상적 연관성을 비교하는 것이 심전도를 좀더 주의깊게 보는데 도움을 줄 것이다.

최종 평가

1. 측벽 확장을 동반한 전중격 ST분절 상승 심근경색
2. 우각차단
3. 좌전섬유속차단
4. 1도 방실차단
5. QT 간격 연장
6. 심방내전도지연

1. **전반적인 인상 :** WPW
2. **눈에 띄는 특징적인 소견은 없는가?** 넓은 QRS군들, 델타파들
3. **맥박 :** 분당 64회
4. **간격**

   PR 간격 : 0.11초

   QRS 간격 : 0.14초

   QT 간격 : 0.46초
5. **리듬 :** 정상 동율동
6. **축 :** 정상 사분역, +80도
7. **비대 :** 적용 불가능
8. **허혈 혹은 경색 :** 없음
9. **감별 진단 :** 내재성편향을 동반한 좌심실비대
10. **모든 것들을 통합하여**

이 심전도의 첫 관찰은 속을 수 있다. 그리고 당신은 아마 그것을 내재성편향을 동반한 좌심실비대로 쉽게 잘못 진단내릴 수 있을 것이다. 정확한 진단을 위한 논리적인 순서를 따라가 보자. 먼저, 이 심전도는 좌심실비대의 증거가 없다. 왜냐하면 좌심실비대에 대한 기준을 만족하는 것이 없기 때문이다 이것이 좌심실비대의 가능성을 배제해 준다.

다음으로, 우리는 QRS군들이 넓으며, QRS 간격이 0.12초로 넓다. 심전도가 좌심실비대 혹은 좌각차단의 기준을 만족하는가? 그렇지 않다. 늘어진 S파도 없고, RSR' 패턴도 유도 V_1에 없다. QRS군은 V_1에서 상향이기는 하며, 조기이행을 한다. V_1에서 상향의 QRS군은 좌각차단를 확실히 배제시킨다.

조기이행에 대한 나머지 감별 진단은 우심실비대, 후벽경색, WPW(A형), 그리고 어린 아이이다. 이 심전도에는 조기이행 이외 다른 우심실비대의 소견(특히 폐성-P, 우심방확장, $S_1Q_3T_3$ 형태)은 나타나지 않기 때문에, 이 진단은 의심스럽다. 후벽 침범만 일어나는 경우는 흔히 일어나지만, QRS 모양이 이 진단에 맞지 않다. 임상적 연관성은 환자의 나이를 평가하면 도움이 된다, 그리고 이 심전도는 젊은 사람에게서 특징적으로 나타나는 조기재분극 형태와는 일치하지 않는다.

당신은 WPW A형을 진단으로 남겨두고 있다. 이 패턴이 맞는지 보자. 조기이행, 델타파, 0.14초의 넓은 QRS 형태, 비특이적 ST-T파의 변화가 있다. 우리는 짧은 PR 간격을 가지고 있지는 않지만, 이것은 드문 상황이 아니다. PR 간격에서 델타파로의 이행이 불분명하기 때문에, PR 간격이 짧아지는 것에 대해 의문을 제기할 수 있다. 측경기를 어디에 두느냐에 따라, PR 간격은 달라질 수 있다.

WPW A형은 유도 V_1에서 상향의 QRS군과 관련이 있다 – 우리의 심전도에서 보인다. 이것이 가장 잘 맞는 진단이고 우리의 최종 진단이다. 작은 논리를 사용하고 감별 진단을 찾아내면 올바른 정답으로 이끌어 준다. 어떤 심전도를 분석하더라도 논리적인 순서를 따라야 함을 잊지 말아라.

몇 개의 부가적 문제점들...

다시 한 번 말하지만, 당신의 관리를 받기 위해 도착한 당신의 환자의 과거력에 주의를 기울여라. 당신은 상심실성 빈맥에 상응하는 징후와 증상에 대해 의심의 지표를 높이 가져야 한다. 가벼운 두통과 실신은 흔한 증상이고 관찰하지 않는 임상가에 의해 종종 잘못 진단될 수 있다.

최종 평가

1. WPW, A형

시험 심전도 27 : 답

1. **전반적인 인상 :** 수많은 허상
2. **눈에 띄는 특징적인 소견은 없는가?**
   허상이 보이는 것은 전기적 간접, 떨림, 혹은 계속적인 움직임을 시사한다.
   측벽 전흉부 유도의 QRS군의 끝부분.
3. **맥박 :** 분당 78회
4. **간격**
   PR 간격 : 해당 없음
   QRS 간격 : 0.14초
   QT 간격 : 0.40초
5. **리듬 :** 아래의 토의 내용을 참조
6. **축 :** 정상 사분역, +40도
7. **비대 :** 없음.
8. **허혈 혹은 경색 :** 없음
9. **감별 진단 :** 심실내전도지연
10. **모든 것들을 통합하여**

율동에서부터 시작해보자. 규칙적인가 불규칙적인가? 측경기를 이용하면, 불규칙적이라는 것을 알 수 있을 것이다. 구체적으로 말하자면, 이것은 불규칙적으로 불규칙한 리듬이다. 우리는 3개의 불규칙하고 불규칙한 리듬(유주심방조율기, 다소성심방빈맥, 심방세동)이 있다. P파의 존재를 확인해봐야 한다. P파가 존재하지 않으므로, 진단은 심방세동이다.

이 심전도에서는 엄청난 양의 기저선의 불규칙성이 보이는데, 이것들은 떨림, 오한, 유도들의 움직임, 전기적 간습, 혹은 심전도 기계의 오작동 등에 의한 허상일 수 있다. 그렇다면, 심방세동도 허상 때문일 수 있는가? 음.. 그렇다. 이것 또한 기저선의 흔들림의 원인이 될 수 있다. 하지만 이 허상 패턴은 심방세동에서 볼 수 있는 것보다 더 뾰쪽하다(spiky). 이 현상은 물론 앞서 언급된 다른 가능성 때문일 수도 있고, 이 심전도의 다른 특징에 들어맞을 수도 있다. – 오한

우리가 논의한, 일반적으로 심한 저체온증에서 발견되는 J파나 Osborn파들을 떠올려보자(226 페이지에서 시작). 측벽 전흉부 유도의 QRS 마지막 부분을 보면, Osborn파의 특징을 가진, 크고 넓은 파를 볼 수 있다. ST–T파의 변화 또한 Osborn파에서 특징적으로 나타나며, 허혈의 증거는 아니다. 일반적으로 중심부 체온이 낮을수록, Osborn파는 더 명확히 나타난다.

심전도에서 이러한 저체온증의 변화를 찾는 것의 가장 중요한 임상적 의의는, 환자의 상태의 심각성을 상기해야 한다는 것이다. 즉시 중심체온을 읽어라. 우리가 말하는 것은 "중심체온"이지 "구강이나 고막체온" 아니라는 것을 명심하라. 심한 저체온증은 매우 불안정한 심장과 관련이 있으며, 심실빈맥, 세동, 심정지, 무수축 등의 부정맥으로 무너져 내릴 수 있다. 약간의 움직임조차 위험할 수 있다. 심전도는 당신에게 생명을 위협하는 문제를 경고해 줄 수 있고 적절한 치료를 수행하는 것은 당신에게 달렸다. 환자를 담당하는 모두에게 경고를 해 주어라. 들것을 바꾸는 것 같은 행위만으로도 이 환자는 죽을 수 있다.

몇 개의 부가적 문제점들...

환자가 저체온증을 보일 때, 음주 또한 때때로 관련이 있다는 것을 기억하라. 이러한 환자들은 일반적으로 공격적이며 혼수상태이거나 정신적으로 손상되어 있다. 역설적 탈의(추위에도 불구하고 옷을 벗어 던지는 것)가 일반적으로 이 환자를 발견한 긴급의료원이나 경찰관에 의해서 보고되어져 있다. 얼은 물에 침수되는 경우가 흔하기 때문에, 동상이나 다리가 얼었는지 확인해야 한다. 권고된 방식으로 환자를 따뜻하게 해 주어라(저체온증의 치료는 이 책의 범위를 벗어난다).

마지막으로 환자가 심정지가 되면, *환자가 따뜻한 상태에서 죽은 것이 아니면 아직 죽지 않았다는 것을 기억하라!* 박동기 시술이나, 소생술 약제들이 저체

온증 환자에게는 효과적이지 않을 수 있다. 환자가 깨어났을 때 약물과다복용 상태가 되기를 원하지 않는다면 계속, 계속 약물을 주입하지 말라. 빠르게 다시 체온을 올리는 것이 이 환자들에게 가장 효과적인 방법이다.

최종 평가

1. 저체온증과 관련된 Osborn파나 J파
2. 오한에 의한 허상
3. 비특이적인 ST–T파의 변화
4. 재분극 이상에 의한 QT 간격의 증가

시험 심전도 28 : 답

1. **전반적인 인상 :** 측벽 확장을 동반한 하후벽 ST분절 상승 심근경색
2. **눈에 띄는 특징적인 소견은 없는가?**
   사지 유도들의 작은 QRS군들, 하측벽 유도들의 ST분절의 상승, V_1에서 V_3까지의 회전목마 모양.
3. **맥박 :** 분당 60회
4. **간격**
   PR 간격 : 다양함
   QRS 간격 : 0.08초
   QT 간격 : 0.42초
5. **리듬 :** 유주심방조율기(wandering atrial pacemaker)
6. **축 :** 우측 사분역, +100도
7. **비대 :** 없음
8. **허혈 혹은 경색 :** 아래의 토의 내용을 참조
9. **감별 진단 :** 전흉부 유도들에서 뾰족한 T파들을 가지는 고칼륨혈증
10. **모든 것들을 통합하여**

저전압의 심전도는 당신이 하벽 유도들의 ST분절 상승을 쉽게 놓치도록 만들 수 있다. 그러나 이런 방식으로 생각해보자 : 만약 이런 QRS군들이 정상 크기이면 얼마나 심한 ST분절 상승이 나타날까? 꽤 상당한 양이다 – 앞이 보이지 않는 심전도기사마저도 주목할 수 있을 정도로 충분한. 또한 유도 Ⅲ의 상승은 유도 Ⅱ의 상승보다 크기 때문에 우심실 침범을 시사한다는 것을 주목하라. 우측과 후벽 유도들을 확보해야만 한다.

특징적인 조기이행, 큰 R파의 회전목마 양상, ST분절 하강, 현저한 상향의 T파들 등을 고려하면, 후벽 침범은 제법 명백하다.

V_5에서 V_6 그리고 유도 Ⅰ의 ST분절의 상승이 있으므로 측벽 침범이 있다.

몇 개의 부가적 문제점들...

유도 aVL의 ST분절은 조금 하강되어 있는데 이것은 상호변화를 시사한다. 다시 말해서, 저전압은 하강을 덜 인상적으로 만든다.

이 환자의 리듬에 대해 당신은 어떻게 생각하나요? 이것은 P파가 나타나는 불규칙적으로 불규칙적인 리듬이다. 이것은 유주심방조율기 혹은 다소성심방빈맥으로 진단 가능성을 좁혀준다. 빈맥이 없기 때문에, 유주심방조율기가 정확한 진단이다. 진단을 확실히 하기위해서는 스트립을 통해서 적어도 3개 이상 다른 모양을 나타내는 여러가지의 P파 모양이 있다는 것을 확인하라. 더 긴 리듬 스트립도 얻어야 한다.

사지 유도의 전체 진폭이 5mm보다 작기 때문에 저전압의 기준이 충족된다.

최종 평가

1. 측벽 확장을 동반한 하후벽 ST분절 상승 심근경색
2. 경색이 우심실을 침범했을 가능성
3. 유주심방조율기
4. 저전압 기준

1. **전반적인 인상 :** 측벽 확장을 동반한 전중격 ST분절 상승 심근경색
2. **눈에 띄는 특징적인 소견은 없는가?** 아주 큰 폭으로 상승한 ST분절, 율동
3. **맥박 :** 분당 84회
4. **간격**
   PR 간격 : 다양함
   QRS 간격 : 0.08초
   QT 간격 : 0.36초
5. **맥박 :** 유주심방조율기(Wandering atrial pacemaker)
6. **축 :** 정상 사분역, +70도
7. **심근비대 :** 아래의 토의 내용을 참조
8. **허혈이나 경색 :** 아래의 토의 내용을 참조
9. **감별 진단 :** 심첨부 경색
10. **모든 것들을 통합하여**

이 심전도는 측벽 확장을 동반한 큰 전중격 ST분절 상승 심근경색의 전형적인 ST분절 상승을 보여준다. V_2와 V_3 유도들에 있는 QS파에 대해서 반대의견을 말할 수 있다. 이 심전도는 하벽 유도들의 상호변화가 없어서 그리고 율동 때문에 애매한 부분이 생긴다. 심전도의 이러한 양상들을 더 자세히 봅시다.

이 환자의 사지 유도에서는 대부분의 측벽 경색의 전형적인 상호 변화는 관찰되지 않는다. 사실 실제로는 유도 Ⅱ에서 약간의 ST분절 상승이 보인다. 이건 몇 개의 이유 때문일 수 있다. 이 환자는 다른 하부 유도들에서는 나타나지 않고 유도 Ⅱ에서만 ST분절 상승이 나타나는 진행하는 심첨부 ST분절 상승 경색을 가질 수 있다. 아니라면, 이건 단순히 기간을 알 수 없는 경색이 진행하고 있는 것일 수 있다. 아까 설명했던 QS군들의 시작 때문에 이렇게 진단할 수 있는 증거가 된다.

경색은 시간에 따라 진행된다는 것을 명심하라. 이 환자의 증상은 당신이 이 심전도를 얻기 몇 시간 전부터 시작되었을 것이고, 따라서 이 경색의 스냅사진은 이 시간의 경과에서 단지 늦은 한 시점을 반영할 수 있다는 것이다. 연속해서 찍은 심전도들과 임상적 연관이 몇 가지 질문들에 답하기 위해 얻어져야 한다.

심낭염이 고려되지만, 우리는 전반적인 ST분절 상승을 볼 수 없고, ST-T파의 모양이 경색에 더 일치한다. 심실류는 전형적으로 뒤집힌 T파와 연관되어지나, 결론을 내리지 않은 상태로 마음속에 간직하면서 오래된 심전도와 환자의 병력에 대해 더 조사해야 한다.

이제, 리듬 이상에 초점을 맞춰보자. 리듬은 상당히 규칙적으로 나타나지만, 측경기로 자세히 재보면 느리며 R-R 간격의 넓어짐과 짧아짐이 요동치는 것이 보인다. 이는 동부정맥이나 유주심방조율기(wandering atrial pacemaker) 패턴과 일치하며, 호흡시 흉부의 움직임이 변이를 만들어 낼 수 있다. 유주심방조율기의 개념으로 보면, 심장주기가 진행할 때 P파의 모양 변화를 봐야한다. 긴 리듬 스트립이 리듬을 평가하는데 있어 많은 도움을 줄 것이다.

몇 개의 부가적 문제점들...

당신은 유도 V_1에서 이상성의 P파와 심방내전도지연에 대해서 논의를 할 수 있을 것이다. 그러나, P파의 형태가 변하는 것이 유주심방조율기 때문이라 평가하기 때문에 이것은 정확한 것이 아닐 것이다. 만약에 리듬이 해결되고 P파의 형태가 안정화되면, 그 후에 다시 찍은 심전도는 심방내전도지연을 진단할 수도 있을 것이다. 당연하게도 그건 사실이 아니다. 일시적인 심전도의 변화에 기초해서 나중에 환자를 고통스럽게 하는(예를 들자면 보험 평가에 대해) 진단을 하게 되지 않도록 조심해라.

최종 평가

1. 측벽 확장을 동반한 전중격 ST분절 상승 심근경색
2. 유주심방조율기
3. 구체적이지 않은 ST-T파 변화
4. 연장된 QT 간격

시험 심전도 30 : 답

1. **전반적인 인상 :** WPW, A형
2. **눈에 띄는 특징적인 소견은 없는가?** 델타파, 재분극 변화
3. **맥박 :** 분당 58회
4. **간격**

   PR 간격 : 0.14초

   QRS 간격 : 0.12초

   QT 간격 : 0.54초
5. **리듬 :** 심방기외수축을 동반한 동서맥
6. **축 :** 왼쪽 사분역, 좌전섬유속차단 −40도
7. **비대 :** 좌심방비대, 승모판성 P
8. **허혈이나 경색 :** 없음
9. **감별 진단 :** 없음
10. **모든 것들을 통합하여**

처음 분명한 델타파와 함께 넓은 QRS군을 보여준다. PR 간격은 거의 대부분 넓은 P파들 단독(0.14초)으로 구성되고 0.4초의 절흔이 승모판성 P를 동반한 좌심방확장을 시사한다. 또한 국자로 퍼낸 것 같은 모양의 재분극 이상과 연장된 QT 간격을 보인다. V_1 유도의 QRS군들은 상향이며, WPW A형이 최종진단이 된다.

몇 개의 부가적 문제점들......

8번째 QRS군이 평소보다 빨리 보이고 다른 P파 모양을 가지고 있다. 비대상성 휴지기를 가진다. QRS군의 모양도 다른 모양을 가지고 있으나 다른 것들처럼 첫 시작이 같은 방향에서 기원하기 때문에 이것은 탈분극파의 편위전도를 만든다. 이것이 편위전도를 동반한 심방기외수축이다.

당신은 이 상태는 매우 드문 현상인데 왜 이렇게 많은 WPW 증례들을 보여주는지 아마 의문을 가질 수 있다. 만약 이것이 충분히 강조되지 않아서, 이 진단을 놓치게 되면, 환자에게 치명적일 수 있다. 환자들은 쉽게 치료할 수 있는 질병에서 치명적인 부정맥이 발생할 수 있을 뿐 아니라, WPW가 유발할 수 있는 심리적, 사회적 스트레스 요인이 실제 삶을 변화시킬 수 있다. 이 시험 부분에서는, 쉽게 분별하는 것을 배우고, 생명을 위협하는 패턴을 강조한다. 이상적으로, 이 시험 부분을 진행해나가면 자신감이 자라고, 눈이 날카로워질 것이다. 게다가, 각각의 방식에 다 차이가 있기 때문에 충분한 예들은 절대 볼 수 없다.

최종 평가

1. WPW A형
2. 편위전도를 동반한 심방기외수축

1. **전반적인 인상 :** 우각차단이 동반된 ST분절 상승 심근경색, 심실성부정맥, 고칼륨혈증, 약물 과다복용
2. **눈에 띄는 특징적인 소견은 없는가?**
   넓은, 이상한 QRS파
3. **맥박 :** 분당 80회
4. **간격**
   PR 간격 : 해당 없음
   QRS 간격 : 0.19초
   QT 간격 : 해당 없음
5. **리듬 :** 아래의 토의 내용을 참조
6. **축 :** 아래의 토의 내용을 참조
7. **비대 :** 적절한 평가가 어려움
8. **허혈 혹은 경색 :** 하부유도에서 ST분절 상승
9. **감별 진단 :** 우각차단이 동반된 ST분절 상승 심근경색, 심실성부정맥, 고칼륨혈증, 약물과다복용
10. **모든것들을 통합하여**

이는 해석하기 매우 힘든 심전도이다. 하지만 모든 정보를 모아 감별 진단을 잘 도출해냈다면, 정확한 진단에 도달할 수 있을 것이다. 자, 다시 최소 0.19초의 넓은 QRS 간격에서부터 시작해보자. 넓은 간격의 QRS군들은 주로 심실성부정맥, 고칼륨혈증, 약물 과다 복용 시에 잘 나타난다.

그것을 마음에 잘 새겨놓고, 우리의 심전도가 고칼륨혈증에 합당한지 보자. 이 심전도에는 식별할 수 있는 P파가 없다. 하지만 이것이 P파가 다른 군에 파묻혀 있지 않다는 뜻은 아니다. 우리가 이전에 공부한 *전해질과 약물효과* 장에 고칼륨혈증에서 군 자체가 사라질 때까지 모든 간격이 늘어나고, 이후에 사인파 형태 혹은 무수축이 일어나는 것을 알고 있다. 이 심전도에서는 P파가 안보이고 QRS군이 넓어져 있다. QT 간격은 길지만, QRS군의 폭을 생각하면, 그렇게 비정상적이지는 않다. 게다가 이는 유도 Ⅰ, V_6에 우각차단, 유도 V_1에 좌각차단 형태를 나타내는 심실내전도지연 형태가 아니다. 이것은 고칼륨혈증일 수 있는가? 그럴 수 있다. 당신은 검사실 검사를 통해 더욱 정확한 결과를 도출해 낼 수 있으며, 진단이 맞다면 응급으로 치료약을 투여해야 할 것이다. 그렇긴 하지만 고칼륨혈증이라는 진단은 우리가 생각해 볼 감별 진단 리스트에서 하위를 차지하게 될 것이다.

이것이 심실 리듬이 될 수 있나? 만약 그렇다면 어떤 심실 리듬인가? 이 진단은 명백히 도전적인 진단이다. P파의 부재는 심실에서 기원하였다는 것을 말해준다. 게다가 이 심전도는 유도 I과 V_6에 늘어진 S파와 V_1 유도의 상향의 RR' 을 동반한 우각차단 패턴이다. 다음 질문의 답은 아니다이다. 우리는 환각 상태는 아니다. 그저 군이 차단(block)의 모습을 바꾸어가며 매우 넓고 이상한 것뿐이다. 심실성 부정맥은 심실에 유발 병소를 가진다. 만약 유발 병소가 심장의 왼쪽 부위라면, 그 패턴은 우각차단 모양으로 나타날 것이다. 그것이 이 증례에서 나타나는 것이다. 리듬은 느리지도, 빠르지도 않아 가속성심실율동을 만든다(더 자세한 내용은 부정맥 인식, 판독의 기술 [{*Arrhythmia Recognition: The Art of Interpretation*] 참고).

가속성심실율동은 치료과정에서 나타나는 재관류 부정맥에서 전형적으로 볼 수 있다. 게다가 그것은 심근경색과 약물 중독 때문에 나타날 수 있다. 약물의 영향에 의한 것을 배제하기 위해 임상적 연관성을 확인해야 한다; 어떤 약물이 관련 있는지에 대한 검사실 검사를 실시해야 한다. 그러면 급성심근경색으로 결론이 난다. 앞에서 우각차단의 패턴이 보인다는 것을 언급하였다. 따라서 우리는 일치성을 모이는 영역을 찾을 수 있을까? 우리는 심실 리듬의 가능성에 대해 조금이라도 이야기 할 수 있나? 의구심이 들지만 대답은 할 수 있다는 것이다. 우리가 의미하는 것은 잠재적인 일치성에 대해서 이야기할 수 있는 것이고 만약 발

시험 심전도 31 : 답

견한다면 높은 수준의 의심을 가져야 한다는 것이다, 그러나 결과는 심실기원이 아닌 심전도군이 있기 때문에 질문에 대해 그렇게 확실치 않다. 이번 증례에서 유도 Ⅲ, V_5는 일치성을 보이고, 유도 Ⅱ, Ⅲ, aVF, V_5, V_6는 허혈/경색을 강력하게 시사한다.

이 리듬은 매우 불안정하며, 빠르게 다른 리듬으로 바뀌어 질 것이다. 예의 주시해야 하며, 변화가 오면 바로 심전도를 반복해서 얻어야 한다. 그 동안 당신은 중재시술 심장전문의에 연락을 해야 한다.

몇 개의 부가적 문제점들...

유도 II 리듬 스트립에서 세 번째, 네 번째, 다섯 번째, 그리고 마지막 군들의 시작에 명확한 작은 상향의 편향이 관찰된다. 이것은 P파로 볼 수 있으며 불규칙하여 QRS군 내에 충분히 숨을 수 있다. 이 가능성은 항상 마음속에 간직하고 있어야 하나, 과장된 것일 수 있다. 이런 규칙성을 가지는 것을 찾을 수 없다. 그것보다 상향 편위가 의미하는 것은 횡격막 위에 놓인 심장 축이 호흡운동에 따라서 위, 아래로 조금 움직여서 축의 작은 이동이 일어난 것일 가능성이 높다.

최종 평가

가속심실율동

하측벽 허혈/경색의 가능성

시험 심전도 32 : 답

1. **전반체적인 인상 :** 하측벽 ST분절상승 심근경색
2. **눈에 띄는 특징적인 소견은 없는가?** ST분절 상승
3. **맥박 :** 76BPM
4. **간격**
   PR 간격 : 0.16초
   QRS 간격 : 0.08초
   QT 간격 : 0.36초
5. **리듬 :** 동부정맥
6. **축 :** 정상 사분역, 아래의 토의 내용을 참조
7. **비대 :** 심방내전도지연
8. **허혈 혹은 경색 :** 아래의 토의 내용을 참조
9. **감별 진단 :** 없음
10. **모든 것들을 통합하여**

이 심전도는 유도 Ⅱ, Ⅲ, aVF, V_5, V_6에서 ST분절 상승 소견을 보여서 간단하다. 게다가 유도 Ⅰ, aVL에서는 ST분절 하강이 있다. 이것은 하측벽 ST분절 상승심근경색과 일치하는 소견이다. 유도 Ⅲ에서 ST분절 상승이 5mm 정도되며, 유도 Ⅱ에서는 4mm 정도 된다. 이는 우심실을 침범했음을 의미한다. 마지막으로 유도들 V_1과 V_2에서는 편평한 ST분절 하강이 있다. 이는 경색이 뒤쪽을 침범했음을 의미한다. 이들 소견들을 더 확인하기 위해서 오른쪽과 뒤쪽의 유도들을 최대한 빨리 검사해야 한다.

몇 개의 부가적 문제점들...

이것은 ST분절 상승 심근경색의 좋은 예이다. 하지만 단지 그것 때문에 이 마지막 심전도 검사 섹션에 포함시킨 것은 아니다. 심전도 테스터 31에서 리듬이 달라지면 바로 반복적인 심전도 검사를 시행하라는 것을 기억하는가? 이것이 바로 그 심전도이다. 하측 허혈/경색이 이상한 모양안에 숨겨져 있다는 우리의 의심이 맞다.

많은 사람들이 어떻게 하면 좋은 임상의가 되냐고 묻는다. 우리의 답은 간 단하다: 좋은 임상의란 환자를 진심으로 돌보고, 좋은 시스템을 가지며 비정상적인 상황을 찾아내는 직감을 가진 사람이다. 임상의들, 그 혹은 그녀의 본능적인 의구심을 믿으며, 모든 사건이 끝날 때 상태가 좋게 환자가 잘 살아 있다면, 한 번 실수한 것에 대해 큰 신경을 쓰지 않아야 한다. 의사가 연구들과 특별한 통계와 떨어져 살며, 그것들을 오직 감별 진단의 목록과 환자의 치료 방침에 접근하는 것으로만 사용하는 것보다 우리를 미치게 만드는 것은 없다. 의학을 위한 기술(art)이 있듯이, 심전도 해석에도 기술이 존재한다. 통계학은 중요하지만, 언제 이 들 숫자의 과거를 뒤돌아볼 줄 아는 것이 보통의 의사와 위대한 의사의 차이점이다.

'머니볼'이라는 영화에서, 영화의 두 주인공이 선수들의 통계를 바탕으로 하여 야구 경기를 이기는 법을 고안해 낸다. 그들이 그 시스템을 시행할 때 브래드 피트가 연기한 단장은 통계적 확률에 위배되는 일련의 연패에 직면했다. 그는 계속 지고 있다가, 그 시스템에 조금의 "기술(art)"를 적용하고부터 경기를 연속으로 이기게 된다. 그의 직감과 그의 선천적 지식(innate knowledge)를 사용하여, 나쁜 사과들(선수들)을 제거하고 그들을 비슷한 확률을 가지는 다른 선수로 교체한다. 새로운 그룹은 팀에 잘 융화되었고, 결과는 성공적이었다. 우리의 생각은, 단지 야구의 예술(art of baseball)의 의지하는 무형의 정신적인 것 만으로는 이길 수 없다는 것이며, 이것과 같은 맥락으로, 통계만을 가지고 경기를 하는 것도 승리할 수 없다는 것이다. 그러나, 두 가지가 결합되었을 때 당신은 지지 않을 것이다.

처음 심전도가 도입한 이래, 이 침대 옆 굉장한 검사기기는 특이도에 비해 민감도가 매우 높은 것으로 알려져 있다. 임상적 해석의 열쇠는 선명한 방향을 찾는 것이었다. 이전의 심전도에서 경색이나 허혈의 가능성을 제시하는 것은 당신을 세부전문가들의 웃음거리로 만들었다. 왜냐하면 당신이 건방지게 감히 낮은 특이

시험 심전도 32 : 답

도 기준을 가지고서 심실 리듬에서 경색의 가능성을 판독하려고 했기 때문이다. 당신의 보수적이고 중재시술적 해결책은 깊은 잠에서 깨어난 의사에게서 확실하게 나올 수 있는 폭언과 고함은 당신이 틀렸을 때 치러야 하는 대가이다. 그러나 환자의 심근을 어느 정도 살리기 위해 옳은 일을 하는 것은, 가치가 있는 것이다. 게다가, 이 후속 심전도를 본 심장내과 의사의 얼굴을 본다면 춥고, 비 내리는 어느날에 반본해서 기억나는 작고 수중한 추억들 중 하나가 될 것이다.

최종 평가

1. 우심실과 후벽 침범 가능성이 있는 하측벽 ST분절 상승 심근경색
2. 동부정맥
3. 심방내전도지연

33 : 답

1. **전반적인 인상 :** 급성심근경색 vs 심실류
2. **눈에 띄는 특징적인 소견은 없는가?** ST-T파 변화
3. **맥박 :** 분당 84회
4. **간격**
   PR 간격 : 0.16초
   QRS 간격 : 0.08초
   QT 간격 : 0.38초
5. **리듬 :** 정상 동율동
6. **축 :** 정상 사분역 −60도
7. **비대 :** 좌심실비대, 심방내전도지연
8. **허혈 혹은 경색 :** 아래의 토의 내용을 참조
9. **감별 진단 :** 급성심근경색, 심실류
10. **모든 것들을 통합하여**

이 심전도의 전벽, 중격, 그리고 전흉부 영역에 ST분절의 상승과 역위된 T파가 있는 것을 보면서 시작하자. S파가 유도 V_1과 V_2에서 제법 저명하게 관찰된다. 하지만 QRS군의 시작 부위에 조그만한 상향의 편향이 있어서 QS파는 아니다. 우리가 생각한 감별 진단 리스트를 떠올리면, QS파가 없다는 것은 심실류를 본질적으로 배제할 수 있다는 것이 된다. 이는 시기를 알 수 없는 급성심근경색'만이 감별 진단의 다른 높은 가능성을 가지고 남는다는 것을 뜻한다.

ST분절 상승은 유도 V_1에서 V_4까지는 아래쪽으로 오목하거나 편평하다. 이러한 패턴은 깊고 대칭적인 T파와 관련이 있다. 유도 Ⅰ, Ⅱ, V_5에도 깊고 대칭적인 T파가 보인다. 이러한 조합은 급성심근경색에 특징적이다. 우리는 이것을 경색이 정말 매우 짧은 급성기에 있는지 모르기 때문에, "시기를 알 수 없는(age interminate)" 이라고 했다. 이런 심전도는 진행하는 것 같은 냄새를 풍기기 때문에, 경색이 수 시간 지났거나 혹은 그것보다 오래된 것일 가능성이 가장 높다. 이전의 심전도와 비교해 보는 것과 임상적 연관성이 이 증례에서 대단히 도움이 될 것이다.

몇 개의 부가적 문제점들...

V_2에서의 S파와 V_6에서의 R파를 합한 것이 좌심실비대의 기준을 만족한다. 합이 44mm이며, 이는 35mm의 기준을 넘는다. 긴장 형태의 증거는 나타나지 않는다. V_1에서 이상성 P파는 심방내전도지연을 나타낸다.

최종 평가

1. 기간을 알 수 없는 급성심근경색, 전벽, 중격, 그리고 전흉부 영역.
2. ST분절 상승 급성심근경색 배제할 수 없음.
3. 좌심실비대
4. 심방내전도지연
5. 비특이적인 ST-T파 변화

시험 심전도 34 : 답

1. **전반적인 인상 :** 측벽 확장을 동반한 전중격 ST분절 상승 심근경색
2. **눈에 띄는 특징적인 소견은 없는가?** 전흉부유도의 ST분절 상승
3. **맥박 :** 분당 78회
4. **간격**
   PR 간격 : 0.16초
   QRS 간격 : 0.08초
   QT 간격 : 0.38초
5. **리듬 :** 정상 동율동
6. **축 :** 정상 사분역, 60도
7. **비대 :** 없음
8. **허혈 혹은 경색 :** 아래의 토의 내용을 참조
9. **감별 진단 :** 없음
10. **모든 것들을 통합하여**

이 심전도는 급성기인 심전도 시험 33과 비교해서 좀더 급성 상태이다. ST분절의 상승이 유도 Ⅰ, aVL, V_1에서 V_6까지 저명하게 나타나며, 대칭적 T파도 동반되어 있다. 이러한 소견은 측벽으로 확장된 전중격 ST분절 상승 심근경색의 전형적인 형태이다.

유도 Ⅱ, Ⅲ, aVF에 상호성 ST분절 하강이 있다. 이 유도들에서 T파는 넓고 대칭적이다. 하부 유도에서 약간의 PR 하강이 관찰되며, 이것은 아무것도 아닐 수도 있지만, 심방허혈 또는 심외막 자극을 의미하는 것일 수 있다.

몇 개의 부가적 문제점들...

유도 aVL과 aVF를 보라. aVF에서 T파의 끝에 위로 직선을 그리면 aVL을 지나게 된다. 이것은 aVL 유도의 T파의 상당한 부분이 등전위(isoelectrical) 상태로 존재한다는 것을 시사한다. 이것이 우리가 항상 심전도에서 가장 넓은 QT 간격을 재야 하는 이유 중 하나이다. 등전위에 의해서 제일 짧은 것이 아니라 제일 긴 것을 재야 우리는 정확하다고 확신할 수 있다. 또한 유도 aVL의 QRS군이 상향의 방향으로 시작을 하지만, 그 유도의 두 번째 군에서는 좀 더 등전위 형태를 보이게 되며 세 번째 군에서는 하향으로 끝나고 있다. 이러한 변화는 유도 aVL에서 축이 변하기 때문인데, 이는 호흡에 의해 횡격막이 움직이는 것 때문에 생긴다. 이런 변화가 나타나는 것은 이 유도에서 축이 정확하게 수직을 향하기 때문이다 – 심장축이 60도로 나타낸다.

최종 평가

1. 측벽 확장을 동반한 전중격 ST분절 상승 심근경색

시험 심전도 35 : 답

1. **전반적인 인상 :** 하후벽 ST분절 상승 심근경색
2. **눈에 띄는 특징적인 소견은 없는가?**
   ST분절 상승, 조기이행을 동반한 회전목마 모양.
3. **맥박 :** 분당 60회
4. **간격**
   PR 간격 : 0.14초
   QRS 간격 : 0.10초
   QT 간격 : 0.40초
5. **리듬 :** 정상 동부정맥
6. **축 :** 정상 사분역, −10도
7. **비대 :** 없음
8. **허혈 혹은 경색 :** 아래의 토의 내용을 참조
9. **감별 진단 :** 없음
10. **모든 것들을 통합하여**

심전도에서 나타나는 양상이 좀 미미하기 하지만 하후벽 ST 상승 심근경색의 기준을 만족한다. 사지 유도들부터 시작하자. 하벽 유도를 보면, 유도 Ⅱ, Ⅲ, aVF에서 ST분절 상승이 있는 것을 알 수 있다. 유도 Ⅲ에서 유도 Ⅱ보다 ST분절이 약간 더 상승된 것을 볼 수 있다. 이것은 우심실이 침범되었다는 것을 나타낸다. 오른쪽의 유도가 더 많은 가능성을 평가하는데 도움이 될 것이다. 상호변화는 유도 Ⅰ, aVL에서 ST분절 하강이 저명하게 나타난다.

전흉부 유도의 조기이행과 하벽의 변화들은 후벽 경색과 일치하는 소견이다. 다시 한 번, 가능성을 더 평가하기 위해서 후벽 유도가 필요하다. 회전목마 형태는 완벽하지는 않다. V_2의 ST분절 하강을 동반한 저명한 R파 그리고 상향으로 끝나는 T파는 후벽 경색의 고전적 소견에 거의 해당된다.

몇 개의 부가적 문제점들...

유도 V_4, V_5에서 큰 R파가 저명하지만, 좌심실비대의 기준에는 못 미친다.

최종 평가

1. 하후벽 ST분절 상승 심근경색
2. 우심실경색의 가능성

시험 심전도 36 : 답

1. **전반적인 인상 :** 아래의 토의 내용을 참조
2. **눈에 띄는 특징적인 소견은 없는가?** 매우 넓은 QRS군
3. **맥박 :** 분당 100회
4. **간격**

   PR 간격 : 해당 없음

   QRS 간격 : 0.20초

   QT 간격 : 0.48초
5. **리듬 :** 아래의 토의 내용을 참조
6. **축 :** 정상, 해당 없음
7. **비대 :** 해당 없음
8. **허혈 혹은 경색 :** 해당 없음
9. **감별 진단 :** 없음
10. **모든 것들을 통합하여**

심전도는 너무나 명백해서 답을 "전반적 인상"에 넣고 싶지조차 않았다. 당신은 완벽하게 진단을 하였겠지만, 이것은 언제까지나 답을 찾지 못한 사람을 위해 완전 기초부터 시작해보겠다.

이 심전도에서는 P파가 보이지 않는다. 이것은 리듬이 방실결절보다 아래쪽에서 생성되었다는 것을 뜻한다. QRS군의 폭을 보면, 접합부 율동이 아님을 나타낸다, 왜냐하면 접합부 리듬의 경우에는 특징적으로 QRS군의 폭은 계속 좁기 때문이다. 편위전도가 동반된 가속접합부 빈맥이 가능하지만, 다른 것들이 그 가능성을 없애주고 있다. 더 자세한 것은 뒤에..

이것이 좌각차단 형태인가? 음, 이 심전도는 전형적인 좌각차단에 비해서 너무나 넓은 폭을 보이는 것을 빼면 정의에 일치한다. 이것이 심실 빈맥과 같은 심실 리듬의 일종이 될 수 있나? 그렇다. 하지만 심전도의 어떤 것이 그 가능성을 무효하게 만들어 버린다.

우리는 조금의 시간을 낭비했으며, 본문에 여분의 말들을 조금 보태었다.

자, 이제 우리는 문제의 핵심에 마주해 보자. 각 QRS군 앞에 매우 날카롭고, 매우 얇은 파가 있다; 전기 심박동기가 심전도군을 자극할 때 이 파가 만들어진다. 이것은 심실조율율동이다. 이것이다 – 이 형태에서 다른 것이 이야기 될 것이 없다. 만약 군들의 원래 모양을 보고 싶다면, 심박동기가 작동되지 않는 상태에서 심전도를 얻어야 한다. 임상적 노트로서, 심박동기가 심장을 조율한 후에 어느 기간 동안 모양이 불규칙성이 있을 수 있다. 진짜 모양은 몇 시간이 걸려도 나타나지 않을 수 있다 하지만 보통 우리는 조율 직후 심장의 조율 모양을 얻을 수 있다.

몇 개의 부가적 문제점들...

심방의 작용없이 심실만 분당 100회 이상 조율하는 것은 흔하지 않습니다. 심박동기의 오작동이 있을 수 있기 때문에, 박동기를 관리하는 기술자를 불러서 기계가 정상적으로 작동하는지 확인해야 한다.

최종 평가

1. 심실조율리듬

시험 심전도 37: 답

1. **전반적인 인상 :** 우각차단
2. **눈에 띄는 특징적인 소견은 없는가?** 우축편위
3. **맥박 :** 분당 96회
4. **간격**

   PR 간격 : 0.22초

   QRS 간격 : 0.14초

   QT 간격 : 0.38초
5. **리듬 :** 정상 동율동
6. **축 :** 우측 사분역, 170도
7. **비대 :** 유도 Ⅱ의 폐성 P를 동반한 좌심방확장
8. **허혈 혹은 경색 :** 없음
9. **감별 진단 :** 없음
10. **모든 것들을 통합하여**

이 심전도는 넓은 QRS군들을 가지며, 명백한 우각차단 형태를 보인다. 늘어진 S파는 유도 I과 V_6에서 저명하게 나타나며, rSR'군이 유도 V_1에서 관찰됩니다. 일치성이 이 심전도에서는 관찰되지 않는다.

이제 우리는 흥미로운 파트로 넘어왔다. 이 환자의 축은 무엇인가? QRS군들이 유도 I에서 하향이며, aVF에서 상향이다. 따라서 축은 우측 사분역에 위치한다. 가장 정확하게 계산해 보면, 축은 대략 170도이다. 축이 우측 사분역에 해당될 때 당신은 좌후섬유속차단을 꼭 염두에 두어야 한다. 만약 이 가능성에 대해 생각하지 않게 되면 당신은 중요한 진단을 놓칠 가능성이 있다.

좌후섬유속차단은 거의 배제를 해서 진단을 하는 것이며, 꼭 배제하여야 할 또 다른 중요한 가능성 중 하나는 우심실비대이다. 이 심전도는 조기이행을 가지지만, QRS군은 우각차단 형태와 정확하게 일치한다. 또한 우심실비대의 가능성을 더욱 가지게 만드는 우심방확장의 증거도 없어서 우심실비대의 가능성은 매우 낮다.

좌후섬유속차단을 위한 다른 기준이 있나? 있다. 유도 Ⅰ에 S파 그리고 유도 Ⅲ에 Q파가 반드시 존재해야 한다. 이런 패턴은 유도 I의 S파 조건은 들어맞는데, 하지만 유도 Ⅲ는 기준선이 흔들리기 때문에 Q파가 존재한다고 확실히 말할 수 없다. 유도 Ⅲ의 기준선이 고정된 심전도를 빨리 한 번 더 찍어서 Q파 혹은 q파가 존재하는지 더 잘 확인할 수 있을 것이다. 그동안, 이 파가 존재한다고 가정하고 좌후섬유속차단이 있다고 추정해야 한다 .

좌후섬유속차단이 존재할 때 임상적으로 중요한 것이 있는가? 당연히 있다. 좌후섬유속차단은 발생하기 전에 아주 많은 양의 심근이 파괴되거나 혹은 좌후섬유속이 시작하는 장소에 정확하게 경색이 일어나야 하기 때문에 매우 드물다. 어느 쪽이든 우각차단과 동반되었을 때에는 상태가 매우 불안정하다. 이 환자는 좌후섬유속차단과 우각차단이 같이 있는 양섬유속차단이다 – 이는 매우 위험한 임상적 상황이다. 진단을 확인하고 위해 심전도를 반복하여 찍고, 이전에 찍은 심전도와 비교하고, 그리고 심장 모니터링도 즉각적으로 시행되어야 한다. 치료는 이 책의 범위를 넘어서지만, 심한 차단이 발생하는 것을 대비하여, 경흉부 심박동기를 예방적으로 환자의 침대 곁에 구비해놓아야 한다.

몇 개의 부가적 문제점들...

앞에서 말했듯이, P파는 0.14초로 측정되었고, P파의 두 꼭지점은 최소 0.04초 떨어져 있다. 이는 승모판성 P 형태를 시사한다.

최종 평가

1. 우각차단
2. 좌후섬유속차단의 가능성
3. 양섬유속차단의 가능성(좌후섬유속차단을 동반한 우각차단)
4. 승모판성 P가 있는 좌심방확장
5. 비특이적 ST–T 이상들
6. 우각차단에 의한 2차적 QT 간격 연장 가능성

시험 심전도 38 : 답

1. **전반적인 인상 :** 하후벽 ST분절 상승 심근경색
2. **눈에 띄는 특징적인 소견은 없는가?** 아주 큰 ST분절 상승, 회전목마 모양.
3. **맥박 :** 분당 114회
4. **간격**
   PR 간격 : 0.20초
   QRS 간격 : 0.10초
   QT 간격 : 0.30초
5. **리듬 :** 동빈맥
6. **축 :** 정상 사분역, 70도
7. **비대 :** 없음
8. **허혈 혹은 경색 :** 아래의 토의 내용을 참조
9. **감별 진단 :** 없음
10. **모든 것들을 통합하여**

이 심전도는 유도 Ⅱ, Ⅲ, aVF에서 매우 심한 ST분절 상승 소견을 보인다. 게다가 전흉부 유도에서는 회전목마 형태를 보여 후벽 침범을 시사하고 있다. 상호 변화가 유도 Ⅰ, aVL에서 관찰된다. 그리고 유도 Ⅱ에 비해 유도 Ⅲ에 매우 큰 ST분절 상승이 관찰되므로 이것은 우심실 침범을 시사한다. 항상 이들 영역들의 침범이 의심되는 경우에는 오른쪽과 후벽 유도를 얻어야 한다는 것을 기억하라.

몇 개의 부가적 문제점들...

이 책에서 "회전목마" 모양이라는 용어는 이 책에서 만들어 낸 용어인 것을 기억하라. 당신을 이상한 눈으로 보는 것을 원하지 않는다면, 이 책을 읽지 않은 다른 의사 앞에서 이 단어를 사용하지 마라. 이것은 단지 전흉부 유도들을 볼 때 회전목마 개념을 떠올리면, 모양을 쉽게 알 수 있게 하는 것이다. 우리는 많은 저명한 심장내과 의사들이 그것에 대해서 생각하지 않기 때문에, 후벽 침범을 놓치는 것을 봐왔다. 다른 사람들에게 모양에 대해 교육할 때 이 개념은 기억하는데 도움을 줄 것이다.

PR 간격은 0.20초였으며 이 환자가 1도 방실차단 또한 있는 것을 알 수 있다.

최종 평가

1. 하후벽 ST분절 상승 심근경색
2. 우심실 급성심근경색의 가능성
3. 1도 방실차단
4. 비특이적 ST-T파 변화들

시험 심전도 39 : 답

1. **전반적인 인상 :** 전반적인 ST분절 상승
2. **눈에 띄는 특징적인 소견은 없는가?** 전반적인 ST분절 상승
3. **맥박 :** 분당 96회
4. **간격**
   PR 간격 : 0.16초
   QRS 간격 : 0.10초
   QT 간격 : 0.34초
5. **리듬 :** 정상 동율동
6. **축 :** 정상 사분역, 60도
7. **비대 :** 없음
8. **허혈 혹은 경색 :** 아래의 토의 내용을 참조
9. **감별 진단 :** 심첨부 심근경색, 대동맥 박리/대동맥류, 심낭염, 조기 재분극
10. **모든 것들을 통합하여**

V_1를 제외한 모든 유도에서 ST분절 상승이 있다. 전체에 걸쳐 T파는 대칭적이며, 위를 향해 있다. 이것은 거대한 경색이라고 할 수 있을까? 자, 가능성을 살펴보고 답을 찾아가 보자. 시작하기 전에 한 가지 충고를 하겠다. 감별 진단에 접근해 갈 때, 당신의 환자를 가장 빠르게 죽음으로 끌고 갈 수 있는 것을 최상단에 오게 하고, 시간이 지나면서 사망하게 하는 것들을 그 다음에 오게 하고, 그 후 환자에게 상처를 내는 것을 생각하고, 마지막으로 모든 다른 것들을 놓는다.

유도 Ⅰ과 Ⅱ에서 상승 소견을 본다면, 우리가 앞서 언급했던 감별 진단을 포함해서 몇 가지 가능성에 대해 생각해야 한다. 첨부경색은 심장의 첨부나 끝부분을 포함하는 비교적 광범위한 경색이다. 하지만 ST분절 상승은 편평하거나, 아래로 오목한 모양을 가지며 더불어 깊고, 대칭적으로 역전된 T파가 동반되어 있다. 이 심전도에서 보인 형태는 그렇게 심각해 보이지 않으며, 이 가능성은 의심스럽다. 이 가능성을 다루고 있는 것이 아니라는 것을 확인하는 임상과의 연관성을 알아봐야 한다.

대동맥 박리나 대동맥류는 종종 대동맥 판막 바로 위에 위치한 주관상동맥 기시부의 혈류를 방해한다. 또한, 급성심근경색에 특징적인 변화가 나타난다. 병력에서는 찢어지는 듯한 등의 통증과 날카로운 가슴 통증이 포함되어 있을 것이다. 이 상태의 진단과 치료는 이 책의 범위를 넘어서지만, 당신은 이런 생명을 위협하는 진단에 익숙해져 있어야 한다.

심낭염은 전체 심전도의 광범위한 ST분절 상승을 나타낸다. 하지만 상승 소견이 고립된 영역에 제한적으로 나타날 수 있다. ST분절 상승은 국자로 퍼낸 것 같은 모양이며, 위로 오목하며, 상향의 T파들과 연관되어 있다. 종종 QRS군의 마지막에 절흔이 관찰되는데, 이 심전도의 V_3~V_6에서 보이는 것과 유사하다. 게다가, PR 하강이 사지 유도에서 전형적으로 나타난다. 이 심전도는 매우 전형적인 심낭염의 증례이며, 진단은 병력과 신체진찰과 일치한다.

이번 토의를 잘 마무리 짓기 위해, 조기재분극 변화에 대해서 생각해보도록 하자. 주로 젊은 사람에게서 나타나는 변화이다. 다른 연령에도 발생이 가능하다. 병과 관련이 없고, 이전 심전도와 비교해 보는 것이 도움이 된다. 조기재분극과 관련된 변화는 ST-T파를 다루는 단원에서 이미 다루어졌기 때문에 여기서 반복하지 않겠다. 하지만 이 환자에서 비슷한 점이 보인다. 많은 상황에서 우리는 그 환자들에서 나타나는 ST분절 상승의 정도에 대해 놀랐었다. 광범위한 ST분절 상승과 더불어 임상적인 증상이나 징후가 없다면 이 가능성에 대해 생각해 보는 것을 잊지 않아야 한다.

몇 개의 부가적 문제점들...

심낭염은 종종 빠른 심박수와 관련이 있다. 이번 심전도에서는 정상 동율동의 분당 98회로 정상 심박수를 기록하였는데, 이것이 전형적이다. 동성빈맥이 전형적으로 잘 관찰되지만, 악성빈맥은 혈역동학적으로 불안정한 증례가 아니라면 관찰되지 않는다.

최종 평가

1. 심낭염

시험 심전도 40 : 답

1. **전반적인 인상 :** 긴장 형태를 동반한 좌심실비대
2. **눈에 띄는 특징적인 소견은 없는가?** 큰 QRS군들
3. **맥박 :** 분당 95회
4. **간격**
   PR 간격 : 0.14초
   QRS 간격 : 0.10초
   QT 간격 : 0.34초
5. **리듬 :** 정상 동율동
6. **축 :** 정상 사분역, 0도
7. **비대 :** 긴장 패턴을 동반한 좌심실비대, 심방내전도지연
8. **허혈 혹은 경색 :** 아래의 토의 내용을 참조
9. **감별 진단 :** 경색, 허혈
10. **모든 것들을 통합하여**

이 심전도는 상당히 크고/깊고, 좁은 QRS군들을 보인다. 좌심실비대의 몇몇 기준을 만족하며 명백합니다. 긴장 패턴은 유도 Ⅰ, aVL, V_3~V_6에 저명하게 보인다. 우리가 알아야만 하는 다른 변화들이 있는가? 있다. 허혈에 합당한 소견들이 관찰된다.

유도 Ⅱ, Ⅲ, aVF의 ST-T파를 보라. 다른 것들 보다 평평하며, 대칭적인 T파들과 동반되어 있다. ST분절 상승은 유도 Ⅲ에서 가장 높다. 하벽 유도들에서 PR분절의 하강이 관찰된다. 이런 변화들은 긴장을 동반한 좌심실비대 또는 조기재분극 소견과 일치하는가? 아니다, 그것들은 아니다. 그것들은 허혈 혹은 경색과 더 일치한다. 하벽 유도들의 형태와 유도 Ⅲ가 가장 높은 상승을 보인 것은, 하벽-우심실 침범을 생각하게 한다. 이 환자에서 우측, 그리고 후벽 유도들을 얻어야 한다.

고혈압은 경색의 주요 위험 인자 중 하나이다. 긴장소견을 동반한 좌심실비대 환자가 오면, 그들이 급성심근경색을 동반하고 있을 수 있다는 것을 기억하라. 이 환자들에서 긴장을 동반한 좌심실비대 환자에서 나타나는 전형적인 소견이 아닌 변화가 나타나면 철저하고 적극적인 조사를 실시하여야 한다.

몇 개의 부가적 문제점들...

하벽 급성심근경색에서 전형적으로 관찰되는 상호 ST분절 하강이 이 심전도에서는 관찰되지 않는다. 명백한 긴장양상이 유도 Ⅰ 그리고 aVL에서 나타나기 때문에 상호변호를 압도하기 때문일 가능성이 높다. 심전도에서는 큰 벡터가 작은 벡터를 합쳐지게 하거나 삼켜버린다; 아마도 이것이 이 증례에서 일어나는 일일 것이다.

유도 V_1에서 이상성 P파가 나타나기 때문에 심방내전도지연이 존재한다. 좌심실비대가 있는 환자에서는 좌후섬유속차단이 잘 발견된다.

최종 평가

1. 하벽-우심실 ST분절 상승 심근경색의 가능성
2. 긴장 패턴을 동반한 좌심실비대
3. 심방내전도지연
4. QT 간격 연장.

1. **전반적인 인상 :** 부정맥, 하벽 ST분절 상승 심근경색
2. **눈에 띄는 특징적인 소견은 없는가?**
   두 박동마다 한 번씩 발생하는 심실조기수축(PVC)
3. **맥박 :** 분당 94회
4. **간격**
   PR 간격 : 0.18초
   QRS 간격 : 0.10초
   QT 간격 : 0.36초
5. **리듬 :** 심실 이단맥
6. **축 :** 정상 사분역, +10도
7. **비대 :** 없음.
8. **허혈 혹은 경색 :** 아래의 토의 내용을 참조
9. **감별 진단 :** 허혈/경색, 저산소혈증, 약물효과, 알 수 없는 요인에 의한 혈역동학적 불안정
10. **모든 것들을 통합하여**

이 리듬은 두 박동마다 심실기외수축이 발생하는 심실이단맥이다. 편위전도를 하는 상심실 박동의 형태라고 주장할 수 있으며, 솔직히, 둘 사이의 차이는 순수 학문적인 차이이며, 양쪽 다 안정된 리듬이다. 게다가 ST분절 상향 부위에 있는 절흔은 후향 전도된 심방군으로 뚜렷하게 나타난다.

심실 이단맥의 주요 원인들은 감별 진단에 나열되어 있다. 임상적으로 심실기외수축이 실제로 기계적인 수축파– 실제 기계적 맥박을 전달하는지를 보는 것은 중요하다. 이런 소견의 임상적 의의는 매우 중요하다. 파들의 전기적 전달 박동수는 분당 94회이다. 만약 심실기외수축이 기계적 수축을 전달하지 않는다면 실제 맥박은 분당 94회의 절반인 분당 47회 일 것이다. 많은 환자들은 분당 47회 더 많은 혈류가 필요하며 이 박동수는 심각한 혈역동학적으로 위태로운 상황의 원인이 될 수 있다. 심장 조율 혹은 약물 투여 등으로 전기 리듬을 실질적 맥박으로 만드는 것이 필요할 수 있다.

심전도의 유도 Ⅱ, Ⅲ, aVL 그리고 aVF을 보라. 유도 Ⅱ, Ⅲ, 그리고 aVF에서 ST분절의 상승이 보이며 특히 유도 Ⅲ에서는 그 상승이 더 크며, 유도 aVL에서는 상호적 ST분절 하강이 원래의 정상 맥박에서 보인다. 이것은 하벽–우심실 ST분절 상승 심근경색이며, 이단맥의 주 원인일 수 있다. 우측과 후벽 유도들을 위치하여 허혈/경색의 치료를 해야 한다. 기준을 충족한다면, 잠재적인 ST분절 상승 심근경색을 치료하기 위해 중재시술 심장전문의에게 진료를 받아야 한다.

몇 개의 부가적 문제점들...

리듬 장애에서는 기본 박동을 항상 점검해야 한다. 편위전도 박동 등에 의해서 간섭들이 이루어질 수 있다. 그렇지만 그것은 모두– 방해이다. 기본 박동의 형태는 편위전도 된 것에 의해 조금 바뀔 수도 있지만, 그것은 심장에 무엇이 일어나고 있는지를 매우 강하게 알려줄 수 있다. 만약 당신이 어떤 것에 대해 확신을 가지지 못한다면, 더 경험이 풍부하고 전문적인 임상의에게 조언을 구하거나 도움을 받아라. 세상에서 가장 최악의 감정 중 하나는 누군가를 "귀찮게"하고 싶지 않아서 그냥 내린 결정이 한 사람의 인생을 바꾸는 결정을 했다는 것을 깨닫고 괴로워하게 될 때이다.

최종평가

1. 하벽 ST분절 상승 심근경색
2. 우심실 침범의 가능성
3. 심실 이단맥

시험 심전도 42 : 답

1. **전반적인 인상 :** 서맥, 우각차단
2. **눈에 띄는 특징적인 소견은 없는가?** QRS군의 저전압
3. **맥박 :** 분당 52회
4. **간격**
   PR 간격 : 0.20초
   QRS 간격 : 0.12초
   QT 간격 : 0.40초
5. **리듬 :** 동서맥
6. **축 :** 좌사분역, −60도
7. **비대 :** 없음.
8. **허혈 혹은 경색 :** 없음.
9. **감별 진단 :** 비만, 심낭 삼출, 거대 유방
10. **모든 것들을 통합하여**

이 심전도는 0.12초의 넓은 QRS군을 보인다. 유도 Ⅰ과 V_6에 뚜렷한 늘어진 S파가 있으며 유도 V_1에서 RSR'군이 있다. 이러한 변화는 우각차단과 일치한다. 추가로, 축은 좌측 사분역에 위치하며, 유도 Ⅱ는 하향이어서, 좌전섬유속차단을 시사한다. 모두 합쳐서, 그림은 우각차단과 좌전섬유속차단을 가진 양섬유속차단(bifascicular block)을 보여준다.

유도 V_3와 V_6에 ST−T파의 약간의 일치성이 나타난다. 이것은 허혈을 암시하지만 이런 가능성을 포함하거나 배제하기 위해 임상적인 연관성과 이전 심전도들을 비교하는 것이 유용하다.

군들은 작지만 사지 유도에서 5mm 이하, 전흉부 유도에서 유도에서 10mm보다 작은 저전압 기준을 만족하지는 못한다. 유도 Ⅲ에서는 QRS군이 5mm 보다 약간 크며 측벽 전흉부 유도에서는 14mm 높이까지 된다. 그러나, 그러한 진단이 환자에게 맞는지 확인하기 위해 가능한 원인들을 조사해야 한다.

몇 개의 부가적 문제점들...

PR 간격은 0.20초이며 1도 방실차단을 만든다. 방실차단과 각/섬유속 차단들은 비록 이름에 "차단"이라는 용어를 사용하고 있지만 두 개의 다른 동물(성질)이라는 것을 기억해라. 차이점을 잘 모르겠으면 돌아가서 적절한 단원을 공부해라.

최종평가

1. 우각차단/좌전섬유속차단을 동반한 양섬유속차단
2. V_3에서 V_6 유도들의 일치성
3. 1도 방실차단
4. 비특이적 ST−T파의 변화

1. **전반적인 인상 :** 심실 부정맥
2. **눈에 띄는 특징적인 소견은 없는가?** 좁고 넓은 QRS군들
3. **맥박 :** 분당 130회
4. **간격**
   PR 간격 : 해당 없음.
   QRS 간격 : 해당 없음.
   QT 간격 : 해당 없음.
5. **리듬 :** 아래의 토의 내용을 참조
6. **축 :** 해당 없음.
7. **비대 :** 해당 없음.
8. **허혈 혹은 경색 :** 아래의 토의 내용을 참조
9. **감별 진단 :** 실질적 상황에서는 없음.
10. **모든 것들을 통합하여**

이 심전도는 아래쪽에 선명한 리듬 스트립이 없기 때문에 조금 해석하기가 어렵다. 그러나 우리는 다소의 노력으로 정보들을 다같이 모아서 통합할 수 있다. 첫째로, 이 환자는 분명히 심각한 문제를 가지고 있다. 만약 환자가 혈역동학적으로 위험한 상태이면, 가능한 빨리 심실부정맥을 치료해야 한다. 어떻게 우리가 심실 리듬이라는 것을 알고 있는가? 우리는 잠시 정보를 알려주는 표시(tell-tale sign)에 대하여 잠시 논할 것이다. 그러나 이것만은 기억해라 : *넓은 심전도군 빈맥은 다른 것으로 증명되기 전까지는 심실빈맥이다.* 이 심전도는 분명히 분당 130회를 가진 넓은 심전도군 빈맥을 보여준다. 그러나 이것은 전체 스트립의 심박동수이라는 것을 기억해라. 일부 지역은 분당 130회 박동보다 더 빠르다. 사실, 마지막 심전도군들은 분당 250회 보다 조금 더 빠르다.

심실빈맥의 심도깊은 논의는 이 책의 범위를 넘어선다. 당신은 '*부정맥의 이해 : 판독의 기술*'이나 다른 좋은 부정맥 관련 책에서 이 주제를 복습해야 한다. 그것은 당신이 이런 리듬을 볼 때 봐야 하는 몇몇 포인터를 알려 줄 것이다.

넓은 심전도군들이 모여 있는 것의 중앙에 극히 정상의 모양을 가지는 좁은 QRS군이 있는 경우에는 이 리듬은 아마도 심실빈맥일 것이다. 심실빈맥은 특징적으로 방실해리를 가지고 있기 때문이다. P파가 심실을 포획할 수 있는 특별한 순간에는 정상적인 QRS 모양이 나타난다. 이것을 포획 박동(capture beat)이라고 칭한다. 다른 심전도군은 포획 박동과는 다르지만 완전한 심실박동처럼 이상한 모양은 아닌 경우는 융합 박동(fusion beat)이라고 칭한다. 융합 박동은 정상으로 전도되는 박동의 모양과 심실박동의 모양이 합친 모양(fusion morphology)이다.

예를 들어 유도 V_5를 보자. 두 개의 넓은 QRS군들로 시작한다. 좁은 QRS군의 모양을 가지는 3번째 박동이 따라온다. 그리고 이 부분은 다양한 모양의 넓은 QRS군의 4개 군들이 대략 분당 250회의 매우 빠른 맥박들로 끝난다. 3번째 박동은 이 시리즈에서 포획박동이다.

유도 Ⅱ를 보면, 처음의 3개의 군들과 마지막 군은 P파들과 얼마간의 관련이 있는 것을 보게 될 것이다. P파를 상세히 보기 위해 측정기를 사용하여, P파들이 일정한 간격을 유지하지만, QRS군들과의 연관성에서는 다양한 간격으로 QRS에 떨어지는 것을 보게 된다. 처음 2개의 P파는 정상적으로 전도된다. 세 번째는 조금 후에 나타나며 QRS군의 모양은 좀더 넓다. 네 번째 QRS는 P파의 정점에 위치하며 또한 넓으며 더 특이하다. 다섯 번째는 다시 한 번 비교적 정상적으로 전도된다. 이 유도의 세 번째, 네 번째 QRS군들이 융합 박동들이다.

원래의 심전도군들을 보면, 하벽 유도들에서 ST분절의 상승이 확인된다. 유도 Ⅱ와 Ⅲ에서 첫째, 둘째, 그리고 마지막 심전도군은 ST분절 상승이 있으며, 유도 Ⅰ에서는 상호적 ST변화가 나타납니다. 다음 세트의 유도들을 보면, 3번째 군이 정말로 이상한 모양을 하고 있다. 다른 것들, 좀 더 정상적인 모양의 군들을 보면, aVF의 ST분절 상승의 상호변화인 유도 aVL의 ST분절의 하강이 있는 것을 볼 수 있다. 추가적으로 ST분절의 상승은 유도 Ⅱ보다 Ⅲ에서 더 크며 이것은 우심실 침범을 시사한다.

시험 심전도 43 : 답

전흉부 유도들은 유도 V_1에서 V_2까지 ST분절의 상승과 조기이행을 보여준다. 우심실경색이 유도 V_1의 ST분절 상승과 연관이 있으며, 이 상승이 때때로 다른 전흉부유도들 전반에 확장될 수 있다는 것을 상기하라. 이것이 이 심전도에서 우리가 볼 수 있는 것들이다. 본래 박동들의 변화는 하벽-우심실경색을 보여준다.

몇 개의 부가적 문제점들...

이런 상태의 치료는 이 책의 범위를 넘어선다. 그러나 우리는 우리의 규칙 일부를 깨고 당신에게 무엇을 해야 할지에 대해 빠른 조언을 줄 것이다. 여기에 제시된 정보는 이 환자의 필요한 모든 치료를 반영하지 않는 것은 아니다. 그러나 이런 생명을 위협하는 상태의 치료에 대한 기본 세부 사항을 복습하는데 있어 전혀 문제가 되지 않는다.

이 환자는 즉각적인 집중과 치료가 필요하다. 당신은 처음으로 환자의 혈역동학적 상태를 점검하고 그에 따라 환자를 치료한다. 만약 환자가 혈역동학적 손상의 징후가 조금이라도 있으면 심율동전환(cardioversion) 그리고/또는 약물적 치료가 즉각적으로 시행될 필요가 있다. 모든 유도들이 나오는 그리고 긴 리듬 스트립의 심전도를 반복적으로 시간이 허용하는 데로 하여야 한다. 우측 그리고 후벽 유도들 또한 얻어야 한다. 우측의 경색은 수분(volume)이 더 필요하므로 가능한 빨리 환자의 "탱크"를 채워야 한다는 것을 기억해라. 가능한 빨리 중재시술 심장전문의를 참여시켜서, 환자에게 경피적 관상동맥중재술(PCI) 등을 포함한 치료를 하거나, 이 환자에서 혈전용해제의 역할에 대해 토론하여야 한다.

최종 평가

1. 심실빈맥
2. 하벽-우심실 ST분절 상승 심근경색

1. **전반적인 인상 :** 우각차단, 오래된 전중격 심근경색
2. **눈에 띄는 특징적인 소견은 없는가?** QRS군들의 폭과 V_1부터 V_4에서 QS파.
3. **맥박 :** 분당 66회
4. **간격**
   PR 간격 : 0.16초
   QRS 간격 : 0.16초
   QT 간격 : 0.50초
5. **리듬 :** 정상 동율동
6. **축 :** 극도의 우사분역(extreme right quadrant), −140도
7. **비대 :** 좌심방비대, 승모성 P
8. **허혈 혹은 경색 :** 없음.
9. **감별 진단 :** 없음.
10. **모든 것들을 통합하여**

이 심전도는 유도 I과 V_6에서 고전적인 늘어진 S파를 보이고 있다. 유도 V_1을 볼 때, 깊은 Q파로 시작하고 넓은 R파로 끝나는 상향의 QRS군을 보인다. 이것은 우각차단이 있는 환자에서 오래된 경색 형태를 나타내는 전형적은 QS파이다.

우각차단을 가지고 있으면, 어떠한 일치성의 증거를 가지고 있는가? 유도 V_6에서 일치성은 분명하다. 그러나, 오직 유도 V_6에서만 나타나기 때문에 국소적 허혈을 시시하는 것은 아니다.

이 심전도는 의심할 여지없이 우각차단을 가지고 있다. 흥미롭게도 전체적으로 매우 평평한 T파들을 보여준다. 우리는 이러한 것을 정상도 병적인 것도 아니기 때문에, 비특이적이라 한다.

몇 개의 부가적 문제점들...

넓고 이중 혹이 있는 P파가 유도 II에 나타난다. 혹들은 적어도 0.04초 간격으로 떨어져 있다. 그것들은 좌심방확장과 일치하며 승모판 P의 형태학적 패턴을 가진다. V_1 유도의 이상성(biphasic) P파가 넓은 후반부를 가지는 것은 좌심방확장과 일치하는 소견이다.

최종평가

1. 우각차단
2. 기간을 알 수 없는 전중격 심근경색
3. 승모판성 P를 동반한 좌심방확장
4. 비특이적 ST−T변화들
5. QT 간격의 연장

시험 심전도 45 : 답

1. **전반적인 인상 :** WPW
2. **눈에 띄는 특징적인 소견은 없는가?** WPW의 델타파
3. **맥박 :** 분당 70회
4. **간격**

   PR 간격 : 0.12초

   QRS 간격 : 0.14초

   QT 간격 : 0.44초
5. **리듬 :** 정상 동율동
6. **축 :** 정상 사분역, +80도
7. **비대 :** 해당 없음.
8. **허혈 혹은 경색 :** 없음.
9. **감별 진단 :** 유도 V_1과 V_2에서의 조기 이행에 대한 감별점들을 기억해라 : 우각차단, 후벽 심근경색, 우심실비대, A형 WPW, 그리고 청소년과 아동의 정상 변이
10. **모든 것들을 통합하여**

이 환자는 전흉부 유도들에 조기이행이 나타난다. 추가로 QRS군은 0.14초이다. 조기이행에 대한 5가지 감별 진단 목록을 보면 넓은 QRS군을 가진 조기이행은 두 가지 가능성 : 우각차단, A형 WPW을 가진다. 대부분의 유도에서 델타파를 볼 수 있으며 우각차단의 형태학적 변화가 없음을 알 수 있다. 제거 과정에 의해 우리는 A형 WPW이 남게 된다.

몇 개의 부가적 문제점들...

이 시점에서, 당신은 이 심전도 진단에 매우 친숙해져야 한다. 이것이 소견들을 기술하는데 시간을 많이 들이지 않은 이유이다. 우리의 경험에서, 당신이 심전도 패턴을 더 자주 볼수록 그것을 더 정확히 발견할 것이다. WPW의 기준과 모습을 항상 기억해라. 이 증후군의 이환율은 낮지만 당신은 인식하든 인식하지 못하든 임상경력동안 그것을 여러번 마주치게 될 것이다.

최종평가

1. WPW, A형

1. **전반적인 인상 :** 측벽 확장을 동반한 전중격 ST분절 상승 심근경색
2. **눈에 띄는 특징적인 소견은 없는가?** 하부 유도들의 상호변화
3. **맥박 :** 분당 82회
4. **간격**
   PR 간격 : 0.16초
   QRS 간격 : 0.08초
   QT 간격 : 0.40초
5. **리듬 :** 정상 동율동
6. **축 :** 좌측 사분역, −10도(여전히 정상범위 내)
7. **비대 :** 없음.
8. **허혈 혹은 경색 :** 아래의 토의 내용을 참조
9. **감별 진단 :** 없음.
10. **모든 것들을 통합하여**

이 심전도는 초보 판독자를 현혹할 수 있다. 처음으로 훑어보았을 때, 가장 잘 드러나는 것은 하부 유도들의 ST분절 하강이다. 그것으로부터 당신은 유도 aVL의 ST분절 상승과 유도 Ⅰ의 약간의 상승을 확인할 것이다. 유도 aVL에서 ST분절의 상승은 국자로 퍼낸 것 같은 모양으로 위를 향하고 있으며, 높이가 1mm이며 상당히 넓고 대칭적인 T파와 관련이 있다. 당신이 사지 유도들에서 어느 정도의 ST분절 상승이 있고, 적절한 유도들에서 상호성 변화가 관찰될 때마다, 당신은 다른 것이 증명될 때까지 그것이 경색이라고 생각하는 것이 좋다.

사지 유도들을 평가한 후에는, 이제는 매우 양성(benign)으로 보이는 전흉부 유도들에 관심을 돌려보자. 그러나 자세히 관찰해보면 그것들이 양성(benign)이 전혀 아님을 알 수 있다. 유도 V_1에서 V_4까지는 정상보다 더 평평하며 매우 크고 대칭적인 T파로 끝나는 ST분절 상승이 있다. 형태는 단순히 오목하게 위로 솟은 ST분절과 비대칭적 T파보다는 더 성난(angrier) 모양을 하고 있다. T파의 변화는 유도 V_6까지 지속된다.

사지유도의 상호변화와 전흉부 유도들의 ST분절 상승을 같이 합하면, 측벽 확장을 동반한 전중격 ST분절 상승 심근경색을 진단하게 될 것이다– 이것이 이 심전도에서 나타나는 것이다. 역시, 임상적 연관성과 이전 심전도와의 비교가 항상 필요하다.

몇 개의 부가적 문제점들...

이 심전도의 QT 간격 또한 조사하면 흥미로울 것이다. 처음으로 훑어볼 때, 정상이거나 아주 조금 짧게 보인다. 왜냐하면 정확한 위치를 보지 않기 때문이다. 유도 V_1부터 V_3까지 선을 그려서 밑의 유도 Ⅱ 부분까지 내린다면, 전흉부 유도들에서 마지막 부분이 등전위(isoelectric)인 것을 알 수 있다. 유도 Ⅱ에서는 0.38초로 측정된다. 그러나 유도 Ⅲ을 측정할 때 우리는 최대 간격이 0.40초인 것을 보게 된다. 우리의 측정기를 사용하여 측정을 해보면 급성 경색 패턴에 의해서 간신히 조금 연장된 것을 보게 된다.

최종평가

1. 측벽 확장을 동반한 전중격 ST분절 상승 심근경색
2. QT 간격이 조금 연장됨

시험 심전도 47 : 답

1. **전반적인 인상 :** 불규칙적인 리듬, 전흉부 유도들의 R파의 진행(R wave progression)의 소실
2. **눈에 띄는 특징적인 소견은 없는가?**
   불규칙적인 리듬, 전흉부 유도의 r파의 진행의 소실
3. **맥박 :** 분당 88회
4. **간격**
   PR 간격 : 아래의 토의 내용을 참조
   QRS 간격 : 0.10초
   QT 간격 : 0.36초
5. **리듬 :** 아래의 토의 내용을 참조
6. **축 :** 좌 사분역, −60도
7. **비대 :** 없음.
8. **허혈 혹은 경색 :** 없음.
9. **감별 진단 :** 유도 위치 불량
10. **모든 것들을 통합하여**

이것은 당신이 절대로 해석하지 않기를 바라는 심전도 중 하나이다. 그 이유는 리듬이 시작될 때부터 해석하기 어렵기 때문이다. 당신이 이런 힘든 것들을 마주할 때, 당신의 환자가 안정되어 있는 동안, 당신은 반복 심전도와 리듬 스트립을 얻을 충분할 시간을 가질 수 있다는 것을 기억해라. 당신이 다음에 무엇을 해야 할지는 분명하다. 직접 환자의 침대에 가서 유도의 위치를 점검하는 것이다.

이 리듬은 해석하기 어렵다. 왜냐하면 주로 불규칙적으로 불규칙하지만, 일치하는 일부의 R−R 간격이 있기 때문이다. 예를 들어, 3번째와 4번째 군들 사이와 6번째와 7번째 군들 사이에 동일한 R−R 간격을 가진다. 동일한 R−R 간격은 또한 8번째와 9번째 군들 사이와 9번째와 10번째 군들 사이에서도 보인다. 4번째와 5번째 군과 6번째와 7번째 군의 R−R 간격의 미묘한 차이를 구별하기 위해 측정기가 필요하다. 당신은 전체적으로 흩어져 있는 일부의 매우 작고 평평한 P파로 보이는 것들을 보도록 당신 스스로에게 얘기할 것이다. 그러나 그것들은 일관되지도 않으며 심지어 동일한 유도에서 보이지도 않는다. 기저선은 그냥 흔들리는 기저선이며 P파의 모양이 실질적으로 보이지 않고 재연되지 않는다. 단지 이 심전도에 근거하여 우리는 불규칙성과 P파의 부재로 심방세동에 크게 가능성을 두어야 한다. 당신이 완벽히 확신하는가? 절대 아니다. 확실하지 않을 때, 당신은 리듬 스트립과 적절한 유도 위치에 다른 추가적인 기록을 갖기 전까지는 최종적인 결정을 해서는 안된다. 임상적인 연관성과 이전 스트립과의 비교 또한 매우 도움이 될 것이다.

전흉부 유도들에서는 무엇이 진행되고 있는가? 거의 진행하지 않는 r파가 전반적으로 나타난다. "R"파 대신 "r"파라는 용어를 사용하는 것은 이 파들이 진폭이 매우 작기 때문이다. 이 현상은 초보 심전도 기술자가 흉부 유도들을 잘못된 위치에 놓거나, 지나치게 부끄러워하여 여성의 가슴 아래의 적정한 위치에 유도를 놓지 못할 때 발생한다. 다시 한번, 적절한 위치에 유도를 놓는지 확인하기 위해 당신의 감독 하에 심전도를 반복하여라. 만약 유도가 올바른 위치에 놓여져 있다면 작업성 진단(working diagnosis)은 확장되고 커진 심장이며, 완전한 평가를 위한 추가 정밀검사가 더 필요하다.

몇 개의 부가적 문제점들...

모든 심전도가 정확한 해답을 주지 않는다. 당신은 병상 옆에서 행해지는 이러한 검사의 한계를 수용하고, 그것으로부터 얻을 수 있는 정보를 극대화하기 위해 노력해야한다. 대부분의 시간에서, 오류는 심전도를 얻는 과정에서 발견되며 당신은 빠르고 쉽게 문제들을 수정할 수 있다.

이 심전도 테스트 내용을 통해 우리는 당신에게 완전한 실제 크기의 심전도를 사용하여 심전도를 판독하는 현실적인 시야를 알려 주고자 노력하였다. 그리고 그것들을 보고 익히면서 당신은 해석의 문제에 똑바로 직면할 수 있게 되며, 단편적이고 부분적이며 또한 이론적인 변화들을 해석해 볼 수 있다.

이 심전도의 축은 확실하게 좌측 사분역이며 좌전섬유속차단과 일치한다. 덧붙여 말하면, 사지 유도들은 엉망이 되기가 어렵다. 유도 위치는 다리, 팔, 몸통 사이에서 다양할 수 있다. 당신은 다리 유도를 발목이나 같은 쪽의 아래 몸통에 놓을 수 있으며 어떤 형태학적인 특징에도 영향을 주지 않는다. 사지 유도들과 관련하여 일어날 수 있는 주된 오류는 잘못된 위치(예; 우측 다리에 좌측 다리 유도를 놓는 것)에 유도를 놓는 것이다. 이 오류는 심전도의 축과 유도의 형태를 바꿀 것이다. 이런 종류의 오류 중 하나로 빠른 사실을 말하는 소견은 유도 aVR에서 상향의 군이 나타나는 것이다. 이 유도는 항상 다른 것과 거울 상의 모습을 하고 있다는 것을 기억해라. 당신이 충분히 설명할 수 없을 정도의 차이가 발생하여 만족스럽지 못하다면, 심전도를 반복해라.

최종 평가

1. 심방세동의 가능성
2. 유도 위치 오류의 가능성
3. 좌축편위
4. 좌전섬유속차단
5. 비특이적 ST-T파 변화들

시험 심전도 48 : 답

1. **전반적인 인상 :** 하벽-우심실 ST분절 상승 심근경색
2. **눈에 띄는 특징적인 소견은 없는가?** 하벽 유도의 ST분절 상승과 상호성 변화
3. **맥박 :** 분당 88회
4. **간격**

   PR 간격 : 0.16초

   QRS 간격 : 0.08초

   QT 간격 : 0.28초
5. **리듬 :** 빈번한 조기심방수축을 동반한 정상 동율동
6. **축 :** 정상 사분역, +80도
7. **비대 :** 심방내전도지연
8. **허혈 혹은 경색 :** 아래의 토의 내용을 참조
9. **감별 진단 :** 심방조기수축 대 접합부조기수축
10. **모든 것들을 통합하여**

이 심전도의 어떤 혼란을 유발시키는 유일한 것은 조기군들의 모양이다. 마음속으로 스트립에서 조기군들을 제거하면, 하벽 유도들의 ST분절의 상승과 상호적 변화들이 선명하게 나타난다. 유도 Ⅱ보다 큰 Ⅲ의 상승은 우심실 침범과 일치한다. 임상적 연관성과 이전 심전도와의 비교를 포함하여 우심실과 후벽 유도들을 얻어야 한다. 측벽 전흉부 유도는 ST분절의 하강과 역위된 대칭성의 T파들을 보인다.

조기군은 성질상 심방기원이다. 뒤집힌 P파를 보라. 이것은 유도 Ⅱ의 두 번째 QRS군이 나타나기 전에 선명하다. 유도 aVF에서 세 번째 QRS군 직전에 같은 역위된 P파를 볼 수 있다. 이런 조기군들과 관련된 휴지는 비보상적이며, 이것은 심방조기수축과 일치하는 소견이다.

몇 개의 부가적 문제점들...

심방내전도지연은 유도 V_1에서 이상성 P파를 보인다.

최종 평가

1. 하벽-우심실 ST분절 상승 심근경색
2. 측벽 허혈
3. 자주 재발하는 심방조기수축들
4. 비특이적 ST-T 변화들

시험 심전도 49 : 답

1. **전반적인 인상 :** 뾰족한 T파들
2. **눈에 띄는 특징적인 소견은 없는가?** 당신은 분명 이 들 T파들 위에 앉고 싶지 않을 것이다!
3. **맥박 :** 분당 102회
4. **간격**

   PR 간격 : 0.20초

   QRS 간격 : 0.12초

   QT 간격 : 0.34초
5. **리듬 :** 동성빈맥
6. **축 :** 좌측 사분역, −40도
7. **비대 :** 심방내전도지연
8. **허혈 혹은 경색 :** 없음
9. **감별 진단 :** 없음
10. **모든 것들을 통합하여**

이 심전도는 고칼륨혈증의 고전적 소견이다. 시작과 함께 우리는 분명하게 뾰족한 T파들을 심전도 전체에서 보게 된다. 이 T파들은 좁으며 매우 끝이 뾰족하여– 이런 것에 당신은 앉길 꺼려할 것이다. 그것들은 고칼륨혈증 환자에서 발견되는 전형적인 T파들이다.

고칼륨혈증의 추가적인 단서가 존재한다. 모든 간격이 연장되어 있는 것을 확인해라. PR 간격은 0.20초로 길어졌지만, 우리는 이것을 1도 방실차단이라고 부를 수 없다. 왜냐하면 이것은 차단이 아니라 고칼륨혈증에 의해 발생한 자극 전달의 지연이기 때문이다. QRS군들은 0.12초로 넓으며 비록 늘어진 S파가 존재하지만 이행은 조기에 일어나지 않으며, 심실 내 전도를 지연시킨다. 똑같이, 빈맥의 박동수와 연관된 QT 간격도 길어졌다. 다시 한 번, 이것은 높은 칼륨 수치에 의한 재분극 이상에 의한 것이다.

고칼륨혈증을 치료하는 것은 이 책의 범위를 벗어나다, 하지만 이 환자에게서 등을 돌리지 말 것을 경고한다. 그나 그녀를 적극적으로 치료하고, 칼륨 변화를 조절하라. 이 환자는 수 초 내에 나빠질 수 있다.

몇 개의 부가적 문제점들...

심장의 전기적인 축은 −40도로 최고로 표현되었다. 그러나 당신은 유도 II가 하향이고 좌축편위를 할 것을 예측할 것이다. 다시 한 번, 칼륨 수치가 전체 심전도를 변화시킨다. 당신은 칼륨 불균형이 교정될 때까지 섬유속차단에 대한 확실한 진단을 할 수 없다.

최종 평가

1. 고칼륨혈증
2. 심실내전도지연
3. 좌축 편위
4. 심방내전도지연

시험 심전도 50 : 답

1. **전반적인 인상 :** 중추신경계 사건
2. **눈에 띄는 특징적인 소견은 없는가?** 매우 넓고 깊은 T파들
3. **맥박 :** 분당 53회
4. **간격**

   PR 간격 : 0.14초

   QRS 간격 : 0.10초

   QT 간격 : 0.68초
5. **리듬 :** 아래의 토의 내용을 참조
6. **축 :** 좌측 사분역, −80도
7. **비대 :** 심방내전도지연
8. **허혈 혹은 경색 :** 없음.
9. **감별 진단 :** 없음.
10. **모든 것들을 통합하여**

이 심전도는 심각한 중추신경계 이상을 겪는 사람에게는 전형적이다. 좁은 QRS 군, 매우 넓고 깊은 T파들과 대량의 QT 연장은 심각한 중추신경계 이상에서 특징적이다. 이들 소견들은 너무나 전형적이어서 혼돈을 일으킬 수 있는 다른 감별 진단들을 알지 못한다. 임상적인 연관성은 단순하다: 환자들은 거의 모든 경우에 의식이 없으며 혼수상태이다.

이 패턴은 반사적(knee–jerk)으로 대답이 나와야 하며, 절대로 다른 어떤 것과도 혼동되어서는 안된다. 당신이 이것을 볼 때, 즉각적으로 중추신경계에 초점을 맞추고, CT 촬영을 하여, 신경과 전문의와 바로 의논을 해라. 두개강 내 출혈이 의심될 경우 신경외과 전문의와 상담을 하라. 두개내압의 상승이 나타날 것이며, 당신은 그것을 경감시키기 위해 필요한 모든 단계를 시행해야 한다. 만약 당신이 두개내압 상승에 대한 치료가 쉽지 않다면 지금 몇 분 동안 이것을 복습해야한다.

리듬에 대하여 몇 분간 얘기해보자. 단순한 동서맥으로 나타난다. 그렇지 않은가? 그런데, 일은 항상 당신이 원하는 대로 단순하지가 않다. 유도 V_1을 집중하여 특히 T파의 마지막 지점을 보라. 첫째로 당신이 이것을 유도 V_2와 비교를 할 때, 절흔이 T파의 끝이 아니라 T파의 가운데서 떨어진다. 이제, 측정기를 들고 P–P 간격을 측정하라. 그 거리를 심전도 종이의 깨끗한 부분으로 이동시키고 그 거리를 반으로 나눈다. 절반의 P–P 거리를, 알고 있는 P파의 꼭대기에 두고 그것이 어디에 떨어지는지 보라– T파의 절흔에 바로 떨어진다. 이것이 묻힌 P파이다. 이제, 심전도의 나머지를 훑어보면 당신은 다른 군들 전반에 걸쳐 같은 종류의 절흔이 나타나는 것을 보게 될 것이다. 이 리듬은 2도 2:1 방실차단이다.

우리는 2:1 방실 차단이 Mobitz Ⅰ인지 Ⅱ인지를 말할 수는 없다. 왜냐하면 우리는 PR 간격이 증가하고 있는지를 계산할 수 없기 때문이다. 이것은 어떤 종류의 차단이든 될 수 있기 때문에 우리는 이것을 2도 2:1 방실차단이라고 부르는 것 이상으로는 구별짓지 않는다. 비정상의 원인은 중추신경계 이상이다. 중추신경계 이상은 전형적으로 부정맥과 관련이 있으며 대부분의 경우에서 사망의 원인이 된다.

몇 개의 부가적 문제점들...

유도 V_1에서 이상성 P파를 가지는 심방내전도지연을 가진다.

저전압 기준은 사지 유도에서 5mm 이하의 QRS 진폭을 가지므로 저전압 기준을 만족한다.

최종 평가.

1. 심한 중추신경계 사건과 관련된 ST–T파의 이상들
2. 2도 2:1 방실차단
3. 심방내전도지연
4. 저전압

약어

ACLS (advanced cardiac life support): 상급심장소생술

AFib (atrial fibrillation): 심방세동

AMI (acute myocardial infarction): 급성심근경색

APC or PAC (aterial premature contraction): 심방조기수축

ASMI (anteroseptal myocardial infarction): 전중격 심근경색

BPM (beat per minute): 분당 박동수

CAD (coronary artery disease): 관상동맥질환

CHF (congestive heart failure): 울혈성심부전

CNS (central nerve system): 중추신경계

COPD (chronic obstructive pulmonary disease): 만성 폐쇄성 폐질환

DDx (differential diagnosis): 감별 진단

DKA (diabetic ketoacidosis): 당뇨성 케톤산혈증

ED (emergency department): 응급의학과

ESRD (end stage renal disease): 말기신질환

IRBBB (incomplete right bundle branch block) : 불완전우각차단

IVCD (intraventricular conduction delay): 심실내전도지연

IWMI (inferior wall myocardial infarction): 하벽 심근경색

JPC or PJC (junctional premature contraction): 접합부 조기 박동

LA (left arm) (lead): 좌측상지(유도)

LAD (left axis deviation): 좌축편위

LAE (left atrial enlargement): 좌심방확장

LAF (left anterior fascicle): 좌전섬유속

LAH (left anterior hemiblock): 좌전 반차단

LBBB (left bundle branch block): 좌각차단

LCX (left circumflex artery) : 좌회선동맥

LGL (Lown-Ganong-Levine syndrome) : 론-가농-레빈 증후군

LL (left leg) (lead) : 좌측 하지(유도)

LPF (left posterior fascicle): 좌후섬유속

LPFP (left posterior fascicular block): 좌후섬유속차단

LPH (left posterior hemiblock) : 좌후반차단

LVH (left ventricular hypertrophy): 좌심실비대

MAT (multifocal atrial tachycardia): 다소성 심방빈맥

MI (myocardial infarction): 심근경색

NSR (normal sinus rhythm): 정상 동율동

NSSTW (nonspecific ST–T wave change): 비특이적 ST–T파 변화

PAT (paroxysmal atrial tachycardia): 발작성 심방빈맥

PSVT (paroxysmal supraventricular tachycardia): 발작성 심실상성 빈맥

PWMI (posterior wall myocardial infarction): 후벽 심근경색

RA (right arm) (lead): 우측상지(유도)

RAD (right axis deviation) : 우축편위

RAE (right atrial enlargement) : 우심방확장

RBBB (right bundle branch block) : 우각차단

RCA (right coronary artery) : 우관상동맥

RL (right leg) : 우측하지(유도)

RVH (right ventricular hypertrophy) : 우심실비대

RVI (right ventricular infarction) : 우심실경색

VPC or PVC (ventricular premature contraction) : 심실조기박동

VTach (ventricular tachycardia) : 심실빈맥

WAP (wandering atrial pacemaker) : 유주심방조율

WPW (Wolf-Parkinsonism-White syndrome) : WPW 증후군

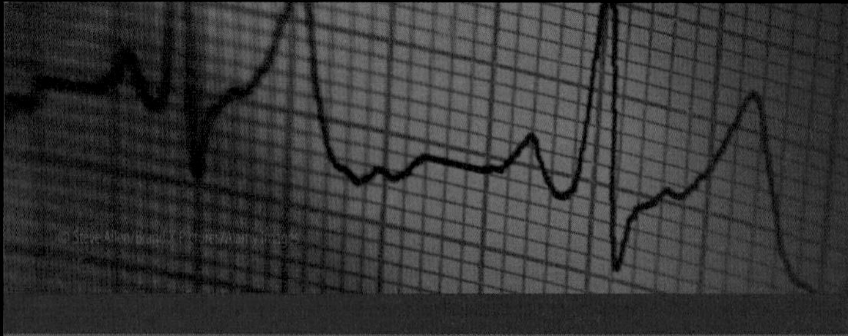

판독력 향상

당신의 판독력 향상을 위해 추가적으로 심전도를 보기를 권유한다. 시중에 꽤 많은 수의 교과서가 있으며 특별한 무언가를 위해 한 권의 책을 찾는 것은 기운이 빠지는 일이다. 주제에 따른 몇개의 훌륭한 책을 소개하는 것이 좋다고 생각한다. 이 목록은 우리에게 영향을 끼친 교과서들이다.

Chu's Electrocardiography in clinical practice, 6판, Borys Surawicz, M.D., M.A.C.C., Timothy Knilans, M.D., Saunders, 2008.

이것은 현재까지 집필된 심전도에 대한 복습서 중에서 가장 광범위하고 권위있는 책이다. 당신이 필요한 모든 지식에 대한 훌륭한 교재가 될 것이다. 그러나 광범위한 내용을 이해하기 위해서는 당신의 심전도와 의학에 대한 지식이 견고하고 넓어야 한다. 주제에 대한 결정적인 참고서가 필요하면 이것이다.

Marriott's Practical Electrocardiography, 12판, Galen S. Wagner,M.D., David G. Strauss, M.D., Ph.D., Lippincott, Williams and Wilkins, 2013.

이것은 주제에 대한 Dr.Henry Marriott의 훌륭한 교과서의 최신판이다. 당신이 중급 수준이면 쉽게 이해할 수 있어야 하는 고전이다. 8판은 Dr Marriott가 직접 집필한 것으로 구할 수만 있다면 아직 읽을 가치가 있다.

Ventricular Electrocardiography, J. Willis Hurst,M.D., J.B.Lippincott, Philadelphia, 1991.

우리가 알기로는 절판되었다. Medscape.com에서 2판의 online 복사판을 볼 수 있다. 이 책은 훌륭한 역사적 지식과 벡터, 심전도를 어떻게 만들며, 어떻게 판독하는지에 대한 광범위한 정보를 준다. 개념은 이해하기 어렵지만, 노력한 만큼 가치가 있다.

The Complete Guide to ECGs : A comprehensive Study Guide to Improve ECG Interpretation Skills, 3판, James H. O'Keefe, Jr., M.D., Stephen C. Hammill, M.D., Mark S. Freed, M.D., and Steven M. Pogwizd, M.D., Jones & Bartlett Publishers, 2008.

중급과 고급 학생을 대상으로 한 심전도의 매우 좋은 복습서이다. 이 책을 읽기 전에 심전도에 대한 견고한 기초지식이 있어야 하나, 예제와 해설이 훌륭하다.

Clinical Electrocardiographic Diagnosis: A Problem–Based Approach, Noble O. Flower, M.D., Lippincott Williams and Wilkins, 2000.

다시 한 번, 중급과 고급 학생을 위한 광범위하고 훌륭한 심전도의 복습서이다. 이 책 역시 보기 위해서는 심전도에 대한 견고한 기초지식이 요구된다. 예제들은 훌륭하며 임상적 접근은 신선하다.

Advanced ECG: Boards and Beyond, 2판, Brendan P. Phibbs, M.D., Saunders, 2005.

이 책은 광범위한 복습서는 아니다. 그러나 책에서 언급한 부분은 매우 훌륭하다. 중급 임상가를 위해 집필되었다. 그리고 쉽게 읽을 수 있다. 많은 임상의 진주들이 있다. 읽을 가치가 있는 책이다.

용어풀이

A

Aberrancy (편위전도) – 심장 내 전기 신호의 비정상적인 전도. 이 편위전도는 정상 전도로를 통한 것과 다른 형태의 넓은 QRS군의 모양을 보인다.

Absolute refractory period (절대불응기) – 세포의 점화주기(firing cycle)에서 다른 자극을 발생하게 하기 위한 재자극을 할 수 없는 시기.

Accelerated idioventricular rhythm (가속성 심실고유율동) – 분당 40회에서 100회 사이의 빠른 형태의 심실고유율동

Accelerated junctional rhythm (가속성 접합부율동) – 방실결절이나 주위조직에서 기원하는 이탈율동으로 예상보다 빠르거나 더 가속화된 율동. 박동수는 분당 60에서 100회 사이

Accessory pathway (부전도로) – 심방에서 심실까지의 전기전도를 시행하는 방실결절 이외의 경로

Action potential (활동전위) – 수축을 일으키는 심근의 전기적 점화. 4단계로 이루어져 있다.

Acute coronary syndrome (ACS) (급성관동맥증후군) – 심근의 허혈에 의해서 발생하는 일련의 심장상태; 중요 종류는 불안정협심증, 비-ST-분절상승심근경색, 그리고 ST-분절상승심근경색 등을 포함한다.

Amplitude (진폭) – 파나 QRS군의 총 높이

Anterograde conduction (전향전도) – 방실 결절을 통한 심방에서 심실로의 정상 전기 전도

Anterior wall (전벽) – 심장의 해부학적 전면에 놓이는 수직벽(vertical wall), 전흉벽과 가장 가까움

Anteroseptal (전중격) – 해부학적으로 심장의 전벽과 심실중격을 포함한 구역

Antidromic conduction (역방향전도) – WPW 증후군 환자에서 나타나는 전기 신호의 원형 모양의 움직임으로 전기 신호가 Kent 속(bundle)을 타고 내려가서 다시 방실 결절을 통해 심방으로 올라오는 것

Arteries (동맥들) – 피를 심장에서부터 가지고 나오는 순환계의 혈관들

Atria (심방) – 심장의 작고 얇은 벽을 가진 방. 심실을 위한 기폭 펌프들 작용을 한다. 우심방, 좌심방의 2개로 이루어져 있다.

Atrial fibrillation (AFib, 심방세동) – 수많은 심방조율기에서 무작위적인 혼돈 상태의 점화(firing)가 일어나는 것. 구별 가능한 p파가 없고 불규칙하게 불규칙한 QRS군이 보인다. 무질서한 점화는 심방의 기계적 수축능을 상실하게 한다.

Atrial flutter (Aflutter, 심방조동) – 빠른 심방율동(심방 박동수 보통 분당 300회), 아마도 회귀 기전에 의하며, 심전도에서 P파가 톱날(saw-toothed) 모양으로 보인다. 심실 박동수는 다양할 수 있다.

Atrioventricular(AV) node (방실결절) – 전기전도계의 일부분. 심방에서 심실까지의 전기전도를 심방의 수축이 충분히 일어날 만큼 지연시키는데 그 역할이 있다. 이 지연은 심방이 심실을 가득차게 해서 최대의 심박출량을 유지하게 한다.

Augmented limb lead (증폭사지유도) – aVR, aVL, aVF의 사지 유도

AV block (방실차단) – 질병이나 약물, 미주신경 자극으로 인한 생리적 방실결절차단. 여기에는 1도 방실차단, Mobitz I 2도 방실차단(Wenckebach), Mobitz II 2도 방실차단, 3도 방실차단이 있다.

AV dissociation (방실해리) – 불완전한 방실차단으로 인한 심방과 심실의 독립적인 점화(firing). 심실 심박동수에 심방 자극이 미미한 작은 조절을 한다. 방실해리에서 심방 박동수는 심실 박동수와 같거나 거의 비슷하다.

AV node (방실결절) – atrioventricular node (방실결절)을 보라.

Axis wheel (축바퀴) – 심장의 전기축을 계산하기 위한 도구

B

Bachman bundle (각) – 심방중격을 통과하는 전기 신호를 전달하는 심장 전기 전도계의 일부분

Bilatrial enlargement (양심방확장) – 양심방의 확장

Bifascicular block (2섬유속차단) – 우각차단과 좌각의 좌전섬유속이나 좌후섬유속 차단이 동반된 경우

Biphasic (이상성) – 하향과 상향 부분을 모두 가지고 있는 파를 기술하기 위한 용어. 주로 P파와 T파와 같이 사용한다.

Bradycardia (서맥) – 분당 60회 미만의 율동

Brugada sign (브루가다 징후) – 이것의 정의는 0.10초 이상의 R파에서 S파의 맨 아래까지의 비정상적으로 연장된 간격을 말한다. 만약 이것이 존재하면, 이것은 비정상 소견으로 넓은 QRS 빈맥에서 심실빈맥과 편위전도를 가진 심실상성 빈맥을 감별하는데 도움을 줄 것이다.

Bundle branch block (BBB, 각차단) – 전기 전도계 중 우각이나 좌각의 생리적 차단

Bundle branch (각) – 전기 전도계의 일부. 우각과 좌각 2개가 있다. His 속에서 유래하여 Purkinje계에서 끝난다.

Bundle of His (His속) – 전기전도계의 일부. 방실결절에서 시작하여 좌, 우각에서 끝난다.

C

Calibration box (보정상자) – 심전도가 기본 형식에 맞는지 확인하는데 사용하는 심전도 끝에 있는 심전도 기준선의 상자나 계단모양의 변위(displacement). 기본 눈금 상자(standard calibration box)는 높이가 10mm이고 넓이가 0.20초이다. 이 보정 상자는 높이를 측정하기 위해 기본의 1/2이나 2배로 설정할 수 있고 넓이를 측정하기 위해 폭에 대해 25mm나 50mm 표준으로 설정할 수 있다.

Caliper (측경기) – 뾰족한 끝을 가진 똑같은 2개의 다리로 이루어진 도구로 거리를 측정하는데 쓰인다. 심전도나 건축, 항해에 사용된다.

Capture beat (포획박동) – 방실해리의 경우 가끔 P파가 심실로 전도될 수 있다. 이 군은 정상적인 전도로를 통해 전기 자극이 전도된 것이기 때문에 이소성 심실 박동에 비해 정상파와 비슷하거나 가까운 가는 모양으로 나타난다.

Clockwise rotation (시계방향회전) – 전흉부 유도에서 늦은 이행대를 기술하기 위한 용어

Compensatory pause (대상성 휴지) – 조기 박동 후 즉시 따라 오는 휴지기로 2개의 정상 박동 사이의 간격보다 길어, 조기 박동 주위의 율동이 주기 변화 없이 진행할 수 있게 한다. 본질은 휴지기가 선행하는 조기 박동의 짧은 간격을 보상하여 박동수가 예정대로 진행하게 한다.

Concordance (일치) – 각차단에서 QRS 끝부분과 같은 방향으로 T파가 굴절하는 상태를 말함. 대부분의 경우에서 비정상적인 방법으로 재분극이 이루어지는 것을 반영하는 것 같다.

Continuous leads (연속 유도들) – 각각의 유도들이 해부학적으로 가까이 위치하여 심전도에서 같은 영역을 나타냄.

Coronal plane (관상면) – 왼쪽에서 오른쪽으로 면을 기술할 때, 신체나 장기를 전면 그리고 후면으로 나누는 해부학적 용어.

Counterclockwise rotation (시계반대방향 회전) – 흉부 유도에서 조기 이행대를 기술하기 위한 용어

D

Delta wave (델타파) – WPW 증후군에서 QRS군 첫 부분이 늘어지게(slurring) 상승하는 것

Depolarization (탈분극) – 세포가 보다 양성에 이르는 상태로, 세포외액과 평형을 이루는 쪽으로 움직임. 탈분극은 휴지기의 뒷부분에서 이루어지며 활동 전위에 의한 활성화 동안 완성된다.

Discordance (불일치) – 각차단에서 QRS군의 끝부분과 T파의 방향이 반대방향. 이것이 대부분 정상적인 상태이다.

Distal(원위) – 해부학적으로 중앙에서 방향과 비교 거리가 중앙에서 먼 것을 기술하는 용어이다. 손은 팔꿈치보다 원위에 있다는 것과 같이 원위부는 근위부보다 중앙에서 멀리 위치한다.

E

ECG ruler (심전도자) – 심전도를 계측하는데 사용하는 도구로 자와 다양한 측정 시스템을 가지고 있다.

Ectopic atrial tachycardia (이소성 심방빈맥) – 분당 100회에서 180회의 빈맥으로 이소 심방 조율기가 맥박을 만들어서 만들어진다. 빈맥 발현은 긴 기간동안 대개 지속되지 않는다.

Electrical alternans (전기적 교대맥) – 심실의 전기축이 2개 이상의 박동에서 변화하는 소견을 말한다. 대개 많은 양의 심낭 삼출액과 관련이 있다.

Electrical axis (전기축) – 심실근육세포들이 활성화되는 동안의 각각의 벡터들의 총합

Electrical conduction system (전기전달계) – 심장의 생체 전기적 활동을 통괄하기 위해 특수화된 세포들. 전기 신호의 시작과 전도에 관여한다. 또한 효과적인 심박출을 위해 심방과 심실의 박동 순서를 조절한다.

Electrical potential (전위) – 세포벽 안과 밖의 전하 차이. 근육세포의 휴지기 전위는 –70에서 –90mV이다.

Electrode (전극) – 심장의 생체전기활동을 기록하기 위해 흉부에 부탁하는 전기 센서

Endocardium (심내막) – 심방과 심실벽의 내면

Escape beat (이탈박동) – 정상 조율기가 맥박을 만들지 못할 때 발생하는 박동. 이 경우 R–R 간격이 길다.

Extreme right quadrant (심한 우측편위) – 6개 축 시스템에서 –90~–180° 영역의 사분역.

F

First-degree heart block(1°AVB) (1도 방실차단) – 방실결절의 생리적 차단의 연장에 의한 PR 간격 연장(>0.20초). 그 이유는 약물, 미주신경 항진, 질병 등이다.

Fusion beat (융합박동) – 각기 다른 조율기의 자극에 의한 2개의 박동이 합쳐져서 정상도 아니고 이탈 박동도 아닌 것을 형성한 것. 심실빈맥에서 주로 볼 수 있다.

H

Hemiblock (반차단) – 좌각의 섬유속 중(좌전 혹은 좌후) 하나의 차단

Hexaial system (6개 축 시스템) – 사지 유도들(I, II, III, aVR, aVL, aVF)에서 얻어진 관상면(coronal plane)을 기술하기 위한 시스템

Hyperacute infarction (초급성 경색) – 매우 새로운 급성심근경색 발생 최초 15분에 나타나는 심전도 유형. 침범된 유도들에서 매우 높고 뾰족한 T파가 특징이다.

Hypercalcemia (고칼슘혈증) – 혈중의 비정상적 칼슘 농도 상승

Hyperkalemia (고칼륨혈증) – 혈중의 비정상적 포타슘 농도 상승

Hypocalcemia (저칼슘혈증) – 혈중의 비정상적 칼슘 농도 하강

I

Idioventricular rhythm (심실고유율동) – 심실의 병소가 마치 일차 심박조율기 같이 작동할 때 나타나는 율동. 이 파형은 심실에서 기원하기 때문에 넓고 불규칙하다.

Incomplete right bundle branch block (ICRBBB, 불완전 우각차단) – V_1에서 RSR'군과 정상 QRS 간격이 나타날 때 불완전 우각차단으로 생각한다. 임상적 의미는 가끔 완전 우각차단으로 발전할 수 있다는 것이다.

Inferior wall (IW, 하벽) – 해부학적으로 횡격막에 놓이는 심장의 하벽

Innervation (전기 자극) – 전기적 자극에 의해 심근세포가 활성화되는 것

Intraatrial conduction delay (IACD, 심방내전도지연) – 우심방이나 좌심방의 확장이 존재할 때 사용하는 포괄적인 단어.

Intraventricular conduction delay (IVCD, 심실내전도지연) – 하나나 두 개의 고립된 유도에서의 비정상 QRS군 모양이나, 좌각차단이나 우각차단의 진단 기준에 맞지 않는 불명확한 QRS군의 넓어짐 > 0.12초.

Internodal pathway (결절간 경로) – 심방 내에서 발견되는 동결절에서 방실결절로의 전도로로 3개의 경로가 있다.

Intrinsic deflection (내인성 편향) – 심내막의 purkinje 시스템에서 심외막으로 전기 자극이 전도되는데 소요되는 시간. 주로 Q파가 없는 유도에서 측정되며 QRS군의 시작에서 R파의 하향이 시작되는 점까지 측정한다.

Ion (이온) – 양성이나 음성의 전위를 가진 용액속의 입자. 생체 내에서 주 양성 전위 분자는 소듐(Na^+), 포타슘(K^+) 그리고 칼슘(Ca^{++})이다. 클로라이드(Cl^-)가 주된 음성 전위 이온이다.

Ischemia (허혈) – 비교적 혹은 절대적 관류 부족이 일어나는 심근의 장소. 산소와 영양물의 이용이 감소한다.

Isoelectric lead (등전위유도) – 전기축과 정확히 90°를 이루는 유도. 대개 가장 작은 진폭을 가지고 하향이나 상향 모두 아닌 것에 가깝다.

J

J point(J점) – QRS군과 ST분절 사이의 이행점

J wave(J파) – 저체온증 환자에서 볼 수 있는 QRS군 끝의 큰 후탈분극파(afterdeplarization)(절흔 혹은 봉우리[hump]). J파는 Osborn파로도 알려져 있다.

James fiber(James섬유) – 방실 결절의 상부와 중앙부를 잇는 우회로, 생리적 차단을 우회한다. 이 우회로는 Lown-Ganong-Levine 증후군에서 발견된다.

Josephson's sign(조셉슨 징후) – 심실빈맥에서 볼 수 있는 S파 아랫부분 근처의 작은 절흔.

Junctional escape beat(접합부 이탈박동) – 방실결절에서 기원한 이탈박동

Junctional premature contraction (JPC, 접합부 조기수축) – 방실결절에서 기원한 이탈 박동.

Junctional rhythm (접합부 율동) – 방실결절에서 기원한 이탈율동으로, 근위 심박조율기의 부전 때문이다. 심박동수는 분당 40에서 60회이다.

Junctional tachycardia (접합부 빈맥) – 분당 100회 이상의 접합부 율동

K

Kent 다발 (bundle) – WPW 증후군 환자에서 발견되는 부경로

L

Lateral wall (측벽) – 좌측을 따라 존재하는, 측벽

Lead placement (유도 위치) – 심전도 유도를 부착하는 정확한 신체 부위

Leads (유도들) – 1. 심장의 생체 전기적 활동을 기록하기 위해 사용하는 어떠한 전극이나 도체(conductors). 2. 전극 부착 부위에 따른 심장 전기 활동의 실제적 반영. 카메라 앵글과 비슷한 말이다.

Left anterior fascicle (LAF, 좌전섬유속) – 전도계의 일부. 좌심실의 앞쪽과 위쪽의 전도를 담당한다. 퍼킨지 세포에서 끝나는 한 가닥의 코드.

Left anterior hemiblock (좌전반각차단) – 좌전섬유속 차단, 좌사분역으로 축이 이동하는 원인이다.

Left atrial enlargement (LAE, 좌심방확장) – 여러 기저 원인에 의한 좌심방벽 확장

Left axis deviation (LAD), 좌축편위) – 심실의 전기축이 좌사분역의 비정상적 부분(–30~–90°)으로의 이동

Left bundle branch (LBB, 좌각) – 좌심실에 분포하는 전기전도계의 일부. His속에서 기시하여 좌전섬유속과 좌후섬유속으로 나뉜다.

Left bundle branch block (LBBB, 좌각차단) – 좌각의 생리적인 차단으로 QRS군 > 0.12초의 넓어짐과 V_1의 단형(monomorphic)의 S파, 유도 I과 V_6의 단형의 R파가 심전도상의 특징이다.

Left posterior fascicle (LPF, 좌후섬유속) – 전도계의 일부. 좌심실의 후방과 하방에 분포한다. 이것은 광범위하게 펼쳐져 있고 purkinje 세포에서 끝나는 부채꼴 모양의 구조이다.

Left ventricular hypertrophy (LVH, 좌심실비대) – 여러 기저 원인에 의한 좌심실비대

Limb lead (사지유도) – 6개 축 시스템을 구성하는 유도로 심장을 관상면 즉 전방과 후방의 구역으로 나눈다. 여기에는 I, II, III, aVR, aVL, aVF 유도가 있다.

Lown-Ganong-Levin (LGL) 증후군 – 짧은 PR 간격과 정상 QRS군을 특징으로 하는 증후군

M

Mahaim fibers (Mahaim 섬유) – 짧은 부전도로로 방실결절의 아랫부분이나 His속과 심실중격을 연결한다. 비전형적인 WPW 증후군의 델타파의 일부의 원인이 된다.

Mobitz I second degree heart block (Mobitz I 2 AVB, Mobitz I 2도 방실차단) – Wenckebach로도 알려져 있다. 박동 하나가 완전히 빠질 때까지 PR 간격이 연장되는 것을 특징으로 하는 그룹을 이룬 율동.

Mobitz II second degree heart block (Mobitz II 2 AVB, Mobitz I 2도 방실차단) – 군들 주위의 PR 간격 연장이 없으면서 박동이 빠지는 그룹을 이룬 율동. 이것은 방실결절의 질병이 원인이며 완전 방실차단의 전조이다.

Multifocal atrial tachycardia (MAT, 다소성 심실빈맥) – 불규칙적으로 불규칙적인 빈맥 리듬으로 고유의 속도로 신호를 만드는 다수의 심방 조율기들에 의해 만들어진다. 정의에 의하면 3개 이상의 다른 P파 형태와 각각의 다른 PR 간격을 가진다.

Myocardial infarction (심근경색) – 죽은 심근 조직이 생성되거나 있음을 특징으로 하는 급성 혹은 만성 과정.

Myocyte (심근세포) – 각각의 심장 근육세포

N

Noncompensatory pause (비대상성 휴지) – 조기박동 직후의 휴지기로, 조기박동 후에 리듬이 바뀌고, 조율기를 초기상태로 돌려서(reset), 율동을 변화시킨다. 본질적으로 조기 박동 전의 짧은 간격을 보상하지 못하여 박동수는 조기 박동 후 완전히 바뀌게 된다.

Non-Q wave infarction (Q wave 없는 경색) – ST 하강이나 비특이적 변화로 나타나는 작은 구역의 급성심근경색. 실험실 혈액 검사인 심장 효소 수치 상승으로 진단된다.

Non-ST-segment elevation myocardial infarction (NSTEMI, 비 ST분절 상승 심근경색) – 심근경색의 증상과 징후로 특징되는 신한 허혈 상태이지만, 심전도는 ST분절 하강 혹은 T파 역위가 나타난다; 심근세포의 손상이 존재한다.

Normal quadrant (정상 사분역) – 6개 축 시스템에서 0°도~90°로 나타나는 사분역

Normal sinus rhythm (NSR, 정상 동율동) – 동방 결절이 선도적 심조율기로서의 역할을 하는 심장의 정상 상태이다. 박동간의 간격은 모두 일정해야 하고, 정상 범위 내에 있다.

O

Osborn wave (오스본파) – 저체온 환자에서 나타나는 QRS군 끝의 큰 후탈분극파(afterdepolarization, 절흔 혹은 혹)로 J파로도 알려져 있다.

Orthodromic conduction (정방향전도) – Wolff-Parkinsion-White 증후군 환자에서 전기 자극의 원형 움직임이 일어나는 방향이 정상적으로 방실결절을 통과하고 Kent 속을 거쳐서 심방으로 다시 되돌아가는 것.

P

P mitrale (승모판성 P) – P파에 두개의 봉우리가 있고 M모양이며 ≥ 0.12초, 봉우리 꼭지들(top)은 ≥ 0.04초 떨어져 있으며, 사지 유도 I, II, III에서 발견된다. 그것은 좌심방의 확장을 반영한다.

P pulmonale (폐성 P) – 큰 P파 높이 ≥ 2.5mm, 사지유도 I, II, III에서 발견된다. 이것은 우심방의 확장을 반영한다.

P wave (P파) – 심방 탈분극 굴절(deflection)로 이용됨. 박동 혹은 군들이 첫번째 파이다.

P-P interval (P-P 간격) – 두 연속하는 P파 사이의 간격

Pacemaker (심박조율기) – 심장의 탈분극을 시작하게 하는 장소이며, 심장이 순환하는 심박동수를 지시한다. 어떤 심장 근육세포도 이 기능을 할 수 있지만, 심박조율기 기능은 대개 전기 전달계의 세포에 의해서 이루어진다.

Paroxysmal supraventricular tachycardia (PSVT, 발작성 심실상성 빈맥) – 갑자기 시작하고 갑자기 끝나는 심실상성 빈맥

Pericarditis (심낭염) – 심낭을 침범하는 염증 현상

Pericardium (심낭막) – 심장표면이나 바깥 막

Polarization (분극) – 세포가 더욱 음성이 되어 세포외액과는 반대로 불균형하게 변화하는 것. 분극은 활동전위 이후에 발생하며 그리고 안정기의 초기동안 지속된다.

Posterior wall (PW, 후벽) – 해부학적으로 가슴이나 흉곽의 후벽에 가깝게 위치한 심장의 수직벽.

PR interval (PR 간격) – P파의 시작점부터 QRS군의 시작점 사이를 차지하는 시간 간격

PR segment (PR절) – P파의 끝부터 QRS군의 시작점까지의 분절

Precordial lead (전흉부 유도) – 흉부 유도를 묘사하는 다른 용어. V_1에서 V_6로 부호화되어 있다. 이것은 심장을 시상면(sagittal plane)을 따라 심장을 나눈다.

Premature atrial contractions (PAC, 조기심방수축들) – 동결절의 박동수보다 심방에 위치한 이소성 심박소율세포가 빨리 박동을 만들어서 조기에 나타나는 박동. 그 결과는 군들이 예측보다 빨리 나타난다.

Premature junction contraction (PJC, 조기접합부수축) – 방실결절에서 유래하여 조기에 나타나는 박동. 심실 탈분극은 방실결절 원위부의 정상 전도계를 따라서 일어나기 때문에, QRS 군의 모양은 날씬하고 정상 모양을 한다.

Premature ventricular contraction (PVC, 조기심실수축) – 심실 세포가 조기 박동을 만들어서 나타나는 편위되어 보이는 군.

Proximal (근위의) – 해부학적으로, 중심으로부터의 비교 거리와 방향을 기술하기 위한 용어. 물체가 근위에 있다면 원위에 있는 것에 비해 중심에 가까이 있다는 것이다. 팔꿈치는 손보다 근위에 있다.

Pseudoinfart (가성경색) – Wolff-Parkinson-White 증후군 A형에서 하부유도에 나타나는 Q파의 형태. 이것은 실제 경색에 의해 발생한 모양이 아니다.

Purkinje system (Purkinje계) – 심장의 전기 전도계의 마지막 단계로 작용하는 특수화된 세포. 직접적으로 심실세포를 자극한다.

Q

Q wave(Q파) – QRS군의 첫 번째 하향파.

Q wave infarct (Q파 경색) – 급성 혹은 만성의 경색에 동반되는 병적인 Q파. 대개 큰 연속하는영역의 조직괴사를 의미한다.

QR' wave (QR'파) – 우각차단과 전중격벽 경색시 V_1의 QRS군의 모양. R파는 경색에 의해서 소실되며 Q파로 대치된다.

QRS complex (QRS군) – 심실 탈분극을 의미하는 파의 복합체(complex). 이것은 단일의 혹은 다수의 파형이 연속하여 구성되며, 여러

형태의 조합으로 나타난다 : Q파, R파, S파

QRS interval (QRS 간격) – QRS군의 시간 간격

QRS notching (QRS 절흔) – QRS군의 끝에서 발견되는 작은 혹(hump) 혹은 절흔. 대개의 경우 양성의 원인에 의한다.

QS wave (QS파) – 정의상, R파가 없고 오직 하향부분만으로 구성된 V_1에서 발견되는 파형.

QT interval (QT간격) – QRS군의 시작부터 T파의 끝까지 공간의 시간 간격; 심박동수에 따라서 달라질 수 있다.

QTc interval (QTc간격) – QT 간격을 심박동수에 대해 수학적으로 교정한 것

Quardants (사분역) – 6축 시스템(hexaxial system)은 4개 사분역으로 나눌 수 있다. 정상, 좌, 우, 극우 사분역. 각 사분역은 6축 시스템의 90°를 의미한다.

R

R wave (R파) – QRS군의 첫 상향 파.

R-R interval (R-R간격) – 연속한 2개의 R파 사이의 간격

Rabbit ears (토끼 귀) – 우각차단 시 V_1에서 전통적으로 나타나는 RSR' 형태에 대한 속어

Rate (박동수) – 분당 박동수

Refractory state (불응상태) – 탈분극 직후의 짧은 시간, 심근세포가 재분극이 되지 않은 상태여서 세포가 자극을 만들거나 자극을 전달하지 못하는 상태

Retrograde conduction (역방향전도) – 전기적 자극의 전달이 방실결절을 통해 반대방향으로 일어나는 것으로 심실 혹은 방실결절에서 심방으로 전달되는 것

Right atrial enlargement (RAE, 우심방확장) – 어떤 기저 원인으로 인한 우심방확장

Right axis deviation (RAD, 우축편위) – 우사분역(90~180°)에 위치한 심실 전기축의 편향

Right bundle branch block (RBBB, 우각차단) – 우각의 생리적 차단에 의해서 발생하는 QRS군 > 0.12초의 특징적 심전도 형태, 유도 I, V_6의 늘어진(slurrerd) S파, 그리고 V_1의 RSR' 양상을 특징으로 함.

Right ventricular hypertrophy (RVH, 우심실비대) – 어떤 기저 원인에 의한 우심실비대

S

S wave (S파) – QRS군의 2번째 하향파

$S_1Q_3T_3$ pattern ($S_1Q_3T_3$ 형태) – 유도 I의 작은 S, III의 작은 q, III에서 뒤집어진 T. 이것은 급성 혹은 만성 우심실 긴장 형태의 표시이다. 폐색전증의 경우에도 가끔 관찰된다.

Sagittal plane (시상면) – 해부학적으로 몸을 앞과 뒤로 가면서, 몸이나 장기를 좌우로 나누는 면.

SA node (동방결절) – sinoatrial node(동방결절)를 보라

Second marks (초 표시) – 시간 간격을 나타내는 심전도의 아랫부분에 있는 작은 표시. 기기에 따라 3초나 6초마다 있다. 25mm 표준 심전도에서 큰 상자 5개는 1초를 의미한다.

Septal Q waves (중격 Q파들) – 심실 간 중격 자극에 의해서 발생하는 유도 I과 aVL의 작고 병적이지 않은 Q파

Septum (중격) – 해부학적으로 2개의 심방과 2개의 심실 사이의 벽

Sinoatrial block (동방차단) – 중간 중간 빠지는 동성 박동이 배치되어 있는 율동. P-P 간격은 정상 간격의 배수이다.

Sinoatrial node (SA, 동방결절) – 주 심박조율기

Sinus arrest (동정지) – 오랜 시간동안 심방의 심박조율기의 작동이 중지되는 리듬. 동휴지(sinus pause)가 언제부터 동정지(sinus arrest)가 되는지에 대한 엄격한 기준은 없다.

Sinus arrhythmia (동부정맥) – 호흡주기에 의한 심박동수가 연속적으로 빨라지고 늦어지는 정상 동율동 변이의 하나. 리듬은 호기 때 느려지고 흡기 때 빨라진다.

Sinus bradycardia (동서맥) – 동방결절에서 기원한 느린 율동(분당 < 60회)

Sinus pause (동휴지) – 동방결절이 작동하지 않는 기간. 이 시간 간격은 정상 P-P 간격의 배수가 아니다.

Sinus tachycardia (동빈맥) – 동방결절에서 기원한 빠른 리듬(분당 ≥ 100회)

Slurred S wave (늘어진 S파) – 우각차단 시 유도 I과 V_6에서 S파의 느린 상승. 늘어진 S파는 여러 가지 모양을 가질 수 있다.

ST segment (ST분절) – QRS군의 끝에서 T파의 시작까지의 군의 부분. 전기적으로 심실 탈분극과 재분극 사이의 비활동 기간을 의미한다. 기계적으로, 심근 세포가 수축을 유지하고 있는 시간을 의미한다.

ST-segment elevation myocardial infarction (STEMI, ST분절 상승 심근경색) – 전층의 허혈/경색에 의해 발생하는 ST분절 상승을 동반한 허혈 증후군으로 관상동맥의 폐쇄와 관련이 있다; 질환이 발생한 환자는 응급 재관류가 요구된다.

Strain pattern (긴장양상) – 우심실비대 혹은 좌심실비대와 관련하여 역위되고 비대칭적인 T파와 ST절의 변화가 나타나는 것

Supraventricular (상심실성의) – 심실 위에서 기원하는 자극과 리듬에서 사용한다.

T

T wave (T파) – 심실의 재분극을 의미하는 파

Tachycardia (빈맥) – 빠른 율동(분당≥100회)

Threshold potential (역치전위) – 활동전위(action potential)를 유발하는 전기값.

Third degree heart block (3AVB, 3도 방실전도차단) – 방실결절의 완전차단에 의해서 심방과 심실이 독자적으로 전기적 신호를 생성하는 것. 3도 방실차단에서는 심방 박동수가 심실 박동수보다 빠르다

Torsade de pointes (염전성 심실빈맥) – QRS군의 축이 상향에서 하향으로 그리고 다시 상향

으로 아무렇게나 움직이는 물결치는 모양의 사인 곡선 율동.

TP segment (TP분절) – T파의 끝에서 다음 P파의 시작까지의 영역의 기준선. 한 TP분절과 다음 박동의 TP분절까지 선을 그리면 이것이 심전도의 진정한 기준선이 된다.

Tp wave (Tp파) – 심방의 재분극을 의미하는 파. 매우 빠른 빈맥에서 PR 하강이나 ST분절의 하강으로 나타난다.

Transitional zone (이행대) – 전흉부 유도에서 QRS군의 대부분이 하향에서 대부분이 상향으로 변화하는 등전위 지점을 나타내는 영역.

Transmural (전층의) – 심내막, 심근, 심외막의 전체 심실벽을 침범하는; 예를 들면, 전층 급성심근경색

U

U wave (U파) – T파 후와 다음 P파 사이에 때때로 나타나는 작고 평평한 파. 이것은 심실 후탈분극(afterdepolarization)과 심내막의 재분극을 의미한다.

Unstable angina (UA, 불안정협심증) – 안정시나 점점 강해지는 흉통과 관련이 있는 허혈이 심하게 발생하고 있는 허혈 증후군; 심전도는 정상 혹은 ST분절 하강 그리고/혹은 T파 역위. 허혈은 영구적 세포 손상으로 진행하지는 않는다.

V

Vector (벡터) – 전기 자극의 크기와 방향을 나타낼 때 사용하는 도식적 용어

Vein (정맥) – 심장쪽으로 혈류를 운반하는 순환계의 혈관

Ventricle (심실) – 심장의 크고 두꺼운 근육으로 구성된 방으로 주 펌프 기능을 하는 방이다. 좌심실, 우심실의 2개가 있다.

Ventricular escape beats (심실 이탈박동) – 심실심근세포에서 유래하는 이탈박동

Ventricular fibrillation (심실세동) – 완전히 불규칙한 형태로 발생하는 많은 심실내 조율기에서의 혼란스러운 점화(firing). QRS군을 분별할 수 없다. 무질서한 점화(firing)는 심실의 기계적 수축이 소실되게 된다.

Ventricular flutter (심실조동) – 분당 200~300회로 발생하는 아주 빠른 심실빈맥, 군들은 융합되어 사인파 양상을 만든다.

Ventricular tachycardia (VTach, 심실빈맥) – 심실 조율기에서 유래하는 분당 100~200회의 매우 빠른 박동. 심실은 심방과는 항상 분리되어 있다.

W

Wandering atrial pacemaker (WAP, 유주심방조율) – 다수의 심방조율기에서 만들어지는 〈 100회/분의 심박수를 가지는 불규칙하게 불규칙한 율동. 각 조율기는 고유한 속도를 가진다. 정의에 의하면 최소 3개 이상의 다른 모양의 P파와 다른 PR 간격이 있어야 한다.

Wave (파) – 기준선에서부터 상향 혹은 하향의 굴절, 심주기의 전기적 사건을 의미한다.

Wenckebach – 또한 Mobitz I 2도 방실차단으로도 알려져 있다. 박동이 완전히 빠질 때까지 PR 간격이 증가하는 특징을 가진 그룹을 지어 나타나는 율동이다.

Wide-complex tachycardia (넓은 군 빈맥) – QRS넓이 > 0.12초의 빈맥. 다른 것으로 판정되기 전까지 넓은 군 빈맥은 심실빈맥으로 생각하여야 한다.

Wolff-Parkinson-White (WPW) syndrome (WPW 증후군) – 짧은 PR 간격, 델파 파, 비특이적인 ST–T파의 변화, 그리고 발작성 빈맥의 발생을 특징으로 하는 증후군

Z

Z axis (Z축) – 이것이 가지고 있는 앞과 뒤로의 방향성으로 심전도 판독에 3차원적 시각을 부가시킨 축 시스템.

ECG Index

ㄱ

ㄴ

ㄷ

ㄹ

ㅁ

ㅂ

ㅅ

ㅇ

ㅈ

ㅋ

ㅌ

ㅎ

A~Z

기호

Index

노트: 쪽 번호 후 따라오는 f는 그림을 가르킴

ㄱ

ㄴ

ㄷ

ㄹ

ㅁ

ㅂ

ㅅ

ㅇ

ㅈ

ㅊ

ㅋ

ㅌ

ㅍ

ㅎ

A~Z

기호